INTELLIGENCE DE L'ANTICOMMUNISME

Du même auteur

Le Pouvoir périphérique, bureaucrates et notables dans le système politique français, Le Seuil, 1976.

L'Ordinateur au pouvoir, essai sur les projets de rationalisation du gouvernement des hommes, en collaboration avec Haroun Jamous, Le Seuil, 1978.

Paris/Prague, la gauche face au renouveau et à la régression tchécoslovaques, Julliard, 1985.

Preuves, une revue européenne à Paris, choix de textes et notes de Pierre Grémion; postface de François Bondy, Julliard, 1989.

Vents d'Est. Vers l'Europe des États de droit ?, en collaboration avec Pierre Hassner (éd.), Presses Universitaires de France, 1990.

PIERRE GRÉMION

INTELLIGENCE DE L'ANTICOMMUNISME

Le Congrès pour la liberté de la culture à Paris
(1950-1975)

FAYARD

Remerciements

Il m'est agréable de remercier aujourd'hui toutes celles et tous ceux qui m'ont aidé à mener à bien ce travail.

Mes remerciements vont en premier lieu aux témoins qui ont accepté de me recevoir et de répondre à mes questions. Il m'est naturellement impossible de les citer tous. Aussi n'en nommerai-je aucun. Certains sont morts en cours d'enquête tandis que des relations amicales se nouaient avec d'autres, de sorte que, sans l'avoir cherché, je me trouvai dépositaire d'une mémoire. J'espère simplement ne pas lui avoir été infidèle.

Ils vont ensuite aux personnes qui m'ont communiqué ou confié des documents sur le Congrès ou l'Association internationale pour la liberté de la culture : Mmes Jenka Sperber, Diana Josselson, Roselyne Chenu, Annette Laborey et MM. Pierre Bolomey, Denis de Rougemont (†), Peter Coleman, Marek Beylin.

Edward Shils m'a ouvert l'accès aux archives du CCF déposées à l'université de Chicago. Qu'il trouve ici l'expression de ma gratitude.

Le travail d'enquête a été réalisé grâce à des concours variés, en provenance du ministère de la Culture, du ministère des Affaires étrangères et du ministère de la Recherche et de la Technologie. Mme Marie-Christine Kessler et MM. Michel Duclos, Philippe Avenier, Jean Chapelot, Yves Duroux ont, à des stades divers, débloqué ou accéléré l'avancement de mon dossier. Ma reconnaissance à leur égard est très vive.

Je n'aurai garde d'oublier de dire ce que je dois à la courtoisie des personnels des bibliothèques Regenstein à Chicago, du musée des Arts et Traditions populaires, de la ville de La Chaux-de-Fonds, de l'université de Dijon, de la BDIC et du Centre de documentation Raymond-Aron pour mon travail d'archives.

À mi-parcours, une journée d'étude sur un rapport d'étape a été organisée au *Center for European Studies* de l'université Harvard :

merci à Abby Collins, Stanley Hoffmann et Charles Maier pour leur accueil et la mise sur pied de cette rencontre.

Ma recherche a été réalisée de bout en bout dans le cadre du Centre national de la recherche scientifique. Au Centre de sociologie des organisations, mon unité de rattachement au sein de cet Établissement public à caractère scientifique et technologique, j'ai bénéficié de nombreuses discussions avec Werner Ackermann et de l'aide de Martha Zuber, Marie-Annick Mazoyer et Nicole Tréhondart. Cette dernière, qui a eu la tâche ingrate de dactylographier les versions successives du manuscrit, mérite des remerciements plus particuliers.

Enfin, ce livre n'aurait vraisemblablement jamais abouti sans la stimulation intellectuelle et le soutien amical dont j'ai bénéficié autour de Pierre Hassner dans le cadre du Groupe d'étude des relations Est-Ouest en Europe de la Fondation nationale des sciences politiques.

Présentation

Les bouleversements du monde ont été si considérables entre le démarrage de l'enquête qui a donné naissance à ce livre et le moment de sa publication qu'un regard en arrière est indispensable à la compréhension de l'ouvrage que le lecteur a entre les mains.

C'est au printemps 1983 que fut réalisé le premier entretien ouvrant ce chantier d'une histoire du Congrès pour la liberté de la culture à Paris, qui devait me retenir près de dix ans. J'avais alors terminé depuis un certain temps déjà un manuscrit sur la perception de la crise tchécoslovaque par la gauche française et ce manuscrit avait peine à trouver un éditeur. Plus grand monde ne s'intéressait à la Tchécoslovaquie tandis que la Pologne attirait tous les regards et mobilisait les énergies. Je me trouvais à une croisée de chemins : soit coller au plus près à l'actualité, soit prendre du champ pour traiter de points insuffisamment approfondis dans ce premier travail. Tel était le cas de la notion de totalitarisme, qui avait fait une percée spectaculaire dans la vie intellectuelle française après la publication de *L'Archipel du Goulag*. Au départ, en cherchant à réunir de l'information sur le Congrès pour la liberté de la culture, je me proposais de faire une rapide mise au point sur les intellectuels antitotalitaires en vue d'une analyse de l'impact de l'œuvre d'Alexandre Soljenitsyne en France. Mais, après quelques semaines d'exploration, je me trouvai en face d'un véritable continent pratiquement inexploré : celui de la politique culturelle et idéologique américaine en Europe après la Seconde Guerre mondiale. Dès lors, j'abandonnai provisoirement

Soljenitsyne pour me consacrer à une reconnaissance de ce qui avait été un des plus beaux fleurons de cette politique, ce Congrès pour la liberté de la culture que j'avais vu mentionné pour la première fois dans *Survey*, la revue dirigée à Londres par Leopold Labedz.

Il n'existait alors que très peu de références au congrès dans les écrits français, hormis une attaque en règle de Claude Julien avant qu'il ne prît la direction du *Monde diplomatique* et les trois pages que Raymond Aron devait lui consacrer quelque quinze ans plus tard dans ses *Mémoires*. La restitution de l'entreprise s'apparentait à la construction d'un puzzle dont les pièces étaient dispersées en France, dans plusieurs pays d'Europe et aux États-Unis. La première tâche consistait à réunir le maximum de pièces possible en recueillant les témoignages des acteurs survivants. Il fallait ensuite recouper ces témoignages avec les documents qu'il était possible de réunir ou de consulter dans les fonds d'archives publics ou privés. Les données rassemblées et la combinaison de ces deux sources permettraient alors de bâtir un cadre de référence pour situer et analyser les manifestations et les publications de l'organisation en en restituant le dynamisme interne.

Cette tâche de reconstitution devait déboucher sur une première réalisation : la publication d'une anthologie de *Preuves* [1], la revue de langue française publiée sous les auspices du Congrès pour la liberté de la culture. Ce volume voulait remettre en circulation des textes de grande qualité tombés dans l'oubli. Il voulait en outre rendre hommage à une revue qui avait tenu son rang dans la capitale française tout au long des décennies 1950 et 1960.

La mise en place en librairie de *Preuves, une revue européenne à Paris* coïncida avec la chute du mur de Berlin. Bientôt l'empire soviétique s'effondrait. Les cartes internationales se redistribuaient. Les archives s'ouvraient. N'était-il pas prématuré d'écrire un ouvrage d'ensemble sur le Congrès pour la liberté de la culture ? En effet, la raison pour laquelle il existe aussi peu d'analyses de la politique culturelle internationale des États-Unis est parfaitement connue : c'est que pendant de nombreuses années la CIA en a été l'opérateur dominant.

1. *Preuves, une revue européenne à Paris*, introduction, choix de textes et notes de Pierre Grémion, postface de François Bondy, Julliard, 1989.

N'ayant pas eu accès aux archives du service, cette restriction constituait une épée de Damoclès suspendue au-dessus de mon enquête, menaçant à tout moment d'en ruiner la validité. La décision prise par la CIA dans les années qui suivirent la chute du Mur d'ouvrir certaines archives du temps de la guerre froide constituait un fait nouveau. La prudence conseillait d'attendre l'exploitation progressive de ces archives et de différer la rédaction du livre projeté.

Ce n'est pourtant pas le parti qui a été retenu. Deux motifs essentiels m'ont guidé dans ce choix. Premièrement, le Congrès pour la liberté de la culture n'a pas été un théâtre de marionnettes manipulées en coulisse. Il a disposé d'une véritable autonomie. C'est cette autonomie qui lui a permis d'être le siège d'un authentique travail intellectuel. Deuxièmement, si, à la différence de la France, il existe aux États-Unis d'innombrables références au Congrès pour la liberté de la culture, ces références sont incroyablement stéréotypées. Toutes les attitudes ont été en quelque sorte pétrifiées lorsque le financement de la CIA a été publiquement révélé sur la seconde moitié de la décennie 1960. La restitution des débats et du travail intellectuel dont ce réseau transnational avait été porteur exigeait d'être reprise sur de nouveaux frais sans passion et sans préjugé.

Le travail d'enquête avait consisté en un large balayage des activités du congrès en Europe. Le balayage terminé, il m'apparut vite qu'il serait impossible d'écrire un ouvrage embrassant l'Europe entière. Il eût fallu en effet pour ce faire maîtriser des compétences linguistiques, politiques et intellectuelles hors du commun. Je choisis donc de partir d'une perspective résolument française. Ce choix était d'autant moins arbitraire que le Secrétariat international du congrès était basé à Paris. De plus, c'est en contrôlant le mieux possible les diverses dimensions de la situation française que des aperçus féconds pouvaient être donnés sur les pays voisins, formant autant de jalons pour d'éventuelles explorations ultérieures.

En rédigeant ce livre, j'ai cherché avant tout à offrir au lecteur un dossier à peu près complet à partir des pièces de différente nature qu'il était possible de réunir avant l'ouverture totale ou partielle des archives de la CIA et leur exploitation. Je me suis efforcé également de m'effacer le plus possible derrière le matériau : c'est dire qu'à travers la trame narrative la restitution l'emporte sur l'interprétation. L'interprétation ou, plus exactement, les interprétations dont le Congrès pour la liberté de la culture est susceptible de faire l'objet requièrent de faire intervenir bien d'autres éléments que ceux pris en compte dans ce récit. Cette restitution renvoie en effet à l'histoire de deux manières complémentaires mais distinctes.

La première concerne la guerre froide elle-même. L'autonomie par rapport à la CIA dont est crédité ici le congrès n'existait pas ou existait à un moindre degré dans d'autres programmes de cette politique d'influence. La même remarque vaut pour l'adversaire : l'action des services de renseignements et les soutiens financiers de l'Union soviétique dans les milieux politiques et intellectuels européens n'étaient pas négligeables, c'est un euphémisme. L'effondrement de l'empire ouvre, semble-t-il, la possibilité d'en prendre une connaissance plus directe. C'est alors seulement que pourront être débattus dans leurs vraies dimensions les problèmes politiques et éthiques de cette période tourmentée et dangereuse.

Mais l'intérêt de la restitution du développement de ce programme dépasse la simple contribution à la connaissance de la guerre froide dans le domaine des idées. Elle débouche en effet sur une analyse des rapports entre élites américaines et élites européennes. Le Congrès pour la liberté de la culture n'aurait en effet jamais vu le jour ni connu un tel développement sans l'implication profonde d'une élite américaine dans les problèmes européens au lendemain de la Seconde Guerre mondiale. La disparition de cette élite et de ce type d'implication ne peut manquer de nourrir ici aussi un débat d'interprétation. Ce livre se borne à apporter des matériaux sur ce sujet sans avoir la prétention d'aborder au fond un débat d'une telle ampleur.

LISTE DES PRINCIPALES ABRÉVIATIONS UTILISÉES

ACCF	*American Committee for Cultural Freedom*
ADA	*Americans for Democratic Action*
AFL	*American Federation of Labor*
AILC	Association internationale pour la liberté de la culture
AJC	*American Jewish Committee*
CCF	*Congress for Cultural Freedom* ; CI : Comité international ; CE : Comité exécutif ; SI : Secrétariat international
CEC	Centre européen de la culture
CFDT	Confédération française démocratique du travail
CFTC	Confédération française des travailleurs chrétiens
CGT	Confédération générale du travail
CGT-FO	Confédération générale du travail-Force ouvrière
CIA	*Central Intelligence Agency*
CICRC	Commission internationale contre le régime concentrationnaire
CISL	Confédération internationale des syndicats libres
CSCE	Conférence sur la sécurité et la coopération en Europe
CSE	Centre de sociologie européenne
FEC	Fondation européenne de la culture
FEIE	Fondation pour une entraide intellectuelle européenne
FIF	*Fund for Intellectual Freedom*
FSM	Fédération syndicale mondiale
FU	*Frei Universität* (Berlin)
HICOG	*American High Commission in Germany*
MILC	Mouvement international pour la liberté de la culture
MRP	Mouvement républicain populaire
MSEUE	Mouvement socialiste pour les États-Unis d'Europe
NSA	*National Students Association*
OMGUS	*Office of Military Government of the United States*

OSS	*Office of Strategic Studies*
PCF	Parti communiste français
PCUS	Parti communiste d'Union soviétique
POUM	Parti ouvrier d'unification marxiste
RDR	Rassemblement démocratique révolutionnaire
RFE	Radio Free Europe
RIAS	*Rundfunk im amerikanischen Sektor*
RPF	Rassemblement du peuple français
SEC	Société européenne de culture
SFIO	Section française de l'Internationale ouvrière
UEF	Union européenne des fédéralistes
UIE	Union internationale des étudiants
USIA	*United States Information Agency*

Remarque

La langue des textes consultés est donnée en note. Il n'existe pas toujours une relation entre le texte des documents disponibles dans les archives et celui, originel, de l'auteur. Ainsi, certaines interventions d'acteurs français n'ont été conservées qu'en anglais tandis qu'à l'inverse certains textes d'auteurs étrangers ne sont consultables que dans leur traduction française.

CHAPITRE PREMIER

L'origine berlinoise
(1950)

La manifestation fondatrice du Congrès pour la liberté de la culture prend place en juin 1950 à Berlin, dans le secteur d'occupation américain de l'ancienne capitale allemande. Ce *Kongress für kulturelle Freiheit* est une réunion internationale mais c'est en même temps une manifestation profondément enracinée politiquement et culturellement dans Berlin. Son comité d'organisation est composé de trois membres : Ernst Reuter, le maire de la ville, Ernst Redslob, le recteur de l'université libre, et Otto Suhr, le directeur de l'École supérieure de sciences politiques. La personnalité sans laquelle ce congrès n'aurait pas eu lieu est sans conteste le bourgmestre social-démocrate Reuter. Mise sur pied au lendemain du blocus, la réunion est directement liée à la volonté des élites de la ville de maintenir une ouverture et des échanges avec les démocraties occidentales et leurs intellectuels.

Le secrétaire général de la réunion est Melvin Lasky, le rédacteur en chef de la revue *Der Monat* (*Le Mois*), revue de langue allemande créée deux ans plus tôt avec l'appui de l'OMGUS, commandé par le général Lucius Clay. Lors de la séance inaugurale, Lasky devait déclarer que l'initiative avait été soutenue par un « comité international non officiel et indépendant [1] ». Ce comité était composé de trente-huit noms, présentés sur les documents de la manière et dans l'ordre suivants :

Grande-Bretagne : Bertrand Russell, Julian Huxley, Victor Gollancz, Herbert Read, Barbara Ward, Richard Crossman,

1. *Kongress für kulturelle Freiheit*, publication de seize pages, supplément de *Der Monat*.

Arthur Koestler. *France :* Léon Blum, André Gide, Raymond Aron, François Mauriac, Remy Roure, Georges Duhamel, Albert Camus. *Allemagne :* Karl Jaspers, Alfred Weber, Carlo Schmid, Eugen Kogon, Theodor Plievier. *États-Unis :* John Dewey, Eleanor Roosevelt, Upton Sinclair, Sidney Hook, John Dos Passos, James T. Farrell, James Burnham, Walter Reuther, Arthur Schlesinger Jr, Ralph Bunche. *Autriche :* Alexander Lernet-Holenia, Oskar Pollack. *Scandinavie :* Haakon Lie (Oslo), Fröde Jakobsen (Copenhague), Ture Nerman (Stockholm). Puis : Salvador de Madariaga (Londres), Herman Broch (New York), Henri Brugmans (La Haye), Carl Zuckmayer (Chardonnes). Il s'agit là d'une liste de personnalités qui ont accepté de donner leurs noms à Lasky, travaillant en étroite relation avec Ernst Reuter, pour bâtir le programme. Plus intéressante, bien entendu, est l'armature politique et intellectuelle du dispositif qui soutient la façade. Pour l'éclairer, il convient d'abord de mettre au jour les relations nouées entre New York et Berlin dont ce congrès est l'expression éclatante.

New York-Berlin, aller-retour

Melvin Lasky lui-même, le créateur de *Der Monat* et le secrétaire général de ce *Kongress für kulturelle Freiheit,* est un jeune intellectuel new-yorkais alors âgé de trente ans. Il a fait ses études au *City College*, un établissement d'enseignement supérieur de la ville extrêmement politisé, où il se range alors dans la gauche antistalinienne. Lasky s'est installé en Allemagne au lendemain de la guerre comme journaliste *free-lance*, correspondant de la *Partisan Review* et du *New Leader*. En 1947, Melvin Lasky avait fait une entrée plutôt fracassante dans la vie politique et intellectuelle berlinoise. En octobre de cette année-là s'était tenu, sous le patronage des quatre puissances d'occupation, un congrès panallemand des écrivains organisé par une association d'écrivains dissoute par Hitler et qui venait d'être ressuscitée. Son comité directeur, bien que la majorité de ses membres ne fussent pas communistes, réunissait des écrivains communistes de réputation internationale, comme Johannes Becher, Friedrich Wolf ou Anna Seghers. Heinrich Mann en était le président d'honneur tandis que le président en exercice était un écrivain de quatre-vingt-un ans, Ricarda Huch. Le programme défini pour cette première réunion était purement littéraire, avec des thèmes de débat classique pour un congrès d'écrivains : l'écrivain et la liberté spirituelle; fonction de la critique littéraire; l'exigence de réalisme; le combat de l'écrivain pour la paix. Le programme annonçait en outre que la liste des manifestants n'était pas encore arrêtée et qu'elle serait communiquée à l'ouverture de la réunion. Peu de temps avant celle-ci, Melvin Lasky soupçonna une manipulation soviétique lorsqu'il apprit qu'un avion avait été affrété pour amener d'URSS une pléiade d'écrivains à Berlin tandis que rien n'avait été prévu du côté américain [1]. L'OMGUS considérait en effet que ce congrès était une affaire purement allemande. Aucune participation d'écrivains américains n'était d'ailleurs envisagée, sauf peut-être celle de John Steinbeck, alors en voyage à Moscou, qui, en retournant aux États-Unis, pourrait éventuellement faire escale en Prusse.

C'est au cours de la deuxième journée que commencèrent les attaques des participants soviétiques contre « l'Amérique belliqueuse », attaques couplées avec des appels aux écrivains allemands pour se joindre à eux dans un effort de paix. La séance du lendemain matin devait être présidée par Günther Birkenfeld, qui accepta la veille au soir le principe d'une intervention de Melvin Lasky à la tribune. Celui-ci passa la nuit à la préparer avec soin. Lorsque Birkenfeld lui donna la parole le lendemain, il commença par se réjouir de voir que la possibilité était donnée à nouveau aux écrivains allemands de se réunir librement, souligna l'importance des rebelles dans la littérature américaine (Steinbeck, Faulkner, Dos Passos, Wright), rendit enfin hommage à l'héroïsme du peuple russe dans la lutte contre l'hitlérisme. Melvin Lasky, s'exprimant en tant qu'intellectuel américain, expliqua alors que, pendant la guerre, pour ne pas offenser un allié, les livres critiques sur la dictature

1. Voir la plaquette d'hommage éditée pour le soixantième anniversaire de Melvin Lasky : *Encounter, Melvin J. Lasky, a 60th Birthday*, 1980, 36 p. Cette plaquette contient notamment un extrait d'un livre de Boris Shub (*The Choice*, New York, 1950) qui relate en détail le rôle de Lasky au congrès panallemand des écrivains de 1947.

soviétique, les camps de travail, le régime du parti unique avaient été retardés d'impression aux États-Unis. Retardés mais non interdits : fort heureusement, ils pouvaient être librement publiés aujourd'hui. Les écrivains américains sont des internationalistes et c'est pourquoi ils se sentent solidaires des artistes et des intellectuels confrontés à la censure en Union soviétique. Pensons, poursuivait Lasky, à la torture que représente pour un écrivain l'interrogation constante sur la ligne du Parti relative au réalisme socialiste, au formalisme, à l'objectivisme ou à tout ce que vous voulez, se demandant s'il n'est pas déjà devenu sans le savoir un instrument du fascisme contre-révolutionnaire décadent. Il cita plus particulièrement en exemple les cas du cinéaste Eisenstein, du philosophe Alexandrov et des écrivains Zochtchenko et Akhmatova, avant de clore son intervention sur une citation d'André Gide rappelant que tout grand écrivain est un non-conformiste, un résistant.

Melvin Lasky fit naturellement scandale. Plusieurs écrivains soviétiques et Anna Seghers sortirent ostensiblement de la salle pendant son intervention. La réplique soviétique lui fut donnée par Valentin Kataïev, qui déclara qu'il connaissait beaucoup d'écrivains américains, qu'il les respectait, mais qu'en revanche il n'avait jamais entendu parler de ce Lasky. M. Lasky était un superbe spécimen de fauteur de guerre. Pour ce qui était de l'écrivain, Kataïev suggérait à ses compatriotes de lui élever plus tard un monument avec cette dédicace : « A l'écrivain inconnu. » Naturellement, Lasky ne mériterait pas une minute d'attention si ses propos ne rappelaient singulièrement les attaques de Goebbels contre l'URSS. Aujourd'hui en effet, conclut Valentin Kataïev, l'honnêteté d'un homme se mesure à son attitude envers la démocratie et envers l'Union soviétique.

Lasky avait relevé le gant. Sa passe d'armes à la réunion de l'Association des écrivains allemands eut des échos aussi bien à Moscou qu'à New York. A Berlin même, par cette intervention intégralement reproduite dans l'un des journaux de la ville, il entrait de plain-pied dans la vie intellectuelle et culturelle du moment. Elle faillit aussi lui coûter sa présence en Allemagne car Lucius Clay envisagea d'expulser ce jeune journaliste trop remuant. La situation devait cependant se retourner très rapidement à son avantage. C'est en juin 1948 que commença le blocus de Berlin. Les tensions de la guerre froide s'avivaient.

Lucius Clay fit alors appel à Melvin Lasky pour prendre une initiative de type nouveau en direction des intellectuels allemands. Ce serait *Der Monat*, dont le premier numéro sortit en octobre 1948 en plein blocus. Codirigée par un allemand, Helmut Jaesrich, la rédaction de la nouvelle revue était abritée cependant dans des locaux de l'état-major militaire. *Der Monat* se proposait de rompre avec la très officielle *Amerikanische Rundschau* publiée par les troupes d'occupation. L'intervention de Lasky devant les écrivains allemands et la création de la revue avaient un point commun : les deux initiatives procédaient d'une insatisfaction quant à l'action (ou l'inaction) des services culturels militaires. Sous l'impulsion de Lasky, *Der Monat* devint vite une revue intellectuelle de qualité, ouverte sur le monde pour renouer le contact avec les courants intellectuels internationaux dont les Allemands avaient été coupés par le régime nazi. Ainsi est-ce l'OMGUS qui offre au jeune journaliste talentueux formé dans le marxisme de sortir du statut instable de *free-lance* pour prendre les commandes d'un organe qui a bientôt pignon sur rue et où il publie très rapidement Bertrand Russell, Arthur Koestler, Franz Borkenau ou Sidney Hook.

1948 est l'année de l'organisation en Pologne d'une grande manifestation internationale d'intellectuels et d'écrivains, le congrès de Wroclaw, présidé par Aleksandr Fadeïev, le secrétaire général de l'Union des écrivains de l'URSS, un des romanciers les plus populaires et les plus en vue du régime soviétique. Aux États-Unis, le congrès de Wroclaw (qui se tint du 25 au 28 août) avait été préparé par une adresse des écrivains soviétiques aux écrivains américains pour les alerter sur les dangers d'un nouveau fascisme dans leur pays. Cette adresse avait été publiée par le journal communiste *Masses and Mainstream* et trente écrivains américains devaient finalement participer à la réunion, qui marqua le point de départ des campagnes internationales de l'Union soviétique en faveur de la paix, auxquelles le régime de Staline cherchait à associer les intellectuels du monde entier.

Moins d'un an après Wroclaw, à la fin du mois de mars 1949, s'ouvrit à New York, dans les salons de l'hôtel Waldorf Astoria et à l'initiative du *National Council of the Arts, Sciences and Professions*, une nouvelle conférence internationale intitulée *Cultural Conference for World Peace.* L'objectif est toujours le même : s'adresser à tous les artistes, savants et universitaires de bonne volonté pour une recherche commune de la paix. Cette offensive de paix du mouvement communiste international va alors de pair avec une répression dans les lettres et dans les sciences en Union soviétique, couplée avec des attaques contre l'impérialisme des démocraties occidentales. La réunion du Waldorf Astoria va susciter à New York une réaction analogue à celle de Lasky deux ans auparavant mais sur une base beaucoup plus large. Cette réaction part des milieux de la gauche ou de l'extrême gauche antistalinienne new-yorkaise, emmenée par le philosophe Sidney Hook, engagé dès avant la guerre à un *Committee for Cultural Freedom* présidé par John Dewey, comité qui s'était donné pour tâche de lutter sur deux fronts : contre le totalitarisme nazi et contre le totalitarisme stalinien. Une réunion d'une trentaine de personnes (universitaires, écrivains, directeurs de revue) a lieu chez l'écrivain Dwight Mcdonald pour étudier la riposte à donner à la conférence du Waldorf Astoria. Elle prend finalement la forme d'une réunion publique organisée à Freedom House avec l'appui de David Dubinsky, un syndicaliste influent de l'AFL. La réunion est placée sous les auspices d'un comité *ad hoc* baptisé *American for Intellectual Freedom* [1], première esquisse de ce qui va bientôt devenir l'*American Committee for Cultural Freedom* (ACCF), et elle est présidée par Sidney Hook lui-même. Des messages de soutien sont adressés par Bertrand Russell, T.S. Eliot, Arthur Koestler. Des intellectuels américains, dont plusieurs se retrouveront bientôt à Berlin, y prennent la parole : Max Eastman, Max Yergan, Arthur Schlesinger Jr, Hermann J. Muller, Bertram Wolfe, Nicolas Nabokov. Cette initiative, destinée à dénoncer la manifestation du Waldorf Astoria comme une opération de propagande déguisée, se conclut enfin par un texte destiné à servir de plateforme à des actions ultérieures [2].

Les premiers contacts entre Melvin Lasky et Sidney Hook sur le dossier du futur *Kongress für kulturelle Freiheit* remontent à 1949. Dans ses mémoires, le philosophe date leurs

1. Sidney Hook, *Out of Step, An Unquiet Life in the xxth Century*, New York, Harper and Row, 1987, p. 398.
2. Sur le texte et les signatures qu'il a recueillies, cf. *ibid.*, chap. XVIII, pp. 271-274.

premiers échanges sur ce dossier de décembre de cette année-là [1]. Les deux hommes se connaissent bien : Hook a en effet exercé une influence intellectuelle profonde sur les étudiants de la génération de Lasky ; de plus, il a travaillé lui-même comme conseiller en matière d'éducation auprès du haut commandement militaire américain à Berlin, où il a passé plusieurs mois à la fin de la guerre. A Berlin, Hook a vu la mise en place du blocus et il a pu observer les effets de la conférence de Wroclaw. Il revient aux États-Unis à l'automne, alors que la campagne présidentielle bat son plein. 1948 et 1949 sont, on le voit, des années intenses de « congrès » de natures diverses : Wroclaw et Paris (Mouvement de la paix), Lausanne (mouvement européen). C'est dans ce contexte que naît l'idée d'un nouveau congrès à Berlin [2] : la revue *Der Monat*, qui en quelques mois a réussi à s'affirmer, constitue une excellente base pour lancer des invitations ; la mobilisation new-yorkaise apporte l'impulsion intellectuelle initiale ; la social-démocratie berlinoise fournit enfin la base politique locale de l'initiative.

L'étroitesse des liens entre Berlin et New York se lit tout d'abord dans la personnalité des cinq acteurs les plus importants du pilotage de cette manifestation internationale. Outre Melvin Lasky et Sidney Hook, ce sont Arthur Koestler, James Burnham et Irving Brown [3]. Arthur Koestler, on l'a vu, a envoyé un message de soutien à la réunion de Freedom House. C'est, depuis la parution du *Zéro et l'Infini*, un auteur mondialement connu. En 1949, il a collaboré à un ouvrage qui réunissait plusieurs écrivains ex-communistes, ouvrage appelé à connaître lui aussi un succès international, *The God that Failed* [4]. Lasky professe une très grande admiration pour l'écrivain, qui vit alors en France. C'est d'ailleurs en région parisienne qu'il prépare ce *Kongress für kulturelle Freiheit*, pour lequel il rédige un projet de manifeste [5]. James Burnham pour sa part est issu des mêmes milieux de l'extrême gauche new-yorkaise d'avant-guerre que Sidney Hook. Tout comme Hook, Burnham est un philosophe. Mais, à la différence de Sidney

1. *Ibid.*, p. 433.
2. Helmut Jaesrich, « An American in Berlin », *in Melvin J. Lasky..., op. cit.*, p. 9.
3. James T. Farrell, *Congress Comment*, 8 p., rapport rédigé pour l'ADA.
4. Richard Crossman (éd.), *The God that Failed*, Londres, 1949 ; trad. fr. : *Le Dieu des ténèbres*, Calmann-Lévy.
5. Arthur et Cynthia Koestler, *Stranger on the Square*, Hutchinson, 1984.

Hook, qui se veut un antistalinien de gauche, James Burnham, après la guerre, radicalise ses positions à droite. Burnham joue un rôle de consultant important auprès de certaines instances chargées de la définition de la politique étrangère américaine et il n'est pas pensable qu'il ne soit point présent à Berlin. Quant à Irving Brown, il représente la composante syndicale de la manifestation berlinoise de la même façon que Dubinsky l'a fait à New York lors de la manifestation de Freedom House. Irving Brown est le délégué de l'AFL en Europe. Ce titre modeste recouvre en fait un rôle politique très important et très interventionniste dans le mouvement syndical européen, en opposition frontale aux tentatives de contrôle du mouvement communiste international.

L'axe germano-américain se lit ensuite au niveau de la structure de la participation à ce congrès fondateur. *Der Monat* publie les noms de cent dix-huit intellectuels et hommes politiques ayant participé à la manifestation (cf. encadré p. 23). 40 % d'entre eux viennent des États-Unis et d'Allemagne. On trouve dans le groupe américain deux des directeurs de revues qui ont joué un rôle actif dans la préparation de la réunion de Freedom House présidée par Sidney Hook : Sol Levitas, l'animateur du *New Leader* (dont Lasky a été, on s'en souvient, le correspondant avant la création du *Monat*), et Elliot Cohen, le fondateur de *Commentary*. Le poids du milieu new-yorkais serait sans doute plus fort si on faisait basculer dans le groupe américain les représentants émigrés russes. Réciproquement, le poids de la représentation allemande serait plus important encore si on y incluait des émigrés allemands (tels l'historien Golo Mann ou le politologue Franz Neumann) qui séjournent aux États-Unis et sont répertoriés avec les Américains. Dans le groupe allemand figure notamment, outre Günther Birkenfeld, qui a donné la parole à Lasky au congrès des écrivains de 1947 : Carlo Schmid, le chef du gouvernement du Wurtemberg; Adolf Grimme, ancien ministre de l'Éducation de Prusse pendant la république de Weimar; l'écrivain Theodor Plievier; Eugen Kogon, auteur d'un livre sur le système politique et concentrationnaire nazi; le professeur Alfred Weber, frère du grand sociologue Max Weber; Margarete Buber-Neumann, la veuve du communiste F. Neumann, assassiné sur l'ordre de Staline, et elle-même déportée d'abord par les nazis, puis par les Soviétiques.

PARTICIPANTS AU CONGRÈS FONDATEUR

ALLEMAGNE

Günther Birkenfeld
Franz Borkenau
Margarete Buber-Neumann
Fritz Eberhard
Hans von Eckardt
Werner Egk
Adolf Grimme
Eugen Kogon
Karl Korn
Hans Leisegang
Carl Linfert
Hans Nachtsheim
Hans Paeschke
Rudolf Pechel
Theodor Plievier
Luise Rinser
Carlo Schmid
Franz Josef Schoeningh
Jurgen Schuddekopf
Hans Peter Schulz
Anna Siemsen
René Sintenis
Dolf Sternberger
Ernst Tillich
Alfred Weber

AUTRICHE

Rudolf Brunngraber
Felix Hubalek
Wilhelm Marinelli
Fritz Molden
Peter Strasser
Hans Thirring

BELGIQUE

Charles Plisnier

COLOMBIE

German Arciniegas

DANEMARK

Fröde Jakobsen

ESPAGNE

Carmen de Guturbay
Alberto de Onaindia

ÉTATS-UNIS

Giuseppe A. Borgese
Irving Brown
James Burnham
Elliot Cohen
Christopher Emmet
James T. Farrell
Carl J. Friedrich
F. P. Hellin
Sidney Hook
Hermann Kesten
Sol M. Levitas
Golo Mann
Walter Mehring
Robert Montgomery
Norbert Muhlen
Hermann J. Muller
Nicolas Nabokov
Franz Neumann
Joseph Newman
Arthur Schlesinger Jr
George Schuyler
Sheba Strunsky
David C. Williams
Max Yergan
Graze Zaring Stone

FRANCE

Georges Altman
Henri Brunschwig
Lionel Durand
Henri Frenay
Suzanne Labin
Claude Mauriac
André Philip
Jules Romains
Rémy Roure
David Rousset

GRANDE-BRETAGNE

Alfred Jules Ayer
Harold Davis
Sébastian Haffner
Christopher Hollis
Arthur Koestler
Richard Löwenthal
Peter de Mendelssohn
Herbert Read
Hugh Trevor-Roper

GRÈCE

Payanotis Kanellopoulos

HOLLANDE

Henri Brugmans

INDE

Kesha Malik

ITALIE

Franco Lombardi
Muzzio Mazzochi
Guido Piovene
Ignazio Silone
Altiero Spinelli
Bonaventura Tecchi

LETTONIE

Mintauts Cakste

NORVÈGE

Haakon Lie
Willi Midelfart
Per Monsen

POLOGNE

Joseph Czapski
Jerzy Giedroyc

RUSSIE

Nicolaï Andrejev
Jacob Budanov
Boris Jakolev
Boris Nicolaevski
Vladimir Poremski
N. Schugajev
Salomon Schwartz
Sergueï Utechin

SUÈDE

Ture Nerman

SUISSE

François Bondy
Walter Hofe
Elinor Lipper
Herbert Lüthy
Hans Oprecht
Wilhelm Ropke
Denis de Rougemont
Bruno Schonlank

TCHÉCOSLOVAQUIE

Frantisek Kovarna
Karel Kupka

TURQUIE

Aslam Humbarachi

Deux autres éléments du rapprochement germano-américain sous-tendaient encore cette manifestation. Le premier était, bien entendu, l'idée de liberté de la culture elle-même. C'est sur cette base qu'avait été convoquée la manifestation de New York et que fut organisée la réunion internationale de Berlin. Le second était le philosoviétisme ou le neutralisme de grands noms de la culture allemande après la victoire des Alliés sur les nazis, domiciliés soit aux États-Unis, comme Thomas Mann et Albert Einstein, soit en Allemagne, comme Anna Seghers et Bertolt Brecht. Cet élément était un atout dans le jeu soviétique en même temps qu'un défi à relever pour l'intelligentsia de gauche antistalinienne new-yorkaise, qui souhaitait rétablir des contacts renouvelés avec la culture allemande.

Bien que le *Kongress für kulturelle Freiheit* se veuille d'emblée une réunion à vocation mondiale, sa base géographique est fortement prédéterminée. C'est principalement une réunion euro-américaine. Seuls un Indien et un Colombien apportent une touche mondialiste, à vrai dire très faible. En Europe, les plus forts contingents viennent de Grande-Bretagne, de France, de Suisse, d'Autriche et d'Italie, l'importance de la Suisse et de l'Autriche étant liée au taux de pénétration de *Der Monat* dans ces deux pays depuis sa création.

Plus qu'une présentation par pays (on ne peut pas parler de délégation, chaque participant ayant été invité *intuitu personae*), ce sont les lignes de force intellectuelles et politiques de cette manifestation fondatrice qu'il convient de faire apparaître. On peut en mettre quatre en évidence : les anciens communistes ; la résistance antifasciste et antinazie non communiste ; les fédéralistes européens ; les intellectuels émigrés des pays communistes. Les intellectuels anciens communistes sont nombreux et c'est parmi eux que se recrutent les ténors du congrès : Ignazio Silone, Arthur Koestler, Franz Borkenau, Richard Löwenthal, Theodor Plievier, Charles Plisnier.

La résistance européenne non communiste constitue un deuxième groupe. La mise en cause du totalitarisme soviétique, pour acquérir toute sa dimension, doit se fonder sur une légitimité démocratique et antitotalitaire sans faille. C'est pourquoi l'appui sur la résistance non communiste est à ce point important – il l'est d'autant plus que les communistes, là où ils sont fortement implantés, prétendent au monopole de cette résistance. Répond précisément à cette définition le groupe des participants allemands et, au premier chef, Ernst Reuter. La résistance antifasciste italienne non communiste est représentée par un homme comme Spinelli (Spinelli et Reuter étant au demeurant d'anciens communistes).

Le troisième élément qui structure la composition du congrès est le fédéralisme européen. Deux ans avant la réunion de Berlin s'est tenu le congrès de La Haye, d'où devait sortir le Conseil de l'Europe. Parmi les européanistes les plus convaincus se trouvent les fédéralistes. Il existe d'ailleurs un lien direct entre fédéralisme européen et résistance non communiste. Un manifeste pour une fédération européenne avait été rédigé dès avant la fin de la guerre par des antifascistes italiens [1] et la première réunion des fédéralistes issus des diverses résistances au nazisme se tint en Suisse en mai 1944. Une Union des fédéralistes fédère bientôt les différents mouvements. Les fédéralistes européens sont eux aussi nombreux à Berlin : Altiero Spinelli, Eugen Kogon, Henri Brugmans, Denis de Rougemont. Ce dernier apporte la dimension spécifiquement culturelle de la construction européenne. Denis de Rougemont a été en effet au congrès de La Haye un des promoteurs les plus éloquents d'une Europe de la culture. En 1950, il est d'ailleurs en train de mettre sur pied à Genève un Centre européen de la culture avec l'appui du Conseil de l'Europe.

La quatrième dimension définissant la représentativité du congrès de Berlin agrège des représentants des cultures des pays européens sous contrôle soviétique. Sont présents : un fort contingent russe, deux Tchèques, un Letton. Mais, pour l'Europe centrale et orientale, c'est surtout la présence du fondateur de la revue polonaise en exil *Kultura*, Jerzy Giedroyc, et de l'un de ses animateurs, Joseph Czapski, qui est la plus significative. C'est d'ailleurs Czapski qui prend la parole lors de la séance inaugurale au nom des représentants des nations opprimées de l'autre côté du rideau de fer. Deux notations méritent d'être apportées pour donner une touche finale à ce tableau d'ensemble. Culturellement, un léger écart apparaît entre l'Europe et les États-Unis, en ceci que les anciens communistes européens sont surtout des écrivains tandis que les

1. Ernesto Rossi et Altiero Spinelli, *Il Manifesto di Ventotene*, Naples, Guida Editori, 1952.

écrivains sont peu nombreux parmi les Américains, où dominent plutôt les intellectuels « radicaux » ou anciens « radicaux ». Politiquement, enfin, le congrès repose sur une coalition de libéraux et de socialistes, avec une dominante socialiste.

Le cadrage établi, il est alors possible de situer les caractéristiques du groupe français. Il peut être lui aussi décomposé en quatre familles. L'extrême gauche parisienne est représentée par David Rousset qui, quelques mois auparavant, s'est confronté au Parti communiste dans un procès retentissant où il a reçu le soutien de l'*American Committee for Cultural Freedom*. Viennent ensuite les deux principales branches non communistes d'opposition au nazisme : la France libre et la Résistance intérieure. Jules Romains, en effet, a travaillé pendant la guerre dans les services de propagande de la France libre. Claude Mauriac dirige la revue *Liberté de l'esprit*, liée au mouvement politique que le général de Gaulle a lancé après s'être retiré du pouvoir. Henri Frenay représente la Résistance intérieure par le mouvement Combat. Mais c'est en même temps un fédéraliste convaincu : Frenay a été élu président de l'Union européenne des fédéralistes en 1949. Les socialistes de la SFIO constituent enfin la quatrième et dernière famille politico-intellectuelle française représentée à Berlin. C'est de loin la plus nombreuse, avec André Philip, alors homme politique de premier plan, Suzanne Labin, Henri Brunschwig et Georges Altman, le rédacteur en chef de *Franc-Tireur*, qui, sans être un journal lié au parti socialiste, lui est cependant très proche.

Le déroulement des débats

« *Das Weltparlament der Intellektuellen in Berlin.* » Cette définition [1] de la réunion de Berlin renvoie à sa nature et à sa représentativité. « Parlement » s'oppose à « front ». L'objectif est de résister à la pression soviétique mais selon des moyens et des méthodes opposés à la technique « frontiste » de l'Internationale communiste, qui asservit et manipule les participants.

1. *Kongress für kulturelle Freiheit, op. cit.*

Ce parlement affirme une vocation mondiale, appelant tous les intellectuels attachés à la liberté à se joindre à la manifestation.

Ouverte de manière solennelle avec l'Orchestre philharmonique de Berlin, la séance inaugurale, après l'allocution de bienvenue d'Ernst Reuter, entend un rapport de Lasky sur le sens et le programme du congrès. Puis la parole est donnée à un certain nombre d'intervenants (Sidney Hook, Arthur Koestler, Jules Romains, etc.) en même temps que des messages de soutien sont lus à la tribune [1]. Les jours suivants sont consacrés à quatre thèmes de discussion : la science et la liberté; arts, artistes et liberté; les citoyens dans la société libre; paix et liberté. Il ne s'agit pas à proprement parler de séances de travail spécialisées mais de thèmes proposés à l'ensemble des participants à partir de communications. Trois éléments doivent être pris en compte pour tenter de restituer le climat du congrès de Berlin. Tout d'abord, le congrès coïncida avec le début de la guerre de Corée. Cette coïncidence survolta les esprits. Deuxièmement, les séances étaient publiques et les travaux du congrès furent très suivis par les Allemands venus non seulement des zones d'occupation occidentales, mais encore de la zone d'occupation soviétique. Ce public réagissait aux propos des orateurs et pouvait parfois contribuer à un climat de meeting. Enfin, tous les participants au congrès de Berlin n'arrivèrent pas le même jour ni ne suivirent l'ensemble des travaux. Il se produisait ainsi un constant va-et-vient qui rapprochait plus cette rencontre d'une manifestation politique que d'un rassemblement intellectuel.

Quarante-cinq communications avaient été répertoriées par le secrétariat. Il ne semble pas que les communications aient fait l'objet d'une édition d'ensemble. Plusieurs d'entre elles cependant furent publiées, soit par leurs auteurs, soit par le secrétariat du congrès, dans des revues de divers pays. Les unes sont de vraies communications de colloque, les autres de simples interventions.

L'enjeu du congrès est clair : liberté contre totalitarisme. En cette année 1950, il n'y a aucune équivoque pour les intellectuels et les hommes politiques réunis à Berlin : la capitale du

1. Angus Wilson, Barbara Ward, bureau ukrainien de Londres, David Low, Ender Ziya Karal, Julian Huxley, Victor Gollancz, S. Frank, Ruth Fischer, John Dos Passos, John Dewey, Roger Baldwin, Association des journalistes et écrivains russes.

totalitarisme, c'est Moscou. Mais si le thème du totalitarisme est omniprésent et s'il irrigue la quasi-totalité des communications, il ne fait l'objet d'aucune tentative d'analyse et d'approfondissement spécifique. Ce qui domine à Berlin, c'est l'urgence de trouver une réponse morale et politique à la menace totalitaire. En revanche, les notions de liberté et de tolérance font davantage l'objet d'une interrogation : recherche d'un fondement logique de la tolérance chez Afred Jules Ayer, liberté et intersubjectivité chez Gabriel Marcel, liberté et communauté chez Karl Jaspers [1] – trois philosophes qui développent leurs pensées respectives sans qu'il y ait d'ailleurs de débat sur leurs communications. Enfin, comme toute rencontre de ce type, ce congrès appelle à la responsabilité de l'intellectuel. Ici, responsabilité signifie non seulement résistance au stalinisme mais encore rejet des positions neutralistes qui séduisent alors de nombreux intellectuels en Europe.

Si l'on regarde les points d'appui de la lutte antitotalitaire tels qu'ils s'expriment à travers les communications enregistrées, on peut redistribuer l'ensemble des interventions sous quatre rubriques : l'opposition au contrôle politique totalitaire de l'art et de la science ; les camps de concentration et le travail forcé ; la situation politique et intellectuelle en URSS et dans l'Europe soviétisée ; la lutte contre le pacifisme et le neutralisme.

La liberté de création

Le congrès de Berlin chercha tout d'abord à intervenir sur le problème de la liberté scientifique, où deux dimensions se trouvaient mêlées : d'une part l'intervention du Parti communiste en URSS pour imposer les théories de Lyssenko à la communauté scientifique, de l'autre l'attraction du Mouvement de la paix auprès des scientifiques du fait de sa présidence par Joliot-Curie. Peu de savants étaient présents à Berlin. Julian Huxley, en particulier, avait été empêché au dernier moment de faire le voyage. Les organisateurs regrettèrent beaucoup

1. Karl Jaspers, « Les dangers et les chances de la liberté » ; Alfred J. Ayer, « Freedom of Thought » ; Gabriel Marcel, « Qu'est-ce qu'un homme libre ? ». Ni Jaspers ni Marcel ne sont présents à Berlin.

cette absence car Huxley se trouvait à la croisée des deux problématiques : en 1948, au congrès de Wroclaw, il avait tenté de jeter un pont vers le monde communiste en appelant à la tolérance, mais il avait ensuite changé de position devant les moyens de contrainte politique utilisés pour imposer les théories de Lyssenko. Deux savants présentèrent des communications à Berlin, un prix Nobel de biologie, Hermann J. Muller, et un physicien, Hans Thirring. Hans Thirring était une personnalité qui entrait difficilement dans des cadres établis. Au Congrès de la paix, à Vienne, il avait affirmé son esprit frondeur à la grande surprise des communistes, qui le tenaient pour un compagnon de route; il avait accepté de venir au Congrès pour la liberté de la culture mais, dans le rapport qu'il avait envoyé avant la manifestation, il dénonçait tous les facteurs de guerre, tout en mettant vigoureusement en cause les États-Unis. Thirring incarnait parfaitement une position d'équidistance. Toutefois, en raison du déclenchement des hostilités en Corée (qui ruinait son hypothèse d'une non-agressivité de l'URSS), Thirring, en savant qui voit ses hypothèses invalidées, retira son rapport. L'événement primait sur l'analyse. Ce sentiment fut renforcé lorsqu'un biologiste, Nachtsheim, donna lecture d'un télégramme de l'Académie des sciences allemandes assurant Staline de son dévouement. Aussitôt le professeur Alfred Weber monta à la tribune et déclara, sous les applaudissements de la salle, que, devant ce geste dont il venait d'être informé à l'instant même, il démissionnait de l'Académie.

La séance consacrée aux arts et aux lettres fut moins agitée. Quatorze orateurs prirent la parole sous la présidence d'Ignazio Silone. Dès la séance inaugurale, Silone avait défini de manière claire la vocation spécifique de ce congrès, en le situant par rapport à l'UNESCO. Après son assemblée générale de Beyrouth en 1948, l'UNESCO avait en effet lancé une enquête sur « les obstacles sociaux, économiques et politiques contre lesquels les artistes doivent lutter pour exercer leur activité créatrice ». L'organisation avait élaboré un questionnaire envoyé à de nombreux artistes et écrivains, soit par le canal des gouvernements, soit par celui des organisations professionnelles. Silone fait état à Berlin des premiers résultats de l'enquête : ils font apparaître que les créateurs mettent surtout en avant les entraves économiques; très peu d'artistes et d'écrivains font allusion à la censure. Ces résultats s'éclairent lorsque l'on découvre que toutes les réponses à l'enquête viennent de l'Ouest. Silone souhaite que, sans s'écarter de l'effort de l'UNESCO, les intellectuels attachés à la liberté aillent au-delà de cette enquête et la prolongent. A ses yeux, le phénomène moderne, tout à fait nouveau, est celui du monopole des moyens d'expression dont dispose un parti ou un État, et réfléchir à la liberté de la culture suppose d'affronter directement ce phénomène pour trouver des voies nouvelles qui puissent la garantir.

Bien entendu, dans la discussion sur la culture, la situation en URSS est présente en filigrane. Si, pour la science, le lyssenkisme représente la dernière expression du totalitarisme stalinien, dans le domaine des lettres et des arts les événements les plus récents où il s'est manifesté ont été l'exclusion d'Akhamatova et de Zochtchenko de l'Union des écrivains, le discours de Jdanov à Leningrad, puis, en 1949, la condamnation de la musique de Chostakovitch. C'est précisément le cas de Chostakovitch qui est longuement présenté et analysé par le compositeur russe exerçant aux États-Unis, Nicolas Nabokov, qui était présent à la réunion du Waldorf Astoria, où la délégation soviétique, conduite par Fadeïev, comprenait Chostakovitch.

Le maniement de la notion de culture ne va pas sans équivoque et trois des intervenants dans ce débat vont le souligner : Denis de Rougemont, Dolf Sternberger et Giuseppe A. Borgese. Denis de Rougemont montre la situation difficile de la culture, entre la dépendance de l'État (à l'Ouest) et le contrôle de l'État (à l'Est). Plus encore que cette symétrie, c'est le paradoxe suivant qui retient Rougemont : « Les conditions morales de la vie de l'esprit au XXe siècle se résument [...] dans le paradoxe suivant : ceux qui laissent la culture en liberté à l'Ouest en font peu de cas pratiquement ; et ceux qui, à l'Est, lui reconnaissent un rôle central la dénaturent et l'asservissent. » De surcroît, depuis une centaine d'années, les meilleurs écrivains se sont employés à démolir l'ordre bourgeois. Leur dénonciation était fondée mais ils ont contribué de la sorte à créer un vide et c'est en s'engouffrant dans ce vide que « les tyrans simplificateurs » ont pu s'affirmer de la manière que l'on sait. La liberté de la culture n'est pas seulement menacée par ses adversaires, elle peut l'être par l'irresponsabilité des intellectuels eux-mêmes. Aux yeux de Denis de Rougemont, le lieu de la responsabilité est aujourd'hui l'engagement pour la fédération européenne, créatrice d'un ordre nouveau garant de la liberté.

L'intervention de Dolf Sternberger prolonge la réflexion sur l'ambiguïté du terme « culture » en s'interrogeant sur l'héritage nazi. Non seulement le IIIe Reich utilisait ce terme de manière abjecte mais il s'était de surcroît doté d'un appareil de mise en œuvre de sa politique culturelle (cabinet, services, administrateurs culturels). Avec le IIIe Reich, la culture devint un matériau-objet. Nombreux sont ceux, écrit Sternberger, qui espéraient que tout cela disparaîtrait avec le nazisme. Mais il n'en a rien été. Le mot « culturel » se répand partout. Il s'agit d'un phénomène universel. Or la notion de liberté est non équivoque tandis que la notion de culture l'est profondément, et Dolf Sternberger propose l'orientation suivante : « Cultivons la liberté, et la culture nous sera donnée par surcroît. »

Ce n'est toutefois pas à ce niveau que se situe l'intervention de Borgese, réflexion ironique et historique, d'Aristote à Tolstoï, sur les rapports entre création et pouvoir politique dans la tradition occidentale et sur le nihilisme contemporain. Il est bon, dit Borgese, d'avoir abandonné les méthodes absolutistes de contrôle des lettres, mais les œuvres littéraires créées dans le climat de liberté moderne ne sont pas convaincantes. La liberté ne suffit pas à définir l'art, qui nécessite une relation à une totalité. Pour moi, écrit-il, une certaine forme d'art prend fin avec Tolstoï.

Les camps de concentration

La présence de camps de concentration en Union soviétique, et de camps intégrés au fonctionnement économique du système, constitue la pierre de touche de la nature totalitaire du régime. Ce sont les camps qui introduisent le trait d'union entre le stalinisme et le nazisme. Aucun des participants du congrès de Berlin ne met en doute l'existence de camps en URSS, pas plus que l'assimilation du stalinisme au nazisme. De surcroît, le système des camps et du travail forcé en Union soviétique constitue une réintroduction de l'esclavage. Et ce thème de l'esclavage est repris à Berlin pour opposer la libération de l'esclavage des Noirs aux États-Unis et le réasservissement des travailleurs en Union soviétique.

Le problème des camps de concentration était symbolisé par la présence de deux hommes, Eugen Kogon et David Rousset, qui tous deux avaient attaché leur nom dans l'Europe d'après guerre à la description et à la dénonciation de l'univers concentrationnaire. Toutefois, c'est David Rousset qui apparaît le plus en prise sur le congrès. En effet, il est à l'origine d'une initiative lancée quelques mois auparavant à Paris pour constituer à l'échelle européenne une commission d'enquête sur la pérennité des camps de concentration. L'essentiel de son intervention reposait sur la comparaison entre le régime espagnol et le régime soviétique pour légitimer la mise en cause de l'Union soviétique. En effet, pour beaucoup d'anciens déportés ou prisonniers, Franco restait l'ennemi numéro 1, ce qui entraînait des réticences et des résistances pour évoquer la situation soviétique. Rousset demanda qu'on prît fermement position sur la liberté en Espagne pour pouvoir aborder le problème des camps soviétiques. Celui-ci se posait à un double niveau : le nombre, avec sans doute quinze millions de détenus; la perversion des valeurs, puisque ce système était entretenu par un régime qui prétendait réprésenter la société humaine et lui apporter une libération complète.

Dans un registre différent, le rapport présenté par l'écrivain allemand Günther Birkenfeld est une enquête minutieuse sur la situation des prisonniers politiques dans la zone d'occupation soviétique d'Allemagne orientale. Son titre, *Der NKVD Staat,* répond naturellement au *SS Staat* de Kogon. Le rapport est fondé sur les données réunies par un groupe d'enquête, le *Kampfgruppe gegen Unmenschlichkeit* [1]. Il démontre que les personnes internées dans ces camps ne sont pas seulement d'anciens nazis mais également des « éléments bourgeois » (par exemple, les sociaux-démocrates refusant la fusion avec les communistes). Il donne le nom de dix de ces camps, dont certains étaient déjà utilisés par les SS, ainsi que des chiffres. La gestion des camps est fondée sur la sous-alimentation et la terreur morale. En janvier 1950, les autorités soviétiques se sont enfin décidées à dissoudre les camps. Birkenfeld, dans la conclusion de son rapport, exprime son appui total à la commission internationale d'enquête lancée par David Rousset.

Si l'esclavage que réinventent les camps soviétiques est

1. Association pour la lutte contre l'inhumanité.

dénoncé, réciproquement le congrès veut combattre la vision du problème noir aux États-Unis développée par la propagande soviétique. Sans méconnaître que la situation des Noirs laisse encore beaucoup à désirer, deux arguments sont mis en avant : les descendants des anciens esclaves sont entièrement libérés alors que l'Union soviétique maintient des millions d'hommes en esclavage ; loin d'être, comme le prétendent les communistes, la preuve de la faillite de la démocratie américaine, le modèle démocratique permet au contraire des améliorations constantes.

La contribution de George Schuyler est un libelle destiné à contrer la caricature du problème noir donné par « la Camorra communiste, sa presse et sa radio avilies ». Elle passe en revue tous les secteurs de la vie sociale (logement, éducation, santé) et politique (participation électorale, presse) pour montrer, chiffres à l'appui, que la situation des Noirs ne cesse de s'améliorer et que cette amélioration est due d'abord au système capitaliste et à sa capacité d'initiative et de changement. Plus historique et plus profonde, l'intervention de Max Yergan s'attache à montrer que, tant par l'utilisation des ressources de la Constitution (rôle des arrêts de la Cour suprême) que par la politique économique et sociale (initiée par Roosevelt et poursuivie par Truman) et par suite des transformations apportées par la Seconde Guerre mondiale (accélération de l'intégration des Noirs dans l'industrie), la communauté noire fait désormais pleinement partie du peuple américain. Aussi, non seulement la propagande communiste qui vise à faire des Noirs un « cas spécial », un « peuple spécial », est-elle odieuse, mais de surcroît elle ne mord pas sur une communauté de quinze millions de membres, dans laquelle les communistes sont à peine quelques centaines.

L'Union soviétique et l'autre Europe

Organisé « au-delà du rideau de fer », le congrès de Berlin tient à associer des représentants des peuples d'Union soviétique et d'Europe orientale.

Peut-on échapper au dilemme – soumission au pouvoir soviétique ou guerre atomique – par une révolution nationale en URSS même ? Telle est la question à laquelle cherche à répondre Sergueï Utechin. Pour tenter de l'éclairer, il s'inspire de Lénine et cherche à identifier les différentes composantes de la société soviétique. Il est ainsi conduit à distinguer trois classes : les membres du Parti, la classe des travailleurs et la classe des détenus-esclaves ; les membres du Parti représentant 5 % de la population, les travailleurs 85 % et les esclaves 10 %.

Utechin passe ensuite en revue la situation des ouvriers, des paysans et des intellectuels. La guerre a été marquée par un desserrement des contraintes pour les paysans et, de bouche à oreille, le Parti faisait même circuler le bruit que les kolkhozes seraient supprimés après la fin des hostilités. Elle a également été marquée par une NEP idéologique. En revanche, la guerre a plutôt aggravé la condition des ouvriers en renforçant les effets des décrets sur la discipline du travail. Mais sitôt la guerre terminée, la collectivisation fut brutalement restaurée en 1946-1947, ce qui entraîna d'ailleurs une disette en 1947. Le discours de Jdanov au congrès des écrivains de Leningrad marque la fin de la NEP idéologique. Toutefois, les années 1947 et 1948 voient une forte résistance intellectuelle se manifester à l'université de Moscou. Ainsi observe-t-on une désillusion dans toutes les couches sociales. La population s'adapte en adoptant un double langage et en jouant un double jeu (le défaitisme de l'année 1941 constitue un élément de ce double jeu). Dans la conclusion de son rapport, Utechin n'exclut pas la possibilité de voir apparaître des poches de résistance. A ses yeux, le vecteur de la résistance devrait être la restauration de la vieille idée russe de solidarité (Berdiaev, Boulgakov).

Pour sa part, Salomon Schwartz s'attache ensuite à décrire la situation de l'ouvrier russe : mal payé, privé de droit, sans syndicat digne de ce nom, l'ouvrier en Union soviétique est encore plus mal loti que dans les démocraties populaires. A ces ouvriers prétendument libres il faut ajouter les esclaves :

> [...] Le travail d'esclave est devenu aujourd'hui une partie intégrante et extrêmement importante de l'économie soviétique. Un réseau dense de camps de concentration s'étend sur une grande partie du pays. Dans une série de branches économiques importantes (extraction de l'or, construction des routes et des chemins de fer, travaux forestiers), les esclaves représentent la plus grande partie des forces productives.

Le nombre de ces travailleurs esclaves est tenu secret. Selon les estimations les moins pessimistes, il serait de cinq millions d'individus. A dire vrai, écrit le rapporteur, le chiffre réel doit se situer entre sept et dix millions.

A la différence des émigrés russes qui parlent de la situation politique, l'intervention de Joseph Czapski (la seule traitant de l'Europe centrale) porte sur la situation culturelle. Si la situation de la culture en URSS est bien connue en Occident, écrit Czapski, il est un phénomène beaucoup moins connu à l'Ouest, c'est l'extraordinaire rapidité avec laquelle les Soviétiques ont été capables de greffer leur modèle sur leur zone d'influence. Devant la masse de traductions d'œuvres russes, la comparaison avec ce qui se fait en Occident deviendra bientôt impossible. Il y a quelque chose d'encore plus effrayant dans la soviétisation de la culture polonaise : ce sont les confessions publiques auxquelles se livrent les écrivains. Bien sûr, dans un tel régime, on ne doit pas se prononcer à la légère sur le degré de sincérité de ces confessions. Mais le cas des jeunes écrivains est angoissant. Leurs confessions ont un accent de sincérité. Ainsi la grande tradition de la littérature est-elle détruite en Pologne, comme elle l'a été en Ukraine et en Russie, selon des méthodes désormais standardisées.

L'impasse du neutralisme

Toutes les communications traitant des relations internationales présentées à Berlin ont un point commun : dénoncer l'impasse intellectuelle et politique du neutralisme. Elles ont pour auteur Richard Löwenthal, James Burnham et Raymond Aron.

La communication de Richard Löwenthal [1] pose d'emblée que le conflit entre liberté et totalitarisme repose sur deux territoires, deux systèmes de société en opposition et deux systèmes de pouvoir. De la lutte contre Hitler ont émergé deux grandes puissances capables de se faire la guerre et qui regardent tout ce qui est entre elles comme un glacis, un allié potentiel ou un ennemi (par alliance avec leur rivale). Mais les deux systèmes reposent sur des dynamiques sociales différentes. Tandis que l'Ouest est traversé de contradictions créatrices, l'Est, après une

1. Richard Löwenthal, « Freedom and the Power Conflict ».

courte période de créativité révolutionnaire, s'est complètement rigidifié et n'a plus pour seul axe de développement que l'expansion missionnaire pour reproduire partout ses institutions. A l'Ouest, le nazisme a été le résultat de l'impossibilité de trouver des réponses aux questions posées par la dynamique de développement du XIXe siècle. C'est une impasse, mais elle peut être surmontée. A l'Est, au contraire, tout est toujours prédictible d'une manière terrifiante.

Il en découle deux tâches historiques pour la société occidentale : préserver sa créativité et défendre ses territoires contre la pression du totalitarisme soviétique. Or ces deux tâches sont liées. En effet, le communisme comme idéologie se développe là où l'Ouest n'est pas créateur.

Richard Löwenthal dessine alors ce que devrait être la dynamique de la liberté en soulignant qu'il y a quelque danger à vouloir déclencher une « contre-offensive du monde libre » qui se réduirait à un mouvement de propagande. Il faut rechercher ailleurs les éléments d'une politique : suivre en Asie la voie anglaise (en Inde) plutôt que la voie française (en Indochine). En Europe, des premières réponses ont été trouvées : définir des modalités de relation avec Tito ; démontrer que Berlin peut survivre ; régler le problème des réfugiés.

La contribution de James Burnham [1] mélange plus étroitement relations internationales et style intellectuel, plus exactement la critique d'un style intellectuel : le progressisme. A ses yeux les communistes ont entièrement corrompu le langage. Ils exercent sur les progressistes un chantage permanent en les maintenant dans un état de culpabilité non moins permanent. C'est ainsi qu'il faut comprendre l'appel à la paix qu'ils lancent aujourd'hui et qui trouve un écho chez les pacifistes et chez les progressistes. Or les communistes trouvent la paix à leur goût à partir du moment où elle bénéficie à l'État soviétique. Tout cela rappelle les années 1930. Seules les étiquettes ont changé : les partisans de la paix et l'appel de Stockholm ont remplacé le serment d'Oxford et les ligues pour la paix et la démocratie contre la guerre et le fascisme.

James Burnham fait alors une vibrante profession de foi qui constitue le cœur de sa communication :

1. James Burnham, « Rhetoric and Peace ».

> Je suis hostile à l'appel de Stockholm comme en général aux partisans de la paix. J'y suis hostile parce que cet appel, tout comme les partisans de la paix, est un instrument de l'impérialisme soviétique. Il a été conçu afin d'affaiblir le monde non communiste, de recruter des partisans et de gagner du terrain au bénéfice des partis communistes, bref, il sert à couvrir les plans de guerre et de l'armement soviétique, lequel comprend évidemment des bombes atomiques. Cette pétition n'exprime pas un sincère désir de paix. Elle fait partie de la préparation et de la conduite de la guerre des Soviets pour la conquête du monde. Il me faut ajouter, pour être tout à fait honnête, que je ne suis pas contre la bombe atomique sans discrimination de circonstances. Je suis contre les bombes qui sont et seront stockées en Sibérie ou dans le Caucase en vue de détruire Paris, Londres, Rome, Bruxelles, Stockholm, New York, Chicago, Berlin, toute la civilisation occidentale. Et je suis aujourd'hui plus qu'hier pour ces autres bombes fabriquées à Los Alamos, Hanford et Oak Bridge et stockées je ne sais où dans les montagnes Rocheuses ou les déserts américains.

Raymond Aron, enfin, centrait sa communication [1] sur la distinction entre guerre limitée et guerre illimitée, la responsabilité politique et morale consistant à circonscrire les moyens par lesquels éviter la guerre illimitée. A ses yeux :

> [...] On augmente les chances que la guerre ne devienne pas illimitée dans la mesure où l'on remplit deux conditions : 1) ne pas laisser l'Union soviétique s'assurer d'une supériorité, même initiale, telle que la tentation de la grande aventure devienne irrésistible. Hitler n'a pas résisté à cette tentation. Il serait dangereux de se fier à la sagesse du Père des peuples : 2) interdire à l'Union soviétique des succès dans la guerre politique qui la renforceraient à tel point que tout espoir d'équilibre s'évanouirait. Je ne crois pas que ces conditions soient suffisantes mais je suis sûr qu'elles sont nécessaires.

En un mot, si « l'épreuve de force est inévitable, l'explosion ne l'est pas ». Dans ces conditions, la seule politique de paix concevable est de renforcer les ressources matérielles et morales des nations libres dans la lutte politique et pour l'éventualité de la guerre totale. A son tour, Raymond Aron dénonce les conceptions de la neutralité européenne. C'est un sophisme de penser que l'URSS serait moins agressive à l'égard de la France et de l'Italie si elles n'adhéraient pas au Pacte atlantique. On ne peut être neutre dans le conflit avec le stalinisme.

1. Raymond Aron, document n° 33.

L'Europe autonome, de plus en plus autonome dans une alliance, oui. L'Europe trouvant une voie de conciliation entre les États-Unis et l'URSS, en revanche, est une chimère. Il ne faut pas laisser aux staliniens le monopole du mot « paix », écrit Aron, qui ajoute : « On n'accroît pas la probabilité de la guerre totale en assumant les devoirs de la guerre limitée. » Afin d'éviter la guerre totale, il faut gagner la guerre limitée. L'épreuve durera des années, une génération peut-être. Il convient de s'y préparer. Et de conclure :

> L'avènement d'une paix sereine au lieu de la paix belliqueuse suppose que les hommes du Kremlin aient abandonné leur prétention au monopole de la vérité et du pouvoir ; qu'ils reconnaissent leur régime non pour l'achèvement de l'histoire mais pour un entre d'autres ; qu'ils tolèrent à l'intérieur et en dehors de leurs frontières des centres de puissance autonomes et, du coup, l'apaisement apparaîtrait possible.

Si la notion de totalitarisme était partout présente, elle n'était pas, on l'a dit, inventoriée. Les difficultés de la liberté retinrent davantage l'attention, notamment à travers la communication de Karl Jaspers [1], où le philosophe caractérisait la situation moderne par la domination de la ruse sur la vérité dans le débat public, rejetant l'individu vers le cynisme et l'anarchisme de la pensée. Les fédéralistes, par la voix d'Henri Brugmans [2], proposaient de sortir du romantisme sombre de l'après-guerre par la mise en œuvre d'un projet fédéral européen, alternative tout à la fois au spenglérisme et au marxisme. Cependant, c'est du côté des intellectuels anciens communistes que s'exprime la tentative la plus forte pour offrir des perspectives politiques et intellectuelles à la résistance antisoviétique et anticommuniste. Deux noms se détachent ici, ceux d'Arthur Koestler et de Franz Borkenau. Arthur Koestler est incontestablement l'un des ténors de la réunion de Berlin, où il a présenté deux communications [3]. Dès la séance inaugurale, il a fait à la tribune une intervention extrêmement coupante, articulée sur la distinction entre deux méthodes d'action, l'une fondée sur le compromis, la seconde empruntée à l'Évangile selon saint Matthieu, « que votre oui soit oui, que votre non soit non »,

1. Karl Jaspers, « Les dangers et les chances de la liberté ».
2. Henri Brugmans, « La guérison par l'esprit ».
3. Arthur Koestler, « Two Matters of Action » et « The False Dilemma ».

pour lancer un appel pressant à l'utilisation de la seconde dans la situation historique présente. Dans « The False Dilemma », Koestler enfonce un peu plus le clou, dénonçant non plus les attitudes de compromis mais les fausses antinomies, telles que droite/gauche, socialisme/capitalisme, désormais privées de sens. Ainsi, s'interroger pour savoir si le congrès réuni ici, à Berlin, est un congrès « de droite » ou « de gauche » n'a strictement aucune signification (Koestler fait allusion, sans le nommer, à un écrivain français qui ne peut être que Sartre). Particulièrement révélateur des confusions présentes est l'usage de la notion de gauche, qui suggère un continuum entre la gauche moderne, libérale et social-démocrate, et l'extrême gauche totalitaire. De même, le mot « socialisme » recouvre les réalités les plus diverses. Les notions héritées du XIXe siècle hypnotisent les Européens alors que l'histoire a bougé et que ses enjeux se sont déplacés. Pour Arthur Koestler, le conflit nodal du siècle n'est plus celui entre capitalisme et socialisme, droite et gauche, mais celui entre tyrannie totale et liberté relative.

Franz Borkenau, pour sa part, centrait son intervention sur la recherche et la construction d'un néolibéralisme. Brossant une analyse dense (et parfois obscure) des différentes vagues du décrochage intellectuel du communisme depuis l'instauration du léninisme en entrecroisant références historiques et générationnelles, Borkenau débouchait sur une définition suggestive : nous sommes, écrivait-il, dans une situation historique comparable à la fin de l'ère napoléonienne, à la recherche d'un équivalent du romantisme – qui permit la sortie du césarisme napoléonien. Il proposait alors de revenir à l'idée de liberté hors de l'idéologie libérale et lançait cette formule pour guider l'action : « Le retour aux anciennes valeurs n'est pas le retour aux vieilles habitudes. » A ses yeux, enfin, les intellectuels ex-communistes, du fait de leur expérience de l'utopie totalitaire, devaient avoir un rôle privilégié à jouer dans la construction de ce néolibéralisme.

Si le consensus intellectuel de la réunion était fondé sur un antitotalitarisme d'urgence, des divergences plus ou moins profondes apparaissaient dans le domaine de l'action politique. Quatre problèmes cristallisaient les attitudes et les oppositions : 1) le neutralisme, entendu non seulement comme position d'équidistance politique, mais encore comme phénomène intellectuel européen; 2) les initiatives américaines civiles (plan Marshall) et militaires (traité de l'Atlantique-Nord) en Europe; 3) le rôle des partis socialistes et du mouvement syndical; 4) la place de la construction européenne dans les priorités politiques. Le point culminant des divergences apparut lors de la dernière session publique, qui avait pour thème « Paix et liberté » et qui fut incontestablement la séance la plus passionnée du congrès, en raison notamment des positions en flèche prises par des hommes comme Koestler (mettant vigoureusement en cause la politique du *Labour Party*) et Burnham (assimilant le neutralisme européen à l'isolationnisme américain). La contradiction leur fut apportée par André Philip, Haakon Lie et Altiero Spinelli principalement. Mais ceux-ci n'étaient pas davantage d'accord entre eux, Haakon Lie, par exemple, prenant vigoureusement la défense du *Labour Party* attaqué par Koestler et manifestant son scepticisme sur la construction européenne, tandis qu'Altiero Spinelli plaidait pour la nécessité de créer une Europe unie et une armée européenne.

Les différences d'orientation politique étaient de surcroît prolongées par des différences de style national. Sans doute existait-il un assez fort consensus entre Européens et Américains sur un refus très ferme de la thèse de l'équidistance culturelle chère aux neutralistes, faisant de l'Europe le sanctuaire de la vraie culture contre deux matérialismes également menaçants, celui de l'Union soviétique et celui des États-Unis (pareil refus était exprimé aussi bien par Aron que par Burnham). Toutefois, des dissonances apparaissaient entre Européens et Américains sur des points comme le *leadership*, l'idéalisme moral ou l'exceptionnalisme américain. A Berlin, Burnham apparaît beaucoup plus que Hook comme le chef de file de la participation américaine et Burnham, tant par son style que par ses positions, provoque un recul des Européens (Löwenthal, par exemple, met en garde contre les dangers du *big talk*). Le décalage introduit, à l'inverse, par l'idéalisme moral est particulièrement sensible dans la communication de James T. Farrell. Celui-ci fait découler de la définition de la liberté en termes moraux à la fois une définition du totalitarisme (une atteinte à la vie morale de l'homme à travers l'outil de la propagande) et une ligne de conduite de résistance inspirée du précepte de Lincoln : « *With malice toward none, with charity for all.* » Troisième point de différenciation, enfin, l'exceptionnalisme politique américain mis en avant par Elliot Cohen, le fondateur et rédacteur en chef de *Commentary* [1], dont la communication constitue un vibrant plaidoyer pour la citoyenneté américaine, une citoyenneté ayant permis aux États-Unis d'éviter des dérives politiques issues du XVIIIe siècle et de la Révolution française, qui ont abouti aux expériences totalitaires de l'Europe moderne. Les mécanismes qui ont permis d'éviter les aberrations politiques sont ceux qui avaient déjà frappé Tocqueville : le tissu associatif, la vitalité des groupes, la richesse des dénominations religieuses et des différentes ethnies. La voilà, écrit Cohen dans une formule choc, la véritable « troisième force » entre la domination de l'État et l'atomisation de l'individu.

Outre les différences d'expérience historique et d'orientation intellectuelle entre Américains et Européens, le *Kongress für kulturelle Freiheit* se caractérise également par la diversité des groupes européens qui ont fait le voyage à Berlin. L'émigration espagnole antifranquiste y est assez faiblement représentée : deux communications seulement sont déposées au secrétariat, l'une d'une socialiste, Carmen de Guturbay [2], l'autre d'un prêtre basque, Alberto de Onaindia [3]. La délégation allemande, constituée autour d'un axe social-démocrate de résistants antinazis, apparaît comme la plus homogène de toutes. Son homogénéité est d'autant plus forte qu'il est impossible de parler du totalitarisme sans parler du nazisme, donc sans mise en cause de l'histoire allemande elle-même. Si le congrès a été rendu possible grâce à la haute figure d'Ernst Reuter, peut-être est-ce le professeur Alfred Weber qui en symbolise le mieux l'esprit. Sa communication, brève et sans emphase, semble à elle seule incarner les idées conjointes de liberté et de culture [4]. A sa manière, la méditation d'Alfred Weber sur l'histoire des idées et l'histoire politique allemande vise, elle aussi, à circonscrire un exceptionnalisme, mais un exceptionnalisme inverse de l'exceptionnalisme américain dessiné par Elliot Cohen. En effet, Alfred Weber veut éclairer la rupture intervenue dans la seconde moitié du XIXe siècle lorsque des cercles intellectuels et

1. Elliot Cohen, « The Free Citizen in America ».
2. Carmen de Guturbay, « Report on Intellectual Life in Present Spain ».
3. Alberto de Onaindia, « Culture, Freedom, Christianity ».
4. Alfred Weber, « L'Allemagne et la liberté culturelle et spirituelle ».

politiques influents ont cherché à séparer une « liberté allemande » de la liberté occidentale et à la fonder dans une métaphysique d'État.

A l'inverse, le groupe anglais se révèle comme le plus hétérogène du congrès. Si le *Labour Party* y fait figure d'accusé, il n'est pas présent à Berlin pour se défendre. Ce sont les Scandinaves, Haakon Lie ou Fröde Jakobsen, qui volent à son secours. La seule intervention politique britannique à la tribune est celle de l'ancien ministre conservateur Julian Amery. Par ailleurs, l'une des communications présentées, celle de Hugh Trevor-Roper, témoigne d'un léger décalage par rapport aux préoccupations prioritaires de la manifestation, l'auteur centrant l'essentiel de son intervention sur l'histoire autoritaire des Églises.

Meeting final et embryon d'organisation

La manifestation berlinoise fondatrice de ce qui devait devenir le Congrès pour la liberté de la culture comporta au total trois volets : des journées de débats, un meeting public final et une séance d'organisation à huis clos. Le meeting, placé une fois encore sous la présidence d'Ernst Reuter, eut lieu le 29 juin au Sommergarten et rassembla entre 10 000 et 15 000 personnes. Les deux principaux intervenants furent le leader menchevik russe en exil Boris Nicolaevski et Arthur Koestler. Nicolaevski affirmait que les peuples de l'Est comme de l'Ouest ne voulaient pas la guerre et il rejetait sur l'Union soviétique et ses dirigeants la responsabilité des menaces pesant sur la paix. Il dénonçait ensuite la politique des dictateurs de l'URSS qui tentaient d'empêcher la reconstruction de l'Europe en s'appuyant sur les partis communistes. Mais ce meeting fut surtout un triomphe pour Arthur Koestler, à qui revint la tâche de présenter un *Manifeste aux hommes libres* en quatorze points (cf. encadré p. 43), qui constituait en quelque sorte l'apothéose de la manifestation en même temps que la plate-forme destinée à assurer un prolongement de cette première action, que l'écrivain présentait comme une offensive

MANIFESTE AUX HOMMES LIBRES

1. Nous considérons comme une vérité évidente que la liberté d'opinion est un des droits inaliénables de l'homme.

2. La liberté d'opinion est, avant tout, la liberté pour chacun de se former une opinion et de l'exprimer, même et surtout quand cette opinion n'est pas conforme à celle des gouvernants. L'homme qui n'a pas le droit de dire non est un esclave.

3. Paix et liberté sont inséparables. Partout, sous tous les régimes, la grande majorité du peuple redoute la guerre et la condamne. Le danger de guerre grandit dès qu'un gouvernement supprime les institutions représentatives et dépossède la majorité des moyens qu'elle a d'imposer sa volonté de paix. La paix sera sauvegardée : si chaque gouvernement soumet ses actes au contrôle populaire; si chaque gouvernement s'engage à soumettre à une autorité internationale les conflits qui comportent un risque de guerre; si chaque gouvernement s'engage à respecter les décisions de cette autorité internationale.

4. Les responsables de l'actuel risque de guerre sont les gouvernements qui, tout en parlant de paix, refusent de reconnaître le contrôle populaire et l'autorité internationale. L'histoire nous a appris que tous les slogans sont bons, y compris ceux de la paix, à qui veut préparer la guerre. Des « croisades pour la paix » que ne confirme aucune action réelle en faveur du maintien de la paix ne sont que fausse monnaie. Tant qu'on emploiera ces méthodes, il n'y aura pour les hommes ni sécurité physique, ni santé morale.

5. Il est de la nature même de la liberté de respecter la diversité des opinions. Mais le principe de tolérance n'implique pas logiquement le respect de l'intolérance.

6. Aucune doctrine politique ou économique ne saurait prétendre déterminer seule le sens de la liberté. C'est selon la mesure de liberté réellement dispensée à l'individu qu'on juge les doctrines et les idéologies. De même, aucune race, aucune nation, aucune classe, aucune religion ne saurait prétendre au droit exclusif de représenter la liberté, encore moins de la refuser à d'autres groupes ou à d'autres croyances, au nom d'une fin ultime, quelle qu'elle soit.

7. En période de crise, des restrictions sont imposées à la liberté, au nom de l'intérêt général, bien ou mal conçu. Nous tenons pour essentiel que de telles restrictions soient limitées à quelques domaines clairement définis. Expédients temporaires, sacrifices que la communauté s'impose, ils doivent rester soumis à la libre critique et au contrôle populaire. A ces conditions seulement, on évitera que les restrictions exceptionnelles de la liberté ne dégénèrent en tyrannie permanente.

8. Dans les États totalitaires, les entraves à la liberté ne sont plus présentées comme des sacrifices imposés au peuple. Au contraire, on les exalte comme le triomphe du « progrès » et comme « l'apogée d'une civilisation nouvelle ». En droit et en fait, les régimes totalitaires signifient la mort des droits fondamentaux de l'individu et des aspirations essentielles de l'humanité.

10. Nous considérons que le danger des régimes totalitaires est d'autant plus grand que les moyens de contrainte dont ils disposent dépassent de beaucoup ceux auxquels ont jamais eu recours, dans le passé, les despotismes. Le citoyen de l'État totalitaire est contraint non seulement de s'abstenir de toute violation des lois, mais encore de conformer toutes ses actions et toutes ses pensées à un modèle prescrit. La forme classique de la « tyrannie négative » a été supplantée par la « tyrannie positive ». Les citoyens sont persécutés et condamnés en raison d'accusations vagues et indéterminées, comme par exemple d'être des « ennemis du peuple » ou des « éléments socialement dangereux ».

11. Nous considérons que la théorie et la pratique des États totalitaires sont la plus grande menace que l'humanité ait dû affronter au cours de son histoire.

12. L'indifférence et la neutralité envers une pareille menace constituent une trahison à l'égard des valeurs essentielles de l'humanité et une abdication de l'esprit libre. Le destin de l'humanité, pour des générations, peut dépendre de la réponse que nous donnerons à ce défi.

13. La défense de la liberté, la défense de l'esprit exigent de nous des solutions neuves et constructives aux problèmes de notre temps.

14. Nous adressons ce manifeste à ceux qui sont résolus à restaurer, à sauver, à étendre les libertés qui font le prix de la vie.

de la liberté. Koestler avait été extrêmement actif dans la préparation du *Kongress für kulturelle Freiheit* et il était arrivé à Berlin avec un premier projet de manifeste. Sans qu'il existe de preuves d'archives irréfutables, plusieurs témoignages concordants permettent de penser que ce premier jet avait été élaboré en étroite collaboration avec Manès Sperber en France. Tous deux écrivains de langue allemande, tous deux anciens communistes, tous deux fascinés par l'organisation qu'avait montée avant la guerre Willy Münzenberg au service de l'Internationale communiste, Koestler et Sperber avaient suffisamment d'expérience politique pour savoir que l'on ne vient pas à ce type de réunion les mains vides. Cette première version devait être retouchée et modifiée au cours d'échanges divers du congrès lui-même avant d'être présentée au public. Le manifeste, qui ne mentionnait pas explicitement l'URSS ni le mouvement communiste international, traitait de la liberté, du lien entre paix et liberté, du danger des États totalitaires, de l'impossibilité de rester neutre face à ce danger. Il ne traitait pas, on le voit à sa lecture, de la liberté de la culture comme telle.

Il n'existe aucun document ni aucun témoignage direct sur la réunion à huis clos de laquelle devait sortir le premier embryon d'organisation du Congrès pour la liberté de la culture. On n'en a qu'une connaissance indirecte par les motions issues de ce cénacle et par une note synthétique rédigée immédiatement après la clôture du congrès par Lasky lui-même [1]. Outre le *Manifeste aux hommes libres*, en effet, le *Kongress für kulturelle Freiheit* devait produire six textes. Trois d'entre eux reprenaient des propositions avancées au cours des débats par Ignazio Silone, Günther Birkenfeld et Joseph Czapski, concernant respectivement la poursuite d'une enquête sur la liberté intellectuelle pour faire contrepoids à celle de l'UNESCO (que Silone trouvait insatisfaisante et biaisée), la création, proposée par Czapski, d'une université pour les étudiants de l'Est réfugiés à l'Ouest et, enfin, la création d'une bibliothèque à Berlin à l'instigation de Birkenfeld. Deux autres textes étaient d'ordre plus général : il s'agissait d'un message de solidarité avec les artistes et les intellectuels attachés à la liberté de l'autre côté du rideau de fer, ainsi que d'une dénonciation du régime

1. Melvin Lasky, note sans titre, 5 juillet 1950, ronéo, 13 p.

franquiste et de l'absence de liberté intellectuelle en Espagne.

Le dernier texte, proposé par le Français Henri Frenay, était rédigé en ces termes :

> Le Congrès pour la liberté de la culture, réuni à Berlin, proclame que c'est aux représentants de la culture libre qu'incombe le devoir impérieux et urgent de prendre l'initiative d'un vaste mouvement d'opinion dont les buts seraient les suivants :
>
> 1. veiller, en tous pays sans aucune distinction, au respect des libertés fondamentales de l'homme et des collectivités naturelles et les défendre partout où elles seraient ou sont menacées ;
> 2. par tous les moyens en leur pouvoir, entreprendre une action internationale publique, notamment auprès des gouvernements, destinée à assurer le libre échange de la pensée et de toutes les formes de la culture entre les hommes et les nations, ce libre échange étant considéré comme la condition peut-être insuffisante, mais en tous cas nécessaire au maintien de la paix ;
> 3. dénoncer solennellement et pratiquement à l'opinion internationale les hommes et les nations qui feraient obstacle à ce libre échange comme des bellicistes en recommandant au monde libre de les traiter comme tels ;
> 4. si ces peuples étaient exclus par leur maître de ce libre échange, réunir les moyens nécessaires pour leur faire entendre notre voix, aussi indépendante des idéologies partisanes que des gouvernements.
>
> Afin de mettre en œuvre les principes généraux d'action arrêtés par le congrès, il est demandé à chaque participant comme à ceux qui demain se joindront à nous de se considérer comme mobilisés au service des idéaux exprimés dans le manifeste et d'accepter dans l'action la discipline des organismes élus par le congrès.
>
> Ces organismes sont les suivants :
>
> 1. le Comité international disposera d'un secrétariat spécial permanent siégeant en Europe. Ce comité pourrait coopter des personnalités dont il estimerait qu'il serait important qu'elles se joignent à lui ;
> 2. dans chaque pays, un comité national est formé à la diligence des délégations présentes au congrès.
>
> Il est donné comme mandat au Comité international de réunir un nouveau comité afin que soient mis définitivement au point les thèmes et les modalités de l'action.

Il était habile de mettre Henri Frenay en avant pour déposer un texte jetant les bases d'une future organisation. Français mais fédéraliste, Frenay n'avait de surcroît jamais été communiste. Le texte de liaison entre le *Manifeste aux hommes libres* et l'ébauche d'organisation est, sans équivoque possible, un texte de combat appelant au développement d'un mouvement international discipliné. Si les participants au congrès de Berlin ont été invités à titre personnel, ils sont désormais considérés dans le texte de Frenay comme des délégués appelés à fonder des comités nationaux du mouvement en gestation dans chacun de leurs pays respectifs. Le principe d'un secrétariat international localisé en Europe est enfin arrêté dans ce document de cadrage rédigé à Berlin.

La longue analyse que Lasky jette sur le papier quelques jours après que les lampions ont été éteints permet de prendre la mesure des dispositions arrêtées à huis clos : faire une démarche auprès des cinq présidents d'honneur de la manifestation de Berlin, Croce, Dewey, Maritain, Jaspers et Russell, pour leur demander d'apporter le même concours à la nouvelle organisation ; substituer au comité de patronage du *Kongress für kulturelle Freiheit* un Comité international de vingt-cinq membres actifs désignant en son sein un Comité exécutif de cinq membres ; conserver le titre « Congrès pour la liberté de la culture » pour l'organisation à mettre sur pied ; prévoir enfin une réunion du Comité exécutif dès le mois de septembre à Paris afin de définir le plus rapidement possible le cadre juridique du mouvement.

Mais la note du secrétaire général du premier congrès contient de précieuses indications sur l'évaluation faite à chaud de cette initiative. L'appréciation globale est celle d'un succès sur toute la ligne. La plupart des participants étaient venus à Berlin par avion, en une sorte de « pont aérien culturel » prenant la suite du premier pont aérien du blocus. En marge des débats, des discussions allaient bon train sur les moyens de se protéger contre l'infiltration communiste. Un vrai bouillonnement d'idées et de sentiments entraînait tous ces gens qui avaient conscience de participer à un véritable événement au-delà du rideau de fer. Le succès, Lasky le résume finalement en une formule : Berlin a vu le congrès et le congrès a vu Berlin. Pour les Berlinois, la manifestation était présidée par leur maire et cette assemblée d'intellectuels de l'Ouest était un remarquable témoignage de solidarité avec les forces démocratiques de la ville. Non seulement les débats étaient retransmis par la presse et par la radio, mais une douzaine de réunions politiques et intellectuelles avaient été organisées par diverses organisations en collaboration avec le congrès, ce qui avait permis de toucher plusieurs milliers de personnes. Quant aux participants eux-mêmes, des visites en des points clefs de la ville avaient été programmées pour eux : porte de Brandebourg, Potsdamer Platz, ligne de démarcation Est-Ouest. Certains étaient allés dans la section soviétique. Ils avaient pu comparer l'atmosphère, les standards de vie, les normes de la vie politique. Ils avaient pris des contacts avec des centres de réfugiés, des syndicats, l'université libre. Tout cela ne pouvait que renforcer le sentiment des délégués que le conflit mondial d'aujourd'hui se situait bien entre le totalitarisme et la liberté et que la neutralité était vraiment impossible. Le grand meeting de clôture avait exprimé trois refus (refus du totalitarisme, refus du neutralisme, refus de la propagande hypocrite pour la paix) et défini deux axes forts (soutien à la paix associée à la liberté, solidarité des forces démocratiques de part et d'autre du rideau de fer) pour orienter l'action future.

Sans doute, notait Lasky, de nombreux conflits étaient apparus tout au long de ces journées : sur le rôle des États-Unis, sur le poids respectif des valeurs laïques et des valeurs chrétiennes, sur l'orientation en faveur du (ou, à l'inverse, résistance au) socialisme. Mais, au-delà de ces conflits, la réunion était parvenue à un accord sur un manifeste, sur la solidarité avec les écrivains de l'Est, sur la condamnation du franquisme. Il est vrai aussi qu'une tension fondamentale entre deux tendances traversa le congrès. La première tendance, incarnée par Arthur Koestler et James Burnham, mettait l'accent sur les visées impérialistes de l'URSS et l'urgence d'organiser une résistance face à cette pression. La seconde tendance, qu'exprimaient la plupart des Français, des Anglais, des Italiens, ainsi que les Allemands ne résidant pas à Berlin, mettait quant à elle davantage l'accent sur le renforcement de l'unité ouest-européenne et sur la nécessité de réformes économiques et sociales en profondeur pour réduire l'influence communiste. Elle réclamait aussi une attitude moins polémique à l'égard de Moscou. Lasky pensait qu'il n'y avait pas d'opposition de principe entre ces deux tendances mais qu'elles devaient être correctement gérées pour ne pas dégénérer. Le secrétaire général se réjouissait d'y être pleinement parvenu en développant un double programme, de résistance à l'Est et de reconstruction à l'Ouest. Enfin, la manifestation avait fait apparaître une attitude très positive à l'égard de la politique et de la culture américaines chez tous les congressistes, les Français apparaissant toutefois en recul sur ce point par rapport aux Britanniques, aux Italiens et aux représentants des pays nordiques.

Le *Kongress für kulturelle Freiheit* constitue ainsi la première manifestation publique d'intellectuels antitotalitaires venus de différents horizons et s'exprimant sur une base indépendante des gouvernements et des partis. Il offre désormais une structure pour promouvoir des politiques de liberté, contrebalancer les tendances neutralistes exprimées à l'Ouest, rayonner au-delà du rideau de fer. Sur ce dernier point, Lasky fait explicitement référence dans sa note à la possibilité de construire une organisation internationale intellectuelle analogue à celle mise sur pied par les communistes dans les années 1930 et 1940, mais une organisation d'intellectuels antitotalitaires orientée dans une direction opposée. Enfin le congrès de Berlin n'est pas seulement une démonstration politique, mais en même temps une manifestation de haut niveau intellectuel et culturel. Il est la preuve vivante que seule la liberté est créatrice et que la libre circulation *(free flow)* des idées est assurément la meilleure « propagande » de l'Occident. Le *Kongress für kulturelle Freiheit* démontre qu'une action internationale non gouvernementale d'esprits libres, jusqu'alors inexistante, peut être mise sur pied et répond à un besoin vital dans la phase actuelle, et probablement dans les phases suivantes, de la guerre froide.

Au service d'une stratégie d'ensemble

Le succès du *Kongress für kulturelle Freiheit* en est évidemment un aussi pour *Der Monat*, le retentissement du congrès ne pouvant que contribuer à l'élargissement de l'audience de la revue dans l'univers germanique, aussi bien à l'Ouest qu'à l'Est, où elle pénètre dans la zone d'occupation soviétique. Toutefois, le passage d'une manifestation internationale à une organisation internationale requiert plus que le talent d'un rédacteur en chef de revue ambitieux. Il n'est possible qu'avec un appui politique fort de la part des autorités américaines elles-mêmes. Si *Der Monat* est né à l'ombre du haut commandement militaire américain en Allemagne, le *Kongress für kulturelle Freiheit* se tient pour sa part dans un contexte politique entièrement nouveau : un haut-commissariat civil a succédé au commandement militaire avec la création, en 1949, de la toute jeune République fédérale d'Allemagne. Le premier commissaire, John J. McCloy, nommé par la nouvelle administration Truman, est un des membres les plus remarquables de l'élite universaliste qui définit la politique étrangère américaine au lendemain de la Seconde Guerre mondiale. Son passage à la tête du haut-commissariat civil en Allemagne (Hicog) de 1949 à 1952 a souvent été comparé à un véritable proconsulat [1]. Bien évidemment, l'entourage de McCloy a suivi de très près la préparation et le déroulement du congrès, et la capitalisation du succès de cette manifestation en vue de la création d'une organisation internationale s'inscrit en quelque sorte dans trois cercles concentriques : la nouvelle Allemagne démocratique, la nouvelle Europe occidentale, la nouvelle Amérique universaliste.

Le premier chancelier de la toute jeune République fédérale est alors un chrétien-démocrate rhénan, Konrad Adenauer, favorable à la construction européenne à travers la mise en œuvre du plan Marshall et du plan Schuman, ouvrant la voie à une coopération franco-allemande dans le domaine du charbon et de l'acier. La victoire d'Adenauer sur son concurrent social-démocrate Kurt Schumacher, un Prussien nationaliste aux tendances neutralistes, hostile à l'entente franco-allemande sur le charbon et l'acier et à la construction européenne, a plutôt été un soulagement pour l'administration américaine. Dans cette conjoncture, le haut-commissaire a deux préoccupations : d'un côté, trouver des appuis au sein de la social-démocratie allemande en faveur de la politique européenne ; de l'autre, exercer une influence constante sur Adenauer pour que le chancelier ne se désintéresse pas de Berlin.

Or, si la politique européenne des États-Unis se heurte au

1. Thomas Alan Schwartz, *America's Germany. John J. McCloy and the Federal Republic of Germany*, Harvard University Press, 1991 ; Kai Bird, *The Chairman. John J. McCloy and the Making of the American Establishment*, New York, Simon and Shuster, 1992.

leader malcommode du SPD, elle est favorablement accueillie par les bourgmestres sociaux-démocrates des villes de Berlin, Hambourg et Brême. Berlin et son bourgmestre sont doublement stratégiques. Maire de la ville de 1948 à 1953 (il a été élu conseiller municipal en 1946 mais les Soviétiques ont alors mis un veto à sa désignation comme premier magistrat de la ville), Reuter est issu d'une famille d'échevins conservateurs. Commissaire du peuple de la république des Allemands de la Volga pendant la révolution soviétique, secrétaire du Parti communiste allemand, dont il se sépare en 1922, social-démocrate de gauche, résistant au nazisme, émigré, il évolue peu à peu vers une vision politique démocratique pragmatique appuyée sur un humanisme nourri de la culture grecque et de la Bible. Tout comme Schumacher, il est profondément hostile à la fusion du KPD et du SPD après la guerre, mais, à la différence de Schumacher, c'est un homme ouvert sur l'étranger, ce qui en fait un partenaire idéal pour le haut-commissaire américain (on a pu écrire que Reuter a été l'homme politique allemand favori de McCloy). Berlin devient ainsi triplement un test et un enjeu pour la politique américaine. C'est à la fois une île de liberté de l'autre côté du rideau de fer et la ligne de front pour la guerre froide. Lorsque McCloy arrive en Allemagne, à la fin du printemps 1949, il met un terme au programme de dénazification entrepris sous le contrôle de l'autorité militaire. A Berlin, le souci constant du haut-commissaire, relayé de manière privilégiée par les sociaux-démocrates de la ville, sera de maintenir une ouverture sur le monde, qui se traduira par une large palette d'initiatives destinées à soutenir la vie culturelle et intellectuelle berlinoise à la radio, à l'université, dans les revues. *Der Monat* et le *Kongress für kulturelle Freiheit* s'inscrivent pleinement dans cette politique accélérée par le haut-commissariat.

En arrivant à Berlin pour participer à ce congrès qui allait se transformer en réunion fondatrice d'une organisation internationale, les participants trouvaient un dossier contenant notamment un éditorial de l'hebdomadaire anglais *The Economist* [1] qui permettait de cerner l'enjeu de ce premier congrès et du choix de Berlin. L'éditorialiste écrivait que la notion de guerre froide avait subi un spectaculaire retournement : utilisée

1. « Peace Versus Peace », *The Economist*, 27 mai 1950.

à l'origine par les Américains pour décrire la stratégie soviétique, elle était désormais employée par l'URSS pour stigmatiser le comportement de l'Amérique et de ses alliés. Or les Soviétiques n'avaient jamais fait mystère qu'il n'y avait à leurs yeux que deux types d'États, les États entièrement contrôlés par les communistes et les autres, considérés comme hostiles. La mise en jeu de cette stratégie avait commencé dès 1943 en Pologne, elle s'était poursuivie en 1945-1946 dans la zone d'occupation orientale en Allemagne, enfin dans l'élimination de tous les « neutres » en Tchécoslovaquie en 1948. Or, au lendemain de la guerre, la prétendue agressive Amérique était plutôt isolationniste et prête à s'entendre avec l'Union soviétique au détriment des intérêts européens et britanniques. Imaginons un instant, poursuivait toujours l'éditorial, une Allemagne réunifiée dans une Europe neutre, avec, par exemple, à sa tête un chancelier comme Adenauer. Il ne faudrait pas attendre longtemps avant que les Soviétiques fassent savoir qu'il ne serait pas « neutre » de ne pas avoir de communistes au gouvernement. Le palier suivant serait de mettre en évidence le caractère « non neutre » du ministère de l'Intérieur aussi longtemps qu'il demeurerait entre des « mains antisoviétiques ». Ce serait ensuite le tour de la police, de l'appareil judiciaire, etc. Bref, sans le secours d'une alliance occidentale, les dirigeants allemands n'auraient pas d'autre attitude possible que celle à laquelle avaient déjà eu recours Edvard Benes et Jan Masaryk : la capitulation. Cette référence à la Tchécoslovaquie permet de situer la vraie signification de Berlin : à beaucoup d'égards, Berlin c'était l'anti-Prague, et si, face à la stratégie de l'Union soviétique en Europe, Prague traduisait une capitulation, Berlin voulait témoigner au contraire pour l'esprit de l'esprit de résistance.

CHAPITRE II

La mise en place à Paris
(1950-1952)

Aucun schéma d'organisation ne préexiste à la réunion du *Kongress für kulturelle Freiheit* à Berlin en juin 1950. La séance à huis clos a permis de se mettre d'accord sur la constitution d'un Comité international de vingt-cinq membres, qui a désigné en son sein un Comité exécutif de cinq membres : Ignazio Silone, David Rousset, Arthur Koestler, Irving Brown et Carlo Schmid [1]. Les acquis du *Kongress für kulturelle Freiheit* apparaissent de deux ordres : ce premier embryon d'organisation et deux axes géopolitiques d'intervention fondés sur le message adressé aux écrivains et aux artistes vivant de l'autre côté du rideau de fer et la résolution relative à la liberté de la culture dans le monde hispanique. Lasky [2] demande que deux secrétariats soient créés rapidement à Berlin et à Paris. Sa note propose encore trois noms pour trois postes à pourvoir dans les meilleurs délais : Margarete Buber-Neumann au secrétariat de Berlin ; François Bondy comme directeur des publications ; Richard Löwenthal pour prendre la tête d'un département de recherches. Quant aux tâches de la future organisation, Melvin Lasky les recense et les classe sous deux rubriques : « Actions » et « Projets à long terme ». Il ne s'agit de rien d'autre à la vérité que de la récapitulation des idées agitées

1. Le chiffre convenu n'est pas atteint dans la composition effective de cette instance, qui réunit, outre les cinq membres du Comité exécutif, Julian Amery, Haakon Lie, James Burnham, Sidney Hook, Nicolas Nabokov, Eugen Kogon, Theodor Plievier, Herbert Read, Denis de Rougemont, Lionello Venturi, Boris Nicolaevski, Karel Kupka, Joseph Czapski, Margarete Buber-Neumann, André Philip.
2. Melvin Lasky, note citée.

les semaines précédentes. La rubrique « Actions » énumère pêle-mêle publications, brochures, investigations, protestations, accueil des intellectuels allemands fuyant la zone soviétique, radio, prix annuel, bulletin d'information, maison d'édition. La seconde rubrique, « Projets à long terme », répertorie sept opérations : production de films, circuits de conférences, institut de recherche, université pour les exilés, École de la liberté George-Orwell, création de nouvelles cellules du congrès, actions de groupe de pression. En ce mois de juillet 1950, une autre note d'organisation, non signée celle-là [1], envisage la création en France d'un réseau de Maisons de la liberté. Une Maison de la liberté centrale serait ouverte à Paris, avec bureaux, salle d'exposition, services administratifs. Autour de cette maison parisienne graviteraient des cercles des Amis de la liberté, disposant chacun de leur propre maison dans les dix-sept villes universitaires françaises. Il s'agit d'un projet ambitieux, ne visant à rien de moins qu'à réaliser sur l'ensemble du territoire un maillage des milieux universitaires, soumis à une forte pression communiste, un peu sur le modèle des bourses du travail d'autrefois en milieu ouvrier. « En attendant l'aménagement de la Maison de la liberté, précise encore cette note, le siège provisoire de l'association pourrait être domicilié chez M. David Rousset. » Deux autres noms figurent sur ce schéma : Louis Mouillesseaux, pour prendre les commandes du secteur d'édition, et Pierre Bolomey, en charge des services administratifs du dispositif.

À la vérité, pendant une bonne année le futur Congrès pour la liberté de la culture cherche sa formule et tout indique qu'il s'en faut de très peu qu'il ne voie jamais le jour tant les tensions et les contradictions sont fortes entre les différents partenaires. Deux conceptions antinomiques sont en compétition pour dessiner l'organisation en gestation : l'une vise à mettre sur pied un mouvement international s'opposant frontalement au mouvement des partisans de la paix soutenu par l'Union soviétique et le mouvement communiste international ; l'autre, à l'inverse, la conçoit comme un réseau d'influence de haut niveau qui, sans se priver naturellement

1. Étude sommaire sur les problèmes d'organisation, 20 juillet 1950, 2 p. dactylographiées.

de prises de position politiques, agirait par son rayonnement, un rayonnement fondé sur la qualité des manifestations et des publications dont elle assurerait le patronage.

Les premières incertitudes sont sensibles dès l'été 1950. Il apparaît vite que les évolutions ne se conforment pas aux schémas jetés sur le papier. Premièrement, ce n'est pas le Comité exécutif désigné à Berlin mais un état-major informel se réunissant au domicile d'Arthur Koestler à Fontaine-le-Port, en forêt de Fontainebleau, qui prend les décisions [1]. Ce comité informel voit converger autour de Koestler, Melvin Lasky, le rédacteur en chef de *Der Monat*, Irving Brown, le représentant en Europe de l'*American Federation of Labor*, François Bondy, qui a pris ses fonctions de directeur des publications, Ignazio Silone enfin. Ni Rousset ni Schmid ne paraissent associés directement aux échanges de l'été 1950. En second lieu, si Bondy est appelé à jouer un rôle croissant dans la conception de l'organisation, Margarete Buber-Neumann pas plus que Richard Löwenthal, assurément actifs l'un et l'autre en Allemagne, n'interviennent à ce niveau. De plus, ce ne sont pas deux mais trois « bureaux » qui commencent à fonctionner en Europe : Berlin et Paris, mais aussi Rome, où Silone s'emploie à mettre sur pied une Association pour la liberté de la culture italienne. Le bureau de Paris, pour sa part, est logé à l'hôtel Baltimore et son financement est assuré directement par Irving Brown sur les fonds de l'AFL. Louis Mouillesseaux se voit rapidement écarté du projet de Maison de la liberté en raison d'un passé politique douteux. En revanche, Pierre Bolomey, un proche d'Altman, le directeur de *Franc-Tireur*, en devient la cheville ouvrière administrative. L'état-major de Fontaine-le-Port pousse les feux : outre le financement du bureau de Paris par Brown, Koestler rédige une brochure de vulgarisation sur les orientations du nouveau mouvement [2]. L'écrivain est sans ambiguïté orienté vers la création d'un mouvement de mobilisation international, dont l'association française, les Amis de la liberté, devrait être le banc d'essai à Paris. Une troisième décision intervient durant cet été 1950 : la préparation de la

1. Peter Coleman, *The Liberal Conspiracy. The Congress for Cultural Freedom and the Struggle for the Mind of Post War Europe*, The Free Press, 1989, p. 34.

2. *Ce que veulent les Amis de la liberté.* Cette plaquette non signée est de la main d'Arthur Koestler.

première réunion du Comité international, confiée à François Bondy.

La réunion de Bruxelles (28-30 novembre 1950)

Dans un texte rédigé peu avant l'ouverture des travaux, Bondy exposait que l'objet de cette nouvelle manifestation était de mettre sur pied une Ligue internationale pour la liberté de la culture fondée sur le *Manifeste aux hommes libres*, qui en constitue la charte fondamentale [1]. Ce manifeste, écrit-il, représente la plate-forme acceptable par tous au-delà des conflits apparus à Berlin. Le directeur des publications met en avant cinq figures intellectuelles pour rehausser l'éclat de la manifestation : Ignazio Silone, Arthur Koestler, Joseph Czapski, Boris Nicolaevski, Eugen Kogon. Bondy associe à chacun d'eux une tâche précise : pour Silone, la présentation du rapport moral sur le travail accompli au cours des cinq derniers mois ; pour Koestler, l'exposé d'une initiative née en France sur la base du manifeste de Berlin, les Amis de la liberté ; pour Czapski, une information sur le projet de création d'une université des exilés. Boris Nicolaevski fera le voyage de New York pour parler de son étude menée à travers trente ans d'exil sur les conditions de production intellectuelle en URSS, tandis qu'Eugen Kogon rendra compte d'un centre d'étude et de documentation en cours de réalisation.

Bruxelles se présente comme une réunion du Comité international élargi, où seuls les membres du CI peuvent prendre part aux votes tandis que les invités sont seulement associés aux débats. Au total, 39 personnes se retrouvent dans la capitale belge : 23 membres du CI et 16 invités. Deux membres seulement du Comité exécutif élus à Berlin sont présents : Irving

1. « Cette ligue est [...] une sorte de communauté atlantique sur le plan intellectuel et elle affirme la solidarité morale et affective de toutes les sociétés libres devant une menace commune ; elle est de plus virtuellement une société mondiale puisqu'elle se préoccupe, plus qu'aucune autre organisation actuellement existante, du sort de la jeunesse des pays actuellement soumis au totalitarisme. Elle se prépare à imprimer des livres et des brochures pour donner dès à présent des conditions de formation et de travail aux centaines de milliers de réfugiés qui, depuis la fin de la guerre, végètent dans les camps » (François Bondy, dossier de presse).

Brown et Ignazio Silone, ce dernier ne rejoignant au demeurant les participants que pour la clôture des travaux. Koestler est absent mais il a envoyé un message aux délégués réunis dans une salle de conférences de la CISL, où ils sont accueillis par Irving Brown, qui ouvre les travaux.

Les 23 membres du Comité international sont alors : Georges Altman, Julian Amery, German Arciniegas, Irving Brown, Henri Brugmans, Margarete Buber-Neumann, James Burnham, Mintauts Cakste, Guido Calogero, Joseph Czapski, Henri Frenay, Eugen Kogon, Haakon Lie, Nicolas Nabokov, André Philip, Charles Plisnier, Oskar Pollack, Denis de Rougemont, Franz J. Schoeningh, George Schuyler, Ignazio Silone, Alfred Weber, Max Yergan. La composition du CI de novembre 1950 diffère assez sensiblement de celle publiée à l'issue de la manifestation de Berlin. Le fait n'a rien d'étonnant car toutes ces structures sont éminemment provisoires. Au reste, on trouve parmi les 16 personnalités « invitées » à Bruxelles des hommes qui pourraient fort bien figurer au CI (et que l'on retrouvera effectivement par la suite dans les structures de décision du congrès), comme Richard Löwenthal, Stephen Spender ou Manès Sperber. Certaines absences s'expliquent par des désaccords : c'est le cas de Herbert Read, qui a envoyé une lettre de désistement dans laquelle il expliquait qu'il se refusait à mélanger culture et politique [1]. Boris Nicolaevski, pour sa part, s'était vu refuser son visa par les services américains, ce qui ne manqua pas d'entraîner une protestation de la part des participants. Dernière remarque : parmi les personnalités invitées, on relève un nombre significatif de dirigeants de journaux ou de revues pour relayer l'action en direction de l'opinion publique. Ainsi pour la France, outre Georges Altman, de *Franc-Tireur*, sont présents à cette réunion Pierre Corval, le rédacteur en chef de *L'Aube*, et Claude Mauriac, le directeur de la revue *Liberté de l'esprit* [2].

Après en avoir préparé l'ordre du jour, Bondy remet la conduite effective de la réunion de Bruxelles à un comité provisoire formé d'Altman, Brown, Kogon, Lie, Nabokov et

1. Cf. *id.*, « Brief aus Brüssel. Die Organisierung der freien Geister », *Der Monat*, janvier 1951, pp. 380-385.

2. Les autres invités à Bruxelles sont David Dallin, T.R. Fyvel, Jeanne Hersch, Michael Karpovitch, Olivier Lacombe, Herbert Lüthy, Ernst Tillich, Herbert Turgsten, David C. Williams, Abraham Weinshall.

Turgsten. En l'absence de Silone, c'est François Bondy qui présente le rapport d'activité sur les cinq derniers mois. Le bureau de Berlin fonctionne. Il est flanqué d'une sorte de club abrité dans une maison aménagée aux abords de la ville, avec des chambres destinées à recevoir des hôtes de passage et une bibliothèque. A partir de ce point d'ancrage le bureau privilégie deux orientations : maintien du contact entre Berlin et le reste du monde; acheminement de journaux et de livres vers la zone d'occupation soviétique en Allemagne, ainsi que vers la Pologne et la Tchécoslovaquie. Un programme de publications est par ailleurs envisagé. A Paris, en revanche, le rapporteur souligne que les conditions de travail sont plus malaisées. Le bureau parisien s'est donné pour tâche de publier des ouvrages, des brochures, un bulletin, ainsi qu'une revue. Un groupement autonome, les Amis de la liberté, a déposé ses statuts. Bondy fait également état du voyage qu'il a lui-même entrepris en compagnie de Georges Altman et qui a débouché sur la promesse de former rapidement un comité italien, représenté par Guido Calogero. Silone, pour sa part, ajoute-t-il, a dressé personnellement un programme de brochures à réaliser en Italie. En Suède, Herbert Turgsten a diffusé les travaux du *Kongress für kulturelle Freiheit* par le canal du *Dagens Nyheter* tandis que Haakon Lie collabore de son côté avec le secrétariat pour établir une édition des documents et comptes rendus du congrès de Berlin. François Bondy termine ce tour d'horizon en donnant des nouvelles de l'*American Committee for Cultural Freedom*, ainsi que des principales figures (écrivains, artistes et universitaires) qui l'ont rejoint aux États-Unis. Le rapport d'activité fixe clairement l'objectif de la réunion du Comité international élargi – sortir du provisoire :

> [...] Depuis le congrès de Berlin, nous avons travaillé dans le provisoire. Le Comité international, ses invités et les membres du secrétariat sont réunis ici pour sortir de cette situation provisoire, adopter des statuts, fixer clairement et définitivement nos buts, nos méthodes, nos intentions et tous les moyens que nous pouvons mettre en œuvre, de la façon la plus nette possible, pour continuer notre action.

18 communications ont été enregistrées auprès du secrétariat, qui a prévu d'organiser les travaux en ventilant les partici-

pants dans 6 commissions de travail [1] avant discussion générale en séance plénière – travaux portant sur des projets concrets donnant corps à l'action et sur la mise au point des statuts du mouvement international lui-même. Les projets tout d'abord. Ils sont au nombre de trois : un programme de publications; un fonds d'entraide intellectuelle; une université pour les étudiants émigrés.

En ce qui concerne les publications, François Bondy a distribué à la commission un menu de 44 titres de brochures susceptibles d'être publiées. Les titres proposés sont répartis en quatre séries : réalités du monde totalitaire; aspects et problèmes du monde libre; grands débats modernes; bilans et documents (cf. encadrés pp. 60 et 61). La commission présidée par Georges Altman est invitée à sélectionner les titres les plus utiles et à y ajouter ses suggestions. Trois éléments encadrent ce programme de publications : prendre pour objet le rapport entre réalité du système soviétique et propagande du régime; s'adresser à des responsables plutôt qu'au grand public; s'attacher à démonter les raisonnements intellectuels spécieux. Primitivement, l'ouvrage de Boris Nicolaevski devait être examiné par une commission spéciale, mais, du fait de l'absence de son auteur, il fut présenté et défendu par David Dallin [2] devant la commission générale des publications. Le projet consistait à éditer un livre noir sur la culture en Union soviétique en s'appuyant sur des textes publiés depuis trente ans dans la presse mais inconnus à l'étranger. Le livre se proposait de restituer la visée de mise en esclavage de la culture par le régime et d'analyser des variations dans le système d'oppression mis en œuvre. L'exposé des motifs indiquait que la situation d'esclavage de la culture russe était peu connue en raison de l'attitude de nombreux intellectuels occidentaux, renforcée par la propagande soviétique. Nicolaevski soulignait qu'il existait chez les intellectuels un désir de croire que la révolution communiste avait élargi les horizons idéologiques et libéré l'esprit de ses entraves pour permettre l'épanouissement d'une expression

1. Commission des statuts; commission Publication et Information; commission Proposition Czapski (université); commission Proposition Nicolaevski (situation de la culture derrière le rideau de fer); commission pour la rédaction d'un texte sur la liberté des échanges culturels avec l'URSS et les pays satellites; commission en vue de la création d'un prix de la défense de la liberté de la culture.
2. David Dallin, *La Vraie Russie des Soviets*, Plon, 1948.

PROGRAMME DE PUBLICATIONS PROPOSÉ PAR FRANÇOIS BONDY À BRUXELLES

I. Réalités du monde totalitaire

1) L'Analyse de la démocratie en Russie. Une analyse de la société soviétique et du « potentiel de liberté » qu'elle contient. Cette brochure pourra être basée sur un essai présenté au congrès de Berlin par Sergueï Utechin.

2) Les Lois, visage d'un pays. Étude comparée du droit soviétique (par exemple la législation sur les grèves) et du droit existant dans les démocraties. Cette brochure serait écrite par Elinor Lipper.

3) Ce qu'ils apprennent aux enfants. Évolution de la pédagogie en régime totalitaire, l'école antichambre de la caserne, instrument de propagande, etc.

4) Étudiants et professeurs sous la férule. Témoignages directs sur la vie des universités en régime totalitaire, par exemple Charkow et Leipzig.

5) Le Façonnement de l'homme nouveau. Application du lyssenkisme, les camps et les procès comme expérience sur l'âme, la formation d'élites spécialisées, le déracinement systématique, les nouveaux mamelouks, etc.

6) Index des livres interdits. Les livres supprimés, les textes tronqués, par exemple les lettres de Rosa Luxemburg en édition communiste en Allemagne, cas spéciaux dans les pays satellites, par exemple destruction des livres de Masaryk en Tchécoslovaquie.

7) Le Politburo *critique littéraire et musical.* Extraits de *Country of the Blind* et citations de presse soviétique. Auteur éventuel : Nicolas Nabokov.

8) Marx, Lénine, Staline censurés. Un régime craint ses propres « textes sacrés ». Éventuellement, une annexe au n° 6.

9) Littérature commandée, littérature liquidée. De Babel à Akhmatova.

10) Eisenstein et Meyerhold, deux destins tragiques. Textes déjà existants parus dans les revues.

11) Lorsque Ehrenbourg était un écrivain libre. Extrait de Juri Turenito et étude de T.R. Fyvel.

12. Le Rire du crocodile. Étude sur les beautés de l'humour dirigé. L'humour comme arme terroriste.

13) Un nouveau crime : le cosmopolitisme. Surtout des textes de revues soviétiques (comparés à des textes plus anciens) et des textes nazis.

14) La Pensée comme « réflexe pavlovien ». Débat sur la science, la linguistique, la philosophie et une confrontation avec les visions de George Orwell.

15) Le Chant de la terre sibérienne. La Sibérie vue par les films, les visiteurs distingués comme Lattipore et Wallace, et par Elinor Lipper et Margarete Buber-Neumann.

16) Ce que deviennent les sports en régime totalitaire. La lutte tenace des sportifs, notamment en Tchécoslovaquie, contre la politisation et la militarisation du sport. Auteurs proposés : Herbert Traubert et Jan Veltruski.

17) Le Sort des communistes sous le stalinisme. Décapitation et épuration massive des cadres communistes trop occidentalisés : Bulgarie, Allemagne, etc. Que serait-ce en France et en Italie ?

18) Conversations à travers le rideau de fer. Discours adressés sur le ton plus de la compassion que de la hargne à des intellectuels de talent rabaissés, tels que György Lukacs, Anna Seghers, etc., par des amis anciens. Utile aussi comme texte pour la radio.

19) Les 25 000 Procès des pays satellites. Développement d'un article de Michel Padev dans *Der Monat* (n° 26) sur la technique des procès et le problème des aveux.

20) La Mise au pas des cultures satellites. Imposition de la biologie de Lyssenko et du réalisme socialiste littéraire de Pékin à Varsovie.

21) Le Rideau de fer partout. L'abêtissement totalitaire au sein des sociétés libres. Citations de sources communistes. Distinction entre le « bourrage de crâne » occasionnel et le mensonge total et conséquent.

22) Ils veulent notre bonheur. Brochure adressée aux intellectuels français avec citation d'Éluard, etc. Sur le bonheur futur, sur le sourire de Staline, le front de Thorez, le « parachèvement de l'émancipation de l'homme », à travers les camps de redressement, etc. Auteur éventuel : Herbert Lüthy. Préface éventuelle de François Mauriac.

II. ASPECTS ET PROBLÈMES DU MONDE LIBRE

La seconde série retient quatre projets et quatre auteurs : Rougemont, Czapski, Fyvel, Philip. Il s'agit tout d'abord de la réédition révisée et complétée de *Lettres européennes,* un opuscule de Denis de Rougemont publié en faible tirage à Lausanne. Le projet de Joseph Czapski *Pour une université des exilés* ferait l'objet d'une publication spécifique. Troisième ouvrage de cette série, un texte de T.R. Fyvel, *George Orwell, classique de la liberté*; enfin le quatrième projet s'intitule *Les Syndicats américains vus par les Européens,* confectionné à partir de comptes rendus de groupes d'études de syndicalistes européens, l'ouvrage étant préfacé par André Philip.

III. LES GRANDS DÉBATS MODERNES

Il s'agirait tout d'abord de publier cinq essais par chacun des cinq présidents d'honneur (Croce, Dewey, Jaspers, Maritain, Russell) sur le thème de la liberté de la culture. Puis les communications marquantes de Koestler et de Burnham à Berlin (*Le Faux Dilemme* pour le premier et *L'Avenir de l'impérialisme* pour le second). Enfin, les six autres projets retenus dans cette série s'apparentent plutôt à des enquêtes. Ils ont pour titre : *Socialisme et pensée vivante, L'Église dans la démocratie, Progressisme et Progrès, L'Histoire des idéologies, Le Film, servitude et asservissement, Quelle liberté voulez-vous ?*

IV. BILAN ET DOCUMENTS

La logique de cette dernière série apparaît plus géographique, ainsi qu'en témoignent les titres proposés : *Les Courants souterrains de la pensée en Espagne; La Yougoslavie va-t-elle vers la tolérance intellectuelle ?; Deux expériences asiatiques : l'Inde et la Chine; Conditions de la culture en Amérique latine; Colonialisme, vieux style et nouveau genre.*

libre, avant d'ajouter que cette illusion était une des causes principales de la dénégation des aspects désagréables de la réalité soviétique. Le projet Nicolaevski étant considéré comme acquis, les discussions portèrent principalement sur les autres ouvrages à réaliser, comme la topographie de la liberté en 1951 ou « le sens des mots » (une suggestion de Sperber proposant de réaliser une anthologie des vérités interdites ou déformées), l'équilibre du programme à mettre en chantier (dosage des brochures « anti » et des brochures « pour »), la création d'une agence de presse ou d'un centre de documentation (Margarete Buber-Neumann insistant sur la nécessité de diffuser des nouvelles d'au-delà du rideau de fer). Parallèlement, une commission plus spécialisée, dont le rapporteur était Claude Mauriac, étudiait la création d'un prix littéraire, le prix de la Liberté, attribué par un jury international comprenant si possible un représentant des pays soviétisés.

Le deuxième volet donnant consistance au mouvement en voie de formation était le projet d'entraide intellectuelle d'Arthur Koestler, le *Fund for Intellectual Freedom*, présenté en son absence par Julian Amery, qui avait également lu aux délégués le message envoyé de New York par l'écrivain [1]. L'exposé des motifs du projet précisait :

> Le FIF se propose d'apporter une aide directe de la part des écrivains de l'Ouest aux écrivains réfugiés des pays à gouvernement totalitaire. Le FIF a été créé par Graham Greene, John Dos Passos, James Farrell, Aldous Huxley et Arthur Koestler. C'est par pur hasard que les noms de ces cinq personnalités se trouvent réunis et ce fait est l'expression des relations personnelles qu'entretiennent ces écrivains. Nous nous trouvons dans une situation telle que l'élite intellectuelle de la majeure partie de l'Europe est soumise à une destruction systématique. Ceux qui ont pu y échapper – et ils sont rares – sont condamnés à une existence humiliante, privés de toute possibilité de travail fructueux et

1. « Chers amis, des circonstances personnelles m'empêchent de participer à votre conférence et, si je le regrette, je vous souhaite beaucoup de succès dans votre travail et surtout j'espère que tous les membres du congrès (tous ceux qui en auront la possibilité) souscriront au Fonds de solidarité des intellectuels qui a été créé tout récemment. Ceux qui ont lancé cette action ont voulu joindre le geste à la parole. Nous ne saurions vivre la conscience tranquille et moins encore chercher à guider les autres sans faire quelques sacrifices personnels. Notre solidarité avec nos collègues persécutés de l'Est ne peut pas se restreindre à une action politique, elle doit devenir une réalité fraternelle. Le Congrès pour la liberté de la culture, le Fonds de solidarité des intellectuels sont deux aspects de la lutte que nous menons pour assurer la sécurité collective des intellectuels » (Arthur Koestler, New York, 12 novembre 1950).

réduits à des aumônes déguisées. Il s'agit de cas en nombre limité et il est possible, de ce fait, d'apporter une aide efficace.

Le démarrage du *Fund for Intellectual Freedom* est assuré sur la base suivante : Huxley verse 10 % de ses droits d'auteur en Amérique ; Greene, Farrell et Dos Passos, 10 % de leurs droits en Europe ; Koestler, pour sa part, destine au fonds la totalité des revenus de la pièce de théâtre tirée du *Zéro et l'Infini*. Peut être membre du FIF tout auteur acceptant d'y verser une partie de ses revenus à partir d'un certain plancher : soit 10 % des droits d'auteur provenant d'une région (Europe ou Amérique), soit la totalité pour une œuvre déterminée (pièce de théâtre, film, etc.). Les fonds destinés aux écrivains et artistes réfugiés à l'Ouest n'ont pour but en aucune manière de leur offrir des moyens de subsister, mais de leur permettre tant de surmonter l'exil que de retourner à un travail créateur. Le but peut être atteint par divers moyens : création d'une maison d'édition russe ; soutien à des revues ; achat de machines à écrire en cyrillique. Tout écrivain chassé de son pays par un régime totalitaire, croyant aux principes de la liberté intellectuelle et de la démocratie politique et les soutenant publiquement, est susceptible de recevoir un don du fonds. Le secrétariat du Congrès pour la liberté de la culture est, avec le Comité international pour l'aide aux réfugiés, l'organisme habilité à dresser des listes d'écrivains et d'artistes susceptibles de bénéficier d'aides.

Le troisième projet examiné à Bruxelles est celui présenté par Joseph Czapski sur la création d'une université pour les exilés. A la différence du FIF, le projet n'a pas encore connu en cet automne 1950 l'ombre d'une réalisation. Au demeurant, Czapski cherche avant tout à obtenir des délégués le vote d'une motion permettant d'engager le processus de création de cette université pour les étudiants réfugiés d'Europe centrale et orientale qui lui tient à cœur. Elle devrait être localisée près d'une université française de province, de sorte qu'elle puisse bénéficier de ses équipements et de son encadrement. Deux facultés seraient ouvertes, toutes deux essentielles dans la perspective de l'éducation politique de cette jeunesse intellectuelle : droit et économie politique d'une part, lettres et histoire de l'Europe orientale de l'autre. Les étudiants seraient choisis parmi les ressortissants des États sous contrôle soviétique, ainsi que parmi les nationaux des peuples opprimés en URSS même (Ukrainiens, Blancs-Russes). Czapski demande au Comité international de lancer un appel à toutes les institutions, fondations et universités d'Europe et des deux Amériques pour un apport de fonds et de désigner en son sein une commission pour prendre en charge la réalisation du projet. Toutefois, malgré son vibrant plaidoyer en faveur de cette jeunesse pour lui éviter le double péril du stalinisme et du nationalisme exacerbé, le projet se heurte à de profondes réticences et fait l'objet de discussions passionnées. En effet, fait-on remarquer à Czapski, c'est prendre une lourde responsabilité que de procéder à un pareil regroupement, pouvant rapidement favoriser la fermentation d'idées nationalistes extrémistes. Toutefois, le projet est adopté et la commission pour le faire avancer à Paris et à New York désignée. Outre Czapski, la commission proposée à Bruxelles se compose de Mintauts Cakste, Sidney Hook, Michael Karpovitch, Arthur Schlesinger Jr.

Chacune de ces trois actions devait connaître par la suite des fortunes diverses : les publications ne devaient en rien respecter le programme défini à Bruxelles; le FIF fonctionna de manière effective avant d'être repris ultérieurement en gestion directe par le Congrès pour la liberté de la culture; l'université pour les étudiants exilés prit corps à la périphérie de Strasbourg. Quoi qu'il en soit, on voit dès cet automne 1950 se dessiner à Bruxelles une des originalités du futur Congrès pour la liberté de la culture : ne jamais dissocier la lutte pour la vérité sur le système soviétique de la solidarité avec les émigrants d'Europe centrale et orientale.

Le second point fort de la réunion du Comité international élargi concerne la mise au point du mouvement international lui-même. Les membres du CI sont invités à voter, article par article, les statuts d'un Mouvement international pour la liberté de la culture, association de droit français, dont le siège était localisé à Paris, tout en étant susceptible d'être transféré en un autre lieu par simple décision de son Comité exécutif. Pour accomplir cet objectif, les moyens suivants pourront être mis en œuvre : diffusion d'informations, conférences, publications, réunions publiques ou privées, voyages d'enquête. Peuvent être membres de droit toutes les personnes ayant participé au congrès de Berlin et signé le manifeste [1]. Pourra en faire partie tout groupement ou personne approuvant le manifeste et les buts de l'association et dont l'affiliation aura été acceptée par le Comité exécutif. Le fonctionnement du Mouvement international pour la liberté de la culture repose sur une assemblée générale, un Comité international et un Comité exécutif, ce dernier ayant pouvoir d'agir au nom de l'association.

Le second volet des problèmes d'organisation visait la mise sur pied de comités nationaux du mouvement. Six documents traitant du développement du mouvement avaient été déposés [2], documents fort hétérogènes, hétérogénéité révélatrice de la diversité du MILC dans cette phase de gestation. Ainsi, bien que deux Anglais, Julian Amery et Stephen Spender, fussent présents à Bruxelles, aucune proposition d'organisation n'apparaissait pour l'Angleterre. Bondy ne mentionnait d'ailleurs pas l'Angleterre dans son rapport d'activité. Il faut dire qu'ici le rapporteur marchait sur des œufs. D'outre-Manche était venue en effet, sous la plume de Hugh Trevor-Roper [3], l'attaque la plus violente contre le *Kongress für kulturelle Freiheit* par un participant aux travaux de Berlin, décrivant la manifestation comme un congrès de Wroclaw à l'envers, organisé par d'anciens communistes alliés à des nationalistes allemands hystériques [4]. En ce qui concerne l'Italie, l'allocution de Calogero était très vague et ne contenait aucune information précise. German Arciniegas, écrivain et essayiste colombien, plaidait de son côté pour une extension mondiale de l'association, en insistant sur les conditions particulières de l'action en Amérique latine, où le mouvement devait combattre à la fois le communisme et le néofascisme. Arciniegas communiqua au Secrétariat une liste de noms susceptibles de créer un comité

1. Le texte intégral du *Manifeste aux hommes libres* est incorporé aux statuts du MILC dans l'article III B.

2. Document n° 9, allocution de Guido Calogero ; document n° 10, allocution de Mme Buber-Neumann ; document n° 11, Daniel Apert, constitution et premières activités de l'association les Amis de la liberté ; document n° 12, rapport d'Ernst Tillich ; document n° 14, programme d'action en Amérique latine présenté par German Arciniegas ; document n° 17, correspondance avec les Amis de la liberté, critiques et suggestions.

3. Hugh Trevor-Roper, « Ex-Communists *vs* Communists », *Manchester Guardian*, 10 juillet 1950.

4. Dans l'article précité « Brief aus Brüssel », François Bondy mentionne également les critiques émises publiquement par Steinburger et Borgese (« Errore di Berlino », *Corriere della Sera*, 8 octobre 1950), sans toutefois atteindre la vivacité de celles de Trevor-Roper.

latino-américain à l'échelle du continent. Margarete Buber-Neumann informait les participants de la création à Francfort d'un Comité de libération des victimes de l'arbitraire et demandait au MILC de le soutenir. Ernst Tillich fit de même pour un comité d'inspiration voisine créé à Berlin, qui se proposait d'envoyer des livres de l'autre côté du rideau de fer, de mettre sur pied un fonds de soutien aux étudiants de la zone orientale, ainsi qu'une structure de consultation juridique.

Enfin, le rapport de Daniel Apert concernant l'association française parlait des contacts établis dans le cadre d'une stratégie politique reposant sur l'alliance des « sphères socialistes et syndicalistes » et des « sphères libérales ». S'agissant des milieux socialistes et syndicalistes, Apert écrivait :

> Le stalinisme bénéficiant en France de la sympathie de républicains avancés, de catholiques, de syndicalistes, actuellement ébranlés par son aspect totalitaire et conquérant, ce sont ces groupes que nous avons cherché à atteindre avant tous les autres.

Son rapport faisait état de l'appui apporté par *Le Populaire*, *Franc-Tireur* et *Combat*, ainsi que de celui de la presse socialiste de province ; du concours d'hommes politiques de l'entourage d'André Philip ; d'intellectuels socialistes comme Jean Texier, Georges Izard et Gérard Rosenthal. Quant aux sphères libérales, « il va de soi, poursuivait Apert, que nous n'avons pas à convaincre cette partie de l'opinion française, mais plutôt à établir avec elle un courant et à créer entre elle et les socialistes un climat, que nous souhaitons maintenir au-dessus des risques de division des antistaliniens, qui pourraient résulter des prochaines élections législatives ». Les deux partis politiques correspondant à ce volet sont alors le MRP et le RPF. Le but recherché est d'avoir une action sur la masse par le ralliement de personnalités représentatives : François Mauriac, Jean Schlumberger, Maurice Schumann, le pasteur Boegner, venant renforcer les premiers signataires du manifeste, Georges Duhamel, Louis de Broglie, Jacques Maritain, Gabriel Marcel, André Malraux, Raymond Aron. Le rapport rédigé par Apert notait encore que « la création du mouvement Paix et Liberté, apparemment analogue au nôtre et placé sous l'égide du gouvernement Pleven, ne saurait être un obstacle. Nous entretenons avec Paix et Liberté des relations correctes ».

Comme toute réunion de ce type, celle de Bruxelles ne se

conçoit pas sans une certaine production de textes. Deux résolutions sont ainsi votées à l'issue des travaux : l'une sur la liberté des échanges culturels entre le monde soviétique et le monde libre et l'autre proposant une confrontation et un débat au mouvement des partisans de la paix. Sur ce dernier point le CI autorise le Comité exécutif à procéder à toutes les démarches nécessaires en vue de fixer, avec les représentants des partisans de la paix, les lieux, temps et conditions de ces débats publics.

Le premier Comité international s'acheva sur une réunion publique organisée le 30 novembre 1950 dans la salle de la Royale Union coloniale belge, réunion au cours de laquelle Brugmans, Silone, Rougemont, Nabokov, C. Mauriac et Schuyler prirent successivement la parole. Ce fut l'occasion de présenter pour la première fois en public les instances dirigeantes du mouvement en voie de formation : les présidents d'honneur déjà désignés à Berlin ; le Comité exécutif, composé de ses cinq membres d'origine, qu'avaient rejoints cinq suppléants désignés par le CI : Raymond Aron, Georges Altman, Haakon Lie, Nicola Chiaromonte, T.R. Fyvel ; un directeur en la personne de Denis de Rougemont, le président du Centre européen de la culture constitué en cette année 1950 à Genève avec l'appui du tout nouveau Conseil de l'Europe. Cette nomination permit de boucler le dispositif : en effet, le huis clos de Berlin n'avait pas permis de dégager de consensus sur un nom pour le titulaire du poste [1]. L'agencement des structures ainsi définies et présentées publiquement pour la première fois à Bruxelles ne fut pas modifié par la suite.

1. Irving Brown s'en expliqua clairement au cours des débats du Comité international de Bruxelles : « Après avoir quitté Berlin, où fut élu le Comité exécutif, nous avions pensé qu'il serait possible de trouver un homme pouvant assumer les fonctions de secrétaire général, au sens où on l'entend généralement, connaissant bien les questions européennes. Nous nous sommes aperçus très vite qu'il était très difficile, pour ne pas dire impossible, de désigner une telle personne, pouvant réunir toutes les qualités nécessaires, et notamment celle de saisir toutes les nuances des opinions des membres de notre comité. »

L'installation du Secrétariat international à Paris

Après Bruxelles, le Mouvement international pour la liberté de la culture dispose désormais d'un secrétariat homogène composé de trois Suisses – Denis de Rougemont, François Bondy et René Lalive d'Épinay –, qui prend le relais de l'état-major informel qui s'était réuni autour de Koestler sur la lancée du *Kongress für kulturelle Freiheit.* En Suisse, le Secrétariat se réunit à Genève, Lausanne et Renens (domicile de Lalive d'Épinay) tandis que, à Paris, Bolomey, sous la houlette d'Altman et en contact avec la Préfecture de police et le ministère de l'Intérieur, s'emploie à faire avancer conjointement les dossiers de constitution des Amis de la liberté et du MILC. C'est au début de l'année 1951 que l'association française prend forme : un premier conseil d'administration se réunit le 4 janvier [1]. Il est présidé par Mme Malaterre-Sellier, flanquée de trois vice-présidents : Louise Weiss, Georges Altman et Henri Frenay. A peine constituée, l'association est le siège d'un conflit pour l'attribution du poste de secrétaire général, qui se conclut par la défaite de Daniel Apert et entraîne son départ au profit de Jacques Enock, le candidat de la SFIO, qui en prend désormais les commandes.

Parallèlement et conformément aux décisions du Comité international, le montage juridique du Mouvement international pour la liberté de la culture se poursuit à Paris. A Bruxelles, le syndicaliste norvégien Haakon Lie qui, lors de cette même réunion, a été désigné comme suppléant d'Irving Brown au Comité exécutif, a été pressenti pour en prendre la présidence. Les documents engageant l'association portent sa signature, ainsi que celle de Georges Altman : ce sont eux par exemple qui authentifient la nomination de Rougemont, Lalive d'Épinay et Bondy, respectivement comme directeur, secrétaire et secrétaire adjoint du MILC. Dans le document dactylographié destiné à l'administration française pour l'enregistrement de l'association, le Comité exécutif du nouveau mouvement

1. L'association des Amis de la liberté est juridiquement enregistrée au *Journal officiel* le 21 janvier 1951.

est composé de la manière suivante : Irving Brown, Eugen Kogon, David Rousset, Ignazio Silone, Stephen Spender, Arthur Koestler, Denis de Rougemont. Le document est signé et paraphé par Brown, Kogon, Silone et Rougemont. En revanche les signatures et les paraphes de Koestler, Rousset et Spender font défaut. La demande d'agrément du MILC est introduite par une lettre signée de quatre noms : les trois Suisses du Secrétariat et Georges Altman. Cette demande fait figurer comme dirigeants de l'association d'autres noms venant en complément du Comité exécutif : Julian Amery, Joseph Czapski, Sidney Hook, Haakon Lie, Nicolas Nabokov, Charles Plisnier, Arthur Schlesinger Jr, Lionello Venturi et Max Yergan.

Les choses vont en rester là car le MILC n'ira pas plus loin. Le blocage ne résulte pas d'obstacles politiques venant des autorités françaises : à plusieurs reprises Pierre Bolomey fait au contraire état du feu vert du ministère de l'Intérieur, bien disposé à l'égard de l'association internationale [1]. L'abandon du MILC découle des conflits internes au projet lui-même. Au niveau le plus élémentaire, on ne manque pas d'être frappé par le foisonnement des intitulés durant la seconde moitié de l'année 1950 : Maisons de la liberté, Amis de la liberté, Mouvement international pour la liberté de la culture, Congrès pour la liberté de la culture. Les organes décisionnels sont éclatés : un secrétariat en Suisse, trois bureaux à Berlin, Paris et Rome, un bailleur de fonds à Bruxelles. Tous ces acteurs n'interagissent que partiellement et s'ignorent parfois volontairement. Rien ne serait plus faux que de décrire les premiers pas du Congrès pour la liberté de la culture comme une romance libérale nimbée de transparence démocratique. Le cheminement est chaotique, parsemé de chausse-trappes, d'informations tronquées, d'intrigues personnelles et de conflits exacerbés dans un milieu d'écrivains et de journalistes d'une extrême susceptibilité. A quoi il faut ajouter la nécessité de la rétention d'information liée à la protection contre l'infiltration de l'adversaire. Du reste, le Secrétariat international ne parvient pas, semble-t-il, à se protéger complètement de ce risque.

1. En revanche, Bolomey rencontre un obstacle juridique non anticipé : le *numerus clausus* des étrangers dans les entreprises françaises. Cette contrainte limite sévèrement les recrutements au Secrétariat international. Pierre Bolomey est ainsi conduit à s'orienter vers un statut de droit suisse qui sera finalement adopté par le Congrès pour la liberté de la culture.

C'est sur cet arrière-plan mouvementé que prend place à Paris, durant le premier semestre 1951, un double événement qui, en liquidant le MILC, assoit la structuration définitive du Congrès pour la liberté de la culture en Europe : l'ajournement du congrès de Paris, décidé à Bruxelles, et l'installation du Secrétariat international dans la capitale française.

Le conflit sur l'orientation de l'organisation à construire éclate en février 1951 lors de la première réunion du Comité exécutif, récemment complété, qui se tient les 9 et 10 de ce mois à Versailles dans un hôtel de la ville, le Trianon Palace. Une fois encore c'est une réunion élargie. Sont présents à Versailles huit membres du CE : Altman, Aron, Chiaromonte, Lie, Rougemont, Schmid, Spender, rejoints par des membres du Secrétariat (Bondy, Enock, Lalive d'Épinay), deux membres du CI (Amery, Nicolaevski), un président d'honneur (Salvador de Madariaga) et trois « invités » (François de La Noë, Melvin Lasky, Richard Löwenthal). La réunion s'ouvre tout naturellement par un tour d'horizon sur l'avancement de l'action dans quatre pays : Allemagne, France, Italie, Angleterre – tour d'horizon conclu par une intervention de Carlo Schmid insistant sur la nécessité de ne pas se limiter à atteindre les intellectuels mais de chercher à influencer les masses par le relais des partis et des syndicats en différenciant l'action pays par pays :

> [...] En Angleterre faire comprendre le danger du communisme aux élites, en France entreprendre une action plus subtile, en Allemagne souligner l'infiltration communiste, dans les pays situés derrière le rideau de fer agir par des prises de contact en aidant les réfugiés par la radio et les illustrés (plus efficaces que les brochures) [1].

Le débat autour du congrès de Paris constitue cependant le morceau de choix de la réunion. Le Comité international s'est séparé trois mois plus tôt à Bruxelles sur la décision de principe d'organiser en 1951 à Paris un congrès sur le modèle de celui de Berlin. Le Secrétariat en a ensuite fixé la date dans la semaine du 2 au 6 juillet. Du reste, ce n'est pas un mais deux programmes (le fait est caractéristique de l'éclatement décisionnel déjà souligné) qui sont étudiés séparément pour ce congrès : l'un par Haakon Lie, l'autre par Denis de Rougemont. Haakon Lie,

1. Procès-verbal de la réunion du CE du Trianon Palace.

président pressenti du futur MILC, envisage d'organiser cette nouvelle manifestation internationale autour de personnalités telles que Niels Bohr, Bertrand Russell, David Rousset, Eugen Kogon. Rougemont souhaite pour sa part convoquer le ban et l'arrière-ban de tout ce que l'Europe peut compter de grands écrivains dans la capitale française. La liste qu'il a établie et diffusée soulève une violente protestation de Koestler, qui refuse que soient invités des hommes comme Jean-Paul Sartre ou Thomas Mann. Au Trianon Palace, Rougemont ne peut que faire état des divergences exprimées au cours des dernières semaines :

> M. de Rougemont a exposé que l'organisation d'un congrès à Paris, depuis que la décision a été prise à Bruxelles, a soulevé de violentes protestations, notamment de MM. Spender et Koestler, concernant les invitations, et de M. Silone et du Comité américain sur l'opportunité même du congrès. D'autre part, le Secrétariat international a déjà commencé à préparer ce congrès conformément aux décisions de Bruxelles. Le congrès préparé par des travaux individuels et des travaux de commission comprendrait : une grande discussion sur les mots clefs, une grande manifestation publique sur le thème « Les libertés que nous pouvons perdre », une exposition [1].

Aron, Spender et Chiaromonte prennent nettement position contre le congrès de Paris (auquel Melvin Lasky proposait de donner le titre général de Résistance européenne), tandis que Lasky, Rousset, Enock, Lalive d'Épinay soutiennent l'initiative. Le clivage est net : d'un côté les écrivains et les intellectuels, de l'autre le Secrétariat et les organisateurs des comités nationaux. La cristallisation de l'hostilité des écrivains et des intellectuels envers un congrès de Paris sur le modèle de celui de Berlin procède du refus de certains noms associés au neutralisme et au progressisme et du refus de la confusion entre action politique et vie intellectuelle.

La décision finale d'enterrer ce nouveau congrès est prise trois mois plus tard, lors de la deuxième réunion du Comité exécutif de cette année 1951, organisée les 15 et 16 mai à Paris. Le rejet définitif du congrès à Paris coïncide avec la transformation non moins définitive du bureau en Secrétariat international du Congrès pour la liberté de la culture, le terme « mouvement » disparaissant alors définitivement. Il y a simultanéité parfaite

1. Procès-verbal de la réunion du CE.

entre la substitution, par Nicolas Nabokov, au cours de ce CE de printemps, d'un festival international des arts au congrès programmé par le Comité international de Bruxelles et l'installation du Secrétariat international, dont l'animation est assurée par un noyau américain composé de Nicolas Nabokov lui-même, assisté de Michael Josselson dans les fonctions de secrétaire général.

Devant le Comité exécutif de mai, Nabokov commence par énumérer longuement les raisons qui rendent peu souhaitable l'organisation d'une nouvelle manifestation à Paris en juillet 1951 : les élections législatives du début de l'été conduisent à la repousser à septembre ou octobre, mais à cette date très peu d'Américains pourraient y prendre part en raison de la réouverture des universités; reste la période de Noël, mais les incertitudes météorologiques et les autres *impedimenta* de la saison risqueraient de nuire à son éclat. L'argumentation est cousue de fil blanc et ne trompe personne. Nabokov prend ensuite position sur la nature de la manifestation à programmer à Paris : jusqu'à présent, explique-t-il, les activités ont été presque toutes exclusivement politiques et nous n'avons pas établi de liens suffisamment intéressants avec les milieux artistiques et musicaux. Aussi propose-t-il que le prochain congrès, qui pourrait prendre place à Paris en juin 1952, traite de la musique et des arts. Et Nabokov de dérouler le programme d'un festival clefs en main qu'il livre sur un plateau à un Comité exécutif reconnaissant. Les principales manifestations artistiques seraient organisées au théâtre des Champs-Élysées. Elles comporteraient des spectacles de ballet français et américains, des concerts symphoniques donnés par des orchestres prestigieux (Boston, Vienne, Orchestre national) dirigés par les plus grands chefs américains et européens, avec la participation de virtuoses internationaux. Au cours de ce festival, un concert serait consacré aux œuvres des compositeurs russes et des pays satellites interdites en Union soviétique. Le *Te Deum* de Verdi serait joué à la mémoire des victimes des camps de concentration. Un concert comprendrait les œuvres les plus importantes du XXe siècle actuellement diffamées par la propagande stalinienne : Debussy, Schönberg, Stravinski, Hindemith. Outre les concerts, une grande rétrospective de la peinture des vingt dernières années serait montée au musée d'Art moderne en parallèle avec des débats entre délégués du congrès. Une réunion de clôture au palais de Chaillot, placée sous la présidence des présidents d'honneur, bouclerait l'ensemble.

La proposition de Nabokov ou, plus exactement, le plan de Nabokov, car celui-ci n'attend que le feu vert tout à fait formel du CE pour être mis en chantier, est fortement appuyé par Ignazio Silone, qui souligne que la principale activité des intellectuels ne devrait pas être d'organiser des congrès. L'écrivain propose de procéder à une différenciation nette des activités à lancer dans les mois à venir : une conférence des comités nationaux en voie d'organisation pour discuter de problèmes pratiques; la promotion de rencontres et de séminaires de travail avec les intellectuels. Le procès-verbal de la réunion enchaîne ainsi :

> D'un point de vue plus général, M. Silone croit que le Congrès pour la liberté de la culture devrait poser le problème de la libre circulation des idées et des hommes non pas d'une façon collective et anonyme, mais une personnalité intellectuelle occidentale s'adressant directement à une autre personnalité orientale [*sic*]. Il souligne l'heureux résultat du procès Rousset dû au fait qu'un homme éminent a accepté de s'exposer. Poser les problèmes de la libre circulation des idées et des hommes mettrait dans l'embarras un grand nombre d'intellectuels procommunistes. M. Silone propose de placer les communistes devant le dilemme suivant : ou bien renier leur universalisme, ou bien être indisciplinés du point de vue politique [1].

Nicolas Nabokov et Michael Josselson, qui prennent alors en main le Secrétariat international, ont en commun d'avoir été officiers dans les services culturels de l'armée américaine stationnée à Berlin. Ils peuvent ainsi faire parfaitement la jonction entre le *Kongress für kulturelle Freiheit* et le *Congress for Cultural Freedom*, nouvelle organisation internationale désormais sur les rails. Nabokov, on s'en souvient, était membre du comité de pilotage du CI de Bruxelles. Il s'installe avec le titre de directeur des relations culturelles du Congrès pour la liberté de la culture, représentant à Paris de Denis de Rougemont, président de son Comité exécutif. Cette délégation s'explique par le fait que Rougemont réside à la frontière franco-suisse, en pays de Gex. Le passage du mouvement au congrès s'effectue en douceur et l'équipe américaine fusionne sans heurt avec l'équipe suisse, qui a assuré une transition difficile. Durant l'automne 1951, René Lalive d'Épinay assure la réédition des comptes du budget

1. Procès-verbal du CE, Paris, mai 1951.

alimenté jusqu'alors par l'*American Federation of Labor* à Michael Josselson [1]. Une page se tourne : Josselson a désormais en main la pleine responsabilité du développement de la structure.

Dans la phase de transition qui s'achève, un homme a indiscutablement joué un rôle important pour éviter un naufrage définitif. Cet homme, c'est François Bondy. Du *Kongress für kulturelle Freiheit* à l'état-major de Fontaine-le-Port, de la réunion de Bruxelles au secrétariat du MILC, de la responsabilité des publications à l'intégration au Secrétariat international de Josselson, Bondy est de toutes les étapes du processus. Si François Bondy peut jouer ce rôle charnière, il le doit à un ensemble de traits originaux : journaliste et essayiste de culture germanique, l'homme connaît bien Paris, où, avant la Seconde Guerre mondiale, il a appartenu à un groupe oppositionnel du PCF réuni autour de la revue *Que faire ?* Les anciennes amitiés du groupe *Que faire ?* vont se révéler précieuses : ainsi, le conseil juridique du MILC n'est autre que son vieil ami Pierre Lochak, qu'il a publié à Zurich pendant la guerre sous le pseudonyme de Pierre Brizon (pseudonyme que Lochak conservera pour collaborer ultérieurement à *Preuves*). Bondy connaît personnellement les deux grands intellectuels de référence du moment : Silone et Koestler. Enfin, et ceci n'est pas le moins important, Bondy entretient des relations étroites, confiantes, si ce n'est amicales, avec Irving Brown, l'homme qui a réceptionné le bébé à l'été 1950, puis réglé les frais de nourrice jusqu'à l'automne 1951. Entre Lasky et Brown, Koestler et Silone, Berlin et Paris, François Bondy est l'intermédiaire idéal pour surmonter les incertitudes de ces mois mouvementés.

Désormais fermement installé dans la capitale française, le nouveau Secrétariat international publie dès le mois d'août 1951 une note de travail interne traçant les buts et les activités du Congrès pour la liberté de la culture :

– défense de la liberté de la culture ;
– affirmation permanente des valeurs de notre civilisation ;
– lutte contre les doctrines totalitaires et leurs conséquences ;
– établissement et développement d'une organisation

1. L'AFL a mis à la disposition du Secrétariat 170 000 dollars pour financer cinq opérations : 1) le Comité international ; 2) les Amis de la liberté ; 3) des secrétariats à Berlin, Francfort, Rome et Londres ; 4) une *features agency* à Genève ; 5) la mission exploratoire de Czapski sur l'université des émigrés.

mondiale groupant les intellectuels dans une coopération constructive sur un programme antitotalitaire.

La note précise que le congrès se propose de gagner à cette cause des intellectuels qui sont, dans leur domaine propre, des créateurs. Il devra définir des activités qui en aucun cas ne devront être identiques à celles des organisations gouvernementales nationales ou internationales (bureaux de relations culturelles, UNESCO). Les moyens employés pourront être des manifestations publiques (congrès, conférences, débats, festivals, expositions), des activités intérieures (coordination des comités nationaux), des activités extérieures (rapports avec la presse et les organisations gouvernementales) et des publications. Les comités nationaux du congrès en ce mois d'août 1951 sont au nombre de six : Grande-Bretagne, France, Allemagne, Japon, Inde, Italie, plus le comité américain. Sept sont en voie de formation dans les pays suivants : Autriche, Belgique, Hollande, Islande, Scandinavie, Siam, Syrie.

La clarification des objectifs de l'organisation internationale a des répercussions directes en France sur l'association les Amis de la liberté et sur la politique des publications du Secrétariat international. Conçus comme le premier étage de la fusée de feu le Mouvement international pour la liberté de la culture, les Amis de la liberté se voient naturellement privés de cette dimension mondiale. Il faut attendre une année supplémentaire avant que la situation ne se décante. Au printemps 1952 et parallèlement au festival de Paris, la première conférence nationale et internationale des Amis de la liberté a lieu à la maison de la Chimie. Deux jours de débats sont organisés à partir de quatre rapports ayant tous le totalitarisme pour centre, présentés par quatre hommes représentatifs des familles spirituelles ou politiques associées à l'entreprise : Georges Altman, Raymond Aron, André Lafond, Stanislas Fumet [1].

Parallèlement se tiennent une conférence nationale de l'Association des femmes pour la paix et la défense des libertés humaines ainsi qu'une conférence nationale et internationale des jeunes Amis de la liberté : la pente est clairement de

1. Stanislas Fumet, « Le totalitarisme devant la conscience chrétienne » ; André Lafond, « Le totalitarisme et la classe ouvrière » ; Georges Altman, « Le totalitarisme dans les milieux littéraires et artistiques » ; Raymond Aron, « Totalitarisme et liberté ». Rapports et débats reproduits dans le numéro spécial du bulletin *Les Amis de la liberté*, août-octobre 1952.

répliquer point par point au modèle d'organisation du mouvement communiste international. Cet ensemble de réunions gigognes connaît encore une poussée visant à la constitution d'un mouvement international. Mais c'est le dernier soubresaut. Cette première conférence internationale est en effet la dernière du genre. L'association les Amis de la liberté subsiste mais limite désormais ses activités à cinq villes de province : Grenoble, Lyon, Saint-Étienne, Bordeaux et Nice. Jacques Enock, permanent du Secrétariat international, devient l'animateur de ce réseau tandis que Pierre Bolomey cumule les fonctions de trésorier du congrès et des Amis.

Entre le Comité exécutif de février à Versailles et celui de mai à Paris, François Bondy a réussi pour sa part à sortir en mars 1951 des cahiers mensuels sous le titre de *Preuves* [1]. Ces cahiers tiennent du bulletin de liaison, de l'hebdomadaire politique et de la revue intellectuelle. Dès leurs premiers numéros, les cahiers *Preuves* ont clairement défini leur champ d'intervention et leur orientation de la manière suivante :

– Défense de l'Europe et appui des valeurs européennes dans le combat contre le stalinisme, valeurs européennes que Denis de Rougemont définit comme étant le droit, l'esprit critique, la personne [2].

– Dissociation entre culture russe et soviétisme : le thème est développé sous la signature de Jean Gauvin (pseudonyme de Jean Laloy), qui, après avoir défini la culture soviétique comme l'aboutissement de l'évolution du naturalisme débouchant sur un optimisme primaire défigurant la culture russe, précise qu'il faut à la fois maintenir un lien entre l'Europe et cette culture et penser à des structures d'accueil pour le jour où elle s'épanouira à nouveau [3].

– Éviter l'esprit de croisade prôné par l'adversaire mais fournir des « preuves » sur la situation du soviétisme : les *Cahiers mensuels* du congrès souhaitent ainsi donner à leurs

1. *Preuves, Cahiers mensuels du congrès pour la liberté de la culture*, publiés sous la direction de François Bondy, 41, avenue Montaigne, abonnement annuel : 300 francs.

2. Denis de Rougemont, « Mesurons nos forces », *Preuves*, nº 2, avril 1951. Cet article d'ouverture est un extrait de la brochure de Denis de Rougemont *Les libertés que nous pouvons perdre*, éditée par les Amis de la liberté l'année précédente.

3. Jean Gauvin, « Peuple et culture en URSS », *Preuves*, nº 3, mai 1951. Il s'agit ici aussi d'un extait d'une publication antérieure, en l'occurrence une étude parue dans la revue fribourgeoise *Nova et Vetera*, dirigée par Charles Journet.

lecteurs des informations puisées à des sources fiables. *Preuves* publie pour cette année 1951 le nom de six bulletins ou revues édités en France et qui sont autant de sources fiables vers lesquelles les *Cahiers* orientent leurs lecteurs : *La Réalité russe*, le *Bulletin de l'Association d'études et d'informations politiques internationales, Masses-Information, Kultura, Contacts, Les Cahiers critiques du communisme.*

– Au-delà de l'information, penser le totalitarisme : telle est la tâche proposée dans l'éditorial du numéro 8 [1] , qui précise que si le terme « révolution » a un pouvoir d'attraction considérable, en revanche le « totalitarisme », « sans doute le phénomène le plus neuf, le plus bouleversant de notre époque », est aussi le moins bien connu et que « les ouvrages qui l'étudient en profondeur, comme celui de Hannah Arendt, sont encore rares ». Un peu plus loin l'éditorialiste poursuivait : « Peu de personnes – aucun parti – sentirent en Allemagne weimarienne à quel point l'hitlérisme était autre chose qu'un " masque du capitalisme ". De même, bien des gens refusent de voir que le stalinisme se situe au-delà des catégories classiques de gauche et de droite, de progrès et de réaction, de capitalisme ou de socialisme, et que ce sont justement ces catégories qui mériteraient d'être repensées à la lumière des réalités nouvelles. »

– Un lieu de débat transatlantique, enfin, inauguré dans ce même numéro 8 des *Cahiers mensuels* par un débat entre George Kennan et Raymond Aron sur la politique étrangère américaine et la recherche d'une stratégie internationale. Dans la livraison précédente et en réponse à une attaque de la revue *Esprit*, l'éditorial avait précisé la position du nouvel organe à l'égard de l'Amérique, de l'Europe et de la Russie : défense des États-Unis ou plutôt sympathie pour tout ce qui dans l'esprit, les institutions, les actions des Américains va dans le sens de la liberté et de la solidarité; défense de l'Europe et encouragements attentifs envers ce qui nous permet de prendre conscience de nos espoirs communs; défense de la Russie sur la base d'une triple exigence : retour à la liberté, retour à la culture authentique, solidarité avec les réfugiés qui végètent en Occident.

Avec la création de *Preuves*, la formule des brochures est progressivement abandonnée au profit de l'édition, sous forme

1. Éditorial non signé mais de la main de François Bondy, comme tous les éditoriaux anonymes des *Cahiers* de l'époque.

de suppléments aux *Cahiers*, des séries les plus marquantes qui y sont publiées. Mais les *Cahiers* fournissent surtout la matrice de la première revue européenne publiée directement par le Secrétariat international. Il vaut la peine de s'arrêter un peu plus en détail sur le cheminement qui conduit à cette transformation importante.

A Bruxelles, il a été question de la création d'une revue européenne unique qui deviendrait l'organe d'expression des intellectuels réunis dans le mouvement en cours de création. Toutefois, lors de la réunion du Comité exécutif au Trianon Palace, des divergences apparaissent une fois de plus sur la politique à suivre. David Rousset fait une intervention appuyée en faveur de la création de cette revue. Raymond Aron au contraire fait part de son scepticisme et plaide pour celle d'un hebdomadaire. Afin de sortir de l'impasse, la décision est prise de confier l'étude du projet à une commission où se retrouvent Altman, Aron, Bondy, Chiaromonte, Rosenthal, Rousset et Sperber. Mais au Comité exécutif de mai les choses n'ont pas beaucoup avancé, comme en témoigne le procès-verbal :

> M. Rousset expose que le sous-comité était arrivé à cette conclusion qu'il était possible de constituer un comité de direction comprenant des hommes de diverses tendances mais que le problème qu'il n'a pu résoudre a été de trouver une ou deux personnes qui seraient chargées de la diriger effectivement. M. Brown reconnaît que le comité de direction ne saurait diriger la revue et qu'il faut à la tête un homme compétent et responsable. Après discussion, le comité est d'accord pour que la personne qui dirige la revue (son titre n'a d'ailleurs pas été précisé) y consacre toute son activité et soit convenablement rétribuée. M. Brown ajoute que les appointements de cette personne pourront toujours être discutés. M. Altman indique que le sous-comité a déjà préparé le sommaire de deux numéros, mais qu'il n'a retenu aucun nom pour diriger la revue. M. Rousset dit qu'il est absolument nécessaire de trouver le rédacteur en chef avant le mois de juin si l'on veut que la revue sorte avant l'automne. Le sous-comité est chargé de trouver ce rédacteur en chef; s'il n'est pas trouvé à la fin juin, le Comité exécutif s'orientera vers la solution proposée par M. Aron, à savoir la création d'un hebdomadaire et la diffusion de brochures [1].

Derrière la sécheresse du compte rendu, ce sont des ambitions qui s'entrechoquent. Raymond Aron s'en tient à la

1. Procès-verbal du CE, mai 1951.

position qui a toujours été la sienne dès l'origine : il est préférable de créer un hebdomadaire plutôt qu'une revue. Aron développe l'argument selon lequel il existe déjà trop de revues mais il a en tête la nécessité de faire pièce à *L'Observateur*, lancé par Claude Bourdet et Roger Stéphane et dont l'influence dans les milieux de la gauche intellectuelle non communiste ne cesse de s'élargir. Il faut y ajouter, chez les partisans de l'option revue, la compétition qui divise les prétendants à la direction. Manès Sperber est sur les rangs. Il a déjà dirigé dans la zone d'occupation française en Allemagne une revue, *Die Umschau*, et il bénéficie du soutien de Rousset au sein du Comité exécutif. Autre candidat, ou plutôt candidate : Suzanne Labin, membre de la SFIO, auteur d'un livre remarqué sur Staline [1]. Très active dans la délégation française au *Kongress für kulturelle Freiheit*, Suzanne Labin dispose du fort soutien de Koestler, elle a gagné les sympathies de Farrell au sein de l'*American Committee* et se dépense sans compter pour parvenir à ses fins. Pierre Bolomey a ainsi déposé pour le compte de Suzanne Labin deux titres de revue pour prendre position. Enfin, *last but not least*, il y a François Bondy. Au CE de mai, lors du rapport sur les publications, il n'a pas manqué de souligner que, en attendant la sortie de la revue projetée, *Preuves* sont d'ores et déjà un succès : tirés à 12 000 exemplaires, ils voient arriver les premiers abonnés. Et Bondy d'expliquer qu'il a trouvé un style lui permettant de soutenir la comparaison avec *The Nation* ou *The Spectator*. La situation au Secrétariat international ne manque d'ailleurs pas de piquant : Jacques Carat, membre lui aussi de la SFIO, jeune secrétaire de rédaction venu de la revue *Paru*, engagé pour réaliser les *Cahiers*, peut assister aux tractations qui se déroulent dans la pièce voisine autour du projet de revue européenne. C'est finalement François Bondy qui emporte la décision au prix d'un conflit d'une extrême violence avec Suzanne Labin, que le directeur des publications parvient non sans mal à marginaliser. Encore une fois, Bondy négocie parfaitement une nouvelle transition : *Preuves*, revue à part entière créée sur le modèle du *Monat* de Lasky, paraît en octobre 1951, au moment où le financement-relais d'Irving Brown et de l'AFL arrive à son terme. Vis-à-vis du nouveau pouvoir exécutif, incarné désormais par Josselson,

1. Suzanne Labin, *Staline, le terrible*, SELF, 1948.

Bondy dispose d'un dossier prêt qui permet de sortir des atermoiements de la commission *ad hoc*. Ses intérêts et ceux de Josselson convergent : l'un et l'autre ont besoin d'une concrétisation rapide de la nouvelle orientation.

Dès la fin du printemps 1951, le Secrétariat international a été mobilisé pour préparer le festival de Paris qui, sous le titre *L'Œuvre du XXe siècle*, se déroule tout au long du mois de mai 1952. *L'Œuvre du XXe siècle* coïncide avec l'arrivée en France du général Ridgway à la tête du commandement unifié des troupes du Pacte atlantique, qui a donné lieu à une démonstration dans les rues de Paris organisée par le Parti communiste aux cris de : « Ridgway la peste ! ». *L'Œuvre du XXe siècle* est une manifestation fastueuse (faste qu'affectionne Nabokov mais qui crée un malaise jusque chez les plus chauds partisans de l'initiative) couvrant musique, arts plastiques et dialogues littéraires. C'est la première manifestation artistique de cette envergure organisée par les États-Unis sur le continent européen depuis leur victoire sur le nazisme. Le festival se veut l'expression d'une politique culturelle américaine inscrite dans une tradition de mécénat associée à la volonté de témoigner la capacité créatrice de l'Occident à Paris, capitale de la modernité au XXe siècle. Inaugurant une méthode appelée à être copiée, *L'Œuvre du XXe siècle* est dirigée par un comité d'organisation distinct du Secrétariat international [1]. La partie musicale est de très loin la plus développée. S'il est hors de question d'en reproduire ici la programmation détaillée [2], la liste des chefs d'orchestre, solistes et compositeurs dont les œuvres sont exécutées témoigne de la richesse de ce festival (cf. encadré p. 81). Les Opéras de Vienne, Londres et New York présentent des œuvres de Berg, Britten et Thomson. Le phare des spectacles de ballet est la prestation du New York City Ballet, dirigé par Balanchine. Huit orchestres symphoniques et sept concerts de musique de chambre parachèvent l'ensemble. Second volet : une exposition de cent vingt-six toiles et sculptures (allant de l'impressionnisme aux années 1940) est

1. Président : Nicolas Nabokov ; direction artistique : Hervé Dugadin, Julius Fleischmann, Denise Tual ; musique de chambre : Fred Goldbeck ; conférences littéraires : Roger Caillois, René Tavernier, René Hughe ; trésorier : Pierre Bolomey.
2. *La Revue musicale* consacre son numéro d'avril 1952 (n° 212) à une présentation de *L'Œuvre du XXe siècle*. Ce numéro est préfacé par Nicolas Nabokov.

CHEFS D'ORCHESTRE, SOLISTES ET COMPOSITEURS DU FESTIVAL DE PARIS

CHEFS D'ORCHESTRE :

Ernest Ansermet, Léon Barsin, Karl Böhm, Benjamin Britten, Gustave Cluez, Robert Craft, Pierre Dervaux, Ferenc Fricsay, Louis de Froment, Igor Markevitch, Darius Milhaud, Pierre Monteux, Charles Munch, Fritz Munch, Félix de Nobel, Hans Rosbaud, Igor Stravinski, Virgil Thomson, Bruno Walter.

SOLISTES :

Geza Anda, Pierre Boulez, Robert Corman, René Defraiteur, Marcelle de La Cour, Kathleen Ferrier, Monique Haas, Ernst Haefliger, Henri Honegger, Geneviève Joy, Yvonne Lefébure, Yvonne Loriod, Yvon Le Marchadour, Geneviève Moisan, Pierre Muller, Olivier Messiaen, Aturo Benedetti-Michelangeli, Charles Muller, Patricia Deway, Lucie Rauh, Léopold Simoneau, Joseph Szigeti, Huber Varader.

COMPOSITEURS :

Georges Auric, Samuel Barber, Elsa Barraine, Henry Barraud, Bela Bartok, Yves Baudrier, Alban Berg, Boris Blacher, Pierre Boulez, Benjamin Britten, Ferruccio Busoni, André Caplet, Alfredo Casella, Aaron Copland, Luigi Dallapiccola, Claude Debussy, Sein Dresden, Henri Dutilleux, Manuel de Falla, Jean Françaix, Gabriel Fauré, Paul Hindemith, Arthur Honegger, Charles Ives, Leos Janacek, André Jolivet, Zoltan Kodaly, Charles Koechlin, Constant Lambert, Arthur Lourié, Gustav Mahler, Francesco Malipiero, Roland-Manuel, Frank Martin, Bohuslav Martinu, Olivier Messiaen, Darius Milhaud, Roman Palister, Walter Piston, Francis Poulenc, Serge Prokofiev, Willem Pyper, Serge Rachmaninov, Maurice Ravel, Vittorio Rieti, Albert Roussel, Erik Satie, Henri Sauguet, Arnold Schönberg, William Schuman, Alexandre Scriabine, Dimitri Chostakovitch, Richard Strauss, Igor Stravinski, Virgil Thomson, Michael Tippett, Edgar Varèse, Heitor Villa-Lobos, Johann Wagenaar, William Walton, Anton Webern, Ralph Vaughan Williams.

présentée au musée d'Art moderne. Préalablement à l'exposition, *Preuves* a lancé une enquête auprès des écrivains et des artistes sur le réalisme socialiste. Enfin, dans la seconde quinzaine de mai, des débats littéraires prennent place à la salle Gaveau. Leur séance de clôture, consacrée à *L'Avenir de la liberté*, est présidée par Denis de Rougemont, avec la participation d'André Malraux, William Faulkner et Salvador de Madariaga.

L'inscription dans le milieu français

Outre son origine germano-américaine, l'implantation du Congrès pour la liberté de la culture à Paris en 1950-1952 soulève d'autant plus de difficultés et requiert d'autant plus de doigté que la capitale française a été préalablement le siège d'une manifestation internationale ayant reçu la bénédiction du Département d'État pour enrayer l'expansion communiste : mais tandis que le *Kongress für kulturelle Freiheit* devait être couronné de succès, la manifestation de Paris, première du genre, avait tourné au fiasco. Ce traumatisme antérieur, traumatisme masqué comme le sont souvent les traumatismes, jette une lumière nouvelle sur les hésitations et les réticences à l'égard de l'organisation d'un congrès de Paris risquant de déboucher purement et simplement sur la réédition d'une première expérience malheureuse. Non seulement la France est, avec l'Italie, un des pays d'Europe occidentale où le Parti communiste est le plus fort, mais Paris est une ville où la méfiance à l'égard de l'Allemagne demeure vive et où les sentiments antiaméricains sont chauffés à blanc. Ainsi *L'Observateur* n'a pas hésité à stigmatiser le congrès de Berlin comme le congrès des quatre K : *Kongress, Kultur, Koestler, Korea* [1].

La manifestation qui avait précédé le *Kongress für kulturelle Freiheit*, baptisée Journée internationale de résistance à la dictature et à la guerre, s'était tenue le 30 avril 1949. Elle devait faire office de contre-feu à l'égard du congrès des partisans de

1. *L'Observateur*, n° 13, 6 juillet 1950.

la paix réuni en ce même mois salle Pleyel. La situation parisienne n'était donc pas sans rappeler la situation new-yorkaise, ou l'*American Committee For Cultural Freedom* avait pris forme en réponse à la réunion philocommuniste et philosoviétique convoquée au Waldorf Astoria. Organisée par le Rassemblement démocratique révolutionnaire avec l'appui du journal *Franc-Tireur*, la journée avait été préparée par l'envoi d'une délégation aux États-Unis en février, comprenant Altman et Rousset, qui avait eu des entretiens avec Sidney Hook et l'*American Federation of Labor*. La Journée internationale de résistance à la dictature et à la guerre avait été annoncée par une affiche qui se voulait une réplique à la colombe dessinée par Picasso pour Pleyel. L'après-midi, le grand amphithéâtre de la Sorbonne accueillait un rassemblement d'intellectuels qui voyait converger Albert Camus, André Breton, Claude Bourdet, Pierre Emmanuel, Ignazio Silone, Carlo Levi, Bertrand Russell, Sidney Hook, James T. Farrell. Le soir, un meeting avait été prévu au Vélodrome d'hiver. C'est au cours de ce meeting que les choses se gâtèrent : un orateur américain, Karl Compton, affirma devant une salle d'abord stupéfaite, puis tumultueuse (qui devait vite prendre d'assaut la tribune), que l'essentiel du budget atomique des États-Unis était orienté vers des objectifs de paix. Les organisateurs s'étaient trompés de Compton : ils pensaient avoir invité Arthur H. Compton, le frère, prix Nobel et pacifiste convaincu. Achevée dans la confusion, précipitant le déclin du RDR, l'initiative, comme tous les contre-feux mal conçus, loin de limiter l'incendie, ne faisait bientôt que contribuer à sa propagation.

Un an et demi plus tard, faire converger à Paris socialistes et libéraux sur une plate-forme antitotalitaire n'est donc pas une mince affaire et ne suit pas toujours des alignements d'une clarté cartésienne. La compréhension de la dynamique qui s'instaure dans la capitale française requiert de prendre en compte moins des partis que des milieux. Trois milieux politico-intellectuels sont concernés : la fraction de l'ex-RDR entraînée par Rousset et Altman ; les intellectuels gaullistes groupés autour de la revue *Liberté de l'esprit* ; les fédéralistes européens.

Pratiquement contemporain du coup de Prague, le lancement du RDR en février 1948 comporte un double visage : un mouvement intellectuel, avec Sartre, Rousset, l'équipe d'*Esprit* et les journalistes de *Franc-Tireur*, et un parti politique, regroupant l'aile gauche de la SFIO, les dissidents du Parti communiste internationaliste, l'Action socialiste révolutionnaire, bientôt rejoints par la Jeune République [1]. Le rassemblement se propose dès sa création de lutter contre la division du monde en deux blocs et se veut à la recherche d'une troisième voie pour l'Europe. A l'origine de la constitution du RDR, on trouve un appel pour une Europe capable de maîtriser sa politique afin d'instaurer la paix attendue et d'éviter le retour au fascisme :

> Divisée, l'Europe peut être à l'origine de la guerre ; unie, à l'origine de la paix : ce n'est pas l'Europe que l'URSS redoute mais la politique américaine en Europe ; ce n'est pas l'Europe que redoute l'Amérique, c'est l'influence du *Kominform* sur les masses européennes. D'un continent qui aura su conquérir sa souveraineté l'URSS et les États-Unis auront beaucoup moins à craindre que d'un ramassis de nations misérables qui n'ont plus que la liberté de choisir le bloc auquel elles vont s'inféoder ; et comme la guerre qui menace est une guerre de peur plus encore que d'intérêts, une modification aussi radicale de la situation européenne ne saurait manquer d'amener chaque bloc à réviser sa politique [2].

Cette Europe, poursuivait le texte, ne pourra trouver son indépendance qu'à deux conditions étroitement liées : une révolution socialiste et le remplacement de la propriété privée par la propriété collective réelle ; l'émancipation parallèle des masses colonisées. Cet appel réunit des personnalités qui, deux ans plus tard, vont se diviser radicalement : Georges Altman, Simone de Beauvoir, Claude Bourdet, Albert Camus, Jean-Marie Domenach, Georges Izard, Ernest Labrousse, René Maheu, Maurice Merleau-Ponty, Emmanuel Mounier, Jacques Piette, Marceau Pivert, David Rousset, Jean-Paul Sartre, Jean Texier, Jean Baboulène, Bertrand d'Astorg, Henri Marrou, Albert Béguin, Roland de Pury, Jean Bazaine, Léopold S. Senghor, Maurice de Gandillac.

Le RDR, c'est d'abord un esprit cristallisant les idéaux politiques de la gauche intellectuelle tels que les répandaient

1. François Brajus, *Le Rassemblement démocratique révolutionnaire, février 1948-février 1950*, université Paris-IV, 1988.
2. Texte complet de l'appel reproduit en annexe *in* Michel Winock, *Histoire politique de la revue « Esprit », 1930-1950*, Éditions du Seuil, 1975.

Combat, Franc-Tireur, Esprit et *Les Temps modernes* de l'époque, appuyés sur l'esprit de la Libération et cherchant à « élaborer une politique nouvelle [...] s'efforçant obscurément de forger une doctrine qui n'aurait ni les tares de l'idéalisme et de l'humanisme traditionnel [identifié à l'idéologie bourgeoise] ni les insuffisances du matérialisme marxiste [1] ». Mais le RDR, c'est aussi un noyau organisationnel restreint, adossé principalement à l'équipe rédactionnelle de *Franc-Tireur*, où quatre hommes jouent un rôle particulièrement actif : Jean Rous, Léon Boutbien, Georges Altman et David Rousset. Deux d'entre eux, Altman et Rousset, ont été directement associés à la préparation de la Journée internationale de résistance à la dictature et à la guerre et ce sont ces deux hommes que l'on retrouve dans la mise en place du Congrès pour la liberté de la culture à Paris entre 1950 et 1952. L'un d'eux occupe une place prééminente dans le dispositif : David Rousset, qui est aux côtés de Koestler et de Silone dans le premier Comité exécutif mis en place dès la fin de juin 1950.

David Rousset est sans conteste une des figures du Paris politique et intellectuel de l'après-guerre. Ses livres, *L'Univers concentrationnaire, Les Jours de notre mort, Le Pitre ne rit pas*, ont assis sa réputation. Rousset est avec Sartre le leader intellectuel du RDR (présenté d'ailleurs très souvent comme le parti de Sartre et de Rousset), mais autant Sartre est un orateur médiocre, pour ne pas dire franchement mauvais, autant Rousset est un tribun puissant, à son aise dans les meetings. Il occupe de la sorte une position carrefour entre le noyau organisationnel du parti, le monde intellectuel, et l'univers militant d'extrême gauche. L'échec de la Journée internationale de la résistance à la dictature et à la guerre a précipité le déclin du parti et en octobre 1949 Sartre fait connaître sa décision de s'en retirer. Aussitôt après ce retrait, Rousset prend une nouvelle initiative : un appel lancé aux anciens déportés des camps de concentration nazis pour venir en aide aux internés des camps soviétiques [2]. Cet appel entraîne une réaction immédiate de l'organe du Centre national des écrivains, *Les Lettres françaises*, sous la plume d'un journaliste communiste, Pierre

1. François Brajus, *op. cit.*, p. 6.
2. « Au secours des déportés dans les camps soviétiques. Un appel de David Rousset aux anciens déportés des camps nazis », *Le Figaro littéraire*, 12 novembre 1949.

Daix [1], laquelle entraîne non moins immédiatement une assignation en justice du journal et un procès.

L'ouverture de la confrontation entre David Rousset et le Parti communiste français à la fin de l'année 1949 intervient ainsi quelques mois après la clôture du procès Kravchenko/*Les Lettres françaises* [2]. Mais si le procès Kravchenko pouvait passer pour un procès « de droite », le procès Rousset se veut résolument un procès « de gauche ». David Rousset lui-même a pris ses distances avec le premier et Georges Altman, dans *Franc-Tireur*, puis dans *Preuves*, enfonce le clou pour marquer la différence de nature entre les deux confrontations. Sans doute le procès David Rousset/*Les Lettres françaises* n'a-t-il pas dans l'opinion française le retentissement du procès Kravchenko mais il n'en a pas moins une signification intellectuelle très forte. De par son argumentation fondée sur le Code du travail soviétique, parvenu en Occident *via* les services de renseignements britanniques, de par la personnalité de Rousset, de par les témoins convoqués, il avive les clivages intellectuels tant en France qu'à l'étranger. A Paris, l'action de Rousset oblige Sartre et Merleau-Ponty à prendre position conjointement dans *Les Temps modernes* ; à New York, Rousset reçoit le soutien des Hook, Schlesinger, Farrell, qui n'hésitent pas à juger ce procès plus important que l'affaire Dreyfus.

L'appel de David Rousset à l'automne 1949 s'inscrit dans un contexte international (procès Rajk, conflit entre Staline et Tito) qui conduit à une restructuration de la gauche intellectuelle. Cette confrontation permet à Rousset lui-même un repositionnement international alors que le RDR est sur le plan intérieur en pleine débandade. Quelques mois après, au *Kongress für kulturelle Freiheit*, son prestige international est à son zénith. Membre du Comité exécutif, c'est à son domicile qu'est d'abord localisé le projet de Maison de la liberté. A Bruxelles, un de ses proches, Paul Parisot (venu comme lui du Parti communiste internationaliste), rédige une note complémentaire au rapport d'Apert sur l'action à conduire en France (Parisot s'intègre par la suite à l'équipe rédactionnelle de *Preuves*). C'est encore un autre de ses proches, Gérard Rosenthal, que

1. Pierre Daix, « Pourquoi M. David Rousset a-t-il inventé les camps soviétiques ? », *Les Lettres françaises*, 24 novembre 1949. Édité en brochure séparée.
2. Guillaume Malaurie (en collaboration avec Emmanuel Terré), *L'Affaire Kravchenko, Paris, 1949. Le Goulag en correctionnelle,* Robert Laffont, 1982.

l'on voit s'activer dans les couloirs de la maison de la Chimie pour relancer l'idée de mouvement international lors de la conférence des Amis de la liberté [1]. Dès avant la guerre Rousset était correspondant du journal *Fortune*. Il a accueilli avec enthousiasme l'élection de Truman en 1948 et se prononce en faveur du Pacte atlantique au mois d'avril suivant. La mission qu'il entreprend avec Altman au début de l'année 1949 aux États-Unis prend dès lors tout son sens : à partir de la plateforme que constitue le RDR, adossés à la capacité organisationnelle et financière du syndicalisme américain, les deux hommes n'aspirent à rien de moins qu'à créer un congrès mondial de la gauche démocratique, socialiste et révolutionnaire. Ils doivent en rabattre après le fiasco du 29 avril, qui accélère le divorce entre le noyau dirigeant du parti et la base militante parisienne. De plus, leur ralliement à la politique américaine les coupe des *Temps modernes* et d'*Esprit*. Au demeurant, si lors de la mise sur orbite du Congrès pour la liberté de la culture Rousset et Altman sont associés aux structures de décision et tirent l'un et l'autre dans le même sens après 1952 et *L'Œuvre du XXe siècle*, Altman semble prendre ses distances et se replie sur *Franc-Tireur*, objet de tous ses soins (le journal ne survit d'ailleurs tout au long de la IVe République que grâce à l'aide financière américaine). Quant à Rousset, le rejet de l'option « mouvement » lui rogne quelque peu les ailes; son action passe désormais essentiellement par la Commission internationale d'enquête sur le régime concentrationnaire [2], puissamment appuyée par la CISL.

La complexité de l'inscription du Congrès pour la liberté de la culture à Paris entre 1950 et 1952 ne saurait être mieux illustrée que par le fait que le second groupe-relais du Secrétariat international est constitué par les intellectuels et les écrivains proches du RPF, contre lequel le RDR s'était violemment dressé à l'origine en ne voyant dans l'organisation politique inspirée par Charles de Gaulle rien de moins qu'un

1. Rousset et son entourage venu du trotskisme disposent au demeurant à l'ambassade américaine de leur propre système d'information grâce à la présence d'un « camarade » new-yorkais de la tendance Schachtman. Dans son travail sur le RDR, François Brajus montre bien que l'organe de l'*Indépendent Socialist League* animé par Max Schachtman, *Labor Action*, est une des meilleures sources d'information pour analyser le RDR à Paris.

2. Théo Bernard, Gérard Rosenthal, David Rousset, *Le Procès concentrationnaire. Pour la vérité sur les camps*, Éditions du Pavois, 1951.

mouvement fasciste. Ainsi est-il pour le moins surprenant de voir cohabiter dans la même structure, dès le printemps 1951, David Rousset et Raymond Aron – le premier ayant collaboré peu auparavant à un ouvrage qui avait proprement étrillé le second [1].

Un double processus d'évolution et de décalage permet d'éclairer un peu mieux la situation parisienne. Évolution tout d'abord : le RDR se présente à l'origine comme un aiguillon de gauche de la SFIO (la composante trotskiste de la fédération de la Seine étant l'aiguillon de l'aiguillon) frontalement opposé à cet autre rassemblement qu'est le RPF, constitué, quant à lui, après le discours que Charles de Gaulle prononce à Strasbourg en mai 1947 pour appeler à la mobilisation contre la IVe République naissante. La montée en puissance du RPF se traduit dès le premier tour des élections municipales d'octobre, où le Rassemblement obtient 40 % des suffrages. Le comité directeur de la SFIO décide alors de mettre fin à la formule de gouvernement tripartite avec les communistes au profit d'une formule de troisième force en association avec le MRP dans un rassemblement de défense républicaine. Les grèves quasi insurrectionnelles de la fin de l'année 1947 modifient la définition de l'ennemi, le PCF supplantant désormais le RPF pour la direction de la SFIO. L'accélération de la guerre froide permet alors la convergence des éléments les plus antistaliniens, qui ont en commun d'être extérieurs à la troisième force, quoique venant de bords opposés.

Décalage ensuite : du fait de l'éclatement du RDR, c'est la revue gaulliste *Liberté de l'esprit* qui constitue après Berlin la structure d'accueil du futur Congrès pour la liberté de la culture à Paris. Son directeur, Claude Mauriac, est présent tant à Berlin qu'à Bruxelles. *Liberté de l'esprit* est la seule revue française qui se fasse largement l'écho du *Kongress für kulturelle Freiheit* en publiant plusieurs des rapports qui y ont été présentés. C'est un gaulliste de gauche, le poète fondateur de la revue lyonnaise *Confluences*, René Tavernier, qui, après l'installation de Nabokov et Josselson à Paris, rejoint le Secrétariat international pour assurer les liaisons avec les milieux

1. Gérard Rosenthal, David Rousset, Jean-Paul Sartre, *Entretiens sur la politique*, Gallimard, 1949. Aron a d'ailleurs réagi à ces attaques par une lettre adressée aux *Temps modernes*, publiée dans le numéro de novembre 1949, lettre suivie d'une courte réponse de Sartre.

intellectuels français. Le recrutement du gaulliste Tavernier équilibre ainsi la désignation du socialiste Enock aux Amis de la liberté. Mais plus que la revue à proprement parler, c'est avant tout un milieu politique et intellectuel spécifique, où se côtoient Koestler, Malraux, Sperber, Aron et Burnham, qui est engagé à fond dans l'entreprise. Malraux et Koestler sont convaincus qu'un coup communiste est possible à Paris : penchés sur des cartes de la capitale, les deux hommes s'interrogent sur les possibilités d'une résistance de rue. James Burnham, qui débat avec Malraux et qui, tant à Berlin qu'à Bruxelles, s'est montré un des plus déterminés pour réclamer une confrontation avec le mouvement communiste international, est un des collaborateurs réguliers de *Liberté de l'esprit*, tout comme Sperber, le corédacteur du *Manifeste aux hommes libres*. Si Raymond Aron n'a participé ni à Berlin (où il a cependant envoyé une communication) ni à Bruxelles (où il est désigné au Comité exécutif), il devient très présent et actif à partir de la réunion du Trianon Palace de février 1950 et il est l'une des premières personnalités françaises que Nabokov consulte lorsqu'il s'installe à Paris. Du reste, *Les Guerres en chaîne* et *Le Grand Schisme* avaient été dès le départ des livres de référence pour le Congrès pour la liberté de la culture en voie de formation.

Le troisième milieu-relais est formé des européanistes, lui-même scindé en deux groupes, le Mouvement socialiste pour les États-Unis d'Europe et l'Union européenne des fédéralistes, représentés par André Philip pour le premier et Henri Frenay pour le second. Les deux organisations ont au demeurant des attaches internationales différentes. Le MSEUE est né à Londres en 1947 et le premier congrès de sa branche française a eu lieu à Montrouge en 1948. Formellement constituée à Paris en décembre 1946, l'UEF a pour origine les conversations qui ont pris place à Genève dès mars 1944 entre diverses composantes des résistances antinazies et anticommunistes européennes. Avec le reflux des armées allemandes, la dynamique atteint la France. Une réunion se tient à Lyon en juin de la même année, au terme de laquelle un Comité français pour la fédération européenne est constitué, qui voit converger les mouvements *Combat*, *Franc-Tireur* et *Libérer et Fédérer*. Après les réunions de Genève et de Lyon, Paris est enfin le siège d'une conférence fédéraliste européenne du 22 au 25 mars 1945.

Des deux mouvements, c'est l'Union européenne des fédéralistes qui est le plus étroitement associée au Congrès pour la liberté de la culture. Dès avant le *Kongress für kulturelle Freiheit*, trois dirigeants de l'UEF – Henri Frenay, Eugen Kogon et Altiero Spinelli – ont été invités pour une mission aux États-Unis (sur le modèle de la mission de la gauche antistalinienne parisienne du RDR) et les trois hommes se retrouvent naturellement à Berlin en juin 1950. L'association avec l'UEF est très marquée à Bruxelles : le directeur du MILC en voie de formation, Denis de Rougemont, est un des intellectuels de référence de l'UEF et les délégués sont reçus solennellement au collège de l'Europe par son recteur, Henri Brugmans, autre membre éminent de l'Union.

Toutefois, des trois milieux français associés au congrès naissant, le milieu européaniste est de loin le plus faible. Philip et Frenay sont davantage associés aux Amis de la liberté qu'au Congrès pour la liberté de la culture à proprement parler. *Combat*, qui, beaucoup plus que *Franc-Tireur*, était réceptif aux thèses fédéralistes [1], se déchire lui-même à l'image du RDR. En juin 1950, tandis que Frenay plaide à Berlin pour la mise sur pied d'une organisation internationale de résistance au totalitarisme et que Jean-Paul de Dadelsen, le correspondant londonien de *Combat*, rejoint Denis de Rougemont, Bourdet et *L'Observateur* documentent à Paris la nécessité et la possibilité d'un neutralisme [2]. De plus, si le personnalisme est une composante forte de l'Union européenne des fédéralistes à travers des hommes comme Denis de Rougemont et Henri Brugmans, le courant ne passe pas avec les personnalistes français. Mounier a bien assisté à la conférence européenne fédéraliste de Paris en 1945 et il a accepté que la revue soit représentée au bureau, mais il a tiré de cette manifestation une note tout à fait ironique

1. En mars, au moment de la création du RDR, *Combat* a lancé une pétition réclamant la convocation d'une assemblée européenne en vue de la constitution d'un gouvernement fédéral. Cf. numéros des 18 et 28 mars 1948. Pendant la guerre, le manifeste du mouvement de résistance *Combat* publié à l'été 1942 faisait référence aux États-Unis d'Europe.

2. « La neutralité est-elle possible ? » *L'Observateur*, numéro spécial, juin 1950.

et il a pris ses distances [1]. Emmanuel Mounier meurt en mars 1950 et Albert Béguin, qui lui succède, maintient la même orientation.

Émergence et consolidation d'un style

Ce ne sont pas les buts de l'organisation à construire après le succès du *Kongress für kulturelle Freiheit* de 1950 qui font difficulté : ce qui fait problème, c'est son style car le style est déterminant pour l'efficacité de l'action à entreprendre. Les buts, quant à eux, sont sans ambiguïté : endiguer la pression du mouvement communiste international en essayant de mobiliser libéraux et socialistes dans un même effort ; combattre le « neutralisme » en tentant d'ouvrir les yeux sur la réalité soviétique aux milieux intellectuels qui, sans appartenir à des partis communistes, tiennent alors l'anticommunisme pour une faute politique et morale. Il ressort assez clairement de la présentation des deux premières années de fonctionnement du Congrès pour la liberté de la culture à Paris que la voie choisie est doublement médiane. Elle écarte l'option du mouvement au bénéfice de la création d'une communauté internationale d'esprits libres. Elle se veut une institution d'échanges qui ne se confonde ni avec les services culturels publics ni avec de simples rencontres d'écrivains.

La définition de la nature exacte du Congrès pour la liberté de la culture ne retiendrait pas une minute l'attention si l'entreprise n'avait été qu'une entreprise médiocre, mais cerner aussi soigneusement que possible son orientation est par ailleurs important pour deux raisons. La première est la nécessité de se déprendre de la propagande communiste elle-même. Le mouvement communiste international, relayé par le Mouvement de la paix dans les années chaudes de la guerre froide, n'a cessé de présenter l'organisation comme une machine de guerre. Cette diabolisation communiste va de pair avec la

1. Pierre Grémion, « Personnalisme, progressisme, fédéralisme », *in* Denis de Rougemont, *Du personnalisme au fédéralisme,* Genève, Centre européen de la culture, 1988.

stigmatisation de trois noms : Koestler le renégat, Rousset le trotskiste, Burnham le va-t-en-guerre. Or, si en 1950 ces trois hommes sont effectivement au cœur du lancement du projet, dès 1952 leur rôle n'est plus décisif dans la construction de l'agenda du Congrès pour la liberté de la culture mis sur les rails. La seconde image dont il convient de se déprendre est construite à partir d'une démarche visant à rabattre l'initiative sur les années 1930. Il est bien entendu hors de question de minimiser le rôle décisif des intellectuels des années 1930 au départ de l'entreprise : à preuve, les premiers rôles joués par plusieurs des coauteurs du *Dieu des ténèbres* [1], qui, antérieurement au *Manifeste aux hommes libres*, peut être considéré comme la charte intellectuelle du congrès dans ses premières années. Toutefois, rabattre constamment l'analyse sur les années 1930, fût-ce avec un luxe de sophistication universitaire, n'est pas innocent : la démarche vise à faire peser le soupçon sur l'outil forgé par d'anciens communistes qui ne seraient capables de rien d'autre que de communisme inversé.

La vraie difficulté est ailleurs. C'est de parvenir à clarifier l'intrication de la double impulsion constitutive du congrès : les exigences des écrivains et des intellectuels d'un côté, les exigences de la diplomatie américaine de l'autre. Si l'accès aux arbitrages du milieu décisionnel central américain nous est pour l'instant interdit, il est possible de progresser dans cette direction à partir de l'identification des principales inflexions du processus et de l'évolution du rôle des hommes dans le dispositif.

La dynamique intellectuelle qui donne naissance au Congrès pour la liberté de la culture est antérieure en effet au déclenchement de la guerre froide. Avec une grande acuité, Bertrand d'Astorg avait très bien diagnostiqué, dès 1946 [2], le mouvement qui s'amorçait chez les intellectuels européens au lendemain de la Seconde Guerre mondiale :

> [...] des écrivains (philosophes, essayistes, voire journalistes) sentent confusément que le moment pourrait être venu pour eux d'assurer ce rôle de lumière que les Occidentaux sont toujours prêts à reconnaître aux privilégiés de l'esprit, et à rebâtir une

1. Arthur Koestler, Ignazio Silone, Stephen Spender, André Gide, Louis Fischer (*op. cit*).
2. Bertrand d'Astorg, « Arthur Koestler, prix Nobel 1960 », *Esprit*, octobre 1946.

Église, fût-elle sans Dieu ni prêtres, à [des] millions de transhumants spirituels. Si ce n'est une Église, du moins un abri, une bergerie des hauts plateaux. Leur idéal serait évidemment de réaliser autre chose que des assises de Pontigny ou des semaines de Genève mais un vaste mouvement politique qui rassemblerait autour de leur doctrine les millions de sans-parti que rebutent l'inefficacité socialiste et l'impureté communiste. Chose curieuse : ce mouvement serait vraiment international à la fois par le déracinement de ces masses et la qualité intellectuelle de ses cadres. On entend déjà par-dessus les frontières s'appeler et se répondre des hommes riches d'un talent et d'une expérience très proches : Koestler et Stephen Spender en Angleterre, Malraux et Camus en France, Croce et Silone en Italie, d'autres encore.

Tous les noms qui viennent spontanément sous la plume d'Astorg vont se retrouver, à l'exception de Camus, côte à côte dans la résistance au rouleau compresseur de la propagande communiste internationale, résistance appuyée par la diplomatie américaine. Chacun d'eux sera bien évidemment amené à faire des compromis avec des exigences de cette diplomatie. Mais l'inverse est vrai : la diplomatie culturelle américaine devra se montrer ouverte de son côté au compromis pour respecter l'autonomie et l'authenticité de la communauté intellectuelle ainsi construite.

La situation d'Arthur Koestler de ce point de vue est exemplaire. L'auteur à succès du *Zéro et l'Infini*, l'ancien communiste collaborateur de Willy Münzenberg, le coauteur du *Dieu des ténèbres*, le rédacteur du *Manifeste aux hommes libres* était tout désigné pour faire le lien avec les années 1930 en prenant la tête d'un mouvement de résistance internationale politico-intellectuel. Des hommes comme Melvin Lasky, Irving Brown, Franz Borkenau, Sidney Hook poussaient dans cette direction. Très rapidement cependant, les choses évoluent dans un sens différent, avec un partage des rôles entre un intellectuel de référence, Ignazio Silone, qui supplante Koestler tant au niveau des mécanismes décisionnels qu'à celui du positionnement symbolique du congrès, et un président du Comité exécutif, Denis de Rougemont, disciple de Kierkegaard et de Proudhon, engagé dans la construction européenne. Il est aisé de voir que le choix de Rougemont constitue le premier pas de l'institutionnalisation de la voie moyenne qu'empruntera le Congrès pour la liberté de la culture. Au premier chef, Rougemont a pour lui d'appartenir à un pays neutre, la Suisse. Il a également pour lui de n'avoir jamais été communiste. Enfin, il a été une des figures de proue du congrès paneuropéen de La Haye, où il a lu le message final adressé aux Européens. L'année suivante, en 1949, Denis de Rougemont réunit à Lausanne la première Conférence européenne de la culture, où quelque deux cents délégués réunis sous la présidence de Salvador de Madariaga jettent les bases d'un programme culturel européen, d'où sort bientôt un Centre européen de la culture, dont il prend la présidence. Rougemont hésite à assumer les fonctions de président du Comité exécutif de ce qui est encore le MILC avant de devenir le Congrès, mais ses réticences, vaincues par François Bondy à Bruxelles, sont contrebalancées par le souci de s'amarrer à une opération dans laquelle Silone est profondément engagé. Le Centre européen de la culture ne pourrait manquer de bénéficier en retour du grand prestige international de l'écrivain italien, membre au demeurant de l'Union européenne des fédéralistes, comme Rougemont. Dernier élément politique enfin : au congrès de La Haye, Denis de Rougemont a pris des positions en flèche en faveur d'une Europe fédérale, très en avant de celles des conservateurs anglais et notamment du gendre de Churchill, cheville ouvrière de ce grand rassemblement, ce qui rejoignait les positions de la diplomatie américaine.

Il est plus difficile en revanche de démêler la part respective des personnalités et des interventions politiques dans la substitution d'Ignazio Silone à Arthur Koestler comme intellectuel de référence européen du tout nouveau Congrès pour la liberté de la culture. Mais le résultat est sans équivoque et sur ce point on ne peut que se ranger aux conclusions de Peter Coleman : si le *Kongress für kulturelle Freiheit* fut un triomphe pour Arthur Koestler, ce fut aussi son chant du cygne. Koestler conservera toujours son aura de père fondateur mais n'occupera jamais plus une position dominante lui permettant de faire prévaloir ses vues [1]. Le conflit d'orientation entre Koestler et Silone était apparu, il est vrai, dès juin 1950. Silone se situait moins en termes de confrontation idéologique avec le mouvement communiste international qu'en termes de structure d'accueil à construire pour les intellectuels communistes déçus. L'écrivain

1. Peter Coleman, *op. cit.*, pp. 33 et 36.

italien ne lâche pas prise et n'hésite pas à se rendre à Paris à chaque fois qu'il le juge utile pour faire valoir son opinion. Bruxelles à cet égard marque un tournant. Dès avant la réunion, Silone vient à Paris, où il passe plusieurs jours de la fin du mois d'octobre pour avoir des conversations avec Altman et Sperber sur l'organisation en cours de constitution. Il lui semble urgent de sortir de l'improvisation et d'établir un règlement intérieur fixant les tâches du Secrétariat. Il suggère la mise en place d'une commission politique qui en contrôlerait les travaux pendant les intercessions du Comité exécutif. Il discute de l'action à mener en Italie, des brochures à imprimer, du budget nécessaire à toutes ces réalisations [1]. Il accepte enfin de présenter le rapport d'activité à la prochaine réunion du comité international. A Bruxelles, Koestler est absent. Silone, lui, s'il n'a pas pu suivre les travaux, a tenu à se déplacer pour prendre la parole à la grande réunion publique dans la salle de la Royale Union coloniale belge. Le discours qu'il y prononce, d'une ampleur et d'une hauteur de vue remarquables [2], se conclut ainsi :

> Vous savez que le mouvement libéral de l'âge moderne a commencé par la revendication de l'*habeas corpus*. Or voilà que dans le XXe siècle, au moment où nous pensions résoudre le problème du bien de chacun, nous sommes rejetés très en arrière dans notre ligne de défense. En ce moment, le mot d'ordre de la nouvelle résistance devrait être *habeas animam* : le droit de chaque créature à son âme.

Habeas animam : la formule fait mouche et consacre son auteur. Elle va être reprise pendant de longues années par le Congrès pour la liberté de la culture afin d'exprimer l'identité de l'organisation sous une forme ramassée.

Cependant, il est encore impossible de préciser aujourd'hui si le relatif effacement de Koestler au profit de Silone résulte de facteurs idiosyncrasiques (c'est l'époque où l'écrivain quitte la France et où il hésite à choisir une résidence américaine ou britannique) ou s'il est acquis par une intervention politico-diplomatique subtile qui fait pencher le fléau de la balance. Mais le résultat ici aussi est sans équivoque. Silone est un personnage prêtant moins le flanc à la critique et donc beaucoup

1. *Remarques de Silone concernant son activité dans notre organisation*, 3 p. dactylographiées, sans date.
2. Le discours d'Ignazio Silone à Bruxelles fut reproduit dans *Franc-Tireur*, 4 décembre 1950.

plus embarrassant pour la gauche anti-anticommuniste que ne l'est Koestler à l'époque. L'attitude de *L'Observateur* à Paris est à cet égard un excellent révélateur : après le compte rendu du congrès de Berlin, qui s'efforçait d'enfoncer déjà un coin entre les deux écrivains (par la plume d'un jeune journaliste connaissant bien les milieux antifascistes italiens, Gilles Martinet), l'hebdomadaire devait se montrer extrêmement vigilant sur les initiatives de Silone – lequel utilisait du reste les colonnes de *Preuves* pour rectifier les interprétations de ses initiatives données par la gauche parisienne.

Ainsi, lorsque le Secrétariat international se met en place au printemps 1951, la situation est pratiquement décantée entre les deux écrivains. Josselson peut faire porter tous ses efforts pour éviter que ne se constitue un axe Burnham-Rousset pesant trop fortement sur les orientations. Il est vraisemblable que James Burnham a lui-même envisagé d'occuper une position dans les structures de décision du congrès, plus particulièrement au Secrétariat international. Il est expert auprès du gouvernement américain en matière de politique étrangère et Koestler se plaint auprès de lui du choix qu'il estime désastreux de Rougemont à la tête du Comité exécutif, dont il le rend responsable. S'il n'a pas obtenu la position qu'il espérait, c'est que l'arbitrage le concernant a été rendu à un niveau élevé. Rousset en revanche est à demeure dans la capitale française et ne cesse de faire pression, qu'il s'agisse de la revue, de la relance de l'idée de mouvement ou encore de la tentative qu'il fait, au Comité exécutif qui suit *L'Œuvre du XXe siècle*, pour coordonner l'action de la CICRC et celle du congrès, coordination qui lui sera refusée [1]. La tâche de Josselson est facilitée dans la mesure où Rousset est

1. Lors du Comité exécutif de décembre 1952, David Rousset « présente une résolution sur la contribution à apporter à l'action entreprise par la Commission internationale contre le régime concentrationnaire » (procès-verbal du CE). Cette résolution demandait que Bondy rencontre Rousset et Bernard pour mettre au point un réseau de contacts entre la CICRC et les principaux centres politiques et intellectuels asiatiques pour faciliter son enquête sur le système concentrationnaire en Chine; que le Secrétariat international assure la diffusion des brochures de la CICRC en Asie. Concernant cette double tâche, Rousset demandait qu'une conférence de travail soit organisée avec le comité anglais et que le comité américain et le Secrétariat international facilitent les efforts de traduction des travaux de la CICRC. Cette façon de lier les uns aux autres par une motion du style de celles d'un parti politique n'était pas vraiment le genre de la maison. Nulle surprise, donc, que le CE rende à Rousset la monnaie de sa pièce en enterrant purement et simplement l'affaire, selon la formule consacrée, décidant que « cette résolution ne pourrait être prise en considération qu'après une étude plus détaillée ».

plus à l'aise dans les meetings qu'il ne l'est dans les contacts et les relations internationales.

Restait, par-delà les équilibres de pouvoir au sein des premiers rôles, à trouver un style propre d'implication des écrivains en évitant deux écueils. Le premier écueil avait été parfaitement identifié pour repousser le congrès de Paris, c'était celui du mélange des genres. Mais le second ne l'était pas moins : c'était l'académisme, comme devaient le montrer les débats organisés au moment de *L'Œuvre du XXe siècle*, débats qui ne laissèrent pas de souvenir impérissable aux participants si ce n'est celui d'un Faulkner passablement éméché brodant interminablement sur le thème : l'Amérique, c'est le muscle, l'Europe, c'est le cerveau ; unissons le muscle et le cerveau ! Ici aussi tout était question de style et le style ne pouvait être inventé que sur un fil. L'accueil réservé à Czeslaw Milosz à Paris au printemps 1951 fut assurément une de ces initiatives créatrices qui frayaient un passage. Après la Seconde Guerre mondiale Milosz avait rallié le régime de la Pologne populaire, qu'il servira comme attaché culturel à Washington de 1946 à 1950. Lorsqu'il rompit, en 1951, il vint se réfugier auprès de *Kultura* à Maisons-Laffitte. Il fut accueilli à Paris par Silone et Rougemont au cours d'une conférence de presse et publia aussitôt dans *Preuves*. Quelques mois plus tard, il participa au premier séminaire organisé par le Secrétariat sur les attitudes des intellectuels à l'égard du communisme. Sa communication fut immédiatement publiée en brochure par Bondy [1] ; une brochure qui donnait les premiers linéaments de ce qui deviendrait deux ans plus tard *La Pensée captive* [2], un des classiques de la pensée antitotalitaire internationale. Le style était trouvé, le Congrès pour la liberté de la culture pouvait désormais se développer.

1. Czeslaw Milosz, *La Grande Tentation. Le drame des intellectuels dans les démocraties populaires*, 24 p., coll. « Essais et témoignages » de *Preuves*.
2. *Id.*, *La Pensée captive. Essai sur les logocraties populaires*, Gallimard, 1953.

CHAPITRE III

Le décollage du dispositif (1952-1955)

L'établissement d'un Secrétariat international permet évidemment de surmonter la fragmentation des premiers mois et d'instaurer une impulsion et une coordination centrale. C'est le Secrétariat qui devient désormais le maître d'œuvre des manifestations organisées sous les auspices du Congrès pour la liberté de la culture. Le congrès de Bombay, qui se tient du 28 au 31 mars 1951, ne répond pas encore, il est vrai, à cette définition. Contemporaine de la sortie du premier numéro de *Preuves*, la manifestation est organisée avant la prise de commandes de Nabokov et de Josselson. Elle est mise sur pied par un groupe indien qui se réclame du *Manifeste aux hommes libres* de Berlin et en étroite collaboration avec l'*American Committee for Cultural Freedom*, qui a dépêché en Inde Norman Thomas, James Burnham, Hermann J. Muller, Wystan H. Auden, et Max Yergan. Le Mouvement international pour la liberté de la culture y est représenté par Rougemont, Spender, Madariaga, tandis que Russell, Jaspers, Aron et Silone envoient des messages de soutien et d'encouragement. De ce congrès, qui a pour vocation de lancer le mouvement en Asie du Sud-Est, sortira un Comité indien pour la liberté de la culture, dont les deux personnalités de premier plan seront alors Jayaprakash Narayan, un socialiste, et Minoo Masani, le rédacteur en chef de *Freedom First*. La réunion de Bombay remplit une double fonction : organiser les intellectuels indiens pour les aider à résister aux sirènes du neutralisme au pays de Nehru ; mettre sur pied un canal d'échanges et d'expression de doléances en direction des États-Unis. A Bombay, on est encore dans une logique de confrontation ouverte, comme en témoigne la présence de Burnham et le fait que cette manifestation est mise sur pied en même temps qu'une grande réunion des partisans de la paix organisée à New Delhi.

Berlin, Bruxelles, Bombay : en neuf mois, de la fin de l'année 1950 au début de l'année 1951, ces trois réunions ont jeté les bases d'une dynamique internationale que le Secrétariat va pouvoir s'employer à faire fructifier. Sa première réalisation est le Festival des arts de Paris. Ce festival est suivi d'une semaine consacrée à la musique contemporaine organisée à Rome en avril 1954. Le maître d'œuvre en est le Centre européen de la culture de Denis de Rougemont, en coopération avec le Congrès pour la liberté de la culture et la radio italienne [1]. Le CEC est en effet le siège d'une Association européenne des festivals de musique, que Denis de Rougemont préside depuis 1951. Les rencontres de Rome font converger deux cents compositeurs et musicologues dans la capitale italienne. C'est la deuxième manifestation d'envergure organisée par Rougemont depuis la Conférence européenne de la culture de Lausanne, en 1949. Treize concerts (musique symphonique, musique de chambre, opéra) et six débats [2] marqueront cette semaine romaine, qui élargira l'action proprement artistique du Congrès pour la liberté de la culture tout en dépolitisant son image.

Mais le Secrétariat ne s'interdit pas, bien au contraire, une action politique de haut niveau à l'échelle internationale : message à Joliot-Curie, appuyé par trente-neuf prix Nobel, pour lui demander d'apporter les preuves de son accusation de l'utilisation de l'arme bactériologique par les États-Unis en Corée (juin 1952); adresse à l'ONU en vue d'une commission d'enquête sur le procès Slansky à Prague (décembre 1952); télégramme au président Eisenhower sollicitant la clémence pour les Rosenberg pour des motifs humanitaires (avril 1953); message à Ernst Reuter après les émeutes du 17 juin à Berlin-Est. Le Secrétariat international exprime clairement la volonté de prendre en charge directement l'action contre l'Espagne

1. *La Musica nel* XX *secolo. Convegno internazionale di musica contemporanea*, Roma, 4-14 aprile 1954, éd. Radio Italiana, 79 p.

2. « Musique et société contemporaine », « Esthétique et technique », « L'interprète et le public », « Musique et politique », « L'avenir de l'opéra », « Le compositeur et la critique ».

franquiste depuis Paris en organisant ou en s'associant à des meetings salle Wagram : en février 1952 d'abord, avec la mise sur pied d'une réunion de protestation contre l'exécution à Séville de onze membres de la Confédération nationale du travail anarcho-syndicaliste; en novembre de la même année ensuite, avec l'association de Salvador de Madariaga à une protestation contre l'admission de l'Espagne à l'UNESCO. Cette action est prolongée l'année suivante en Amérique latine avec l'envoi d'une pétition internationale (signée notamment par Camus, Niebuhr, Huxley, Moravia, Rougemont, Vittorini) protestant auprès de Peron contre l'arrestation d'intellectuels argentins.

L'élargissement de la vocation mondiale du Congrès pour la liberté de la culture passe par l'essaimage de comités nationaux. Lorsque Nabokov et Josselson prennent en main le secrétariat parisien, six comités fonctionnent déjà. Dans le document traçant le programme d'action pour 1951-1952, sept nouveaux comités apparaissent en voie de formation. Ces comités ont des orientations et des dynamiques de fonctionnement fort différentes : association à vocation de mobilisation politique en France, petits groupes berlinois appuyés par la social-démocratie en République fédérale d'Allemagne, structure d'accueil dirigée par un grand intellectuel en Italie. Mais à partir du moment où l'option du mouvement est abandonnée et où le Secrétariat international développe ses propres canaux, le réseau des comités nationaux passe de plus en plus au second plan dans la logique de développement du Congrès pour la liberté de la culture. Si le Secrétariat international cherche à créer des comités, c'est bien entendu pour élargir l'audience mondiale de l'organisation. Mais ces nouveaux comités sont le plus souvent des structures transitoires agissant soit comme relais (pour lancer des invitations ou pour accueillir des intellectuels réalisant des enquêtes avec l'appui du congrès), soit comme tremplins pour lancer une opération plus précise (la création d'une revue par exemple). En Europe les deux comités qui connaîtront la plus grande longévité sont les Amis de la liberté en France et l'*Associazione per la liberta della cultura* en Italie. L'emprise du communisme dans ces deux pays est un des facteurs explicatifs de cette longévité. Mais elle s'explique aussi par des causes plus spécifiques, au demeurant de nature diamétralement opposée : la forte autonomie de l'association italienne garantie par la personnalité de Silone ; l'étroite imbrication du secrétariat des Amis de la liberté et du Secrétariat international du congrès à Paris.

Le relevé de décision du dernier Comité exécutif de l'année 1951 montre que la machine est désormais lancée et qu'une action coordonnée d'envergure est dès lors possible. Le procès-verbal dresse ainsi la liste des actions à engager :

> – présenter le festival de Paris comme une manifestation de l'Occident et annoncer que d'autres manifestations auront lieu en Asie et en Amérique ;
> – provoquer la publication d'articles contre l'exposition mexicaine (communiste) qui doit avoir lieu au musée d'Art moderne en même temps que le festival ;
> – assurer la participation de notre comité allemand au procès des camps de concentration à l'Est ;
> – le comité anglais est chargé d'engager une polémique permanente avec *The New Statesman and Nation* ;
> – étudier la création d'un secrétariat chargé de recueillir la documentation soviétique existante, de donner des directives sur la manière de répondre à la propagande soviétique, de traduire et de diffuser les informations recueillies de l'autre côté du rideau de fer ;
> – faire participer nos groupes de province à la campagne précédant le festival ou exploitant ses résultats ;
> – Société européenne de culture : envoyer le texte complet de l'*Appel de Venise* à tous nos comités avec une documentation sur la SEC ;
> – publier une réponse officielle à l'*Appel* au nom du Comité exécutif du congrès et en même temps multiplier les démissions de nos membres à la SEC.

Pour mener à bien toutes ces tâches, le Secrétariat international est amené à s'étoffer rapidement sur le plan administratif en recrutant des permanents au fur et à mesure de la croissance de ses programmes. Ces permanents sont cooptés sur une base très personnelle. Outre Jacques Enock et René Tavernier, les premières années voient ainsi arriver principalement Louis Mercier Vega, Ignacio Iglesias et Constantin Jelenski, qui s'agrègent autour de Nicolas Nabokov, Michael Josselson et François Bondy. Les publications, dont François Bondy a la responsabilité, restent naturellement le programme prioritaire du Secrétariat international. *Preuves* s'est transformée en revue à la rentrée 1951 mais conserve jusqu'en 1953 une fonction de bulletin de liaison et d'information pour l'ensemble du congrès. A cela s'ajoute la sortie de brochures. Ces brochures sont destinées à faire pièce à la propagande communiste – c'est le cas par exemple de la brochure rédigée par Rossi (Angelo Tasca) sur le Pacte germano-soviétique [1]. Il s'agit ici de répondre à une campagne du Parti communiste français, enchâssée dans celle contre la ratification du traité de Communauté européenne de défense, développant la thèse d'un Staline soucieux de la victoire des démocraties sur Hitler pendant la période 1939-1940. L'outil de cette « offensive patriotique » est un ouvrage publié par deux agrégés de l'université française [2] et c'est pour répondre à ces « deux potaches de service » que Rossi rédige une brochure extrêmement bien documentée, fondée sur les sources diplomatiques les mieux établies afin de réfuter la thèse communiste. La deuxième brochure, publiée l'année suivante par Paul Barton, un émigré tchèque, vise à travers le démontage de l'affaire Lausman (Bohomil Lausman, leader social-démocrate passé à l'Ouest, avait « disparu » au début de l'année 1954 pour « réapparaître » à Prague en mai de la même année) à montrer que les différentes émigrations d'Europe centrale font l'objet à l'époque d'une entreprise de pénétration de la part de l'URSS pour y implanter des réseaux clandestins [3]. Par ailleurs, le Secrétariat s'emploie à assurer une circulation internationale des publications les plus représentatives émanant des comités nationaux, qu'il s'agisse de la présentation du comité indien, des statuts et du manifeste de l'Association italienne pour la liberté de la culture, d'une brochure du comité allemand sur l'antisémitisme, du livre-programme du président de l'ACCF, etc. Rien là que de très normal pour l'exécutif d'une organisation internationale.

La création du Secrétariat international permet surtout la mise en place de réunions de travail intellectuel sur des thèmes précis au-delà de la simple activité de contre-propagande. La première, à laquelle nous avons déjà fait allusion, est la semaine d'étude organisée en Alsace, à Andlau, du 10 au

1. André Rossi, *Le Pacte germano-soviétique. L'histoire et le mythe,* 1943.

2. Jean Bouvier et Jean Gacon, *La Vérité sur 1939. La politique extérieure de l'URSS d'octobre 1938 à juin 1941,* Éditions sociales, 1953.

3. Paul Barton, *La Communauté européenne de détente. Le drame de l'émigration dans la guerre froide,* 1954, préface de Léon Boutbien.

15 septembre 1951. Deux questions sont à l'ordre du jour : la psychologie de l'intellectuel communiste ou soumis à l'influence communiste dans les pays libres et dans les pays totalitaires ; les valeurs sur lesquelles l'Occident pourrait se fonder pour s'adresser aux intellectuels qui subissent l'influence plus ou moins consciente de l'idéologie stalinienne. Cette semaine de travail réunit à la fois le Secrétariat international (Denis de Rougemont et François Bondy) et l'*American Committee for Cultural Freedom* : Sidney Hook a en effet traversé l'Atlantique, accompagné de deux scientifiques. La participation française comprend notamment Roger Caillois, Jules Monnerot, Wladimir Weidlé, Boris Souvarine. Quatre rapports sont présentés au cours de cette session : Jules Margoline, sur le *Diamat* ; Czeslaw Milosz, sur l'attraction exercée par le communisme sur les intellectuels des démocraties populaires ; Paul Epstein, sur la dialectique matérialiste et les théories modernes en physique théorique ; enfin, un ancien haut fonctionnaire du Parti est-allemand passé à l'Ouest et dont le nom n'est pas révélé traite de la formation des cadres des démocraties populaires en Union soviétique. Trois ans plus tard, en 1954, sous le double patronage des Amis de la liberté et de l'Association italienne pour la liberté de la culture, se tiendront deux journées d'étude à Nice sur la situation comparée du communisme en France et en Italie. Le colloque réunira une centaine de participants, économistes, sociologues, hommes politiques et syndicalistes. *Preuves* publiera les mois suivants les contributions de Richard Löwenthal, Raymond Aron et Louis Mercier à cette manifestation [1]. Ce sont là autant d'amorces de ce qui sera ultérieurement un ambitieux programme de séminaires.

1. Richard Löwenthal, « La sécession du prolétariat. Pourquoi les centrales syndicales françaises et italiennes ont-elles été conquises par l'appareil communiste ? », *Preuves,* n° 45, décembre 1954 ; Louis Mercier, « Syndicalisme et contre-société », *Preuves,* n° 50, avril 1955 ; Raymond Aron, « Visage du communisme en France et en Italie », *Preuves,* n° 54, août 1955.

Le congrès de Hambourg

L'organisation en 1953 de la Conférence internationale sur la science et la liberté à Hambourg illustre bien la prise d'autonomie du Secrétariat international et du *Congress for Cultural Freedom* par rapport à l'*American Committee for Cultural Freedom.* Un homme joue un rôle catalyseur important pour la préparation de cette conférence, Alexandre Weissberg-Cybulski, qui dispose du titre de « conseiller scientifique spécial » auprès du comité d'organisation *ad hoc* qui se met en place au Secrétariat international en janvier 1953. Ce comité d'organisation réunit autour de Nabokov, Raymond Aron, Sidney Hook et Jacques Enock. A l'époque, Weissberg-Cybulski vient de faire paraître un ouvrage, *Conspiracy of Silence,* traduit en français sous le titre *L'Accusé* [1], qui connaît une audience internationale. Alexandre Weissberg est un savant de nationalité autrichienne qui a embrassé la cause du communisme en 1927. Il s'est installé en URSS en 1931 pour travailler à l'Institut technique ukrainien de physique. Il a été un des fondateurs du *Journal de physique soviétique* avant d'être victime de la grande purge de 1937. Incarcéré pendant trois ans, il est remis à la Gestapo en janvier 1940, au terme du Pacte germano-soviétique. Après trois mois de prison, il est transféré au ghetto de Varsovie. Au printemps 1942 commence l'extermination systématique des juifs. Weissberg passe alors dans la clandestinité. Repris par la Gestapo, il est interné cette fois dans un camp de concentration dont il parvient cependant à s'échapper. Weissberg est toujours communiste au lendemain de la guerre mais placé sous la surveillance de la police secrète du nouveau régime. Il parvient cependant à quitter la Pologne pour la Suède en 1947, avant de s'installer en Angleterre.

L'Accusé s'inscrit dans la lignée des grands témoignages sur la Russie stalinienne. C'est un livre touffu, qui mêle trois dimensions : une aventure individuelle; l'analyse de la soviétisation et de la répression dans un institut scientifique de niveau

1. Alexandre Weissberg-Cybulski, *L'Accusé,* Fasquelle, 1953, préface d'Arthur Koestler.

international pendant les années 1930; l'accumulation de matériaux pour l'histoire de la grande purge. Au départ, c'est-à-dire dans les années 1920, l'Institut technique ukrainien de physique connaissait très peu de contraintes administratives et jouissait d'une grande liberté. C'était une institution disposant d'un réel prestige international, où travaillaient de nombreux savants et ingénieurs étrangers. Weissberg était du reste lui-même l'incarnation vivante de cette ouverture. Il dirigeait la station de recherche sur les basses températures et, dans le cadre du plan d'industrialisation, il avait été plus particulièrement chargé des rapports avec l'industrie pour assurer le passage de la recherche théorique à la recherche appliquée (fabrication de l'azote). De ce fait, il était en contact constant avec l'étranger, où, par suite de la pénurie de spécialistes en URSS même, il devait recruter ses cadres pour ce programme. La soviétisation de l'institut de Kharkov ne commença qu'après 1935. Il fut alors très fortement touché par la grande purge puisque sept des huit directeurs de département [1], formés à l'étranger pour la plupart, furent accusés et souvent emprisonnés.

L'originalité de *L'Accusé* est de ne pas traiter des grands procès mais des mécanismes de l'aveu. Weissberg fut arrêté en mars 1937 au motif de sympathie boukharinienne et de complot. Il retrace dans son livre le processus de l'instruction, de l'isolement, des aveux arrachés, des prisons collectives, des flots de détenus qui transitent par elles avant d'être envoyés dans les camps. C'est pendant ces années terribles, écrit-il, de la seconde moitié de 1936 à la fin de 1938, que l'État soviétique totalitaire a atteint sa forme définitive. A ses yeux, la formation de cet État totalitaire s'est réalisée en trois étapes : luttes au sein du Parti; collectivisation; grande purge. Staline impose alors à sa police secrète la tâche gigantesque d'éliminer la conscience nationale. Huit millions d'innocents accusés d'avoir trahi, espionné, saboté sont arrêtés par elle. Ils se déclarent tous coupables et sont condamnés à la détention dans les camps du Nord ou de l'Asie centrale.

Arthur Koestler, préfacier du livre, connaissait Alexandre Weissberg depuis 1930, lorsqu'ils appartenaient l'un et l'autre

1. Cristallographie, laboratoires du froid I et II, bombardement des atomes, rayons X, physique théorique, basses températures et ondes ultracourtes.

au mouvement communiste international. Koestler s'était établi lui aussi un temps en URSS, à Kharkov plus précisément. Il avait connu là non seulement Alexandre Weissberg, mais encore de nombreux savants de l'Institut technique ukrainien de physique. Koestler avait quitté l'URSS en 1933, de sorte que, lorsqu'en 1938 il apprit l'arrestation de son ami, il entreprit une campage de mobilisation internationale en sa faveur avec le concours d'Albert Einstein, Jean Perrin, Frédéric et Irène Joliot-Curie.

Après la guerre, Alexandre Weissberg sera témoin aux côtés de David Rousset dans le procès qui opposera celui-ci aux *Lettres françaises*. Dans sa préface, Koestler ne manque pas de souligner le changement d'attitude de Joliot-Curie, devenu entre-temps un des intellectuels communistes les plus célèbres d'Europe avec Picasso. Il rappelle également que l'avocat des *Lettres françaises* a tenté de disqualifier le témoignage de Weissberg pour le motif qu'il était allemand (il devait en effet déposer en allemand à la barre).

Weissberg appartient pleinement, on le voit, au monde de Rousset et de Koestler. S'il joue en quelque sorte un rôle de catalyseur, c'est que, dans l'organisation de la réunion de Hambourg, il passe le relais à Michael Polanyi, qui sera le grand ordonnateur de cette Conférence internationale sur la science et la liberté. Savant d'origine hongroise, Michael Polanyi a eu une carière tout à fait remarquable, passant de la physique atomique à la philosophie et aux sciences sociales. Membre de l'institut Kaiser-Wilhelm à Berlin, il en démissionne après l'accession de Hilter au pouvoir et les premières mesures antisémites. Réfugié en Grande-Bretagne, il occupe une chaire de chimie physique à l'université de Manchester jusqu'en 1948, date à laquelle il se consacre à plein temps à la philosophie.

Deux ans avant la réunion de Hambourg, Michael Polanyi avait publié *The Logic of Liberty* [1], qui réunissait des articles publiés tout au long de la décennie 1940. Ce recueil permet de cerner très précisément le contexte intellectuel et politique qui devait le conduire à s'associer et à participer activement au Congrès pour la liberté de la culture à partir de 1953. Polanyi

1. Michael Polanyi, *The Logic of Liberty*, Routledge and Kegan Paul, Londres, 1951 ; trad. fr. : *La Logique de la liberté*, PUF, 1989.

s'était fortement opposé, et continuait de s'opposer, au mouvement pour la planification de la science et à un de ses inspirateurs en Grande-Bretagne, John Desmond Bernal. Auteur d'un ouvrage remarqué sur la fonction sociale de la science [1], Bernal avait été très actif dans la préparation d'un livre très important pour ce mouvement. Une *Association of Scientific Workers* agrégea jusqu'à 15 000 membres outre-Manche. Le mouvement avait également réussi à prendre pied au sein de la respectable *British Association for the Advancement of Science* par le biais d'une division des relations sociales et internationales qu'il contrôlait et à travers laquelle il jetait un pont en direction de la science soviétique. L'idée de la planification de la science volait ainsi de succès en succès et, au cours d'une conférence tenue en janvier 1943 à Londres, Bernal avait pu déclarer que l'économie de guerre avait permis d'accomplir un pas décisif vers une réelle planification de la science en Grande-Bretagne.

A la planification de la science et au positivisme qui la fonde Polanyi entendait opposer une science auto-organisée par une communauté de savants soucieux de défendre l'autonomie de l'activité scientifique en fondant sa légitimité non sur l'utilité de ses applications mais sur la participation de la recherche pure à la « vie bonne », au sens où l'entend la tradition philosophique occidentale. C'est à la lumière de cette conception que Polanyi aborde dans son livre l'affaire Lyssenko, révélatrice des impasses d'une planification de la science au service des besoins de la société. L'enfer en effet est pavé de bonnes intentions. Si on a voulu en URSS que l'État gère directement et énergiquement la génétique et la reproduction des plantes, c'est avec l'intention louable d'améliorer la situation sociale. Mais la conférence de Leningrad de 1932, qui organise la planification de la recherche en génétique pour l'orienter vers des buts pratiques, retire tout pouvoir à l'opinion scientifique. La planification se retourne alors contre la science et aboutit à une perversion de la génétique et de la biologie végétale, perversion qui culmine dans la décision de l'Académie des sciences soviétique du 26 août 1948 désavouant officiellement et radicalement les lois de Mendel et toute la tradition de la biologie.

Cependant, écrit Polanyi, on ne doit pas se tromper d'argumentaire :

1. John D. Bernal, *The Social Function of Science*, Londres, 1944.

Il y a eu beaucoup de protestations indignées en Grande-Bretagne contre cette décision de l'Académie soviétique, et plus encore contre la pression exercée par le gouvernement soviétique, devant qui l'Académie avait capitulé. Je souscris certes à ces protestations mais j'aurais aimé qu'on discerne mieux leurs vrais fondements théoriques. Si l'on proteste au nom de la liberté en général, on est pris au piège : car auparavant c'étaient les publications des antimendélistes et de toute l'école de Mitchourine et de Lyssenko qui étaient interdites dans les principales revues scientifiques d'Union soviétique, c'étaient leurs thèses qui n'étaient pas enseignées dans les programmes des universités – ce qui est encore le cas à l'Ouest. Les marxistes avaient parfaitement raison de souligner qu'il existe toujours des idées reçues sur certains sujets généraux qui sont imposées par l'opinion scientifique aux revues scientifiques, aux manuels et aux programmes académiques et dont il n'est pas conseillé aux candidats aux postes scientifiques de s'écarter. Ils avaient également raison de rappeler que les idées ainsi imposées se sont souvent révélées fausses par la suite et que les dissidents ont souvent pris leur revanche [1].

Pour Michael Polanyi, le positivisme entre en contradiction avec la vraie nature de la science, qui ne peut éliminer les croyances, comme le montre le fait que l'originalité est le principal ressort de la découverte :

L'originalité en sciences est le don de pouvoir croire seul dans un type d'expérience ou de spéculation que, jusque-là, personne n'a cru devoir être féconde. Les scientifiques passent leur vie à tout miser, jour après jour, sur une croyance personnelle et à recommencer sans cesse ce pari. Lorsque la découverte est promulguée, que la croyance personnelle devient publique et que les preuves en sa faveur ont été produites, cela suscite chez les scientifiques une réaction qui est encore une croyance, une croyance publique cette fois, qui peut se situer à tous les degrés de l'acceptation ou du rejet [2].

Le destin d'une découverte dépend ainsi du crédit ou du discrédit qu'elle suscite dans l'opinion scientifique. Dans l'acte de connaissance, le scientifique assume une part de responsabilité personnelle. La communauté scientifique, elle, doit gérer ses débats et ses conflits au sein d'un système de croyances qui peuvent être tenues pour sa Constitution dans la mesure où elles incarnent son ultime volonté générale. Une certaine dose

1. *Op. cit.*, p. 57.
2. *Ibid.*, p. 39.

d'autogouvernement est nécessaire, par laquelle les scientifiques peuvent maintenir un cadre institutionnel qui confie à des savants arrivés à maturité des positions indépendantes et régulatrices. Ce modèle a assez bien fonctionné au cours des trois derniers siècles, jusqu'à ce que l'URSS tente de faire sécession de la communauté scientifique internationale en cherchant à fonder une autre communauté sur des conventions différentes. La liberté académique n'est pas la liberté de pratiquer n'importe quel non-sens. Elle n'existe que pour faire fructifier des croyances particulières qui distinguent la civilisation occidentale de l'Égypte ancienne ou des civilisations aztèques.

> Selon la théorie positiviste de la société, on ne peut déclarer valide un jugement humain (que ce soit en politique, en droit, en art, ou dans n'importe quel autre domaine de la pensée humaine) que dans la mesure où il sert les intérêts d'un certain pouvoir. Dans la version marxiste il s'agit du pouvoir de la classe montante, incarné dans l'État soviétique. Telle est la théorie de la science à laquelle nous devons faire face aujourd'hui en Russie. Ici le mouvement positiviste qui avait entrepris d'établir le règne de la science sur toute la pensée humaine aboutit ultimement à la destruction de la science elle-même [1].

Ainsi l'enjeu de la conférence de Hambourg, dans la préparation de laquelle Polanyi se montre très actif au sein du comité de douze personnalités [2] créé autour du Secrétariat international, est-il de réduire la fracture créée par la théorie marxiste de la science mise en œuvre en URSS dans la communauté internationale des savants. C'est là une perspective très différente de celle envisagée trois ans plus tôt à Bruxelles. Il n'était alors question que d'engager le dialogue, sinon le fer, avec les partisans de la paix, en défiant publiquement Joliot-Curie, figure de proue du mouvement. Il est vrai qu'une démarche du CCF avait été entreprise, nous l'avons vu, auprès du même Joliot-Curie pour lui demander de fournir des preuves à l'appui de l'accusation de guerre bactériologique en

1. *Ibid.*, p. 59.
2. John Baker, département de zoologie, Oxford ; Gustavo Colonetti, président du Conseil national de la recherche, Rome ; Clément Courty, professeur de chimie physique, Lyon ; Cyril Darlington, botaniste, Oxford ; Theodosius Dobzhansky, génétique, Columbia University ; F.G. Houtermans, physicien, Berne ; Arthur Jores, embryologie, Hambourg ; Daniel Lagache, psychologie, Paris ; Henri Margenau, physique, Yale ; Hans Nachtsheim, génétique, Berlin ; Jean Thibaud, physique atomique, Paris ; Jean Viret, directeur du Muséum, Lyon.

Corée. Cependant la nouvelle initiative d'envergure prise par le Secrétariat international, peu après que les derniers lampions de *L'Œuvre du XXe siècle* furent éteints, témoigne de la volonté de se situer désormais dans une tout autre perspective. Une première note du Secrétariat international [1], fixant les grandes lignes d'une réunion sur le thème « Science et liberté », retient cinq rubriques : 1) idéologie et science ; 2) science et responsabilité morale ; 3) science et scientisme ; 4) la condition de la science dans les pays totalitaires ; 5) la condition de la science dans les pays libres. Chacune de ces rubriques est décomposée en sous-rubriques, qui forment autant de sujets de rapport à soumettre à la discussion. Significatif du changement de climat : le groupe de travail chargé de préparer la conférence et le Secrétariat international envisagent d'inviter des savants soviétiques à Hambourg. Mais cette initiative se heurte à l'opposition irréductible du bourgmestre Max Bauer. L'idée d'une pareille invitation a naturellement germé après la mort de Staline, en mars, et le Secrétariat international ne doit pas faire moins de deux démarches pour fléchir le bourgmestre. La dernière a lieu très peu de temps avant l'ouverture de la conférence. Dans un mémorandum confidentiel rédigé au retour de cette mission de conciliation, Nicolas Nabokov résume ainsi la position de Max Bauer :

> De son point de vue, rien ne permet de penser qu'un changement fondamental de structure du régime soviétique soit intervenu. Il n'y a pas davantage de libéralisation de la politique soviétique en Allemagne de l'Est. Dans ces conditions, il considère qu'une invitation de savants soviétiques serait pour le moins prématurée et certainement nuisible à la conférence. Cela altérerait les objectifs de la réunion, qui, comme il les comprend, sont d'affirmer et de défendre les principes de la liberté de penser et la liberté d'investigation scientifique.
>
> Selon lui, les résultats d'une telle invitation ne manqueraient pas d'être les suivants : soit nous n'obtiendrons pas de réponse et dans ce cas notre démarche sera purement donquichottesque, soit les Soviétiques enverront une délégation de propagandistes, qui, s'ils sont accueillis, conduiront immanquablement au désordre et à l'inauthenticité de la conférence.
>
> D'un autre côté, si les Soviétiques choisissent des gens sur la liste que nous leur soumettons, ils seront certainement accompa-

1. Note du 7 janvier 1953.

gnés, selon le Dr Bauer, d'agents du MDV et de quelques propagandistes attitrés. Dès lors ces pauvres victimes du régime soviétique ne pourront rien faire d'autre que de répéter la ligne officielle du Parti.

Plus encore, le bourgmestre Bauer pense qu'en envoyant des invitations à des savants soviétiques par l'intermédiaire du président de l'Académie des sciences de l'URSS et en lui donnant une liste de savants russes respectés sur le plan international, nous pouvons, en les désignant ainsi, les compromettre aux yeux des dirigeants soviétiques et mettre en danger leur situation si ce n'est leur vie.

L'état des archives ne permet malheureusement pas de connaître les noms des savants soviétiques auxquels pense le Secrétariat international. En revanche, la note est précieuse pour montrer l'importance décisive du pivot social-démocrate allemand pour le développement du Congrès pour la liberté de la culture en Europe dans ses premières années et le rôle stratégique que jouent alors les bourgmestres de Berlin et de Hambourg. C'est en effet dans ces villes que prennent place les deux manifestations intellectuelles les plus importantes des années chaudes de la guerre froide, entre 1950 et 1953.

Comme pour la manifestation de Berlin trois ans plus tôt, un comité de patronage international est mis sur pied. Outre les présidents d'honneur du Congrès pour la liberté de la culture (Jaspers, Maritain, Russell), il comprend le président de la commission culturelle du Conseil de l'Europe, Salvador de Madariaga, et des personnalités intellectuelles et scientifiques : Carlo Antoni, Max Bruner, Merry W. Bridgdam, Arthur H. Compton, sir Henry Dale, James Franck, Romano Guardini, Otto Hauch, Heinrich Lendahl, Max V. Lane, Lise Meitner, Ernest Nagel, Robert Oppenheimer, Bruno Snell, sir George Thomson.

109 participants en provenance de 18 pays [1] convergent à Hambourg du 23 au 26 juin 1953. 70 % des participants à cette réunion viennent d'Allemagne (45), des États-Unis (13) et de Grande-Bretagne (10). La ventilation des différentes universités représentées à Hambourg est intéressante à mettre en évidence. Pour l'Allemagne, c'est la *Frei Universität* de Berlin

1. Réplique fédérale d'Allemagne, États-Unis, Grande-Bretagne, France, Italie, Suède, Grèce, Suisse, Brésil, Japon, Belgique, Autriche, Liban, Israël, Chili, Danemark, Canada, Australie.

qui, avec 6 participants, est la mieux représentée, suivie par les universités de Tübingen, Göttingen (5 participants chacune), Hambourg, Heidelberg et Bonn (4 participants). Deux pôles universitaires apparaissent dans la représentation américaine : New York et Chicago, avec la prédominance du dernier. Les trois universités anglaises présentes sont Oxford, Manchester et Leeds. Les participants italiens viennent quant à eux des universités du Nord : Milan, Pavie, Bologne. C'est enfin l'université de Stockholm qui constitue le foyer exclusif des participants en provenance des pays scandinaves.

Le croisement des disciplines scientifiques et intellectuelles est présenté dans le tableau de la page suivante. Il fait apparaître l'importance de la participation des philosophes, des historiens et des spécialistes de sciences sociales : Sidney Hook, Edward Shils, Friedrich von Hayek, Raymond Aron, François Perroux, Wladimir Weidlé, Max Horkheimer, René Koenig, Theodor Litt. La physique (avec deux points d'appui, les États-Unis et la Suède) et les sciences de la vie (avec une forte participation allemande et britannique) sont les deux sciences dures le plus fortement représentées : ce qui n'a rien de surprenant compte tenu de la place stratégique de ces disciplines dans les rapports Est-Ouest et de la politisation de la science en URSS (rôle des physiciens dans le Mouvement de la paix après l'invention de la bombe atomique et affaire Lyssenko).

Quant à la délégation française, elle laisse voir, par le croisement des implantations géographiques et des disciplines, une nette distorsion. Seuls trois scientifiques français ont fait le voyage à Hambourg et ils viennent tous 3 de deux universités de province, Lyon et Caen. Ce sont Roger Apery (mathématiques), Clément Courty (physique-chimie), Jean Thibaud (physique atomique). Aucune personnalité scientifique française d'envergure nationale, appartenant par exemple aux laboratoires de l'École normale supérieure ou au Centre national de la recherche scientifique, n'est présente. A l'inverse, les quatre représentants de la philosophie ou des sciences humaines sont tous parisiens. Deux sont des hommes du congrès ou étroitement associés à ses activités : Raymond Aron, qui figure au titre de professeur à l'Institut d'études politiques de Paris, et Wladimir Weidlé, qui enseigne à l'institut orthodoxe Saint-Serge. Les deux autres invités sont Daniel Lagache, un psychanalyste, professeur de psychologie à la Sorbonne, et François Perroux, directeur d'un institut de recherche économique, l'ISEA (Institut des sciences économiques appliquées), créé au lendemain de la guerre à Paris avec l'appui de la fondation Carnegie.

HAMBOURG : STRUCTURE DE LA PARTICIPATION

	Physiciens et chimistes	*Sciences de la vie*	*Autres*	*Philosophie, histoire, sciences sociales*	*Autres*	*Total*
Allemagne	1	9	3	25	7	45
États-Unis	4	1	1	5	2	13
Grande-Bretagne	1	2	1	3	3	10
France	2	–	1	5	1	9
Italie	–	1	1	1	2	5
Suède	4	–	–	1	–	5
Autres	6	6	2	6	2	22
Total	18	19	9	46	17	109

Les trois seuls hommes politiques associés au congrès de Hambourg sont tous allemands et sociaux-démocrates. Il s'agit de : Carlo Schmid, une des personnalités les plus influentes de la jeune République fédérale, membre au demeurant du Comité exécutif du Congrès pour la liberté de la culture ; Ernst Reuter, le bourgmestre de Berlin qui a accueilli le congrès fondateur trois ans plus tôt ; et, bien entendu, Max Bauer, la puissance invitante. En accueillant les participants lors de la séance inaugurale, ce dernier insiste sur les traditions de liberté de cette ville hanséatique. La situation des savants gouvernés par les bolcheviks rappelle celle qui a été la leur en Allemagne pendant la période nazie. Mais, ajoute-t-il, l'individualisme et la tour d'ivoire ne sont plus aujourd'hui des remparts suffisants pour protéger la liberté de la science. Aussi l'objectif de ce congrès international est-il de contribuer à créer une communauté de savants qui aura une double fonction – à l'égard du monde académique pour défendre la liberté et à l'égard du monde extérieur pour faire la démonstration de la capacité supérieure de création de l'esprit libre.

Éléments de continuité et éléments de discontinuité entre la manifestation de Berlin et celle de Hambourg permettent de cerner l'originalité de ce congrès (présenté explicitement par Max Bauer comme le point de départ d'une nouvelle organisation internationale) par rapport au *Kongress für kulturelle Freiheit.* Les éléments de continuité sont manifestes : choix de l'Allemagne pour relancer la dynamique organisationnelle, point d'appui de la social-démocratie et de la *Frei Universität,* réseau des anciens communistes des années 1930, Alexandre Weissberg, *mutatis mutandis,* prolongeant pour Hambourg le rôle qu'a joué Arthur Koestler à Berlin.

Mais les éléments de discontinuité ne sont pas moins évidents lorsque l'on examine la situation anglaise ou américaine. En Grande-Bretagne, la première incarnation du Congrès pour la liberté de la culture avait été le lancement, en janvier 1951, parallèlement à la création des Amis de la liberté en France, d'un comité britannique dont Stephen Spender avait été élu président [1]. Ce comité, qui avait incorporé à sa charte le manifeste de Berlin, se présentait comme une section du Mouvement international pour la liberté de la culture défini à Bruxelles. Il avait son siège dans les locaux de la revue *Nineteenth Century and After.* Mais l'abandon du MILC rendit bientôt caduc ce premier montage. Aussi le Secrétariat international devait-il aider en 1952 à la naissance d'une *British Society for Cultural Freedom,* présidée cette fois par Malcolm Muggeridge, un journaliste écrivain rendu célèbre par la publication en 1934 de *Winter in Moscow* [2], une des premières démystifications de gauche du soviétisme en Grande-Bretagne. Outre Muggeridge et Spender, les principales figures de cette *British Society* étaient Fredric Warburg et T.R. Fyvel. La société diffusait *Preuves* et organisait des conférences : c'est ainsi qu'elle fit venir en Angleterre Raymond Aron et Czeslaw Milosz. Toutefois, la préparation de la conférence de Hambourg se fit en marge d'elle, en prenant appui sur Michael Polanyi, qui devint de la sorte le pivot de la nouvelle organisation qui se cherchait.

1. Peter Coleman, *op. cit.,* p. 144.
2. Malcolm Muggeridge, *Winter in Moscow,* Londres, Eyre and Spottiswoode, 1934; rééd., 1987, William B. Eerdmans Publishing Company, avec une introduction de Michael D. Aeschliman.

C'est cependant du côté américain que la discontinuité est le plus spectaculaire. L'*American Committee for Cultural Freedom* avait été le partenaire décisif du *Kongress für kulturelle Freiheit*. L'existence du Secrétariat international à Paris introduit désormais une marge de jeu nouvelle. A Hambourg, c'est moins l'ACCF que le *Bulletin of the Atomic Scientists* édité à Chicago (avec lequel Polanyi est en relation étroite) qui constitue le point d'appui américain privilégié. En effet, dans les années 1952-1953, les États-Unis sont dans une position difficile dans les milieux scientifiques internationaux par suite du procès et de l'exécution des époux Rosenberg et de la marginalisation de Robert Oppenheimer. Mais le climat dans les milieux scientifiques de Chicago est sensiblement différent de celui qui règne parmi les écrivains et les journalistes formant le noyau new-yorkais de l'*American Committee*. Une partie de l'ACCF est disposée à adopter un profil bas à l'égard des campagnes du sénateur McCarthy alors que les savants s'y refusent absolument. Pour ne prendre qu'un exemple, le *Bulletin of the Atomic Scientist* publie un article de Raymond Aron fort critique de la loi McCurran concernant les restrictions de visas, dont la traduction a été refusée par l'ACCF à New York.

La coopération de Robert Oppenheimer au comité de patronage international avait valeur de symbole. L'esprit de Hambourg n'était clairement plus celui de Berlin, comme en témoigna l'allocution de James Franck au cours de la séance inaugurale. Franck ne se contentait pas d'attaquer l'URSS, il mettait également en cause les restrictions apportées à la liberté et la chasse aux sorcières sévissant aux États-Unis dans les milieux scientifiques pour se protéger contre l'espionnage. Si Franck considérait comme légitime l'examen de la *reliability* des savants travaillant dans les domaines touchant à la sécurité, il trouvait impardonnables et inadmissibles certaines méthodes utilisées à l'encontre des principes fondamentaux de la démocratie. De plus, expliquait-il, si des mesures de sécurité sont nécessaires, la diffamation des savants met en danger les valeurs de liberté que nous prétendons défendre. James Franck évoquait encore deux conséquences néfastes de la hantise de l'espionnage qui sévissait aux États-Unis : les tests de sécurité dans les universités et les restrictions de passeports et de visas. Autant d'interventions stupides qu'il convenait d'éliminer. Et

James Franck terminait son intervention en invitant les congressistes à approfondir l'analyse critique de la situation américaine.

Franck était un savant d'origine allemande qui avait quitté l'Allemagne nazie pour les États-Unis. Sa situation n'était pas exceptionnelle. Il existait ainsi une trame historique et intellectuelle germano-américaine forte à l'arrière-plan de cette nouvelle intiative du Congrès pour la liberté de la culture. A Hambourg, la seule référence explicite au *Kongress für kulturelle Freiheit* fut le fait de Hans Thirring. A Berlin, Thirring s'était déjà montré critique. A ses yeux, depuis la première manifestation organisée trois ans plus tôt, la situation internationale avait empiré : aucune amélioration de la liberté intellectuelle n'était décelable en Europe de l'Est et on relevait en outre une dégradation accélérée à l'Ouest. Thirring revenait sur deux points qu'il avait déjà eu l'occasion de présenter au premier congrès. Il lui paraissait nécessaire de combattre le communisme par des réformes sociales : alors l'Italie et la France deviendraient comparables à l'Angleterre et à l'Autriche. Il fallait ensuite que le Congrès pour la liberté de la culture se prononce résolument contre toute forme d'intervention militaire. Hans Thirring insistait ensuite sur la nécessité de maintenir des contacts avec les savants soviétiques au-delà des divergences idéologiques. Sa conception des échanges intellectuels internationaux divergeait ainsi radicalement de celle qu'avait exposée jadis Arthur Koestler. Il demandait que dans les échanges l'individu soit dissocié des idées qu'il professait :

> Nous ne ferions rien d'autre que redonner vie à l'esprit de Hitler et de Goebbels si nous nous laissions aller à dépeindre les représentants d'idéologies opposées comme des sous-êtres humains. Beaucoup de ceux qui acceptent les idées fondamentales du communisme n'en sont pas moins des personnalités et des intelligences respectables. Maintenir le contact avec de telles individualités n'implique aucun renoncement à quoi que ce soit. On peut ne rien céder sur le système parlementaire, les élections libres et à bulletin secret, la structure des partis politiques, et être néanmoins préparé à apprendre des astrophysiciens ou des chercheurs en sciences médicales soviétiques.

Thirring allait même plus loin : si les savants de l'Ouest croyaient véritablement à leurs valeurs, alors ils devaient faire un geste unilatéral pour faciliter ces échanges. Si ses propositions pacifistes ne devaient pas être retenues, en revanche ses idées eurent quelque influence sur le texte final adopté à l'issue de la conférence sur les échanges scientifiques, un texte bref et d'une grande sobriété :

> En conclusion de cette conférence internationale organisée à Hambourg sur la science et la liberté, au cours de laquelle plus de cent savants et chercheurs de dix-neuf pays ont discuté des problèmes théoriques et pratiques de la recherche scientifique aujourd'hui, nous voudrions adresser un salut fraternel à nos amis savants qui sont séparés de nous par un pouvoir politique. Nous sommes convaincus que ces malheureux collègues n'ont jamais cessé de ressentir une profonde loyauté envers les idéaux de libre investigation sans lesquels la science elle-même n'existerait pas. Nous attendons le jour où ils pourront s'asseoir avec nous comme des hommes libres à une conférence comme celle-ci pour discuter de nos problèmes communs dans un esprit de sincérité et d'objectivité qu'ils doivent assurément chérir dans les conditions les plus difficiles.

Le titre des communications (cf. encadré p. 119) et le style des débats montraient clairement que cette nouvelle manifestation internationale ne voulait pas être une réunion de dénonciation unilatérale du seul contrôle politique de la science dans les seuls pays sous le régime soviétique mais une réunion s'interrogeant tout autant sur les nouveaux rapports entre l'État et la science dans les pays démocratiques. Elle ne s'identifiait pas davantage à une réunion corporatiste de physiciens et de biologistes mais s'affirmait comme un carrefour associant scientifiques et philosophes dans une recherche commune.

Comme le *Kongress für kulturelle Freiheit* trois ans plus tôt, le congrès Science et Liberté se situerait dans une position critique à l'égard de l'UNESCO. A Berlin, c'était l'enquête de l'organisation sur les limitations de la liberté intellectuelle qui avait fait l'objet de critiques ; à Hambourg, c'était une brochure sur la race produite par des scientifiques à la demande de l'organisation. Cette brochure fut l'objet d'appréciations contradictoires, attaquée par John Baker et Cyril Darlington et défendue par Hans Nachtsheim. Le texte de référence avait été rédigé par douze savants choisis par l'UNESCO, dont un célèbre biologiste marxiste anglais, John Haldane, membre du Parti communiste. Darlington considérait ce document comme une « brochure populaire, populaire dans le plus mauvais sens

HAMBOURG : SÉANCES DE TRAVAIL ET COMMUNICATIONS

I. L'organisation de la science

Michael Polanyi : science pure, science appliquée, leur forme appropriée d'organisation.
John Baker : liberté et autorité dans la publication scientifique.

II. La science et l'État

John Millet : les universités, l'État, la liberté.
Jean Thibaud : les implications d'une recherche financée par l'État.
Ludwig Raiser : le soutien de l'État aux universités et la liberté académique.
Taku Komaï : la liberté des universités au Japon.
Samuel Allison : loyauté, sécurité et recherche scientifique aux États-Unis.

III. La science et ses méthodes

Henry Mehlberg : la méthode scientifique, ampleur et limites.
Bruno Snell : science et dogme.
Raymond Aron : les concepts de « vérité de classe » et de « vérité nationale » dans les sciences sociales.
Helmuth Plessner : les tendances idéologiques parmi les penseurs universitaires.

IV. La science enchaînée

Sidney Hook : la science et le matérialisme dialectique.
Valentin Giterman : situation de l'histoire en URSS.
Theodosius Dobzhansky : le destin de la biologie en Russie.

V. Le savant et le citoyen

William Niblett : neutralité ou profession de foi ?
Roger Apery : le problème du neutralisme.
Hans Thirring : foi et objectivité.
Arthur Jores : science et responsabilité morale.
Theodor Litt : science et objectivité.

du terme, c'est-à-dire calculée pour produire un effet politique particulier sans beaucoup de rapport, à la vérité, avec la diversité des opinions scientifiques ». Il pensait qu'il était tout à fait regrettable que les fonds de l'UNESCO soit utilisés à des fins de propagande. Une des options de ce texte dénoncé par Baker était de faire dépendre les différences mentales et culturelles des groupes humains de l'environnement et non de traits raciaux. C'était donner là une réponse dogmatique à une question qui demeurait scientifiquement ouverte. A l'inverse, Nachtsheim observait que l'UNESCO n'était en rien une organisation totalitaire et qu'il lui paraissait normal qu'elle réunisse des communistes et des non-communistes pour travailler ensemble. La mission de l'UNESCO était de lutter contre les préjugés raciaux et contre la haine raciale, qui avaient fait tant de mal depuis 1933. Pour soutenir cette lutte, l'UNESCO avait invité à Paris douze savants, généticiens et anthropologues, pour définir l'état présent du problème. L'organisation n'autorisa pas ces experts à publier leurs conclusions avant de les avoir soumises à une centaine de biologistes à travers le monde. Un quart ne répondit pas, un quart dit son accord avec le texte, la moitié des savants contactés donna son accord avec réserve. Seule une infime minorité rejeta la déclaration. Après avoir collationné toutes ces opinions, l'UNESCO publia une brochure d'une centaine de pages : *The Race Concept : Results of an Inquiry,* contenant non seulement la déclaration des douze, mais encore les réponses reçues. A Hambourg, détracteurs et défenseurs du texte tombaient cependant d'accord pour regretter l'opacité du processus de sélection des douze. Pour Darlington et Baker, il ne faisait pas de doute que cette opacité avait été voulue afin d'obtenir un certain type de déclaration, et c'était là un danger pour la liberté.

C'était le directeur de l'*Institute for Nuclear Studies* de l'université de Chicago, Samuel K. Allison, qui devait présenter un tableau de la situation politico-intellectuelle américaine, en s'efforçant d'être aussi impartial que possible et en privilégiant la situation de la physique et des physiciens dans l'analyse : deux phénomènes ont déclenché des réactions de peur aux États-Unis – la menace nucléaire dans un monde plus urbanisé et l'adhésion de la Chine (jusqu'alors considérée comme un pays ami) au communisme. Aujourd'hui, la peur n'est pas totalement exorcisée. Quel tableau dresser de la situation ? Il est incontestable qu'un jeune homme qui a eu des opinions d'extrême gauche aura du mal à faire carrière dans la physique. La physique est actuellement une discipline florissante massivement subventionnée par le bureau de recherche de la marine et par la commission de l'Énergie atomique. Mais la recherche est libre. Il n'y a aucune restriction de publication. L'accès aux institutions scientifiques est ouvert. Sans doute peut-on objecter que si cet accès est ouvert, c'est que, en amont, les visas sont contrôlés pour filtrer rigoureusement les étrangers. C'est exact. De même doit-on à la vérité de dire qu'après l'entrée de la Chine dans la guerre de Corée bien des portes se sont fermées, les physiciens ont été soumis à des contrôles, certains ont été renvoyés des universités. On retrouve là, écrivait Allison, le problème du contrôle des intellectuels en général. Je n'ignore pas, poursuivait-il, le danger de pareille situation mais je suis quand même effrayé de voir que dans les informations livrées sur l'Amérique on ne parle que des accusations et jamais des jugements, des débats, des acquittements, etc. De fait, la situation institutionnelle est beaucoup plus ouverte et fort heureusement, dans les universités, seule une minorité de professeurs soutient que le fait d'être communiste est suffisant pour barrer l'accès à l'obtention d'une chaire. Toutefois, New York représente un cas particulier car des professeurs ont été renvoyés parce qu'ils invoquaient la Constitution. C'est là un point sérieux et inquiétant. Allison concluait son intervention en soulignant que ce qui rendait la situation très difficile, c'était que les communistes mentaient. Par ailleurs, si l'on avait effectivement dépisté des gens inquiétants, on avait aussi commis des injustices à l'égard de personnes correctes.

La situation de la science soviétique fut plus particulièrement examinée à travers l'analyse de deux disciplines, l'histoire et la biologie. Valentin Giterman, membre de l'université de Zurich, présenta le rapport sur l'histoire. Dans la mesure où aucun historien de l'autre côté du rideau de fer n'était présent à ce congrès, il se refusait à dresser un acte d'accusation en l'absence de toute possibilité pour la défense de faire valoir son droit. Il soulignait que de nombreux éléments d'incertitude rendaient malaisée la formation d'un jugement équilibré : difficulté ou impossibilité d'obtenir livres et revues; absence d'indices sur les conditions réelles de travail des historiens; incertitude sur l'état des archives. Giterman rappelait que l'édition scientifique était en Russie d'un très bon niveau au XIXe siècle et que cette tradition avait été poursuivie par le régime soviétique. Les monographies analytiques dont on pouvait avoir connaissance à travers les revues publiées par l'institut d'histoire de l'Académie des sciences étaient très largement des sujets d'histoire économique et plus rarement des sujets d'histoire sociale. Il n'y avait dans ces revues aucune référence au régime soviétique, pas plus que des citations de Marx, Engels, Lénine ou Staline. On pouvait raisonnablement en déduire qu'une partie au moins des historiens soviétiques était libre de conduire ses recherches, tout comme il était raisonnable de penser que nombreux étaient les historiens qui se cantonnaient à l'étude de sujets inoffensifs pour éviter tout conflit avec le régime.

Une autre partie des historiens se consacre à des sujets politiquement significatifs. Ils se reconnaissent aisément à la fréquence des citations de Marx, Engels, Lénine, Staline, fréquence très supérieure à ce qui serait légitimement requis. C'est le domaine de la recherche spécifiquement soviétique, dont les principaux axes sont : l'analyse de la situation des classes opprimées dans l'ancienne Russie; l'analyse des tendances révolutionnaires germinatives de l'ancienne Russie (révoltes paysannes, brochures illégales, antécédents du mouvement décabriste à partir d'un recours extensif aux archives de la police); l'attention portée aux peuples asiatiques négligés dans les écrits de l'époque tsariste (cet axe s'exprime dans la revue de l'Académie des sciences, *Histoire des peuples de l'Union soviétique*). Les publications concernant le monde occidental sont orientées vers la réfutation des historiens bourgeois et vers une réinterprétation des faits conforme à la version soviétique de l'histoire. La caractéristique de cette approche est de combiner la philosophie économique marxiste et une forme soviétique de patriotisme russe. La critique des nations occidentales est particulièrement sévère dans le domaine colonial, où les historiens soviétiques semblent prendre plaisir à mettre en évidence l'appât du gain, la cruauté, l'agressivité des nations impérialistes. Naturellement, dans les pays occidentaux également, l'histoire n'est exempte ni de biais ni de préjugés idéologiques. Mais il existe toutefois avec l'URSS une différence fondamentale : les historiens des pays démocratiques peuvent critiquer la philosophie régnant chez eux (même si au cours des années récentes en Amérique cette liberté a été menacée par certaines tendances) tandis qu'en URSS il n'existe virtuellement aucun espace d'expression pour les opinions non orthodoxes. Ce qui fait d'ailleurs que nous ignorons tous les travaux interdits de publication.

Quant à la conception dite « matérialiste » de l'histoire, il n'y a eu en URSS aucune trace de critique ou de doute depuis 1917. Au début des années 1930, grâce à Pokrovski, il y a eu un débat sur l'ampleur de sa fécondité heuristique. Après sa mort, en 1932, son œuvre a été stigmatisée comme destructrice. Puis, en 1935, les autorités soviétiques entreprirent une « révision » drastique de l'histoire avec l'aide de la police. Les bibliothèques furent purgées et la profession décimée. Staline présenta une philosophie de l'histoire qui devint immédiatement obligatoire. Rien ne prouve mieux l'absence de liberté académique en URSS que le fait qu'il n'existe aucune histoire, individuelle ou collective, du parti bolchevique. Seul Staline en a rédigé une et personne ne s'est risqué à en écrire une autre. De même, aucun historien soviétique ne s'est aventuré à une étude critique des procès de 1936-1938. Aussi, même s'il n'y a pas, comme en biologie, d'ordonnance officielle régissant la profession, il existe un caractère d'uniformité chez les historiens qui dénote indiscutablement une intervention officielle. Malgré tout, concluait Giterman, il existe en Russie soviétique des travaux de grande qualité. Il émettait enfin le vœu de voir s'instaurer rapidement un forum qui permette des débats entre historiens « de l'Ouest » et « de l'Est ».

Examiner la situation de la biologie en URSS, c'était naturellement présenter une analyse du lyssenkisme. La tâche en revenait à Theodosius Dobzhansky. Ce dernier s'employa à expliciter la théorie de la science qui rendait possible l'affaire Lyssenko et la destruction de la biologie en URSS. Le document qu'utilisait le rapporteur était un article de G.F. Alexandrov publié en 1952 dans la revue *Priroda*. La science fournissant la base de l'action sociale, la société, selon cet auteur, doit prendre en charge la recherche scientifique, y compris l'expulsion des fausses théories. Le Parti communiste en est à ses yeux l'opérateur privilégié. Ainsi, Alexandrov écrit :

> Les tenants des opinions et des courants progressistes dans la science, soutenus par le Parti communiste et l'opinion publique, obtiennent les postes dirigeants, dirigent le développement scientifique, aident à dépasser les erreurs et les déficiences des savants et les erreurs d'opinion qui peuvent apparaître au sein de l'intelligentsia soviétique chez des individus influencés par les idéologies bourgeoises.

Dans le cas de la biologie, la tendance progressiste, qui a gagné le soutien des forces énoncées ci-dessus, a été ce que l'on a appelé le mitchourinisme, les postes dirigeants ont été confiés à Lyssenko et à son entourage tandis que les opinions fausses étaient tout simplement l'ensemble des acquis de la biologie depuis un siècle. Avec l'affaire Lyssenko, l'Union soviétique a établi le record absolu de la folie des politiques gouvernementales à l'égard de la science puisque l'État est parvenu à détruire la biologie. Mais comment expliquer que Lyssenko ait pu détruire l'agriculture au moment même où le gouvernement avait besoin de la développer ? Dobzhansky tente d'éclairer le phénomène en énumérant plusieurs facteurs : l'habileté propagandiste de Lyssenko, très utile au ministère de l'Agriculture; l'esprit nationaliste chauffé à blanc à partir de la seconde moitié des années 1930 : il devint alors antipatriotique de publier dans des revues étrangères, ce qui avantagea les lyssenkistes car aucune revue digne de ce nom n'eût accepté leurs articles; la réputation avantageuse de Lyssenko, apparaissant au départ comme un innovateur brimé par les conservateurs; enfin l'absence de critiques, permettant à la coterie de se renforcer et d'élargir son influence.

Tels sont quelques-uns des traits les plus saillants des échanges de Hambourg, qui devaient être réunis deux ans plus tard dans un ouvrage édité à Londres [1]. C'était le premier livre publié directement par le congrès, lui permettant de sortir ainsi du seul registre des brochures qui avait été jusqu'alors le sien. Notons au passage que ce livre ne sera jamais traduit en français, *Preuves* se contentant de faire paraître un supplément sur la manifestation.

Le congrès de Hambourg était aussi la première participation commune à une réunion internationale de trois hommes qui devaient, chacun à sa manière, marquer profondément

1. *Science and Freedom,* Londres, Martin Secker and Warburg, 1955.

l'histoire du Congrès pour la liberté de la culture, Sidney Hook, Raymond Aron et Michael Polanyi. Au cours de cette conférence, ils prirent chacun leur part du fardeau dans le combat argumentaire contre l'influence communiste sur les milieux intellectuels occidentaux : Hook contre le *Dia-mat*, Aron contre la mise en œuvre de la « science prolétarienne » dans les sciences sociales, Polanyi contre la théorie néomarxiste de la science.

Après avoir distingué dans le matérialisme dialectique une doctrine portant sur la nature de l'homme et son rapport au monde ainsi quune philosophie d'État, Sidney Hook se proposait de faire la critique de la seconde dimension pour montrer que ce *Dia-mat*-là n'était qu'un ersatz de religion. Sa critique était faite au nom d'un pragmatisme revendiqué, dont les deux points d'appui essentiels étaient une critique de la théorie communiste du changement social et une approche du totalitarisme en termes de refus de l'incertitude dans les comportements sociaux. Plus la stratégie politique du bolcheviko-léninostalinisme, écrivait Hook, est empirique, plus sa tactique est opportuniste, plus il affirme résolument que tôt ou tard les buts du communisme seront atteints. Ainsi le stalinisme se dispense-t-il d'assumer la moindre réflexion sur les moyens du changement social. Pareil dédain des méthodes et des moyens se confond avec le cours de l'histoire, opérant ainsi un transfert de responsabilité morale des êtres humains vers le processus historique, qui agirait avec l'automatisme d'une loi naturelle. Ainsi le *Dia-mat* révèle-t-il sa nature profonde : une quête effrénée de la certitude pour évacuer l'incertitude inhérente à toute action humaine. C'est cette quête de la sécurité (« *A somptuosity of security* », disait William James) qui conduit à l'État total, où la police politique se pose en arbitre scientifique et intellectuel ultime.

Raymond Aron partait pour sa part du rapport entre psychologie de la découverte et logique de la vérité, rapport différent dans les sciences de la nature et dans les sciences sociales. En effet, ni le droit à la vérité scientifique à constituer un corps d'idées autonomes, ni l'accumulation progressive du savoir, ni le statut indépendant de la communauté des savants ne sont aussi assurés dans le cas de l'histoire et de l'économie politique que dans celui des sciences physiques ou biologiques. De cette sensibilité des sciences sociales à leur environnement les idéologies modernes ont construit l'idée qu'elles étaient produites par leur environnement et que leur « vérité » était fonction de la classe, de la race, de la nation. Aron s'emploie à réfuter cette proposition commune aux divers totalitarismes en traitant cependant davantage du marxisme-léninisme que du nazisme. Il fait observer que, tant que les historiens marxistes n'étaient pas soumis à une idéologie d'État, des échanges authentiques existaient entre eux et les historiens « bourgeois ». C'est l'idée d'une vérité prolétarienne, fonctionnant comme une religion d'État, qui a brisé les règles sur lesquelles reposait la communauté scientifique des idées : l'exigence d'échanges constants ; l'exigence de vérité sans dissimulation d'une partie de la réalité à restituer ; la séparation des faits et de l'interprétation.

Le contrôle et l'autocorrection des faiblesses des sciences sociales ne peuvent être assurés que par le pluralisme de la collectivité des savants eux-mêmes. Il n'y a pas en ce domaine d'objectivité pure mais une objectivation toujours en train de se faire. Reste, ajoute Aron, un second problème : est-il vrai, comme le prétendent leurs adversaires, que les sciences sociales ne contiennent aucune vérité objective universelle ? Raymond Aron se borne ici à donner trois points de repère : il existe pour les sciences sociales un corps de faits spécifiques qui demandent à être organisés ; les théories sont soumises à un constant processus critique inhérent à leur développement ; la prédominance de la classe sociale dans la formation des sciences sociales ne découle pas des faits mais d'une théorie particulière. En conclusion, le rapporteur plaide pour un savant autonome, ni surhomme ni marionnette, conscient de ses limites et de celles de son savoir.

La communication de Polanyi s'inscrivait dans le prolongement de sa critique de la théorie marxiste de la science, qu'il instruisait depuis de nombreuses années. Cette théorie avait émergé soudain autour de l'année 1930 et elle était devenue en une décennie la doctrine officielle de l'URSS, avant de se diffuser hors de ses frontières. La théorie soutenait que le progrès en sciences se produisait en réponse à des besoins : de là, l'absence de distinction entre science et technologie ; de là encore, une recherche scientifique au service de l'industrie ; de là enfin, l'idée que toute recherche scientifique ou technique doit être dirigée centralement en tant que composante du processus de planification économique. Polanyi considérait ces propositions comme absurdes et leur enchaînement comme tout à fait erroné. Un premier objectif doit être d'introduire une distinction entre science et technologie. La science, comme la musique ou la religion, ne peut être connue qu'en s'y adonnant. Le problème crucial est de savoir comment doit être organisée cette activité. On a pour ce faire deux modèles : celui d'un ordre constitué autour d'une pyramide d'autorité; l'autre, plus flou, formalisé pour les activités commerciales, dont l'inventeur, Adam Smith, fait appel à une « main invisible » pour le caractériser. Polanyi est à la recherche d'un mode d'organisation flou, distinct cependant du marché, qui ne convient pas à la science puisqu'il n'existe pas de prix pour assurer l'ajustement mutuel entre les acteurs. Son effort consiste à fonder la liberté scientifique non sur le droit naturel de l'individu mais sur l'autonomie de la communauté scientifique face à l'État. La référence aux droits naturels de l'individu convenait à une époque où le libéralisme avait à s'opposer aux Églises et aux monarchies étouffantes. Ce n'est plus le cas aujourd'hui. D'un côté, un modèle d'organisation centralisé ne convient pas à la science car un tel modèle ne permet d'organiser que la routine, c'est-à-dire les tâches qui n'ont que peu de valeur scientifique. De l'autre, les savants, à la différence des peintres, ne peuvent pas prouver le succès de leur travail par la vente de leur produit. C'est pourquoi la recherche scientifique ne peut qu'être financée sur des fonds publics. Mais la régulation, elle, ne peut être faite que par la communauté des savants elle-même, qui constitue un médium fondé sur une évaluation publique. C'est ce médium qui régule l'allocation des ressources, les succès comme les échecs des individus. Ainsi les subsides publics ne sont-ils pas donnés à des individus comme tels mais à des savants en tant que membres d'un système de coordination spontanée qui offre des garanties à la fois aux contribuables (contrôle) et aux savants (absence de pression).

Le congrès de Hambourg n'esquiva pas les oppositions de fond qui se manifestèrent dans les débats de ce forum. Polanyi s'en faisait l'écho dans la préface du livre publié deux ans plus tard. Dès que l'on quittait la sphère des problèmes pratiques, expliquait-il, deux conceptions philosophiques antagonistes étaient à peu près également représentées parmi les participants :

> [...] l'idée que la liberté intellectuelle et politique, couramment comprise, s'enracine dans le combat contre l'autorité de l'Église. Elle a trouvé son impulsion originelle dans l'école rationaliste des Lumières au XVIIIe siècle. Dès lors, et de manière inévitable, une partie du congrès vit dans les régimes totalitaires un retour du vieux fanatisme religieux, devant être combattu par une forme renouvelée du rationalisme. Mais ce point de vue fut fortement contesté par une autre partie du congrès, qui nous rappela que dans les faits c'est le scepticisme universel qui a conduit à la catastrophe totalitaire du XXe siècle ; que ce fut le rejet sans limite, de toutes les croyances traditionnelles qui autorisa la montée du nihilisme ; et que c'est ce nihilisme qui a constitué le socle de l'État totalitaire.

Dès la séance inaugurale, il avait été explicitement annoncé que la réunion devait déboucher sur une forme d'organisation internationale. Celle-ci se concrétisa avec la création d'un comité Science et Liberté auprès du Congrès pour la liberté de la culture. La décision fut entérinée dans un mémorandum signé trois mois après la conférence, le 29 septembre 1953, par Nabokov, Hook et Polanyi. Il est intéressant de noter qu'à cette date l'*American Committee for Cultural Freedom* représenté par Sidney Hook et le *Congress for Cultural Freedom* furent mis sur un pied d'égalité pour porter sur les fonts baptismaux cette nouvelle structure. Ce fut la première et la dernière fois. Le mémorandum prévoyait qu'un comité de savants composé de douze à quinze membres serait choisi parmi les délégués du congrès de Hambourg. Tout en étant rattaché au CCF, ce comité aurait pour fonction de tenir les participants du congrès Science et Liberté informés des diverses réactions à cette conférence et de publier ses travaux, de servir de bureau de centralisation pour recueillir les suggestions des participants pour de nouvelles initiatives, d'éditer des publications et de tenir une nouvelle conférence.

Après la signature de ce mémorandum, les conversations se poursuivirent encore quelques mois entre le Secrétariat international et Michael Polanyi pour mettre définitivement sur pied ce comité de quatorze personnalités, venant des États-Unis, de Grande-Bretagne, d'Allemagne, de France, de

Belgique et d'Italie, sous la présidence de Michael Polanyi [1]. Les deux Français associés étaient Aron et Lagache. Seul Lagache disposait d'une situation universitaire forte puisque, à l'époque, Aron n'était encore qu'éditorialiste au *Figaro*. La non-participation de scientifiques français à ce comité prolongeait en quelque sorte leur faible participation à la conférence de Hambourg. Mais, cette fois, la sous-représentation des sciences dures n'était plus une spécificité française. En effet, ce furent plutôt les philosophes et les sociologues (Aron, Plessner, Polanyi, Shils) qui donnèrent le ton de ce comité permanent Science et Liberté. Sa mise en place éclaire bien le processus de décantation qui opéra dans ces années de décollage du dispositif. Jacques Enock avait été associé à la préparation du congrès de Hambourg, faisant ainsi participer les Amis de la liberté à la construction de l'agenda du Secrétariat international; mais il disparaît au moment de la mise en place de la structure permanente. C'est désormais Aron qui fait le lien avec le comité de Polanyi. Le comité Science et Liberté fut basé à Manchester, université de son président. Il publie bientôt un petit bulletin, *Science and Freedom*, et mène à bien l'édition des actes de son congrès fondateur.

Ainsi, après l'organisation du festival de 1952, qui donne naissance à un programme artistique autonome, on assiste, l'année suivante, à la mise sur orbite d'un nouveau programme élargissant la palette d'intervention du Congrès pour la liberté de la culture. Ce développement apparaît enchâssé entre deux moments critiques de la période : le procès des Rosenberg aux États-Unis et le soulèvement ouvrier de Berlin-Est de juin 1953. Il fait apparaître la remarquable flexibilité du Secrétariat international pour tracer un sillon autonome dans les relations internationales, le suivi de la réunion internationale de 1953 permettant d'incarner rapidement cette idée de communauté scientifique qui est au centre des débats de Hambourg.

Dans la préface du livre *Science and Freedom*, Polanyi soulignait l'importance historique de la révolte des ouvriers de Berlin-Est. Elle lui apparaissait comme l'effondrement d'une forme particulière de messianisme politique. Ce messianisme

1. Walther Gerlach, Helmuth Plessner, Paul Gillis, Henri Janne, Theodosius Dobzhansky, Sidney Hook, Edward Shils, Raymond Aron, Daniel Lagache, Constantin Doxiadis, Enzo Bueri, Adriano Buzzati-Traverso, Silvio Seccato.

politique avait dominé la pensée européenne depuis la naissance de l'idée de progrès au milieu du XVIIIe siècle, sa montée en puissance ayant été assurée par la Révolution française, avant de s'effondrer au contact de la Révolution russe. La révolte de Berlin de 1953 se rattachait directement à celle de Kronstadt de 1921. Ceux d'entre nous qui sont assez vieux pour avoir été politiquement conscients à l'époque, écrivait Polanyi, peuvent voir là, en jetant un regard en arrière, l'origine de leurs engagements ultérieurs. Et il poursuivait :

> Je crois que les futurs historiens pourraient bien tenir la contestation de 1921 du nouveau pouvoir soviétique comme le premier pas de la résurrection du libéralisme qui se renforce partout aujourd'hui en Europe. Notre congrès de Hambourg s'inscrit dans cette perspective historique, dans la filiation qui relie les événements de Kronstadt à ceux de Berlin-Est et qui, au-delà, éclaire le futur.

Tensions et crise au comité américain

Dans l'ensemble des comités nationaux le comité américain occupait une place à part puisqu'il était antérieur non seulement au Secrétariat international, mais au congrès lui-même. C'était un ensemble très large, regroupant plusieurs centaines de personnes, qui avait réussi à attirer à lui des figures intellectuelles américaines de premier plan : romanciers (Bellow, Steinbeck, Sinclair), poètes (Tate, Auden, Schwartz), peintres (Pollock), critiques littéraires (Trilling, Barzon), historiens, sociologues, politologues (Lipset, Bell, Friedrich, Fainsod, Schlesinger, Burnham, Nicolaevski), scientifiques (Oppenheimer, Rabinowitch), syndicalistes (Dubinsky, Brown), personnalités du cinéma (Montgomery, Kazan), journalistes et écrivains des revues new-yorkaises.

Le véritable point d'ancrage du comité était New York, et ses deux principaux points d'appui d'origine sont deux revues, *Partisan Review* et *Commentary*, représentées à Berlin en 1950. Mais l'organisation d'un mouvement international devait entraîner une cristallisation juridique et institutionnelle : l'*American Committee for Cultural Freedom* est juridiquement fondé en 1951 [1]. Son siège est à New York (41 East 44th Street) et il est dirigé par un Comité exécutif présidé par le philosophe Sidney Hook et composé de Charles Johnson, Hermann J. Muller, Reinhold Niebuhr et Arthur Schlesinger. En ce mois de janvier 1951, il y a donc, on le voit, simultanéité dans l'institutionnalisation des comités à New York, Londres et Paris.

Sidney Hook, son président, est un disciple de John Dewey, c'est un compagnon de route des communistes dans les années 1920 qui, au moment de la Grande Dépression, est allé jusqu'à se prononcer publiquement en faveur d'un candidat communiste aux élections présidentielles. Il se détourne ensuite du communisme tout en restant associé à un petit parti d'extrême gauche très antistalinien. Toutefois, ce sont les procès de Moscou de 1936-1937 qui marquent pour lui un véritable tournant politico-intellectuel. Hook participe activement à la commission internationale d'enquête présidée par John Dewey sur ces procès et sur la culpabilité de Trotski. Peu après, et toujours en compagnie de Dewey, il participe à la fondation d'un premier Comité pour la liberté de la culture contre les totalitarismes nazi et communiste. Après la Seconde Guerre mondiale, Hitler vaincu, l'Allemagne nazie en ruines, le congrès de Wroclaw en 1948 le convainc que le mouvement communiste a engagé une nouvelle offensive et qu'il faut donc reprendre du service pour se dresser contre lui. On retrouve dès lors notre philosophe dans toutes les manifestations de New York, Paris et Berlin qui précipitent la cristallisation du mouvement qu'il appelle de ses vœux : réunion de Freedom House, Journée internationale de résistance à la guerre, *Kongress für kulturelle Freiheit.*

La philosophie et la stratégie politique de Sidney Hook dans ces années-là sont bien exposées dans un ouvrage publié en 1954, *Heresy, Yes, Conspiracy, No* [2]. Il s'agit d'un recueil d'articles [3] publiés sur une décennie, dont l'orientation est

1. Peter Coleman, *op. cit.*, p. 102.
2. Sidney Hook, *Heresy, Yes, Conspiracy, No*, New York, The Y. Day Corporation, 1953.
3. Publiés dans les organes suivants : *New York Times, Commentary, The Journal of Philosophy, The Journal of Higher Education, American Mercury, School and Society, The Saturday Evening Post, The New Leader.*

donnée par le titre lui-même : l'hérésie, oui, la conspiration, non. L'hérésie représente la pensée de gauche, marxisme compris, contestant la culture dominante américaine. La conspiration renvoie au mouvement communiste international sapant les bases du monde libre en se réclamant abusivement du marxisme. Le livre vise à définir la lutte anticommuniste au sein d'une problématique de la liberté de la culture en opposition à deux groupes influents de la société américaine de l'époque. Le premier groupe, que Hook baptise « vigiles culturels » *(cultural vigilantes)* désigne évidemment les partisans du sénateur McCarthy. Ce sont des gens qui, effrayés par la croissance mondiale du communisme et par le danger qu'il représente sur le plan intérieur, assimilent le refus de l'engagement dans l'anticommunisme à une véritable trahison. Le groupe cherche à utiliser le climat pour disqualifier ses opposants et remettre en question tout à la fois les prélèvements fiscaux, l'éducation progressiste, les programmes publics de logement, la séparation de l'Église et de l'État, et à traiter de communiste quiconque s'oppose à ce programme. Le second groupe est formé par ceux que Hook désigne du terme de « libéraux ritualistes » *(ritualistic liberals)*, « libéral » devant être entendu dans son sens américain, c'est-à-dire « de gauche ». Ce groupe est constitué par tous ceux qui tendent à écarter un peu trop rapidement et un peu trop légèrement le caractère conspirateur du communisme international en dénonçant les excès du premier groupe. Sans doute les libéraux ritualistes ne vont-ils pas jusqu'à dire que les États-Unis sont fascistes, mais leurs déclarations sont abondamment utilisées par ceux qui portent ce diagnostic. Les chefs des vigiles se recrutent aussi bien chez les républicains que chez les démocrates, chez les catholiques que chez les protestants ; quelques zélotes des organisations patriotiques en fournissent un certain contingent, grossi de certains lobbyistes hostiles au *New Deal*. Quant aux leaders des libéraux ritualistes, ils se recrutent principalement dans les universités et ils occupent des positions stratégiques dans les médias. La confusion est renforcée par la politique gouvernementale, dont les artisans sont souvent des hommes d'une incontestable intégrité morale et d'un vrai patriotisme mais parfois aussi d'une intelligence médiocre ou d'une ignorance insondable sur la vraie nature du mouvement communiste international [1].

Entre le populisme et la gauche complaisante, le président de l'*American Committee for Cultural Freedom* fait en quelque sorte des offres de service à son gouvernement pour définir et mettre en œuvre un anticommunisme libéral à l'intérieur et à l'extérieur des États-Unis, au nom d'une philosophie de la liberté de la culture sur laquelle il convient de s'arrêter, dans la mesure où elle se veut au départ l'inspiratrice du congrès du même nom, le Congrès pour la liberté de la culture devant être l'outil externe de cet anticommunisme fondé sur des bases libérales claires.

Aux yeux de Hook, le libéralisme dans l'ordre de la culture n'existe que par un libre marché des idées. Pour que ce marché fonctionne correctement, il faut en fixer les limites et les règles en vue d'une compétition ouverte et honnête. La solution au problème des limites a été trouvée empiriquement aux États-Unis et en Grande-Bretagne. Ce sont le Parlement et la Cour suprême qui les définissent en dernière instance. Le bon fonctionnement du marché ne peut que reposer, quant à lui, sur une acceptation consentie de la différence entre conspiration et hérésie. En effet, la civilisation libérale est menacée d'autodestruction dès lors que l'hérésie est assimilée à la conspiration et que la conspiration est tolérée comme hérésie. Le communisme pose à cet égard un dilemme entièrement nouveau pour les libéraux car les idées communistes (marxistes) sont une hérésie tandis que le mouvement communiste (léniniste) est une conspiration.

Les vigiles culturels commettent trois erreurs : ils sont hostiles à l'éducation progressiste [2], sans comprendre que c'est de ce milieu qu'est partie la première résistance au communisme; ils sont incapables de faire la différence entre socialisme économique et communisme politique; ils cherchent enfin une protection illusoire dans les serments de loyauté, sans s'apercevoir que c'est contre-productif : en effet, les communistes n'ont

1. Hook énumère ainsi une liste d'erreurs commises par les dirigeants de son pays : pression sur Tchang Kaï-chek pour qu'il reconnaisse le PC; dénonciation de l'affaire Hiss comme diversion; mise en place d'un programme de « loyauté » tous azimuts; stigmatisation du contrôle des prix en Grande-Bretagne, représentant le premier pas vers l'État policier.

2. L'éducation progressiste est définie par Sidney Hook comme l'application de la psychologie moderne aux processus d'apprentissage et d'enseignement.

aucun scrupule à mentir, de sorte que le résultat net aboutit surtout à punir des non-communistes. La pression des vigiles culturels, enfin, donne une image désastreuse de l'Amérique, qui passe à l'étranger pour le pays de la chasse aux sorcières, du lynchage et de la peur paranoïaque du rouge.

Mais Hook argumente principalement avec les hommes de gauche ritualistes, qui sous-estiment en permanence la conspiration communiste. Il s'en prend particulièrement au journal *The Nation*, d'après lequel la menace prioritaire pour l'Amérique n'est pas le communisme mais la peur du communisme et les réactions collectives qu'elle déclenche. Une telle analyse méconnaît un point décisif : l'existence d'une offensive de propagande soviétique sans précédent. Cette offensive a des effets profonds sur les intellectuels d'Europe occidentale (savants, hommes de lettres, professeurs, publicistes), qui, quoique sans illusion sur les méthodes de répression qui sévissent en URSS, sont aujourd'hui convaincus que les bases de la liberté et de la démocratie sont sapées en Amérique par une fièvre anticommuniste hystérique. Les intellectuels de la gauche complaisante sont coupables d'accréditer l'idée que les États-Unis glissent vers un État policier. Ils contribuent à donner corps à la thèse de l'équivalence des situations culturelles en Russie soviétique et en Amérique. Ils renforcent ainsi immanquablement la propagande soviétique en Europe. Trois hommes sont particulièrement visés : Robert Hutgins (président de l'université de Chicago de 1929 à 1951), Bertrand Russell et Thomas Mann, trois figures intellectuelles qui ne font pas suffisamment la distinction entre hérésie et conspiration aux yeux du président de l'*American Committee for Cultural Freedom*.

La tâche du comité américain est donc toute tracée : elle est de renforcer les libéraux réalistes dans l'administration, les syndicats et l'éducation. Dans ce triptyque, c'est l'éducation qui est l'objet de tous les soins de Sidney Hook. Il note au passage que la situation est grave dans les syndicats, mais pour ajouter aussitôt qu'il leur fait pleinement confiance pour faire le ménage chez eux. On notera aussi que le président de l'*American Committee* ne se préoccupe guère dans son livre de la situation de l'industrie du loisir et des arts, renvoyant à un article de *Commentary* sur ce sujet.

La focalisation sur l'éducation et l'enseignement s'inscrit

dans une perspective socio-politique précise, héritière de la philosophie de John Dewey, liant étroitement philosophie politique et philosopie de l'éducation. Pour cette lignée philosophique, la cohésion d'une société libre ne repose pas sur des sanctions naturelles ou surnaturelles mais sur une communauté d'intérêts. Il n'y a que dans la société angélique que les intérêts s'harmonisent spontanément. Dans la société humaine, chaque homme est un centre unique d'expérience et, dans un monde fini, tous les désirs ne peuvent pas être satisfaits à la fois. Il est donc nécessaire de trouver des mécanismes de décision pour résoudre les conflits d'intérêts inhérents au fonctionnement social. Ceux-ci, on l'a dit, ne peuvent être tranchés par une autorité naturelle ou surnaturelle. Ce qui leur est substitué, c'est un processus de décision collectif qui est chargé d'assurer l'articulation entre le choc des intérêts et la communauté. La qualité de ce processus de décision (tant pour les gouvernants que pour les gouvernés) dépend directement de l'information dont disposent les acteurs pour asseoir leurs délibérations. Il appartient dès lors aux instances d'éducation de former les individus aux processus démocratiques afin de fonder l'autorité collective sur des bases rationnelles. En effet, le modèle d'autorité est la clef d'un système démocratique puisque c'est lui qui permet de passer des conflits d'intérêts au sens de la communauté (*a contrario*, l'autoritarisme ne peut qu'obstruer, bloquer le bon fonctionnement de ce mécanisme) et c'est sur ce point que l'éducation progressiste est appelée à jouer un rôle décisif. Le maître (le *teacher*, dont on comprend, consonantiquement, qu'il est un *preacher* laïcisé) est responsable de ce processus d'apprentissage *(learning)*. Entre les groupes d'intérêts et la communauté, il lui revient de transmettre l'esprit d'enquête désintéressé. L'esprit d'enquête constitue une initiation à l'auto-éducation *(self-education)* des élèves, qui développera chez eux une maturité à la fois intellectuelle et émotionnelle, c'est-à-dire la maîtrise de la complexité des interactions sociales. Enseignants et universitaires forment ainsi une communauté spécifique entre la société structurée en groupes d'intérêts et la communauté générale.

La liberté de la culture s'enracine donc dans la communauté enseignante et c'est pourquoi Hook accorde une place centrale à la liberté académique. Elle constitue en effet le fondement d'une autorité autonome, capable de garantir en son sein la conservation des procédures d'enquête rationnelle. En effet, dans cette vision philosophique, qui est aussi une vision de l'Amérique, seule la vigueur de l'esprit de recherche est susceptible de contrebalancer la pression des intérêts. La liberté intellectuelle repose sur un équilibre de pouvoirs entre le monde des intérêts et le monde des professeurs (traduit en termes d'institution universitaire : entre *board of trustees* et *faculty*) car la communauté enseignante ne peut pas (elle en a besoin pour subsister) et ne doit pas (l'esprit d'enquête doit être orienté vers la réforme sociale) se couper de la société et de ses intérêts. La recherche en effet ne peut pas vivre en vase clos. La communauté académique doit se charger de la transmission des valeurs du passé tendue vers une anticipation intelligente des besoins des générations à venir. Elle est une communauté en devenir *(community in the making)*.

La restitution de la grille d'analyse de *Herery, Yes, Conspiracy, No* est essentielle pour circonscrire à plusieurs niveaux la situation de l'*American Committee for Cultural Freedom* dans les années chaudes de la guerre froide. Le premier niveau est celui des relations du Secrétariat international et de *Preuves* à Paris et de l'ACCF à New York jusqu'aux années 1953-1954, lorsque les tensions accumulées et contenues au sein du comité américain pendant la période stalinienne et la guerre de Corée vont se libérer. Globalement, les positions du CCF et de l'ACCF sont les mêmes et peuvent être traduites dans le langage politique français par la lutte sur deux fronts : contre l'anticommunisme primaire et contre le neutralisme (ou équidistancialisme) progressiste. Bien entendu, le président de l'*American Committee* est durant ces années-là un collaborateur régulier de la revue de langue française du Congrès pour la liberté de la culture : Hook y rend hommage à Dewey à la mort de celui-ci [1] ; *Preuves* publie l'année suivante des extraits de *Heresy, Yes, Conspiracy, No*, accompagnés d'une lettre que le philosophe a adressée au *New York Times*, appelant à chasser le sénateur McCarthy de la vie publique ; c'est enfin, à l'automne 1953, le lancement des premiers mardis de *Preuves* à Paris, inaugurés tout naturellement par le président de

1. Sidney Hook, « Dewey, penseur engagé », *Preuves*, n° 13, mars 1952.

l'American Committee [1]. Le rejet du maccarthysme est un point qui soude l'ACCF et le CCF. *Preuves* répercute ainsi très soigneusement et fidèlement toutes les prises de position du comité américain contre la chasse aux sorcières. La revue française se fait également l'écho des débats outre-Atlantique sur les menaces que pourrait faire peser sur la démocratie une certaine forme d'anticommunisme populiste [2]. Une autre prise de position sur la politique intérieure américaine rapproche ACCF et CCF : l'action contre la discrimination raciale et en faveur des droits civiques des Noirs américains. Ainsi, dès son premier numéro, *Preuves* informait-elle ses lecteurs de la protestation élevée par le comité contre l'exécution de sept Noirs en Virginie.

Ces deux dimensions ne soulevaient pas de tensions entre New York et Paris car de la clarté des positions prises dépendait l'efficacité des actions menées en réaction à l'anti-américanisme des intellectuels progressistes français, attisé par la propagande soviétique. Mais des difficultés apparurent en 1952 avec le procès de Julius et Ethel Rosenberg, condamnés à mort aux États-Unis sur la base d'un chef d'accusation de conspiration (et non d'hérésie), c'est-à-dire d'espionnage en faveur de l'Union soviétique. Dans les colonnes de *Preuves*, Bondy distinguait la culpabilité de la peine et demandait une commutation de la peine de mort [3]. Rougemont adressa au nom du Comité exécutif un message au président des États-Unis pour solliciter une mesure de clémence. Le Secrétariat international eût souhaité que l'*American Committee* prît une position analogue pour appuyer cette démarche. Mais l'ACCF posait en préalable une reconnaissance pleine et entière de la culpabilité ne laissant pas de place au doute. Le comité américain refusait donc de s'associer à la démarche de Rougemont [4]. Compte tenu de l'intense mobilisation internationale, parallèlement à la mobilisation en sens inverse sur le procès Slansky à Prague, l'absence d'entente entre l'ACCF et le CCF ne pouvait

1. *Ibid.*, n° 33, novembre 1953.
2. « L'anticommunisme menace-t-il la démocratie américaine ? » : 1) George F. Kennan, « L'autre danger », 2) R. Bediner, « La question de l'hystérie », *Preuves*, n° 7, septembre 1951.
3. François Bondy, *ibid.*, février 1952.
4. Peter Coleman, *op. cit.*, p. 164.

qu'être durement ressentie à Paris car pareille disjonction ne facilitait évidemment pas la tâche du Secrétariat international.

Mais la vie de l'ACCF ne doit pas être envisagée sous l'angle des seuls rapports tendus avec le Secrétariat international. Deux autres volets plus conflictuels encore doivent être mentionnés : ce sont d'une part les tensions avec deux de ses présidents d'honneur, Bertrand Russell et Karl Jaspers ; ce sont ensuite les divergences institutionnalisées au sein du milieu intellectuel américain lui-même après 1953.

Les rapports de Bertrand Russell avec le comité américain ainsi qu'avec le Congrès pour la liberté de la culture seront constamment tumultueux jusqu'à la démission du philosophe anglais de ses fonctions de président d'honneur du CCF [1]. Lors de la radicalisation internationale des attitudes en 1952, au moment du procès Rosenberg, la position de Russell n'est pas très éloignée du Sartre de « l'Amérique a la rage ». Il sera pris à partie, on l'a vu, par Hook dans son livre. Cette pique n'est que la partie visible de l'iceberg. Tout au long de son existence, une opposition sourde existera entre Russell et le comité américain, qui considérera que le philosophe met en cause les fondements des institutions démocratiques américaines. Le Secrétariat international, pour sa part, sera surtout sensible aux effets désastreux que pourrait avoir sa démission des instances du congrès.

En ce qui concerne Karl Jaspers, c'est Hannah Arendt qui fait pression sur le philosophe allemand pour tenter de le faire démissionner de son poste de président d'honneur, sans que le Secrétariat international ou le comité américain soient partie prenante au conflit. Mais cet épisode éclaire bien la complexité des relations intellectuelles germano-américaines dans les premiers temps du congrès. Au lendemain de la guerre, essentiellement préoccupé par son grand livre sur la responsabilité-culpabilité allemande [2], Jaspers collabore à la revue *Die Wandlung (Le Changement)*, dirigée par Dolf Sternberger et publiée à Heidelberg. Une partie des collaborateurs de cette revue sera ultérieurement associée au *Kongress für kulturelle*

1. Coleman ne recense pas moins de trois tentatives de démission de Bertrand Russell avant la bonne, en 1956. Cette démission fut formellement acceptée par le Comité exécutif en février 1957 (*ibid.*, p. 168).

2. Karl Jaspers, *Die Schuldfrage* ; trad. fr. : *La Culpabilité allemande*, Jeanne Hersch (trad.), Éditions de Minuit, 1990, préface de Pierre Vidal-Naquet.

Freiheit. Dès son arrivée en Allemagne, en 1945, où il se présente comme chroniqueur de guerre de l'armée américaine, Melvin Lasky prend contact avec Jaspers et c'est par son intermédiaire que des articles sont échangés dans les deux sens entre *Die Wandlung*, la *Partisan Review* et *Politics*, auxquelles collabore également Hannah Arendt. Cette dernière travaille à l'époque dans l'édition et écrit également dans *Aufbau (Reconstruction)*, le journal des juifs allemands de New York. C'est en son nom que Lasky établit le premier contact avec Jaspers et c'est à Lasky qu'elle confie le soin d'expliquer au philosophe qui sont les gens de la *Partisan Review*. Une relation de confiance va s'établir entre les deux hommes et *Der Monat*, l'ancêtre des revues du Congrès pour la liberté de la culture, dont la parution est à peu près contemporaine de la disparition de *Die Wandlung*, permettra d'institutionnaliser de nouvelles relations intellectuelles entre l'Allemagne et l'Amérique. La consultation de la correspondance entre Hannah Arendt et Karl Jaspers fait apparaître que le communisme tient fort peu de place dans leurs échanges. Ce qui est central à leurs yeux, c'est d'une part le problème de l'université et d'autre part celui de la responsabilité allemande – c'est-à-dire le rapport des juifs et de l'Allemagne. Jaspers comme Arendt évitent de se laisser enfermer dans un cadre institutionnel : s'il est président d'honneur du CCF, Jaspers ne participe pas aux structures allemandes du congrès, pas plus qu'Arendt ne fait partie de l'ACCF, tout en collaborant à *Commentary* et à *Partisan Review*.

Dans une lettre de juin 1949, soit un an avant la tenue du *Kongress für kulturelle Freiheit*, Hannah Arendt exprime l'inquiétude que lui inspire la situation américaine et son désaccord avec Sidney Hook :

> Ici, l'atmosphère politique générale, surtout dans les universités et les collèges (à l'exception des très grands), est actuellement peu agréable. La chasse aux rouges est en marche et les intellectuels américains, surtout dans la mesure où ils ont un passé radical et sont devenus antistaliniens au fil des années, se mettent en quelque sorte à l'unisson du Département d'État, en partie parce qu'ils sont sincèrement déçus, en partie parce qu'ils ont vieilli. Ceci ne veut naturellement pas dire que la politique étrangère américaine ne soit pas excellente ; ce que je veux dire, c'est que ces gens sont disposés à tout avaler et qu'ils commencent à voir dans le

FBI par exemple un organisme avec lequel il est possible et licite de régler les conflits à l'intérieur de l'université. La conséquence en est principalement que dans les petits collèges [*state-supported*] on ne parle plus ouvertement entre collègues et que la gêne générale, qui à l'origine régnait parmi les employés du gouvernement à Washington, s'étend comme un nuage empoisonné sur toute la vie intellectuelle. On n'a pas seulement peur de prononcer le nom de Marx, mais chaque petit imbécile croit qu'il a enfin le droit et l'obligation de mépriser Marx. Et tout ceci dans un milieu où il y a peu d'années encore il fallait du courage pour dire que Marx n'avait pas résolu toutes les énigmes du monde. Il y a dans les universités une altercation souterraine entre le corps enseignant et les étudiants car ces derniers sont d'autant plus vulnérables au communisme que les enseignements sont intolérants. On trouve aussi, bien entendu, des situations différentes et tout ceci n'est à prendre que *cum grano salis*. Mais ce qui est répugnant, c'est de voir par exemple Sidney Hook, lorsqu'il a un conflit à résoudre avec Sartre qu'il ne peut réduire à une opposition stalinien/antistalinien, déclarer que Sartre est « *a reluctant stalinist* » ; moi-même, je n'ai pas beaucoup de sympathie pour Sartre, mais ça n'a rien à voir avec la chose.

Tout au long du maccarthysme, Hannah Arendt (qui a eu connaissance du *Kongress für kulturelle Freiheit*, qu'elle a trouvé insatisfaisant, à l'exception de l'intervention de Silone) se montre profondément hostile à l'ACCF et à Sidney Hook. Elle perçoit un parallèle entre le glissement de l'université allemande dans les années 1930 et le glissement de l'université américaine dans les années 1950. Au terme d'une très longue lettre envoyée à Jaspers le 13 mai 1953, elle conclut :

> Il me semble qu'il n'est plus possible, comme il y a quelques années, de prendre position sans réserve en faveur de l'Amérique, de la façon dont nous l'avons fait l'un et l'autre. Cela ne veut naturellement pas dire que nous puissions nous permettre de rejoindre le concert européen de l'antiaméricanisme. Mais les périls sont là, *clear and present*. Ce qui peut advenir, nul ne le sait. Si McCarthy ne devient pas président en 1956, il y aura à nouveau une chance. Mais ce qui est possible ici, on le voit dès maintenant. Vous vous souvenez sans doute que nous avons déjà parlé l'année dernière du *Congress for Cultural Freedom*. Je sais très peu de son activité européenne, mais je suis un peu inquiète que vous y soyez toujours présent de façon si prééminente.

Une dizaine de jours plus tard, Jaspers lui répond de Bâle et, après lui avoir rappelé qu'en 1931 elle a été plus clairvoyante que lui sur la situation allemande, il s'emploie à calmer ses appréhensions sur la situation américaine. Puis, venant au Congrès pour la liberté de la culture, il écrit ceci :

> Cela vous inquiète de me voir parmi les présidents d'honneur du *Kongress für kulturelle Freiheit*. Il en est de même pour moi. Seulement, je n'ai pas encore suffisamment de points d'appui clairs et nombreux pour pouvoir exprimer pourquoi je démissionne de ce poste. Niebuhr est entré il y a peu à la présidence d'honneur à la place de Dewey, mort. Ici, en Europe, dans les revues, je vois émerger une certaine activité, avec des rapports sur le travail réalisé. Jusqu'à présent, je n'ai été frappé que par une certaine platitude, un certain manque de caractère, mais rien de vraiment « inexact ». Votre rapport souligne ce que j'ai déjà ressenti depuis le succès de Koestler dans ce cercle, que le congrès est essentiellement dirigé contre la Russie, et non pas contre les méthodes totalitaires en général.

Si, dans le cas du conflit entre l'ACCF et Russell, le Secrétariat international tente de jouer les médiateurs, ici nous avons affaire à un canal totalement indépendant du Secrétariat. Les échanges entre Hannah Arendt et Karl Jaspers sont nombreux : ce dernier lui demande des informations supplémentaires sur la situation américaine et, s'il ne va pas jusqu'au bout, c'est-à-dire jusqu'à la démission de son poste de président d'honneur, Jaspers fait cependant un bout de chemin dans la voie suggérée par Arendt. Pour manifester son désaccord sur le fait que le CCF n'ait pas suffisamment protesté contre le maccarthysme, il refuse d'envoyer un message à la réunion de Hambourg, alors qu'il a fait ce geste pour les deux réunions précédentes, à Berlin et Bombay.

Dans les milieux intellectuels français, les effets négatifs du maccarthysme sont considérables. La polarisation politico-intellectuelle, la montée aux extrêmes, est à son comble : droite contre gauche, Slansky contre Rosenberg, *Figaro* contre *Humanité*, liste de signataires contre liste de signataires. Aux convergences et aux divergences de l'ACCF et du CCF il faut encore ajouter une dernière asymétrie essentielle à la compréhension de la période : le président de l'*American Committee* se préoccupe peu de la chasse aux sorcières dans les milieux artistiques, pour donner toute son attention au rapport entre conspiration et hérésie dans l'université. Or, pour la perception française, l'ordre des facteurs est inversé. C'est l'impact du maccarthysme dans la littérature, le cinéma et les arts qui est le plus vivement ressenti et le plus intelligemment exploité par les communistes tandis que les problèmes universitaires sont tout à fait secondaires, pour ne pas dire négligés. Non seulement ils n'ont pas la même visibilité politique mais le problème des libertés académiques est traité en France dans un contexte historique et institutionnel totalement différent. La liberté de recherche est garantie par la réussite aux concours publics – notamment au concours d'agrégation, sur lequel repose l'ensemble du système. La problématique de Sidney Hook, faisant reposer la liberté de la culture sur un équilibre de pouvoir entre communauté savante et intérêts sociaux, *faculty* et *board of trustees,* est totalement étrangère, si ce n'est incompréhensible, à la société française de l'époque.

A l'origine, l'*American Committee for Cultural Freedom* était divisé en deux sous-comités : l'un chargé de l'élaboration d'un programme d'action aux États-Unis mêmes (animé par Elliot Cohen, Solomon Levitas, Bertram Wolfe, Max Yergan, Pearl Kuger) et l'autre chargé de la préparation d'un programme d'aide aux Européens (Arthur Schlesinger, Norbert Muhlen, William Phillips, R. Rober, Nicolas Nabokov). C'est l'un des membres de ce sous-comité, Nicolas Nobokov, qui devait venir en 1951 prendre la tête du Secrétariat international à Paris. Les actions envisagées par ce sous-comité en direction de l'Europe étaient la préparation de listes de livres et d'abonnements à des revues américaines, la réalisation de brochures par des écrivains engagés et détournés par la propagande soviétique (Dos Passos, Steinbeck, Sinclair, Farrell) la traduction d'articles de presse, l'organisation de voyages d'écrivains et d'intellectuels dans les deux sens. On est proche encore des actions de soutien et d'assistance aux intellectuels antifascistes européens qui s'étaient développées pendant la Seconde Guerre mondiale. L'objectif est de resserrer les liens avec l'Europe. Deux intellectuels européens étaient par ailleurs membres du comité américain : Arthur Koestler et Franz Borkenau, deux des ténors du *Kongress für kulturelle Freiheit*, appuyant à fond l'idée de la constitution d'un mouvement d'opposition frontal au communisme international (Koestler était allé plus loin et avait même évoqué dans les colonnes du *Monat* la création d'une légion inspirée de l'expérience des Brigades internationales). Deux convictions animaient Sidney Hook ces années-là : la nécessité d'une alliance entre hommes de gauche et hommes de droite pour lutter contre l'ennemi commun; le sentiment que les intellectuels européens n'étaient pas assez clairvoyants sur les dangers du communisme. Ces convictions se traduisaient naturellement par une certaine attitude à l'égard du Secrétariat international parisien. Après tout, c'était l'ACCF qui avait porté le congrès sur les fonts baptismaux et c'était en son sein qu'avait été choisi son directeur. Jusqu'après la réunion de Hambourg, le président du CCF tint à faire jeu égal avec le Secrétariat international du CCF, en cosignant notamment avec lui l'acte de naissance du comité *Science and Freedom*.

Mais l'année 1953 marque tout à la fois l'émergence d'une opposition de gauche organisée contre le comité américain aux États-Unis et le franchissement d'un seuil décisif dans la différenciation des activités du Secrétariat international du congrès en Europe, ce qui entraîne inéluctablement une banalisation de l'*American Committee for Cultural Freedom* au sein du développement du Congrès pour la liberté de la culture dans son ensemble.

La structuration juridique de l'ACCF, le rôle de sas qu'il entendait jouer entre les décideurs politiques américains et les intellectuels européens, son effort pour frayer un passage entre maccarthysme et progressisme ne pouvaient manquer de polariser la structure autour d'une gauche, d'une droite et d'un centre – comme il arrive dans toute organisation politisée. Si Hook trouvait les Européens du congrès trop mous dans le combat contre les communistes, Burnham trouvait, lui, que c'était Hook et son comité qui faisaient preuve de mollesse. Il en tira les conclusions et démissionna. Mais la gauche du comité n'était pas moins insatisfaite du profil bas adopté face à certaines formes d'anticommunisme américain. De 1950 à 1953, les tensions ne cessèrent de monter au sein et autour du comité. Elles étaient toutefois contenues face aux menaces extérieures : dictature de Staline en URSS et progression du communisme en Asie. Après la mort du dictateur, la signature d'un armistice en Corée, le retrait de McCarthy, elles purent s'exprimer librement. Ainsi Hannah Arendt participa-t-elle avec d'autres membres de l'ACCF critiques envers la ligne imprimée par son président à la tentative de mettre sur pied une nouvelle revue, mais le projet ne se concrétisa pas.

En revanche, le projet des hommes les plus à gauche du comité, en désaccord avec son évolution au cours des trois dernières années, aboutit au lancement en janvier 1954, à New York, d'une nouvelle revue, *Dissent*. Son comité de rédaction est constitué de Travers Clement, Lewis Coser, Irving Howe, Harold Orlans, Stanley Plastrik, Meyer Schapiro. Irving Howe, qui signe l'article d'ouverture du premier numéro et qui jouera par la suite un rôle important à *Dissent*, est l'homme qui a suivi pour la *Partisan Review* les premières manifestations d'opposition aux initiatives du communisme international après la guerre. La revue se veut celle de radicaux indépendants (*independent radicals*), c'est-à-dire authentiquement socialistes. Elle défendra, explique-t-elle, des valeurs démocratiques et humanistes, attaquera toutes les formes de totalitarisme, fascistes ou staliniennes, couvrira la vie culturelle américaine, encouragera les études de philosophie politique et de sciences sociales, s'emploiera enfin à discuter et à réévaluer la doctrine socialiste.

La mise en cause explicite de l'*American Committee for Cultural Freedom* intervient un an après le lancement de la revue sous la plume d'un jeune journaliste, Michael Harrington. L'histoire critique du comité présentée dans *Dissent* se déploie au croisement de deux dimensions : sa position en matière de politique étrangère ; son attitude sur les droits civiques en politique intérieure. Harrington repart du congrès de Berlin pour souligner qu'il regroupait un éventail très large, d'Ignazio Silone à Sidney Hook et de David Rousset à Jacques Maritain, en relevant, pour le contester, un point du *Manifeste aux hommes libres* adopté en 1950 : l'affirmation d'une légitimité de la collaboration entre socialistes et partis de droite pour combattre le stalinisme. Harrington souligne par ailleurs une différence d'approche entre le comité américain et les comités européens : aux États-Unis, le comité estime qu'il peut faire l'unité entre tous les types d'antistaliniens. L'antistalinisme devient en quelque sorte un talisman magique, apportant un brevet de respectabilité intellectuelle. Les comités européens, pour leur part, sont plus prudents et tiennent à être indépendants de leur gouvernement. Par comparaison, écrit Harrington, le comité américain s'est littéralement offert au Département d'État, au point d'être parfois moins une organisation de défense des libertés qu'une organisation de propagande. La composition très hétérogène de l'ACCF, le fait que les promaccarthystes sont souvent mieux accueillis que les antistaliniens de gauche ne manquent d'ailleurs pas de créer des dissensions en son sein. Le comité est davantage préoccupé par la dénonciation de l'exploitation par les *fellow-travellers* des atteintes aux libertés civiles que par celle de ces atteintes ellesmêmes. Irving Kristol, le secrétaire du comité, est surtout occupé à combattre Arthur Miller ou Bertrand Russell. Il a publié dans *Commentary* un article tout à fait scandaleux, qui fraie le passage à une accommodation avec le maccarthysme. Bien entendu, poursuit Harrington, le comité a fait également des choses excellentes : il a élevé des protestations contre le traitement infligé à des hommes comme Charles Chaplin et Arthur Miller; il s'est montré très actif dans l'affaire d'un collège où les films de Chaplin étaient interdits; il a protesté vigoureusement contre la volonté de contrôle maccarthyste de *Voice of America*. Il dit également avoir agi de manière confidentielle sur des matières qui ne peuvent être rendues publiques et il n'y a aucune raison de mettre en doute sa parole. Toutefois, face à la dérive vers la droite du comité, devenu une sorte de club un peu snob et autoperpétué, *Dissent* dit vouloir retrouver pour sa part une fonction critique indispensable à la liberté de la culture et que l'ACCF a laissée s'assoupir. Refusant la définition de Sidney Hook, qui stigmatise comme hommes de gauche ritualistes les intellectuels qui refusent d'emboîter le pas au comité, Michael Harrington se range à l'avis de Hannah Arendt, parlant de « syndrome des ex-communistes » pour refuser, quant à lui, l'évolution de l'*American Committee for Cultural Freedom*.

Naissance d'un réseau international de revues

L'un des phénomènes les plus marquants du développement du Congrès pour la liberté de la culture est assurément la mise en place d'un réseau international de revues entre 1953 et

1955. Jusqu'alors le secteur des publications du Secrétariat international comprenait la revue française et les brochures. L'année 1953 marque un vrai tournant, qui voit la sortie coup sur coup de *Cuadernos, Das Forum* et *Encounter*. Cette activité nouvelle émerge progressivement à travers un processus de discussions et de négociations noué autour du Secrétariat international.

La première orientation repérable, inspirée principalement par Irving Brown, date de 1952. Elle vise à créer un organe de langue espagnole pour l'Amérique latine et un organe de langue anglaise à destination de l'Asie, édités l'un et l'autre par le Secrétariat international. Dans un tel schéma, il est entendu que les divers comités nationaux européens continueront de trouver des associations avec des revues existantes en sus de leurs bulletins propres. L'idée du Secrétariat international est alors de s'entourer d'une couronne de revues amies. C'est un peu le rôle que jouent *Synthèse* en Belgique, *Twentieth Century and After* en Grande-Bretagne ou *Trot Als* en Scandinavie. La proposition de créer une revue de langue espagnole et une revue de langue anglaise, émise par Brown, témoigne tout simplement de la volonté d'assurer pleinement la vocation mondiale du Congrès pour la liberté de la culture. De cette idée d'origine *Cuadernos* sera la seule concrétisation. Élaborée et éditée au Secrétariat international, elle se présente au départ comme un simple support de traduction d'articles préalablement publiés dans *Preuves*. Irving Brown impose son directeur : Julian Gorkin, le leader du POUM, parti marxiste d'extrême gauche antistalinien, qui s'est exilé au Mexique après la guerre d'Espagne, où il est entré très tôt en contact avec l'*American Federation of Labor* à New York. C'est François Bondy qui va recruter pour sa part le rédacteur en chef en la personne d'un journaliste espagnol émigré en France, Ignacio Iglesias, membre du POUM lui aussi et grand ami de Gorkin. Un troisième homme du Secrétariat international, recruté spécialement pour suivre les problèmes d'Amérique latine, Louis Mercier Vega, les rejoint. L'équipe latino-américaine est fortement soudée idéologiquement car Mercier Vega participe lui aussi pleinement de l'antistalinisme d'extrême gauche qui caractérise les anciens du POUM.

Parallèlement à cette revue en langue espagnole, Bondy

s'emploie à assurer la sortie d'une seconde revue en langue allemande, mais en Autriche cette fois. Ce sera *Das Forum*, dirigé par Friedrich Torberg. Le rapport de mission que François Bondy rédige en décembre 1953, au terme d'un séjour d'une semaine dans la capitale autrichienne, fait apparaître que création d'une revue et marginalisation du comité national marchent de pair. Nous sommes là dans une logique déjà différente de celle exposée par Irving Brown l'année précédente. Il existe en effet en Autriche une *Gesellschaft für Freiheit der Kultur*, animée par un socialiste, Peter Strasser. Mais cette société est très conflictuelle et à couteaux tirés avec le Secrétariat international à Paris. Une nouvelle revue permettrait indiscutablement de s'ouvrir davantage à la société autrichienne et, effectivement, le premier numéro de *Das Forum*, qui sort en janvier 1954, s'ouvre sur un débat entre Torberg et l'écrivain catholique de gauche Friedrich Heer sur le thème : « Pouvons-nous discuter avec les communistes ? » Bondy estime le coût de cette publication mensuelle de 20 000 à 24 000 dollars par an. Mais le jeu en vaut la chandelle car, écrit-il :

> Il n'existe en Autriche sur le plan hebdomadaire ou mensuel aucune publication d'intérêt général vivante, polémique et d'information sérieuse (*Die Forsche* et *Wort und Wahrheit* étant limités à un public catholique). Le *Tagebuch* (communiste) est la seule publication littéraire régulière et vivante. Il ne fait pas de doute que *Das Forum* est dès à présent attendu avec grand intérêt et généralement avec sympathie [1].

Mais c'est la création d'*Encounter* à Londres en cette même année 1953 (le premier numéro paraît en octobre) qui marque un véritable saut qualitatif pour le développement du réseau des revues et le développement général du Congrès pour la liberté de la culture lui-même. *Encounter* n'est pas une revue anglaise mais anglo-américaine. Elle est la première à s'affranchir d'un lien de subordination trop étroit au Secrétariat international. Dès son installation définitive à Paris, en 1951, le Secrétariat international a soutenu financièrement *The Twentieth Century*, qui a pris la suite de *The Nineteenth Century and After*, associé au comité national anglais. Au dernier Comité exécutif de 1952, Irving Brown a donc lancé l'idée de créer une revue de langue anglaise principalement tournée vers

1. François Bondy, rapport de mission, décembre 1953, 8 p. dactylographiées.

l'Asie. En Angleterre même, Spender penche pour un rachat du *Twentieth Century*. Mais le comité anglais, unanime, s'oppose à ce projet. Selon une procédure éprouvée, une commission, comprenant Muggeridge, Spender et Fyvel du côté anglais, Irving Kristol pour l'*American Committee for Cultural Freedom*, Bondy, Josselson et Nabokov pour le Secrétariat international, est mise sur pied pour faire progresser le dossier. Les trois hommes du Secrétariat international ont en tête de faire aboutir un projet voisin de celui de *Cuadernos*, c'est-à-dire une revue anglaise éditée à Paris. Mais la commision – comme toute commission – a sa propre dynamique. Elle institutionnalise d'une certaine manière une rencontre entre l'*American Committee* et le comité anglais. L'ACCF, c'est sa ligne constante, ne veut pas laisser au secrétariat parisien le monopole de la définition des initiatives à prendre. L'homme de Sidney Hook, Irving Kristol, joue un rôle très actif dans les échanges qui débouchent sur l'idée d'une revue anglo-américaine basée à Londres, distincte du Secrétariat international. C'est Kristol qui en trouve le titre, *Encounter* [1], et le même Kristol quitte ensuite New York pour s'installer à Londres afin de codiriger avec Stephen Spender le nouvel organe publié sous les auspices du Congrès pour la liberté de la culture.

Une étape supplémentaire est franchie dans l'autonomisation par rapport au Secrétariat international avec l'apparition en 1955 d'une revue italienne codirigée par Ignazio Silone et Nicola Chiaromonte. La conception du projet, son financement autonome, le choix du rédacteur en chef, Chiaromonte, ont été le fait de Silone, indépendamment du Comité exécutif et du Secrétariat international. Silone en effet attend que son projet soit entièrement défini avant de le soumettre au Comité exécutif, sans demander un sou aux organes parisiens. Le procès-verbal précise [2] :

> Le financement de cette revue n'apporterait aucune charge supplémentaire au budget général du congrès car les fonds nécessaires à sa parution seraient constitués par les sommes allouées par le congrès pour l'édition du bulletin de l'AILC et celui du CIAD.

1. Peter Coleman, *op. cit.*, p. 61. Coleman donne la liste des titres un moment envisagés pendant le *brain-storming* : *Oasis, Outlook, The Contemporary, Present, Turning Point, Moment, Attack.*
2. Procès-verbal du CE du 17 septembre 1955.

D'autre part, l'édition de cette revue serait faite en collaboration avec une grande société d'édition italienne qui en assurerait la distribution.

Le procès-verbal du CE poursuit :

> M. Silone fait valoir les raisons pour lesquelles il croit qu'il vaut mieux que cette revue ne soit pas publiée sous les auspices du congrès ; son point de vue soulève certaines réticences de la part de plusieurs membres du comité.

Ici aussi l'état des archives ne permet pas de connaître les arguments développés à l'époque par Silone, pas plus que ceux des membres du CE les plus réticents à l'égard de cette initiative. Mais les détails importent peu. Ce qui est significatif, c'est que Silone présente son projet au cours du Comité exécutif qui suit la grande manifestation de Milan, *L'Avenir de la liberté* [1], et qu'il épouse remarquablement le changement d'époque de cette année 1955.

De 1951 à 1954, ce sont donc quatre revues qui viennent s'ajouter au *Monat* et à *Preuves* dans le dispositif de croissance du Congrès pour la liberté de la culture. Une revue ne se commande pas et la naissance de chacune d'elles s'inscrit dans un contexte politique et intellectuel spécifique. Mais, au cours de ces années décisives et à travers ce réseau, le congrès se transforme progressivement d'un instrument de combat en un forum international de débat. *Encounter* et *Tempo presente* expriment pleinement cette orientation. Cette flexibilité va de pair avec une autonomie intellectuelle plus grande car aucune de ces revues, sauf *Cuadernos*, n'est contrôlée par le Secrétariat, qui contribue cependant en totalité ou en partie à leur financement.

Ainsi, après l'installation du Secrétariat international, le démarrage de ce réseau l'année même de la mort de Staline est-il le second fait important pour la réussite du Congrès pour la liberté de la culture durant les cinq premières années de son histoire. Le réseau apporte tout d'abord une solution au problème prioritaire qu'est celui de l'échange international d'articles de journalistes, d'écrivains ou d'intellectuels anti-totalitaires afin de rendre disponibles d'une société à l'autre les documents de référence marquants. Pareils échanges sont indis-

1. Cf. chap. suivant.

pensables à la fois pour resserrer les liens internationaux au sein du congrès lui-même et pour renforcer la capacité de l'organisation à l'établir comme contre-pouvoir face à la machine de propagande communiste. On se souvient qu'au départ il avait été envisagé de confier cette fonction à une *features agency* située auprès du Centre européen de la culture de Denis de Rougemont et qu'aurait animée Jean-Paul de Dadelsen. L'idée tombe avec l'abandon du MILC. Cette fonction d'échange sera immédiatement reprise dans le réseau des revues. En second lieu, les revues se substituent rapidement aux différents bulletins édités par les comités nationaux. A l'origine, en même temps que *Preuves*, revue centrale, trois bulletins s'étaient développés : *Les Amis de la liberté* en France, *Kontakt* à Berlin, *Liberta della cultura* en Italie. Dès que la perspective du MILC est abandonnée, ces bulletins deviennent plus une gêne qu'une aide pour conduire une politique d'influence subtile. Aussi en Allemagne Lasky s'emploie très tôt à supprimer *Kontakt* tandis que *Preuves*, dès qu'elle en a les moyens, marginalise *Les Amis de la liberté*. En Autriche, on l'a vu, la création d'une revue est un moyen de se débarrasser d'un comité encombrant. En troisième lieu, les revues donnent un contenu nouveau à la politique de publication du Congrès pour la liberté de la culture. L'organisation ne se borne plus à éditer des brochures d'urgence pour ce « plan Marshall de la vérité » qu'évoquaient certains participants. Les revues constituent un point d'ancrage de plus en plus central pour l'organisation elle-même en même temps qu'elles se veulent des contrepoids par rapport à des organes adverses privilégiés, *L'Observateur* en France, *New Statesman and Nation* en Grande-Bretagne ou *Novi Argumenti* en Italie.

Résumons. C'est entre 1953 et 1955 que le « décollage » du Congrès pour la liberté de la culture est définitif. 1953 est l'année tout à la fois de la mort de Staline et de l'enregistrement des statuts de l'organisation en Suisse. Le rapprochement peut paraître incongru tant ces deux faits sont bien évidemment de nature incommensurable. Mais il l'est moins qu'il n'y paraît. En effet, la mort de Staline ouvre une période d'incertitude historique et à ce moment-là le Congrès pour la liberté de la culture est prêt. Au cours des années précédentes, il a relevé le défi dans deux domaines essentiels : en réagissant contre la vision de l'art moderne comme art dégénéré avec l'organisation du festival de Paris et contre la théorie marxiste de la science avec le congrès de Hambourg. A partir de 1953, il met sur pied un réseau international de revues permettant de soutenir une activité intellectuelle originale qui dépasse de beaucoup les exigences de la simple contre-propagande. L'étoffement de toutes ces activités renforce le Secrétariat international, qui s'émancipe ainsi de la tutelle du comité américain. Parallèlement à la relativisation du rôle de l'*American Committee*, on voit se développer, toujours à partir de 1953, un troisième pôle essentiel à la marche du Congrès pour la liberté de la culture, le pôle anglais constitué autour de la revue *Encounter*, de Polanyi et de son comité. Dès lors, si les relations germano-américaines constituent un des soubassements de l'organisation, celle-ci ne s'y réduit pas entièrement. Après la découverte d'un style, cet élargissement autorise un « décollage » qui va connaître une accélération spectaculaire en 1955.

CHAPITRE IV

La conférence internationale de Milan : *L'Avenir de la liberté* (1955)

Organisée à Milan en 1955, *L'Avenir de la liberté* est la cinquième conférence internationale mise sur pied durant la première moitié de la décennie 1950, après les réunions de Berlin, Bruxelles, Bombay et Hambourg. 140 participants, 45 communications, débats avec traduction simultanée en quatre langues, large couverture par la presse internationale, réception des congressistes par les corps constitués : tous ces éléments, qui témoignent de l'importance de la manifestation, justifieraient à eux seuls d'en entreprendre la restitution.

Pareille restitution est d'autant plus nécessaire que cette conférence s'inscrit dans une conjoncture internationale nouvelle, symbolisée par deux villes, sièges de réunions intergouvernementales, Genève et Bandoeng – Genève, où représentants américains et soviétiques se rencontrent au plus haut niveau et font entrer pour la première fois le mot « détente » dans les rapports Est-Ouest ; Bandoeng, en Asie du Sud-Est, où les dirigeants de 29 pays d'Afrique et d'Asie lancent le mouvement des non-alignés. Ces événements constituent deux défis à relever par le Congrès pour la liberté de la culture.

Préparation, organisation, participation

La préparation de la conférence de Milan intervient sitôt achevée celle de Hambourg. C'est en décembre 1953 en effet, parallèlement à la mise en route du comité *Science and Freedom*, que démarrent au Secrétariat international les premières réflexions sur la prochaine manifestation à mettre sur pied. L'impulsion vient de Michael Polanyi, qui mène les deux projets de front. En juillet 1954, deux demi-journées sont consacrées à Paris à la mise en place du nouveau comité et à la réunion de Milan, dont le titre, *L'Avenir de la liberté*, a été suggéré par Polanyi. Participent à la demi-journée consacrée à *L'Avenir de la liberté* Josselson, Nabokov, Polanyi, Aron, Jouvenel, Kristol, Manshell, ainsi que Rabinowitch, l'éditeur du *Bulletin of the Atomic Scientist*, et deux généticiens du comité *Science and Freedom*, Barigozzi et Buzzati-Traverso. Quelques mois auparavant, Nabokov s'est rendu en Italie pour une mission exploratoire destinée à choisir une ville hôte. Florence et Bologne ont été écartées après consultation de Silone. Milan s'est imposée pour un ensemble de conditions favorables : présence d'un noyau du comité Science et Liberté, municipalité social-démocrate, richesse de l'environnement universitaire (université d'État, Polytechnicum, université Bocconi, université catholique à direction libérale). Nabokov a pris contact avec le maire lors de ce voyage et peu après un comité d'organisation *ad hoc* est mis sur pied, Josselson ayant refusé qu'un bureau soit ouvert dans la capitale lombarde. Une structure relais (en cheville avec la municipalité) appuie ce comité d'organisation, l'*Ente manifestazione milanese*, dirigée par Luigi Morandi, vice-président de la *Monte Catini* et social-démocrate lui-même. Outre Morandi, le comité d'organisation local est composé de Libero Lenti, professeur de statistiques et d'économie, vice-président de la Banca di Popolo ; Franco Valsecchi, professeur d'histoire contemporaine ; Marcello Boldrini, doyen du département d'économie et de commerce de l'université catholique et président de l'AGIP ; Gino Cassins, recteur du Polytechnicum ; Claudio Barigozzi, chef du département de génétique de l'université ; un diplomate enfin, le duc Gallarati Scotti. Ce comité est présidé par le maire de Milan. Barigozzi en assure le secrétariat, en liaison avec l'assesseur pour l'éducation à la municipalité. Celle-ci mettant gratuitement à disposition le *museo di Scienza della tecnica*, le comité a pour sa part la responsabilité d'assurer l'organisation matérielle de la réunion et sa répercussion dans les milieux italiens. Il est en outre chargé de faire des propositions pour la participation italienne à la manifestation.

A Paris, le Secrétariat international réalise un travail considérable de cadrage. Josselson prend en main les questions de financement et se tourne vers la fondation Rockefeller pour obtenir son concours. La sélection des participants se fait après consultation d'un panel composé de Raymond Aron, C.A.R. Crosland, Claudio Barigozzi, Michel Collinet, Denis de Rougemont, Sidney Hook, Hans Ilau, Melvin Lasky et Michael Polanyi. Tavernier coordonne les relations avec la presse et la radio et, de manière plus générale, l'ensemble des relations publiques [1]. Constituer des listes d'invitations par aller-retour entre Paris et les comités locaux du CCF, soumettre ces listes au panel, solliciter des communications, tout cela demande près d'une année de décantation. Au terme de cette première étape Aron et Nabokov se rendent en Italie, en avril 1955, pour tenir conjointement une conférence de presse annonçant la date de la prochaine manifestation (12-17 septembre), rendant publique une première liste de 82 participants et traçant l'orientation générale de la future conférence. Celle-ci se propose de débattre des défis rencontrés par les sociétés libres (défis résultant de leur instabilité interne comme des menaces externes pesant sur elles) par une confrontation d'analyses de personnalités de premier plan venues de toutes les disciplines et de tous les horizons.

Cinq mois plus tard, ce sont 140 participants triés sur le volet qui se retrouvent dans la capitale lombarde pour une semaine de travail. Le dossier qui leur est remis à leur arrivée comprend un préambule général (cf. encadré p. 156), le programme, les communications déposées au Secrétariat, ainsi qu'un organigramme du CCF [2].

1. René Tavernier utilisait principalement à Paris les relais suivants : Pierre Corval à l'ORTF, Roger Nimier à *Arts*, Brigitte Gros à *L'Express*, Maurice Noël au *Figaro littéraire*, Marcel Peju à *Franc-Tireur*.

2. Présidé par Denis de Rougemont, le Comité exécutif réunit en cette année 1955 : Georges Altman, Julius Fleischmann, Malcolm Muggeridge, Ignazio Silone, Raymond Aron, Sidney Hook, Michael Polanyi, Bruno Snell, Irving Brown, Haakon Lie, David Rousset, Stephen Spender, Nicola Chiaromonte, Minoo Masani, Carlo Schmid. Quant au Secrétariat international, il répond à l'organigramme suivant : secrétaire général, Nicolas Nabokov ; secrétaire administratif : Michael Josselson, assisté de Warren D. Manshell ; trésorier : Pierre Bolomey ; responsable de la documentation : Pierre Bonuzzi ; chef du secrétariat : Gisèle Dubuis ; directeur des publications : François Bondy. 11 bureaux avec leurs secrétaires présents à Milan figurent encore au dossier : Allemagne : Wolf J. Siedler ; Cuba : Pastor del Rio ; Extrême-Orient : Prabhakar Padhye ; France : Jacques Enock, secrétaire général des Amis de la liberté ; Grèce : Manolis Kurakas ; Israël : Walter Laqueur ; Italie : Vittorio Libéra ; Japon : Herbert Passin ; Liban : Bechara Gorayeb ; Mexique : Rodrigo Garcia Trevino ; Suède : L. Hamori.

PRÉAMBULE

Les espoirs mis par les deux siècles précédents en un progrès continu et harmonieux des forces matérielles et spirituelles se trouvent contredits par les faits.

Aujourd'hui, alors que sur une partie du globe se développent de nouvelles formes d'esclavage, ailleurs la liberté est diminuée et menacée, tant par l'insécurité que fait peser la présence de puissances totalitaires que par des structures techniques et sociales bornant l'horizon de la grande majorité des hommes à des tâches étroitement parcellaires.

D'une part, les progrès scientifiques et techniques se sont accélérés, bouleversant les rapports économiques et sociaux entre les hommes : d'autre part, certains des concepts forgés par le libéralisme se révèlent inaptes à interpréter ou même à définir les situations actuelles.

Les institutions traditionnelles qui furent considérées jadis comme faisant obstacle au progrès des libertés deviennent en certaines occasions leur ultime sauvegarde, tandis que le fanatisme politique du siècle invoque cette science qui, à ses débuts, avait servi à combattre le fanatisme religieux.

Dans cet univers chaotique et équivoque où s'entrecroisent le mensonge et l'indéterminé, que reste-t-il de ces grandes antithèses naguère si clairement et facilement définissables : capitalisme et socialisme, laisser-faire et planisme, individu et collectivité, tradition et révolution, démocratie et dictature, progrès et réaction, gauche et droite ?

Cependant, sous la surface de l'opinion publique et de la discussion politique conventionnelle, se dessinent déjà des efforts pour repenser plus sobrement les problèmes à partir de cette expérience. Nous pensons que le moment est venu d'aider ces efforts à se définir.

La conférence que nous organisons n'est donc pas conçue comme une manifestation, mais plutôt comme un séminaire de recherche. Elle ne vise pas à dégager des perspectives d'action ou de propagande, mais d'abord à détecter les faux problèmes qui empoisonnent nos polémiques, puis à poser les vraies alternatives de la liberté dans ce siècle.

C'est pourquoi nous faisons appel non seulement aux meilleurs techniciens des diverses écoles économiques d'aujourd'hui, mais aussi aux philosophes et aux sociologues attentifs aux conséquences humaines de leurs théories.

Loin de préjuger les conclusions possibles de cette recherche en commun, nous serons pleinement satisfaits si la conférence parvient à définir les bases d'un libre choix pour les esprits de notre génération.

Pour la première fois depuis sa création, le Congrès pour la liberté de la culture fait converger dans une de ses réunions internationales des hommes venus de tous les continents (cf. tableau page suivante). Avec 100 participants, l'Europe se taille la part du lion. La délégation nord-américaine et celles des autres continents s'équilibrent à peu près, avec une plus forte représentation de l'Inde et du Japon. Les autres pays d'Asie du Sud représentés sont la Malaisie, le Pakistan, les Philippines, la Thaïlande et l'Indonésie. Israël, le Liban et la Syrie sont les trois pays du Moyen-Orient présents. L'Afrique est réduite à la portion congrue avec deux pays anglophones, le Nigeria et la Gold Coast. Enfin, quatre pays latino-américains sont représentés : la Colombie, le Chili, l'Uruguay et Cuba, mais, à la différence des autres délégations, on ne trouve ni économistes ni sociologues parmi eux. Tous les participants latino-américains sont écrivains, professeurs de littérature ou diplomates.

RÉPARTITION GÉOGRAPHIQUE DES PARTICIPANTS À LA CONFÉRENCE DE MILAN

Europe		*Amérique*		*Asie*		*Moyen-Orient*	*Autres*	
Italie	24	États-Unis	15	Inde	7	5	Australie	1
France	21	Amérique latine	7	Japon	3		Afrique	2
Grande-Bretagne	19							
RFA	15							
Suisse	5							
Europe du Nord	13							
Grèce	3							
Total	100		22		10	5		3
Total général 140								

Examinons plus en détail le profil des participants européens et américains. Le premier fait à relever est l'importance de la participation anglaise : elle constitue le cœur du dispositif de la conférence et le pivot de la participation européenne. La délégation est emmenée par Hugh Gaitskell, entouré de plusieurs personnalités travaillistes : C.A.R. Crosland, Richard Crossman, Roy Jenkins, Denis Healey. Christopher Hellis est le seul député conservateur présent. Cinq ans auparavant, au *Kongress für kulturelle Freiheit* de Berlin, non seulement les travaillistes anglais étaient absents, mais encore ils avaient souvent été mis au ban des accusés lors des débats. Pareil changement d'équilibre renvoie à une conjoncture politique inédite et à une nouvelle phase de la politique américaine en Europe.

Au pouvoir de 1945 à 1951 en Grande-Bretagne, le Parti travailliste a entrepris sur la lancée de l'économie de guerre des réformes de structures importantes : nationalisation des mines, création d'un service national de santé, réforme de l'enseignement, programme d'habitat populaire. Après sa défaite aux élections de 1951, le parti se clive en deux tendances, les modérés, avec pour chef Hugh Gaitskell, et les radicaux, conduits par Aneurin Bevan. La compétition entre les deux leaders s'intensifie avec la nécessité de donner un successeur à Attlee à la tête du parti. Les conflits d'orientation portent à la fois sur la politique intérieure et sur la politique étrangère. La pensée révisionniste modérée incarnée par Gaitskell met de plus en plus l'accent sur le secteur privé, les stimulants matériels, la compétition. En politique étrangère, les divergences portent sur le réarmement allemand : Bevan est contre, Gaitskell pour. Le courant modéré a publié en 1952 *The New Fabian Essays*, qui constituent en quelque sorte sa charte politique [1].

A côté de la délégation anglaise, trois membres du SPD sont venus d'Allemagne fédérale : Carlo Schmid, membre depuis l'origine du Comité exécutif du congrès, et les bourgmestres de Hambourg et de Berlin, Max Bauer et Willy Brandt, le successeur d'Ernst Reuter. La représentation italienne est également homogène et comprend deux membres du petit Parti social-démocrate, le maire de Milan, bien entendu, Virgilio Ferrari, et Aldo Garosci. La social-démocratie nordique est moins présente par ses politiciens que par des journalistes, tel Rolf Edberg, rédacteur en chef du journal suédois *Ny Tid*.

Du côté universitaire, c'est encore l'Angleterre qui donne le ton. De Manchester, où est basé le secrétariat du comité Science et Liberté, sont venus Michael Polanyi et deux économistes, Arthur Lewis et Ely Devons. Avec sept représentants, Oxford est l'université la plus présente à Milan : Max Beloff (politologue), Colin Clark (économiste), Stuart Hampshire (philosophe), G. F. Hudson (économiste), John Plamenatz (historien des idées), Peter Wiles (économiste), G.D. Norwick. Nuffield College est le collège le mieux représenté, ce qui est en consonance avec la dominante « gaitskelliste » des parlementaires

1. Sur Hugh Gaitskell et les débats de l'époque en Grande-Bretagne, on se reportera à Philip Williams, *Hugh Gaitskell. A Political Biography*, Londres, Jonathan Cape, 1979, et Samuel Beer, *British Politics in the Collectivist Age*, New York, Vintage Book, 1960, surtout chap. VIII (« In Search of Purpose »).

présents. De Londres enfin sont venus aussi bien des universitaires comme Hugh Seton-Watson que des journalistes comme Richard Löwenthal. Pour l'Italie, les participants universitaires viennent de Rome et des universités du Nord. Aux universitaires du Nord (Milan, Pavie, Urbino) s'ajoutent des acteurs économiques comme Adriano Olivetti ou le journaliste Silvio Pozzani, directeur d'*Il Mercurio* à Milan. Les historiens et les philosophes dominent la représentation romaine, avec toutefois l'apparition de disciplines nouvelles comme la sociologie. Plusieurs universitaires italiens occupent enfin des fonctions de direction d'instituts officiels ou semi-officiels d'étude des problèmes économiques ou industriels. Quant à l'Allemagne, la volonté de sortir le congrès de son réduit berlinois et de la *Frei Universität* est évidente : un seul Allemand vient de la F.U. Pour sélectionner les autres participants, le Secrétariat international s'est appuyé sur le réseau issu de la manifestation de Hambourg structuré par Hans Ilau. La palette est large et les universitaires viennent de Francfort (Franz Böhm), Cologne (Victor Argatz), Kiel (Michael Freund), Bonn (Theodor Litt), Göttingen (Helmuth Plessner), Fribourg (Gerhard Ritter), Hambourg (Karl Schiller), Munich (D. Zurn). Si aucun universitaire ne figure dans la délégation suisse, le principe de sélection pour la Belgique est simple : un membre de l'université libre de Bruxelles et un membre de l'université catholique de Louvain. Quant à la Hollande et aux pays nordiques, à l'exception d'un philosophe d'Uppsala, la totalité des universitaires sont des économistes ou des sociologues. L'observation vaut également pour la Grèce et l'Autriche.

Quinze Américains ont fait le voyage de ce côté de l'Atlantique et c'est la première fois qu'Européens et Américains se retrouvent après que la page du maccarthysme a été tournée. Si la délégation américaine ne comprend pas d'hommes politiques, elle n'en a pas moins une identité politique forte, fondée sur l'ADA, expression de la gauche intellectuelle du Parti démocrate, dont les deux principales vedettes, John Kenneth Galbraith et Arthur Schlesinger Jr, sont présentes. Les milieux travaillistes réformistes anglais et les milieux de l'ADA sont intellectuellement et politiquement très proches, au point de se penser comme deux branches cousines d'une même famille. On tient là l'axe politique de la conférence, axe fondé sur une très forte identité universitaire : Galbraith comme Schlesinger sont professeurs à l'université Harvard, qui est, après Oxford, la mieux représentée dans cette manifestation. Les deux meilleures universités du monde se tendent ainsi la main par-dessus l'Atlantique. Cette alliance politico-intellectuelle éclaire du même mouvement la flexibilité des relations euro-américaines relayées par le Congrès pour la liberté de la culture. Chaque opération d'envergure en Europe s'appuie sur un groupement spécifique : *American Committee for Cultural Freedom* pour Berlin, *Bulletin of the Atomic Scientists* pour Hambourg, *Americans for Democratic Action* pour Milan. Bien entendu, l'ACCF est représenté à Milan par son président, Sidney Hook, toujours très actif. Toutefois, son ennemie intime, Hannah Arendt, est également présente dans la capitale lombarde [1]. Seule l'aile gauche de l'ACCF, qui s'est scindée pour créer *Dissent*, est absente. Outre Harvard et New York (avec les sociologues de Columbia, Daniel Bell et Seymour Martin Lipset), Chicago est le troisième foyer universitaire américain présent, avec Edward Shils et Friedrich von Hayek, tous deux membres du *Committee on Social Thought*. Enfin, James Burnham a quitté à cette époque le circuit du CCF, où il a été remplacé par George Kennan, devenu le théoricien de référence des relations internationales et des relations Est-Ouest. Cette substitution d'hommes recouvre une substitution de politique à l'égard du communisme à l'échelle internationale : l'endiguement (*containment*) prôné par Kennan se substituant au refoulement (*rollback*) dont Burnham s'est fait l'avocat.

La participation française

Sur les 100 Européens rassemblés à Milan, on compte 19 Français, soit le cinquième environ de la représentation européenne. Trois intellectuels étroitement associés aux structures décisionnelles du CCF – Raymond Aron, Michel Colli-

1. La correspondance de Hannah Arendt avec Karl Jaspers précédemment citée permet de prendre connaissance des propos peu amènes que l'auteur de *The Origin of Totalitarianism* tenait à l'époque sur l'*American Committee* en général et sur son président en particulier.

net, Manès Sperber – sont naturellement présents. Si Michael Polanyi a été à l'origine de *L'Avenir de la liberté*, c'est Raymond Aron qui a présenté le projet à l'opinion internationale. Le passage du relais de Polanyi à Aron témoigne du souci du Secrétariat de maintenir un subtil équilibre entre les deux hommes. Il témoigne également d'une modification au sein du congrès lui-même. La logique aurait voulu que ce fût le président du Comité exécutif, Denis de Rougemont, ou encore la principale figure du congrès en Italie, Ignazio Silone, qui prît place au côté de Nicolas Nabokov lors de la conférence de presse d'avril destinée à lancer l'opération. Le relatif effacement de Rougemont et de Silone a des causes multiples. Ainsi, en cette année 1955, Silone est-il engagé dans le lancement de *Tempo presente*, tandis que Rougemont est occupé par la création de la Fondation européenne de la culture. Mais cet effacement marque aussi plus profondément celui des écrivains dans la construction de l'agenda du Congrès pour la liberté de la culture. *Mutatis mutandis*, le tandem Aron-Polanyi se substitue au tandem Silone-Koestler des origines. Aron joue, du reste, un rôle croissant au sein de l'organisation. Il s'est rendu pour la première fois aux États-Unis à l'automne 1950. Il a séjourné chez James Burnham et rencontré le secrétaire d'État, Dean Acheson, ainsi que les grands éditorialistes qu'étaient alors Walter Lippmann et Joseph Alsop [1]. En 1953, il effectue, avec l'appui du Secrétariat international, une importante tournée politique et intellectuelle en Asie, relayée par les comités indien et japonais. Il commence l'année suivante la rédaction de *L'Opium des intellectuels*, dont la sortie en librairie est contemporaine de la conférence de Milan (on trouve d'ailleurs dans *L'Opium* une trace de l'engagement de l'auteur au CCF, qu'il s'agisse des pages consacrées aux intellectuels d'Asie ou de sa loyauté à l'égard de James Burnham). C'est également en 1955 que Raymond Aron est élu à la Sorbonne, à la chaire de sociologie de l'université de Paris. Milan apporte ainsi une consécration internationale à Raymond Aron, qui est avec Hugh Gaitskell, Michael Polanyi, Sidney Hook et Friedrich von Hayek, un des cinq orateurs de la séance inaugurale. Ami de Koestler, de Malraux et d'Aron, Manès Sperber est pour sa

1. Raymond Aron, *Mémoires. Cinquante Ans de réflexions politiques*, Julliard, 1983, p. 242.

part une des éminences grises du congrès à Paris, tant au Secrétariat international qu'auprès de Jacques Enock aux Amis de la liberté. Il sera d'ailleurs coopté au Comité exécutif après la conférence *L'Avenir de la liberté.* Michel Collinet, enfin, a étroitement travaillé avec René Tavernier à la préparation de cette réunion pour établir les listes provisoires d'invitations, trier, recueillir les avis d'Aron et de Josselson, éliminer, reformuler les propositions. Les archives ne permettent malheureusement pas de suivre tous ces allers et retours. Cependant, une note de René Tavernier à Nicolas Nabokov de novembre 1954 éclaire quelque peu le processus décisionnel :

> Collinet et moi avons des propositions à vous faire.
> Nous ne croyons pas la présence d'Alfred Sauvy et de Georges Friedmann judicieuse, en dépit du réel talent de ces hommes, mais en raison de leur caractère difficile et de leur orientation politique. Nous faisons également toute réserve sur le nom de François Perroux. Nous pensons que Robert Marjolin ne viendra pas non plus et qu'il y a intérêt à éviter qu'il se fasse représenter par un sous-ordre.
> Je vous proposerais donc d'inviter Lemaresquier, président de l'AFAP (Association française pour l'accroissement de la productivité), organisme officiel. Lemaresquier, que je connais très bien, est un polytechnicien encore jeune (ami de Harold Kaplan) et extrêmement brillant. Nous pensons qu'Étienne Borne, tout estimable qu'il soit, n'aurait rien à nous dire sur les sujets qui seront traités. Le père Maydieu nous inquiète un peu par sa démagogie. Par contre, le choix du père Lebret nous paraît excellent, mais nous pensons qu'il serait bon, en face d'un représentant qualifié d'Économie et Humanisme, d'inviter le père Fessard (jésuite). Nous craignons enfin que Jean Guéhenno n'ait pas grand-chose à nous dire.

En conclusion de sa note, Tavernier propose une première liste d'invitations agréée par Collinet :

> Lemaresquier (AFPA) ; André Siegfried (qui n'apportera rien mais peut donner l'éclat officiel à la délégation française) ; François Goguel (historien de la IIIe République) ; le RP Fessard ; Hyacinthe Dubreuil (ancien ouvrier et sociologue remarquable, un des maîtres de Maurice Allais) ; Jules Monnerot (dans la mesure où Aron n'y verra pas d'inconvénient) ; l'abbé Émile Rideau (auteur du *Problème humain de la productivité*) ; Louis Baudin (auteur du livre *L'Aube d'un nouveau libéralisme*) ; Maurice Lauré (inspecteur des finances et auteur du livre récemment paru *Révolution, dernière chance de la France*) ; Jean Stoetzel (directeur de l'Institut français d'opinion publique) ; Raoul Girar-

det (jeune sociologue et historien de premier plan) ; Lucien Laurat (un des Français qui connaissent le mieux l'économie soviétique) ; Alexandre Marc (pour le mouvement fédéraliste) ; le professeur Courtin.

L'objectif du Secrétariat international est donc d'ouvrir le jeu en définissant les limites de l'ouverture. Une des invitations discutées est celle de Maurice Merleau-Ponty. Malheureusement, l'état des archives ne permet pas de trancher sur le point de savoir si une démarche a été faite auprès du philosophe, qui aurait décliné l'invitation, ou si, après délibération, le Secrétariat se serait résolu à ne pas le contacter. Merleau-Ponty a en effet vigoureusement croisé le fer avec les intellectuels qui vont se retrouver au Congrès pour la liberté de la culture : Malraux, Koestler, Maulnier, Burnham, qu'il range dans la « ligue des espoirs perdus », en compagnie de Sidney Hook, de la *Partisan Review* et de David Rousset [1]. Mais, quelques mois avant Milan, Merleau-Ponty a publié au moment où paraît *L'Opium des intellectuels* (le livre d'Aron est mis en place en librairie en mai, celui de Merleau-Ponty en avril) *Les Aventures de la dialectique* [2], qui critique non seulement les positions politiques personnelles de Sartre, mais, plus largement, le progressisme incarné par *Les Temps modernes* [3]. Au-delà de cette rupture, le philosophe en appelle à une sécularisation du communisme [4], devant entraîner un regard plus critique sur l'URSS. Cet appel à la sécularisation du communisme des *Aventures de la dialectique* fait écho à la définition de ce même communisme comme religion séculière par Aron. La publication de ces deux ouvrages est ainsi, à n'en pas douter, révélatrice d'un climat intellectuel renouvelé dans le Paris de 1955.

Pour revenir au mémo de Tavernier destiné à Nabokov, on notera que l'ouverture souhaitée se fait en direction des

1. Plusieurs des articles de Merleau-Ponty de la décennie 1950 sont repris dans un recueil d'essais, *Signes*, Gallimard, 1960.

2. *Id., Les Aventures de la dialectique*, Gallimard, 1955.

3. La rupture est particulièrement nette avec l'attitude des *Temps modernes*, représentée par Francis Jeanson, à l'égard du stalinisme en 1952. Merleau-Ponty se désolidarise de ce texte, caractéristique à ses yeux d'un progressisme alliant la « douceur rêveuse », l'« entêtement incurable », la « violence feutrée », (*ibid.*, pp. 242-243 de l'éd. dans la coll. « Idées »).

4. « Séculariser le communisme, c'est le priver du préjugé favorable auquel il aurait droit s'il y avait une philosophie de l'histoire, et lui donner d'ailleurs une attention d'autant plus équitable qu'on n'en attend pas la fin de l'histoire » (*op. cit.*, p. 268).

institutions de recherche. Trois noms sont ici significatifs à cet égard : Jean Stoetzel, le directeur de l'Institut français d'opinion publique; Georges Friedmann, le directeur du Centre d'études sociologiques; Alfred Sauvy, le directeur de l'Institut d'études démographiques. Le nom de Jean Stoetzel, condisciple de Raymond Aron à l'École normale supérieure, ne soulève pas de difficultés. En revanche, les réserves de Tavernier et de Collinet sur Friedmann et Sauvy méritent d'être éclairées.

Sociologue, Georges Friedmann avait une histoire intellectuelle tourmentée, moins avec le Parti communiste français qu'avec le marxisme et l'Union soviétique. Elle avait pour origine une interrogation humaniste sur la crise du progrès, le machinisme industriel et l'émergence d'un milieu technique. Tout comme Stoetzel, Friedmann était un condisciple d'Aron à l'École normale supérieure. Au lendemain de la Seconde Guerre mondiale, il collabora à la fois à *Europe* et à *Esprit*, et cette double collaboration définissait assez bien sa situation : fidélité aux idéaux qui avaient été ceux d'un Romain Rolland avant guerre; souci de rapprochement avec les milieux personnalistes influents dans l'après-guerre. Friedmann était un des coauteurs de *L'Heure du choix* [1], livre qui, au lendemain de la guerre, tentait de définir les bornes morales d'une collaboration avec les communistes. Pareille attitude était naturellement antagoniste des orientations du Congrès pour la liberté de la culture. Friedmann tentait toutefois de se maintenir sur une ligne de crête qui le désignait fréquemment à la vindicte communiste, tout en inspirant beaucoup de méfiance au congrès. En 1955, cette méfiance n'était toujours pas levée.

Le cas d'Alfred Sauvy est différent. Apparemment, la direction de l'Institut national d'études démographiques (qui publiait une revue de très haute tenue, *Population*, un des outils les plus remarquables pour la connaissance de la société française d'après guerre) ne paraissait pas devoir inspirer des réticences politiques et intellectuelles particulières. Mais Sauvy était un esprit indépendant, original et paradoxal, dont le rôle politique excédait de beaucoup cette position institutionnelle d'apparence technique. Essayiste prolixe, il collaborait aussi bien à *Tribune des peuples*, l'organe trait d'union de la gauche du Parti travail-

1. Claude Aveline, Jean Cassou, André Chamson, Georges Friedmann, Louis Martin-Chauffier, Vercors, *L'Heure du choix*, Éditions de Minuit, 1947.

liste anglais et de la gauche non communiste neutraliste française, qu'à *L'Observateur* et à *L'Express*, où il se faisait le champion d'un antimalthusianime ardent. C'était dans *L'Express* qu'il s'était fait l'avocat de la thèse d'un dépassement possible du taux de croissance occidental par l'Union soviétique.

Ni Georges Friedmann ni Jean Stoetzel ne participèrent aux travaux de Milan, tandis qu'Alfred Sauvy devait finalement y être invité en compagnie de trois autres experts : Maurice Allais (le futur prix Nobel), professeur d'économie à l'École des mines de Paris; Pierre Uri, un économiste membre de l'équipe de Jean Monnet, proche de la SFIO [1]; Bertrand de Jouvenel, homme de lettres et théoricien indépendant.

Deux hommes politiques français sont invités à Milan : André Philip et Robert Buron; le premier est membre de la SFIO, le second du MRP. Toutefois, tant Philip que Buron sont de fortes personnalités relativement marginales par rapport aux appareils de leurs partis. L'un est calviniste (Philip), l'autre catholique (Buron).

Les trois universitaires associés à *L'Avenir de la liberté* sont des personnalités fort dissemblables mais qui ont en commun d'être des marginaux par rapport à la Sorbonne républicaine : Charles Morazé, vieux routier des relations universitaires franco-américaines, très représentatif de l'esprit de l'École libre des sciences politiques d'avant guerre; Raoul Girardet, un jeune historien talentueux venu de l'Action française; Jacques Ellul enfin, professeur de droit, historien et théologien lié à l'*establishment* réformé français [2].

Une autre catégorie identifiable de participants français regroupe des représentants des revues intellectuelles : Roger Caillois et le RP Dubarle. Le père Dubarle est associé à *La Vie intellectuelle* (animée par le RP Maydieu, que Tavernier a suggéré d'écarter), une revue catholique non compromise avec le progressisme chrétien d'après guerre et qui va bientôt disparaître, prise en tenaille entre le conservatisme du pontificat de

1. Pierre Uri est, avec Hans von der Groeben, l'un des corédacteurs du rapport Spaak, présenté en avril 1956 au nom du comité intergouvernemental issu de la conférence de Messine, pièce décisive pour la mise au point du traité de Rome (1957).

2. Peu avant la conférence de Milan, Ellul et Girardet ont publié chacun un ouvrage destiné à faire date : Jacques Ellul, *La Technique ou l'enjeu du siècle*, Armand Colin, 1954; Raoul Girardet, *La Société militaire dans la France contemporaine, 1915-1939*, Plon, 1953.

Pie XII et les déchirements politiques français liés à la guerre d'Algérie. Le père Dubarle a consacré un compte rendu critique remarqué à *L'Opium des intellectuels* de Raymond Aron. Roger Caillois, sans être associé aux structures décisionnelles du Congrès pour la liberté de la culture, est un personnage proche de plusieurs de ses animateurs français. Il a été, on s'en souvient, membre du comité d'organisation de *L'Œuvre du XXe siècle* trois ans auparavant. Écrivain et haut fonctionnaire à l'UNESCO, Caillois a intensément participé à la vie intellectuelle d'avant guerre, avant de passer les années 1939-1945 en Argentine. A Buenos Aires, il s'est rangé aux côtés des Français libres, a créé une revue, *Lettres françaises*, et a participé au lancement d'un institut culturel [1]. De retour en France, il a succédé un temps à Aron à la tête de la France libre et participé au comité directeur de *Confluences*, lorsque Tavernier a, après la guerre, transféré sa revue de Lyon à Paris. C'est dans le cadre de l'UNESCO que Roger Caillois crée en 1952 une nouvelle revue, *Diogène*. Édité en quatre langues, *Diogène* est publié sous les auspices du Conseil international de la philosophie et des sciences humaines (présidé par un autre Français, Jacques Rueff), regroupant treize organisations scientifiques internationales. Dès son premier numéro, les affinités entre cette nouvelle revue et les milieux du congrès sont marquées par la publication d'un texte de Jaspers [2] et d'une longue lettre ouverte du président du *Committee on Social Thought* de l'université de Chicago [3]. Ce dernier document souligne la parenté d'objectifs entre la nouvelle revue et ce comité créé quelque dix ans plus tôt : refus de la spécialisation universitaire à outrance, refus du positivisme dans les sciences humaines, souci de promouvoir la réflexion transdisciplinaire et de sortir de l'étroitesse du savoir spécialisé. Bref, Caillois est à la recherche d'un humanisme rénové [4].

Le dernier groupe constitutif de la délégation française est celui des acteurs économiques et sociaux : outre Lemaresquier,

1. Jean Clarence Lambert (éd.), *Roger Caillois*, Éditions de la Différence, 1991.
2. Karl Jaspers, « Liberté et autorité », *Diogène*, n° 1, novembre 1952.
3. John U. Nef, « Lettre ouverte à *Diogène* », *ibid.*
4. La volonté de faire contrepoids au savoir universitaire devait se marquer par celle de créer un prix original. Mais la tentative se solda par un échec. Le prix créé par la revue ne fut attribué qu'un seule fois. Il n'est toutefois pas inutile de noter qu'il fut attribué à un collaborateur de *Preuves*, Wladimir Weidlé, écrivain et professeur à l'institut orthodoxe Saint-Serge, à Paris.

directeur de l'AFPA, chaudement recommandé par Tavernier à Nabokov, sont aussi invités à Milan Jean Mersch, fondateur du Cercle des jeunes patrons, Henri Migeon, secrétaire de la Télémécanique, René Perrin, président des cadres et dirigeants d'industrie, ainsi qu'un journaliste du *Figaro*, F. Gavas. Cette liste est pratiquement celle proposée par Tavernier et Collinet, dont les suggestions ont été acceptées sans modification par Nabokov et Josselson.

LA FIN DES DOGMATISMES

La séance d'ouverture de la conférence de Milan ne fut pas de pure forme. Après les allocutions de bienvenue italiennes, la conférence entra directement dans le vif du sujet.

Intervenant le premier, Michael Polanyi brossait une large fresque historique prenant pour point de départ l'événement fondateur qu'avait été la Révolution française : pendant tout le XIXe siècle, expliquait-il, la flotte du progrès avança sous double commande : libéralisme et socialisme. Mais aujourd'hui les grands théoriciens qui en furent les timoniers, Locke et Marx, nous paraissent par trop vagues sur des points décisifs. Leurs théories rappellent ces cartes du Moyen Age sur lesquelles l'Amérique, le Pacifique et une partie de l'Atlantique étaient absents et vus comme un mélange d'eau et de glace, baptisé *Terra Australis*. C'est que, comme les cartographes du Moyen Age, les théoriciens aux commandes de la flotte du progrès manquaient d'expérience. Ils n'avaient pas connu, comme nous les connaissons, les révolutions échouées. Notre âge à nous, poursuivait Michael Polanyi, notre âge de découvertes et d'expériences terribles, fut ouvert en 1917. C'est cette année-là que les deux flottes rivales accostèrent presque en même temps et que Lénine et Wilson adressèrent leurs messages au monde.

Abandonnant alors l'histoire des idées, Polanyi se tournait vers l'analyse des politiques économiques inspirées par les principes léninistes et wilsoniens, car c'est là que se nouent les désastres, l'expérience et l'apprentissage des modernes. Lénine est responsable du premier désastre. Il cherche à remplacer les relations commerciales par une direction centrale de la production et de la distribution. C'est alors la paralysie complète de la vie économique : les usines ferment, les villes se dépeuplent, la famine se répand partout. Le désastre issu de ce mauvais choix de départ est en toute hâte habillé (et maquillé) par le terme « communisme de guerre ». Ce choix, amplifié par Staline, est resté l'expérience fondamentale du communisme. Il est, jusqu'à aujourd'hui, son ressort le plus profond et le plus secret. Du moins ce désastre nous permet-il de comprendre les limites de gouvernabilité d'un système technologique moderne par délibération collective. Les socialistes de l'Ouest sont d'ailleurs parvenus à une conclusion voisine à un coût infiniment moindre : il n'y a pas de surcroît de coopération humaine avec les nationalisations des moyens de production.

L'autre flotte accostant aux rives du XXe siècle est elle aussi guettée par le désastre : pour les gouvernements établis selon les principes wilsoniens après la Première Guerre mondiale, le désastre ne vient pas de l'économie dirigée mais de l'inflation. Ces gouvernements ne peuvent pas collecter d'impôts et ils éditent de la monnaie sous la pression populaire. Même dans le cas où il y a de bons experts économiques (c'était le cas de la France d'alors), l'emprunt est utilisé pour couvrir le déficit budgétaire, ce qui accroît l'inflation. C'est l'inflation qui conduit aux masses de chômeurs, qui mènent au nazisme, le nazisme jetant des millions d'hommes dans les bras du communisme. Mais un apprentissage à travers le désastre conduit aux découvertes qui sont au fondement des politiques raisonnables et efficaces pour éviter l'inflation et maintenir le plein emploi.

Ayant décrit le processus catastrophe-apprentissage des économies du XXe siècle, Polanyi retourne alors à l'histoire des idées : nos pères, dit-il, ont semé le vent des idéologies et nous avons récolté les tempêtes politiques. Mais les flottes du progrès ont d'une certaine manière accompli un périple de circumnavigation, de telle sorte que nous nous retrouvons dans la position de départ du grand cycle. Michael Polanyi explicite ainsi le fondement de cette conférence internationale : les affaires de la cité peuvent être profondément influencées par l'examen des idées ; l'homme est un être de raison qui peut apprendre de l'expérience. Aussi peut-on penser qu'il y a de bonnes chances d'éviter les menaces qui pèsent sur la liberté et le bien-être de l'homme d'aujourd'hui en tentant de clarifier les problèmes de notre temps à la lumière de la raison.

Sidney Hook prit ensuite la parole. Si *Heresy, Yes, Conspiracy, No* articulait philosophie politique et philosophie de l'éducation, l'intervention du président de l'*American Committee for Cultural Freedom* à Milan articulait philosophie politique et philosophie sociale. En d'autres termes, si la discussion sur les serments de loyauté pendant le maccarthysme, c'était « Dewey plus la Cour suprême », l'intervention de Hook à Milan, c'était en quelque sorte « Dewey plus Marx ». A ses yeux, ce qui unifie la société est un processus de décision pour régler les conflits (Hook écartait d'un revers de main Toynbee, qui pensait que cette unification est assurée par une foi ou une religion commune). Dans cette perspective, qu'est-ce qu'une société libre ? C'est, dit-il, une société où les transformations de l'instrumentalité du droit découlent de l'expression de la majorité de la population adulte. En termes pratiques :

> L'assomption factuelle fondamentale sur laquelle repose la croyance en une société libre est donnée par le proverbe populaire selon lequel ce sont ceux qui portent les chaussures qui savent le mieux où elles blessent, d'où découle leur droit à changer leurs chaussures politiques à la lumière de l'expérience.

Une société libre n'est pas nécessairement une société bonne. On peut simplement dire qu'elle est meilleure parce qu'il y a moins de coercition. De surcroît, l'expérience historique nous montre que la plupart des défis économiques peuvent être relevés par l'action démocratique. C'est à ce point du raisonnement que Hook rencontre Marx. Si l'on suit les cadres de l'analyse marxiste, on peut dire que le mode de décision est plus significatif que le mode de production. Marx était fondamentalement un humaniste et un libertaire. Chez lui, la propriété est dénoncée non pas en soi mais comme élément du pouvoir : l'essentiel, c'est le pouvoir, c'est-à-dire la capacité de contrôler des décisions qui affectent sa propre vie. Du reste, l'aspiration populaire au socialisme ne prend pas sa source dans la recherche de l'abolition de la propriété mais dans la réaction aux décisions qui modifient votre vie et sur lesquelles vous n'avez aucune prise. S'appuyant sur l'autorité de Marx, Sidney Hook déclarait qu'une économie collectivisée dans laquelle le mode de décision politique est non démocratique est un plus grand danger pour la liberté individuelle et collective qu'une économie non collectivisée, dans laquelle il n'y a aucun monopole de pouvoir et où une pluralité de pouvoirs disputent et négocient entre eux sur tous les problèmes, y compris la distribution de la richesse. Le critère de différenciation entre société libre et société totalitaire devient la présence ou l'absence de monopole dans le mode de décision politique.

De cette analyse globale Sidney Hook tirait trois conséquences. Premièrement, il y a affaiblissement des querelles dogmatiques entre capitalisme et socialisme : chaque fois que le débat quitte l'abstraction, il apparaît que le problème des sociétés aujourd'hui n'est pas celui du tout ou rien en termes de capitalisme ou de socialisme mais de plus ou moins en termes de contrôle. A travers la lente érosion des dogmes, capitalisme et socialisme se font des emprunts mutuels. En deuxième lieu, si le totalitarisme se définit par son mode de décision politique, alors une contradiction se développe entre ce mode de décision et l'industrialisation, qui engendre une société de plus en plus complexe, au sein de laquelle le travailleur ressent de plus en plus l'aliénation que constitue la privation d'intervention dans le processus de décision. En conséquence, et c'est le troisième point, l'avenir de la liberté dans la société moderne dépend surtout de l'extension du processus démocratique aux problèmes industriels, même au prix de sacrifices en termes d'efficacité. Ce qui devient décisif, c'est le problème de la participation, d'une véritable participation qui débouche sur un pouvoir effectif. Il n'est pas déraisonnable de penser que là où la participation ne se borne pas à des promesses toujours repoussées, accompagnées d'une action de propagande pour accroître la production, comme c'est le cas dans les pays communistes, le travailleur peut développer un sens de la responsabilité, de la dignité, et des satisfactions associées autrefois à la propriété ou à l'exercice d'une fonction sociale.

Hugh Gaitskell était le troisième orateur de la séance d'ouverture. Le point fort de son intervention portait sur les rapports entre liberté politique et liberté économique, placés au cœur des travaux de la semaine qui s'ouvrait. D'entrée de jeu, Gaitskell attaqua l'idée que la liberté économique est une condition de la liberté politique. Il est absurde de penser que le contrôle des prix et des importations, les permis de construire, la réglementation des conditions de travail, les assurances sociales et, d'une manière générale, le *welfare state* qui existe en Grande-Bretagne depuis la guerre et qui constitue plus ou moins une donnée permanente de l'économie ont de quelque manière altéré la nature de la liberté politique dans ce pays. Si la dénationalisation doit précéder la démocratie, alors il faut se résigner à ce que la liberté politique en Russie et dans les États satellites soit une perspective extrêmement éloignée. Bien entendu, le débat sur les relations entre liberté économique et liberté politique a sa légitimité académique. Mais le vrai choix auquel doit faire face le monde libre n'est pas entre tout et rien, mais entre plus ou moins d'intervention de l'État. De plus, poursuivait Gaitskell, si je crois à la sincérité du débat académique, je trouve particulièrement révoltant que des personnes de moindre acabit en tirent argument pour traiter leurs adversaires de totalitaires ou de communistes. Cela est déplorable, tout comme est déplorable, d'un autre côté, le fait que des gens qui se disent de gauche traitent les partisans de l'économie de marché de fascistes.

Trois critiques, poursuit Hugh Gaitskell, sont faites au système capitaliste : il accepte le chômage et l'insécurité économique ; il est peu performant et par conséquent il échoue à assurer une croissance rapide de la production, alors que les conditions techniques le permettraient ; il est injuste car il distribue la richesse de manière inéquitable et moralement contestable. Il est vrai qu'un chômage important peut menacer la liberté et Polanyi nous a rappelé l'importance du *slump* de 1929-1933 dans l'émergence et la prise de pouvoir de Hitler, mais aujourd'hui la plupart des économistes estiment qu'un *slump* mondial de l'ampleur de celui de 1929-1933 est extrêmement improbable. Le second défi est celui de savoir si le monde libre manifeste un manque de productivité. Jusqu'à une date récente, la question aurait été repoussée d'un haussement d'épaules mais, depuis les deux dernières années, on est devenu plus conscient des remarquables progrès de l'industrie soviétique. Pour discuter, il faudrait connaître vraiment la situation.

Bien sûr, une dictature communiste peut imposer un taux plus élevé d'épargne, d'investissement, et forcer les gens à travailler plus. Mais, d'une part, il n'est pas certain que même ainsi le niveau de vie en Russie dépasse le niveau de vie occidental et, d'autre part, il n'est pas assuré que le peuple russe veuille travailler aussi durement. De surcroît, dans ce débat, il faut encore se demander si la prétendue supériorité soviétique est due à la nature totalitaire du pouvoir ou à des conditions techniques qui ne sont en aucune manière incompatibles avec la liberté politique (haut degré de standardisation, taille des unités de production). Troisième point : l'inégalité. Il ne fait aucun doute que dans les grandes démocraties occidentales l'inégalité a grandement diminué. Il y a plus de mobilité sociale, moins de conflits de classes, et on observe un resserrement des revenus. Certains pourraient en conclure que, dès lors, l'inégalité a cessé d'être un problème. C'est inexact. En ce qui concerne la Grande-Bretagne, la réduction des inégalités est due principalement aux changements intervenus pendant les deux guerres mondiales. De plus, toujours en Grande-Bretagne, si les différences de revenus après prélèvement fiscal sont maintenant réduites, l'écart dans la distribution de la propriété reste considérable : 3 % de la population possèdent en effet les deux tiers de la richesse privée. Par ailleurs, toutes les démocraties ne sont pas allées aussi loin que la Grande-Bretagne. Nous devons donc nous méfier de l'autosatisfaction : une action positive dans la plupart des démocraties reste nécessaire pour réduire l'injustice économique et sociale.

En sus des inégalités internes aux États-nations, il existe un autre défi pour le monde libre à relever face au communisme : celui de l'inégalité entre nations riches et nations pauvres. Sur ce point, il faut toutefois se méfier des raisonnements simplistes : il n'y a pas de relation directe entre niveau de vie et communisme. Gaitskell ne se hasarda pas à explorer les relations entre sous-développement et modèle politique. Il orienta son intervention en indiquant des pistes pour relever le défi que le communisme pose au monde libre sur ce point : réaliser l'émancipation politique (décolonisation) ; éviter de remplacer le colonialisme direct par un néocolonialisme économique et apporter le plus grand soin aux modalités de l'aide ; donner autant d'importance à l'enseignement du *know how* qu'à l'assistance financière. Il est urgent pour le monde libre de briser le cercle vicieux des pays pauvres s'enfonçant dans la pauvreté tandis que les pays riches vont s'enrichissant. Sans doute peut-on être effrayé par l'immensité de la tâche. Mais nous n'aurons pas à agir indéfiniment : briser ce cercle vicieux est avant tout un problème d'amorçage. Il ne sera pas aisé de convaincre l'opinion publique des vieilles démocraties de faire de tels efforts et de les poursuivre de surcroît avec le tact nécessaire. Mais si nous aimons vraiment la liberté, il faut franchir le pas et le franchir rapidement.

Friedrich von Hayek intervint immédiatement après Gaitskell, dans une perspective radicalement différente de celle du leader travailliste. D'entrée, il explicita le fondement de sa philosophie :

> Monsieur le président, mesdames et messieurs, la capacité créatrice d'une civilisation restera toujours en quelque manière un mystère pour nous. Personne ne peut prévoir comment les forces spontanées de la société peuvent susciter demain des adaptations à des changements dont personne n'a une vision d'ensemble et ne peut maîtriser la signification. Notre foi dans la liberté, en réalité, implique que la réalisation de certains de nos objectifs s'accomplisse à travers des forces que nous ne pouvons pas contrôler : c'est-à-dire la confiance dans la découverte de solutions inattendues pour certains de nos problèmes et, qui plus est, ayant des origines qui nous eussent semblé *a priori* les plus improbables.

Si nous étions omniscients, poursuivait Hayek, il n'y aurait pas de liberté du tout. La liberté requiert qu'une place soit faite constamment à l'imprévisibilité : il existe un lien entre la liberté et l'acceptation des limites de notre savoir. Les fondements du mouvement libéral européen nous sont donnés par la philosophie de John Locke, reposant sur le *rule of law*. D'un côté, le gouvernement a ses propres ressources et ses propres serviteurs pour administrer ces ressources; de l'autre, le citoyen privé et sa propriété ne sont pas objets d'administration. Entre les deux existe un ensemble de règles générales qui s'appliquent à tous et qui définissent la sphère de la coercition. Dans cette conception, la sauvegarde de la liberté résulte de ce que la coercition exercée par l'État est sujette à révision par des cours indépendantes. L'effet de l'intervention des cours est de permettre au citoyen de prévoir, autant qu'il est humainement possible de le faire, son espace de liberté : la prévisibilité découlant de l'action des cours de justice limite chez le citoyen la crainte que son action ne se heurte à la contrainte des gouvernements, permettant ainsi son initiative.

Par rapport aux fondements du mouvement libéral, poursuivait Hayek, les deux dernières générations ont connu un brouillage du modèle sans qu'aucune conception nouvelle se dessine. Nous avons surtout assisté à beaucoup de bavardages et cette conférence n'échappe d'ailleurs pas à la règle. J'ai été frappé, disait l'orateur, en lisant les communications qui nous ont été distribuées, qu'à chaque fois que la liberté est menacée nombreux sont ceux qui, au lieu de tenter de la défendre, cherchent à définir de nouvelles libertés. Ainsi finit-on pas perdre de vue ce qui constitue le socle de nos libertés fondamentales. J'ai l'impression que la doctrine hostile à la propriété, si caractéristique de notre époque, a ruiné complètement la compréhension des conditions essentielles de la liberté. L'état de fait auquel nous sommes confrontés est que les politiques économiques modernes ont pratiquement mis à bas toutes les barrières qu'une expérience douloureuse avait enseigné au monde occidental d'élever afin d'endiguer l'arbitraire du pouvoir. La grande illusion de notre époque est de croire que le pouvoir de coercition est moins arbitraire dès lors qu'il est légitimé par une majorité démocratiquement élue pour réaliser ce qui est supposé être le bien commun.

La démocratie a de très nombreuses maladies, et je les connais aussi bien que quiconque, mais le respect de la liberté individuelle ne me paraît pas faire partie de ces maladies. Il n'y a pas d'opposition intrinsèque entre démocratie et totalitarisme : la première recherche la source du pouvoir, le second l'extension du pouvoir. Et aussi longtemps que perdure le préjugé selon lequel les limites qui furent tracées dans le passé au pouvoir d'un gouvernement sont devenues inutiles dès lors que ce pouvoir est démocratique, il pourrait fort bien se révéler plus dangereux pour les libertés publiques que certaines autocraties bénignes d'autrefois.

Il se faisait tard et Hayek ne put achever son intervention en développant les conséquences de l'illusion démocratique. La séance fut levée et l'allocution du dernier orateur, Raymond Aron, reportée à l'après-midi.

Comme les allocutions du matin, l'intervention d'Aron visait à définir l'enjeu de la conférence internationale. Mais, à la différence de ses devanciers, Raymond Aron revint sur le cheminement qui avait conduit à l'organisation de la conférence elle-même, fondée sur un double projet, celui de Polanyi et le sien, générant deux thèmes distincts :

> Le premier était que les règles économiques en fait différaient moins que les théories ou les doctrines, qu'il y avait des oppositions fondamentales dans l'abstraction. Nous étions partis de l'idée que le doctrinarisme libéral était mort au même titre que le doctrinarisme socialiste et que les économies du monde occidental différaient moins dans leur action que dans leurs propos. Et je vais essayer pour donner une espèce de base de discussion de montrer que le soi-disant parfait libéralisme de l'Allemagne de l'Ouest différait beaucoup moins qu'on ne le disait du parfait socialisme de la Grande-Bretagne travailliste.
>
> Le deuxième thème dont nous étions partis, qui était plutôt le thème de mon ami Polanyi que le mien, c'étaient la menace sur la liberté et l'effort pour repenser la liberté dans le monde actuel, en les séparant des fausses antinomies tradition/libéralisme, ou en la séparant du rationalisme abstrait de l'idée révolutionnaire, de l'utopie de la conquête de la liberté par la violence.

Deux thèmes, donc, mais un socle commun : celui d'un nouveau réalisme sociopolitique. Aron va successivement développer ses observations à partir de cette distinction, en se situant intellectuellement par rapport au marxisme et contre Hayek. Si l'on excepte l'intervention de Hayek, explique-t-il, les rapports qui nous ont été distribués et les interventions entendues ce matin confirment bien « cette espèce de dévalorisation des querelles idéologiques ». Rejetant tout aussi bien le marxisme que le libéralisme, Aron, un peu à la manière de Gaitskell, énumère une série de problèmes contemporains dont la solution requiert de s'éloigner des positions traditionnelles : 1) le problème de la croissance (tant la question des taux de croissance en URSS que les voies de la croissance dans les pays sous-développés) ; 2) les relations entre planification et propriété publique d'un côté et propriété privée de l'autre ; 3) la probabilité d'une augmentation du niveau de la vie en URSS et l'épanouissement de la liberté. Ces trois problèmes se rattachent au thème qu'il a lui-même proposé. Sur le thème de Polanyi, Aron est plus réservé quant aux résultats que pourrait atteindre la réunion :

> Le deuxième thème de discussion que nous avons choisi, à savoir le problème de la liberté, me paraît avoir conduit à des résultats infiniment plus équivoques et plus difficiles, aussi bien dans les rapports que dans les discours.

En ce qui concerne ce second point, Raymond Aron, tout en se défendant d'intervenir sur le fond, amorce un début de réflexion sur une contradiction qui lui paraît centrale : voici cinquante ans, l'Occident se définissait avant tout par le parlementarisme. Or aujourd'hui l'institution parlementaire a beaucoup perdu de son prestige et l'Occident se définit de plus en plus par la croissance et les succès économiques. Il pourrait arriver un moment où les hommes seraient prêts à renoncer aux libertés qu'ils croient illusoires du parlementarisme pour avoir enfin des gouvernements capables d'agir, quels que soient les moyens utilisés.

Totalitarisme et société libre

Après la séance d'ouverture, les travaux se déroulèrent sur 8 séances spécialisées de deux heures trente chacune (cf. encadrés pp. 178 et 179). 194 interventions de 104 participants, représentants plus de 1 000 pages de sténographie, vinrent compléter les communications déposées au secrétariat. Toutes les communications étaient présentées à la tribune, chaque orateur disposant de cinq minutes pour résumer son texte. Ce temps de parole, rigoureusement limité et strictement respecté, s'imposait également aux participants qui souhaitaient réagir.

Trois thèmes principaux traversèrent les débats : l'évolution possible du système soviétique ; la situation des démocraties occidentales ; la compétition entre modèle soviétique et modèle occidental en vue du développement des nouveaux États. Ces trois thèmes constituaient au demeurant l'intitulé des trois premières séances de travail spécialisées.

Le débat sur le totalitarisme lui-même fut relégué en deuxième partie de la conférence. Suivant en cela Franz Böhm [1], tout le monde s'accordait à penser que sous sa forme pure, celle d'un mouvement populaire de masse fanatisé, national-socialiste ou communiste, il appartenait au passé. Le seul totalitarisme survivant, le totalitarisme soviétique, contenait cependant une menace spécifique pour les sociétés libres.

1. Franz Böhm, « The Prospect for Freedom ».

Le nazisme détestait les idées de liberté et d'égalité et la dictature totalitaire était à ses yeux une forme idéale de société. Pour le communisme, en revanche, la dictature n'est qu'un moyen au service d'une fin : la liberté et l'égalité complète entre les hommes. Elle est une nécessité transitoire jusqu'à la transformation de la société de classes capitaliste en société sans classes socialiste. Le consensus portait encore sur deux autres points : l'impossibilité de déclencher une guerre d'agression contre l'Union soviétique ; l'insuffisance de la dénonciation morale du communisme. Dès lors, face à la menace totalitaire subsistante, la seule stratégie disponible pour les sociétés libres est de dissocier les idées d'égalité et de dictature du prolétariat. Ni le capitalisme ni le socialisme ne peuvent apporter simultanément la liberté et l'égalité. Mais la supériorité historique des sociétés libres est de n'avoir jamais donné naissance à un pouvoir centralisé discrétionnaire.

A Milan, le totalitarisme n'était plus dénoncé, il était analysé, et l'analyse se déployait sur les trois registres de la philosophie politique, de l'histoire et du témoignage, symbolisés respectivement par Hannah Arendt, Merle Fainsod et Joseph Scholmer.

La communication de Hannah Arendt [1] reprenait certains des grands thèmes de son ouvrage *princeps*, paru quatre ans plus tôt [2]. Elle s'employait en effet à marquer la spécificité du totalitarisme par rapport à l'autoritarisme et à la tyrannie. Pour Arendt, ce qui constitue le totalitarisme, ce n'est pas le régime de parti unique mais un mouvement capable d'assurer une domination politique. La terreur et l'épuration sont moins liées à l'existence d'une opposition qu'à la nécessité de maintenir le mouvement lui-même. C'est quand l'opposition a disparu que la terreur et les purges se déclenchent. Le totalitarisme résulte directement de la crise de l'autorité, notion romaine (et non grecque) fondée sur la triade autorité, tradition, religion, qui sera reprise et prolongée par l'Église. Toute tentative pour réduire un élément de cette triade entraîne inévitablement la

1. Hannah Arendt, « The Rise and Development of Totalitarianism and Authoritarian Forms of Government in the Twentieth Century ».
2. *Id., The Origin of Totalitarianism*, New York, Harcourt, Brace and Co, 1951.

PROGRAMME DE LA CONFÉRENCE

LUNDI 12 SEPTEMBRE

I. Les problèmes d'un monde libre

Président : Pr Virgilio Ferrari.
Discours d'ouverture : Raymond Aron, Hugh Gaitskell, Aldo Garosci, Friedrich von Hayek, Sidney Hook, Michael Polanyi.
a) Différence entre idéologie et pratiques économiques dans le monde occidental. Président : M. Robert Buron. Rapports de : E. Devons : « Idéologies économiques changeantes au Royaume-Uni » ; J.K. Galbraith : « L'économie, l'idéologie et l'intellectuel » ; H. Janne : « Planification et régime politique » ; T. Kimura : « Les bases économiques de la liberté » ; W. Tritsch : « Les origines de nos fausses alternatives ».

MARDI 13 SEPTEMBRE

b) Correspondance et contraste entre les régimes économiques de l'Occident et celui du monde communiste. Président : M. Minoo Masani. Rapports de : C. Clark : « La crise soviétique : mythe et réalités de l'augmentation de la production soviétique » ; L. Lenti : « Analogies et contrastes entre structures économiques du type individualiste et du type collectiviste » ; P. Wiles : « Quelles conclusions tirer du succès de l'économie soviétique ? ».
c) Le progrès économique dans les pays sous-développés et la rivalité des méthodes occidentales et communistes. Président : M. Denis de Rougemont. Rapports de : E. Da Costa : « La liberté de la culture dans une économie sous-développée (le cas de l'Inde) » ; C.A. Doxiadis : « Le progrès économique des pays sous-développés et la rivalité des méthodes démocratiques et communistes » ; B. de Jouvenel : « Identité d'essence des économies capitaliste et soviétique » ; A. Lewis : « Le communisme est-il nécessaire au progrès rapide des pays insuffisamment développés ? » ; G.D. Parikh : « Progrès économique des pays sous-développés et rivalités des méthodes démocratiques et communistes ».

MERCREDI 14 SEPTEMBRE

II. Phénomènes qui menacent la société libre

a) L'instabilité inhérente à une société libre. L'abus systématique des institutions libres à seule fin de les détruire. Les causes de la paralysie du fonctionnement de la démocratie. Président : M. Hugh Gaitskell. Rapports de : R.H.S. Crossman : « Le contrôle démocratique de la politique étrangère » ; Hans Ilau : « Les dangers internes qui menacent le monde libre » ; S.M. Lipset : « La classe ouvrière et les valeurs démocratiques » ; J. P. Plamenatz : « Menaces contre une société libre » ; A. Schlesinger Jr : « Menaces contre une société libre : liberté et subversion » ; W.S. Woytinsky : « Le chemin de la liberté ».
b) L'influence d'une société de masse. L'influence des mass media. Président : Pr Carlo Schmid. Rapports de : K. Bednarik : « Réglementation de la liberté sociale » ; D. Bell : « Les ambiguïtés de la société de masse et les complexités de la vie américaine » ; Z. Ohira : « Les communications de masse dans une société orientale » ; B.D. Wolfe : « Les problèmes d'un grand État : la guerre et la bureaucratie. Menaces pour la liberté ».

c) L'apparition et le développement croissant des formes totalitaires et autoritaires de gouvernement au XXe siècle. Président : M. John Kenneth Galbraith. Rapports de : H. Arendt : « Naissance et développement du totalitarisme et des formes autoritaires de gouvernement au XXe siècle » ; M. Fainsod : « Menaces contre la liberté : le totalitarisme au XXe siècle » ; T. Litt : « Tradition, raison, liberté » ; T. Otaka : « L'autoritarisme au Japon » ; G. Ritter : « Défense de la liberté ».

JEUDI 15 SEPTEMBRE

d) Le double rôle du nationalisme favorise et compromet les sociétés libres. L'influence du colonialisme et des conflits raciaux. Président : M. Jorge Manach. Rapports de : G. Arciniegas : « L'Amérique latine entre la liberté et la peur » ; K.A. Busia : « L'influence du colonialisme et des conflits raciaux sur le développement et le maintien des sociétés libres » ; D. Healey : « Nationalisme et liberté » ; R. Hinden : « Les colonies et la liberté » ; G.F. Hudson : « La liberté et les frontières » ; K. Jumblat ; H. Kohn : « Repensons le nationalisme » ; H. Passin : « Le nationalisme en Asie ».

VENDREDI 16 SEPTEMBRE

III. L'invincible liberté

Comment la liberté demeure vivante sous l'oppression : aspects de la résistance individuelle et collective. Président : M. Friedrich von Hayek. Rapports de : F. Böhm : « Le problème de la liberté à l'époque de la guerre froide » ; R.P. Dubarle : « Contrôle politique de la pensée et liberté de la culture » ; C. Milosz : « Bielinski et la licorne » ; J. Scholmer : « Opposition et résistance en Union soviétique » ; M. Sperber : « Indifférence et liberté ».

SAMEDI 17 SEPTEMBRE

IV. Phénomènes qui consolident les sociétés libres

Les traditions dans la société libre qu'elles maintiennent mais qu'elles risquent de stériliser. Dialogue entre la coutume et la raison. Les fondements de l'autorité face aux droits du citoyen dans une société libre. Dialectique de l'assentiment et du dissentiment. Président : Sir John Latham. Rapports de : M. Freund : « Tradition et liberté » ; S. Hampshire : « La liberté et sa défense » ; H. Plessner ; E. Shils : « Les traditions et la liberté ».

V. La lutte pour la liberté

Président : M. Adriano Olivetti. Discours de clôture par : C. Antoni, G. F. Kennan, M. Polanyi, D. de Rougement, H. Santa Cruz, A.D. Gorwala.

chute des deux autres. Ce fut l'erreur de Luther de penser que la mise en cause de l'autorité temporelle de l'Église pouvait laisser intacte la tradition, comme ce fut l'erreur de Hobbes et des théoriciens politiques du XVIIe siècle de penser qu'après l'abolition de la tradition l'autorité et la religion pourraient demeurer intactes. C'est enfin l'erreur des humanistes de penser que l'on peut demeurer dans la continuité de la tradition occidentale sans religion et sans autorité.

Si la réflexion de Hannah Arendt était déterminée davantage par le nazisme que par le communisme, il en allait différemment de Merle Fainsod, spécialiste du pouvoir soviétique et auteur lui aussi d'un livre magistral publié peu avant cette conférence internationale [1]. Sa communication [2] reflétait l'état d'esprit d'un historien scrupuleux s'interrogeant sur l'extension et la signification d'un concept. Qu'inclure dans cette acception : l'URSS, l'Allemagne nazie, l'Italie fasciste, l'Espagne de Franco, le péronisme, la dictature militaire japonaise des années 1930 ? Le totalitarisme est-il un phénomène spécifique du XXe siècle ou la résurgence d'anciennes formes de tyrannie rendues plus menaçantes par la technologie moderne ? Existe-t-il un ensemble de facteurs favorables à son émergence ou les racines du phénomène doivent-elles être recherchées dans les conditions propres à chaque nation qui en est la victime ? Très peu d'individus, notait Fainsod, ont à la vérité la capacité de comprendre plusieurs expériences totalitaires. De plus, chaque discipline universitaire aborde le phénomène d'un point de vue particulier. Cependant, bien que la littérature sur les causes de l'émergence du totalitarisme fasse apparaître de profondes divergences entre les auteurs, on peut cerner un ensemble de facteurs communs :

1) une tradition constitutionnaliste faiblement développée, souvent doublée d'un attachement à un mode de gouvernement autoritaire ou paternaliste ;

2) une crise économique profonde, entraînant une dislocation sociale et une perte de confiance dans la capacité des autorités gouvernementales à résoudre la crise ;

1. Merle Fainsod, *How Russia is Ruled*, Harvard University Press, 1953 ; trad. fr. : *Comment l'URSS est gouvernée*, Éditions de Paris, 1957 ; voir aussi *Smolensk under the Soviet Rule*, Harvard University Press, 1958 ; trad. fr. : *Smolensk à l'heure de Staline*, Fayard, 1967.

2. *Id.*, « Threats to Freedom : Twentieth Century of Totalitarianism ».

3) une paralysie des mécanismes politiques et l'incapacité des dirigeants à s'attaquer aux problèmes urgents de la société;

4) un affaiblissement des affiliations à des communautés intermédiaires et une croissance pathologique du sentiment de déracinement, de solitude, d'impuissance, d'individus dépossédés de capacité d'autodéfense;

5) l'émergence d'un chef démagogique et d'un mouvement prêts à exploiter et à manipuler les anxiétés des masses en leur promettant une délivrance messianique.

Trois facteurs ont, de plus, une importance capitale dans la mise en œuvre du contrôle totalitaire : les ressources de la technologie moderne; l'érosion et le déplacement des religions traditionnelles au profit de fois séculières; la mise en mouvement des masses.

A contrario, là où existent un respect de l'éthique constitutionnelle, un *leadership* politique vigoureux capable d'imprimer une direction collective, des autorités inspirant confiance aux citoyens, là où prévalent un minimum de sécurité économique, l'attachement à la famille, à l'école, à l'Église, des syndicats libres et des groupements intermédiaires autonomes, les mouvements totalitaires rencontrent les plus grandes difficultés à s'implanter. Telles sont au fond les défenses internes d'une société libre contre le péril totalitaire, défenses qui demandent à être renforcées.

Reste la question des perspectives futures du totalitarisme. Une désintégration de l'URSS, soit par une lutte de factions au sommet, soit par un soulèvement populaire, paraît hautement improbable, comme paraît improbable une troisième guerre mondiale volontairement déclenchée par l'URSS. Sur le plan international, la coalition occidentale est parvenue à contrebalancer le pouvoir militaire soviétique. A l'abri de cette situation internationale bloquée, des forces souterraines à l'œuvre dans la société soviétique peuvent-elles éroder l'édifice totalitaire ? C'est tout le problème. Certains soulignent que les jeunes générations sont moins messianiques, d'autres insistent sur les exigences de l'industrialisation qui rogne le pouvoir des zélotes du Parti au bénéfice des administrateurs, d'autres encore parient sur la fragilité des bases de l'empire lui-même. Merle Fainsod, pour sa part, se montrait très prudent mais empruntait à Jaspers sa conclusion : la perception du futur est déjà un élément qui façonne le futur.

Le troisième éclairage, enchaînant directement sur la question de l'évolution de l'URSS, était apporté par Joseph Scholmer, un médecin allemand qui avait passé plusieurs années dans un camp soviétique, Vorkouta, qui s'était soulevé peu après la mort de Staline et sur lequel il avait publié un livre-témoignage [1]. Sa communication visait à brosser un tableau de la fermentation politique et intellectuelle dans l'univers des camps, constituant un véritable État dans l'État, où il existait un milieu clandestin extrêmement actif et extrêmement bien informé sur l'état de l'URSS et sur la situation internationale. En effet, même les informations des radios occidentales parvenaient illégalement aux prisonniers.

Joseph Scholmer distinguait quatre groupes d'opposition : les paysans, les ouvriers, les nationaux, l'intelligentsia. Les paysans sont aussi mécontents que sous le régime tsariste et ils n'ont pas davantage de conscience politique qu'alors. La collectivisation a échoué mais Lénine reste une figure légendaire à leurs yeux car il leur a distribué la terre. L'industrialisation de l'URSS a créé une classe d'ouvriers d'usine qui présente tous les traits du prolétariat du début du capitalisme analysé par Marx. La classe ouvrière est sous-payée, privée du droit de grève, exposée à l'arbitraire sans moyens légaux de défense. Il existe des groupes de résistance illégaux dans les centres de Moscou et de Leningrad qui réclament la suppression de la classe supérieure des communistes parasites, l'élection libre de représentants syndicaux, l'administration des usines par des conseils élus. Le troisième ensemble est formé par les groupes nationaux. Le combat du Kremlin contre les peuples non russes durant les dernières décennies n'a pas brisé la volonté de ces peuples de recouvrer la liberté. Depuis longtemps les Soviétiques ont abandonné toute idée de les convaincre. La solution adoptée pour les petites nations a tout simplement été le génocide. Pour les autres, leur classe intellectuelle était systématiquement détruite par déportation dans les camps de travail. Quant à l'élite intellectuelle des camps, dernier foyer de résistance et d'opposition, elle représente environ 300 000 personnes, venant de tous les points du pays. Ce potentiel de résistance est difficilement imaginable par l'Ouest. Cette intelligentsia est très éduquée et représente tout l'éventail des

1. Joseph Scholmer, *Vorkouta*, Amiot-Dumont, 1954.

expériences politiques depuis les années 30. Pour ce groupe, étonnamment ouvert sur les réalités internationales, les camps de travail constituent une véritable université de la résistance.

Joseph Scholmer résumait la vision du monde des intellectuels résistants des camps autour de six points :

1) l'objectif du Kremlin, après la mort de Staline, demeure inchangé : c'est l'assujettissement du monde libre au communisme ; la preuve : l'effort gigantesque d'armement, qui n'a pas cessé ;

2) la coexistence et le relâchement de la tension sont des mesures tactiques pour mieux assurer la consolidation interne nécessaire à l'instauration de la suprématie militaire et industrielle de l'Est sur l'Ouest ; dès que cette supériorité sera atteinte, la coexistence sera remplacée par une politique plus agressive ;

3) le mouvement d'opposition intérieur à l'URSS ne peut pas détruire le communisme sans l'aide de l'Ouest ;

4) le temps joue en faveur de l'Est : sur le long terme, les pays occidentaux ne peuvent pas gagner la course aux armements contre un système totalitaire ;

5) à long terme, l'arme nucléaire n'offre aucune protection contre l'agression et l'infiltration communistes ;

6) les puissances occidentales doivent adopter une attitude positive contre le communisme, en consolidant socialement et politiquement les pays libres ; en abolissant le colonialisme et l'inégalité raciale qui alimentent le communisme ; en appuyant sans réserve les forces attachées à la liberté de l'autre côté du rideau de fer, même s'il existe des divergences avec les idées professées par les Occidentaux.

Après la mort de Staline, écrivait Scholmer, l'URSS était mûre pour l'effondrement et les peuples de l'Union attendaient une offensive du monde libre. Mais les gouvernements occidentaux préférèrent une politique attentiste. Les prisonniers de Vorkouta, eux, comprirent mieux la signification du soulèvement de Berlin-Est. Lancée en juillet 1953, la grève conduite pendant deux semaines dans cinq camps impliqua 12 000 prisonniers. C'était là une expérience entièrement nouvelle en URSS et le Kremlin réagit d'ailleurs mollement car il savait que le régime était instable. Une commission d'enquête fut nommée et des concessions furent faites aux prisonniers.

Néanmoins, les meneurs de quatre des cinq camps furent déportés dans une mine spéciale, où une centaine d'entre eux furent exécutés.

En conclusion, Joseph Scholmer estimait que les tensions étaient alors plus fortes en URSS que dans la Russie de 1917. Il évaluait à 15 % la population loyale à l'égard du système, se recrutant principalement dans les organes de sécurité et parmi les membres du PC, les fonctionnaires les mieux payés, les gérants d'entreprises industrielles et de fermes collectives, une partie des officiers. Il terminait sur le programme commun à tous les groupes d'opposition : élections libres de conseils ouvriers dans les entreprises ; dissolution des structures collectivistes de l'agriculture ; élections libres et secrètes ; abolition de la police secrète ; désarmement ; ouverture des frontières.

Toutefois, ce qui donne le ton à Milan, ce sont beaucoup plus l'analyse des différences entre idéologies et pratiques dans le monde occidental et celle des correspondances et des contrastes entre régimes économiques occidentaux et communistes. Ces analyses s'inscrivent directement dans la perspective de la fin des dogmatismes tracée lors de la séance inaugurale. Elles circonscrivent l'enjeu des nouveaux rapports Est-Ouest après la mort de Staline, à l'heure de la détente. Bien entendu, il y a accord unanime sur les tests du vrai changement du pouvoir soviétique : la suppression des camps de travail forcé et la fin du régime de parti unique. Mais les problèmes économiques sont d'une brûlante actualité car l'économie est simultanément une promesse d'évolution possible en URSS et une menace pour l'Ouest dans les pays sous-développés accédant à l'indépendance.

Ainsi la première communication de la séance inaugurale de travail, celle d'Ely Devons, portait-elle sur les changements économiques et idéologiques au Royaume-Uni [1]. L'auteur rappelait que dans les années 30 l'Angleterre était profondément divisée entre partisans du *planning* et partisans de la libre entreprise. Les partisans de l'économie dirigée mettaient en avant deux mesures clefs : nationalisation de l'industrie et impôt progressif. Les partisans de la libre entreprise s'y opposaient pour des raisons d'efficacité et à cause des conséquences politiques désastreuses que de telles mesures ne manqueraient

1. Ely Devons, « Changing Economic Ideologies in the United Kingdom ».

pas d'entraîner, la Grande-Bretagne ne pouvant de la sorte que se rapprocher de l'Allemagne nazie. Mais la guerre devait profondément transformer ce paysage. A l'exception des nationalisations, elle réalisa la révolution souhaitée par les réformateurs radicaux : direction gouvernementale de l'économie ; redistribution du revenu par l'impôt ; primat d'un but collectif (gagner la guerre) sur l'économie. Aussi, après la guerre, l'idée que le gouvernement était responsable du plein emploi était-elle largement acceptée. L'idéologie planificatrice impliquait cependant plus que le plein emploi : elle incluait la rationalisation des ressources et la volonté de définir des priorités sociales. Sous cet angle, les nationalisations devaient permettre la coordination de la production *via* les investissements et une démocratie économique par le transfert du privé vers le public.

Or les cinq années de l'après-guerre ont été des années de désillusion. L'idée que la planification centrale permettrait une rationalisation de l'économie s'est révélée illusoire. On a redécouvert l'importance des prix. Les tenants des nationalisations ont été déçus dans leurs attentes. En sens inverse, elles n'ont pas eu les conséquences néfastes que craignaient leurs détracteurs. Il existe aujourd'hui, poursuivait Devons, un consensus pour confier au gouvernement la principale responsabilité de la prospérité du pays. Tout groupe social connaissant un revers ou une infériorité économique estime avoir droit à une aide gouvernementale. C'est là un changement majeur, au regard duquel tous les autres problèmes deviennent secondaires. Le système ainsi créé ne suscite ni enthousiasme ni confiance immodérée dans sa justice ; il est simplement toléré. Mais tant que le plein emploi est maintenu, les vieux conflits idéologiques ont peu de chances d'être ravivés. Seule la redistribution des revenus à travers l'impôt suscite les passions. Enfin, les rapports entre l'individu et le pouvoir ont été transformés. C'est désormais à travers des groupes organisés que les intérêts peuvent être défendus et que des pressions peuvent être exercées sur le gouvernement. Mais le gouvernement lui-même suscite la formation de tels groupes : il peut ainsi négocier avec les différents intérêts composant la société et faire respecter les accords conclus par leurs représentants.

La société anglaise devient ainsi la pierre de touche du dépassement du dogmatisme. Comme devait le souligner

Sidney Hook, le monde libre n'a pas à opposer une idéologie à l'idéologie communiste, mais à montrer que le totalitarisme évolue dans le monde de la simplicité réductrice tandis que la démocratie a partie liée avec la complexité. L'Angleterre offre l'exemple d'une société rendue plus égalitaire par l'intervention de l'État et qui évite simultanément l'écueil totalitaire.

Un premier acquis conceptuel résultait de la dissociation des notions de planification et de totalitarisme. C'était là un cheval de bataille cher à Michael Polanyi qui, une fois de plus, s'éleva énergiquement contre l'idée qu'il puisse exister une planification complète et un lien quelconque entre une politique économique particulière et le totalitarisme. Sans doute l'idée de planification intégrale est-elle apparue en URSS en 1917, mais la machine s'est vite enrayée et, depuis, les Soviétiques ne cessent de masquer cet écroulement. Alors, de grâce, s'écriait Polanyi, ne ressuscitons pas un fantôme en l'attaquant ! De plus, dans tous les cas historiques connus, la volonté politique totalitaire préexiste à la définition d'une politique économique quelconque.

Henri Janne poussa plus avant cette réflexion, en centrant sa communication sur les rapports entre planification et régime politique [1], en s'appuyant sur la sociologie structuro-fonctionnaliste présentée quelques années auparavant par Robert Merton [2]. Janne s'efforça de dégager des correspondances entre planification intégrale et totalitarisme, planification souple et démocratie de type travailliste, planification corporatiste et fascisme. L'exercice permettait de dégager par itération le noyau dur d'une planification souple travailliste caractérisée par : la centralité de la notion de prévision ; l'émergence de réactions collectives à la représentation du futur proposée par le plan ; la réaction libre des entreprises au marché à l'intérieur des stimulations et des limitations venues du plan ; le soutien à des formules de cogestion pour mettre la force syndicale dans l'entreprise au service du plan, afin de contrebalancer la liberté du chef d'entreprise, qui, elle, cherchera toujours en principe à s'exercer dans un sens défavorable au plan.

Il est clair que si la conférence internationale de Milan se

1. Henri Janne, « Planification économique et régime théorique ».
2. Robert Merton, *Social Theory and Social Structure*, Glencoe, Illinois, The Free Press, 1951.

voulait ouverte à la confrontation et si Friedrich von Hayek y avait été invité, ce ne furent pas, à l'évidence, les analyses de *La Route de la servitude* [1] qui furent retenues. Dans ce livre publié en pleine guerre, Hayek avait attiré l'attention sur les similitudes inquiétantes qui apparaissaient selon lui entre l'Allemagne nazie et l'Angleterre à travers la mise en œuvre de l'économie de guerre. Le mélange de réalisme et de cynisme, partageant le même mépris pour le libéralisme du XIXe siècle, éloignait des idéaux fondateurs de la civilisation européenne et ne pouvait conduire qu'à l'horreur totalitaire.

> Ce que nous abandonnons peu à peu, ce n'est pas simplement le libéralisme des XIXe et XVIIIe siècles, mais encore l'individualisme fondamental que nous avons hérité d'Erasme et de Montaigne, de Cicéron et de Tacite, de Périclès et de Thucydide [2].

Hayek se battait farouchement contre l'idée que l'on pouvait concilier socialisme et liberté et s'en prenait plus particulièrement à Karl Mannheim, qui avait développé l'idée d'une société planifiée [3].

En 1955, toutes ces craintes sont levées et la sortie des dogmatismes conduit à un régime d'économie mixte. Le socialisme est devenu une partie de la réalité anglaise, au terme de l'économie de guerre assurément, mais aussi de l'impact de la démocratie sur le capitalisme, impact constamment sous-estimé par le marxisme.

Dans cette évolution, la notion de revenu national acquiert une position économique et politique centrale. C'est même à partir d'elle que Libero Lenti [4] élabore la différenciation entre économies collectivistes et économies individualistes. Les deux modèles en effet se trouvent confrontés à des exigences communes : développement du revenu national par stimulation de la productivité; distribution aussi équitable que possible de ce revenu entre les groupes et les territoires de la collectivité; stabilisation dans le temps des biens et services entrant dans la composition du revenu national. L'asymétrie des deux systèmes porte sur plusieurs dimensions : les économies collectivistes

1. Friedrich von Hayek, *The Road to Serfdom* (1943); trad. fr. : *La Route de la servitude*, Médicis, 1945.
2. *Ibid.*, p. 17.
3. Karl Mannheim, *Man and Society in the Age of Reconstruction*, 1940.
4. Libero Lenti, « Analogies et contrastes entre structures économiques du type individualiste et du type collectiviste ».

mettent l'accent sur la production du revenu national tandis que les économies individualistes le mettent sur la redistribution ; les économies individualistes ont une orientation internationale tandis que les échanges avec l'étranger sont rigoureusement compensés dans les économies collectivistes ; la répartition entre équipement et consommation est laissée au marché dans un cas tandis qu'elle est faite par le pouvoir central dans l'autre. Dans le cas des économies collectivistes, c'est également le pouvoir central qui assure la distribution de la richesse, alors que dans les économies individualistes les syndicats interviennent dans le processus. Dans un cas l'entrepreneur est supprimé, dans l'autre il est libre de combiner les facteurs de production. Les conséquences sociales ne sont pas moindres : népotisme et rigidité des classes contre initiative tempérée par la fiscalité.

On le voit, la réflexion sur l'avenir des sociétés libres ne s'enferme pas dans la seule réaffirmation de la tradition constitutionnaliste. Elle intègre la dimension économique, pour aboutir à une sorte de credo libéral réformiste concernant les conditions favorables à l'épanouissement de la liberté, ainsi formulé par W.S. Woytinsky [1] : la liberté croît avec : une plus large distribution du pouvoir politique et économique ; la décroissance du pouvoir de la richesse héréditaire ; l'amenuisement des disparités entre richesse et pauvreté ; le progrès de la sécurité économique et sociale ; un élargissement de la participation des gens par le suffrage universel et des élections libres ; l'élimination de la discrimination raciale, religieuse et de caste ; la liquidation du colonialisme, domination d'une nation sur l'autre.

Mode et taux de la croissance soviétique

Un des moments forts de la conférence fut la séance du 13 septembre au matin, consacrée à la comparaison des systèmes économiques de l'Ouest et du monde communiste, à partir des communications de Colin Clark, Peter Wiles, Libero

1. W.S. Woytinsky, « The Road of Freedom ».

Lenti et Bertrand de Jouvenel [1], suivies d'une discussion à laquelle prirent part dix-huit orateurs. Dans l'ordre économique, le concept de totalitarisme s'effaçait devant celui de collectivisme et une fois encore la réflexion engagée visait à dépasser les anathèmes.

Dans sa communication, Bertrand de Jouvenel notait un sentiment fréquemment répandu chez les intellectuels occidentaux : la croyance en une différence d'essence entre l'économie soviétique et celle des pays capitalistes. Mais c'est faire preuve de primitivisme intellectuel et prendre les mots (de préférence écrits avec une lettre majuscule) pour les choses en pensant que le changement de mot change la réalité. Il est tout à fait faux que le « capitalisme » génère le « prolétariat » qui lui-même disparaît sous le « communisme ». De plus, les Occidentaux acceptent trop facilement la thèse soviétique selon laquelle on ne saurait appliquer la terminologie, les critères, voire les méthodes, utilisés dans l'étude des économies capitalistes pour appréhender le système soviétique. Rejetant fondamentalement de telles prémisses, Jouvenel se proposait à l'inverse de faire jouer le même cadre d'analyse pour l'examen des deux systèmes en compétition, l'URSS et les États-Unis, deux pays à peu près .semblables du point de vue physique et perçus comme les incarnations des pôles opposés du monde contemporain.

A l'automne 1955, le régime communiste atteindra sa trente-huitième année en Russie. Trente-huit ans c'est, en France, la période allant de l'exécution de Louis XVI à la révolution de 1830, en Angleterre celle allant de l'introduction de l'impôt progressif (1909) à l'arrivée des socialistes au pouvoir (1945), aux États-Unis, enfin, la période allant de la guerre d'indépendance à l'achèvement de la concentration économique de l'industrie (1900-1902). Après trente-huit ans, le système collectiviste n'est plus dans l'enfance, il est parvenu à l'âge adulte. Or ce qui frappe au terme de cette période, c'est que la « dictature du prolétariat » a bien davantage copié que contredit le capitalisme. Elle a très largement cherché à établir des

1. Bertrand de Jouvenel, « Some Fondamental Similarities between the Soviet and Capitalistic Economic System » ; Peter Wiles, « What is to Be Done about the Success of Soviet Industry ? » ; Colin Clark, « The Soviet Crisis : Myth and Reality of the Soviet Production Increase » ; Libero Lenti, « Analogies et contrastes entre structures économiques du type individualiste et du type collectiviste ».

ressemblances avec l'économie américaine plutôt que de mettre sur pied un système entièrement différent.

La communication de Bertrand de Jouvenel balayait un certain nombre de dimensions cruciales : productivité ; situation des travailleurs industriels ; exigences de l'industrialisation ; théorie marxiste de l'accumulation du capital ; révolution prématurée ; croissance de la population urbaine ; niveau de vie contre l'accumulation du capital ; capitalistes et entreprises ; profits et réinvestissements.

Aujourd'hui, écrivait-il, l'URSS est la deuxième puissance industrielle du monde, très loin derrière les États-Unis. Cette deuxième place préoccupe de manière obsessionnelle les dirigeants soviétiques. Lors de l'établissement des premiers plans quinquennaux, un des leurs pensait que quinze ans seraient nécessaires pour dépasser les États-Unis. Inutile de s'appesantir sur l'écart entre le rêve et la réalité. Ce qui importe, c'est cette obsession elle-même. Rien ne semble faire plus plaisir aux dirigeants soviétiques que l'annonce, à intervalles réguliers, de la croissance impressionnante de leur production industrielle – particulièrement dans le domaine de l'acier (production passée de 5 millions de tonnes en 1929 à 41 millions en 1954). Aucun pays occidental ne semble avoir multiplié par 8 sa production d'acier sur un quart de siècle. Il existe cependant une analogie dans l'histoire américaine : de 1896 à 1916, la production d'acier est passée de 5,3 à 42,7 millions de tonnes, soit une croissance identique sur vingt années seulement. Cela ne vise en rien à diminuer les mérites de la réussite russe mais à souligner que ce qui se passe en Russie reproduit le développement du capitalisme américain.

Il existe en effet un élément commun aux deux systèmes : l'absolue priorité accordée à la production au détriment des hommes. La première moitié du XIXe siècle a vu l'émergence d'un nouveau type humain, l'ouvrier d'usine, qui, par rapport à l'ancienne classe des artisans, représentait une régression aux yeux des intellectuels de l'époque. Cette régression, les propriétaires d'usine, désignés de plus en plus comme « capitalistes », en étaient tenus pour responsables. Aujourd'hui encore, les entrepreneurs continuent à être stigmatisés de la sorte, même si la situation des ouvriers s'est considérablement améliorée. Le fait le plus étrange demeure cependant que les sympathisants communistes refusent de reconnaître que la situation des ouvriers est bien pire en URSS que dans les pays capitalistes, plus particulièrement les États-Unis. Sans parler des différences de revenus bien connues, leur statut personnel et social y est étonnamment arriéré. Dans les pays occidentaux, grâce à la capacité de négociation de syndicats puissants, les travailleurs ont la possibilité de traiter avec leurs employeurs non seulement des questions de salaires mais de tous les problèmes relatifs à l'organisation de l'usine. Tant les droits des syndicats que ceux des individus sont garantis par les tribunaux. Les autorités judiciaires et la police ne sont d'aucune manière au service des dirigeants et des propriétaires. Il en va tout différemment en URSS. Le travailleur ne dispose d'aucune protection personnelle et sociale garantie. Propriété industrielle, système légal, police sont tous trois aux mains des autorités politiques. Tous les maux du capitalisme du temps de Marx, qu'il avait dénoncés, se retrouvent aujourd'hui en URSS. Marx se plaignait de ce qu'en régime capitaliste l'État soit essentiellement une société contrôlée par les propriétaires industriels et dont les instruments de pouvoir sont à la disposition des intérêts capitalistes. Cette situation a pris fin en Occident mais elle se perpétue en URSS. S'il est un pays où la police est aux ordres des propriétaires et où ses espions infestent les usines, c'est bien l'Union soviétique.

Sans doute, un défenseur de l'URSS fera remarquer que ce statut de l'ouvrier est très récent en Occident. Le droit de former des syndicats apparaît vers la fin du processus d'industrialisation. La capacité de négociation syndicale est plus récente encore. L'URSS, quant à elle, en est à sa première phase d'industrialisation ; aussi n'est-il pas surprenant d'y trouver une situation correspondant à cette phase. C'est là un argument de poids. Accorder en effet un pouvoir de négociation aux salariés, c'est leur donner les moyens d'accroître leur consommation. Alors de deux choses l'une : soit aucune modification n'est apportée à la structure de la production et l'élévation du pouvoir d'achat entraîne l'inflation ; soit la production nationale s'ajuste sur le pouvoir d'achat, ce qui ne peut se faire qu'au détriment de la capitalisation. Il est donc logique que dans une période de capitalisation à grande échelle les travailleurs soient privés de droits syndicaux et de possibilité de négociation. C'est au reste une réponse parfaitement conforme à l'orthodoxie marxiste. Toutefois, cet argument a peu de chances d'être utilisé par un communiste – surtout s'il vit à l'Ouest : ce serait recônnaître que le développement en régime communiste est d'essence comparable à celui d'un régime capitaliste.

Marx a été le premier économiste à mettre en lumière l'important concept de plus-value. La privation du travailleur d'une partie de la valeur qu'il crée par son travail est un scandale à ses yeux, mais c'est en même temps la condition du progrès économique. Le profit est en effet indispensable pour créer le capital nécessaire à l'emploi de plus de main-d'œuvre, à l'achat de matières premières, à l'équipement en machines. Les exactions des capitalistes sont simultanément choquantes et historiquement nécessaires. Les marxistes prévoyaient qu'un jour viendrait où l'équipement en machines serait pleinement atteint. Alors le processus d'extraction de la plus-value deviendrait inutile. Toutefois, les capitalistes ne seraient pas prêts à renoncer sans combat à leur droit et c'est pourquoi l'instauration d'une dictature du prolétariat serait nécessaire. La plus-value pourrait alors être répartie entre les travailleurs, le « sale boulot » de l'accumulation ayant été préalablement accompli par les capitalistes. Réciproquement, les moyens de répression ne seraient plus nécessaires dès lors que les ouvriers recevraient leur dû : ceux-ci ne pouvant que se montrer loyaux à l'égard d'un système leur garantissant le juste fruit de leur travail.

On comprend mieux la consternation de certains marxistes lorsque les bolcheviks prirent le pouvoir en Russie, pays où le développement du capital sous le capitalisme n'avait assurément pas atteint sa maturité. En 1928, il n'y avait que 10 millions de personnes dans les activités non agricoles (sur une population totale de 151 millions d'habitants), en comparaison des 35 millions aux États-Unis (sur un total de 280 millions d'habitants) à la même époque. Les dirigeants soviétiques durent faire le travail que n'avaient pas fait les capitalistes, en extrayant la plus-value en vue de la formation du capital, soit, en termes marxistes, en exploitant les travailleurs. Au terme d'un intense débat, la thèse de Staline en faveur d'une accumulation rapide triompha. Une révolution industrielle violente fut mise en chantier. Les paysans furent groupés dans des collectifs pour augmenter le rendement par tête et pour transférer la force de travail de l'agriculture vers des centres industriels en croissance rapide. En quatre ans, de 1928 à 1932, le nombre des travailleurs non agricoles doubla, passant de 10 à 20 millions. Parallèlement, le niveau de vie des travailleurs régressa durant les deux premiers plans quinquennaux : entre 1928 et 1937, leur pouvoir d'achat diminua de 37 %.

Dire que la Russie est « communiste » est inopérant pour comprendre la situation. Ce qui fait sens, c'est que le nombre des travailleurs non agricoles soit passé de 10 millions en 1928 à 45 en 1955. Il n'existe aucun parallèle historique connu à cette évolution. L'histoire américaine nous offre un point de comparaison proche avec le passage, entre 1870 et 1910, de 6,5 à 27,2 millions de travailleurs non agricoles. Mais la croissance s'étale sur quarante ans et non sur vingt-sept, dont il faudrait de plus soustraire cinq ans de guerre qui ont gelé les transferts de population.

L'URSS a donc connu une marche forcée vers l'industrialisation. Le facteur explicatif des taux de croissance considérables observés est l'influx massif de travailleurs dans les villes. D'un autre côté, l'URSS nourrit beaucoup plus difficilement sa population que ne le font les États-Unis. Elle n'est pas parvenue à accroître sa production agricole comme sa production industrielle. Du point de vue marxiste, les États-Unis sont un *welfare system*, l'URSS un système d'accumulation du capital. Les États-Unis ont atteint la deuxième phase de Marx, alors que l'URSS est toujours dans la première. On peut se demander si l'on ne pourrait pas dire de l'URSS ce que Marx disait de l'Angleterre de son temps : la concentration dans les centres industriels d'un prolétariat sans l'espoir d'une amélioration de ses conditions de vie est peut-être le signe avant-coureur d'une crise de régime.

La fin de la communication de Bertrand de Jouvenel portait sur la destination du profit dans l'économie américaine. La part de plus-value non distribuée en salaires va aux dividendes des actionnaires, aux impôts, aux investissements. Les réinvestissements profitent autant aux travailleurs qu'aux propriétaires. De 1929 à 1953, la capitalisation industrielle fut plus que doublée par les réinvestissements tandis que les salaires augmentaient de 286,8 % et les dividendes de 61,1 % seulement. L'accroissement du coût de la vie sur la période ayant été de 56 %, l'augmentation réelle des salaires a donc été de 148 % et celle des dividendes de 3 % seulement. Contrairement aux apparences, c'est le capitalisme qui protège les travailleurs.

Les communications de Peter Wiles et de Colin Clark [1] se focalisaient sur les taux de croissance de l'industrie lourde en URSS, aux États-Unis, au Japon et en Suède pour des périodes relativement homogènes. Il s'en dégageait que le taux de croissance était plus élevé en Union soviétique que dans n'importe lequel des trois autres pays libres au cours de son développement maximal. La supériorité communiste dans l'industrie lourde conduit à une supériorité dans l'ordre du revenu national : croissant de 3 % par an, plus rapidement que le revenu national américain, l'URSS pourrait rattraper les États-Unis en vingt-trois ans à partir de la situation actuelle, voire en dix-huit si ce chiffre était porté à 4 %.

Peter Wiles dégageait huit facteurs explicatifs de la supériorité industrielle soviétique :

1) le système de planification : les buts sont fixés à tous les niveaux;

2) la carotte financière : des primes sont instituées pour le dépassement du plan;

3) la propriété : elle ne fait pas obstacle aux modifications de structures;

4) l'émasculation des syndicats : condition indispensable chaque fois que l'on veut élever la productivité;

5) l'absence de résistance aux nouvelles technologies de la part des syndicats ou des petits propriétaires;

6) la nature de la compétition socialiste : c'est une course, non un combat;

7) l'extraction de l'épargne : elle est plus aisée par l'impôt que par l'appât des taux d'intérêt dans l'économie libre;

8) l'idéologie du mouvement communiste : elle place le progrès matériel tout de suite après la lutte des classes.

Sans doute pour des Occidentaux humanistes et libéraux ce progrès est-il payé d'un prix très lourd. Mais on doit se garder d'oublier que l'homme fait ses choix en situation d'information imparfaite. Pour celui qui vit dans la pauvreté, souffrant du

1. Retenu à Stockholm par une conférence sur l'économie agricole, Colin Clark n'avait pas pu faire le voyage à Milan. Sa communication fut présentée par Amlan Datta, lecteur d'économie à l'université de Calcutta et auteur d'un livre sur l'économie soviétique.

vieil impérialisme occidental et évoluant dans une économie stagnante, le choix du communisme n'est pas irrationnel. Peter Wiles attirait en outre l'attention sur les conséquences politiques que ne manquerait pas d'entraîner un enrichissement de l'URSS : les pays communistes disposeraient d'une force stratégique et diplomatique accrue; ils pourraient entretenir plus d'hommes sous les armes et stocker davantage de bombes à hydrogène, offrir de meilleurs termes d'échange, corrompre plus d'hommes politiques, financer plus d'espions, régaler plus de délégations; ils pourraient enfin s'introduire sur les marchés capitalistes et financer des partis communistes à l'étranger.

Colin Clark s'attaquait pour sa part au mythe de la croissance soviétique popularisé aux États-Unis, avant de discuter les interprétations de Peter Wiles. Évidemment, écrivait-il, l'idée que l'URSS « y arrive » et obtient de meilleurs résultats que l'Ouest est particulièrement attirante pour les intellectuels des pays sous-développés. Mais ce mythe d'un dépassement de l'Ouest par l'URSS se répand aussi chez les diplomates, les journalistes et même les experts, d'ailleurs aux États-Unis plus qu'en Europe. Ce phénomène est lié à l'apparition d'institutions de recherche disposant de ressources abondantes et qui produisent au total surtout des informations de seconde main : mais les Américains sont tellement enclins à se prosterner devant les conclusions des programmes de *massive research* qu'ils acceptent les résultats produits par ces institutions sans discrimination aucune. C'est ainsi qu'est apparu ce chiffre de 6 % de croissance de la production soviétique qui a été gobé par tout le monde, même à Harvard! Tout est parti d'un symposium organisé sur l'économie soviétique, symposium typique de ces travaux de seconde main qui font monter les enchères.

Les statistiques soviétiques sont exceptionnellement fausses mais elles répondent à un code qui est *grosso modo* le suivant : l'information statistique est publiée sous la forme la plus obscure possible et avec de fréquents changements de définition temporelle; l'information n'est pas donnée si elle peut s'avérer gênante; si les journaux techniques respectent les deux prescriptions ci-dessus, ils ne sont pas censurés et peuvent être lus à l'étranger. Cette stratégie soviétique a plutôt remarquablement fonctionné : les économistes occidentaux se sont focalisés sur les chiffres publiés et ils ont rarement cherché d'autres informations. Ceux qui parlent le russe et qui ont fait l'effort de labourer l'océan de papier soviétique ont engrangé une maigre moisson, principalement sur la production de l'industrie lourde. Le véritable amateur de statistiques soviétiques, lui, sait que les conclusions les plus intéressantes auxquelles il pourra parvenir sont celles qu'il tirera des statistiques non publiées. Ainsi la publication des données relatives au coût de la vie cesse-t-elle brutalement en 1929 ; celle des naissances et des décès, en 1930. Un recensement fut organisé en 1937. Les résultats n'en seront jamais publiés : on découvrit en effet que le bureau des statistiques dans son entier était formé d'une bande de fascistes, de trotskistes et de saboteurs, qui avaient violé les canons de la science. Les bases des statistiques des récoltes de céréales furent brutalement changées en 1933 afin de faire apparaître non les moissons réellement faites, mais les moissons théoriques escomptées par les agronomes, sans tenir compte des pertes, des vols, des dommages climatiques, du pourrissement. Et ainsi de suite. Posez à un expert russe des questions aussi simples que : quels sont aujourd'hui la population russe et son taux de croissance ? Quelles sont la consommation alimentaire par tête et son évolution au cours des trente dernières années ? Quel est l'espace habitable moyen pour une famille ? A toutes ces questions votre expert manifestera son irritation, vous dira que les chiffres sont indisponibles, que vous vous intéressez à des choses peu significatives. Mais n'avez-vous jamais entendu parler de la production d'acide sulfurique en URSS ? L'expert que vous interrogez est précisément en train de mettre la dernière main à une étude sur ce sujet, qui montre très clairement que l'économie soviétique progresse rapidement...

En se fondant sur ses propres travaux, Colin Clark était arrivé à un taux de croissance de l'économie soviétique de 4,5 % pour la période 1928-1937 (chiffre qu'il était d'ailleurs enclin à réviser à la baisse). Quant à la période 1948-1950, la croissance notée résultait d'un phénomène banal : la phase de reprise que connaît tout après-guerre. Il est du reste scandaleux de vouloir dégager des tendances sur une période aussi courte. La vérité est que l'écart de productivité entre la Russie et l'Amérique s'accroît. L'industrie et les transports peuvent être organisés selon les méthodes de management soviétique. Mais ces méthodes échouent de manière spectaculaire pour l'agriculture et le logement. L'agriculture soviétique n'est pas meilleure qu'en 1913. Sur certains points, elle a même régressé. Un indicateur éclairant nous est fourni par les tracteurs : en saison, de 50 à 80 % d'entre eux ne fonctionnent pas et sont en atelier. Quant au logement, les chiffres sont éloquents : dans la Russie pré-révolutionnaire, la surface moyenne d'habitation pour la population urbaine était de 75 pieds carrés en 1913. A titre de comparaison, un logement d'habitation à loyer modéré aurait été occupé non par cinq personnes, comme en Angleterre, mais par quatorze. Suroccupation choquante, dira-t-on. Mais les Soviétiques d'aujourd'hui songent à cette situation avec nostalgie. Vers 1928, après que les dommages de la guerre et les dégâts de la révolution furent censés avoir été réparés, la surface habitable pour la population urbaine tomba à 65 pieds carrés. Le premier plan quinquennal planifia beaucoup mais construisit peu. La croissance de la population industrielle excédait grandement les capacités d'hébergement et, vers 1932, la surface moyenne d'occupation descendit encore : 53 pieds carrés. Après quoi, non seulement la situation ne se redressa pas, mais encore elle empira. En 1938, le chiffre descend à 43 pieds carrés par personne. Selon des sources fiables, les choses n'ont pas bougé jusqu'à aujourd'hui. Si nous conservons notre terme de comparaison, la même HLM anglaise n'hébergerait plus maintenant quatorze personnes, comme dans la Russie pré-révolutionnaire, mais vingt-quatre. Cela pour la population urbaine. On ne dispose pas de statistiques pour les campagnes. On sait seulement que les conditions de logement y sont pires qu'en ville.

Le taux de croissance remarquable de 4,5 % entre 1928 et 1940 a été atteint en raison d'un allongement considérable de la durée du travail et de l'accroissement de la population active. Or le nombre des naissances a connu une chute dramatique. Ce n'est donc pas sans raison que les statistiques de natalité ont alors disparu et qu'elles n'ont jamais été recalculées. Les statistiques démographiques soviétiques sont encore plus obscures que les statistiques économiques. En 1954, à la conférence mondiale de la population, les délégués soviétiques n'ont fourni aucun chiffre. Comme on ne peut pas tout dissimuler, ils sont allés jusqu'à publier des statistiques fausses pour les années 30. On peut raisonnablement penser qu'à cette époque il y a eu stagnation et même décroissance certaines années, en raison de la chute de la natalité et des morts entraînées par la collectivisation de l'agriculture. Si un recensement avait été entrepris après la Seconde Guerre mondiale, on en aurait entendu parler. A partir de données fragmentaires, quelques statisticiens occidentaux estiment à 215 millions d'habitants la population actuelle de l'URSS. En tenant compte des pertes de la guerre, on arrive à un accroissement de 2 millions d'habitants depuis 1939, soit une croissance de 1 %. Il semble qu'aujourd'hui la croissance soit très basse. Mais les Soviétiques bluffent pour impressionner les autres pays.

La discussion qui suivit porta principalement sur la validité de la comparaison entre systèmes, la véracité des chiffres avancés et la pertinence des périodes retenues, la signification de la planification en URSS. De manière originale, en réaction aux interventions de Peter Wiles et de Libero Lenti, qui ne voyaient aucun signe de marché en URSS, Edward Shils mit l'accent sur l'importance du marché informel dans le système. Il est vrai, expliquait-il, que le régime est explicitement, ouvertement, réglementairement organisé par la planification. Mais un système de planification ne peut jamais être total : il requiert de l'improvisation de la part des chefs d'entreprise et ce n'est pas parce que l'on ne détecte pas le marché dans les textes officiels qu'il n'existe pas en réalité. Il existe mais il est difficile à identifier car un dirigeant qui se fait prendre va au-devant de très grandes difficultés. Dans les domaines scientifique, militaire et industriel, une des caractéristiques de l'administration soviétique est de fixer des buts sans donner les ressources pour les atteindre. Aussi les chefs d'entreprise doivent-ils mettre en œuvre une sorte de chapardage en marge de la réglementation pour obtenir la matière première et les produits semi-finis dont ils ont besoin. Au-delà de l'hommage à rendre au génie de l'improvisation russe, il demeure qu'il existe bel et bien une forme d'économie de marché fragmentée et informelle en URSS. Il existe d'ailleurs des données sur ce point à partir de témoignages recueillis auprès des réfugiés, anciens chefs d'entreprise et anciens officiers.

Richard Löwenthal et Michel Collinet, dans deux interventions complémentaires, mirent l'accent, quant à eux, sur les différences d'orientation fondamentales du système soviétique et du capitalisme libéral. Aucun des plus vieux pays industriels (à commencer par la Grande-Bretagne), expliquait Löwenthal, n'a construit son industrie en donnant la priorité à l'industrie lourde sur les biens de consommation. Partout l'industrialisation a commencé par le textile, qui suppose une consommation, donc la création d'un marché. De là, la croissance s'est diffusée progressivement. En Union soviétique, il y a eu dès l'origine une décision délibérée de construire une industrie lourde sans considération du marché. Jouvenel a mis l'accent sur les transferts massifs de population mais ce n'est pas cela qui a été décisif; ce qui l'a été, c'est la volonté de devenir une puissance mondiale, et l'industrie lourde était une condition *sine qua non* pour y parvenir. C'est pour cela que les Soviétiques ont fait des transferts massifs de population, même au prix d'un déclin de la production agricole. Certes, les deux systèmes ont rempli les mêmes fonctions d'accumulation, mais dans des perspectives diamétralement opposées : en vue du pouvoir, de la puissance, des armements pour le système totalitaire; pour le profit, condition de création d'un marché générateur de consommation, pour le système capitaliste. Leur comparaison, la comptabilisation de leurs réussites et de leurs échecs doivent être faites au regard de leurs orientations fondamentales respectives.

Collinet souligna de son côté l'importance des motivations politiques dans la construction de l'économie soviétique. Il suffit pour le vérifier de se reporter aux discussions qui ont eu lieu en 1927-1928 entre les différentes tendances communistes pour savoir que le problème essentiel n'était pas d'offrir des satisfactions plus élevées à la population mais de consolider le pouvoir soviétique en attendant la révolution mondiale. C'est là-dessus que les tendances se sont battues et que Staline a pu triompher à la fois de Trotski, d'un côté, et de Boukharine, de l'autre.

Löwenthal et Collinet se retrouvaient également sur un point : l'URSS est aujourd'hui confrontée à un nouveau défi, le défi de la productivité, car la période des transferts massifs de population est terminée. Mais l'introduction de la productivité sera extrêmement difficile, dans la mesure où la faible productivité est consubstantielle au mode d'industrialisation totalitaire. Pour illustrer le phénomène, Collinet rappela qu'en 1948-1949, pour se procurer une main-d'œuvre nouvelle,

Khrouchtchev avait inauguré un système de super-kolkhozes, les agrovilles, mais que cela s'était révélé un échec total. Cet échec n'en rendait que plus urgente l'amélioration de la productivité. Toutefois, celle-ci demeurait très aléatoire : le rapport publié par Malenkov en 1953 faisait apparaître un essoufflement de l'industrie lourde. Dans une perspective voisine, Bertram Wolfe expliqua que la croyance en la supériorité de la centralisation pour effectuer plus facilement les transferts de technologie était une fable. L'inverse est plus vrai : le meilleur processus pour diffuser la technologie dans une branche industrielle demeure la compétition ouverte. Or l'univers soviétique est celui du secret et l'URSS un pays de main-d'œuvre bon marché, où l'industrie repose plus sur la chair humaine que sur l'innovation technologique.

Au-delà des discussions techniques et historiques, André Philip et C.A.R. Crosland devaient tirer les enseignements politiques de ce débat. Le vrai problème qui est devant nous, expliqua Philip, n'est peut-être pas tant le déséquilibre entre les taux de croissance de l'URSS et des États-Unis que le déséquilibre entre les taux de l'URSS et des États-Unis d'un côté et ceux des pays d'Europe occidentale de l'autre. L'Union soviétique et les États-Unis possèdent de vastes espaces. Aux États-Unis, même les mots « liberté d'entreprise » ne correspondent plus à la réalité : il existe désormais de grandes organisations capables de prendre des macrodécisions. En Europe occidentale, particulièrement en France et en Italie, se maintiennent des entreprises et des structures datant d'avant le régime de production issu de la révolution industrielle : agriculture qui commence à peine à se moderniser ; petites et moyennes entreprises qui en sont encore au stade du XIXe siècle ; appareil de distribution trop lourd. Toutes ces forces jouent en faveur du *statu quo*. Si on ouvre les barrières en laissant jouer la concurrence étrangère en économie libérale, le capital ira au capital et la main-d'œuvre là où est déjà la main-d'œuvre, conduisant ainsi à un développement des régions riches et à une aggravation de la crise dans les régions sous-développées. Il est indispensable par conséquent d'examiner ces problèmes à l'échelle européenne. Par ailleurs, le temps du libéralisme est terminé. L'État doit intervenir et avoir une orientation générale de politique économique sous forme de pari pour la création de structures nouvelles. L'État doit s'occuper de l'orientation de l'ensemble de la vie économique, sans aboutir pour autant à un dirigisme strict : il doit chercher à créer des cadres au sein desquels de nouveaux automatismes seront capables de fonctionner. L'Europe, enfin, ne pourra supporter la concurrence de l'URSS que dans le cadre d'une Europe unifiée, non seulement par la suppression des barrières douanières, mais encore par le développement des politiques d'investissement, de la productivité et d'orientations communes dans les industries de base.

C.A.R. Crosland supposait que Peter Wiles avait raison et s'interrogeait sur l'impact d'un taux de croissance soviétique supérieur à celui de l'Occident au cours des vingt-cinq prochaines années. Pareille hypothèse ne lui paraissait pas avoir des conséquences aussi importantes que Peter Wiles le donnait à penser. Sans doute un niveau de croissance moins élevé signifie un niveau de vie moins élevé. Mais même si l'hypothèse de Wiles se vérifie, les États-Unis et la Grande-Bretagne disposeront encore d'une amélioration de leur niveau de vie extrêmement rapide au regard des évolutions historiques. Au taux actuel, la Grande-Bretagne doublera son niveau de vie à l'horizon de vingt-cinq ans. Par ailleurs, l'argument selon lequel un taux de croissance moins élevé dans les pays du Pacte atlantique affaiblirait leur potentiel de défense face à l'URSS est un argument pré-atomique et tout à fait obsolète. La force ne dépend plus aujourd'hui de manière linéaire de la production d'acier, elle dépend de l'innovation technique. Un taux de croissance moins rapide ne nous empêcherait pas de maintenir notre position face à l'URSS dans le domaine atomique.

En troisième lieu, on laisse entendre qu'un taux de croissance moindre en Grande-Bretagne, en Amérique et en Europe de l'Ouest diminuerait l'intérêt et l'attraction que leur portent les pays en voie de développement. Mais les gens de ces pays ne liront pas la communication de Wiles et ne se passionneront pas pour une discussion fine sur des taux de croissance comparés. Ils se feront une opinion globale à partir des films, des magazines, des leaders de communication de masse. Il est assez peu vraisemblable que dans vingt-cinq ans les hommes de ces pays aient l'impression que le niveau de vie des États-Unis est déplorable et loin derrière celui des Russes. Il existe, il est vrai, une variante de cet argument. Le taux de croissance supérieur des Soviétiques permettrait à l'URSS de donner plus d'argent que les Occidentaux aux pays en voie de développement. Mais pareil argument repose sur des illusions dangereuses. Le « décollage » d'un pays ne dépend pas nécessairement de l'aide étrangère. L'aide elle-même ne dépend pas du taux de croissance. Elle relève d'une décision gouvernementale qui dépend beaucoup plus de la balance des paiements. Du reste, l'attente des pays sous-développés ne porte pas sur une part de la production globale mais sur des biens spécifiques et hautement spécialisés. L'Occident peut parfaitement maintenir son avance en ce domaine même si son taux de croissance global est inférieur à celui de l'URSS. Trop se polariser sur le taux de croissance finit à la longue par être dangereux. Il existe d'autres valeurs à prendre en considération : la liberté, l'égalité, la sécurité. Préoccupons-nous-en, mais ne soyons pas obsédés comme le sont un certain nombre de journalistes occidentaux.

L'ouverture au troisième monde

L'inclusion du troisième monde dans les débats du Congrès pour la liberté de la culture lors de la conférence internationale de Milan se fait naturellement, comme le montre la ventilation des rapporteurs et des intervenants, sur la base de l'implantation internationale à laquelle est parvenue l'organisation au cours des cinq années précédentes. L'Asie joue, dans cet élargissement du débat, le rôle central, l'Inde et le Japon en fournissant les deux points d'appui principaux. Des comités nationaux du congrès sont implantés dans ces deux pays, où ils se montrent très actifs. Décolonisée après la Seconde Guerre mondiale, l'Inde vit sous un régime démocratique, en opposition à la Chine communiste, sa voisine. La décolonisation de l'Inde (1947) et la prise du pouvoir par les communistes en Chine (1949) sont pratiquement contemporaines. Le Japon, comme l'Allemagne, a été après sa défaite soumis à un régime militaire d'occupation. Comme l'Allemagne encore, la nouvelle Constitution qui le régit a subi l'influence américaine. Mais, à la différence de l'Allemagne, le régime militaire d'occupation n'est pas quadripartite mais exclusivement américain. L'importance de l'enjeu asiatique pour la diplomatie américaine est attestée par la mise sur pied du congrès de Bombay, en mars 1951, au moment où se met en place à Paris le Secrétariat international issu de la première réunion de Berlin.

Milan apparaît ainsi, l'année même de la conférence de Bandoeng, comme la première grande manifestation internationale de rencontre et de débat entre l'Amérique, l'Europe et l'Asie, faisant converger les réseaux politiques et intellectuels construits à partir des foyers initiaux de Berlin et de Bombay. A partir de cette ossature, les représentants de deux pays africains anglophones en voie d'émancipation, le Nigeria et la Gold Coast, doivent parfaitement s'insérer dans les débats. En revanche, comme le souligne un participant chilien, l'Amérique latine et ses problèmes sont tout à la fois marginalisés et marginaux dans la réunion. Santa Cruz, le Chilien, se borne à attirer l'attention des congressistes sur trois points : l'indéniable fascination pour les progrès de l'URSS des populations des pays sous-développés ; le rôle de la propagande communiste, par le biais notamment de voyages organisés en Pologne, en Roumanie et en Chine ; le rôle souvent néfaste de la presse des pays démocratiques, encline à monter en épingle les performances économiques des dictatures nuisant aux démocraties comme la démocratie chilienne.

Le Moyen-Orient, représenté par deux pays, l'Égypte et le Liban, présentait une physionomie particulière. Le représentant égyptien, un planificateur, se coulait sans difficulté dans la problématique générale du débat. En revanche, Kamal Jumblat, le représentant libanais, choisit de faire porter sa communication [1] sur la spécificité de l'influence communiste dans le monde arabe. Ici, en effet, la prise en compte de la seule compétition entre des modèles de croissance est insuffisante. Trois phénomènes sont à prendre en considération pour comprendre le nationalisme arabe : le pétrole, l'existence d'Israël et la décadence de la civilisation elle-même. Jumblat se prononçait pour la création d'un État israélo-palestinien intégré dans une organisation économique régionale, seule mesure capable à ses yeux de réduire le nationalisme arabe et la possible influence du communisme dans la zone. Mais le nationalisme arabe est

1. Kamal Jumblat, « Réflexions sur le nationalisme et les sociétés libres ».

également incompréhensible sans faire entrer en ligne de compte la décadence de la civilisation arabe elle-même. « Le complexe d'infériorité en Orient, écrivait-il, s'est engouffré plus avant dans le nationalisme en raison du sentiment de privation, de dépréciation dont l'Oriental se sent un peu responsable à la suite d'une régression et d'un arrêt de plusieurs siècles. » Ici, c'est davantage la décadence interne qu'un colonialisme extérieur qui explique la situation : si les institutions orientales avaient subsisté, elles auraient empêché les hommes de cette région d'être entraînés dans une fascination-répulsion pour l'idéal mécanique de l'Occident.

Les échanges prenant place au cours d'une séance-marathon placée sous la présidence de Denis de Rougemont, au cours de laquelle le maximum de représentants du troisième monde prirent la parole, visaient à renforcer le CCF dans son rôle de forum international non gouvernemental. Ils s'inscrivaient naturellement sur fond de décolonisation. Mais face au problème colonial, la situation des démocraties occidentales était asymétrique : les États-Unis pouvaient se présenter comme une démocratie issue d'une décolonisation, à l'inverse des deux principales puissances coloniales, l'Angleterre et la France. En cette année 1955, la France et l'Angleterre se trouvaient dans une situation diamétralement opposée. L'Angleterre incarnait un modèle de décolonisation pragmatique. La France vivait un moment instable, entre une guerre coloniale qui s'achevait (Indochine) et une autre (Algérie) qui s'ouvrait. Après sa défaite, la France n'avait plus son mot à dire en Asie, à la différence de la Grande-Bretagne et plus encore des États-Unis.

Il n'est donc pas surprenant que la réflexion sur la décolonisation soit introduite du point de vue anglais. Dans sa communication, Rita Hinden [1] relevait que les principales libertés (parole, presse, conscience, association) ont toujours été garanties dans les colonies anglaises. Mais plus les gens entrent en contact avec les affaires du monde, plus ils revendiquent une nouvelle liberté, la liberté nationale, à l'aune de laquelle les premières paraissent sans saveur. Aujourd'hui, les puissances impériales sont sur la défensive car l'opinion mondiale est du côté de la libération des colonies. Elles ont beau expliquer que pareille évolution peut conduire à la pauvreté, à transférer le

1. Rita Hinden, « Colonies and Freedom ».

pouvoir à des chefs locaux tyranniques ou à de grands propriétaires sans scrupules, à ouvrir la voie à de nouveaux impérialismes, elles prêchent dans le désert. Le chapitre XI de la charte des Nations unies stipule que les puissances coloniales ont pour devoir de prendre en compte l'aspiration des peuples, d'élargir leur autonomie et de les aider à développer librement leurs institutions. Tous ces éléments sont autant d'occasions en or offertes au communisme pour son expansion dans les pays à régime colonial. Les communistes apportent sans hésitation leur soutien aux mouvements pour l'indépendance, en couplant ce soutien avec une dénonciation sans faille de l'impérialisme – impérialisme assimilé, cela va sans dire, aux seules puissances occidentales.

A Milan, la France n'était toutefois pas au banc des accusés. Si, pour des raisons diplomatiques évidentes, aucun des pays colonisés par elle n'avait été invité, les hommes politiques français présents, André Philip et Robert Buron, tous deux acquis à la décolonisation et à l'aide des pays développés en faveur des pays sous-développés, prenaient une part active aux débats. André Philip surtout, dans une très longue intervention, mit l'accent sur quatre points :

– Ce à quoi nous assistons depuis la Seconde Guerre mondiale est l'effondrement du système international d'investissement privé développé depuis le XIXe siècle. La stabilité des prix mondiaux avait alors permis pendant soixante-quinze ans, tant aux États-Unis qu'en Grande-Bretagne, un système d'investissement privé massif à l'étranger qui avait dépassé 8 % du revenu national.

– Moderniser les économies des pays sous-développés suppose la création d'un marché intérieur. Mais cela ne peut et ne doit se faire sans de profondes réformes sociales, sinon les investissements étrangers profiteront exclusivement aux capitalistes et aux usuriers.

– On peut se demander si le modèle de l'Inde est véritablement généralisable aux petits pays et s'il ne faudrait pas envisager la création d'organisations régionales sur le modèle de la Communauté européenne du charbon et de l'acier.

– Il faut prendre garde à la transposition pure et simple, au nom de la démocratie, du parlementarisme dans les pays sous-développés.

Une double menace pèse sur l'avenir de la liberté en Asie : le communisme, incarné par la Chine, et la renaissance toujours possible de l'ultranationalisme japonais. Par rapport à cette double menace, l'expérience de l'Inde est cruciale. Entre 1952 et 1955, l'Inde a réussi un « décollage » économique autonome, en marge des dogmatismes. Dans une communication *princeps*, Éric Da Costa [1] rappelait ses succès sur plusieurs points : former du capital, autoriser des dépenses de consommation assurant l'élargissement des marchés, maîtriser sa balance des paiements : trois éléments que la théorie économique classique tenait pour irréalisables dans les pays sous-développés (et d'où résultait le cercle vicieux du sous-développement). Dans la seconde partie de son rapport, Da Costa analysait les relations entre progrès économique, élévation du niveau de vie et liberté de la culture. Sur ce point, le rapporteur était plus prudent car les ressources de l'État risquent toujours d'être monopolisées par une petite élite cherchant à imposer un ordre culturel monolithique. Toutefois, le développement économique peut permettre à des individus d'exister plus librement et c'est en grande partie de leur courage que dépendra finalement la liberté dans leur pays. L'élévation du niveau de vie ne garantit pas la liberté. Elle renforce simplement les « défenses immunitaires » contre les comportements tyranniques ou totalitaires.

L'ouverture du débat sur le troisième monde visait à faire bénéficier les élites des pays en voie de développement des enseignements dégagés de l'analyse critique de l'économie soviétique. C'était une des leçons fortes de la communication de Colin Clark : les méthodes de *management* soviétique sont totalement inadéquates à la solution des problèmes les plus urgents des pays sous-développés. Ces derniers sont intéressés en priorité par la production de nourriture ; or dans ce secteur le communisme est un échec total. Les méthodes communistes ne marchent pas davantage pour le commerce, le logement et les services, secteurs où la productivité entraîne directement une amélioration des revenus réels. Il va de soi que le CCF mettait en question l'affirmation qu'une « phase » de dictature du prolétariat constitue le plus court chemin vers le développement. Il voulait, de plus, rompre avec une idée qui avait cours dans

1. Eric Da Costa, « Cultural Freedom in an Underdevelopped Economy. An Indian Case History ».

certains milieux internationaux, revenant à diviser le monde en deux zones : une zone développée dominée par la pensée et les méthodes keynésiennes; une zone sous-développée où Keynes devrait en quelque sorte s'effacer devant Marx.

Après la mort de Staline, succédant aux défaites de Hitler et de Mussolini, le troisième monde constituait la nouvelle frontière de la liberté. Woytinsky dressa à Milan une géographie historique de la liberté [1]. Il y eut un moment, au cours de la Seconde Guerre mondiale, où la majorité des peuples d'Europe et d'Asie furent sous la domination de gouvernements dictatoriaux. Les Alliés devaient renverser le courant. La liberté fut restaurée dans la plupart des pays d'Europe et d'Asie tandis que l'Europe de l'Est demeurait prisonnière d'un pouvoir dictatorial. La soviétisation de la Chine fut le plus sévère revers du monde libre. A partir de la Chine, la vague totalitaire s'étendit à la Corée du Nord et à l'Indochine. En 1952, un tiers de la population du globe, soit 820 millions de personnes, vivait sous un régime absolutiste. Quelque 18 millions dans des royaumes médiévaux, 37 millions dans des États corporatistes ou fascistes, le reste sous la dictature communiste. Woytinsky annexait d'ailleurs à son rapport un classement des 79 États existant alors dans le monde selon leurs régimes politiques (cf. tableau p. 208).

Si la conférence de Milan frayait la voie à une analyse comparée des méthodes de développement, elle manifestait également le souci de ne pas s'enfermer dans des alternatives rigides. Da Costa, Doxiadis, Parikh, Lewis insistaient tous sur ce point dans leurs communications en même temps qu'ils exprimaient un faisceau de préoccupations communes : prise de distance avec la théorie économique classique; centralité du problème de l'accumulation du capital; volonté de maintenir fermement la différence entre démocratie et totalitarisme mais recherche expérimentale d'une approche du développement qui ne s'enferme pas dans une opposition brutale. C'était retrouver une fois de plus le problème de la planification. Plusieurs intervenants insistèrent sur le fait qu'il existait toute une palette de situations intermédiaires entre la planification autoritaire et le marché. La nécessité d'une planification (éducation, santé, équipement) dans les pays du troisième monde était admise par

1. W.S. Woytinsky, texte cité.

RÉGIMES POLITIQUES ET POPULATIONS

Pays	Population en 1952 en millions
I. Gouvernement parlementaire	1 339
A. République	963
États-Unis	157
Mexique	26,9
Guatemala	3
Salvador	2
Honduras	1,6
Nicaragua	1,1
Costa Rica	0,8
Panama	0,8
Cuba	5,7
Haïti	3,2
République dominicaine	2,2
Venezuela	5,3
Colombie	11,8
Équateur	3,2
Brésil	54,5
Pérou	8,9
Bolivie	3,1
Paraguay	2,4
Chili	5,9
Uruguay	2,4
Argentine	18,1
Irlande	2,9
Islande	0,1
France	42,6
Finlande	4,1
Suisse	4,8
Autriche	6,9
Italie	46,9
Turquie	22
Liban	1,3
Israël	1,4
Syrie	3,4
Inde	367
Birmanie	18,9
Indonésie	78,2
Philippines	20,6
Liberia	1,7
Égypte	21,4
B. Monarchie constitutionnelle	376
Canada	14,4
Royaume-Uni	50,4
Luxembourg	0,3
Belgique	11,7
Pays-Bas	10,4
Danemark	4,3
Suède	7,1
Norvège	3,3
Grèce	7,8
Japon	85,5
Jordanie	0,5
Irak	5,2
Iran	19,5
Afghanistan	12
Pakistan	76,6
Thaïlande	19,2
Ceylan	7,9
Éthiopie	15,3
Libye	1,1
Afrique du Sud	12,9
Australie	8,6
Nouvelle-Zélande	2
II. Gouvernement absolutiste	819,1
A. Monarchie absolue	18,3
Arabie Saoudite	6
Yémen	4,6
Koweït	0,2
Bahreïn	0,1
Népal	7,1
Bhutan	0,3
B. Dictature	800,8
Pologne	25,5
Tchécoslovaquie	12,7
Hongrie	9,5
Portugal	8,5
Espagne	28,3
Yougoslavie	16,7
Roumanie	16,5
Bulgarie	7,5
Albanie	1,3
URSS	210
Chine	463,5
Mongolie	1
III. Pays divisés	99,7
Allemagne	70,4
Corée	29,3

tous, comme était très largement admise (à une ou deux réserves près) la nécessité d'une aide économique de la part des gouvernements occidentaux.

Aux yeux d'Arthur Lewis, il ne faisait pas de doute que des méthodes totalitaires pouvaient assurer une croissance plus rapide que des méthodes démocratiques, mais il lui paraissait surtout essentiel de reformuler le problème pour se demander comment assurer un niveau de vie adéquat sans faire appel à de telles méthodes. Par niveau adéquat, on pouvait entendre une croissance d'environ 4 % par an, permettant de doubler le niveau de vie sur trente ans. Il soulignait la nécessité de réformes agraires pour accroître la production alimentaire tandis que le développement de la production industrielle pourrait être obtenu par l'éducation technique et l'élargissement des marchés. Deux problèmes restaient difficiles à résoudre pour assurer une croissance raisonnable dans un cadre démocratique : que les gouvernements aient le courage de faire les prélèvements fiscaux nécessaires; que le secteur privé joue le jeu de l'accumulation et de l'investissement.

L'État, le nationalisme, les intellectuels formaient trois questions au cœur de la rivalité entre méthodes totalitaires et méthodes démocratiques pour assurer le progrès des pays sous-développés dans une conjoncture internationale marquée par le mouvement d'accession des peuples à l'indépendance et la bipolarisation du monde. Une fois de plus, l'Inde apparaissait à la pointe des interrogations. G.D. Parikh circonscrivit dans sa communication [1] le triple consensus sur lequel se fondait le débat : sur les critères du sous-développement [2]; sur la priorité à l'industrialisation; sur la nécessité d'un effort gouvernemental. Il souligna alors l'importance des facteurs culturels et attira l'attention des congressistes sur le statut indéterminé de la prise en compte de la tradition dans le raisonnement. La décolonisation arrache les populations à la tradition. La tradition, même affaiblie, demeure un obstacle pour les gens soucieux de croissance économique. Toutes les conditions étaient ainsi réunies pour voir ces pays se bureaucratiser très

1. G.D. Parikh, « Economic Progress of Underdevelopped Countries and the Rivalry between Democratic and Totalitarian Methods ».

2. Faible productivité de l'agriculture; manque de capitaux; faible niveau de vie; taux de mortalité; espérance de vie; faible industrialisation. Ces six dimensions se cumulent pour engendrer le cercle vicieux de la pauvreté.

rapidement. Aussi Parikh plaidait-il pour une approche centrée sur les gens *(« people centered approach »)* à travers un processus très décentralisé au niveau des villages, où les populations elles-mêmes seraient encouragées à résoudre leurs problèmes, plutôt qu'une approche centrée sur l'État générateur de bureaucratie par la recherche de l'efficacité à tout prix. Pour un tel développement communautaire, l'éducation, intégrant dimensions économique et culturelle, est décisive. Dès avant Milan d'ailleurs, le CCF avait organisé dans le Sud-Est asiatique, à Rangoon, une première réunion consacrée aux problèmes du sous-développement et un compte rendu en avait été distribué aux participants à Milan. Les propos de Parikh s'inscrivaient dans une perspective gandhienne, qui s'était déjà exprimée à la réunion de Rangoon. Cette perspective réagissait contre la priorité exclusive accordée à l'accroissement des ressources économiques et pointait un manque de courage potentiel des dirigeants prêts à céder à la demande des populations en faveur d'une arrivée massive de biens de consommation. Les gouvernements démocratiques risquaient ainsi de se piéger eux-mêmes. En effet, le vrai danger du communisme est de faire croire que l'on peut tout avoir du jour au lendemain. Le développement économique n'a en soi aucune valeur. Il doit être référé à des valeurs supérieures.

Le nationalisme, lui, représente tout à la fois une idée importée d'Europe et une réponse à la présence européenne [1]. La colonisation a constitué un processus de modernisation qui, par inclusion des populations dans un système politique plus large, de la tribu à la ville, de la ville à la nation, a frayé la voie au nationalisme. Le nationalisme, à la racine des revendications d'indépendance, traduit un double enjeu : celui de dépasser la volonté humiliante du colonisé, mais aussi celui de s'approprier une technique occidentale, l'État-nation lui-même [2]. Les nationalismes du troisième monde sont de ce fait très peu orientés vers la liberté, la volonté de créer un État, perçu comme la condition *sine qua non* pour sortir du sous-développement, l'emportant sur toute autre considération. Vers le début du siècle, écrivait Hans Kohn [3], un mythe dangereux

1. K.A. Busia, « The Influence of Colonialism and Racial Conflicts on the Development and Maintenance of Free Societies ».
2. Herbert Passin, « Nationalism in Asia ».
3. Hans Kohn, « Repensons le nationalisme ».

est né dans les milieux intellectuels occidentaux, mythe selon lequel le capitalisme et l'impérialisme seraient intrinsèquement mauvais tandis que le socialisme et le nationalisme seraient pour leur part intrinsèquement bons.

Kohn ajoutait :

> Le communisme se sert aujourd'hui de l'anti-impérialisme et du nationalisme comme de ses deux armes idéologiques les plus puissantes dans la guerre contre la liberté. La propagande communiste bénéficie du fait que beaucoup d'intellectuels occidentaux acceptent l'étrange théorie de Lénine que l'impérialisme est le produit du capitalisme décadent, que les nations capitalistes sont nécessairement impérialistes et qu'impérialisme signifie avant tout exploitation économique.

Dès l'origine, le Congrès pour la liberté de la culture s'était donné pour tâche de dissocier les intellectuels du communisme, qui prétendait se présenter comme l'aboutissement ultime du rationalisme laïc de l'Occident. Chez les intellectuels des pays en voie d'émancipation, l'attrait pour le communisme s'enracinait davantage dans la fascination pour le modèle soviétique. En Europe, la dernière éruption nationaliste remontait aux années 30. Mais le nationalisme virulent du troisième monde, secouant le joug colonial, rejoignait la dénonciation de l'impérialisme chez les intellectuels communistes ou progressistes en Occident. La séduction réciproque de ces deux partenaires était une donnée nouvelle de la situation internationale après la disparition du totalitarisme fondé sur la terreur dans l'empire soviétique.

Prolongeant l'exploration de la situation intellectuelle, Hugh Seton-Watson, dans une intervention à la tribune, rappela que l'intelligentsia comme élite séculière avait mis longtemps à se dégager en Occident. Or, dans les pays en voie d'émancipation, des idées politiques qui avaient mis des siècles à mûrir entre la Réforme et le XIXe siècle étaient importées directement, préfabriquées en quelque sorte et sans mûrissement interne. Les pays qui accèdent à l'indépendance en cette seconde moitié du XXe siècle se trouvent dans une situation qui n'est pas très éloignée de celle de la Russie du XIXe siècle – situation caractérisée par un écart considérable entre l'élite cultivée et les masses. C'est dans cet écart qu'il faut chercher une des explications de l'extraordinaire séduction des idées révolutionnaires sur l'intelligentsia et l'épanouissement rapide des utopies maximalistes. Le développement industriel ne résout en rien ce problème – loin de faire disparaître les causes du totalitarisme dans ces pays, il pourrait les renforcer en accélérant l'instabilité intellectuelle.

La discussion sur le nationalisme dans le troisième monde comportait enfin une dimension asiatique spécifique : le cas japonais [1]. Le Japon, en effet, avait assuré sa propre modernisation de manière endogène à travers un processus autoritaire culminant dans l'ultranationalisme. Sans doute, après la Seconde Guerre mondiale et sa défaite, le pays avait-il été doté d'une Constitution démocratique. Mais l'ultranationalisme couvait à l'intérieur. A l'extérieur, la guerre d'Indochine avait fait passer la libération nationale avant toute autre considération en Asie. Le mode de traitement curatif du nationalisme japonais était très clairement explicité à Milan : il fallait désormais engager résolument le pays sur la voie du commerce international pour lui fournir l'exutoire indispensable à ses passions dangereuses.

Situation et tâches des intellectuels

Comparés aux universitaires et aux planificateurs, les écrivains sont faiblement représentés à cette conférence internationale. Milosz, Rougemont, Sperber, Silone sont les seuls écrivains de stature internationale à se retrouver dans la capitale lombarde. Mais ce relatif effacement ne signifie évidemment pas que les questions touchant au rôle des intellectuels concernant l'avenir des sociétés libres soient absentes des débats.

Plus que les communications de Czeslaw Milosz et de Manès Sperber, c'est celle de Raymond Aron qui définit le mieux l'esprit de Milan [2]. Aron traite en effet de l'inadéquation entre les catégories politico-intellectuelles héritées du XIXe siècle

1. Takeyasu Kimura, « The Economic Foundations of Freedom. Some Observations in the Light of Japanese Experience »; Tomoo Otaka, « L'autoritarisme au Japon »S

2. Raymond Aron, « Nations and Ideologies ».

et la réalité présente, en élargissant le cadre d'analyse au-delà de la situation économique, en direction d'une sociologie comparée des intellectuels. Lui aussi prend acte de la décrue de l'ardeur révolutionnaire, parfaitement symbolisée en France par les situations respectives de Malraux et de Sartre, le premier ayant combattu jadis en Chine et en Espagne tandis que le second se borne aujourd'hui à écrire d'interminables essais sur le prolétariat. Toutefois, derrière cette décroissance à peu près générale de l'enthousiasme révolutionnaire en Grande-Bretagne, en France, en République fédérale et aux États-Unis, les rapports des intellectuels à la politique sont profondément différents d'un pays à l'autre.

Deux faits dominent la situation anglaise, écrit Aron : premièrement, les institutions démocratiques ne sont pas contestées ; deuxièmement, le socialisme, qui n'a jamais été doctrinaire ou marxiste dans ce pays, est une réalité du présent et ne renvoie pas à un futur indéterminé. Les conflits partisans tout comme les conflits intellectuels ne mettent pas vitalement en cause la communauté britannique. Les difficultés et les désillusions de l'expérience socialiste ont été progressivement découvertes mais cette découverte ne générera rien d'autre que du dépit chez les partisans de l'expérience et du soulagement chez ses adversaires. On s'en est tenu au constat : le plein emploi n'a pas amené la richesse pour tous ; les nationalisations n'ont entraîné ni bénéfice miraculeux ni désastre ; la redistribution de la richesse a réduit les très hauts revenus et éliminé l'extrême pauvreté. Les passions intellectuelles ne s'échauffent que lorsqu'il s'agit des États-Unis et de l'URSS : alors les intellectuels de gauche anglais sont proches des *Temps modernes* et de *L'Observateur* à Paris, toujours prêts à dénoncer davantage le maccarthysme que le MVD, à pleurer les Rosenberg plus que les victimes des camps, à se montrer indulgents à l'égard de l'URSS et à dénoncer immédiatement la moindre erreur des États-Unis. Mais dès qu'il s'agit de la Grande-Bretagne, la reine et le Parlement leur suffisent. Ils ne remettent pas en cause leur société.

En France, tout au long du dernier quart de siècle, une vaste littérature a été accumulée sur les aspects politiques, économiques et sociaux des IIIe et IVe Républiques et un très large accord s'est dessiné sur les causes de la stagnation française :

faiblesse de l'exécutif, manque de dynamisme économique, disparités régionales de l'agriculture, fiscalité et droits de douane favorisant un trop grand nombre de petites entreprises, distribution non rationalisée, etc. Les intellectuels français connaissent bien cette situation mais ils transforment ce problème national spécifique en un problème d'apparence universel. Ainsi est-il fréquent de voir publiées côte à côte dans une revue française une étude empirique sur la classe ouvrière et une méditation quasi métaphysique sur la mission historique du prolétariat. La première sera prosaïque et juste, la seconde enflammée et, dans la plupart des cas, vide de sens. La situation n'est pas sans rappeler celle des intellectuels allemands des années 30. Est-ce à dire que la France d'aujourd'hui soit comparable à l'Allemagne de cette époque ? Il existe incontestablement une analogie : les intellectuels français sont humiliés par la défaite de leur pays et leur réaction à cette honte rentrée prend la forme d'une rébellion contre le monde extérieur, couplée avec des idéologies millénaristes d'évasion. Mais il existe une différence d'importance : on ne trouve pas aujourd'hui en France des millions de chômeurs prêts à suivre n'importe quel aventurier. Sans doute un très grand nombre d'ouvriers, peut-être même la majorité, votent-ils pour le Parti communiste. Mais l'infiltration communiste de la classe ouvrière aide davantage les conservateurs qu'elle ne conduit au radicalisme. Les intellectuels français sont ainsi placés devant des apories insolubles : en délicatesse avec leur pays, dont ils estiment qu'il plonge dans la médiocrité, alliés au prolétariat, dont ils reconnaissent la mission historique, mais récalcitrants à la discipline communiste, ils déchargent leurs frustrations en vitupérant les États-Unis et l'Alliance atlantique. Ainsi, tandis qu'en Angleterre le débat intellectuel est technique, en France il est idéologique; il se perd dans l'abstraction et il est anachronique pour l'action. Toutefois, ajoute Aron, il n'est pas totalement absurde : une interrogation radicale sur la civilisation industrielle ou le réformisme de la classe ouvrière va sans doute plus loin qu'une discussion raisonnable sur le *welfare state*.

Aux yeux d'Aron, la France et l'Angleterre représentent ainsi deux cas extrêmes de la relation entre nation et idéologie. La plupart des nations européennes démocratiques peuvent être classées par rapport à l'un ou l'autre pôle : les pays scandinaves et la Hollande du côté de l'Angleterre, l'Italie du côté de la France. Les pays du premier groupe ont bénéficié de la Réforme, n'ont connu aucun soulèvement révolutionnaire récent et disposent d'un bon niveau de vie. La France et l'Italie sont catholiques. L'opposition permanente à l'Église y crée une situation particulière et l'amélioration du niveau de vie des travailleurs y a été retardée.

Comprendre la situation en Allemagne et aux États-Unis requiert l'emploi d'autres catégories, permettant de faire émerger un autre couple d'oppositions. L'Allemagne de l'Ouest vit l'effondrement des idéologies de Marx et de Hitler, partis à la conquête du monde. Les Allemands ont été vaccinés contre les illusions. Purgé par la catastrophe (actuellement tout au moins), le pays du marxisme et du nationalisme se retrempe pieusement dans la pure doctrine libérale. Les ouvriers y votent socialiste mais ils ne sont plus marxistes (l'Allemagne est le pays européen qui a l'expérience la plus directe du communisme et ceci n'est pas sans rapport avec cela). La préoccupation centrale de la société est l'économie et non l'idéologie : réaliser un redressement économique dans une ambiance plutôt conservatrice, voilà qui est à des années-lumière du nationalisme des desperados nazis.

Aux États-Unis, les polémiques sont très violentes mais la situation est proche de celle de l'Angleterre : rien de vital n'est en jeu. Il existe en revanche un décalage entre l'idéologie des partis et la réalité, qui a changé au cours des vingt-cinq dernières années. De nombreux républicains continuent de haïr Roosevelt, l'homme qui a apporté le socialisme et l'État Léviathan. La vieille Amérique était à leurs yeux un modèle de libéralisme : la prospérité naissait des initiatives individuelles; l'accroissement de l'imposition et le développement du budget fédéral étaient freinés; la société refusait toute intervention du gouvernement dans l'économie; les services sociaux étaient inexistants. Toutefois, lorsque, après en avoir été écartés pendant vingt ans, les républicains revinrent au pouvoir, ils allégèrent faiblement la pression fiscale, supprimèrent quelques milliers de fonctionnaires, contrôlèrent mieux le crédit mais ne s'attaquèrent pas vraiment au cœur des réformes démocrates. La prospérité nationale continue et continuera d'être de la responsabilité du gouvernement. Démocrates et républicains s'opposent sur des mesures techniques qui rappellent l'opposition des conservateurs et des travaillistes en Grande-Bretagne. Il existe enfin aux États-Unis un consensus profond sur l'*American way of life* qui n'a pas d'équivalent en Europe et face auquel il n'existe aucune alternative dans la société américaine elle-même.

Seules la France et l'Italie ont, en Occident, de grands partis communistes. Dans les autres pays, il existe de petits partis qui sont des centres de conspiration et d'espionnage plutôt que des organisations de masse. Ici le communisme pose des problèmes de sécurité intérieure et de politique étrangère mais en aucune manière un problème intellectuel. Il y a dans l'orthodoxie stalinienne, poursuit Aron, une vision paranoïaque de l'histoire, qui consiste à intégrer dans le schéma millénariste marxiste des événements totalement invraisemblables selon les prévisions de Marx. La prise du pouvoir par les bolcheviks est ainsi la première étape de la mission attribuée par Marx au prolétariat. Ayant baptisé le parti « avant-garde du prolétariat », toutes ses victoires sont celles du prolétariat, et partout où Staline ou Malenkov règnent le prolétariat est mystiquement libéré. Toute révolution préparée par l'Armée rouge en Europe et toute révolution organisée par le Parti communiste en Asie, contrôlée par des intellectuels manipulant les masses paysannes, seront appelées socialistes et se réclameront de l'auteur du *Capital*. Mais Marx avait tout autre chose en tête. Il espérait que la victoire de la classe ouvrière conduirait à une distribution universelle des profits à partir de forces productives hautement développées. Les révolutions staliniennes sont imposées avant que les forces productives ne soient développées. Les régimes de type soviétique accroissent, à n'en pas douter, les moyens de production mais ils sacrifient beaucoup plus à ce que Marx appelait l'accumulation que ne le fait la société capitaliste.

Si la liberté et l'égalité sont la pierre de touche du socialisme, alors aucun régime n'est moins socialiste que celui de l'URSS : il a restauré une hiérarchie rigide, avec une classe dirigeante; la discipline dans les usines y est plus sévère que dans les pays capitalistes; le pouvoir est aux mains d'un groupe restreint qui s'en est emparé par la violence et qui le conserve grâce à la police et à la propagande. Donnons acte à ce pouvoir d'avoir mené à bien une gigantesque industrialisation mais qu'on ne nous demande pas d'admirer les bâtisseurs d'empires, de pyramides ou de stations de métro en marbre comme des bienfaiteurs de l'humanité. Aucun économiste sérieux ne soutiendrait que la société industrielle doive inévitablement aboutir à la planification soviétique, pas plus que les systèmes économiques anglais et américain ne doivent conduire à la stagnation et à la paupérisation des masses. La philosophie et la théorie de Marx, pas davantage que ses analyses économiques, ne fournissent un fondement pour l'interprétation stalinienne de l'histoire contemporaine. Il n'est pas un seul philosophe occidental qui tienne le matérialisme dialectique pour autre chose qu'une idéologie d'État ou une théologie séculière.

Après une analyse de la situation en Inde, en Chine et au Japon, Aron remarque en conclusion de sa communication que la controverse idéologique est mourante dans les sociétés occidentales. L'expérience a réfuté les espoirs exagérés mis dans la révolution et démontré que la conciliation d'exigences sociopolitiques divergentes est possible. L'Ouest devrait se débarrasser de son complexe d'infériorité. Des révolutions ont été stériles, d'autres ont été fécondes. Mais celles du XXe siècle ont installé des despotismes et prolongé le phénomène du terrorisme caractéristique des premiers soubresauts révolutionnaires. En conséquence, le phénomène soviétique ne devrait ni fasciner ni rendre perplexes les intellectuels de l'Ouest, à condition qu'ils veuillent bien ouvrir les yeux et se résoudre à ne pas rechercher une impossible perfection dans la société humaine.

Ainsi la conférence internationale de Milan engage-t-elle les intellectuels à sortir des sentiers battus et des clivages idéologiques anciens pour s'intéresser aux politiques concrètes et prendre part au renouvellement des analyses sociopolitiques des sociétés industrielles. Trois hommes, tous trois américains, Galbraith, Lipset et Bell, s'emploient à tracer de nouvelles voies pour le travail intellectuel [1]. Tous trois représentent le centre gauche de l'*American Committee for Cultural Freedom.* Galbraith note que, depuis les années 30, les attitudes des intellectuels en politique relèvent de la foi sociale. Le détachement

1. John K. Galbraith, « Economics, Ideology and the Intellectuals »; Seymour M. Lipset, « The Working Class and Democratic Values »; Daniel Bell, « The Ambiguities of the Mass Society ».

de la chose publique qui prévalait autrefois chez les savants ou les artistes paraîtrait aujourd'hui irresponsable. La négation de l'esprit scientifique dans le domaine de la politique tient peut-être au fait que la politique est organisée autour de partis et que les relations entre les intellectuels et les partis sont ambiguës. Un parti politique est une organisation qui se cristallise autour d'un système d'idées. Pour le politicien, les idées sont choses molles et vagues. Pour l'intellectuel, au contraire, les croyances sont choses sérieuses et, critiquant le cynisme du politicien, il n'en embrasse que plus totalement les idées du parti. La doctrine du parti se transforme alors en théorie sociale. Les intellectuels ont en effet tendance à préférer être à côté de la plaque plutôt que d'être insincères, se tromper plutôt que d'être cyniques. C'est de ce tout ou rien qu'il faut sortir, tout ou rien qui conduit soit à « décoller » de la réalité, soit à refuser de s'engager, en raison de l'extrême simplification à laquelle conduisent les conflits politiques. Galbraith en appelle à un nouveau civisme, fondé sur le nécessaire compromis entre idée individuelle et norme de groupe : l'intellectuel engagé dans les affaires publiques deviendrait alors plus flexible, moins intransigeant, plus ouvert et au total plus scientifique qu'aujourd'hui. Une des grandes erreurs a été de confondre deux types de normes : les principes renforçant et protégeant les droits et les libertés individuelles et les principes guidant la politique économique et sociale. En ce domaine, le particulier doit l'emporter sur le général, le cas sur la règle. Ce qui a perdu les gouvernements des années 30, c'est de s'accrocher à des principes généraux. Aujourd'hui, fort heureusement, nous sommes libérés des dogmes, à l'inverse des pays communistes, où la politique économique et sociale est entièrement dépendante d'un dogme.

Galbraith invitait les intellectuels à se dégager de la foi sociale au profit de la science sociale. Dans ce passage, la sociologie devait tenir une place de choix, et les deux sociologues de l'université de Columbia présents, Seymour Martin Lipset et Daniel Bell, s'employaient à travailler au renouvellement des analyses. Lipset développe une approche révisionniste de la classe ouvrière qui attaque de front les dogmes des intellectuels progressistes : la classe ouvrière, explique-t-il, ne peut plus être considérée en soi comme une force de liberté. Abandonnant la théorie du prolétariat émancipateur, le sociologue s'interroge sur les comportements politiques des ouvriers. Il montre que c'est la dimension autoritaire du communisme qui conduit les classes populaires à lui donner leurs suffrages. L'acceptation de normes démocratiques requiert un haut degré de sophistication et de sécurité. Les classes populaires – à la différence des classes moyennes urbaines, plus ouvertes et moins autoritaires – sont attirées par les partis ou les hommes qui « démonisent » la vie politique, le communisme aussi bien que le sénateur Joe McCarthy. Les partis sociaux-démocrates ont réussi à conjuguer la prise en charge des luttes pour la liberté économique et les idéaux de liberté civile. Même chez eux, il existe une différence d'attitude entre la base et le sommet : les leaders sont plus ouverts aux valeurs démocratiques que les électeurs. L'enjeu est donc clair : il s'agit de gagner la confiance et de fixer la loyauté des travailleurs à des partis démocratiques capables de défendre efficacement des intérêts économiques de classe.

La communication de Daniel Bell représente une autre forme de révisionnisme sociologique, qui s'emploie à montrer que les vieilles notions de « société de masse » et de « capitalisme » (issues des convulsions des années 30) ne sont plus pertinentes pour penser la société contemporaine. La théorie de la société de masse, arc-boutée à une tradition philosophique pessimiste, utilisée pour expliquer la vulnérabilité au nazisme, est maintenant utilisée pour expliquer la vulnérabilité de la société moderne au bolchevisme. Toutefois, les enquêtes sociologiques font apparaître que la situation n'est pas aussi noire. De plus, la société américaine fournit en quelque sorte un contre-exemple pour la théorie. Les États-Unis sont une terre de changements brutaux, mais non une terre d'anomie. Ils ne sont guère perméables à l'influence communiste. Les groupes de pression et les associations volontaires y foisonnent. Le capitalisme familial d'autrefois y est mort. Il a été remplacé par de très grandes organisations et la légitimation du pouvoir n'est plus assise sur la propriété mais sur l'entreprise et le fait d'entreprendre. Bell se défend de vouloir présenter une nouvelle théorie générale à opposer aux anciennes. Son texte met cependant en relief la centralité de la mobilité dans les sociétés industrielles modernes : mobilité sociale, définissant les capacités d'ouverture d'une société perméable aux aspirations sociales; mobilité des instances de pouvoir remplaçant les classes dirigeantes d'autrefois.

L'IMPACT DE LA CONFÉRENCE DE MILAN

Il revint à un Italien, Adriano Olivetti, de clore la manifestation. Président d'un groupe industriel familial, Olivetti avait fondé en 1948 le mouvement *Comunita*, d'inspiration personnaliste et d'orientation socialiste humaniste. Agissant en mécène, il devait donner une forte impulsion au développement de la sociologie en Italie. Le grand patron éclairé, ne séparant pas l'action et la réflexion, était tout désigné pour inscrire une réflexion proprement italienne dans le cadre général de la conférence [1]. Le tableau qu'il brossait de son pays était sans complaisance : un Nord industriel en progression; un Sud pauvre et sous-développé; un régime démocratique faible après une longue parenthèse totalitaire. Malgré les 60 milliards de dollars dépensés par le plan Marshall, 40 % de l'opposition légale au Parlement sont aux mains de partis totalitaires de gauche, de droite ou influencés par eux. Sept ans après l'approbation de la nouvelle Constitution, le Parlement discute encore pour savoir s'il convient de l'appliquer à des questions délicates comme la défense des libertés individuelles ou l'autonomie régionale. De plus, Adriano Olivetti relevait des symptômes inquiétants d'involution : disparition de la presse indépendante des monopoles; décadence des institutions universitaires; pauvreté des associations culturelles; monopole gouvernemental sur la radio et la télévision; 4 millions de personnes au-dessous du seuil de subsistance; des milliers de sans-logis. Administrateurs et comptables, aveuglés par leur adoration du chiffre, une fois revenus aux commandes, ont de nouveau oublié les personnes. Ils ont oublié que l'argent que leurs chiffres représentent est destiné à créer du travail. Sans doute l'effort technique de l'État est-il important mais il ne touche pas la vie

1. Adriano Olivetti sera ultérieurement élu député, en 1958, sous l'étiquette *Comunita*. Il mourra deux ans plus tard.

sociale de l'homme, qui seule peut l'arracher à l'isolement, à la décadence morale et lui conférer une nouvelle dignité. Nos villes s'étendent de manière chaotique pour des fins égoïstes, matérialistes, sans vraie signification venant d'une vision générale de la vie. La culture, détachée d'une conscience morale, se réduit à l'acquisition de diplômes et n'exerce aucune influence sur la manière de penser et de vivre. Notre résurrection n'est possible que si jour après jour nous réformons la structure de l'État, si nous donnons une nouvelle responsabilité et une nouvelle moralité aux industries, si nous accordons autonomie et vigueur aux syndicats, si, en un mot, nous soustrayons le pays à la torpeur dans laquelle il s'enfonce pour réorganiser la société italienne en vue de l'éducation et de la satisfaction des besoins. Une société nouvelle ne pourra être créée que par des forces nouvelles personnalistes et communautaires. Le personnalisme communautaire, poursuivait-il, se réalise en recréant dans les usines, dans les régions, un tissu social, expression d'un christianisme social intimement vécu et qui tire des conséquences pratiques de ses prémisses théoriques. Aujourd'hui, à l'inverse, l'État, par la médiation des partis, est l'arbitre absolu du destin des individus, qu'il traite comme des moyens pour parvenir à ses fins.

Pour que la personne soit libre, il faut que l'État existe pour l'homme et non l'homme pour l'État. Or aujourd'hui les hommes politiques voudraient redresser la situation d'en haut, par la bureaucratie centrale, à l'ombre des commissions et de la puissance occulte des appareils de parti. Mais ce processus, tout à la fois compliqué et déréglé, n'apportera aucune solution aux problèmes réellement vécus par les gens. Des millions d'Italiens attendent un renouvellement moral et matériel : les forces des jeunes nous remplissent d'espoir mais nous craignons aussi la nature cancéreuse des forces négatives qui sont à l'œuvre dans notre société.

Une assemblée générale du CCF fut organisée immédiatement après la clôture de la conférence internationale. Elle offrit d'abord l'occasion d'une information sur la situation de l'organisation, puis donna lieu à un bref échange sur la situation internationale et la place du congrès dans la nouvelle conjoncture. Après que Nicolas Nabokov eut présenté un rapport d'activité sur le travail accompli au cours des cinq dernières années, l'assemblée entendit des interventions de sir John Latham, de Willy Brandt et de Ture Nerman sur les activités du CCF en Australie, en Allemagne et en Suède. Dans son rapport financier, Pierre Bolomey indiqua que les subsides du congrès provenaient essentiellement de deux sources : la fondation Farfield et la fondation Rockefeller, la première permettant au CCF de fonctionner, la seconde ayant financé la réunion de Hambourg et le bulletin *Science et Liberté*. L'assemblée générale modifia encore deux articles des statuts [1] avant d'élire Manès Sperber et Luis Alberto Sanchez à son Comité exécutif. Puis il procéda à un échange de vues sur l'esprit de la détente et sur l'attitude à adopter. Denis de Rougemont devait à cette occasion réaffirmer la vocation du Congrès pour la liberté de la culture en ces termes :

> Le congrès s'est révélé comme un instrument unique de rencontres entre intellectuels de différents pays dans tous les continents. Cela n'était pas dans les intentions des délégués réunis à Berlin. Mais la multiplication de ces rencontres entre intellectuels d'Europe, d'Asie et des deux Amériques est devenue une des principales et des plus fécondes activités du congrès, une fonction qui survivra à toute espèce de menace, russe ou autre, et qui doit aller en s'amplifiant. Secondement, s'il y a vraiment détente, les Russes voudront un dialogue. Ce serait inutile pour eux de dialoguer avec les communistes occidentaux car ils n'obtiendraient que leur propre écho. Ce n'est pas par ailleurs aux gouvernements démocratiques de parler au nom de la culture, puisqu'ils s'honorent précisément de ne pas intervenir dans l'ordre de la culture. Le congrès, avec ses secrétariats et ses revues, est beaucoup mieux informé que n'importe quelle autre organisation du monde occidental sur les réalités et les modes de la pensée communiste. Le congrès est représentatif d'à peu près toutes les régions du monde et de tous les milieux intellectuels du monde libre. Il me paraît donc le mieux placé pour relever le *challenge* de la détente. Je suis certain pour ma part que nous devons accepter ce défi en toute confiance.

Trois motions furent encore votées par l'assemblée : l'une, présentée par Manès Sperber, demandait qu'après la conférence de Milan le congrès étudie les moyens de donner une

1. Dont l'un (art. 8), prévoyant que l'AG se réunira désormais au moins une fois tous les quatre ans (au lieu de deux), est destiné à faire coïncider le droit avec les faits, Milan étant la première assemblée générale du Congrès pour la liberté de la culture organisée depuis Bruxelles, si ce n'est depuis Berlin.

expression concrète à la solidarité entre les intellectuels du monde libre et les écrivains et artistes des pays sous-développés ; la deuxième, émanant de Luis Alberto Sanchez (Pérou), protestait contre la suppression du grand journal libéral colombien *El Tiempo* par le gouvernement ; la troisième enfin, introduite par Georges Altman, exprimait l'indignation du Congrès pour la liberté de la culture quant aux persécutions dont était victime en Chine l'écrivain Hu Feng.

Au Comité exécutif qui suivit la conférence, Manès Sperber fut chargé de la réalisation d'un ouvrage d'ensemble sur la conférence internationale mais qui ne vit jamais le jour. Il est aisé de comprendre les raisons de cette défaillance : la matière à ordonner était assurément considérable, mais surtout l'année 1956 fut marquée par deux éléments majeurs qui allaient bouleverser l'agenda du Congrès pour la liberté de la culture, le rapport Khrouchtchev et la révolution antitotalitaire hongroise. Le Secrétariat international choisit de détacher de l'ensemble le débat sur l'économie soviétique, qui fit immédiatement l'objet d'une publication autonome à Londres [1]. Toutefois, ce livre ne fut jamais traduit en français. La répercussion de la manifestation en France se fit selon plusieurs canaux. Bertrand de Jouvenel en assura un compte rendu dans *La France Catholique* ; Georges Altman, dans *Franc-Tireur*, voyait dans la réunion de Milan la renaissance de l'esprit encyclopédique des Lumières ; on notera enfin que, dans *Le Figaro*, le débat initié par Peter Wiles et Colin Clark sur l'économie soviétique était présenté comme « une querelle de professeurs d'Oxford ».

Preuves répercuta immédiatement la manifestation, dont René Tavernier assura un compte rendu (accompagné d'un cahier photographique) dès le mois de novembre [2]. La revue faisait suivre ce compte rendu de la publication de la communication de Joseph Scholmer, en soulignant que son livre, *Vorkouta*, n'avait pas eu en France tout le retentissement qu'il méritait. Un an plus tard, à l'automne 1956, sous le chapeau général « Trois essais contemporains », *Preuves* publiait les communications d'Hannah Arendt, de Bertrand de Jouvenel et

1. *The Soviet Economy. A discussion by R. Aron, C. Clark, C.A.R. Crosland, B. de Jouvenel, G. Kennan, R. Löwenthal, M. Polanyi, E. Shils, P. Wiles, B. Wolfe, and W. S. Woytinsky,* Londres, Secker and Warburg, 1956.

2. René Tavernier, « L'avenir de la liberté », *Preuves*, nº 57, novembre 1955.

d'Aldo Garosci [1]. En ouverture, François Bondy insistait sur le fait que le chemin allait du totalitarisme à la liberté (la démarche inverse ne pouvant être que régressive) et qu'un système d'économie mixte joint à un régime démocratique pouvait être une voie pour les peuples cherchant à sortir du totalitarisme.

A bien des égards la réunion internationale de Milan constitue un congrès refondateur pour l'organisation elle-même. Le *Kongress für kulturelle Freiheit* s'éloigne définitivement dans le passé et c'est un *Congress for Cultural Freedom* doté d'une nouvelle identité qui se substitue définitivement à lui. Trois ans après *L'Œuvre du XXe siècle*, la grande manifestation intellectuelle généraliste qui a été refusée pour la France s'est réalisée en Italie et c'est un plein succès. Du côté américain, l'hypothèque maccarthyste a été levée. La menace populiste s'éloigne et l'Amérique n'est plus intellectuellement sur la défensive. En Europe, l'échec du traité sur la Communauté européenne de défense a rangé les espoirs d'organisation fédérale au magasin des accessoires. C'est ce qui permet la réintroduction dans le jeu de l'Angleterre travailliste, qui a été marginalisée cinq ans plus tôt à Berlin. Denis Healey, à Milan, exprime la réorientation souhaitée (et rendue possible par l'échec de la ratification du traité) lorsqu'il suggère qu'une approche de jardinier se substitue désormais dans les relations internationales aux grandes constructions juridiques abstraites. Parallèlement, aux États-Unis, les républicains revenus au pouvoir en 1952 n'ont pas remis en cause les principaux acquis démocrates. C'est la seconde dimension qui permet l'alliance politico-intellectuelle réalisée à Milan pour renforcer l'identité du Congrès pour la liberté de la culture, l'alliance libérale-social-démocrate (*lib-lab* pour *liberals laborites* dans le jargon politique anglo-saxon), faisant converger les héritiers du *New Deal* et les disciples de Keynes. L'inflexion par rapport à la manifestation organisée à Berlin en 1950, dont Silone et Koestler ont été les ténors, est nette : les écrivains s'effacent désormais au profit des *social scientists*.

L'alliance ainsi nouée a un triple contenu : historique, intellectuel et politique. L'Angleterre est la première société européenne à s'être opposée à Hitler ; elle est la première puissance

1. « Trois essais contemporains », *ibid.*, n° 67, septembre 1956.

coloniale à avoir mené une décolonisation à peu près réussie; elle est enfin la première démocratie à avoir tenté une expérience socialiste aboutissant à la création d'un *welfare state*. Autant d'éléments donnant un contenu à la notion de société libre, détachée désormais de l'idéalisme européaniste de l'immédiat après-guerre, avec lequel les États-Unis ont d'abord fait alliance dans la première période de la guerre froide. Cette matrice historique renforce la communauté intellectuelle anglo-américaine transatlantique, qui partage non seulement la même langue, mais encore les mêmes références, formant la trame de ses débats d'Orwell à Keynes, de *The Road of Serfdom* à *The Logic of Liberty*. *Encounter*, la revue créée quelque deux ans plus tôt à Londres, va naturellement bénéficier considérablement de l'impulsion donnée par la nouvelle alliance. Au niveau politique enfin, l'avenir des sociétés libres passe par l'établissement du *welfare state*, caractérisé par les politiques fiscales permettant une égalisation des revenus, la mise en place d'une économie mixte accompagnée d'une planification souple et une redistribution du pouvoir permettant d'instaurer une démocratie industrielle. Le livre de C.A.R. Crosland (dont l'écriture est contemporaine de la réunion de Milan) sur le futur du socialisme exprime pleinement cette orientation, que le congrès fait sienne [1].

La convergence d'une inspiration libérale et d'une inspiration socialiste communiant dans la fin des dogmatismes définit un schéma de modernisation des sociétés industrielles pour leur permettre d'échapper à la dérive totalitaire, en traitant simultanément deux problèmes critiques : la mise en œuvre d'un idéal de justice sociale; la réduction des tentations nationalistes (l'éthique de la redistribution faisant en quelque sorte passer le revenu national avant le sentiment national). Bien entendu, pareille évolution n'est pas sans soulever quelques difficultés au regard de la tradition démocratique elle-même, difficultés que la conférence de Milan ne manque pas d'énoncer : danger de la recherche de l'efficacité à tout prix par l'exécutif, conduisant à une marginalisation du Parlement; émergence d'élites oligarchiques; dépendance de l'individu par rapport aux groupes d'intérêts. Toutefois, l'optimisme l'emporte. Une crise de l'ampleur de celle des années 30 paraît définitivement écartée.

1. C.A.R. Crosland, *The Future of Socialism*, Londres, John Cape, 1956.

Les sociétés démocratiques, sociétés complexes, sont les mieux à même d'être ouvertes et fondées sur la mobilité sociale. Le totalitarisme soviétique lui-même se fait moins menaçant : Staline est mort ; la guerre de Corée est terminée ; la tension soviéto-yougoslave s'apaise ; la révolte de Berlin a témoigné de l'hostilité de la classe ouvrière au régime ; la Pologne est travaillée par des ferments révisionnistes. Bref, l'avenir des sociétés libres paraît mieux assuré.

Cette orientation allait trouver un point d'application dans l'une des sociétés du continent, la République fédérale d'Allemagne, dont le Parti social-démocrate devait procéder, à la fin de la décennie 1950, à un *aggiornamento* idéologique conforme aux grandes orientations esquissées à Milan. La France ne connaîtra rien de tel. Naturellement, la participation française de Berlin à Milan a suivi l'évolution générale : c'est ainsi que ni David Rousset ni Suzanne Labin, dont les photos ornaient le numéro spécial du *Monat* consacré au *Kongress für kulturelle Freiheit*, n'avaient été invités dans la capitale lombarde [1]. Mais, plus fondamentalement, à la différence de l'Allemagne, le parti socialiste français, la SFIO, ne procédera pas à une mise à jour doctrinale comparable et en restera au vieux dogmatisme. Il est vrai que les *free societies* sont implicitement des *free protestant societies* et que la France échappe à cet ensemble. La force de la tradition socialiste révolutionnaire y bloque, de plus, une évolution de type social-démocrate. Enfin, si depuis la Révolution française il existe dans la politique moderne une contiguïté entre démocratie et totalitarisme, c'est dire qu'en France le lien entre liberté et démocratie est plus problématique qu'ailleurs.

1. L'année précédente, Suzanne Labin a publié *Le Drame de la démocratie* (Pierre Horay), 1954 dont le prière d'insérer fait état de son rôle comme membre fondateur du Congrès pour la liberté de la culture. Le ton et la nature du livre sont toutefois complètement en porte à faux avec l'évolution en cours.

CHAPITRE V

Le choc hongrois (1956-1958)

Après la conférence internationale *L'Avenir de la liberté*, le choc provoqué par le soulèvement hongrois d'octobre-novembre 1956 et sa répression par l'Armée rouge constituent le deuxième élément déterminant du développement du Congrès pour la liberté de la culture en Europe dans la décennie 1950. L'année 1956 est marquée par des événements majeurs : le congrès du Parti communiste d'Union soviétique marqué par le rapport Khrouchtchev dénonçant les crimes de Staline [1]; le révisionnisme polonais; le soulèvement hongrois. L'insurrection de Budapest constitue un moment singulier de l'histoire européenne d'après guerre : alors même que se dessine un assouplissement du système soviétique, elle met un point final au volontarisme communiste dans la transformation des sociétés européennes au-delà du simple révisionnisme, c'est-à-dire de la dissociation du stalinisme et du communisme au sein d'une problématique marxiste maintenue. L'événement est enchâssé dans le nouveau contexte international : coïncidence de l'insurrection avec l'intervention franco-anglaise en Égypte en réponse à la nationalisation du canal de Suez; pression de la dynamique issue de la conférence de Bandoeng dans les instances internationales; détente enclenchée à Genève entre les deux grandes puissances, qui retient les États-Unis de s'engager dans une confrontation avec l'URSS. Il est vrai que la politique américaine n'est pas d'une seule pièce : tandis que les uns critiquent son profil bas dans le dénouement de la crise, les

1. Branko Lazitch, *Le Rapport Khrouchtchev et son histoire*, Éditions du Seuil, 1976.

autres dénoncent son intervention pendant les événements par l'intermédiaire des radios Voice of America et Radio Free Europe.

Dès avant l'insurrection hongroise, les révoltes dans l'univers soviétique (Berlin, Vorkouta) avaient été évoquées et analysées lors de chacune des réunions internationales organisées en Europe par le Congrès pour la liberté de la culture. Mais le soulèvement de Budapest marquait un changement d'échelle : pour la première fois on se trouvait devant une véritable révolution interne au bloc soviétique. Au-delà de la réaction immédiate aux événements, le congrès mit rapidement en place, dans le courant de l'automne 1956 et de l'hiver 1957, un programme spécifique qui se déploya sur trois plans : humanitaire, avec l'aide aux réfugiés ; intellectuel et littéraire, par le soutien des écrivains hongrois en exil ; politique, enfin, avec une prise de position sur la signification de l'insurrection.

En France, les événements de Hongrie ont un impact considérable sur les milieux intellectuels et les formations politiques. Paris connaît dans la nuit du 7 au 8 novembre 1956, après dislocation d'une manifestation qui a réuni près de 30 000 personnes sur les Champs-Élysées, une véritable nuit d'émeute, marquée par des affrontements violents (trois morts) entre communistes et anticommunistes au siège du PCF (carrefour de Châteaudun, bientôt débaptisé pour devenir carrefour Kossuth), devant les locaux de *L'Humanité* et à plusieurs endroits des quartiers populaires de la capitale.

Restituer les différentes facettes de l'intervention du CCF à Paris en interaction avec les transformations du milieu politico-intellectuel central français suppose de prendre en compte l'ensemble des actions entreprises, de la révolution d'octobre à l'exécution d'Imre Nagy et de ses compagnons entre 1956 et 1958.

Une révolution antitotalitaire

Le 4 novembre 1956 au matin et avant de cesser définitivement ses émissions, Radio-Kossuth avait lancé par deux fois sur les ondes l'appel au secours de la Fédération des écrivains hongrois aux écrivains du monde entier, aux savants, aux académies et, plus généralement, à toutes les élites intellectuelles pour venir en aide à la Hongrie. Quelques jours après, *Le Figaro littéraire* reproduisait cet appel à la une [1], en le faisant suivre d'une prise de position de Denis de Rougemont au nom du Comité exécutif du congrès, prise de position rédigée en ces termes :

> Qui répondra ?
>
> Aux dernières paroles de la révolution déclenchée par les étudiants et par les écrivains du cercle Petöfi, il n'a pas été répondu. Nous ne pouvions pas répondre, ils le savaient. S'ils nous ont appelés, cependant, comprenons la consigne ainsi transmise. Ils voulaient que leur combat survive à leur défaite.
>
> Le message doit être entendu, cet appel propagé dans le monde entier, chacun de nous doit maintenant y répondre. Chacun de nous peut faire quelque chose.
>
> Le monstrueux forfait de Budapest a mis le communisme au ban de l'humanité. Il fallait tout d'abord le déclarer. Mais il faut en tirer les conséquences pratiques.
>
> Pour notre part nous pensons ce qui suit : serrer la main d'un communiste occidental qui approuve « librement » son parti, c'est saluer un complice du crime de Budapest. Publier ses écrits, c'est contribuer au genre de propagande intellectuelle qui mène au crime de Budapest. Discuter ses raisons, c'est oublier qu'elles « justifient » nécessairement les massacres de Budapest. Continuer les dialogues Europe-URSS engagés sous le signe trompeur d'une « détente » qui vient de montrer sa vraie nature à Budapest, c'est donner dans un guet-apens. Accueillir et fêter les jolies troupes d'artistes, les intellectuels asservis que nous envoie le régime de Moscou, c'est oublier la voix des écrivains martyrs qui nous appelaient de Budapest, et c'est trahir leur testament.
>
> Que chacun s'interroge et décide librement de l'action qu'il entend mener, dans sa sphère d'influence personnelle ou civique, contre ceux qui applaudissent au crime, qui tenteront de le faire oublier ou de lui chercher des excuses.
>
> Que tous les esprits libres qui voudraient s'associer à l'action internationale du Congrès pour la liberté de la culture sachent qu'ils trouveront ici des hommes qui n'oublient pas l'appel des écrivains de Budapest, qui ne le laisseront pas oublier et dont tout le programme est maintenant d'y répondre.

1. *Le Figaro littéraire*, 10 novembre 1956.

Ce même numéro du *Figaro littéraire* reproduisait également l'appel dont Suzanne Labin avait de son côté pris l'initiative et qui était publié parallèlement dans *Franc-Tireur* :

> Les intellectuels français ont entendu l'appel pathétique des intellectuels hongrois qui se sont dressés contre la tyrannie soviétique et qui luttent aux côtés des travailleurs avec un magnifique héroïsme pour conquérir la liberté.
>
> Les assurent de leur ardente admiration et de leur solidarité totale.
>
> Signalent que les dirigeants du Kremlin, en envoyant leurs tanks et leurs avions tirer sur les insurgés, ont refait de Moscou, comme au temps du tsarisme, la capitale de la réaction absolutiste mondiale, reprenant, face aux efforts d'émancipation des peuples, le rôle de superpolice sanglante qu'ont tenu la Sainte-Alliance et les Versaillais.
>
> Mettent ces massacreurs au ban de l'humanité et flétrissent les chefs communistes des pays libres qui, en restant dans leur sillage, se couvrent les mains du sang du peuple hongrois.
>
> Invitent tous les intellectuels libres à s'associer à cette déclaration.

Ce texte devait recueillir de très nombreuses signatures, dont celle du président de la République d'alors, Vincent Auriol, sur un éventail très large allant de François Mauriac à Marcel Aymé, en passant par André Breton et Hervé Bazin. Il fut naturellement signé par des personnalités associées très étroitement au congrès, tels Georges Altman, Jacques Carat, Michel Collinet, Jeanne Hersch et Louis Mercier.

De la fin d'octobre à la fin de novembre, le congrès mit sur pied ou prit part à des manifestations de solidarité avec le peuple hongrois à Londres (Arthur Koestler, Hugh Seton-Watson), New York (Sidney Hook, Anna Kethly), Hambourg (Bruno Snell, Michael Polanyi) New Delhi (Jayaprakash Narayan), Santiago du Chili, Buenos Aires. Parallèlement à ces initiatives, le comité *Science and Freedom*, en réponse à un appel de l'université de Szeged pour la défense de la liberté de la science, organisait une pétition qui réunit les signatures d'un millier de professeurs appartenant à 108 universités dans 23 pays, pétition remise à l'ambassade d'Union soviétique en Grande-Bretagne dès le début de décembre 1956.

En France, les différents milieux associés ou proches du CCF se mobilisent intensément pendant l'automne. Les Amis de la liberté participent aux manifestations organisées à Paris et en province, à Lyon notamment. *Franc-Tireur* suit de près les événements et offre ses colonnes à Suzanne Labin pour lancer sa pétition. Le 13 novembre, un grand meeting au Vélodrome d'hiver déplace 15 000 personnes rue Nélaton. La tribune rassemble Georges Altman, André Philip, David Rousset, entourés d'hommes très différents, de Louis Martin-Chauffier à Pierre-Henri Teitgen. L'invité d'honneur de cette réunion est Thomas Pasztor, qui jusqu'au 2 novembre était un des chefs militaires et politiques du comité insurrectionnel de Budapest, avant d'être envoyé en mission à Vienne. Quelques jours après ce meeting, le Secrétariat international accueillait Pasztor dans ses locaux pour une conférence de presse.

Depuis trois ans, *Preuves* prolongeait son action à Paris par l'organisation de débats, les mardis de *Preuves*, qui constituaient un carrefour politique et intellectuel apprécié dans la capitale française. En cette rentrée 1956, les mardis de *Preuves* étaient extrêmement sollicités et connaissaient une affluence record : le 26 octobre, la revue prit l'initiative d'un débat organisé autour de Jeanne Hersch et de Manès Sperber sur les événements de Pologne et de Hongrie. Jeanne Hersch, en effet, avait été dépêchée par la revue en Pologne pour suivre les procès de Poznan [1]. Le 6 novembre, la salle s'avéra trop petite pour accueillir Raymond Aron, qui venait traiter aux mardis des relations russo-américaines. Deux semaines plus tard, enfin, une troisième réunion fit converger Thomas Schreiber (AFP), Alain de Sedouy *(Paris-Presse)* et François Bondy *(Preuves)* venus apporter leur témoignage vécu sur la révolution hongroise.

Le manifeste publié par Rougemont au nom du Comité exécutif adressait un appel aux intellectuels révulsés par l'intervention soviétique en même temps qu'il annonçait un programme destiné, au-delà de la défaite, à maintenir vivant le combat initié par les étudiants et les écrivains de Budapest. C'est au Comité exécutif des 12 et 13 janvier 1957 que sont esquissées les grandes lignes de ce programme. La session est ouverte par une analyse de la situation internationale à la lumière de la Hongrie et de Suez, à partir d'un exposé d'ensemble de Raymond Aron. Deux personnalités politiques

1. Jeanne Hersch, « Les procès de Poznan », *Preuves*, n° 70, décembre 1956.

et intellectuelles importantes sont associées à la séance : Willy Brandt et Paul Ignotus. Au cours de cette même session du CE de janvier 1957, Melvin Lasky présente le schéma du livre blanc que le congrès entend consacrer à la révolution. Ce projet a été annoncé à Paris dès le 10 novembre 1956 à la une du *Figaro littéraire*, en même temps que l'appel de Rougemont. Le livre blanc que se propose d'éditer le CCF était alors présenté comme la réunion de témoignages de solidarité à l'égard des écrivains hongrois [1]. Toutefois, il évolue dans un sens différent pour devenir plus largement une contribution à l'histoire de la révolution hongroise elle-même. L'initiative, inspirée par Lasky, est rondement menée, pour aboutir dès 1957 sous la forme de quatre éditions : américaine, anglaise, allemande et française.

En Europe, trois grandes signatures ont été sollicitées pour préfacer l'ouvrage : Karl Jaspers en Allemagne; Hugh Seton-Watson en Angleterre; Raymond Aron en France. L'initiative est parfaitement représentative de la démarche du Congrès pour la liberté de la culture et poursuit plusieurs objectifs : témoigner devant l'histoire; s'opposer à la propagande soviétique; réaliser un travail indépendant des enquêtes diligentées par les organisations internationales. Les Nations unies ont en effet constitué une commission d'enquête qui devait remettre elle aussi son rapport dans le courant de l'année 1957. Nulle part plus qu'à Paris ne se fait sentir au demeurant le besoin de contrer la propagande soviétique, le Parti français la relayant très efficacement pour dénoncer les agissements parallèles des « bandes fascistes » dans les rues de Budapest et de Paris.

Le livre blanc repose sur une dramaturgie en trois actes : « Prélude » (été-automne 1956), « Révolution et contre-révolution » (23 octobre-4 novembre), « Dernier acte » (5 novembre-23 novembre). Il est entièrement fondé sur les documents surgis de l'action des différents protagonistes et la multiplication des points de vue des différents observateurs : articles de presse, émissions de radio, communiqués, récits de

1. *Un livre blanc pour les écrivains hongrois.* Le Congrès de la culture a pris la décision d'établir un livre blanc des intellectuels européens, où seront groupées toutes les manifestations, déclarations et motions des écrivains, ainsi que des organisations culturelles à l'appel des écrivains hongrois. Ce livre blanc portera un témoignage historique afin que les écrivains hongrois, lorsque leur patrie sera libérée, sachent la part que l'Europe aura prise à leur tragédie (*Le Figaro littéraire*, 10 novembre 1956).

témoins oculaires, prises de position en Hongrie et à l'étranger. Aujourd'hui encore, après plus de trente années, le livre blanc du Congrès pour la liberté de la culture demeure une des introductions les plus remarquables à la compréhension de l'année 1956 en Europe.

L'édition française sort en librairie à l'automne 1957 [1]. L'ouvrage publié à Paris n'est pas une simple réplique de l'édition anglaise : il utilise davantage les sources françaises et italiennes et François Bondy a rédigé un épilogue faisant suite aux trois actes de la révolution [2]. Toutefois, son originalité repose avant tout sur l'incorporation à ce volume d'un long texte d'Aron qui, beaucoup plus qu'une préface, constitue une analyse historique et politique de référence. Sans doute rédigée à la fin de l'été 1957, après la publication du rapport de la commission de l'ONU (dont Raymond Aron incorpore les treize points de conclusion à son analyse [3]), « Une révolution antitotalitaire » traduit dès ses premières lignes une émotion à peine contenue :

> Un an s'est écoulé depuis les jours tragiques de novembre 1956 où les tanks russes, par le fer et par le feu, réprimaient la révolution hongroise cependant que les avions français et anglais écrasaient sous les bombes les aérodromes égyptiens. Les hommes d'État français et anglais qui, probablement, jugèrent le moment favorable à leur entreprise portent la responsabilité d'une aberration que leur insigne médiocrité explique sans l'excuser. Nous avons touché alors le fond du désespoir politique, révoltés contre tout et contre tous, aussi peu enclins à partager la vertueuse indignation des États-Unis contre leur alliés qu'à pardonner le machiavélisme primaire de nos gouvernants. La révolution hongroise appartenait à l'histoire universelle, la nationalisation du canal de Suez était un épisode du conflit entre le monde arabo-musulman et les Occidentaux. L'histoire sera sévère non pour les

1. Melvin J. Lasky et François Bondy (éd.), *La Révolution hongroise. Histoire du soulèvement d'octobre,* précédée de « Une révolution antitotalitaire », par Raymond Aron, Plon, 1957.

2. La réalisation du livre blanc avait nécessité un travail considérable de collation et de vérification des documents, travail réalisé à Berlin par Harold Hurwitz et à Paris par Jurgen Schleimann.

3. De plus, Aron a placé en exergue de son analyse une citation extraite du rapport de cette commission d'enquête : « La seule contre-révolution qui ait eu lieu est celle que les autorités soviétiques ont opérée quand, avec des forces armées d'une supériorité numérique écrasante, elles ont remplacé le régime socialiste mais démocratique qui était en train de se former en Hongrie par un État policier. »

intentions mais pour l'aveuglement des ministres français et anglais.

L'introduction de Raymond Aron est divisée en quatre paragraphes traitant successivement des causes lointaines et des causes proches de la révolution, de la contradiction interne du système soviétique révélée par l'octobre hongrois, des questions d'avenir enfin.

Au lendemain de la Seconde Guerre mondiale, écrit Aron, un schéma unique de soviétisation fut imposé à l'ensemble des démocraties populaires européennes. Mais, à partir de 1953, les différences s'accusent. Dans ce processus de différenciation, la Hongrie présente deux particularités qui permettent d'éclairer l'enchaînement des événements de 1956 : le regain de stalinisme de 1955 (disgrâce de Nagy, retour de Rakosi) en sens contraire du mouvement général marqué par le XXe Congrès du PCUS ; l'absurdité éclatante d'une industrialisation lourde, dictée uniquement par le dogme, à la différence de la Tchécoslovaquie voisine.

> Tout se passait comme si on s'ingéniait à exaspérer la nation : les plans économiques condamnaient les ouvriers à des salaires de famine, la collectivisation et les livraisons forcées à bas prix étaient odieuses aux paysans, la suppression de toute liberté intellectuelle enfermait les intellectuels dans le dilemme du silence ou de l'épuration, la police secrète menaçait tous les Hongrois et n'épargnait même pas les plus résolus des staliniens, l'enseignement du russe était obligatoire, les uniformes de l'armée étaient semblables à ceux de l'occupant, l'étoile rouge ornait tous les emblèmes. A ce peuple privé de raisons de vivre une presse esclave répétait chaque jour qu'il était heureux et qu'il devait remercier les Russes de son bonheur.

La haine à l'égard de l'Union soviétique et de ses agents en Hongrie ne saurait donc surprendre. Les mêmes phénomènes se retrouvent du reste plus ou moins accusés dans toutes les démocraties populaires. De plus, aucun régime à l'Est n'envisage d'élections libres, que les partis communistes ne seraient d'ailleurs pas en état de gagner. Ce qui change d'un pays à l'autre, ce sont les réactions des sociétés, dont il faut rechercher les causes profondes dans l'histoire des nations. Au prosaïsme tchèque répond l'héroïsme polonais et hongrois ; c'est que Pologne et Hongrie ont été l'une et l'autre des puissances à l'échelle européenne au temps des monarchies : « Le nationalisme de ces peuples maîtres a été marqué par l'empreinte aristocratique, il est tourné vers l'Est en une attitude empreinte d'hostilité ou de résistance. »

L'examen des causes de la révolution hongroise conduit à revenir sur les oscillations de grande amplitude observées en Hongrie à partir de la mort de Staline. Le premier retour au pouvoir d'Imre Nagy, en 1953, est marqué par une libération plus poussée que partout ailleurs. En 1955, Nagy est chassé une seconde fois pour permettre à Rakosi de tenter une déstalinisation par le haut. L'équipe Rakosi-Gerö, la pire des équipes staliniennes d'Europe centrale et la plus détestée, ne cherche rien d'autre qu'à se maintenir au pouvoir en adoptant la déstalinisation comme elle a endossé chacun des changements venus de Moscou. Puis 1956 est l'année où tout bascule :

> Durant toute l'année 1956, nous avons assisté, de loin, avec une stupéfaction croissante, au déroulement du nouveau cours. Les institutions soviétiques demeuraient en place, mais la censure des écrits, la discipline de la parole, l'orthodoxie verbale avaient comme mystérieusement disparu.

En octobre-novembre, la liberté l'emporte sur le régime en Pologne comme en Hongrie. Mais en Pologne la liberté peut conclure avec le régime un compromis acceptable par les Russes tandis qu'en Hongrie elle est détruite par l'Armée rouge. Si l'on écarte l'hypothèse (pas totalement exclue, écrit cependant Raymond Aron) d'une volonté consciente des dirigeants soviétiques de provoquer une révolte en Hongrie pour mieux l'écraser de façon spectaculaire, les deux situations historiques contrastées permettent à elles seules d'expliquer le cours différent pris par les événements :

> Gomulka et ses amis avaient été emprisonnés et torturés, Rajk et les siens étaient morts. Cyrankiewicz n'inspirait pas aux révisionnistes un tel mépris ou une telle haine que sa présence à la tête du gouvernement fût impossible dans l'ère post-stalinienne. Rakosi et Gerö savaient les sentiments qu'ils inspiraient, ils s'accrochèrent le plus longtemps possible à la politique ancienne. Un regroupement du Parti hongrois à l'exemple du Parti polonais était exclu. Les révisionnistes étaient trop nombreux parmi les communistes, trop éloignés des rakosistes pour que le Parti pût maintenir son unité et conserver la maîtrise des événements à partir du moment où le pouvoir de Rakosi et de la police politique fut brisé. Le malheur de la Hongrie fut d'avoir un Parti trop et pas

> assez hongrois : en leur majorité les membres du Parti partageaient la révolte et les aspirations des masses, une minorité résista jusqu'au bout au mouvement, moins par fanatisme que par souci de ses propres intérêts. Cette minorité était trop communiste (russe) pour céder, les autres ne l'étaient pas assez pour trouver une solution acceptable pour le Kremlin.

Pas un instant Raymond Aron ne songe à réfuter factuellement la thèse soviétique de la contre-révolution, mais il définit en revanche de manière nette les rapports entre révolution et contre-révolution face à cet événement exceptionnel :

– l'insurrection hongroise est contre-révolutionnaire, non pas au sens d'une restauration du régime antérieur et d'une remise en selle des privilégiés, mais à la manière dont la restauration de la démocratie parlementaire en Italie et en Allemagne est contre-révolutionnaire par rapport au fascisme et au national-socialisme;

– le rétablissement d'institutions démocratiques n'est contre-révolutionnaire qu'au regard d'une philosophie de l'histoire qui imagine une ligne unique d'évolution historique plaçant le communisme à son stade final et qui n'a pas d'autre nom que celui de contre-révolution pour caractériser une révolution anticommuniste;

– les événements d'octobre et novembre 1956 sont une révolution conforme à la légende du XIXe siècle de la révolution, qui débute dans la rue et s'achève au palais du gouvernement;

– enfin, la révolution hongroise est une révolution unique au XXe siècle car on n'a encore jamais vu une révolution populaire contre un État autoritaire commencer en émeute pour s'achever en conquête de l'État.

Pareille singularité dévoile de manière saisissante la fêlure profonde du système soviétique. En effet, si la vision bourgeoise du monde s'opposait à la vision de l'Église catholique et de l'Ancien Régime, la doctrine communiste n'apporte quant à elle aucun système de valeurs original : le socialisme, en effet, ne prétend à rien d'autre qu'à la réalisation de valeurs dont se réclame la bourgeoisie (participation de tous les hommes aux bienfaits de la science et de l'industrie, établissement d'une démocratie authentique). Or, même dépouillé des traits pathologiques du stalinisme, un régime issu du marxisme-léninisme reconstitue les structures du despotisme oriental décrit par les classiques du XVIIIe siècle et analysé par les sociologues du XXe siècle :

> Un régime soviétique tend à la concentration de tout pouvoir, politique et social, dans les mains d'une minorité. La suppression de toute propriété privée, la destruction des partis, la mise au pas des Églises ne laissent subsister aucun centre de forces en dehors de l'État. Celui-ci marque un retour à la structure élémentaire du despotisme, à la dualité de la masse gouvernée et de la hiérarchie, simultanément sociale, administrative et politique [...]. Un tel régime diffère moins de la tradition russe que de la démocratie occidentale. C'est la limitation du pouvoir étatique, la multiplication des foyers autonomes de puissance sociale ou d'autorité politique qui auraient marqué la rupture radicale avec le passé. Le bolchevisme fut une révolution mais au sens originel : il ramena la société russe, après l'intermède de la liberté, entre février et novembre 1917, dans la ligne du despotisme.

La contribution de Raymond Aron à l'analyse de la déstalinisation se déploie sur deux plans. Le premier concerne les régimes des sociétés d'Europe centrale (dans un mouvement de comparatisme permanent entre Pologne, Tchécoslovaquie, Hongrie), définis par leur capacité de résistance mais aussi de compromis avec la Russie soviétique. Cette notion de compromis, qui revient à plusieurs reprises dans le texte, a été utilisée une première fois par Aron dans la chronique qu'il a donnée au *Figaro* pendant l'insurrection elle-même. Son titre, « L'histoire va dans le sens de la liberté [1] », reprenait une formule qu'il avait employée au moment de la mort de Staline. Les événements qui se développent alors en Pologne et en Hongrie confirment pleinement cette direction, tout en laissant ouverte la situation : « Nul ne saurait dire, écrivait-il, quelle forme prendra demain le compromis entre les exigences russes, les aspirations des masses, les intérêts des partis communistes. » Moins d'un an plus tard, on le voit, « Une révolution antitotalitaire » s'efforce de circonscrire les facteurs explicatifs du compromis polonais et de la rupture hongroise.

Le second plan traite de la Russie soviétique. Ici, c'est un autre compromis qu'il est nécessaire de faire apparaître : celui qui se noue en 1917 entre les aspirations progressistes des intellectuels et des révolutionnaires et le despotisme russe. La

1. Raymond Aron, « L'histoire va dans le sens de la liberté », *Le Figaro*, 26 octobre 1956.

rupture hongroise révèle de manière éclatante que ce compromis fondateur est inacceptable en Europe du Centre-Est. Cette observation amène directement à une autre interrogation concernant la viabilité du compromis en Russie même : la société industrielle peut-elle s'insérer dans les cadres du despotisme oriental ? Telle est désormais pour Aron la question d'avenir. Mais l'heure n'est pas aux spéculations :

> Le présent est autre et nulle littérature ne doit en dissimuler l'horreur. Imre Nagy est en prison, Janos Kadar, image parfaite du traître, traître à lui-même autant qu'aux autres, parade dans les capitales comme représentant de la dictature du prolétariat. Arrestations et exécutions continuent. La nation hongroise est une fois de plus décimée. Elle a perdu les meilleurs de ses fils en prison et en exil.

Quant à la situation internationale, la leçon qui se dégage des événements est limpide : même si l'expédition de Suez n'avait pas eu lieu, les Russes auraient réprimé la révolution hongroise et l'Occident serait resté l'arme au pied. Pour sauver la Hongrie, les États-Unis auraient dû prendre un risque de guerre générale et les Européens ne l'auraient pas pris non plus si la décision avait dépendu d'eux. Les règles du jeu international sont désormais bien établies : unis contre la guerre atomique, États-Unis et URSS respectent leurs zones de domination respectives, et si ces zones ne sont pas fermées à la propagande du rival, elles le sont aux armées :

> La leçon qu'il faut avoir le courage de tirer résolument est claire : il est de l'intérêt commun des peuples prisonniers et de l'Occident que l'opposition au communisme demeure provisoirement à l'intérieur du régime. Puisque l'Occident ne peut ni ne veut intervenir, puisque l'Union soviétique a les moyens et la détermination nécessaires pour écraser les révolutions, la seule perspective (en dehors de l'éventuelle évacuation simultanée des deux parties de l'Europe par les armées russe et américaine) est une transformation de la pratique communiste en Union soviétique et dans les pays satellites.

Nous ignorons, concluait Aron, la marge de variation dont est susceptible cette pratique mais nous sommes désormais assurés de trois choses : ce régime, comme tous les autres, est perméable au développement économique et aux influences extérieures ; marqué par une fêlure interne qu'ignoraient les despotismes antérieurs, il est condamné par l'idéologie dont il se réclame ; la révolution hongroise, enfin, marque une étape décisive dans cette condamnation.

Le programme d'aide à l'émigration

Avant même que le Secrétariat international ne devienne à Paris l'opérateur d'un programme d'aide à l'émigration intellectuelle hongroise financé par les grandes fondations américaines, la revue autrichienne du congrès, *Forum*, s'était spontanément mobilisée pour accueillir les réfugiés qui affluaient à Vienne. Friedrich Torberg, son rédacteur en chef, envoya bientôt à toutes les revues sœurs une lettre faisant appel à la générosité de leurs lecteurs pour participer à cette action. *Preuves* répercuta cette lettre dans son numéro de janvier 1957, en appelant ses abonnés et amis à la solidarité. Après avoir noté qu'il existait à Vienne de nombreux comités d'accueil, Torberg définissait ainsi la spécificité de l'action à entreprendre :

> [...] à *Forum* nous nous devions d'apporter aux intellectuels hongrois réfugiés une aide culturelle dont les autres organismes ne peuvent s'occuper : distribution de livres, de dictionnaires, de périodiques ; organisation de cours élémentaires ou de perfectionnement dans les langues étrangères (la majorité des étudiants hongrois, en dehors de leur langue, ne connaissent que le russe) ; attribution de bourses universitaires, service d'orientation pour la poursuite des études ou le reclassement professionnel, etc., en évitant toute procédure bureaucratique, en accordant à chaque cas une attention toute particulière.

A Paris, c'est moins d'un mois après le CE de janvier que Denis de Rougemont et Nicolas Nabokov étaient en mesure d'annoncer publiquement que la fondation Ford avait doté le congrès pour l'aide aux artistes et intellectuels hongrois. Le premier volet du programme comportait l'attribution d'un millier de bourses à des universitaires et des écrivains pour leur faciliter la transition vers les institutions culturelles occidentales et leur permettre ainsi de continuer leurs travaux en exil ; le deuxième volet consistait en la mise sur pied d'un orchestre symphonique hongrois en exil, le Philharmonica Hungarica, à partir des meilleurs exécutants ayant fui leur pays. Le CCF devait organiser ensuite une tournée internationale de l'orchestre en Europe et aux États-Unis. Pareille initiative s'inscrivait naturellement dans le cadre de l'action artistique dont Nabokov avait la charge. Ce soutien était transitoire : après la phase de constitution et de lancement, le Philharmonica Hungarica fut accueilli par l'Allemagne fédérale, où il s'établit de manière permanente dans une ville de Westphalie-Rhénanie du Nord.

Il convient cependant de s'arrêter plus en détail sur le troisième volet du programme concernant les écrivains. Ici aussi des initiatives ponctuelles avaient précédé le programme à moyen terme. A Paris, en effet, l'éditeur Pierre Horay publia une traduction intégrale du numéro de *La Gazette littéraire* hongroise *(Irodalni Ujsag)*, dont *Preuves* adressera gratuitement un exemplaire à tous ses abonnés, ainsi qu'à tout lecteur souscrivant un abonnement à la revue pendant le premier trimestre 1957. Pareille opération s'apparentait bien évidemment à une subvention indirecte à l'éditeur pour faire connaître le message des écrivains hongrois au public français. Tout au long de l'année 1957, *Preuves* s'ouvrit naturellement très largement aux écrivains hongrois exclus ou persécutés : Tamas Aczel, Gyula Illyés, György Paloczi-Horvath, Paul Ignotus, Tibor Déry, Tibor Meray notamment. La revue se faisait d'autre part l'écho des initiatives d'André Chamson, alors président du Pen Club international, pour mobiliser, à l'appel du club hongrois, l'ensemble des clubs en vue d'une action sur l'UNESCO et l'ONU.

Cependant, le programme du Secrétariat international devait aller beaucoup plus loin que ces premières initiatives ponctuelles. Le Congrès pour la liberté de la culture contribua à la création d'une Association des écrivains hongrois à l'étranger après que le Parti communiste eut suspendu en Hongrie même et pour plusieurs années l'association nationale. La présidence de cette Association des écrivains à l'étranger fut confiée à Paul Ignotus. Social-démocrate à la réputation sans tache, fils du fondateur d'un grand journal littéraire de Budapest, Ignotus était intellectuellement et politiquement proche d'hommes comme Lasky et Bondy. A beaucoup d'égards, Paul Ignotus devint l'intellectuel hongrois de référence du Congrès pour la liberté de la culture. Dès le 4 janvier 1957, il était accueilli aux mardis de *Preuves* pour une séance à laquelle participèrent également Jeanne Hersch, Gabriel Marcel et Jean Wahl. Huit jours plus tard, il était associé aux délibérations du Comité exécutif. Le Secrétariat lui offrit bientôt une tournée internationale de conférences pour présenter la révolution hongroise dans différents pays.

Au-delà des affinités personnelles, le statut privilégié qu'occupe Ignotus au congrès doit être replacé dans un contexte politique plus large. Comme beaucoup de sociaux-démocrates, Paul Ignotus a sincèrement cru qu'une entente avec les communistes était possible après la chute du gouvernement allié à l'Allemagne nazie au lendemain de la guerre. Un piège allait bientôt se refermer sur les sociaux-démocrates hongrois, dont ils ne sortiraient vraiment qu'à travers la révolution de 1956. Le Congrès pour la liberté de la culture ne peut qu'être extrêmement sensible à l'itinéraire de ces hommes, dans la mesure où il est lui-même le fruit du refus de la social-démocratie berlinoise d'accepter toute espèce de compromis avec les communistes et moins encore, naturellement, une fusion selon la pente qui a triomphé à Prague. La révolution hongroise faisant éclater la vérité d'une manière particulièrement atroce, le congrès ne peut qu'exprimer plus fortement sa solidarité avec les sociaux-démocrates, symbolisés par une figure incontestable comme celle d'Ignotus.

Primitivement, lors de la session du Comité exécutif des 12-13 janvier, il a été envisagé de créer une section hongroise du CCF. On lit dans le procès-verbal :

> Ce comité aura pour tâche d'étudier la possibilité d'éditer une revue en langue hongroise, en prenant pour exemple la revue en langue polonaise *Kultura*, dont le succès est probant, et devra également définir les moyens les plus efficaces d'apporter une aide morale aux intellectuels hongrois ; il devra enfin formuler les problèmes nouveaux qui se posent dans nos relations avec les intellectuels restés en Hongrie.

L'idée de lancer une revue spécifiquement hongroise s'inscrit spontanément dans le processus d'éclosion des revues du congrès alors en plein essor [1]. Mais c'est finalement un schéma

1. Ainsi, à ce même Comité exécutif de janvier 1956, Michael Josselson présente *Quadrant*, première revue intellectuelle australienne non communiste, tandis que Manès Sperber émet le souhait que le congrès édite une revue russe. Le nom de Wladimir Weidlé est avancé pour étudier ce dernier projet, qui n'aboutira pas.

différent qui est adopté : la reparution à Londres, avec le soutien du congrès, de *La Gazette littéraire* sous les auspices de l'Association des écrivains hongrois à l'étranger présidée par Ignotus. Lancée en novembre 1950, *La Gazette littéraire* était à l'origine un journal tout à fait stalinien, créé sur le modèle soviétique (il en reprenait d'ailleurs un titre tout à fait classique), dont le directeur était Gyula Illyés et le premier rédacteur responsable, Miklos Molnar. Le journal, quoique organe de l'Union des écrivains, était en fait placé sous la tutelle du bureau de propagande du Parti. Mais en 1953, dans l'atmosphère de contestation qui suit l'arrivée au pouvoir d'Imre Nagy, *La Gazette* joue un grand rôle en devenant le support privilégié d'un mouvement intellectuel combinant inspiration révisionniste et pratiques *narodniki* : des journalistes, des écrivains partent dans les campagnes pour faire des reportages sur la vie des paysans, publient des poèmes, etc. Lorsque Nagy est évincé du pouvoir en 1955, Rakosi limoge Molnar et un nouveau rédacteur premier responsable est nommé. Toutefois, le Parti ne réussit pas à remettre entièrement le journal dans la ligne et lorsque l'espace politique hongrois s'élargit, après le XXe Congrès du PCUS, son succès est énorme. Pour réduire son audience, le papier lui est alors contingenté. A l'automne, *La Gazette* participe pleinement à la révolution d'octobre, jusqu'à son dernier numéro, daté du 2 novembre 1956.

En exil, *La Gazette littéraire* reparaît à Londres. Sa direction est assurée par György Faludy, un poète, social-démocrate lui aussi, qui a été détenu au camp de Recsk à l'époque stalinienne. L'équipe de rédaction entourant Faludy comprend alors György Paloczi-Horvath, Béla Szasz, Zoltan Szabo, Tamas Aczel. La gazette londonienne connaîtra une existence mouvementée, traversée de conflits féroces. Conformément à sa ligne de conduite, le congrès ne peut s'engager à financer le journal que pour un temps déterminé et, quatre ans après, le Secrétariat met donc un terme à son soutien financier. Aucune solution de transfert à une institution britannique (analogue au transfert réussi dans le domaine artistique avec l'orchestre symphonique en RFA) n'étant trouvée, la publication connaît un temps d'interruption avant d'être relancée à Paris. Cette relance est assurée par un ancien de l'équipe de Londres et Tibor Meray, un écrivain de l'exil vivant dans la capitale française. La nouvelle formule démarrera en février 1962. Meray, qui en sera désormais l'animateur constant, n'a plus de liens directs avec le CCF.

C'est à Londres également que fut fondée la Guilde du livre hongrois, dirigée par Zoltan Szabo, un écrivain populiste par ailleurs membre du comité de rédaction de *La Gazette*. Cette guilde publia au total six ouvrages, dont un recueil d'essais, *La Troisième Voie*, du sociologue Istvan Bibo, dont le rayonnement intellectuel devait s'élargir au fil des années. Outre *La Gazette littéraire*, le CCF aida encore d'autres revues, comme *Latohatar (Horizon)* et *Uj Latohatar (Horizon nouveau)* à Munich, ainsi que *Magyar Muhely (Atelier hongrois)* à Paris. Il accorda son soutien financier à des livres d'émigrés analysant les événements de Hongrie. Il finança une anthologie de poésie hongroise mise en chantier par un homme de lettres traducteur émigré, vivant à Paris, Ladislas Gara, qui conçut l'entreprise extrêmement ambitieuse de demander à des poètes français d'adapter leurs homologues hongrois et réussit la prouesse de la mener à bien. L'anthologie de Gara demeure à tous égards un monument dans l'histoire des relations intellectuelles entre la France et la Hongrie. Elle inaugurait de plus pour le congrès lui-même un nouveau mode d'intervention appelé à se développer en direction des pays de l'Est.

Au total, le Congrès pour la liberté de la culture soutint financièrement une génération entière de jeunes intellectuels hongrois. De nombreux livres politiques traitant de 1956, mais aussi la littérature hongroise, bénéficièrent de son aide. A l'époque, il était la seule organisation disposée à s'engager avec une telle intensité et des moyens d'une telle ampleur au service de l'émigration intellectuelle. Si cette action avait, bien évidemment, des dimensions tout à la fois humanitaires et politiques, ce serait toutefois commettre un contresens que de réduire le programme à celles-ci. En effet, l'aide apportée par le CCF avait une valeur intellectuelle et littéraire en soi : bien des hommes et des œuvres qu'il choisit de soutenir devaient se révéler de bons choix au regard du maintien d'une culture hongroise vivante au-dedans et au-dehors.

Reste, pour compléter ce tableau, à esquisser rapidement deux initiatives adjacentes qui, sans être liées à proprement parler au CCF, lui étaient cependant apparentées. La première de ces initiatives est l'intervention d'*Évidences*, la revue européenne de langue française éditée par l'*American Jewish Committee*. Créée en mars 1949, *Évidences* était dirigée par Nicolas Baudy, un ancien boukharinien devenu profondément et radicalement antisoviétique. *Évidences* répercutait bien entendu à Paris les positions de *Commentary*, de l'*American Committee for Cultural Freedom* (ainsi la revue publia-t-elle de larges extraits de *Heresy, Yes, Conspiracy, No* de Sidney Hook), tout comme celles de l'*American Federation of Labor*. Comme *Commentary*, la revue européenne de l'AJC était ouverte aux juifs et aux non-juifs. Manès Sperber y collaborait régulièrement, ainsi que plusieurs des rédacteurs de *Preuves*. *Évidences* suivait avec une attention toute particulière les persécutions dont étaient victimes les juifs pendant la période stalinienne et, dès que le stalinisme relâcha son emprise, la revue consacra une série d'articles aux écrivains juifs du monde soviétique, tant yiddish que russes, polonais et roumains. *Évidences* ne pouvait que s'intéresser de très près aux événements de Budapest. En effet, c'est du Budapest juif qu'était sortie la commune de Béla Kun et, après la Seconde Guerre mondiale, les juifs étaient entrés nombreux au Parti communiste et ses dirigeants les plus en vue, Rakosi et Gerö, étaient juifs. Une longue recension des événements par un témoin oculaire anonyme demeuré en Hongrie devait souligner que l'on n'avait décelé aucune trace d'antisémitisme pendant l'insurrection. *Évidences* présenta longuement Paul Ignotus à l'occasion de la traduction française d'un de ses recueils de poèmes. Mais, surtout, Nicolas Baudy mena personnellement une œuvre originale : une enquête auprès des 600 étudiants hongrois ayant participé à la révolution et qui s'étaient réfugiés à Paris, enquête destinée à fixer un portrait en forme d'hommage à cette jeunesse d'octobre [1].

La seconde initiative consiste en la création en 1958 à Bruxelles de l'institut Imre-Nagy de sciences politiques avec l'appui de la CISL et de plusieurs leaders socialistes européens comme Denis Healey, Pietro Nenni et André Philip. Les deux animateurs de l'institut étaient György Heltaï et Belaz Nagy. Heltaï était un ancien communiste qui avait connu la prison pendant la période stalinienne, puis avait été vice-ministre des

1. Nicolas Baudy, *Jeunesse d'octobre*, La Table ronde, 1957.

Affaires étrangères pendant la révolution. Nagy, ancien communiste lui aussi, était secrétaire du cercle Petöfi en 1956. L'institut faisait converger des hommes comme Miklos Molnar, l'ancien premier rédacteur responsable de *La Gazette littéraire*, qui, après une tentative infructueuse pour travailler à *La Gazette* de Londres, devait s'orienter vers une carrière universitaire en Suisse, ou encore Pierre Kende, un intellectuel de la nouvelle génération, animateur d'un bulletin oppositionnel, amené dans les réseaux du congrès par Michael Polanyi (dont il fut l'assistant en Angleterre pendant une année) et qui devait s'orienter pour sa part vers une carrière dans la recherche scientifique en France. Ce milieu avait au demeurant peu de relations avec *La Gazette* de Londres. L'institut se donnait pour but de mettre en œuvre les diverses disciplines de sciences historiques au service de la compréhension des événements de 1956 et, plus largement, de la situation historique de l'heure. Il publiait une revue, *Études*, qui se réclamait d'un socialisme de gauche ou pluraliste. Il organisait enfin des rencontres ou des colloques. Dans les milieux parisiens du Congrès pour la liberté de la culture, Sperber et Collinet étaient parmi ceux qui avaient noué les liens les plus étroits avec *Études*.

Déplacements politiques et intellectuels à Paris

Jamais depuis la guerre, écrivait *Preuves* dans son numéro de décembre 1956, on n'avait senti en France une émotion aussi profonde qu'au moment de l'écrasement de la révolution hongroise et jamais autant d'intellectuels n'avaient éprouvé le besoin de rendre publique leur protestation. La revue donnait comme indices de la profondeur de cette émotion l'interview accordée par Sartre à *L'Express*, la démission de François Mauriac de l'association France-URSS et le report de la vente annuelle du livre du Centre national des écrivains. Quelques semaines plus tard, en janvier 1957, Denis de Rougemont invitait le CE à prendre acte du mouvement de sympathie à l'égard du CCF qui s'était manifesté parmi les écrivains, les universitaires et les artistes français. Le mouvement marquait la fin d'un certain ostracisme. Rougemont souhaitait d'ailleurs que le Secrétariat international y répondît en prenant l'initiative d'aider à la mise sur pied d'un nouveau groupe.

La profondeur du choc ne fait assurément pas de doute. Les alignements et les clivages habituels s'effacent pour un temps. *Le Figaro littéraire* reprend les manifestations d'intellectuels les plus significatives appuyées par *Franc-Tireur*. Des intellectuels communistes expriment leur émotion. Ils sont sanctionnés par le Parti. Plus largement, c'est le milieu compact de l'« anti-anticommunisme » français qui vole en éclats tant chez les écrivains que dans les rédactions des revues intellectuelles de la rive gauche.

Dans le milieu des écrivains, le choc de Budapest provoque une désintégration du progressisme, qui a constitué jusqu'alors le ciment du Centre national des écrivains, créé à la Libération. La protestation est conduite par Louis Martin-Chauffier, un ancien président du CNE qui, dès la fin de novembre, publie dans les colonnes du *Figaro littéraire* [1] un article en forme d'appel : « Pour que le CNE retrouve ses origines », c'est-à-dire l'esprit qui était le sien à la Libération [2]. Le CNE en effet, écrit-il, a dû s'incliner devant les communistes pour escamoter trois problèmes : les camps soviétiques ; l'antisémitisme stalinien ; la répression du peuple hongrois. L'initiative de Martin-Chauffier reçoit le soutien de Georges Altman dans *Franc-Tireur* et en décembre vingt-trois écrivains démissionnaires du CNE [3] se retrouvent à son domicile pour élaborer une charte. La nouvelle association prend pour titre Union des écrivains pour la vérité, en souvenir du groupe fondé par Paul Desjardins au moment de l'affaire Dreyfus. Par ailleurs, c'est un autre signataire de *L'Heure du choix*, André Chamson, qui, à la tête du Pen Club International, entame une action vigoureuse pour mobiliser les clubs de par le monde en faveur des écrivains hongrois. Chamson s'adresse directement à Nehru à

1. *Le Figaro littéraire*, 24 novembre 1956.

2. Martin-Chauffier avait occupé lui-même la présidence du CNE. Il avait démissionné de ce poste en 1952, puis du centre lui-même en 1953, lors de l'affaire dite des « blouses blanches » à Moscou.

3. Georges Adam, Francis Ambrière, Jean Amrouche, Claude Aveline, Marc Beigbeder, Jean-Jacques Bernard, Jean Blanzat, Pierre Bost, Jean Cassou, Jean Duvignaud, Pierre Emmanuel, André Frénaud, Roger Giron, Agnès Humbat, Pierre Jean Launay, Jean Lescure, Clara Malraux, Louis Martin-Chauffier, Loys Masson, Claude-André Puget, René Tavernier, Édith Thomas, Charles Vildrac.

l'occasion d'une conférence de l'UNESCO à New Delhi – geste d'autant plus significatif que l'Inde a été plus prompte à condamner l'intervention franco-anglaise à Suez que l'intervention soviétique à Budapest. Sa démarche reçoit à Paris un appui de la part de *Preuves*, *Le Figaro littéraire*, *Franc-Tireur* et *Les Lettres nouvelles* [1]. Les réactions de Louis Martin-Chauffier et d'André Chamson ne mettent que mieux en lumière les tergiversations d'un troisième signataire de *L'Heure du choix*, Vercors, président en exercice du CNE au moment de l'insurrection de Budapest et qui met, quant à lui, bien du temps à prendre congé pour reprendre le titre de l'ouvrage qu'il écrit pour l'occasion [2] et non sans avoir tiré auparavant une salve ridicule contre Denis de Rougemont [3].

Toutefois, l'homme qui symbolise le mieux l'effondrement du progressisme de l'après-guerre à Paris, l'écrivain qui publie le livre le plus profond sur cette rupture, est Louis de Villefosse [4]. L'itinéraire de l'homme est peu banal. Officier de marine issu du milieu de l'Action française, il entre en contact dès avant la Seconde Guerre mondiale, sous l'influence de sa femme, Janine Bouissounouse, avec les milieux littéraires et intellectuels de gauche. Pendant la guerre, il est aux côtés de l'amiral Muselier pour participer en 1941, passant outre aux

1. Organisation internationale d'origine anglaise, le Pen Club International avait toujours refusé la création d'un club soviétique. Le CCF restait très vigilant sur ce point. Ainsi Silone, ayant eu vent avant le congrès du Pen International, qui devait se tenir en juin 1954 à Amsterdam, qu'un groupe soviétique envisageait de demander son adhésion, alerte Josselson : compte tenu de la grande faiblesse idéologique des participants occidentaux, il faut s'attendre au pire, lui écrit-il, demandant que le congrès envoie quelqu'un. Josselson contacte alors Salvador de Madariaga : « Nous pensons que la meilleure façon de contrecarrer les tentatives d'adhésion des Soviets et des satellites au Pen Club serait une protestation formelle de la part de membres espagnols de l'*International Pen Club Center for Writers in Exile*, qui pourrait faire valoir que l'entrée des pays totalitaires au Pen Club serait une invitation à l'adhésion des écrivains de l'Espagne de Franco » (Lettre de Josselson à Madariaga, 9 juin 1954).

2. Vercors, *p.p.c.*, Albin Michel, 1957.

3. Dans une lettre conjointe adressée au *Figaro littéraire* le 1er décembre 1956, Vercors et Jacques Madaule indiquaient qu'ils étaient l'un et l'autre prêts à participer à la vente du livre du CNE. Dans cette lettre, les deux hommes écrivaient : « M. Denis de Rougemont nous invite à crier à tous les communistes comme l'Horace de Corneille : “ Je ne vous connais plus. ” Nous préférons quant à nous le mot de Curiace : “ Je vous connais encore... ” Entre ceux qui se refusent à partager toutes les passions d'une opinion déchaînée et ceux qui aiment mieux aboyer avec les loups, nous laissons à chacun le soin d'apprécier comme il l'entendra où est le vrai courage. »

4. Louis de Villefosse, *L'Œuf de Wyasma. Dossier « Lettres nouvelles »*, Julliard, 1962.

réserves de Roosevelt, à l'opération navale permettant le ralliement de l'archipel Saint-Pierre-et-Miquelon à la France libre. Après la guerre, le voici un temps représentant français à la commission des Alliés en Italie, avant de démissionner de la marine, en 1949. Il consacre désormais toute son activité à la vie intellectuelle. Progressiste, Villefosse l'est corps et âme, comme se doit de l'être un officier supérieur élevé dans la tradition. Il écrit dans *Les Temps modernes* [1], *Esprit*, *Europe*. Il adhère à l'Union progressiste, une petite formation qui dispose d'une représentation parlementaire et dont les positions s'expriment dans le journal *Libération*, antithèse de *Franc-Tireur* [2].

Villefosse est témoin aux côtés de Pierre Daix contre David Rousset dans le procès David Rousset/*Les Lettres françaises*. Il partage sur Rousset les opinions qui s'expriment dans la presse progressiste qui tient alors le haut du pavé à Paris, *Action*, *Les Lettres françaises*, *Libération* : Rousset n'est qu'un flic et un agent américain. En 1949, il est tout simplement inconcevable à ses yeux qu'il puisse y avoir des camps en Union soviétique. En revanche, il s'engage à fond, avec le plein appui des *Temps modernes*, dans une campagne dénonçant le camp de Makronissos en Grèce. Puis le voilà à nouveau sur la brèche pour la défense d'un marin sympathisant communiste qui refuse de partir en Indochine, Henri Martin. Sur ce dernier dossier il agit au coude à coude avec Jean-Marie Domenach, le secrétaire de rédaction d'*Esprit*. Villefosse, enfin, est membre de la commission culturelle du Mouvement des combattants de la paix d'Yves Farges : Janine Bouissounouse et lui font partie de ce monde des grands notables culturels progressistes qui voyagent à l'Est [3].

1. Lorsque Jean-Paul Sartre et Simone de Beauvoir se rendent en Italie au lendemain de la guerre, Louis de Villefosse et Janine Bouissounouse les mettent en contact avec les écrivains italiens. De ces contacts naîtra le numéro que *Les Temps modernes* consacreront à ce pays en août-septembre 1947.

2. *Libération* a pour directeur un autre ancien officier de marine, Emmanuel d'Astier de La Vigerie. Les membres de l'Union progressiste les plus en vue sont alors Pierre Cot, l'ancien ministre du Front populaire, Pierre Stibbe, un avocat engagé en faveur des luttes de décolonisation, Paul Rivet, le directeur du musée de l'Homme, et Gilles Martinet, un journaliste de *L'Observateur* que nous avons déjà rencontré dans ce récit.

3. Le chapitre X de son livre, qui donne son titre au volume, « L'œuf de Wyasma », est le meilleur texte de langue française dont on dispose pour une sociologie des délégations culturelles dans l'ancien univers soviétique.

C'est d'ailleurs comme grands notables culturels que Louis de Villefosse et Janine Bouissounouse ont été invités en 1954 en Hongrie. Ils en ont rapporté un livre publié l'année suivante sous le titre *Printemps sur le Danube*. On comprend aisément que 1956 ait été pour l'écrivain un complet bouleversement : l'année s'ouvre sur le rapport Khrouchtchev; l'automne est marquée par la réhabilitation de Rajk. Or Villefosse, comme tant d'autres intellectuels progressistes, avait cru à la culpabilité de Rajk. Son voyage en Hongrie et son livre le mettent au diapason des événements. Sa première réaction est de ne pas laisser le monopole de la protestation au *Figaro* et à la droite. Il prend aussitôt contact avec Vercors pour que les intellectuels de gauche s'engagent sur un texte publié dans *France-Observateur* le 8 novembre [1], puis il épouse pleinement la bataille du CNE, cette maison d'Aragon et d'Elsa Triolet, dont il a brossé un excellent portrait comme habitué des « samedis » [2].

Il tient à mener le combat au sein du CNE (d'où son refus de rejoindre la nouvelle Union de Martin-Chauffier) en cherchant à obtenir des démissions collectives. Il rompt finalement, lors de l'assemblée générale de janvier 1957, puis se détache de tous les autres relais progressistes (France-URSS, Mouvement de la paix) autour du Parti communiste. Mais la rupture la plus difficile pour lui est celle avec la revue *Europe*. *Europe* en effet constituait un pont entre l'avant-guerre (Romain Rolland) et l'après-guerre (les Vercors, Friedmann, Cassou, Martin-Chauffier de *L'Heure du choix*) pour le courant de

1. Cette prise de position est reproduite dans l'édition française du livre blanc du CCF (p. 282), qui met en regard la réponse que leur adressent les écrivains soviétiques *via* la *Literatournaïa Gazeta*.

2. « Un curieux protocole présidait aux relations des invités et du Maître. Bien qu'il circulât volontiers parmi le *vulgum pecus*, Aragon ne laissait pas venir à lui n'importe qui. Il restait généralement debout dans le passage entre les deux salons sans rien perdre de ce qui se passait à droite et à gauche, surveillant " son monde " d'un œil d'épervier, s'amusant des travaux d'approche de ses courtisans, les décourageant ou les stimulant du regard. Tel croyait le moment venu d'avancer d'un mètre qui se voyait refoulé d'un froncement de sourcils, et abandonnait. Tel autre, plus persévérant, réussissait vers les huit heures à franchir l'ultime des cercles concentriques qui le séparait du Prince; et ayant obtenu la faveur d'un mot, il s'en allait comblé. Plus accessible, Elsa Triolet siégeait d'ordinaire sur un canapé comme une reine entourée de ses dames d'honneur et de ses pages, les " jeunes poètes ", qui buvaient ses paroles. Je me rappelle une femme qui resta longtemps à genoux devant elle – parce qu'elle n'avait pas trouvé le moyen de s'asseoir, mais tout de même! Ces petites scènes d'Ancien Régime n'eussent prêté qu'à sourire si elles n'avaient illustré l'état d'esprit foncièrement antidémocratique du couple souverain et son pouvoir despotique » (*op. cit.*).

l'humanisme littéraire qui avait salué la grande lueur à l'Est. Et c'est *Preuves* que Villefosse choisit pour exposer publiquement le dossier de cette rupture [1].

Louis de Villefosse s'engage alors avec la passion qui est la sienne dans le comité de soutien créé en faveur de l'écrivain Tibor Déry, qui vient d'être condamné à neuf ans de prison. Si Ignotus est l'homme symbole du Congrès pour la liberté de la culture, Déry, incarnation parfaite du vieux compagnon de route, devient symétriquement la figure emblématique autour de laquelle se regroupent les intellectuels français en rupture de progressisme. Dès novembre 1957, Albert Camus, Thomas S. Eliot, Karl Jaspers et Ignazio Silone ont entrepris une démarche auprès de Janos Kadar en faveur de Déry et des autres intellectuels hongrois emprisonnés, en chargeant Villefosse d'assurer le secrétariat de cette initiative [2]. Le comité de soutien à Tibor Déry est constitué en 1958. Il réunit une très large palette d'éditeurs (Paul Flamand, Gaston Gallimard, René Julliard, Jérôme Lindon), d'hommes qui ont rejoint l'Union de Martin-Chauffier et Martin-Chauffier lui-même, des communistes en rupture de ban (Pierre Hervé, Claude Roy), des académiciens (François Mauriac, André Maurois), des personnalités inclassables (Gabriel Marcel, Georges Friedmann). La présidence du comité est confiée à Jean Cassou, tandis que Louis de Villefosse et Jean-Marie Domenach en animent le secrétariat. Les deux hommes étaient entrés en contact dès 1949 et ils avaient très vite sympathisé. Ils avaient du reste tout pour s'entendre : Domenach avait écrit un livre sur Barrès, Villefosse une étude sur Lamennais, mais ils auraient parfaitement pu échanger leurs curiosités politiques et littéraires [3]. En 1958, le comité effectue une démarche auprès de Ferenc Münnich, le président du Conseil hongrois, pour laquelle Domenach et Villefosse élargissent le cercle des premiers signataires (Aron et Vercors, par exemple, se joignant à cette initiative) et ils publient parallèlement une plaquette d'information sur le sort des intellectuels hongrois emprisonnés.

1. Louis de Villefosse, « Et maintenant ? Dossier d'une rupture », *Preuves*, septembre 1957.

2. L'ambassadeur de Hongrie à Paris ayant refusé de transmettre cette lettre, elle fut adressée par voie postale à Janos Kadar en demandant que la réponse soit faite à l'adresse privée de Louis de Villefosse.

3. Sitôt le comité constitué, Villefosse utilise le canal d'*Esprit* pour demander à Henri Martin de s'engager en faveur des intellectuels hongrois – sans succès.

Quittant ainsi le progressisme français pour le Congrès pour la liberté de la culture, Louis de Villefosse change d'univers. Le témoignage le plus spectaculaire de cette trajectoire est l'évolution d'un projet qui lui tenait à cœur : celui d'écrire une *Géographie de la liberté* (le titre s'inspirait d'un ouvrage célèbre de l'époque, *Géographie de la faim*, publié en 1952 par Josué de Castro). Il l'a conçu au début de la décennie 1950 en discutant avec Sartre. Il le mène à bien au début de la décennie suivante, en puisant très largement aux sources du Secrétariat international du CCF et du bulletin *Preuves-Information* [1].

Quittons l'univers des écrivains pour celui des organes intellectuels de la rive gauche. Une fois encore, David Rousset, le premier, avait tiré une salve dans cette direction. Dès le 30 octobre 1956, il publiait à la une du *Figaro* un vibrant article où, après avoir rappelé que c'étaient Sartre et Merleau-Ponty qui avaient rompu avec lui, il exhortait, au vu de l'insurrection hongroise, tous les hommes honnêtes à une rupture publique avec le compagnonnage de route. Quatre d'entre eux étaient nommés : Pierre Hervé, Aimé Césaire, Edgar Morin et Jean-Marie Domenach. On ignore comment cette adresse fut reçue par ses destinataires. Quatre jours plus tard, l'intervention soviétique modifiait radicalement le paysage politique et intellectuel à *France-Observateur* et à *Esprit* sinon aux *Temps modernes*.

L'hebdomadaire *France-Observateur* est à la vérité une quasi-revue, constituant une charnière entre *Esprit* et les *Temps modernes*. Isaac Deutscher est jusqu'à ces mois décisifs la figure intellectuelle dominante de ce milieu pour l'analyse du système communiste. Claude Bourdet, l'éditorialiste le plus influent du journal, attend une déstalinisation qui autoriserait une alliance avec le Parti communiste français. Si Bourdet exhorte les Hongrois à ne pas jeter le bébé socialiste avec l'eau sale du communisme, Deutscher adopte une attitude qui apparaît très vite inadmissible au reste de la rédaction : adjurant Nagy d'adopter une ligne « communisme national » à la manière de Gomulka, il rend implicitement le dirigeant hongrois responsable de l'intervention soviétique. A ses yeux, les Hongrois sont allés trop loin et ont donné dans la démesure.

1. Louis de Villefosse, *Géographie de la liberté. Les droits de l'homme dans le monde (1953-1964)*, Robert Laffont, 1965.

Cette position entraîne la rupture de la rédaction avec Deutscher. Rupture importante compte tenu de l'influence de cet hebdomadaire sur la gauche intellectuelle française et les rédactions des revues de la rive gauche.

Isaac Deutscher était une bête noire du Congrès pour la liberté de la culture comme le Congrès pour la liberté de la culture était une bête noire d'Isaac Deutscher. Une passe d'armes assez féroce eut d'ailleurs lieu entre lui et Aron en 1954 à l'occasion de la sortie de son livre *La Russie après Staline*. Raymond Aron en avait donné dans *Preuves* [1] un compte rendu critique, auquel Deutscher devait répondre quelques mois plus tard dans *Esprit* [2] en s'en prenant tout à la fois à Aron et aux « propagandistes professionnels de la guerre froide et tout particulièrement aux croisés anticommunistes combattant sous les nobles oriflammes du Congrès pour la liberté de la culture ». Raymond Aron ne laissa pas passer l'attaque et répliqua aussitôt dans *Preuves* [3], définissant Deutscher en ces termes :

> Croisé de l'anti-anticommunisme, armé de marxisme candide et de déterminisme économique, il pourfend les vétérans mencheviks, les membres du Congrès pour la liberté de la culture, tous ceux qui mettent en doute les perspectives souriantes de démocratie qu'ouvre, après la mort de Staline, « l'augmentation prodigieuse de la richesse soviétique ».

Historiquement, Deutscher renvoyait la terreur au caractère asiatique du bolchevisme, tout en maintenant la nécessité de sa victoire.

Tout aussi importante est, à la faveur de cette rupture, la substitution de François Fejtö à Isaac Deutscher comme intellectuel de référence principal dans ces milieux. Historien et journaliste d'origine hongroise appartenant à la même génération intellectuelle que Paul Ignotus [4], François Fejtö fait lui aussi partie de ces sociaux-démocrates qui ont cru possible de travailler de concert avec les communistes à l'édification d'une Hongrie nouvelle après la défaite des puissances de l'Axe. En

1. Raymond Aron, « La Russie après Staline », *Preuves*, n° 32, octobre 1953.
2. Isaac Deutscher, « L'URSS après Staline. Réponse aux critiques », *Esprit*, mars 1954.
3. Raymond Aron, « Un croisé de l'anti-anticommunisme », *Preuves*, n° 34, mai 1954.
4. François Fejtö, *Mémoires, de Budapest à Paris,* Calmann-Lévy, 1986.

1949, au moment du procès Rajk, il est conseiller culturel de l'ambassade à Paris. Or Rajk est un ami personnel, avec lequel il a fondé un groupe d'études marxistes avant la guerre. Rompant avec le régime, Fejtö fait campagne pour alerter l'opinion sur le procès, publiant notamment dans la revue *Esprit* un grand article qu'Emmanuel Mounier accepte malgré la pression des communistes [1]. Membre fondateur de *L'Observateur*, Fejtö est hostile à la politique américaine en Europe. Toutefois, il a des rapports ambigus avec le Congrès pour la liberté de la culture. Après avoir publié son article dans *Esprit*, il rencontre Aron pour lui proposer de développer cet essai et de le publier dans la collection « Liberté de l'esprit ». Le contact entre les deux hommes est médiocre. Aron refuse le projet. De ce refus naîtra un ouvrage sur les démocraties populaires appelé à faire référence [2]. Lorsque Bondy tâte le terrain pour lancer une revue du congrès à Paris, il prend langue avec Fejtö, qui lui donne simplement le conseil de ne pas attaquer frontalement *Esprit* et *Les Temps modernes*. Fejtö s'abstient de collaborer à *Preuves*, partageant les options neutralistes de ses amis de *L'Observateur*, ce qui ne l'empêche pas d'utiliser largement les informations de *Preuves* pour ses travaux, tout comme Josselson de sélectionner *L'Histoire des démocraties populaires* parmi les livres que le Secrétariat international envoie aux différents comité du congrès de par le monde.

Journaliste à l'Agence France-Presse, François Fejtö est l'homme de la situation à l'automne 1956 [3], tant aux *Lettres nouvelles* (« La république des écrivains hongrois ») qu'au *Figaro littéraire* (« Pourquoi la jeunesse hongroise a pris les armes ») et à *L'Observateur* (« L'URSS contre les Soviets »). Mieux : Sartre vient le voir à son domicile et lui donne carte blanche pour réaliser un numéro des *Temps modernes*, numéro qui voit le jour au début de l'année 1957 [4]. Il édite les discours

1. *Id.*, « L'affaire Rajk est une affaire Dreyfus internationale », *Esprit*, n° 11, novembre 1949.
2. *Id.*, *Histoire des démocraties populaires*, Éditions du Seuil, 1952.
3. Cet automne 1956 commence d'ailleurs pour Fejtö par un scoop : Tristan Tzara, le père du dadaïsme converti au communisme, après un voyage en Hongrie l'autorise à rapporter pour les lecteurs du *Figaro* le fond (sacrilège) de sa pensée : « Il faut lire la presse bourgeoise pour savoir ce qui se passe en Hongrie... » Déclaration faite dans les colonnes de ladite presse bourgeoise après qu'Aragon a interdit à Tzara *Les Lettres françaises*.
4. *Les Temps modernes*, janvier 1957.

d'Imre Nagy [1], publie un livre [2], se rapproche de *Preuves*, tout en continuant à écrire dans *L'Observateur*. Mieux encore, il donne désormais des conférences aussi bien dans les groupes *Esprit* qu'aux Amis de la liberté, ce qui est une performance peu banale pour l'époque.

Les 3 et 4 novembre 1956, *Esprit* tient justement son congrès en région parisienne. La rédaction, les collaborateurs, les animateurs du mouvement sont frappés de plein fouet par l'intervention soviétique, dont ils prennent connaissance pendant leurs travaux. Immédiatement, Jean-Marie Domenach remet un communiqué à la presse [3]. Puis, le 16 novembre, la revue rend public un communiqué beaucoup plus net sur le fond :

> Les soussignés membres du comité directeur et collaborateurs de la revue *Esprit*, dont la plupart ont déjà souscrit à diverses protestations touchant les événements de Hongrie, tiennent à affirmer ensemble leurs sentiments de respect envers les insurgés de Budapest luttant pour la liberté, leur indignation sans réserve devant le massacre d'un peuple par les forces organisées d'une puissance étrangère et leur écœurement devant ceux qui approuvent les bourreaux, calomnient les victimes ou exploitent leur héroïsme.

Ce texte porte quarante-quatre signatures [4]. Le milieu *Esprit*, à la différence du CNE, n'est pas seulement un milieu d'écrivains. Ces quarante-quatre signatures réunissent une palette plus large de professeurs d'université, de journalistes, de hauts fonctionnaires. Ce communiqué est suivi peu après d'un

1. Imre Nagy, *Un communisme qui n'oublie pas l'homme*, Plon, 1957.
2. François Fejtö, *La Tragédie hongroise*, Pierre Horay, 1957.
3. « Les 150 participants au congrès de la revue *Esprit* qui vient de se tenir les 3 et 4 novembre m'ont chargé de faire connaître leur indignation sans réserve devant l'intervention brutale de l'armée russe contre le peuple hongrois. Pour nous, le socialisme ne se sépare pas du respect de la dignité nationale et des libertés humaines. »
4. Albert Béguin, Jean-Marie Domenach, Jean Bardet, Marc Beigbeder, Georges Berger, Michel Bernard, Louis Bodin, Camille Bourniquel, Louis Casamayor, Jean Cayrol, Olivier Chevrillon, Jean Conilh, Jean David, André Dumas, Ange Durtal, François Fejtö, Paul Flamand, Paul Fraisse, Georges Friedmann, Pierre Gailly, Armand Gatti, Jean Guichard-Meili, Yves Goussault, Hubert Juin, Jean Lacroix, Jean-William Lapierre, Georges Lavau, Gennie Luccionni, Guy Levi-Mano, Rémi Martin, Henri Marrou, Loys Masson, Paulette Mounier, Monique Nathan, Jean Paris, Philippe Paumelle, Henri Pichette, Henri Queffélec, Jacques-René Rabier, Jean Ripert, Joseph Rovan, François Sellier, Alfred Simon, Georges Suffert.

numéro spécial, *Les Flammes de Budapest* [1]. Deux textes de cet ensemble méritent plus particulièrement de retenir l'attention : l'éditorial non signé, rédigé par Albert Béguin, et l'article de Pierre Emmanuel.

Dans l'éditorial qui donne son titre au numéro, Albert Béguin note que le retentissement universel des événements de Budapest appelle plus que le simple commentaire politique. A Budapest, c'est l'humanité elle-même qui est atteinte, comme elle l'a été lors de la Commune de Paris, de la guerre d'Espagne, du ghetto de Varsovie :

> L'inacceptable spectacle qu'évoquent les noms de Varsovie, de Paris, de Madrid, de Budapest est toujours le même : celui des forces organisées, munies de tous les engins techniques et de toutes les armes de la puissance, écrasant sans pitié, au nom de l'Ordre, le peuple soulevé par des valeurs plus humaines, plus intérieures, plus viscérales, la Liberté, la Nation, la Justice.

Mais ces événements atteignent plus particulièrement les hommes et les femmes qui se reconnaissent dans le travail de la revue car *Esprit* a fait un pari sur les sociétés socialistes, pari que Béguin résume en ces termes :

> Ce que nous proposait par ses savants et ses doctrinaires le monde de l'Est, c'était une image de l'histoire où un devenir prévisible obéissait au déterminisme de l'économie. Certes, une subtile dialectique permettait, dans un temps indéterminé, la victoire de la liberté à l'intérieur de cette histoire rigoureusement guidée par les lois que dégage la science. Mais sous nos yeux, il n'y avait pas le moindre indice de ces résurrections futures. C'est là qu'il fallait parier. Nous avons parié en dépit de tous les signes contraires en croyant que du sein même de la société organisée par l'État marxiste on verrait inévitablement renaître les appels profonds de l'être spirituel, l'exigence de liberté, les droits de l'expression non soumise à la doctrine, l'épanouissement de la vie spontanée, soustraite aux consignes, aux plans et aux commandements idéologiques régnants.

Si la révolution hongroise montre que la tyrannie n'est pas invincible, elle conduit parallèlement à une remise en cause fondamentale du marxisme, de la combinaison de science et de

1. *Esprit*, décembre 1957. François Fejtö, qui a participé au congrès d'*Esprit* les 3 et 4 novembre, où il lui a été demandé un exposé sur la déstalinisation, collabore bien entendu à ce numéro spécial avec un article intitulé « Premières leçons d'une révolution ».

foi qui lui est consubstantielle, de la dérive d'une science de la société en science absolue dont il est porteur. Les événements contemporains donnent ainsi la mesure de la gravité de la situation créée à la fin du XIXe siècle, lorsque, dans les luttes idéologiques d'alors, le socialisme scientifique l'a emporté sur le socialisme traditionnel. Nous sommes liés de cœur, de foi, d'espérance au monde qui tente d'édifier le socialisme, écrit Béguin, avant de conclure sur la nouvelle solidarité que les événements de Hongrie font naître de part et d'autre :

> Notre commune captivité prend fin. Entre nous et les hommes vivants de l'Est une plus profonde communion est née. Si nous éprouvons tristesse et honte pour n'avoir pu leur venir en aide à l'heure où flambait Budapest, les voici à pied d'œuvre devant la même tâche que nous – bien que leur sacrifice leur donne une présence que nous nous devons de respecter. Si nous pouvons aujourd'hui mieux qu'hier espérer l'instauration d'un socialisme plus humain, délivré de l'hypothèque et de l'idolâtrie totalitaire, ils sont les auteurs, les martyrs de cette promesse nouvelle. A l'aveugle « force des choses » qu'invoquaient notre deuil et notre résignation se substitue, à la lumière de l'incendie, l'admirable poids des autres.

L'article de Pierre Emmanuel [1], moins grave mais plus caustique, commence sur un aveu personnel :

> [...] pas une seule fois je ne m'étais figuré jusqu'alors ce que serait, ce qu'était déjà l'homme communiste, cette incroyable réduction de l'esprit opérée par des primates intellectuels. Comme tant de petits maîtres de l'intelligentsia qui à vingt ans refont le monde du bout des doigts et ne savent pas encore vivre à quarante, je lisais avec un dédain distingué les comptes rendus des procès et les âneries esthétiques à la Jdanov, en me disant que les Russes étaient décidément des barbares mais que chez nous autres, Français...

Fort de cet aveu, Pierre Emmanuel, avec un rare bonheur d'écriture, circonscrit les contours du progressisme français, résumé en quatre points :

> DÉFINITION : un homme qui a peur de faire front aux communistes et se donne à bon marché la double illusion d'être un révolutionnaire et un esprit libre.
>
> ORIGINE : en 1944, la tête encore chaude de l'insurrection

1. Pierre Emmanuel, « Les oreilles du roi Midas », *Esprit,* décembre 1956.

nationale, nous avons cru la situation révolutionnaire : griserie mêlée d'angoisse, désir *d'en être* puisque rien d'autre ne s'annonce à l'horizon, et naturellement aussi tout ce carrousel qui vous tourne la tête, souvenirs de manuels d'histoire, 1793, la Commune, la révolution d'Octobre, la société sans classes, l'âge d'or...

BASSESSE : la double bassesse de notre époque, la voilà : on tremble d'une part devant le militarisme soviétique et de l'autre, pour se prouver que l'on existe, on voudrait lancer le coup de pied de l'âne aux Américains.

RÉSULTAT : en voulant être les Don Quichotte de la justice, nous ne sommes que les Ponce Pilate de l'histoire.

En quelques phrases tout est dit. Cependant, ces deux articles recèlent une divergence de fond : tandis que Pierre Emmanuel met en pièces la symétrie et l'équidistance caractéristiques de l'époque (URSS = États-Unis : voyez la Hongrie ici, le Guatemala là), Albert Béguin maintient une asymétrie fondamentale, fondée sur un jugement d'une extrême sévérité sur l'Amérique :

> Au sein même de cette civilisation qui est encore la nôtre, un matérialisme sans ouverture sur aucun avenir faisait pendant au matérialisme qui, de l'autre côté, avait l'avantage d'être porté par une espérance collective. Et si nous reprochions à l'idéologie socialiste d'idéaliser l'homme et de rester aveugle sur sa nature faillible, nous rencontrions bientôt l'idéalisme plus aveugle encore de l'Américain moyen. Qu'attendre de cette civilisation qui, bafouant et caricaturant les traditions spirituelles de l'Occident, précipite l'humanité dans une existence horizontale, dépourvue de transcendance comme de dimension intérieure ?

Il serait trop simple de voir dans ce jugement de Béguin l'expression d'un plat progressisme. À la vérité, deux fils s'entrecroisent dans ce paragraphe : premièrement, l'hostilité très vive à l'égard de l'Amérique de l'auteur de *L'Âme romantique et le rêve*, lui-même personnellement tourné vers l'Inde et le Mexique ; deuxièmement, le retentissement profond que connut dans le catholicisme français de l'époque l'expérience des prêtres ouvriers, à laquelle Béguin prêtait une attention toute particulière. Sans cette référence, la notion d'espérance collective demeure incompréhensible. Par réfraction, elle éclaire l'importance du « pari » d'*Esprit* : il s'agit à l'évidence d'un pari pascalien. Béguin, sans le nommer, renvoie ainsi à la visée du fondateur de la revue, auquel il a succédé, Emmanuel

Mounier, qui, au lendemain de la guerre, plaçait l'époque sous le double patronage de Marx et de Pascal.

La création d'*Arguments* en cette fin d'année 1956 est le troisième élément marquant de la transformation du milieu des revues intellectuelles parisiennes. A dire vrai, le projet de ce « bulletin » (qui refuse au départ, par coquetterie ou pour ne pas tenter le diable, de s'appeler « revue ») était en gestation depuis un an, à travers des discussions conduites avec un groupe italien réuni autour de la revue *Ragionamenti*. Le premier numéro d'*Arguments* porte la date de décembre 1956-janvier 1957. Son directeur-gérant est Edgar Morin, un jeune intellectuel qui a rompu avec le communisme depuis quelques années et qui a écrit dans *France-Observateur* aux tout premiers jours de l'insurrection hongroise un article remarqué [1]. Les premiers animateurs de ce bulletin sont du côté français, outre Edgar Morin, Colette Audry, Roland Barthes, Jean Duvignaud. Trois d'entre eux, Barthes, Duvignaud, Morin, ont appartenu au Parti communiste français. La revue veut se maintenir dans une filiation marxiste non dogmatique, associant les perspectives sociologiques, politiques et esthétiques. Le grand intellectuel de référence à l'arrière-plan de cet effort est György Lukacs. *Arguments* se veut un espace de débat et plusieurs points de vue sur un même événement ou sur le même article sont présentés dans chaque numéro. Le bulletin est ouvert aux réalités contemporaines et aux nouvelles disciplines [2]. A partir du début de l'année 1958, *Arguments* se présente définitivement comme une revue. A son comité de rédaction figure désormais François Fejtö [3].

Le premier ensemble consacré par *Arguments* à la Hongrie est mis sous presse à la fin du printemps 1956, quelques mois avant la publication du livre blanc [4]. Il repose sur trois contributions : Pierre Naville (sur l'histoire des conseils ouvriers),

1. Edgar Morin, « L'heure zéro des intellectuels du Parti communiste français », *France-Observateur*, 25 octobre 1956.

2. Ainsi le n°1 d'*Arguments* contient-il un article d'un sociologue italien de la nouvelle génération, Alessandro Pizzorno, sur le IIIe Congrès mondial de sociologie, qui s'est tenu en août 1956 à Amsterdam, *Les Changements sociaux au XXe siècle*, et qui a offert le premier espace de confrontation entre sociologues occidentaux et soviétiques depuis l'ère stalinienne.

3. Le nouveau comité de rédaction en place pour le n° 6 (février 1957) est ainsi composé : Colette Audry, Kostas Axelos, Jean Duvignaud, François Fejtö, Dionys Mascolo, Edgar Morin.

4. *Arguments*, n° 4, juin-septembre 1957.

Pierre Broué (sur les témoignages et les études consacrés à la révolution hongroise) et François Fejtö (discutant la présentation de Broué). Si Naville et Broué représentent la filiation trotskiste, il est intéressant de relever que la quatrième contribution de cet ensemble, celle de Duvignaud, est une réplique aux analyses de Broué, à qui il reproche d'avoir mis le livre de Fetjö, *La Tragédie hongroise*, sur le même plan que les autres analyses présentées. Il écrit :

> Il me semble que Broué ne saisit pas le véritable rôle de François Fetjö dans les milieux de la gauche en France. Il en fait un journaliste parmi d'autres journalistes. Or par deux fois dans l'histoire récente, au moment du procès Rajk et au moment de la révolution hongroise, François Fejtö a joué un rôle que l'on ne saurait sous-estimer.

Duvignaud rappelle tout d'abord le rôle capital joué par Fejtö tant à l'Agence France-Presse que par ses articles au *Monde* et à *France-Observateur*, en évoquant l'éloge que lui a récemment décerné Ignazio Silone (observant qu'à lui seul il a été plus fort qu'un appareil de parti), avant de souligner en ces termes l'apport de *La Tragédie hongroise* : « La seule analyse jusqu'ici publiée en France de la pénétration sociologique de l'idéologie et de la terreur stalinienne dans le mécanisme d'une communauté. »

Le rapprochement d'*Arguments* et des milieux du Congrès pour la liberté de la culture n'est ni direct ni immédiat. C'est bien davantage avec *Études*, la revue de l'institut Imre-Nagy de Bruxelles, que des liens étroits s'établissent dans un premier temps, constituant de la sorte un sas de communication avec les hommes du CCF. Toutefois, dès 1958, *Arguments* publie en fin de numéro les sommaires d'un certain nombre de revues qui lui paraissent dignes d'intérêt, dont celui de *Preuves*.

Si les trois revues (ou quasi-revues) que sont alors *Esprit, Arguments* et *France-Observateur* sont bien dès l'automne 1956 sur la voie d'un *aggiornamento*, il convient aussitôt de marquer les limites de cet *aggiornamento*. Si ce milieu rompt avec Isaac Deutscher et ses œuvres, il ne met nullement le concept de totalitarisme (et, par voie de conséquence, la notion de révolution antitotalitaire) au centre de ses analyses. Une fois encore, Fejtö, qui constitue le *go between* central de ces trois organes de la gauche intellectuelle non communiste, est ici un bon révélateur.

Soucieux de prendre ses distances avec les anticommunistes radicaux comme Souvarine, il reproche symétriquement à Djilas, dont le livre vient de sortir, de ne reconnaître qu'une alternative au stalinisme, la démocratie parlementaire occidentale [1]. Fejtö oppose à Djilas, Bibo, l'homme de la troisième voie. La rupture avec le communisme stalinien va de pair avec une valorisation de cette troisième voie. C'est au fond la position d'*Esprit*. Si la révolution hongroise disqualifie l'Union soviétique, elle n'entame pas l'idée que les démocraties populaires ont réalisé des réformes de structures indispensables à l'édification du socialisme. Dans cette conception, la notion d'« acquis irréversible » demeure intacte [2].

Mais quelles que soient les limites de l'*aggiornamento* en cours dans les revues de gauche, Sartre pour sa part se situe radicalement en dehors des déplacements provoqués par l'onde de choc hongroise. Mieux, il s'inscrit à contre-courant du mouvement. Sans doute, dans la première quinzaine de novembre 1956, a-t-il donné à *L'Express* [3] un entretien marquant une rupture (entretien remarqué par Ignazio Silone [4]) et dans ce premier mouvement a-t-il confié à Fejtö le soin d'élaborer un numéro des *Temps modernes*. Mais, après ce pas en avant du Sartre écrivain, le Sartre théoricien fait deux pas en arrière. Sartre écrivain ne démissionne pas du CNE. Il se situe en deçà de Vercors, pourtant unanimement critiqué à l'époque. Sartre théoricien accompagne le numéro d'hommage des *Temps modernes* à la Hongrie insurgée d'un *factum* de la même eau que « Les communistes et la paix » et dans lequel il prend le contre-pied exact de l'*aggiornamento* de type troisième voie : s'il reconnaît que l'URSS a perdu sa légitimité à la périphérie européenne, c'est pour mieux relégitimer le régime soviétique en URSS même [5]. S'il ne s'aligne pas exactement sur la position communiste, qui voit dans le peuple hongrois un peuple réactionnaire, il propose sa version personnelle, qui en fait un

1. *Ibid.*, n° 6, février 1955. Ensemble intitulé « Perspectives d'évolution du communisme », avec Daniel Guérin, François Fejtö et Pierre Naville.

2. C'est aussi la position de l'auteur des *Aventures de la dialectique*, Maurice Merleau-Ponty, plus à l'aise avec le révisionnisme polonais qu'avec la révolution hongroise, comme le montrent sans ambiguïté les articles reproduits dans *Signes*.

3. *L'Express*, 9 novembre 1956.

4. Ignazio Silone, « Dignité de l'intelligence », *Témoins*, n° 14, numéro spécial *Hommage au miracle hongrois*.

5. Pierre Lochak, « Le fantôme de Staline hante Jean-Paul Sartre », *Preuves*, n° 73, mars 1957.

peuple immature, ce qui ne vaut guère mieux. Alors que toute la gauche non communiste rompt avec Deutscher, *Les Temps modernes* ne le font pas [1]. Alors qu'un court instant on aurait pu penser que les chemins de Silone et de Sartre allaient à nouveau se croiser, ils s'écartent au contraire irrémédiablement [2].

Le livre blanc sur le procès Nagy

Le 17 juin 1958, le ministère de la Justice de Hongrie publiait un communiqué annonçant qu'au terme d'un procès Imre Nagy et trois de ses compagnons avaient été exécutés. Le procès s'était déroulé à huis clos dans un endroit tenu secret, tout comme le lieu de l'exécution et de sépulture des condamnés. Après le procès Rajk, le procès Nagy s'inscrivait dans la liste des grands procès politiques de l'histoire du communisme. Il devait du reste en être le dernier.

Pour la seconde fois en deux ans, le Congrès pour la liberté de la culture met alors en chantier un livre blanc. Il s'agit cette fois de s'attaquer directement à la thèse de l'accusation prétendant qu'Imre Nagy avait pris la tête d'un complot contre-révolutionnaire. De 1957 à 1958, le gouvernement hongrois avait fait paraître pas moins de cinq livres blancs sur l'insurrection. Quatre d'entre eux portaient sur la contre-révolution et les événements d'octobre en Hongrie. Le cinquième, intitulé *Le Complot contre-révolutionnaire d'Imre Nagy et ses complices*, devait nourrir l'accusation. C'était à ce cinquième volume que voulait répondre l'initiative appuyée par le congrès.

Le second livre blanc du CCF, élaboré à Paris celui-là, poursuivait tout comme le premier plusieurs objectifs : défendre l'honneur et la mémoire des condamnés [3]; réfuter point par point l'accusation; apporter à l'opinion internationale d'autres éléments d'analyse. Le volume [4], publié en 1958, était présenté

1. Déjà lors du procès Rajk, et à la différence d'*Esprit*, *Les Temps modernes* ne s'étaient pas vraiment « engagés ».
2. Voir la position de Silone dans *L'Express* du 7 décembre 1956.
3. Le livre blanc du CCF devait être publié en hongrois en Hongrie en 1989, lors des funérailles officielles d'Imre Nagy.
4. *La Vérité sur l'affaire Nagy. Les faits, les documents, les témoignages internationaux*, Plon, 1958, préface d'Albert Camus, postface de François Fejtö.

par un comité de rédaction anonyme. Les rédacteurs ne dissimulaient pas qu'ils étaient des amis d'Imre Nagy vivant hors de la Hongrie. Plusieurs avaient été membres du Parti communiste et avaient combattu aux côtés des condamnés pendant la révolution d'octobre. S'ils gardaient l'anonymat, c'était, on le comprenait, pour ne pas nuire à leurs proches restés en Hongrie. Autre précaution : le comité de rédaction avait renoncé à l'utilisation de toute documentation dont l'authenticité aurait pu être mise en doute par le régime hongrois, en clair toute documentation d'origine occidentale. L'argumentation de ce contre-procès, car il s'agissait bien d'un contre-procès, s'appuyait ainsi sur des sources provenant du régime lui-même.

Quant à l'idée qu'il eût existé un « groupe Nagy », le comité de rédaction précisait dans l'introduction :

> Ce qui a réellement existé, c'est un cercle d'abord étroit, puis de plus en plus large, s'inspirant des idées d'Imre Nagy. Contrairement à ce que prétend l'acte d'accusation lorsqu'il affirme que ce cercle était constitué d' « ennemis de la démocratie populaire », il s'agissait en réalité d'un groupe oppositionnel du Parti des travailleurs hongrois, autrement dit du Parti communiste. Cette fraction était créée par les protestations que provoquèrent la tyrannie et les crimes du régime Rakosi. Cette opposition, forte des changements survenus en URSS après la mort de Staline et ses répercussions en Pologne, aurait voulu réaliser une variante hongroise du socialisme, plus démocratique et plus populaire.

L'évolution historique de cette opposition, de 1953 à 1956, poursuivait le texte, reste encore à écrire. Pour une première tentative de restitution d'une telle histoire, il renvoyait à un ouvrage en cours d'édition, à New York, également publié avec le concours du congrès et dont un des rédacteurs, Tibor Meray, était, avec Pierre Kende, une des chevilles ouvrières de la réalisation du livre blanc à Paris [1].

Meray était secrétaire de l'Union des Écrivains lors de la révolution d'octobre. Lorsqu'il émigra, il choisit de demeurer à Paris, bien que ne connaissant pas le français à l'époque. Ce fut Ladislas Gara qui se fit son mentor et son traducteur auprès de différents organes français : *L'Express*, où Gara publia la traduction en feuilleton de l'un de ses romans, et *Franc-Tireur*,

1. Tamas Aczel et Tibor Meray, *The Revolt of the Mind,* Londres, Friedrich A. Praeger, 1959. La traduction française de cet ouvrage devait paraître trois ans plus tard chez Gallimard, sous le titre *La Révolte de l'esprit.*

auquel Tibor Meray donna une série sur la guerre de Corée. Avant d'être en effet un oppositionnel de l'entourage d'Imre Nagy, Tibor Meray avait été jusqu'en 1953 correspondant de guerre en Corée pour la presse du Parti. Aussi *Franc-Tireur* d'abord, le CCF ensuite étaient-ils particulièrement intéressés par son témoignage pour contrer la propagande soviétique, notamment sur la question bactériologique. Le congrès finança Meray pour une tournée de conférences internationales, comme cela avait été le cas d'Ignotus, en vue de présenter la révolution hongroise. Des liens plus particuliers se tissèrent entre lui et le comité australien car à l'époque c'était un journaliste australien, Wilfried Burchett, qui avait alimenté la presse progressiste du monde entier en reportages sur la guerre de Corée. Entre sa participation au livre blanc et son travail avec Aczel, Tibor Meray devait encore publier un livre sur Imre Nagy [1], avant de prendre, on l'a vu, la responsabilité de la publication de *La Gazette littéraire* à Paris après la cessation de sa parution à Londres.

De même que l'originalité de l'édition française du premier livre blanc consistait à incorporer une analyse d'Aron, l'originalité de ce second livre blanc était de s'ouvrir sur une préface d'Albert Camus. Sans doute le texte d'Aron et celui de Camus n'étaient-ils pas de même nature, Camus ne prétendant nullement produire une analyse politique originale. La valeur de son texte était avant tout symbolique pour l'opinion française et internationale, ainsi que pour le congrès lui-même. Les événements de Hongrie furent en effet la seule circonstance où les chemins de Camus et ceux du CCF se croisèrent : en ce qui concerne le livre blanc consacré à l'affaire Nagy tout d'abord; ensuite sur l'aide aux intellectuels emprisonnés et à leurs familles. En effet, le congrès cherchait à soutenir non seulement les intellectuels émigrés, mais encore ceux qui étaient persécutés en Hongrie même. L'entraide intellectuelle était dès l'origine constitutive de son identité, avec la création du *Fund for Intellectual Freedom* de Koestler. Mais le nom de Koestler était inutilisable en Hongrie après 1956, tout comme l'était celui du congrès, en raison même du soutien apporté à l'émigration.

1. Tibor Meray, *Thirteen Days that Shook the Kremlin. Imre Nagy and the Hungarian Revolution*, Londres, Friedrich A. Praeger, 1959; trad. fr. : *Imre Nagy, l'homme trahi*, Julliard, 1960.

Camus accepta alors l'emploi de son nom pour faire transiter cette aide. Il avait pris la défense de Tibor Déry et, à travers le comité Déry, Villefosse et Meray s'étaient rapprochés. En 1957, Camus obtenait le prix Nobel. Il rendit public le fait que le montant de ce prix irait aux intellectuels hongrois et à leurs familles. Le congrès put dès lors faire transiter son action d'entraide par le canal de la fondation Camus. Ce mécanisme fonctionna, après la mort de l'écrivain, jusqu'à la promulgation de la loi d'amnistie en Hongrie.

Grand éditorialiste de *Combat* au lendemain de la guerre, Camus n'a pas été impliqué dans l'aventure du RDR, dont il s'est montré cependant un « partisan distancié [1] ». Toutefois, il a participé à la réunion de la Sorbonne lors de la Journée internationale de résistance à la dictature et à la guerre au printemps 1949. S'il n'a pas rejoint le Congrès pour la liberté de la culture, on le retrouve cependant au côté de Manès Sperber et David Rousset à la Mutualité en 1953, lors du soulèvement des ouvriers de Berlin-Est. *L'Homme révolté* n'a pas laissé indifférents les milieux du congrès. François Bondy consacre au livre une très longue recension critique dans sa revue [2], soulignant que les chapitres consacrés au totalitarisme en acte « sont les plus saisissants, les plus passionnés, les plus vrais de tout l'ouvrage ». Bondy retient principalement un reproche et une critique à l'égard de Camus : reproche de n'avoir pas attaqué plus directement et plus franchement Sartre et son école ; critique de l'opposition établie par Camus entre univers méditerranéen et idéologie allemande. Cependant ces réserves n'en font que mieux apparaître l'accord fondamental sur la critique de l'historicisme mais surtout la critique de la pensée de la totalité. Camus démontre excellemment, écrit François Bondy, que « la pensée de la totalité est une non-pensée à proprement parler, elle est idéologie ou mythe et, si elle s'empare de l'humanité, à travers l'empire idéologique, elle se met en guerre permanente contre ce qui dans l'humanité est humain. Le totalitarisme, c'est le progrès de l'histoire vers la zoologie, vers le néant de l'homme ».

Il n'est pas tout à fait absurde d'écrire qu'en 1956, à l'inverse d'un Merleau-Ponty, par exemple, Camus est, si l'on

1. François Brajus, *op. cit.*
2. François Bondy, « Le mythe de l'homme révolté », *Preuves*, n° 11, janvier 1952.

ose risquer cette expression, plus à l'aise avec la révolte hongroise qu'avec le révisionnisme polonais. La réponse qu'il donne dès le 3 novembre à une enquête du *Figaro littéraire* est à cet égard remarquable. L'hebdomadaire a posé à neuf écrivains [1] trois questions : qu'a éveillé en vous la révolte nationale de la Hongrie et a-t-elle modifié vos idées sur le sens de l'histoire et les chances du socialisme pour le progrès de la société humaine ? Comment expliquez-vous que la foi communiste qui a masqué les réalités du système ait échappé à la critique d'une partie des écrivains ? L'oppression et les exactions contre lesquelles s'est dressé le peuple hongrois s'expliquent-elles par le rôle de personnalités néfastes ou résultent-elles des institutions fondées sur le marxisme-léninisme ? A ces trois questions Albert Camus donne la réponse la plus lapidaire des neuf réponses publiées. Qu'on en juge :

> 1) Un sentiment de solidarité totale ; non, elle les a confirmées.
> 2) Cela s'explique très bien : *a)* par l'admiration maniaque de la force ; *b)* par la fausse philosophie de l'histoire, qui n'est en réalité que le culte nihiliste du fait accompli.
> 3) Elles tiennent à la nature des institutions.

L'admiration maniaque de la force, la fausse philosophie de l'histoire, le culte nihiliste qu'elle véhicule convergent dans l'absolutisation de la révolution. Camus les a toujours refusés.

Le refus du nihilisme et du culte du fait accompli conduit Camus, en cet automne 1956, à mettre son espoir dans la loi internationale pour faire reculer l'Union soviétique et redresser le forfait accompli en Hongrie. Le 10 novembre, en réponse au dernier appel lancé par les écrivains hongrois sur un émetteur clandestin où il est nommément interpellé [2], Albert Camus écrit dans *Franc-Tireur* :

> Nos frères de Hongrie, isolés dans leur forteresse de mort, ignorent certainement l'immense élan d'indignation qui a fait l'unanimité des écrivains français. Mais ils ont raison de penser que les paroles ne suffisent pas et qu'il est dérisoire d'élever seulement de vaines lamentations autour de la Hongrie crucifiée. La vérité est que la société internationale tout entière, qui après des

1. Robert Aron, Albert Camus, Pierre Emmanuel, Stanislas Fumet, Pierre Gascar, Gabriel Marcel, Louis Martin-Chauffier, Jules Monnerot, Charles Vildrac.
2. A la différence du premier appel, celui-ci interpellait directement Camus, Malraux, Koestler, Russell, Jaspers, Eliot, Madariaga et quelques autres grands intellectuels jouissant d'une réputation internationale.

années de retard a trouvé soudain la force d'intervenir dans le Moyen-Orient, laisse au contraire assassiner la Hongrie. Déjà il y a vingt ans, nous avons laissé écraser la République espagnole par les troupes et par les armes d'une dictature étrangère. Ce beau courage a trouvé sa récompense : la Deuxième Guerre mondiale. La faiblesse des Nations unies et leur division nous amènent peu à peu à la troisième, qui frappe à nos portes. Elle frappe et elle entrera si, partout dans le monde, la loi internationale ne s'impose pas pour la protection des peuples et des individus.

Après ce préambule, Camus propose que les écrivains mentionnés dans l'appel du 7 novembre entreprennent une démarche commune auprès des Nations unies sur la base du texte suivant, qu'il leur propose :

Les écrivains européens dont les noms suivent demandent que l'assemblée générale examine sans désemparer le génocide dont est victime la nation hongroise.

Ils demandent que chaque nation prenne à cette occasion ses responsabilités, qui seront enregistrées, pour voter sur le retrait immédiat des troupes soviétiques, leur remplacement par la force de contrôle international désormais à la disposition des Nations unies, la libération des détenus et des déportés et l'organisation consécutive d'une consultation libre du peuple hongrois. Ces mesures sont les seules qui puissent assurer la paix juste dont sont avides tous les peuples, y compris le peuple russe.

Dans le cas où les Nations unies reculeraient devant leur devoir, les signataires s'engagent non seulement à boycotter l'organisation des Nations unies et ses organismes culturels, mais encore à dénoncer en toutes occasions devant l'opinion publique sa carence et sa démission.

Les signataires prient M. le Secrétaire général de se faire leur interprète auprès des représentants des Nations unies pour les assurer que leur appel n'est pas inspiré par un quelconque, et d'ailleurs assez vain, esprit de chantage, mais par la conscience douloureuse de leurs propres responsabilités et par leur révolte angoissée devant le martyre d'un peuple héroïque et libre.

Camus invite par ailleurs tout écrivain européen qui le souhaite à prendre contact avec d'autres écrivains de son pays pour relayer cette démarche auprès des Nations unies, manifestant ainsi par-dessus le rideau des dictatures et à côté de la faiblesse des gouvernements occidentaux que « la véritable Europe existe, unie dans la justice et la liberté, face à toutes les tyrannies. Les combattants hongrois meurent en masse aujourd'hui pour cette Europe. Pour que leur sacrifice ne soit pas vain, nous, dont les voix pour un temps sont encore libres, devons lui manifester jour après jour notre fidélité et notre foi, et relayer, aussi loin que possible, l'appel de Budapest. »

L'originalité de Camus est donc d'en appeler aux Nations unies pour obtenir le retrait des troupes soviétiques et la garantie d'élections libres en Hongrie. Un paragraphe de ce texte mérite d'être éclairé : celui où Albert Camus évoque la possibilité d'un boycott de l'UNESCO (non directement nommée mais parfaitement identifiable) au cas où l'ONU se déroberait à ses responsabilités. Ce thème du boycott éclaire de surcroît les liens que Camus entretenait avec un segment très particulier de la société française : le courant de l'anarcho-syndicalisme libertaire (l'anarcho-syndicalisme étant à Albert Camus, toutes choses égales par ailleurs, ce que les prêtres ouvriers sont à Albert Béguin) tel qu'il s'exprimait dans *La Révolution prolétarienne*, relancée en 1947 par des hommes comme Monatte, Rosmer et Victor Serge [1] et à laquelle collaboraient des hommes associés au Congrès pour la liberté de la culture comme Louis Mercier et Paul Barton. Albert Camus, tout comme Ignazio Silone, était un grand écrivain de référence pour *La Révolution prolétarienne* [2]. Les deux hommes représentaient une exigence éthique rebelle aux appareils politiques parfaitement congruente avec la tradition libertaire (*Témoins* et J.-P. Samson en Suisse) et anarcho-syndicaliste (*La Révolution prolétarienne* à Paris) [3].

Un peu plus d'une année plus tard, dans sa préface au livre blanc sur l'affaire Nagy (entre-temps Camus a également écrit une préface pour le recueil de poèmes de Paul Ignotus), c'est la désillusion sur la capacité d'intervention de l'ONU qui l'emporte :

En octobre 1956, l'ONU s'est mise en colère. Elle a même

1. L'Union des syndicalistes publiera en 1957 une brochure : *Pourquoi et comment se bat la Hongrie ouvrière*.

2. Ainsi la revue traduit-elle dans son numéro de juillet-août 1957 un article de Silone paru dans *Tempo presente* : « Les appareils et la démocratie ».

3. *La Révolution prolétarienne* constitue un excellent révélateur de la non-congruence des différents cercles antitotalitaires à Paris. Ainsi, à l'automne 1957, au moment de la sortie du livre blanc *La Révolution hongroise*, Paul Barton publie-t-il dans la revue un long article, « La révolution antitotalitaire », qui ne cite ni le livre blanc ni Aron. Le mois suivant, *La Révolution prolétarienne*, à l'occasion de la remise du prix Nobel à Camus, s'ouvre sur un bel éditorial : « Albert Camus, un copain ». On imagine beaucoup plus mal la même revue titrer : « Raymond Aron, un copain »...

donné plusieurs ordres, très secs, au gouvernement Kadar. Ledit gouvernement lui a renvoyé ses ordres dans la figure. « Parfait », a dit l'ONU. Et, depuis, le représentant du gouvernement Kadar siège à New York, où il prend la défense des peuples opprimés par l'Occident.

Mais la révolte et le refus du nihilisme et de la philosophie de l'histoire sont plus présents que jamais dans le texte de cette préface. Autour d'Imre Nagy en Hongrie, écrit Camus, il y a eu parjure, forfaiture, mépris du droit international, violation de l'immunité diplomatique, rapt, assassinat.

> On les a donc nécessairement jugés, Nagy et les autres, à la sauvette, peut-être en Russie, peut-être en Hongrie ou à Pékin, on ne sait pas [...]. On les a couchés ensuite dans le sens de l'histoire et on a préparé la dalle : c'est-à-dire cinq beaux volumes pour orner ces tombes misérables et donner la raison historique de la chose.

Défendre les accusés après que la sentence a été exécutée peut paraître inutile, d'autant que cette défense ne change rien aux rapports de forces. Mais, précisément, Camus refuse de se plier au réalisme des seuls rapports de forces. Il faut arrêter la contagion du mensonge et penser à ceux qui sont en prison en les disputant autant que possible au bourreau. Il faut mettre le dégoût qui nous envahit au service d'une obstination :

> Devant la tragédie hongroise nous avons été, nous sommes encore, dans une sorte d'impuissance. Mais cette impuissance n'est pas totale. Le refus du fait accompli, l'alerte du cœur et de l'esprit, la décision d'ôter au mensonge son droit de cité, la volonté de ne pas abandonner l'innocence, même après qu'elle a été étranglée, ce sont les règles d'une action possible. Insuffisante sans doute, mais nécessaire à son tour et d'une nécessité qui répond à l'autre, à l'ignoble, à la nécessité dite historique, qui lui répond, oui, et lui répondra toujours, qui lui tient tête en tout cas, la neutralise parfois, la détruit à la longue et fait alors avancer imperceptiblement la véritable histoire des hommes.

Antitotalitaire ouvert sur l'Europe, soucieux de voir la loi internationale prévaloir sur la force, Albert Camus joue à contre-emploi dans le Paris de l'époque. Après la publication de *L'Homme révolté, L'Humanité* le classe dédaigneusement avec « les Monnerot et les Caillois », les progressistes et d'Astier de La Vigerie le tiennent pour une « pleureuse », Saint-Germain-des-Prés pour un « philosophe de Croix-Rouge » et la jeune droite groupée autour de *La Parisienne* dissuade tout simplement les générations montantes de le lire. Mais c'est précisément cet isolement à Paris qui lui vaut la reconnaissance des écrivains d'Europe centrale et orientale. Personne mieux que Czeslaw Milosz ne saura l'exprimer, lorsque, au printemps 1960, après la mort accidentelle de l'écrivain, il saluera en Camus un interlocuteur fraternel :

> Camus était un de ces intellectuels occidentaux, peu nombreux, qui m'ont tendu la main quand j'eus quitté la Pologne stalinienne, en 1951, tandis que d'autres m'évitaient en me considérant comme un pestiféré et un pécheur contre l'avenir. Il est assez triste, pour un pauvre bougre qui n'a jamais eu d'autre fortune que sa peau et sa plume, d'être présenté dans la presse comme un bourgeois repu fuyant sa patrie socialiste. On ne m'a pas épargné de tels compliments et cette période était bien dure. A droite, pas de langage commun; à gauche, un malentendu complet car mes vues politiques étaient en avance de quelques années sur ce qui est devenu monnaie courante après 1956. Dans une situation si incommode l'amitié réchauffe et donne ce minimum d'assurance sans lequel on s'expose soi-même aux tentations nihilistes. Jamais les intellectuels hégéliens ne comprendront quelles conséquences ont pu avoir leurs arguties sur le plan des relations humaines, et quels abîmes ils creusaient entre eux et les habitants de l'Europe de l'Est, informés de Marx ou non [1].

Si la révolution hongroise met un terme au volontarisme prométhéen de transformation communiste des sociétés en Europe, elle met également un terme au bolchevisme qui l'inspirait. Le bolchevisme peut remporter une honteuse victoire militaire, écrit Michel Collinet en 1957 [2], il ne peut plus réussir comme idéologie révolutionnaire populaire. Les régimes issus du bolchevisme sont des régimes où la loi est la mise en code de la pratique du Parti et de l'État, un État totalitaire qui ignore la société sous la double dimension contractuelle et communicationnelle. L'idéal démocratique est de rendre à la société ce qu'un État abusif lui a enlevé, après avoir réalisé la plus parfaite absorption de la société par l'État que l'histoire ait jamais vue. Le massacre du peuple hongrois aspirant à la liberté et à

1. Czeslaw Milosz, « L'interlocuteur fraternel », *Preuves*, n° 110, avril 1960.
2. Michel Collinet, *Du bolchevisme. Évolution et variation du marxisme-léninisme*, Amiot-Dumont, 1957. Ce livre a été élaboré à partir des cours que Collinet a donnés à l'université créée à la périphérie de Strasbourg, sur l'initiative de Joseph Czapski, pour les étudiants émigrés d'Europe centrale et orientale.

l'indépendance nationale démontre aux plus aveugles la nature réactionnaire du bolchevisme actuel. « Budapest est le tombeau de ces prétentions émancipatrices et le témoignage, éclatant pour l'humanité entière, qu'elles représentent un danger de régression qu'elle n'a jamais connu auparavant au même degré. » Collinet achevait son livre sur l'image shakespearienne de la forêt de *Macbeth* : avec la révolution hongroise, l'incroyable se réalise ; le désir de liberté partout refoulé chemine et il n'est désormais plus invraisemblable de penser qu'avec le temps et sans doute de terribles secousses agonise l'« inhumaine construction » issue du bolchevisme.

Second élément pris en compte dans les milieux du Congrès pour la liberté de la culture au terme d'octobre 1956 : le rôle joué dans les événements par l'intelligentsia marxiste de ces pays, ainsi que le relève François Bondy dans l'éditorial de *Preuves* de janvier 1957 :

> Tout est changé à présent. Ceux qui préféraient se boucher les oreilles ne peuvent plus s'empêcher d'entendre. Peu importe que Prague, Sofia ou Berlin-Est maintiennent encore leur façade stalinienne, le mensonge est mort. A Varsovie et à Budapest ce ne sont pas seulement les faits qui parlent, ce sont les hommes. Et c'est l'intelligentsia marxiste de ces régimes qui revendique – et à quel prix ! – le droit à la vérité et retrouve le contact avec le peuple.

Cet automne 1956, *Preuves* prend d'ailleurs une initiative qui s'inscrit dans le nouveau contexte européen : trente-trois écrivains qui, selon leurs propres termes, se sont « reconnus » dans les analyses de la revue adressent un message à l'Union des écrivains polonais, qui vient d'élire un nouveau bureau et de témoigner sa solidarité avec les écrivains hongrois, message rédigé en ces termes :

> Aux yeux de beaucoup d'Occidentaux nullement attachés à tel ou tel régime de propriété ou système économique mais uniquement à l'autonomie de la culture, l'identification de la terreur stalinienne avec le système économique se réclamant du socialisme avait compromis toute une tradition révolutionnaire. En rendant à la notion de socialisme son contenu humain et la liberté sans laquelle il n'est qu'une caricature, les écrivains polonais ouvrent des voies nouvelles à la rencontre entre hommes de bonne foi, au-delà des frontières et des idéologies. Quant à nous, nous entendons donner à cette rencontre toutes ses chances et nous considérons qu'au-delà des polémiques passées il s'agit à présent de réaliser

une confrontation mutuellement enrichissante d'expériences humaines diverses [1].

La démarche est somme toute conforme à l'orientation européenne de la revue et elle est appelée à connaître bien des développements. Ceux-ci toutefois sont loin encore de se manifester dans ces années 1956-1958 marquées par le choc hongrois. En effet, il convient pour terminer, après en avoir pris toute la mesure, de circonscrire les facteurs qui, à l'inverse, en limitent les effets au niveau de la diplomatie culturelle américaine, des relations internationales et de la situation politique française. Leur rapide présentation permet de mieux cerner en quoi la révolution hongroise constitue effectivement une date-charnière.

La révolution hongroise est la dernière révolution européenne au sens que le XIXe siècle a donné à ce terme. Cela n'est pas seulement vrai à Budapest, où les héros nationaux, Kossuth, Petöfi, retrouvent leur place et prennent toute la place. Ce l'est tout autant en France et cela explique l'intensité du choc produit chez les écrivains et l'émotion qui soude brièvement Budapest et Paris. L'insurrection hongroise s'inscrit pleinement dans le schéma du *soulèvement* constitutif de la geste parisienne, geste romantique où fusionnent l'élan du peuple et celui des peuples. L'humiliation que le corps des magistrats municipaux de la capitale inflige au Parti communiste français en donnant désormais à la place où se dresse l'immeuble qui abrite son état-major le nom d'un héros national hongrois est emblématique. Mais, à l'échelle internationale, la révolution hongroise marque aussi le chant du cygne de la geste parisienne. Déjà l'année précédente à Milan, dans ce qui était la plus grande manifestation de la diplomatie culturelle américaine en Europe organisée depuis la fin du blocus de Berlin, l'expert l'emportait sur l'écrivain. Le mouvement amorcé va bientôt s'accélérer. En effet, immédiatement après son intervention en Hongrie, l'Union soviétique met sur orbite un

1. Ce message était signé par Raymond Aron, Marc Bernard, François Bondy, Jacques Carat, Michel Collinet, Pierre Courthion, Driss Chraïbi, André Dhotel, Jean Follain, Jean Guéhenno, Franz Hellen, Edmond Humeau, Jeanne Hersch, Georges Izard, René Lalou, Maxime Leroy, Herbert Lüthy, Gabriel Marcel, Claude Mauriac, Jules Monnerot, André Philip, Gaëtan Picon, Armand Pierhal, Georges Pillement, Henri Poulaille, Dominique Rolin, Alfred Rosmer, Denis de Rougemont, Remy Roure, David Rousset, Michel Seuphor, Boris Souvarine, Manès Sperber.

satellite qui se révèle être un extraordinaire instrument de propagande. Cette prouesse technique déclenche en réaction, aux États-Unis, un formidable mouvement d'investissement du gouvernement fédéral et des universités mobilisés au service d'une guerre froide un peu moins chaude. La dernière révolution du XIXe siècle est ensevelie sous les orgues de la technique du XXe siècle. La compétition accélérée entre les deux grands dans le cadre de leur « détente » étouffe la « normalisation » sauvage qui s'installe en Hongrie : encore aujourd'hui on connaît mal l'étendue exacte de la répression, fondée sur 2 000 exécutions environ et des milliers d'arrestations. L'ampleur du programme du CCF en faveur de l'émigration ne doit pas masquer celle de cet autre phénomène pour les opinions publiques. A partir des années 1956-1957, le divorce entre l'écrivain et l'expert s'accentue dans les sociétés industrielles au rythme accéléré de l'épanouissement de cette nouvelle phase de la guerre froide. A cet égard, ce n'est pas seulement le bolchevisme qui meurt à l'Est, c'est aussi une fibre intérieure qui casse à l'Ouest.

Paris entre l'Europe et le tiers-monde

Le deuxième élément qui fait de la révolution hongroise une date-charnière résulte de l'intervention de la logique de Bandoeng dans la résolution de la crise. La conférence internationale de Milan a voulu, à un moment privilégié d'ouverture, penser les relations entre trois mondes. La crise hongroise révèle crûment le déséquilibre qui s'instaure entre eux. L'automne 1956 ne marque pas seulement le point de départ de la délégitimation du communisme en Europe, il marque aussi la rupture entre l'Europe et le troisième monde, le monde des pays en voie de décolonisation et en voie de développement. Dans cette rupture de l'automne 1956 l'Inde porte une lourde responsabilité. Dès l'origine du Congrès pour la liberté de la culture, l'Inde avait été une cible et un point d'ancrage de la nouvelle organisation en raison de la position doublement stratégique du sous-continent, le plus important des pays sortis du modèle colonial sans violence et résistant en même temps à l'attraction communiste. Il n'en restait pas moins que Nehru manifestait de forts penchants « neutralistes », que le CCF se proposait de contrebalancer en organisant dès 1951 une manifestation qui devait être le point de départ d'un effort important en Inde même et plus généralement en direction de l'Asie du Sud-Est (pareille initiative n'avait d'ailleurs pas manqué d'entraîner des frictions avec le gouvernement indien). On voit dans ses publications à quel point l'Inde est en cette fin d'année 1956 un sujet d'inquiétude et finalement de déception pour le CCF. Le comportement de l'Inde est en effet critiquable à un triple niveau : multilatéral, bilatéral et intellectuel. L'intervention anglo-française en Égypte conduit l'Inde à condamner plus sévèrement Suez que Budapest et à peser de tout son poids en ce sens dans l'enceinte de l'ONU. Mais ce facteur n'est pas suffisant pour expliquer le double jeu de l'ambassadeur Krishna Menon trahissant la confiance du gouvernement Nagy, qui a utilisé son canal pour jouer les bons offices entre lui et les Soviétiques [1]. De même, on l'a vu, il a fallu de vigoureuses interventions pour surmonter la passivité de l'Inde à la conférence de l'UNESCO qu'elle accueillait, afin que cette dernière ne fasse pas la sourde oreille à l'appel des écrivains hongrois.

Le troisième élément est plus spécifiquement français : l'année 1956 coïncide avec le véritable début de la guerre d'Algérie. Sans doute est-ce à la Toussaint 1954 que l'insurrection nationaliste algérienne à démarré, mais c'est en 1956 que commence véritablement pour la France le conflit algérien. Au début de cette année-là, les élections législatives, gagnées par une coalition du Front républicain, ont donné naissance à un gouvernement de gauche à direction socialiste, qui, loin d'amorcer une solution négociée, ouvre *volens nolens* les portes de la guerre. Le 23 octobre, jour où débute l'insurrection hongroise, l'armée française intercepte au-dessus de la Méditerranée un avion qui conduit de Rabat à Tunis cinq chefs nationalistes algériens et les fait prisonniers. Il n'existe pas de meilleur symbole de la collision des événements pour éclairer la réorientation brutale des implications politiques que cette coïncidence

1. Le texte du mémorandum établi par Istvan Bibo et remis à Krishna Menon est reproduit dans le livre blanc sur l'affaire Nagy édité par le CCF.

tout à fait extraordinaire des événements. Sans doute la simultanéité des crises de Suez et de Budapest est-elle déterminante à l'échelle internationale. Mais, à l'échelle de la France, l'arraisonnement de l'avion de Ben Bella, venant après une première humiliation du pouvoir central sur le forum d'Alger au début de l'année, est plus lourd de conséquences. Suez était une opération franco-anglaise. En Algérie, la France se retrouve seule désormais aux prises avec ce qui devient vite une quasi-guerre civile, quelque douze ans après la fin de la Seconde Guerre mondiale.

De 1956 à 1962, du Front républicain aux accords d'Évian, les institutions publiques, les forces politiques, la société vont être de plus en plus déchirées par le conflit algérien. Les conséquences sur l'ensemble anti-anticommuniste français en voie de dislocation dans les années 1956-1958 seront profondes. Si, comme nous l'avons dit, Milan cherchait l'année précédente à repenser les rapports entre les trois mondes, Paris va apporter sa contribution spécifique en inventant la notion de « tiers-monde ». Le mot est apparu en 1952 dans les colonnes de *L'Observateur* et son inventeur n'est autre qu'Alfred Sauvy. 1956 est l'année de « décollage » de la notion. L'événement accélérateur en a été le Congrès international des écrivains et artistes noirs, organisé dans la capitale française par la revue *Présence africaine.* La concomitance des faits jette une lumière crue sur le climat intellectuel de l'époque : le premier article publié par Edgar Morin à la première page du premier numéro d'*Arguments* mis sous presse après l'écrasement de la révolution hongroise s'intitule « La question nègre ». Cet article réagit précisément à ce premier Congrès des écrivains et artistes noirs. Toujours en 1956, tant le démographe Alfred Sauvy que l'anthropologue Georges Balandier consacrent les publications collectives au tiers-monde. La référence au tiers état et à la tradition révolutionnaire est évidente. La formule s'installe durablement en France et c'est à travers elle qu'est pensé l'avenir de la décolonisation.

À partir de là, deux voies divergentes vont s'institutionnaliser progressivement. La première consiste à voir dans le neutralisme issu de Bandoeng la possibilité d'émergence d'une troisième voie, ni soviétique ni capitaliste libérale. Après tout, les sociaux-démocrates hongrois et l'entourage communiste de Nagy ne demandaient pas autre chose : l'émergence d'un socialisme démocratique dans leur pays, couplé à une « neutralisation » sur le modèle finlandais. L'URSS ayant fermé cette voie, il ne reste qu'un pays européen qui, vu de Paris, permet de combiner les deux dimensions : ce pays, c'est la Yougoslavie, résistant à Staline, membre du groupe des pays non alignés, proposant une voie originale de réalisation du socialisme par l'autogestion. C'est au fond la position de *L'Observateur*, d'*Esprit* [1], d'*Arguments* et des auteurs de *L'Heure du choix*. Cette valorisation de la voie yougoslave trouve un terrain propice car la Yougoslavie présente le cas d'un pays où l'articulation entre résistance au nazisme et socialisme n'est pas altérée par Moscou. La crise entre Staline et Tito a eu un profond retentissement dans la capitale française. Si elle n'a pas entamé le progressisme, elle l'a déjà divisé, grâce notamment au talent de l'ambassadeur Ristic dans les milieux intellectuels parisiens.

Mais il existe une seconde voie, que va emprunter Sartre et dans laquelle le directeur des *Temps modernes* entraînera de nombreux intellectuels : à travers la guerre d'Algérie, la radicalisation de la notion de tiers-monde. Pareille radicalisation implique un déplacement du volontarisme marxiste-léniniste : celui-ci n'étant plus possible en Europe, il lui reste l'ensemble des pays sous-développés en voie de décolonisation pour se déployer. On quitte ici le neutralisme pour l'émergence du tiers-mondisme, que Sartre, toujours lui, consacre bientôt à travers la préface qu'il donne au livre de Frantz Fanon *Les Damnés de la terre*.

1. Voir l'article de Jean-Marie Domenach sur la Yougoslavie dans le numéro d'*Esprit* de décembre 1956 consacré aux « flammes de Budapest ».

CHAPITRE VI

L'inscription du Congrès dans la IVe République

1958 ne constitue en rien une date remarquable dans l'histoire du Congrès pour la liberté de la culture en Europe. Il n'en va naturellement pas de même pour la France : cette année-là, la IVe République s'effondre et le général de Gaulle, qui a démissionné de ses responsabilités gouvernementales en janvier 1946, revient aux affaires et assoit bientôt son autorité dans le cadre d'une nouvelle Constitution. Pareil changement ne laisse pas indifférent le Secrétariat international : pensant être moins bien protégé par le présent régime que par l'ancien, Pierre Bolomey, en bon administrateur, estime plus prudent de déménager un lot d'archives de Paris à Genève, où elles seront beaucoup plus en sécurité, au Centre européen de la culture de Denis de Rougemont. C'est indirectement reconnaître les liens privilégiés que l'organisation entretenait avec la défunte république.

La création du Congrès pour la liberté de la culture a coïncidé avec le déclenchement de la guerre de Corée. A cette date, les positions des acteurs, tant politiques qu'intellectuelles, sont cristallisées à Paris et, avec la cristallisation, la notion de camp se durcit. Il est cependant indispensable de remonter en arrière pour comprendre la rationalité d'adversaires rangés désormais dans les camps « atlantiste » pour les uns et « neutraliste » pour les autres et qui, quelque temps auparavant, militaient encore côte à côte dans une même organisation. En effet, lorsque le CCF prend pied dans la capitale française, le cadavre du RDR bouge encore. Pendant un bref moment, de 1948 à l'orée de l'année 1950, le Rassemblement démocratique révolutionnaire a tenté de donner corps à l'enthousiasme de la Libération (un enthousiasme destiné à effacer la « révolution nationale » du défunt régime de Vichy), dans le sens d'une troisième voie au sein d'une Europe socialiste, démocratique et indépendante. C'est précisément ce milieu qui se divise en deux camps antagonistes et cette division est une des composantes de la scène parisienne de l'époque.

La branche française du CCF n'est pas unifiée organisationnellement et s'exprime dans une revue intellectuelle, *Preuves,* et une association, les Amis de la liberté, soigneusement distinctes l'une de l'autre. *Preuves* constitue l'élément essentiel de ce dispositif : aussi la compréhension de l'inscription du congrès dans le Paris de la IVe République passe-t-elle en priorité par une déconstruction de la revue pour saisir les équilibres internes des réseaux qu'elle agrège et styliser sa posture face à l'adversaire – l'adversaire et non l'ennemi : celui-ci demeure, bien entendu, le Parti communiste français, mais, dès lors que l'option de la confrontation frontale avec le mouvement communiste a été écartée, *Preuves* se situe moins par rapport à un ennemi à combattre que par rapport à un adversaire à influencer. Cet adversaire comprend les relais indirects de l'influence communiste au sein de la gauche non communiste, ceux que le président de l'*American Committee for Cultural Freedom,* Sidney Hook, a définis et stigmatisés comme des « anti-anticommunistes », et au premier chef les grandes revues intellectuelles de la gauche non communiste de l'époque, *Esprit* et *Les Temps modernes,* toutes deux antérieurement associées au défunt Rassemblement démocratique révolutionnaire. Le Congrès pour la liberté de la culture a recueilli pour sa part un tronçon dudit Rassemblement, regroupé autour du journal *Franc-Tireur. Preuves* se situe face aux *Temps modernes* et à *Esprit* dans une logique d'opposition polémique et non d'affrontement politicien. Du reste, la revue française du CCF ne publiera jamais le *Manifeste aux hommes libres* adopté à Berlin en conclusion du *Kongress für kulturelle Freiheit.* Pareille omission n'est pas le fruit d'une distraction de rédacteur en chef. Elle indique qu'au-delà des polémiques de l'heure un jeu complexe était engagé avec les milieux français dans le noyau parisien du congrès, qui marquait ainsi son autonomie.

Preuves et l'anticommunisme de Troisième Force

Revue extérieure aux conflits français, *Preuves* permet de faire converger dans ses sommaires des signatures qui auraient quelque difficulté à se rejoindre spontanément dans un même organe intellectuel : ainsi Thierry Maulnier, Raymond Aron et David Rousset. Il est vrai que ces trois hommes ont également en commun d'écrire dans *Le Figaro* ou *Le Figaro littéraire.* Il n'en faut pas plus pour que *Preuves* soit cataloguée et dénoncée comme une revue droitière sur la rive gauche par *Les Temps modernes, Esprit* et *L'Observateur,* l'hebdomadaire trait d'union qui soude le milieu « neutraliste », stigmatisant les « atlantistes » de la rive d'en face.

De l'intérieur cependant, la situation de la revue créée par Bondy est plus complexe. *Preuves* ressemble un peu à un avion dont le cockpit et l'équipage feraient corps avec la SFIO tandis que les ailes seraient constituées par deux revues adjacentes, *La Table ronde* et *Liberté de l'esprit.* Ce mode de fonctionnement est particulièrement accusé pendant ses cinq premières années d'existence. Après quoi, la double accélération constituée par le déploiement du réseau international des revues du CCF et les fractures de l'espace intellectuel parisien faisant suite à la révolte de Budapest modifie profondément ces équilibres.

Examinons rapidement les ailes de l'appareil avant de démonter la partie centrale de l'aéronef. L'homme qui exprime à *Preuves* le milieu de *La Table ronde* est Thierry Maulnier. C'est lui l'inspirateur de cette nouvelle revue, créée en 1948. Venu de l'Action française, Maulnier a réussi à associer à l'entreprise François Mauriac, dont il est l'ami et qui a été un temps membre du Front national suscité à la Libération par le Parti communiste. Dans le Paris de l'après-guerre marqué par l'interdiction de reparution de la prestigieuse *Nouvelle Revue française, La Table ronde* se situe en opposition aux *Temps modernes.* Elle est hostile tout à la fois au « résistantialisme » et à la « littérature engagée », dont Sartre est l'une des figures de proue. Thierry Maulnier a recueilli dans un volume ses chroniques contre le communisme publiées dans *La Table ronde*, volume dont *Preuves* donne aussitôt un compte rendu favorable [1]. Tout autres sont les relations entre *Liberté de l'esprit* et le Congrès pour la liberté de la culture puisque certains de ses collaborateurs sont associés directement au Secrétariat international (Tavernier) et au Comité exécutif (Aron). Toutefois, durant les premières années de *Preuves,* Raymond Aron n'occupe pas une place plus importante que Thierry Maulnier dans la revue française du congrès. Aron réserve à *Liberté de l'esprit* plus qu'à *Preuves* ses analyses. Le débat sur la ratification du traité de la CED marque le vrai tournant. *Liberté de l'esprit* cesse alors sa parution sans tambour ni trompette, ni adieu au lecteur. Thierry Maulnier accentue sa collaboration dans *Preuves* au service de la défense du traité, avant de s'effacer, tandis qu'à l'inverse Aron intensifie sa collaboration à partir de 1955. Une dernière touche doit être apportée à ce tableau en soulignant l'importance jouée à l'origine par un intellectuel collaborant à la fois à *La Table ronde* et à *Liberté de l'esprit,* Jules Monnerot. Monnerot a publié sur le communisme un ouvrage marquant [2], avant d'être le personnage central du premier séminaire organisé en France par le tout nouveau Congrès pour la liberté de la culture, à Andlau, en septembre 1950, séminaire consacré à la psychologie de l'intellectuel communiste et aux valeurs opposables par l'Occident aux idéologies totalitaires. Ce rôle de pont assuré par Jules Monnerot ne perdurera pas, l'homme étant bientôt marginalisé par Aron.

Le premier noyau du comité de rédaction de *Preuves* est formé quant à lui d'hommes représentatifs de la palette de l'anticommunisme de gauche et d'extrême gauche, associés directement ou indirectement à la SFIO. Bondy, on s'en souvient, a participé dans sa jeunesse au groupe oppositionnel communiste *Que faire ?,* dont les membres avaient rejoint la section française de l'Internationale ouvrière. On a vu dans quelles conditions le directeur des publications a associé un membre du cercle, Pierre Lochak, à l'élaboration des statuts du MILC. Plus significatif sur le plan de l'inscription politique du CCF dans le Paris de la IVe République est le fait qu'André Ferrat, ancien dirigeant du PCF, autre membre de *Que faire ?,*

1. Thierry Maulnier, *La Face de méduse du communisme,* Gallimard, 1951.
2. Jules Monnerot, *Sociologie du communisme,* Gallimard, 1949.

ancien du mouvement de résistance *Franc-Tireur* et autre vieil ami de François Bondy (et collaborateur occasionnel de *Preuves*), siège au comité directeur de la SFIO. C'est du reste Ferrat qui, à ce même comité directeur, est le père de la formule de la troisième force [1], rompant avec le tripartisme et distincte de la troisième voie prônée par le RDR. Le secrétaire de rédaction de la nouvelle revue, Jacques Carat, est membre de la SFIO et proche de son secrétaire général. Il est pour sa part très engagé dans une confrontation directe avec le communisme municipal de la ceinture rouge de Paris [2]. Carat a travaillé à la revue *Paru,* qui offre une première assiette pour le développement de *Preuves,* entre *La Table ronde* et *Liberté de l'esprit. Paru* avait été lancé au lendemain de la guerre avec le concours d'Odette Pathé, épouse d'un dirigeant de la SFIO, André Boulloche, et première introductrice de George Orwell en France. Trois hommes entourent le directeur et le secrétaire de la publication dans le comité de rédaction : Gérard Sandoz, Louis Mercier Vega, Paul Parisot. Gérard Sandoz est le pseudonyme de Gustav Stern, un journaliste d'origine polono-allemande qui maintient des contacts étroits avec le SPD et qui est avec Bondy et Sperber un des rares à maîtriser à Paris la partie allemande de toute l'opération. Louis Mercier Vega, spécialiste de l'Amérique latine, a, quant à lui, participé activement à la mise en place de la première Maison de la liberté ouverte en province, celle de Grenoble, appuyée par un journal socialisant, *Le Dauphiné libéré.*

En ce point du récit, il convient de s'attarder davantage sur le troisième homme, Paul Parisot. Proche de Rousset, Parisot vient de l'extrême gauche trotskiste parisienne des années 30. Il a adhéré aux Jeunesses socialistes avant d'en être exclu, en janvier 1936, et de rejoindre successivement les Jeunesses socialistes révolutionnaires, le Parti ouvrier internationaliste, les comités pour la IVe Internationale et le PCI sous l'Occupation. Journaliste à *La Vérité,* Paul Parisot participe au cercle dirigeant du RDR : il est l'auteur du rapport d'orientation de la première (et dernière) conférence nationale du Rassemblement [3]. En 1949, Parisot est associé au comité de

1. Denis Lefebvre, *Guy Mollet le mal aimé,* Fayard, 1992.
2. Élu conseiller municipal de Cachan, Jacques Carat deviendra par la suite maire de cette commune, avant de cumuler ce mandat avec celui de sénateur.
3. F. Brajus, *op. cit.,* p. 345.

rédaction de *Confrontation internationale,* une revue « post-trotskiste » qui, pour avoir une vie extrêmement brève, n'en est pas moins un carrefour important de rencontre des milieux de l'extrême gauche antitotalitaire, que va bientôt agréger le Congrès pour la liberté de la culture : POUM espagnol (milieu de Gorkin et d'Iglesias, animateurs de *Cuadernos*), *Independant Labor Party* britannique (auquel allaient les sympathies d'Orwell), *Worker Party* de Schachtman aux États-Unis (à la fondation duquel a participé James Burnham). C'est Paul Parisot, enfin, qui amène à *Confrontation internationale* un trotskiste tchèque qui a passé la frontière après le coup de Prague et qui commence une carrière à Paris sous le pseudonyme de Paul Barton. Au terme de ce parcours militant, c'est enfin l'adhésion à la SFIO. Détail piquant : Parisot a demandé à rencontrer Guy Mollet en personne pour préciser que son adhésion ne relève pas d'un quelconque « entrisme » (selon les mauvaises manières habituelles des trotskistes) et assurer le secrétaire général de sa parfaite loyauté à l'égard du parti. Ainsi, de même que le secrétariat général des Amis de la liberté est contrôlé par la SFIO (*via* Jacques Enock, historien de formation, qui a appartenu au courant pivertiste), la revue intellectuelle, deuxième vecteur de l'action du congrès sous la IVe République, est, elle, solidement arrimée à la section française de l'Internationale ouvrière.

Le dispositif se prolonge par les liens privilégiés maintenus avec le journal *Franc-Tireur,* représenté au Comité exécutif du CCF par Georges Altman durant les premières années. *Franc-Tireur* a été le vrai point d'appui du RDR et l'artisan du rapprochement avec les États-Unis dans la lutte contre le totalitarisme stalinien au moment de l'exacerbation de la guerre froide. Beaucoup plus favorable aux communistes au lendemain de la guerre que ne l'était *Combat,* le journal a été le siège d'une crise qui a été l'origine du départ de ses membres crypto-communistes vers *Libération,* organe de l'Union progressiste. Seul quotidien populaire capable de rivaliser avec *L'Humanité* en région parisienne, *Franc-Tireur* est le journal français qui s'est le plus engagé dans le soutien à David Rousset lors de sa confrontation avec *Les Lettres françaises.* Son chef du service étranger, Charles Ronsac, reste en contact étroit avec Guy Mollet. Le secrétaire général de la SFIO, tout comme le comité directeur d'ailleurs, n'a pas vu d'un mauvais œil le lancement du RDR. Guy Mollet a déclaré qu'il aurait pu signer son appel fondateur et le comité directeur a admis la double appartenance. Des contacts et des discussions existeront au demeurant entre le comité directeur de la SFIO, la direction du RDR et le bureau exécutif de la Troisième Force (incluant des représentants du MRP). Mais, selon un scénario classique de fonctionnement des partis politiques, c'est le congrès de la SFIO, expression des cadres moyens des fédérations, qui se montre moins ouvert que les dirigeants au sommet et qui vote l'interdiction de la double appartenance, se privant ainsi d'une possibilité de régénération par un mouvement parasocialiste porteur d'un renouveau stratégique et doctrinal.

Preuves se situe ainsi dès l'origine et sans ambiguïté dans une perspective de Troisième Force, appuyée principalement sur la SFIO et le MRP [1] avec des liens privilégiés avec le premier de ces deux partis. Parti non confessionnel [2], mais dont le rapport à la société française passe prioritairement par l'univers catholique, le Mouvement républicain populaire n'est que très indirectement et très lâchement associé au Congrès pour la liberté de la culture à Paris. Sans doute Jacques Maritain est-il l'un des présidents d'honneur du CCF et Pierre Corval, le rédacteur en chef de *L'Aube*, est-il régulièrement associé à ses manifestations jusqu'à la réunion internationale de Milan. Mais ces liens, découlant d'une lutte politique commune associant anticommunisme et construction européenne, sont des rapports de bon voisinage, ce ne sont pas vraiment des rapports intellectuels. Le MRP et, au-delà de lui, la culture catholique ne sont pas associés à la politique culturelle et idéologique américaine en Europe, qui entame sa montée en puissance à l'orée des années 1950. Il en va tout différemment de la SFIO, de sorte qu'éclairer l'inscription du Congrès pour la liberté de la culture implique de saisir l'articulation entre anticommunisme et européanisme au sein de ce parti et la place tenue par le soutien américain pour l'affirmation de ces deux dimensions politiques et intellectuelles.

Jamais mise en avant par les socialistes eux-mêmes, peu

1. Une autre composante de la coalition de Troisième Force, l'UDSR, parti-charnière de la IVe République, a adhéré pour sa part ès qualités aux Amis de la liberté.

2. Le congrès constitutif du Mouvement républicain populaire a eu lieu les 25-26 novembre 1944 à Paris.

analysée par les historiens universitaires, la prise en considération du soutien américain apporté à la SFIO est cependant essentielle pour éclairer la situation du parti central de la IVe République tout au long de ses douze années d'existence. Elle est tout aussi déterminante pour comprendre la configuration de la vie intellectuelle de cette époque, marquée au moins autant par la nature très particulière de la SFIO que par la force de la pression et de l'intimidation communistes dans la société et sur les intellectuels.

Deux contradictions inhérentes à la redéfinition du parti à la Libération jointes à une situation électorale dégradée dès le lendemain de la guerre jettent un premier éclairage sur la démarche tortueuse des socialistes français. Première contradiction : l'inscription dans les statuts du parti, lors du premier congrès d'après guerre (août 1945), de la réalisation d'une société communiste par la mise en œuvre de la lutte des classes. Pareille proposition, formulée devant un Léon Blum interloqué (mais qui laisse faire), est victorieusement défendue par un jeune cadre encore inconnu de la fédération du Pas-de-Calais, Guy Mollet, qui conquiert de plus l'année suivante le poste de secrétaire général du parti en s'opposant une nouvelle fois à Léon Blum ou, plus exactement, à son candidat au poste, Daniel Mayer. La réitération de la finalité révolutionnaire du parti s'explique par le souci de ne pas laisser aux seuls communistes le monopole de la lutte pour une société sans classes. Mais ce réflexe identitaire coïncide avec une fragilisation dès les premières élections législatives de 1945. Le parti sort de la guerre avec 60 000 militants et 7 journaux clandestins. Tous les observateurs le donnent gagnant de ces premières élections libres. Or, à la surprise générale, la SFIO arrive en troisième position, derrière le PCF et le MRP. C'est le choc pour les dirigeants et les militants : « Le résultat sera lourd de conséquences : jamais plus dans les vingt ans qui suivent le parti ne parviendra à devancer le Parti communiste ; un complexe de ce demi-échec complique sa démarche [1]. » Un troisième élément doit enfin être pris en considération : la position de la SFIO lors du coup de Prague (1948). Les événements de février sont déterminants pour le basculement anticommuniste de la SFIO. Mais, une fois de plus, le parti français se singularise et biaise :

1. Roger Quilliot, *La SFIO et l'exercice du pouvoir, 1944-1958*, Fayard, 1972.

il condamne avec vigueur le stalinisme mais ne reconnaît pas les partis socialistes ou sociaux-démocrates de l'exil, dont les dirigeants ont fui les démocraties populaires naissantes.

La SFIO va surmonter l'enchaînement de ces contradictions par le recours aux États-Unis, ce recours constituant une contradiction supplémentaire de son mode de fonctionnement politique et de son rapport à la société française. C'est par la voie des responsabilités gouvernementales que la SFIO noue une alliance avec les États-Unis et qu'elle devient du même mouvement le parti central de la nouvelle république. C'est un socialiste (Félix Gouin) qui succède à de Gaulle à la tête du gouvernement. Les socialistes (André Philip, Guy Mollet) jouent un rôle moteur dans les débats sur la Constitution mise en chantier. Le premier président de la République (Vincent Auriol) est socialiste. C'est enfin un socialiste (Paul Ramadier) qui met fin au tripartisme pendant une période de grèves insurrectionnelles, grèves brisées sans états d'âme par un ministre de l'Intérieur (Jules Moch) lui aussi socialiste. Lorsque la SFIO décide de mettre fin au tripartisme, c'est encore son comité directeur qui avance la proposition de Troisième Force. Mais une fois de plus le parti essuie une déconvenue : le comité directeur a à l'esprit une formule gouvernementale dont Léon Blum prendrait la tête, en dénonçant symétriquement le totalitarisme (incarné par le PCF) et le bonapartisme (incarné par le RPF). La formule échoue devant l'Assemblée nationale et c'est un ministre issu des rangs du MRP qui forme le gouvernement. Léon Blum se retire alors de la vie politique active pour finir ses jours à Jouy-en-Josas. La SFIO joue enfin le premier rôle dans l'acceptation du plan Marshall, signé par le gouvernement Ramadier, qui, après l'échec de la conférence anglo-franco-soviétique de Paris à l'issue du discours de Harvard, entraîne le parti tout entier à soutenir la construction européenne [1].

L'appui américain se révèle décisif pour conforter la position intérieure et européenne de la SFIO dans deux domaines stratégiques : le syndicalisme et la presse. La France, en effet, est un des pays d'Europe où l'intervention de l'*American Federation of Labor* et de son représentant sur le continent, Irving

1. Gérard Bossuat, *L'Aide américaine et la construction européenne, 1945-1954*, Comité pour l'histoire économique et financière de la France, 1992.

Brown, a été le plus déterminée et le plus déterminante [1]. Face au mouvement communiste international, l'AFL représentait une autre organisation transnationale, agissant bientôt en concertation avec la diplomatie américaine. Doctrinalement, l'*American Federation of Labor* ne professait aucun attachement particulier au régime de propriété mais défendait avec force la liberté syndicale. D'où, chez ses dirigeants, une perception du monde structurée par un conflit opposant les pays démocratiques, garantissant la liberté syndicale, aux pays totalitaires, où elle est asservie. De ce fait, très tôt, la question du travail forcé en URSS devint centrale pour l'AFL. Aux États-Unis mêmes, les deux concepteurs de son intervention internationale, Jay Lovestone et David Dubinsky, virent très vite après la guerre le rôle stratégique du mouvement syndical et, bien avant le Département d'État, se préoccupèrent de sa situation dans le monde né de la guerre. Le syndicalisme avait en effet entre ses mains la capacité de paralyser le système nerveux d'un pays (transports, communications, électricité, imprimerie). C'est pourquoi, devançant la diplomatie, l'AFL décida de prendre des mesures destinées à contrer l'influence soviétique sur le mouvement. C'est au moment du plan Marshall que s'opéra le rapprochement entre l'AFL et le Département d'État – l'AFL voyant dans l'*European Recovery Program* un moyen de renforcer l'Europe face à l'Union soviétique, le Département d'État appréciant la connaissance du terrain développée par l'appareil syndical.

L'AFL dispose de représentants permanents en Asie, en Amérique latine et en Europe. Son représentant européen, Irving Brown, s'installe à Bruxelles. Il prend des contacts et collecte des informations sur les syndicats démocratiques et leur situation dans l'Europe à reconstruire. En 1946, l'AFL crée un bulletin quadrilingue (anglais, français, allemand et italien), *International Free Trade-Union*. L'année suivante, Brown fait parvenir à Lovestone une liste de 12 000 adresses de destinataires potentiels pour la France. Dans les rapports qu'il envoie à New York, Brown se dit convaincu qu'elle est le pays clef de la stratégie communiste en Europe. Pour contrer cette stratégie, Irving Brown s'attelle à deux interventions majeures : la création d'une

1. Roy Godson, *American Labor and European Politics,* New York, Crane Russak and Co, 1976.

confédération internationale hors de la Fédération syndicale mondiale et l'intervention en France en favorisant une scission au sein de la Confédération générale du travail.

Le projet d'une Fédération syndicale mondiale (FSM), né de contacts entre Britanniques et Soviétiques en 1943, avait dès l'origine suscité la méfiance de l'AFL, renforcée par le fait que son premier secrétaire général, Louis Saillant, était un Français proche du PCF. Lovestone refusa du reste de recevoir Saillant lorsque celui-ci se rendit aux États-Unis, témoignant ainsi ostensiblement sa méfiance. Toutefois la mise sur pied d'une nouvelle internationale syndicale supposait de franchir un obstacle de taille : vaincre les réticences et obtenir l'adhésion des *trade-unions* britanniques à l'*European Recovery Program.* C'est ce à quoi Brown allait s'employer, en s'appuyant sur le ministre des Affaires étrangères du Royaume-Uni, Ernest Bevin, pour lancer une initiative de grande envergure : l'organisation en mars 1948 à Londres (soit neuf mois après le discours de Harvard du général Marshall) d'une conférence syndicale internationale réunissant 50 représentants de 15 pays, conférence qui déboucha sur la création d'un organisme de liaison (TUAC) entre le syndicalisme libre et l'ERP. Brown et l'AFL pouvaient emporter la décision car ils ne se présentaient pas devant leurs camarades syndiqués européens les mains vides : ils avaient obtenu du gouvernement américain que les crédits du plan Marshall ne fussent pas destinés exclusivement aux patronats mais que syndicats et syndicalisme puissent également en bénéficier. Forte de la victoire remportée dans cette première manche, l'AFL franchit une seconde étape un an plus tard avec la création, en 1949, de la Confédération internationale des syndicats libres après la réunion d'une convention de 261 délégués venus de 59 pays.

En France, l'action d'Irving Brown se développe alors que le pays est encore dirigé par un gouvernement tripartite comprenant des ministres communistes. Les rapports qu'il adresse à New York convainquent le *brain-trust* décisionnel chargé de la politique internationale de l'AFL qu'une intervention préventive non gouvernementale vaudrait mieux qu'une intervention gouvernementale tardive et serait à tous égards moins dangereuse [1]. Une fois le feu vert obtenu de New York, le

1. *Ibid.,* p. 70.

représentant de l'AFL en Europe a désormais les coudées franches. Brown se montre d'autant plus actif qu'il adore la France et le *French way of life* [1]. Le diagnostic qu'il a porté sur la situation française comprend trois volets : premièrement, les communistes disposent d'une supériorité organisationnelle du fait de leur centralisme et, de plus, de ressources financières importantes provenant de l'URSS et des coups de main réalisés pendant la guerre et à la Libération ; deuxièmement, la centrale d'inspiration chrétienne, la CFTC, n'offre pas la structure d'appui souhaitable pour résister au communisme : d'une part son caractère confessionnel la coupe de nombreux travailleurs ; d'autre part l'Église peut l'appuyer financièrement. Troisièmement, la collaboration avec les communistes au sein de la CGT ne peut qu'affaiblir les éléments non communistes. Irving Brown s'emploie en conséquence à soutenir les leaders anti-communistes syndiqués à la CGT afin de les consolider comme force collective jusqu'à la scission et la création d'une centrale syndicale autonome. Brown est un homme de contacts et de réseaux. Aidé par une connaissance de première main de la trame du *leadership* oppositionnel de la CGT, il l'appuie matériellement et financièrement (voyages, impression de tracts, don de machines à écrire, etc.). Il aide également les scissionnistes lors des premières élections dans les organismes de la Sécurité sociale pour leur permettre de prendre pied dans ce nouveau dispositif institutionnel destiné à occuper une place croissante dans la vie sociale. Enfin, une fois la scission faite, Irving Brown offre à la nouvelle CGT-FO une reconnaissance et une légitimité internationales immédiates *via* la CISL.

Le second volet de l'intervention de l'*American Federation of Labor* en France a pour cible le port de Marseille et l'espace méditerranéen. En juin 1949, la FSM a créé dans ce grand port un bureau maritime dont Brown acquiert rapidement la certitude qu'il est contrôlé par le *Kominform*. Il s'en ouvre aussitôt à Lovestone. Parallèlement, il informe la Fédération internationale des transports, afin de mettre sur pied un comité de vigilance. Ce comité méditerranéen a pour vocation de créer des structures de contre-noyautage et d'engager des actions anti-communistes dures pour éviter un blocage du port. Pour ce faire, Irving Brown ne reculera devant aucun moyen, recrutant

1. Décédé en 1989, Irving Brown est inhumé à Paris.

largement dans la pègre marseillaise pour lancer de telles actions.

L'intervention transnationale non gouvernementale de l'*American Federation of Labor* en France ne peut être efficace que si elle est acceptée par les acteurs sociaux, syndicats non communistes et patronat, mais aussi par les pouvoirs publics. Brown peut compter sur la bienveillance du gouvernement socialiste : aussi bien du ministre du Travail (Daniel Mayer) pour l'opération de scission que du ministre de l'Intérieur (Jules Moch) en vue d'imposer le respect du pluralisme et de limiter le contrôle communiste du port de Marseille. Des liens très étroits vont dès lors s'établir entre la SFIO et le nouveau syndicat, la très grande majorité des militants et sympathisants du parti adhérant à la Confédération générale du travail-Force ouvrière [1].

Le rôle de l'appui américain n'est pas moins décisif pour la presse socialiste. Lors de son voyage aux États-Unis, Léon Blum a déjà obtenu des concours américains pour revitaliser *Le Populaire.* Dès qu'il a pris son virage anticommuniste et pro-européen, *Franc-Tireur* n'a survécu tout au long de la IVe République que grâce au soutien assuré par l'AFL. *Preuves,* revue destinée aux intellectuels, s'inscrit pleinement dans ce schéma. Rien ne se serait fait en ce domaine sans Irving Brown, même si ultérieurement Brown contestera le style donné à la revue par François Bondy, revue qu'il aurait souhaitée pour sa part beaucoup plus pugnace dans l'anticommunisme militant.

Voici donc un parti qui, au lendemain de la guerre, réinscrit dans ses statuts la visée d'une société sans classes et qui, quelques années plus tard, forme le pivot anticommuniste pro-européen et pro-américain d'une république exposée à tous les orages. Comme si cela ne suffisait pas, l'anticommunisme de la SFIO est politiquement et intellectuellement alimenté par deux groupes minoritaires, qui se situent aux deux extrêmes du spectre politique de l'époque : les trotskistes et les pacifistes collaborationnistes (mais il est vrai qu'avant la guerre les pacifistes se situaient, eux aussi, à l'extrême gauche du parti). La fédération de la Seine joue ici un rôle déterminant. Lieu des

1. L'action du comité méditerranéen aida en outre à consolider le pouvoir du nouveau maire de Marseille, membre lui aussi de la SFIO, Gaston Defferre.

débats idéologiques les plus intenses, de l'ouverture internationale maximale (résultant des vagues d'émigrés politiques dans la ville et d'une couche d'intellectuels journalistes particulièrement réceptive aux informations et aux débats de la capitale), des dérives idéologiques les plus extrêmes, qu'il s'agisse de la virulence gauchiste ou du collaborationnisme sous le régime de Vichy, c'est la fédération de la Seine qui constitue la matrice nourricière des deux sources de l'anticommunisme de la SFIO sous la IVe République.

Aucune histoire de cette fédération n'est possible sans l'explicitation de sa dimension trotskiste et du rôle joué par cette minorité active. David Rousset sort de ses rangs et il est dans le Paris de l'après-guerre la figure la plus marquante de ce milieu. C'est sur lui que s'articule l'*American Federation of Labor, via* la Commission internationale d'enquête contre le régime concentrationnaire. Ainsi est-ce un trotskiste français qui prend la tête de cette commission internationale, dont la base se trouve à Bruxelles. Bruxelles présente en effet l'avantage d'être une ville francophone bénéficiant d'un environnement socialiste acquis à la politique américaine en Europe, non soumise à la pression communiste [1] et d'accès commode tant de Londres que de Paris.

La deuxième source de l'anticommunisme de la SFIO, la source pacifiste et collaborationniste, a, quant à elle, un leader incontesté, Georges Albertini, et une structure-support de fort calibre, le BEIPI. Venu du courant syndical et pacifiste de la SFIO, Albertini [2] a été secrétaire général du Rassemblement national populaire, puis chef de cabinet de Marcel Déat sous Vichy. Emprisonné et condamné à la Libération, il bénéficie d'une remise de peine sur intervention de Guy Mollet : Mollet et Albertini ont l'un et l'autre subi l'influence d'un syndicaliste pacifiste qui a lui aussi rejoint Déat, Ludovic Zoretti [3]. Dès 1948, Georges Albertini participe à la création de l'association

1. L'intimidation communiste ne prenait pas seulement pour cibles les organisations politiques ou syndicales bénéficiant de l'appui américain, mais également des écrivains comme Koestler ou Czapski. Ainsi *L'Humanité* publia-t-elle un plan de la maison de Koestler à Fontaine-le-Port et une photographie de l'hôtel Lambert à Paris, en y fléchant le bureau de Czapski. De tels procédés étaient autant d'incitations à des actions non contrôlées contre ces deux écrivains.

2. Laurent Lemire, *L'Homme de l'ombre, Georges Albertini (1911-1983)*, Balland, 1990.

3. Denis Lefebvre, *op. cit.*, p. 22; Laurent Lemire, *op. cit.*, p. 63.

éditrice du *Bulletin d'études et d'informations politiques internationales*, un des organes les mieux informés et les plus déterminés de la lutte anticommuniste sous la IVe République. Le BEIPI fonctionne comme un bureau d'études, fortement articulé sur Force ouvrière et la SFIO. L'officine (c'est le mot consacré dans la France d'alors) élabore des brochures pour contrer la propagande du PCF, étudie soigneusement la pénétration communiste dans les communes, les milieux intellectuels, les universités, tient des fichiers, constitue des dossiers pour la formation des cadres syndicaux et politiques de FO et de la SFIO, bref constitue un élément essentiel pour la formation militante du parti et de son relais syndical.

Mais pour la direction de la SFIO ces deux sources d'alimentation et d'élaboration de l'anticommunisme sont aussi des sources de déstabilisation potentielle qui doivent être maîtrisées. Le parti doit impérativement se protéger de la virulence trotskiste parisienne, qu'il faut contenir dans les limites de la capitale, en évitant qu'elle ne déborde et ne contamine ses espaces notabiliaires périphériques [1]. La source pacifiste-collaborationniste soulève des difficultés d'un autre ordre : le parti dépend de son efficacité mais il doit se protéger de son illégitimité sous peine d'accentuer sa vulnérabilité au chantage « résistantialiste » exercé par les communistes.

Parfaire la compréhension des mécanismes de fonctionnement de l'anticommunisme du parti central de la IVe République nécessite enfin d'éclairer le rôle de suppléance joué par la CGT-FO (avec l'appui de l'AFL) à l'égard des syndicalistes et des socialistes émigrés après l'instauration des régimes de démocratie populaire en Europe de l'Est. Le refus de la SFIO de reconnaître les partis socialistes en exil limite sérieusement ses capacités d'initiative politique : aussi est-ce bien davantage la structure syndicale qui joue le rôle de base d'accueil en ce domaine.

La situation d'un homme comme Paul Barton fournit la meilleure illustration de ce phénomène. Sous ce pseudonyme se cache, on l'a noté, un trotskiste tchèque pour qui la rapidité du passage de la frontière après le coup de février était une

1. Il existe cependant une instance de régulation latente entre le trotskisme parisien et le parti, constituée par la franc-maçonnerie. Le livre de Fred Zeller, *Trois points, c'est tout*, (Robert Laffont, 1976), donne quelques éclairages partiels sur ce point.

question de vie ou de mort. Peu après son arrivée en Occident, il entre en contact avec Irving Brown, qui lui donne les moyens de publier à Paris un petit bulletin, *Tchécoslovaquie Masses Information*. Parisot l'amène à *Confrontation internationale* et Rousset l'emploie bientôt à la CICRC. C'est du reste Barton qui, auprès de Rousset, met en forme et rédige l'ouvrage de synthèse sur le système concentrationnaire soviétique, point d'orgue de la CICRC, mené à bien pendant la IVe République et qui sort en librairie lorsque la Ve s'installe dans ses meubles. Barton, qui publie quatre ouvrages lors de son séjour en France, a pratiquement un pied dans tous les milieux parisiens de la gauche anticommuniste liés à, ou proches de la SFIO : *Preuves*, la CICRC, *La Révolution prolétarienne*, FO. Il quitte la France pour les États-Unis après le changement de régime. Son départ, tout comme le transfert des archives du Comité exécutif du CCF à Genève, est un indice supplémentaire de la force de liaison de ces milieux avec la structure dirigeante de la défunte république et de l'anxiété suscitée par son effondrement.

Le cockpit socialiste ou socialisant de *Preuves* s'inscrit pleinement dans cet univers de l'anticommunisme de Troisième Force. *Preuves* doit par conséquent contrôler elle aussi les deux sources parisiennes de l'anticommunisme socialiste afin de ne pas se laisser entraîner dans d'éventuels débordements.

Le courant trotskiste est au départ fortement représenté à *Preuves* par des hommes comme Rousset, Parisot, Patri et Collinet. Aimé Patri et Michel Collinet (qui ont étroitement collaboré l'un et l'autre à *Paru*) sont des trotskistes qui ont rejoint la SFIO dans les années 30. On a affaire ici à des acteurs qui combinent un anticommunisme radical avec une virulence sociale assagie, le contact avec l'Amérique contribuant au processus d'assagissement du trotskisme parisien. Le meilleur exemple de ce profil intellectuel est sans doute Michel Collinet, un des premiers à lier analyse politique du syndicalisme et sociologie des sociétés industrielles. François Bondy appréciait beaucoup la collaboration de Collinet, qui introduisait une vivacité et une dissonance heureuses, en contrepoint des contributions sociologiques de Raymond Aron.

Les choses étaient infiniment plus délicates avec le courant pacifiste et collaborationniste, dont *Preuves* devait se garder sous peine de voir rejaillir sur elle l'illégitimité dont il avait été frappé après la Libération. Deux exemples permettent de circonscrire le problème et de voir les solutions qui lui sont apportées : le conflit entre Suzanne Labin et François Bondy ; les modalités de collaboration de Boris Souvarine à la revue française du Congrès pour la liberté de la culture. Si au niveau des Amis de la liberté le conflit pour le contrôle du poste de secrétaire général met aux prises le RPF et la SFIO (et se règle au bénéfice de la SFIO), au niveau de la revue intellectuelle le conflit qui met aux prises François Bondy et Suzanne Labin est interne au socialisme de Troisième Force lui-même. Il porte sur la conception de l'organe intellectuel à créer en France avec l'appui de l'argent américain. Les liens entre Suzanne Labin et Georges Albertini sont étroits et ses publications puisent très largement dans les travaux du BEIPI, comme le montrent ses *Entretiens de Saint-Germain* [1]. Placé sous le patronage de Sidney Hook, l'ouvrage se présente sous la forme d'un dialogue avec un professeur de la Sorbonne pour le convaincre de la réalité de la conspiration communiste en France. Convaincre la Sorbonne républicaine en s'appuyant sur une argumentation américaine exprime lumineusement la situation paradoxale de la SFIO, dont Suzanne Labin est un membre très actif. *Les Entretiens de Saint-Germain*, s'appuyant sur les enquêtes du BEIPI, distinguent trois cercles-relais de la conspiration communiste en France : la moinerie grasse des enlumineurs, distributrice des bénédictions ; la moinerie congrue des rabatteurs, canalisatrice des approbations ; la moinetaille maigre des endormeurs, occupée à détourner les objections. Suzanne Labin s'intéresse plus particulièrement aux deux premières catégories, en reprenant les estimations quantitatives réalisées par le BEIPI. La maison Albertini estime alors à 20 % le taux de crypto-enlumineurs dans le corps enseignant, 20 % chez les artistes, 10 % chez les écrivains et journalistes, 5 % chez les avocats, 4 % chez les ecclésiastiques. Les rabatteurs, pour leur part, se retrouvent dans les succursales camouflées du PCF, organisations-relais ou fronts de circonstance. Le BEIPI a recensé 140 organisations-relais du PCF implantées dans la France de la IVe République. Pareille sociographie

1. Suzanne Labin, *Les Entretiens de Saint-Germain. Liberté aux liberticides* ?, Paris, 1957.

combattante peut séduire l'*American Legion* (l'organisation américaine des anciens combattants sacrera un jour Suzanne Labin « Jeanne d'Arc de l'anticommunisme ») mais elle est peu appropriée pour séduire Saint-Germain-des-Prés. Il est donc impératif pour la revue française du congrès de maintenir une bonne distance avec le réseau Albertini.

Mais, d'un autre côté, une des références internationales du Congrès pour la liberté de la culture, Boris Souvarine, le fondateur du cercle Marx-Lénine et de *La Critique sociale*, l'auteur d'une biographie de Staline ayant accédé au rang de classique, collabore intensément et sans états d'âme au BEIPI. Le contact entre Souvarine, de retour des États-Unis, et Albertini a eu lieu en janvier 1949. Souvarine était une référence majeure pour *Preuves* et il était impensable de se priver de son concours. Sa collaboration à la revue française du congrès restait cependant anonyme. Souvarine ne sort de son anonymat qu'après la publication en Occident du rapport Khrouchtchev. Du reste, à la même époque et à son instigation, le BEIPI change lui aussi de peau et prend le titre d'*Est-Ouest*. On pourrait ranger dans la même catégorie que Souvarine Angelo Tasca, dit Rossi, ancien dirigeant du Parti communiste italien, chroniqueur du *Populaire* d'avant guerre, ayant eu pour sa part des sympathies vichyssoises, remarquable spécialiste du comportement communiste pendant la Seconde Guerre mondiale et collaborateur régulier de *Preuves* sous la IVe République.

On comprend dès lors pourquoi entre les Amis de la liberté, les réseaux trotskistes et le milieu du BEIPI il était vital pour *Preuves* de créer son propre canal d'accès aux milieux politiques et intellectuels de la capitale française. C'est à quoi devaient répondre à partir de 1953 les mardis de *Preuves*, conférences mensuelles qui prolongeaient l'action de la revue en jetant une passerelle entre la rive droite et la rive gauche.

PROFILS DE L'ADVERSAIRE : LA FAMILLE SARTRE ET LE MOUVEMENT *ESPRIT*

Face à *Preuves*, si *Les Temps modernes* et *Esprit* partagent un ensemble de positions politiques communes, leur mode de fonctionnement interne et leurs rapports aux sociétés française et européenne diffèrent profondément. L'influence exercée par ces deux revues dans le Paris de l'époque ne se comprend qu'en référence aux relais dont elles disposent dans la presse : un quotidien, *Le Monde*, et un hebdomadaire, *L'Observateur*, d'égal prestige. Créé en 1950, *L'Observateur*, qui a récupéré le lectorat du RDR ayant refusé de suivre *Franc-Tireur*, est un peu l'hebdomadaire de Sartre. *Le Monde*, pour sa part, est plus proche d'*Esprit*. Ces deux journaux sont de plus très lus par les intellectuels communistes, qui critiquent souvent la presse de leur parti à l'aune de leurs rubriques. Cette singularité de la vie publique française ne contribue pas peu au rayonnement de ces deux journaux en même temps qu'elle avive l'irritation du Congrès pour la liberté de la culture à leur endroit.

L'épine dorsale du milieu de la gauche intellectuelle non communiste extérieure à l'anticommunisme de Troisième Force est constituée par une élite universitaire. Tant *Esprit* que *Les Temps modernes* sont des revues faites par et pour des agrégés de philosophie. Toutes deux sortent de la même matrice, qui part des khâgnes pour culminer à l'École normale supérieure. La prééminence de la philosophie à l'école représente un changement par rapport à l'avant-guerre, où la littérature emportait alors les suffrages des élites sorties de ce prestigieux établissement. Les deux revues sont le vecteur de deux courants philosophiques clairement affichés, existentialisme pour *Les Temps modernes*, personnalisme pour *Esprit*, engagés l'un et l'autre dans une confrontation avec le marxisme. Existentialisme et personnalisme se séparent sur la dimension religieuse mais ont de nombreux points communs. L'un et l'autre se situent par rapport au marxisme en opposition à l'idéalisme et au matérialisme, en tentant conjointement de desserrer les mâchoires des antinomies imposées par le marxisme porté par la vague communiste de la Libération (idéalisme/matérialisme, liberté/détermination, idéologie bourgeoise/science marxiste) et leur prolongement politique (capitalisme/communisme). Structure philosophique, matrice institutionnelle, supports de presse se renforcent mutuellement pour constituer, au sens plein du terme, un milieu. Des déchirements de 1948 aux ruptures de 1956, les orientations politiques de ce milieu hostile à l'anticommunisme de Troisième Force peuvent être caractérisées par cinq dimensions :

– Refus de l'application du concept de totalitarisme à l'analyse du système soviétique. Ce rejet a deux sources : le magnétisme du mot « révolution » à la Libération ; la différence maintenue entre nazisme et communisme. Le procès David Rousset/*Les Lettres françaises* témoigne de la résistance du seuil. Si Rousset obtient immédiatement le soutien des anciens déportés non communistes pour son initiative, les principaux organes intellectuels (*Esprit, Les Temps modernes, Combat*) se dérobent. Or, à la différence du procès Kravchenko, le procès Rousset a permis la convocation de grands témoins (Alexandre Weissberg, Jules Margoline, Margarete Buber-Neumann, Elinor Lipper), que l'on retrouve tous au Congrès pour la liberté de la culture quelques mois plus tard. Même si le Parti communiste perd au tribunal, l'isolement de Rousset représente une victoire symbolique considérable pour lui car il coupe les ailes à une critique de gauche de l'URSS dans les milieux intellectuels français. Réciproquement, le soutien quasi exclusif que Rousset reçoit des Américains conforte à Paris l'idée que la dénonciation de la nature totalitaire du régime soviétique ne peut être le fait que d'une puissance impérialiste.

– Le refus de la politique des blocs, exprimé par le neutralisme, et la volonté de maintenir une équidistance entre l'URSS et les États-Unis. Mais avant *Le Monde* (Étienne Gilson) et *L'Observateur* (dossier sur la neutralité), c'est *Franc-Tireur* qui en 1948 a le premier lancé le slogan de neutralité active. L'année précédente, Altman, Ronsac et Rousset s'étaient employés à donner une image positive de l'URSS dans les colonnes du quotidien. Plusieurs mois après le coup de Prague, Charles Ronsac continuait de dénoncer imperturbablement les éléments réactionnaires agissant en Tchécoslovaquie, en montant en épingle la solidarité existant entre le PCT et les masses populaires. Le milieu neutraliste peut ainsi se prévaloir d'une certaine fidélité contre le milieu de l'anticommunisme de Troisième Force qui l'a souvent précédé dans l'éloge de la neutralité.

– Rejet de la politique américaine d'appui à la construction européenne et désintérêt pour l'Europe communautaire. Cette position résulte soit du rejet du congrès de La Haye (le RDR a refusé d'y participer), soit de celui du plan Marshall, soit des deux. Ces rejets s'expriment au demeurant de manière différente à *Esprit* et aux *Temps modernes* : *Esprit* attaque le congrès de La Haye mais publie un manifeste en faveur d'une Europe socialiste indépendante, auquel *Les Temps modernes* refusent de s'associer.

– Recherche d'une troisième voie entre capitalisme libéral et communisme soviétique : cette recherche, associée à une diplomatie neutraliste, repose en définitive sur la croyance que la France peut exercer une influence pour faire évoluer l'Union soviétique. Elle a également une traduction européenne : l'alliance avec l'aile gauche du Parti travailliste britannique, profondément hostile à la politique américaine, soutenue à l'inverse par l'aile droite du parti.

– Une interprétation biaisée de l'expansionnisme soviétique dans les nouveaux pays décolonisés. Fortement engagé en faveur de la décolonisation, le milieu de la gauche non communiste extérieur à l'anticommunisme de Troisième Force met au compte des erreurs des Occidentaux la progression de l'influence soviétique dans le tiers-monde, jamais au compte de l'impérialisme soviétique. L'impérialisme ne peut être le fait que d'un seul camp. C'est pourquoi ce milieu accueille très favorablement la conférence de Bandoeng, dont la tenue lui paraît grosse des promesses d'un neutralisme à l'échelle mondiale.

Tous ces ingrédients constituent peu ou prou la ligne de *L'Observateur*, qui fonctionne comme un sas de communication entre *Esprit* et *Les Temps modernes*. Mais sur ce fond commun les deux revues accusent leur différence. Cette différence se manifeste en premier lieu dans la hiérarchie du prestige : *Les Temps modernes* ignorent *Esprit* mais *Esprit* ne peut pas ignorer Sartre. A l'inverse, si elle est intellectuellement moins prestigieuse, la revue personnaliste pénètre plus profondément la société française que la revue existentialiste : son tirage oscille entre 15 000 et 20 000 exemplaires (certains numéros spéciaux pouvant atteindre 60 000 exemplaires) et son influence ne s'exerce pas seulement sur les intellectuels, mais encore sur les couches d'encadrement de la société, y compris une fraction du clergé catholique. Toutefois, c'est bien entendu par le profil de leurs fondateurs respectifs, Sartre et Mounier, que les différences entre elles s'accusent. Homme de lettres et philosophe, Sartre fait converger dans son personnage à la fois Gide et

Bergson, tout en ravissant à Maurras le rôle détenu avant guerre par celui-ci dans les passions politiques françaises. Son entourage, régenté avec la vigilance que l'on sait par Simone de Beauvoir, tient autant de la cour que de la famille. Sartre s'entiche de « génies » successifs qui monopolisent ses faveurs du moment. Ses brouilles, tout aussi successives, demeurent célèbres : Koestler, Aron, Rousset, Camus, Merleau-Ponty. Tous ces hommes, à l'exception de Merleau-Ponty, participeront activement ou croiseront le chemin du Congrès pour la liberté de la culture. Mounier n'a en commun avec Sartre que l'appartenance à l'École normale supérieure et sa démission de l'Éducation nationale. Fils d'un pharmacien provincial, catholique sans anxiété, homme de mœurs franciscaines, plus essayiste que philosophe, Mounier meurt en mars 1950, quelques mois avant le succès du *Kongress für kulturelle Freiheit* à Berlin. Cette mort bouleverse ses compagnons, au point qu'ils envisagent un instant de demander à Hubert Beuve-Méry, le directeur du *Monde*, de prendre les rênes de la revue désormais orpheline. Le deuil et la dette vont ainsi marquer toute la politique d'*Esprit* sous la direction d'Albert Béguin, qui succède à son fondateur avant de mourir à son tour, en 1957, un an avant la chute de la IVe République. Mounier avait accueilli avec ferveur la création du RDR, il avait fait un voyage en Pologne, pays où il avait cru déceler dans la démocratie populaire en chantier un modèle de démocratie originale. Il partageait enfin avec Berdiaev une interprétation religieuse du communisme russe et n'était pas insensible au dialogue entre l'ancienne et la nouvelle Russie que ce dernier tenta d'instaurer au lendemain de la victoire des Alliés sur le nazisme.

Essayiste de grand talent (avec *L'Âme romantique et le rêve*, il a signé un des très grands livres de critique littéraire de langue française), Albert Béguin est en décalage par rapport au mouvement *Esprit* et à l'univers des khâgneux français. C'est un écrivain suisse qui se trouve pris en tenailles entre sa loyauté à l'égard de Mounier et les discussions politiques des congrès de la revue, qu'il n'apprécie guère. Profondément européen, l'admirateur de Hölderlin et de Jean-Paul déteste viscéralement la culture de masse américaine. Pareille attitude n'invite guère à jeter des passerelles en direction du Congrès pour la liberté de la culture. Il existe de plus entre Béguin et Rougemont, suisses tous deux, une animosité insurmontable et qui tient pour une part, du côté de Denis de Rougemont chez qui calvinisme et patriotisme helvétique ne font qu'un, à la conversion de Béguin au catholicisme, conversion préparée par un troisième Suisse, Hans Urs von Balthasar, dernier interprète d'une théologie tridentine intégrale au XXe siècle. *Preuves* ménagera toujours Béguin, réservant tous ses coups à son adjoint, Jean-Marie Domenach (un jeune khâgneux lyonnais que Mounier a distingué dans son souci d'associer à la revue les générations montantes), membre de la commission permanente du Mouvement de la paix, avant d'en être exclu au moment de l'affaire Tito.

Tout au long de la IVe République, *Esprit* est à la recherche d'une troisième voie au carré. Politiquement, la revue a fait sienne le dogme du « ni ni » : ni MRP ni social-démocratie. Mais la troisième voie a également pour la revue un contenu philosophique : le personnalisme veut incarner une solution originale entre le matérialisme athée du communisme et l'absurde de la condition humaine de l'existentialisme. Si cette position a le don d'agacer les milieux du Congrès pour la liberté de la culture, les oppositions entre *Esprit* et *Preuves* se nouent toutefois plus profondément au niveau des sociétés où le mouvement *Esprit* est engagé. Trois sociétés européennes sont concernées par ces divergences : la France, l'Allemagne et la Pologne. Pour la France, le conflit porte sur la place de la dimension européenne dans la reconstruction du pays au lendemain de la guerre. Mounier et sa revue prennent leurs distances avec les inclinations fédéralistes qui ont été les leurs avant le conflit mondial. *Esprit* se méfie du plan Marshall et se fait l'avocat de solutions de redressement proprement nationales à travers des propositions de réformes inspirées par une analyse des causes et des conséquences de la défaite de 1940. En Allemagne, la revue appuie dans la zone d'occupation française une expérience de réconciliation franco-allemande en collaboration avec les mouvements de jeunesse, les structures d'éducation populaire, les Églises. L'un des collaborateurs d'*Esprit*, Joseph Rovan, alors chef du bureau d'éducation populaire de la ZOF, est un des pivots de l'entreprise [1]. *Esprit*

1. R. Gilmore, *France Post War Cultural Policies and Acitivities in Germany, 1945-1956*, université de Genève, Institut des hautes études internationales ; Joseph Rovan, « Les relations franco-allemandes dans le domaine de la jeunesse et de la culture populaire (1945-1971) », *Revue d'Allemagne*, 1971.

participe ainsi à l'institutionnalisation d'un canal de relations culturelles franco-allemand, distinct du canal communiste fortement appuyé sur Degliame-Fouché, le gouverneur de Constance. La revue personnaliste française soutient par ailleurs à Munich une petite revue de dialogue entre chrétiens et marxistes. Ces actions s'accompagnent d'une grande méfiance à l'égard de la politique américaine dans la bizone : *Der Monat* est perçu comme un organe officieux de la politique américaine et aucun contact n'est souhaité avec lui. Mais c'est la Pologne qui constitue sans conteste la pomme de discorde la plus sérieuse entre *Esprit* et *Preuves*. Dans le prolongement de la prise de position initiale de Mounier sur la démocratie populaire polonaise, la revue personnaliste entretient des liens privilégiés avec le mouvement *Pax*, courroie de transmission du régime, dont l'animateur, ancien fasciste « retourné » dans les geôles soviétiques, est un agent d'influence de l'URSS. Il est vrai que cette situation cesse en 1956 avec la sortie de prison du cardinal primat Wyszynski. *Esprit* redéploie alors ses relations avec la Pologne en interaction avec les intellectuels catholiques de Cracovie, qui forment un foyer de culture autonome dans la Pologne communiste. Mais le faux pas de départ ne sera jamais pardonné à *Preuves*.

Les rapports entre *Preuves* et *Les Temps modernes* sont d'une tout autre nature : la variable catholique disparaît et les dimensions intellectuelles l'emportent de loin sur les dimensions sociales. La stature de l'adversaire, à l'échelle tant française qu'européenne, est à la vérité d'une tout autre dimension. Ce sont *Les Temps modernes* plus qu'*Esprit*, en effet, qui ont joué le rôle déterminant pour neutraliser l'offensive de Rousset et bloquer le passage politique de la dénonciation du système concentrationnaire au système totalitaire soviétique. Un point d'histoire des idées paraît aujourd'hui définitivement acquis : à l'origine, c'est Merleau-Ponty qui joue le rôle moteur dans l'élaboration de la ligne politique de la revue et c'est lui qui exerce une vigilance sourcilleuse, y compris à l'égard de Sartre, pour éviter que le concept de totalitarisme ne soit appliqué au système soviétique. Ainsi s'éclaire le relatif silence de Maurice Merleau-Ponty sur la révolution hongroise : l'accepter comme révolution antitotalitaire eût été légitimer *a posteriori* un concept qu'il s'était employé à combattre. Si *Esprit* n'est pas un concurrent pour *Preuves*, *Les Temps modernes* eusent pu l'être s'ils avaient réussi à s'imposer dans le rôle de successeur de *La Nouvelle Revue française* [1]. Très vite cependant il apparut à Paris que la revue de Sartre ne tiendrait pas ses promesses. Cette défaillance ne pouvait que faire l'affaire de *Preuves*. Pour *Preuves*, le problème était donc moins *Les Temps modernes* que Sartre, et François Bondy avait trop de flair politique pour s'attaquer de front à ce dernier et à la famille. Monstre sacré, Sartre avait droit au même traitement que cet autre monstre sacré du progressisme qu'était Picasso. La revue française du congrès ne cherchait au départ qu'à ouvrir les yeux de ces grandes figures internationales sur la distorsion de traitement que leur réservaient les Soviétiques dans leur propagande à usage externe et leur lutte idéologique interne : incarnations de la conscience progressiste d'un côté, représentants d'un art décadent et d'une philosophie dégénérée de l'autre. La science de Souvarine faisait ici merveille. Quant aux positions politiques de Sartre, jusqu'en 1956, ce sont principalement des membres de la SFIO collaborateurs de la revue, Jacques Carat ou Pierre Lochak, qui se chargent d'en relever les inconséquences. Il existe d'ailleurs au départ entre le CCF et la famille Sartre une brève période d'indétermination réciproque. L'épisode du congrès de Paris avorté en témoigne. Ce n'est vraiment qu'à partir de 1952 que les choses se gâtent. Sartre quitte alors définitivement l'esprit RDR et devient un compagnon de route du premier rang. C'est la brouille avec Camus, la rédaction des *Communistes et la Paix*, tandis que Merleau-Ponty s'éloigne. C'est enfin le déclenchement des hostilités de la part de Jean-Paul Sartre et Simone de Beauvoir contre le Congrès pour la liberté de la culture.

Si les rapports entre la famille Sartre et les milieux du congrès sont plus complexes à analyser que ceux existant avec le mouvement *Esprit*, c'est qu'une dimension intervient constamment à l'arrière-plan de ces rapports : la forte interaction existant entre le milieu sartrien et le trotskisme parisien,

1. Pareille vocation à la succession avait au demeurant une base éditoriale : *Les Temps modernes* étaient pris en charge par l'éditeur René Julliard, qui avait installé sa maison face à celle de Gaston Gallimard. Cf. Jean-Claude Lamy, *René Julliard*, Julliard, 1992.

dimension négligeable, en revanche, pour restituer l'univers personnaliste de l'époque [1].

Les Dialogues sur la politique offrent l'exemple d'un livre éminemment trotsko-sartrien, où Sartre et Rousset rêvent à haute voix d'une société socialiste transparente reposant sur un fonctionnement démocratique intégral. Sartre et les trotskistes se rencontrent en effet dans un anti-institutionnalisme forcené – l'anti-institutionnalisme trotskiste s'exprimant dans un usage extensif du concept de bureaucratie, l'anti-institutionnalisme sartrien par la réduction de toute institution à ce que le philosophe désignera comme le « pratico-inerte ». Les deux partenaires ont de plus en commun de vouloir dissocier le marxisme de son institutionnalisation communiste pour le rendre à sa vérité théorique et pratique. Mais ils se muent en adversaires dès qu'il s'agit du régime soviétique. Sartre refuse la critique trotskiste de l'URSS. Son refus s'inscrit pour une part dans la volonté de détenir le monopole de la critique légitime du système afin d'asseoir son autorité. Ce rapport singulier n'est pas sans conséquences : Sartre dédouane le trotskisme de tremper dans les turpitudes réactionnaires du Congrès pour la liberté de la culture et, en sens inverse, rabat constamment l'anticommunisme de Troisième Force sur sa seule source collaborationniste.

Nekrassov illustre bien ce mécanisme. La pièce est montée en 1955. On en connaît l'argument : la bourgeoisie craint la détente; il lui faut donc à tout prix maintenir la tension pour conserver son pouvoir et protéger la propriété privée. À l'occasion d'une élection triangulaire qui se présente mal en Seine-et-Marne, un grand journal du soir, qui se voit reprocher par son conseil d'administration sa mollesse antisoviétique, invente un stratagème pour redynamiser le candidat de la droite, qui se laisse aller à penser que le danger allemand est plus grand que le danger soviétique : fabriquer un transfuge. Ce sera Nekrassov. *Nekrassov* n'est ni plus ni moins qu'une pièce de propagande outrancière, à peine sauvée par le personnage de Valera, traité dans la veine des faussaires de Sacha Guitry. C'est une charge contre la presse bourgeoise incarnée par *France-Soir*

1. La seule interaction forte entre *Esprit* et le trotskisme passe par Jean Rous, le secrétaire général du Congrès des peuples contre l'impérialisme, fondé à Puteaux en juin 1948. Ce congrès procède à son autodissolution en 1955, après la conférence de Bandoeng.

(*Soir à Paris*) et son directeur, Pierre Lazareff (Pierrot-les-Bretelles à la ville, Jojo-les-Bretelles à la scène). Il est vrai que Lazareff est un rude concurrent pour Sartre dans la présentation de l'URSS. Après la mort de Staline, les deux hommes se sont rendus en URSS mais n'en ont pas ramené les mêmes impressions, Sartre ayant déclaré dans *Libération* qu'il règne en Union soviétique un vrai climat de liberté. On trouve dans *Nekrassov* la formule qui fera sinon le tour du monde, du moins le tour de la France : ne pas désespérer Billancourt. On a en revanche oublié que la pièce désigne à la vindicte militante tous les « salauds » de l'anticommunisme national et international qui figurent au panthéon progressiste de la IVe République : Georges Bidault, Louis-Gabriel Robinet, Thierry Maulnier, *Le Figaro*, Jean-Paul David, Joseph McCarthy, Francisco Franco, la United Fruit et, *last but not least*, *Preuves*. Sartre stigmatise *Preuves* comme revue pétainiste à l'enseigne de « Travail, famille, patrie » [1]. Rabattant ainsi l'anticommunisme de Troisième Force sur sa source collaborationniste, il met tout le poids de son autorité et de son influence pour prononcer l'excommunication majeure en vue d'obtenir une délégitimation maximale. Le trait est naturellement délibéré. Trois ans auparavant, lorsque Mauriac a adjuré Sartre de prendre position sur le procès Slansky, le directeur des *Temps modernes* a vertement répliqué à l'académicien *via L'Observateur* qu'il ne saurait être question pour lui de s'abaisser à s'aligner sur les clameurs du BEIPI. La volonté de disqualifier *Preuves* sur cette base sera poursuivie par Simone de Beauvoir au moment de la guerre d'Algérie, en faisant de la revue française du Congrès pour la liberté de la culture une complice de l'OAS, alors que la vérité est inverse : *Preuves* maintiendra au contraire une ligne libérale, ce qui vaudra de voir ses bureaux plastiqués par l'OAS [2].

Si Sartre joue sur le registre de la disqualification, c'est à

1. Jean-Paul Sartre, *Nekrassov*, Gallimard, coll. « Folio », p. 177.

2. *Preuves* sera encore à l'origine involontaire d'un mot de Sartre qui aura la vie dure : « ce crétin de Kanapa ». C'est en 1954 en effet que Jean Kanapa, un des intellectuels les plus combatifs du PCF, attaque violemment *Preuves*, dans *L'Humanité*, pour contrer l'écho qu'a eu le débat autour d'un livre de D. Mascolo aux mardis, en laissant entendre que *Les Temps modernes* sont sur les mêmes positions. Le numéro de mars des *Temps modernes* reproduit l'article de *L'Humanité*, avec commentaire à la clef. Quelques jours plus tard, Kanapa s'excuse d'avoir mis Sartre dans le même sac que *Preuves* et appelle à la lutte commune contre la Communauté européenne de défense.

Simone de Beauvoir que revient le soin de porter les attaques frontales. Elle le fait en 1955 (année décidément riche, qui voit la sortie à Paris de *Nekrassov*, des *Mandarins*, de *L'Opium des intellectuels* et des *Aventures de la dialectique*) dans un ensemble que *Les Temps modernes* consacrent à la gauche sur la pensée de droite aujourd'hui [1]. Tout l'article est une attaque à boulets rouges contre *Preuves*, *Liberté de l'esprit* (qui a cessé de paraître) et, pêle-mêle, Raymond Aron, Denis de Rougemont, Jules Romains, Arthur Koestler, Jules Monnerot, James Burnham, Roger Caillois, Remy Roure et Jacques Soustelle. Pour Simone de Beauvoir, la bourgeoisie, dont les hommes épinglés tout au long de l'article ne sont que les chiens de garde, n'a plus aucune pensée, elle ne sait plus se définir que négativement par rapport au communisme. « Les seuls remèdes qu'envisage la droite, écrit-elle, ce sont la bombe et la culture. » Le Congrès pour la liberté de la culture n'est pas mentionné en tant que tel mais on voit qu'il n'est pas loin. Du reste, à ses yeux, « les Américains ont la bombe atomique : et précisément elle leur tient lieu de pensée; mais en France et en Allemagne les sublimations spirituelles sont plus nécessaires que jamais », une de ces sublimations bourgeoises étant l'idée d'Europe [2].

La Table ronde est quant à elle ignorée. Il est vrai que Sartre a réglé son compte à Thierry Maulnier dans *Nekrassov*, en le présentant comme un humaniste distingué dont l'anticommunisme n'impressionne plus personne. Ainsi peut-on voir se dessiner en filigrane une stratégie assez cohérente de la famille Sartre à l'égard du Congrès pour la liberté de la culture sous la IVe République. Cette stratégie peut être définie par trois éléments : traitement spécial réservé au trotskisme; disqualification méprisante de *Preuves*; attaque contre le milieu formé par Koestler, Malraux et Aron. C'est ce milieu qui constitue le véritable adversaire pour Jean-Paul Sartre et Simone de Beauvoir.

1. Simone de Beauvoir, « La pensée de droite aujourd'hui », *Les Temps modernes*, n°s 112-113, mai 1955.

2. Comme Simone de Beauvoir ne fait jamais les choses à moitié, elle utilise des méthodes de disqualification calomnieuse à l'égard de Jaspers, qu'elle accuse d'inclinations nazies. La phrase exacte est celle-ci : « Le passage du racisme au spiritualisme s'achève chez Jaspers. Allemand, vivement intéressé par le nazisme, Jaspers professe dans une Allemagne vaincue », etc. (art. cit.).

Le môle de résistance mendésiste

Il faut toutefois se garder de réduire l'analyse au seul face-à-face entre l'anticommunisme de Troisième Force et les milieux de la gauche intellectuelle non communiste. La pleine compréhension de la situation du Congrès pour la liberté de la culture sous la IVe République requiert de faire intervenir une troisième composante : le milieu mendésiste. Le mendésisme représente en effet un môle de résistance à l'anticommunisme de Troisième Force d'inspiration socialiste tout aussi important que les revues intellectuelles de la rive gauche.

Le court passage de Pierre Mendès France au pouvoir comme président du Conseil (juin 1954-février 1955) est appelé à laisser des traces profondes dans la France contemporaine. Mendès France n'est pas un socialiste mais un républicain qui cherche à actualiser les vertus civiques imputées à la tradition républicaine en les mariant aux disciplines de l'économie keynésienne. Paradoxalement, le succès du mendésisme est le produit d'un échec : celui de la rénovation du Parti radical, parti central de la IIIe République. L'incapacité à rénover le vieux Parti radical donne naissance à un milieu hors des affiliations partisanes. Le mendésisme (avant de devenir un mythe sans intérêt), c'est d'abord ce milieu qui incarne en positif tout ce que la SFIO incarne en négatif : un leader séduisant, Pierre Mendès France, opposé à Guy Mollet, gestionnaire d'appareil ; une cohérence contre l'incohérence ; l'ouverture intellectuelle contre le sectarisme ; la jeunesse contre le socialisme ronchon. Mendès France peut bien échouer comme chef de parti, le milieu mendésiste dispose de remarquables relais en direction de la société française : un hebdomadaire, *L'Express*, une des plus belles réalisations de la presse française de l'après-guerre ; une revue d'analyse politique, *Les Cahiers de la République*, dont l'influence est grande dans la haute fonction publique. Le mendésisme autorise un dépassement du clivage laïc/clérical et trouve un appui dans les milieux de la gauche catholique qui ont répudié le conservatisme et refusé le MRP : *Esprit*, *Reconstruction*, *La Jeune République*. Le mendésisme reçoit enfin le soutien influent du *Monde*, jusqu'alors des plus critiques envers les élites de la IVe République.

Ce milieu particulièrement dynamique constitue un môle de résistance à l'influence du Congrès pour la liberté de la culture sur trois plans. Pierre Mendès France, et avec lui le mendésisme, est orienté vers le travaillisme britannique beaucoup plus que vers la social-démocratie allemande mais son aimantation par le travaillisme est marquée par une dissociation entre réformisme intérieur et politique étrangère. Le réformisme le met parfaitement en phase avec Gaitskell et le révisionnisme des *Nouveaux Essais fabiens*. Il est proche d'un homme comme André Philip, à la recherche d'un socialisme moderne et qui collabore pour sa part aussi bien à *Preuves* qu'aux *Cahiers de la République*. Mais, en politique étrangère, le mendésisme incline du côté de l'aile gauche du Parti travailliste, hostile à la politique américaine, quoique Pierre Mendès France lui-même soit moins systématiquement antiaméricain que ne l'est Aneurin Bevan.

En matière de construction européenne, le mendésisme se situe en marge de la coalition SFIO-MRP, qui soutient la construction européenne à travers les traités. Pierre Mendès France est chef du gouvernement lorsque le traité instituant une Communauté européenne de défense vient en discussion au Parlement pour ratification. Le fait que le président du Conseil soumette le traité à l'Assemblée avant que son gouvernement n'ait prit position sur la ratification est interprété par les partisans de la CED comme un signe de mollesse confinant au désaveu. Trois ans plus tard, la mollesse n'est plus de mise : Pierre Mendès France vote contre le traité de Rome, destiné à relancer la construction européenne.

Le mendésisme biaise enfin sur la question soviétique. *Les Cahiers de la République*, dont le premier numéro paraît précisément à la fin de l'année-charnière 1956, offrent une illustration particulièrement éclairante de ce processus d'esquive. La position de la revue théorique du mendésisme apparaît aujourd'hui quasi caricaturale. Pour cerner les rapports entre communisme et socialisme, le premier numéro des *Cahiers de la République*, continuité républicaine oblige, publie un fragment d'un inédit d'Alain particulièrement amphigourique. Au lendemain de la révolution hongroise et après avoir noté que

« le monde communiste se présente à nouveau comme une énigme », la revue, pour éclairer « les grands remous » qui le traversent, donne la parole à des spécialistes (qui, certes, feront ensuite leur chemin : Hélène Carrère d'Encausse et Alexandre Benigsen) pour traiter... du contrôle idéologique de l'intelligentsia dans les républiques musulmanes et de la politique soviétique au Moyen-Orient. Il est vrai qu'un article est consacré à la Pologne mais dans une perspective restrictive : il examine les fondements économiques de la crise polonaise. La situation hongroise, quant à elle, ne fera jamais l'objet d'une analyse de fond.

Ainsi le milieu mendésiste manque-t-il totalement le moment intellectuel que constitue la réunion internationale de Milan. *Les Cahiers de la République* ne mentionnent pas la manifestation. *L'Express* de son côté a fait silence sur *L'Opium des intellectuels*. Il est de notoriété publique que les relations entre Pierre Mendès France et Raymond Aron sont des plus médiocres, ce qui explique que l'œuvre de ce dernier soit absente des publications mendésistes [1]. Dans le débat suscité à Milan sur le devenir de l'Union soviétique, *L'Express*, avec Jean-Jacques Servan-Schreiber et Alfred Sauvy, se fait le champion d'une Union soviétique dépassant bientôt économiquement les pays capitalistes à régime démocratique.

De leur côté, *Preuves* et le Congrès pour la liberté de la culture cherchent plus à contourner le môle mendésiste qu'à l'affronter. Le milieu mendésiste possède ce qui fait défaut au milieu socialiste de Troisième Force : une cohérence et un rayonnement national. A Paris, *Preuves* est une revue dont la qualité littéraire, esthétique et politique a conquis sa pleine légitimité après 1956. En province, les Amis de la liberté (sauf à Lyon, où l'assocation, qui rassemble les étudiants socialistes et RPF, est en prise sur la vie universitaire) réunissent principalement des notables locaux et des membres du Rotary Club qui communient dans un anticommunisme de bon aloi. Une de ces maisons dérivera même vers la droite extrême sans que le secrétariat parisien cherche à y regarder de trop près pour faire le ménage.

1. *Les Cahiers de la République* font en revanche un compte rendu élogieux de l'ouvrage de Jeanne Hersch, *Idéologie et Réalité*. La revue n'ignore pas non plus totalement le CCF et fait une recension très favorable du séminaire organisé à Rhodes en 1958 sur la démocratie dans les nouveaux États.

Les relations conflictuelles entre le mendésisme et la gauche socialiste européenne et anticommuniste, en même temps que les différences de mode d'insertion de ces deux courants politiques dans la société française, sont encore illustrées par la brève histoire de l'hebdomadaire *Demain*, créé à Paris dans la foulée de la relance européenne devant conduire au traité de Rome après l'échec de la CED. Une fois de plus, la SFIO est appelée à jouer un rôle central dans cette relance, sous la conduite d'un président du Conseil (Guy Mollet) et d'un ministère des Affaires étrangères (Christian Pineau) issus de ses rangs et prenant appui sur le ministre des Affaires étrangères belge, le socialiste Paul-Henri Spaak, un des adversaires les plus résolus de Pierre Mendès France [1].

La relance européenne au niveau de l'opinion publique française prend la forme de l'hebdomadaire *Demain*, dont le premier numéro sort en décembre 1955, la direction du journal ayant été confiée à Charles Ronsac, le chef du service étranger de *Franc-Tireur* [2]. Lancée avec l'appui de tous les grands européanistes de la SFIO, André Philip, Gérard Jacquet, André Ferrat, l'initiative bénéficie d'une aide financière de la social-démocratie belge, où entre très vraisemblablement une part d'argent américain. *Demain* s'inscrit donc dans le chapelet des initiatives, *Preuves*, *Franc-Tireur*, *La Révolution prolétarienne*, destinées à faire exister en France une gauche socialiste et européaniste. Ronsac, le rédacteur en chef, a appartenu, tout comme Suzanne Labin, au cercle Marx-Lénine animé par Boris Souvarine avant la guerre, mais ensuite, il a coupé les ponts avec Souvarine et n'entretient lui-même aucune relation avec le BEIPI [3]. L'idée est de faire de *Demain* un « *Express* socialisant » : pareille définition trahit bien l'infériorité de l'aile européenne de la SFIO par rapport au mendésisme. Le nouvel hebdomadaire entretient des contacts avec le *New Leader* à New York, il existe de nombreuses collaborations croisées entre *Preuves* et *Demain*, plusieurs intellectuels de référence du Congrès pour la liberté de la culture, Aron, Milosz, Silone,

1. Christian Pineau et Christiane Rimbaud, *Le Grand Pari. L'Aventure du traité de Rome*, Fayard, 1991.
2. Charles Ronsac, *Trois Noms pour une vie*, Robert Laffont, 1988.
3. Un autre membre important du cercle Marx-Lenine, Otto Mascht, dit Lucien Laurat, spécialiste marxiste de l'économie, communiste oppositionnel qui avait rejoint la SFIO, travaillait également au BEIPI, entre Albertini et Souvarine.

Camus, Sperber, y écrivent. Mais l'entreprise est de courte durée et cesse en 1957 : manifestant une opposition croissante à la politique algérienne du gouvernement français, c'est Guy Mollet lui-même qui met fin à l'initiative.

France, Allemagne, États-Unis

Initiative germano-américaine, le Congrès pour la liberté de la culture ne peut pas ne pas s'inscrire dans un contexte de relations internationales marqué par la divergence d'appréciations sur le destin futur de l'Allemagne entre la France et les États-Unis au lendemain de la défaite du IIIe Reich. Les dirigeants français ont deux préoccupations majeures : éviter la germanisation de la Lotharingie [1] ; empêcher que l'Allemagne ne se modernise plus vite que la France. C'est sur cet avenir allemand que les dirigeants français se heurtent le plus durement aux Américains après la victoire. Ceux-ci en effet n'ont accepté qu'à contrecœur, et sous la pression britannique, que la France se voie attribuer une zone d'occupation sur le territoire du vaincu. Non seulement les dirigeants américains n'ont pas pour souci premier d'empêcher que l'Allemagne ne se modernise plus rapidement que la France, mais, après la reddition totale du Reich, tout se passe comme s'ils étaient soudain tombés amoureux de l'Allemagne débarrassée du nazisme. Le haut commissaire militaire Lucius Clay est profondément hostile à la politique française et aux Français – hostilité compensée en partie, il est vrai, par les relations étroites existant entre le gouverneur civil, McCloy, et Jean Monnet. Si le plan Marshall donne un véritable contenu au plan de modernisation et d'équipement préparé par Monnet et ses services, son adoption se fait au prix de l'abandon de deux objectifs par la France : la

1. Dès 1943 à Alger, le Conseil français de libération nationale envisage de créer une fédération englobant le complexe sidérurgique Lorraine-Ruhr. L'année suivante, de Gaulle demande que soient étudiées les conséquences d'une séparation de la Rhénanie du Reich pour l'inclure dans une fédération économique de l'Ouest limitée à la France et au Bénélux, et à laquelle pourrait se rattacher la Grande-Bretagne. Les socialistes français, pour leur part, proposaient d'organiser la Ruhr sur le modèle de la *Tennessee Valley Authority* et de placer cette agence sous contrôle international.

destruction de l'économie allemande et la coopération avec l'Europe sous contrôle soviétique. Sa mise en œuvre est, de plus, source de frictions. Les autorités françaises évitent de faire trop de publicité à l'aide américaine, ce dont se plaint l'administration de l'*European Recovery Program*. Des divergences politiques se font également jour lorsque la partie américaine fait valoir des exigences inacceptables pour la partie française, comme par exemple l'affectation massive de l'aide aux HLM pour enrayer l'influence communiste dans les milieux populaires.

La combinaison de l'aide économique et de la guerre froide pousse les États-Unis à soutenir la construction européenne. L'aide économique entraîne l'émergence d'une coordination multilatérale, première esquisse de l'idée d'un marché européen unifié, appelée à faire son chemin. La guerre froide conduit de son côté la puissance américaine à souhaiter la construction d'une Europe politique pour résister à la pression soviétique. Or la France et l'Allemagne sont diamétralement opposées sur la centralité de l'idée européenne dans leur devenir historique. Pour les Allemands, l'Europe est un moyen de se réintroduire dans le concert des nations civilisées, en allégeant le poids d'un passé insoutenable. L'idée européenne est beaucoup moins vitale pour les Français, confrontés à la transformation de leur ancien empire colonial. Cette divergence historique et politique est un nouveau sujet de friction entre la France et les États-Unis. Pour la puissance américaine, non seulement les Français se montrent des Européens moins enthousiastes que les Allemands, mais ce sont de plus des colonisateurs qui ternissent l'image du monde libre. L'intrication des deux dimensions atteint son paroxysme sous la IVe République, lorsque la guerre d'Indochine et la querelle de la CED entrent en résonance.

Il n'y a donc rien de surprenant à ce que le Congrès pour la liberté de la culture, volet de la politique culturelle américaine en Europe enraciné à Berlin et géré à Paris, révèle de manière aiguë les tensions et les ambiguïtés du triangle américano-germano-français. La première ambiguïté concerne le degré de philocommunisme des intellectuels français appartenant à la gauche non communiste. Le président de l'*American Committee for Cultural Freedom*, Sidney Hook, a fixé un objectif :

combattre les anti-anticommunistes. Or on peut se demander jusqu'à quel point cette notion n'obscurcit pas plus qu'elle n'aide à comprendre la situation française. Les stridences anticommunistes de Hook avaient du reste choqué jusque dans les rangs de *Franc-Tireur*, qui s'apprêtait cependant à rejoindre le camp de l'anticommunisme de Troisième Force lorsque le philosophe était intervenu en Sorbonne lors de la Journée mondiale de résistance à la guerre. Le Congrès pour la liberté de la culture devait pour sa part faire un usage plus que modéré de cette notion. On ne la rencontre qu'une seule fois chez Aron dans sa polémique avec Deutscher. Mais Aron se garde bien de l'étendre aux intellectuels français avec lesquels il est philosophiquement et politiquement en désaccord. La définition de Hook ne permet pas en effet de distinguer les crypto-communistes avérés des hommes de gauche qui sont à la recherche d'une structure de paix en Europe hors de la coalition de Troisième Force : lorsque le candidat aux élections présidentielles américaines soutenu par le Parti communiste, Henry Wallace, vient à Paris au lendemain de la guerre, il n'est accueilli ni par les personnalistes ni par les existentialistes, mais par l'Union progressiste, qui recueille autour de Pierre Cot une partie de l'aile gauche du Parti radical de la IIIe République.

C'est que l'on ne peut pas comprendre l'attitude de nombreux intellectuels de la gauche non communiste à l'égard du communisme si l'on ne tient pas compte du problème allemand et de la divergence existant entre la gauche française et la gauche allemande. C'est ce qu'a très bien vu à l'époque un jeune et brillant agrégé engagé dans la réconciliation franco-allemande, Alfred Grosser, dans sa contribution à l'ouvrage publié sous la direction de Raymond Aron et David Lerner après l'échec de la CED [1], en parlant d'un « bévanisme français », défini par deux dimensions : une approche différente tant de l'anticommunisme que du problème de la réunification allemande. Pour les bévanistes français, écrit Grosser :

> La réunification de l'Allemagne devait être envisagée sous la forme d'une synthèse entre la République fédérale et la République démocratique, cette réunification étant pour eux non pas

1. Raymond Aron et David Lerner (éd.), *La Querelle de la CED*, Presses de la Fondation nationale des sciences politiques, Paris, 1956.

tant allemande que mondiale, une sorte de test de la coexistence pacifique. Or, pour les socialistes allemands, si la réunification de leur pays est le point numéro 1 de leur politique étrangère, elle est conçue comme une extension vers l'Est de la République fédérale, le gouvernement de Pankow étant considéré comme une équipe de *quislings* collaborant servilement avec un occupant détesté. Les bévanistes se sont alors alliés à l'équipe du docteur Heinemann et du pasteur Niemöller, sans se rendre bien compte que celle-ci ne représentait qu'une fraction infime de la population allemande [1].

Alfred Grosser présente là une position que l'on trouve à l'époque aussi bien à *Esprit* qu'à *L'Express*, milieux qu'il connaît bien pour les fréquenter. C'est l'expédition de Suez qui ruinera l'idée d'une politique de gauche européenne indépendante hostile à la politique américaine. Mais caractériser ainsi le bévanisme français, c'est du même mouvement définir la position de *Preuves* et du Congrès pour la liberté de la culture, position alignée sur celle des sociaux-démocrates allemands.

Sans doute la vie publique sous la IVe République est-elle fortement conditionnée par l'existence d'un important Parti communiste, qui exerce un chantage permanent sur les intellectuels de la gauche non communiste. Mais l'étude de l'inscription du Congrès pour la liberté de la culture à Paris invite à reprendre le débat à nouveaux frais en posant deux questions liées : ne surestime-t-on pas le philocommunisme des intellectuels de gauche non communistes qui ne se sont pas ralliés à l'anticommunisme de Troisième Force ? Le fait politique majeur de l'époque n'est-il pas autant la place tenue, ou plutôt non tenue, par la SFIO dans le débat ?

Braquer constamment le projecteur sur les intellectuels de gauche non communistes et passer au crible leurs textes pour y traquer toute inclination coupable masque un phénomène au moins aussi décisif pour comprendre la IVe République : les incohérences de la SFIO. En effet, si elle s'engage dans l'anticommunisme à partir de ses responsabilités gouvernementales et si elle tient le choc en tant que parti pour une part grâce au soutien américain, il reste à s'interroger sur la troisième composante de son identité, son européanisme. Quelle est la signification de l'orientation pro-européenne de la SFIO ? Il n'est pas simple de donner une réponse claire à cette question,

1. Alfred Grosser, *op. cit.*, p. 100.

surtout si l'on compare le parti socialiste français à son allié européaniste, le Mouvement républicain populaire. Les sources de l'européanisme du MRP résident dans la configuration historique de l'univers catholique français au lendemain de la guerre. La majorité des cadres du parti sont des catholiques ralliés à la République. Ce ralliement les a immédiatement détournés de la contre-révolution nationale du régime de Vichy. Catholiques, ils ne s'identifient pas totalement au nationalisme universaliste républicain. Ils se trouvent disponibles pour une recomposition politique au-delà des impasses de l'État-nation, manifestées par deux guerres mondiales. L'européanisme du MRP est enfin caractérisé par une forte assise régionale : les marches de l'Est et la partie française de la Lotharingie, confrontées à l'univers germanique, une des composantes de l'identité de ces régions. Les ressorts de l'européanisme de la SFIO sont plus complexes et plus cachés. Sans doute l'orientation européenne du parti est-elle une modalité de son internationalisme. Mais, au lendemain de la Seconde Guerre mondiale, l'européanisme de la SFIO apparaît comme le produit d'un internationalisme par défaut et d'un internationalisme redressé : face à la confiscation de l'internationalisme ouvrier par le Parti communiste, l'Europe offre la voie dans laquelle la SFIO trouve à développer son internationalisme; mais l'Europe représente également pour le parti un internationalisme redressé en réaction au dévoiement du puissant courant pacifiste socialiste pendant la guerre.

Si l'européanisme socialiste n'a aucune peine à s'associer à la politique d'une Amérique non isolationniste qui offre une alternative à l'internationalisme prolétarien, il présente par ailleurs la particularité de n'avoir aucun contenu de solidarité européenne. La fonction d'extériorisation des difficultés nationales l'emporte de beaucoup sur la solidarité européenne. Après le coup de Prague, on l'a vu, la SFIO ne reconnaît pas les partis socialites de l'émigration. Mais surtout l'européanisme de la SFIO est associé à un rejet de la social-démocratie allemande. Le secrétaire général du parti, Guy Mollet, joue ici un rôle décisif, et c'est dans l'exercice du pouvoir du secrétaire général que sont censées se résoudre toutes les contradictions. Profondément anti-social-démocrate, l'européanisme de Guy Mollet est le moyen non de nouer des solidarités avec la social-démocratie allemande, mais de prendre du champ par rapport à elle. Ayant connu lui-même dans sa jeunesse une phase gauchiste pacifiste, mais n'ayant pas dérivé vers le collaborationnisme, Guy Mollet était mieux placé que quiconque pour saisir l'importance de la fonction d'internationalisme redressé offerte par l'Europe pour conforter l'identité du parti. Aussi bien est-ce lui qui, en permanence, se situe en flèche pour lui imprimer sa dimension européenne. Le mouvement européen associé au parti, le Mouvement socialiste pour les États-Unis d'Europe, est le plus faible des mouvements européens [1]. Ainsi le Congrès pour la liberté de la culture, fortement adossé à la social-démocratie allemande, se trouve-t-il quelque peu « en l'air » dans la capitale française. Sans doute les socialistes les plus européanistes (Ferrat, Jacquet, Philip) écrivent-ils dans *Preuves* mais le jeu est déséquilibré dans la mesure où la SFIO s'adosse à l'internationalisme américain sans prendre en charge la dimension allemande de la relation triangulaire germano-américano-française. De plus, à la différence de la social-démocratie d'outre-Rhin, l'orientation européaniste des socialistes français est destinée à résoudre non les problèmes de la société, mais ceux du parti. Ainsi la mauvaise réception du Congrès pour la liberté de la culture à Paris entre 1950 et 1956 tient-elle au moins autant à l'antiaméricanisme des intellectuels de la gauche non communiste qu'à l'incapacité pour la SFIO de jouer un rôle positif dans les relations américano-germano-françaises.

A partir du moment où la SFIO accepte de bénéficier de l'aide américaine sans prendre en charge le rapport avec la social-démocratie allemande, c'est le trotskisme qui se trouve occuper une position stratégique. A la différence du personnalisme et de l'existentialisme, le trotskisme ne se définit pas par rapport au marxisme mais à l'intérieur de celui-ci. Fortement lié au surréalisme, méprisant les personnalistes (des « curés »), tenant la dragée haute à Sartre, tout aussi anti-social-démocrate que Guy Mollet, le trotskisme se soucie fort peu de

1. Les hommes politiques français présents à la réunion internationale de Milan, André Philip et Robert Buron, appartenaient tous les deux au MSEUE. La double appartenance – aux équipes internationales liées au MRP et au MSEUE – était en effet acceptée. Au moment du recentrage du MSEUE, auquel il avait travaillé, Philip avait publié, en 1950, *Le Problème de l'Union européenne*, aux éditions de la Baconnière.

l'Europe mais entretient des rapports intenses avec les États-Unis. En premier lieu, les États-Unis incarnent une situation inverse de celle de la France : là-bas, c'est le stalinisme qui est marginalisé tandis que le trotskisme dispose d'une vitalité remarquable. Si Paris est une ville qui vit sous le chantage stalinien, à New York le trotskisme a pignon sur rue. En deuxième lieu, ce sont les États-Unis qui fournissent les ressources nécessaires à la lutte antistalinienne ; peu importe la couleur de l'argent du moment qu'il est au service de la cause : écraser l'infâme. Enfin, l'Amérique offre le spectacle d'une société libérée de l'entrave bourgeoise des forces productives, une société où le capitalisme donne paradoxalement un contenu à l'idée de révolution permanente. Le milieu trotskiste est ainsi plus proche de l'*American Committee for Cultural Freedom* que du Congrès pour la liberté de la culture. Contre l'hégéliano-marxisme, qui donne le ton à l'École normale supérieure et qui est relayé par les agrégés de philosophie jusque dans d'obscures provinces, les trotskistes (que l'on retrouve principalement dans la presse, l'édition, les milieux artistiques de la capitale et pratiquement toujours en marge de l'Éducation nationale) constituent le relais privilégié du progressisme pragmatique d'un John Dewey, dont le président de l'*American Committee* s'est fait le héraut.

Une seule fois trotskistes, personnalistes et existentialistes se trouveront sur la même longueur d'onde : au moment du schisme yougoslave. Le Parti communiste français ne réussira pas à faire passer le message « titisme = fascisme » (alors qu'il parvenait assez bien à utiliser cette argumentation pour les émigrés politiques d'Europe centrale et orientale soutenus par les États-Unis), mais, à l'inverse, déclenchera une levée de boucliers unanime, à l'origine de la survalorisation de l'originalité de la voie yougoslave vers le socialisme. Cependant, il est vrai que le Congrès pour la liberté de la culture lui-même, dès lors que Tito s'est rangé du côté du monde libre concernant la guerre de Corée, adopte un profil bas sur le régime du maréchal. Le compte rendu assuré dans *Preuves* par Michel Collinet et Melvin Lasky [1] de la réunion internationale organisée en octobre 1951 par le comité yougoslave pour la paix montre bien

1. Michel Collinet, « Rencontre à Zagreb », et Melvin Lasky, « Une occasion manquée », *Preuves*, n° 10, décembre 1951.

que la résistance à l'expansionnisme soviétique conduit à mettre une sourdine aux critiques qui devraient logiquement être faites sur un régime autoritaire de parti unique. Collinet note les relâchements du contrôle totalitaire, l'entière liberté d'expression dans la conférence internationale, la diversité des délégations invitées, la liberté dans les arts. Lasky, pour sa part, reproche surtout au comité yougoslave pour la paix d'avoir rompu les négociations avec le Congrès pour la liberté de la culture, qui aurait pu dépêcher à Zagreb « des hommes plus clairvoyants et plus représentatifs tels que Bertrand Russell, Sidney Hook, Raymond Aron, David Rousset et Ernst Reuter ». Toutefois, Löwenthal et Altman ont fait le voyage à Zagreb. Camus a de son côté envoyé un message à la réunion. Lasky ferraille, bien entendu, contre les neutralistes français avant de reconnaître que ce congrès a été un demi-échec et que l'Occident ne doit pas laisser passer l'occasion de voir le rideau de fer remplacé par un rideau de verre.

CHAPITRE VII

La fin des idéologies : une problématique, une identité (1955-1965)

C'est en 1960 que paraît aux États-Unis le livre de Daniel Bell *The End of Ideology* [1]. Si le thème de la fin des idéologies marque fortement l'identité du Congrès pour la liberté de la culture, engendrant aussitôt une polémique, il convient de distinguer la problématique qu'elle autorise de la polémique qu'elle soulève. Nous nous fixerons ici trois tâches : restituer les débats suscités par le CCF entre la réunion de Milan (1955) et le livre de Daniel Bell (1960); cerner l'articulation de la problématique de la fin des idéologies sur l'analyse des démocraties stabilisées et sur le décryptage des sociétés soviétisées; enfin, examiner l'insertion de ces débats et de ces analyses dans le tissu politique et intellectuel français.

Un débat historique et philosophique

Si la problématique de la fin des idéologies s'inscrit dans la continuité de la grande réunion internationale *L'Avenir de la liberté*, la notion elle-même n'apparaît ni dans les communications ni dans les débats de Milan. Le vecteur de *L'Avenir de la liberté* est la fin des « doctrinarismes », tant libéraux que socialistes, face à la réalité des politiques gouvernementales depuis

1. Daniel Bell, *The End of Ideology. On the Exhaustion of Political Ideas in the Fifties*, Free Press, 1960. En 1988, l'auteur a publié une nouvelle édition de son livre avec une postface inédite : *The End of Ideology, With a New Afterword by the Author*, Harvard University Press, 1988.

la Seconde Guerre mondiale. Trois hommes, Raymond Aron, Edward Shils et Daniel Bell, contribuent ensuite à la promotion de la notion de fin des idéologies en même temps qu'ils demeurent et demeureront toujours discrètement en compétition pour en revendiquer la paternité. Chronologiquement, c'est Aron qui, le premier, conclut son *Opium des intellectuels* [1] par un chapitre au titre interrogatif : « Fin de l'âge idéologique ? ». Le livre a été rédigé de juillet 1954 à janvier 1955, au moment où Raymond Aron prenait précisément une part active au lancement de la réunion de Milan. Sous sa forme interrogative, l'envoi de *L'Opium* est un appel à la transformation du rôle de l'intellectuel pour se libérer du fanatisme. La deuxième impulsion vient d'Edward Shils. Très directement liée à Milan, elle aussi, elle se situe non pas avant mais après la conférence. Comme il l'a fait deux ans plus tôt après Hambourg, où il a synthétisé les travaux de la réunion en avançant la notion de « communauté scientifique [2] », Shils résume pour les lecteurs d'*Encounter* (novembre 1955) les enseignements de la nouvelle initiative du CCF en Europe dans un article ayant pour titre « The End of Ideology ? ». La formule apparaît donc pour la première fois dans la revue anglo-américaine du Congrès pour la liberté de la culture. Notons que sous la plume de Shils, comme sous celle d'Aron, la forme interrogative demeure. Cinq ans plus tard, Daniel Bell réunit enfin dans un livre qui porte un titre analogue un ensemble d'essais. Mais avec lui la forme interrogative disparaît. C'est son livre qui lance la polémique.

De 1955 à 1960, la problématique de la fin des idéologies est un lieu de rencontre et de différenciation entre Raymond Aron, Daniel Bell et Edward Shils au sein du Comité des séminaires du CCF mis en place après Milan auprès du Secrétariat international, auquel ils appartiennent tous les trois. Au reste, dès avant leur coopération au sein de ce comité, certains d'entre eux connaissaient déjà : Shils et Aron s'étaient rencontrés à Londres pendant la guerre; Bell avait fréquenté Shils à l'université de Chicago, où il avait commencé sa carrière de sociologue, entre 1946 et 1948.

1. Raymond Aron, *L'Opium des intellectuels*, Calmann-Lévy, 1955.
2. Edward Shils, « Thoughts after Hambourg », *Science and Freedom*, n° 1, novembre 1954.

Quant au Comité des séminaires, mis sur pied pour prendre en charge un programme et un nouveau type d'activités du congrès, la paternité en revient à un quatrième homme, Michael Polanyi. Tout démarre à partir d'un mémorandum que rédige ce dernier après la conférence de Milan. Le sentiment général est alors que cette manifestation a été un vrai succès et qu'il convient d'une manière ou d'une autre de poursuivre un débat international si remarquablement engagé. Soulignant les limites des travaux universitaires (travaux de plus en plus précis et méticuleux mais également de plus en plus étroits, jusqu'à confiner à la trivialité), Polanyi estime le moment venu d'inventer une nouvelle forme d'institution intellectuelle para-académique pour débattre des problèmes contemporains, problèmes ayant mûri à travers des travaux spécialisés mais qui ne parviennent pas à cristalliser faute d'un milieu approprié. Reprenant la balle au bond, le secrétariat parisien élabore une note qui trace les contours de la nouvelle action à entreprendre. Estimant que le CCF, organisation non gouvernementale non partisane, est bien placé après le succès de Milan pour lancer une telle initiative, Josselson suggère que soit mise sur pied une série de petites conférences placées sous le titre général de *Mid-Century Dialogues*. Six thèmes sont arrêtés pour la série : changement de la société soviétique ; développement des sociétés insuffisamment développées technologiquement ; l'Afrique, l'Asie et l'Occident ; les institutions nourricières et garantes de la liberté ; la société de masse ; idées, propagande et relations culturelles. Les *Mid-Century Dialogues*, poursuit la note, devraient être organisés dans des lieux significatifs : Oxford, Zurich, Tunis, Royaumont, Uppsala, Venise, Madras. L'ensemble serait couronné par une réunion finale plus solennelle organisée à Berlin.

Pour lancer l'affaire, Michael Josselson contacte Daniel Bell et l'invite à venir travailler au Secrétariat international à Paris. Daniel Bell a mené jusqu'alors une double carrière de journaliste (il collabore au magazine *Fortune*) et de sociologue (lorsqu'il est pressenti par Josselson, il enseigne à l'université de Columbia). Bell a été un membre actif de l'ACCF et, deux ans auparavant, Sidney Hook lui a proposé de devenir corédacteur en chef d'*Encounter*. Il a refusé cette proposition. Mais il accepte cette fois celle de Josselson. Bell devient à Paris la cheville ouvrière d'un Comité des séminaires qui réunit Raymond Aron, Michael Polanyi, Edward Shils, Bertrand de Jouvenel, C.A.R. Crosland et lui-même, bien entendu. Le déroulement du programme ne suit pas la belle architecture dessinée dans la note initiale. Un seul exemple : au début de l'année 1956, le Secrétariat international pèse encore le pour et le contre en ce qui concerne l'invitation au cas par cas de Soviétiques et de représentants des démocraties populaires aux *Mid-Century Dialogues*. La période est en effet caractérisée par un accroissement des échanges Est-Ouest après le sommet de Genève. Paris pense qu'il vaudrait mieux que le CCF serve de plate-forme pour de tels échanges au lieu d'en laisser le monopole aux communistes et à leurs compagnons de route. L'histoire tranchera. Après la révolution hongroise et sa répression par l'Armée rouge, la question de telles invitations ne se pose naturellement plus dans l'immédiat. Toutefois, les événements de Hongrie ont un impact indirect considérable sur la croissance du CCF lui-même : ils légitiment son action antérieure, lui permettant ainsi de réunir le concours de nombreuses fondations, au premier rang desquelles la fondation Ford, qui accepte de prendre en charge le programme des séminaires du CCF [1]. Cette soudaine légitimation, après des années de stigmatisation des intellectuels du CCF comme « intellectuels de guerre froide », retentit sur l'angle d'ouverture de l'organisation : la participation à ses activités rencontre désormais moins d'hostilité, de résistance ou de réticences qu'au cours des années antérieures. Cela entraîne une accélération de ce programme des séminaires, qui constitue désormais un nouvel axe fort de l'action du congrès.

La thématique esquissée dans la note du Secrétariat de 1955 est également remaniée du fait de l'action des hommes, plus particulièrement de quatre d'entre eux : Aron, Bell, Polanyi et Shils, chacun poursuivant ses objectifs et imprimant sa marque aux manifestations, tout en cherchant à influencer l'ensemble du processus lui-même.

1. Cette prise en charge intervient en 1957, en deux temps : un premier financement est ouvert pour deux réunions, puis, au vu des résultats obtenus, la fondation Ford accorde au CCF une dotation globale de 500 000 dollars pour un projet intitulé *Les Problèmes du progrès. Une enquête du Congrès pour la liberté de la culture*. L'argent ne sert pas seulement à organiser des conférences mais aussi à accorder des bourses ou à commander des études particulières à des universitaires ou des journalistes.

Daniel Bell est directement responsable des trois premiers séminaires internationaux du Congrès pour la liberté de la culture, qui se déroulent successivement à Tokyo, Oxford et Vienne. Il est clair qu'il aurait souhaité retirer le bénéfice de cette intense activité en se voyant confier la maîtrise d'œuvre de la conférence finale de Berlin, point d'orgue du programme. Quelques semaines avant de quitter Paris pour regagner les États-Unis, en août 1957, Bell rédige un mémorandum dans lequel il propose de mettre sur pied une rencontre de haut niveau de cinquante intellectuels venant principalement des États-Unis, de Grande-Bretagne, d'Allemagne fédérale et de France. Quatre thèmes structureraient cette conférence : l'impact de l'industrialisation sur les structures sociales ; les relations entre libéralisme, conservatisme et gauchisme dans leur contexte historique ; la frustration des intellectuels dans leurs rapports avec leur société ; valeurs libérales et philosophie de l'histoire. L'objectif proposé est ambitieux : il ne s'agit de rien de moins que de réexaminer à nouveaux frais les traditions politiques face aux défis des transformations sociales contemporaines afin de dégager l'assiette d'un nouveau consensus Est-Ouest. Bell toutefois ne sera pas suivi [1]. L'homme qui lui succède comme directeur des séminaires, Herbert Passin, précise en effet lors du Comité exécutif suivant, en janvier 1958, que Raymond Aron doit bientôt lui remettre un mémorandum traçant de nouvelles perspectives. Le projet d'Aron, substitué à celui de Bell, aboutit aux colloques de Rheinfelden (Suisse alémanique) en septembre 1959 [2]. Le pluriel utilisé pour définir la manifestation ne renvoie pas seulement aux dialogues envisagés par le Secrétariat international. Il évoque tout naturellement les rencontres organisées à Genève (Suisse romande) au lendemain de la guerre. Mais si les rencontres internationales de Genève étaient avant tout philosophiques et européennes, les colloques de Rheinfelden sont clairement euro-atlantiques et socio-politiques, comme en témoignent les noms mis en exergue sur la couverture du livre issu de la réunion : Raymond Aron,

1. Pas plus qu'il n'a été suivi lorsqu'il a proposé, au Comité exécutif de juin 1957, l'idée d'un *University Council of the Congress for Cultural Freedom* pour établir des relais entre le CCF et les universités du monde entier. Sa proposition s'est heurtée au scepticisme d'Aron et de Polanyi. Une contre-proposition moins ambitieuse a été alors avancée mais elle n'a pas eu davantage de succès.

2. Raymond Aron, George Kennan, Robert Oppenheimer *et al.*, *Colloques de Rheinfelden*, Calmann-Lévy, coll. « Liberté de l'esprit », 1960.

George Kennan, Robert Oppenheimer. L'orientation imprimée par Aron est prolongée par la publication des débats du groupe de travail [1] qu'il préside lors de la grande manifestation qui se tient, comme prévu, en 1960 à Berlin et qui marque la fin du programme *Les Problèmes du progrès*, en même temps que le dixième anniversaire de la fondation du Congrès pour la liberté de la culture. Raymond Aron marque ainsi sa volonté d'être du côté européen l'inspirateur de rencontres transatlantiques, prenant appui sur un CCF alors en pleine croissance.

Le troisième homme est Michael Polanyi. Dès la clôture de la réunion de Hambourg et après son association au Comité exécutif qui lui fait suite, Polanyi devient un des grands intellectuels du Congrès pour la liberté de la culture dans cette Europe de la seconde moitié des années 1950. Il est l'inspirateur du programme des séminaires, aussi est-il logique qu'il devienne le président du comité chargé de son pilotage [2]. Naturellement, Polanyi aurait également souhaité être l'inspirateur de la réunion finale de Berlin et il rédige à cet effet un mémorandum proposant que cette grande manifestation soit appelée *Politics of Humanity*. Mais Josselson ne le suit pas. Appuyé par le comité *Science and Freedom* mis sur pied après Hambourg, Michael Polanyi lance d'ailleurs, parallèlement aux initiatives de Bell, un petit programme de rencontres sous le titre *Freedom and Responsibility* : la première a lieu à Paris en août 1956, la seconde à Tunis en juin 1959 [3]. Il organise également en 1957 à Manchester une réunion pour permettre la rencontre d'économistes polonais et occidentaux.

Edward Shils est enfin le quatrième acteur clef de ce Comité des séminaires. Son association au CCF date elle aussi de Hambourg et sa montée en puissance comme homme influent coïncide avec le démarrage du nouveau programme. Enseignant à la fois à la *London School of Economics* et à l'université

1. Raymond Aron, François Bondy, George Kennan, Herbert Lüthy, Jayaprakash Narayan, Arthur Schlesinger Jr, Carlo Schmid *et al.*, *La Démocratie à l'épreuve du XXe siècle*, Calmann-Lévy, coll. « Liberté de l'esprit », 1960.

2. Il reformule d'ailleurs ainsi le titre du programme subventionné par la Ford : *Tradition and Change. The Problem of Progress.*

3. Depuis novembre 1954, le comité *Science and Freedom* dispose d'un bulletin, *Science and Freedom,* publié à Manchester par l'un des fils de Michael Polanyi, George Polanyi, qui en reste le directeur pendant quatre ans. En tout et pour tout, le bulletin *Science and Freedom* aura dix-huit numéros. Il cesse d'exister en 1961.

de Chicago, proche du *Bulletin of the Atomic Scientist*[1], Shils est *visiting fellow* à l'université de Manchester en 1952-1953. C'est là qu'il fait la connaissance de Polanyi, alors que celui-ci est engagé dans la préparation de la réunion de Hambourg. Au sein du programme des séminaires, Shils va prendre la responsabilité d'une réunion internationale organisée à Rhodes en 1958 sur le thème *Gouvernement représentatif et libertés publiques dans les nouveaux États*, où Silone, Aron, Galbraith, Jouvenel et toutes les grandes figures du CCF sont présents[2]. Cette manifestation prolonge et incarne la volonté exprimée à Milan de relever le défi du marxisme et du non-alignement forgé à Bandoeng. Rhodes est ainsi à Shils ce que Rheinfelden est à Aron.

Quatre livres permettent de restituer fidèlement les débats philosophiques, historiques et politiques développés durant ces années dans le cadre des séminaires, avant que le livre de Bell ne lance la polémique sur la fin des idéologies. Ce sont les colloques de Rheinfelden et de Berlin organisés par Aron, les essais de Shils *The Intellectuals and the Power*[3] et le livre inspiré par Polanyi, *History and Hope*[4].

Le plus simple est encore de partir de la conjoncture politique de l'époque présentée par Raymond Aron, cherchant à caractériser la situation de l'Occident et de l'Union soviétique en ces années 1959-1960. Comparées aux années 1930, écrit alors Aron, les démocraties sont aujourd'hui stabilisées et gouvernables. Stabilisation et gouvernabilité reposent sur trois piliers : un mode de gouvernement démocratique[5]; une économie mixte; la renonciation à la domination coloniale. Aron emprunte à Lipset la liste des pays qui ont accompli cette

1. Edward Shils a publié en 1955 *The Torment of Secrecy*, prise de position contre le maccarthysme dans les milieux scientifiques aux États-Unis.

2. *Democracy and the New States*, New York, Basic Books, 1959.

3. Edward Shils, *The Intellectuals and the Power and Other Essays*, University of Chicago Press, 1979. Ce livre reprend de très nombreux essais de l'auteur, publiés originellement dans les années 1950.

4. *History and Hope. Tradition, Scepticim, Fanatism in Modern Society*, K.A. Jelenski (éd.), Londres, Routledge and Kegan Paul, 1962. L'ouvrage reprend les communications et les débats du groupe présidé par Michael Polanyi lors du congrès du dixième anniversaire du CCF à Berlin en 1960.

5. Aron précise que ce que l'on appelle à notre époque « démocratie » est caractérisé par le choix des gouvernants et l'exercice de l'autorité conformément à une Constitution; la libre concurrence des partis et des hommes aux élections pour l'exercice du pouvoir; le respect des libertés personnelles, intellectuelles, publiques par les vainqueurs temporaires de la compétition.

stabilisation démocratique : Australie, Belgique, Canada, Danemark, Irlande, Luxembourg, Hollande, Nouvelle-Zélande, Norvège, Suède, Suisse, Grande-Bretagne, États-Unis. Ces démocraties stabilisées se caractérisent par une chute du fanatisme et un apaisement idéologique. Tout autre est la situation en Union soviétique et dans le monde soviétisé. Le rapport Khrouchtchev a été divulgué trois ans avant Rheinfelden, et Aron, dans son rapport introductif, peut déclarer :

> La polémique contre le stalinisme a cessé, en Occident, d'être un objet d'intérêt philosophique. Après le discours de M. Khrouchtchev au XXe Congrès, il n'est pas besoin de montrer que Staline était un despote sanguinaire. Mais la discussion n'est pas close entre les sociologues sur la nature du régime économique, social et politique de l'Union soviétique comparé aux régimes d'Occident dans le passé et dans l'avenir. La discussion n'est pas close sur le sens intrinsèque et la finalité de l'entreprise communiste, puissance ou idées, édification d'une société industrielle dont les valeurs seraient comparables à celles de l'Occident ou bien utilisation des méthodes et des techniques modernes pour obtenir l'impulsion originelle vers la violence et la domination, impulsion inscrite dans la nature des hommes mais qui, avec les années de destruction massive, confronterait l'humanité à l'alternative de la servitude totale ou de l'anéantissement total [1].

Deux notions apparaissent étroitement liées dans ce texte : celle de coexistence et celle de société industrielle. Raymond Aron recherche un modèle d'interprétation de la société et du régime soviétique quelque part entre Hannah Arendt et Isaac Deutscher et c'est par rapport à cette visée qu'il convient d'apprécier la place qu'il accorde à la notion de société industrielle. A Rheinfelden, Aron se situe moins en référence à Arendt que par rapport à Deutscher et aux néomarxistes, infiniment plus influents à l'époque, en France notamment. La problématique de la société industrielle est au demeurant en prise sur l'actualité : Walter Rostow vient en effet, peu de temps avant les rencontres, de publier dans *The Economist* une série d'articles retentissants où il dégage cinq stades de développement des sociétés modernes et ce document est distribué aux participants des rencontres. Aron se soucie quant à lui d'enraciner le raisonnement dans une tradition sociologique plus ancienne, celle d'Auguste Comte, qui, le premier, a parlé

1. *Colloques de Rheinfelden*, *op. cit.*, pp. 24-25.

de société industrielle en des termes qui rendent remarquablement compte du fonctionnement de la société contemporaine. La société industrielle se définit en effet pour Comte par trois dimensions : les travailleurs sont libres ; la place de chacun dans la société est déterminée par la fonction qu'il remplit dans le travail collectif ; le travail est transformé par l'application systématique de la science à l'organisation de la production. La démarche d'Aron s'inscrit de plus dans une perspective webérienne classique : la société industrielle est un type idéal dont l'emploi n'implique aucun déterminisme général (les sociétés ne sont pas toutes inéluctablement conduites à devenir industrielles) et encore moins de déterminisme entre forme économique et forme politique [1]. Ainsi se dessine la place que tient chez lui la fin des idéologies entre société industrielle et coexistence. Si la problématique de la société industrielle est coextensive d'une certaine détente dans les relations internationales, elle n'en met que mieux en relief l'asymétrie de la conjoncture : fin du fanatisme idéologique dans les démocraties stabilisées, sans doute ; fin de la nature idéologique du régime soviétique, sûrement pas. L'incertitude sur la liaison entre société industrielle et nature politique du régime soviétique désigne le lieu de l'interprétation et du risque dans les relations entre l'Occident et le monde soviétisé : la possession de l'arme nucléaire par l'URSS et son comportement de grande puissance.

L'homme qui, outre-Atlantique, donne la réplique depuis de longues années à Raymond Aron, George Kennan, est présent à Rheinfelden, où il défend vigoureusement la thèse d'une évolution progressive de l'URSS selon les mêmes chemins que ceux empruntés par l'industrialisme libéral d'Occident. Certes, Lénine avait un caractère intolérant et faisait preuve d'autoritarisme doctrinaire, mais c'est avec répugnance et à contre-

1. « [...] je me sens, écrit-il, aussi loin que possible du positivisme ou du marxisme car si la formulation du problème peut faire songer à l'un ou à l'autre, la réponse que j'y ai donnée est exactement opposée. C'est-à-dire aussi bien Comte que Marx disaient : un certain type d'économie étant posé, un certain type de société, de politique, de façon de penser s'ensuit. Je dis exactement le contraire, puisque j'ai dit qu'un certain type d'organisation économique étant posé, il subsiste des possibilités ouvertes de différents régimes politiques, de différentes croyances, de différentes religions et, au sens le plus profond du terme, de différentes communautés humaines. » Un peu plus loin Aron ajoute : « [...] l'optimisme du siècle dernier, c'était de croire que les sociétés faisaient toujours ce dont elles avaient besoin [...], nous savons qu'elles font souvent le contraire de ce dont elles ont besoin. »

cœur qu'il en arriva à admettre la nécessité de la terreur. C'est avec Staline que la violence devint une fin en soi. C'est Staline qui introduisit les déformations caractéristiques du totalitarisme moderne. Toutefois, ajoute Kennan, ces méthodes étaient odieuses pour l'intelligentsia et pour un grand nombre de membres du Parti. Elles constituaient pour eux une source de honte et d'humiliation à l'égard du monde extérieur. Kennan analyse le khrouchtchévisme comme un compromis entre toutes les tendances qui coexistent dans l'univers soviétique, sans nier qu'il se trouve toujours des staliniens confirmés en URSS. Il rejette explicitement la thèse orwellienne [1] et plaide pour une prise en considération de la société plus que du système. Si le Parti, entre 1920 et 1930, a pu être conquis et asservi par un seul homme, c'est qu'il était vulnérable, mais, poursuit George Kennan :

> Après cette période, des structures nouvelles sont apparues dans la société soviétique. Je pense en particulier à ce qu'il est coutume d'appeler aux États-Unis les « groupes d'intérêts », capitaines d'industrie, officiers, intellectuels, etc. Par suite de l'existence de ces groupes, toute tentative visant à imposer la structure totalitaire de l'ère de Staline à la Russie d'aujourd'hui poserait un problème entièrement différent de celui qui s'est posé pendant la période séparant le début de l'année 1920 de la fin de l'année 1930. C'est une des raisons pour lesquelles je suis, à cet égard, plus optimiste [2].

Dans la contradiction entre société et système, Kennan accorde une place de choix aux jeunes et aux intellectuels, en qui il voit des agents du changement. Ce qui à ses yeux divise le monde occidental et le monde soviétique, ce sont moins des évolutions divergentes de la société industrielle que l'état des relations internationales et ce mélange de peur et de timidité qui caractérise les rapports entre les deux camps, entièrement absorbés dans une course aux armements dont ils finissent par oublier l'un et l'autre l'origine.

Ce premier niveau des débats, en prise directe sur l'évolution des relations Est-Ouest de l'époque, est très largement irrigué par un second débat, d'ordre philosophique et historique, ayant pour objet les liens entre messianisme historique et idéologie

1. *Colloques de Rheinfelden, op. cit.*, pp. 119-120.
2. *Ibid.*, p. 117.

totalitaire. En effet, si l'émergence de la problématique de la fin des idéologies vise à penser le devenir des sociétés industrielles et des relations internationales hors du totalitarisme, elle ne vise nullement à nourrir une tâche de propagande à court terme; à l'inverse, elle cherche à s'interroger tout autant sur le devenir de l'Occident que sur celui du monde soviétique.

Si le débat entre Aron et Kennan circonscrit bien le premier niveau, deux hommes, Éric Voegelin et Michael Polanyi, symbolisent, tant à Rheinfelden qu'à Berlin, le second. Les titres donnés à leurs interventions (« La société industrielle à la recherche de la raison » pour le premier [1], « Au-delà du nihilisme » pour le second [2]) sont à cet égard révélateurs [3].

La communication extrêmement dense d'Éric Voegelin [4] constitue un des pivots des débats de Rheinfelden. Voegelin part d'un diagnostic de fond sur la situation du politique dans la société industrielle. Il y a bien, écrit-il, une pression de la technologie qui s'exerce en vue d'une rationalité pragmatique de l'action et cette évolution pragmatique amoindrit assurément la crédibilité des idéologies. Elle permet aussi la consolidation d'un accord de base sur les problèmes d'organisation sociale. Mais l'extension du pragmatisme n'entame en rien la structure des idéologies. De plus, la consolidation à laquelle semblent être parvenues les sociétés industrielles modernes ne résulte pas d'un accord sur des principes de base : elle opère en soustrayant des luttes politiques de vastes zones de problèmes [5]. Quant aux affaires russes, il importe de bien distinguer plusieurs dimensions : la création d'une société industrielle en concurrence avec celle de l'Occident; la méthode institutionnelle de sa création par un despotisme gouvernemental; le règne d'un Parti communiste à l'idéologie immanentiste. Le système soviétique comporte une opposition radicale entre idéologie et réalité dans l'ordre de la société, du régime et des fins du système. Cela ne

1. *Ibid.*, pp. 44-64.
2. *History and Hope, op. cit.*, pp. 17-35.
3. Notons qu'à Rheinfelden, Michael Polanyi présente en outre une analyse originale de la « production ostentatoire » en URSS, qu'il définit comme un correctif à sa théorie du marché camouflé, correctif apporté après avoir pris connaissance des travaux de l'économiste hongrois Janos Kornai (*Over-Centralization in Economic Administration*, Oxford University Press, 1959).
4. Communication divisée en cinq parties : I) « La pression pragmatique de la société industrielle »; II) « Le problème russe »; III) « Raison et société »; IV) « La théologie civile occidentale »; V) « La bonne société ».
5. *Colloques de Rheinfelden, op. cit.*, pp. 45-46.

doit naturellement pas empêcher de débattre des relations entre pressions pragmatiques inhérentes au développement de la société industrielle et devenir de l'idéologie communiste. Mais Voegelin accorde, pour sa part, plus d'importance à la vie spirituelle et intellectuelle du peuple russe. Combien de temps la jeune génération qui a grandi dans le système pourra-t-elle encore supporter la morne annihilation de la vie spirituelle qu'il engendre ? Telle est pour lui la question centrale.

Du diagnostic sur le rapport entre pragmatisme de l'action collective et société industrielle Éric Voegelin remonte ensuite aux fondements de la politique classique, qu'il énonce ainsi : l'homme participe au *logos* ou *noûs* transcendant ; la vie de la raison consiste à actualiser cette participation et à la porter au point où elle devient une force qui forme le caractère ; les hommes sont égaux dans leur potentialité à l'égard de la vie de la raison, mais empiriquement ils sont inégaux dans l'actualisation de cette potentialité ; les hommes capables d'une réalisation optimale de cette potentialité sont en minorité dans toute société ; une société a *de facto* une structure hiérarchique au regard de l'actualisation de la vie de la raison ; la « qualité » de la société dépend du degré auquel la vie de la raison, activement suivie par une minorité de ses membres, devient une force créatrice [1]. Mais la tension psychique coextensive de la réalisation de la vie de la raison est difficilement supportable pour la majorité des membres d'une société. Aussi :

> [...] toute société dans laquelle la vie de la raison a atteint un degré élevé de différenciation montre une tendance au développement d'une « croyance de masse » à côté de la vie de la raison. La croyance de masse, par le seul effet de l'expansion sociale, peut réduire la vie de la raison à des enclaves sans importance sociale ou même la supprimer brutalement [2].

La reconnaissance d'une telle opposition existe dès l'ancien Israël et l'Antiquité grecque. Cependant, c'est avec le haut Moyen Age occidental que la recherche d'une croyance de masse s'oriente vers des symboles immanentistes de type apocalyptique ou sécularistes idéologique. La société occidentale a émergé du Moyen Age sans ce que les stoïciens appelaient une

1. *Ibid.*, pp. 48-49.
2. *Ibid.*, p. 49.

théologie civile à l'usage des masses des États nationaux alors en voie d'expansion [1].

A partir du cadrage posé par Voegelin, le débat historique et philosophique s'oriente dans deux directions, où messianisme et civilité forment un couple d'opposition heuristique pour une double analyse, historique et philosophique.

Peut-on parler d'un déclin du messianisme ? A Rheinfelden, c'est principalement Jacob Talmon qui donne sur ce point la réplique à Éric Voegelin. Il ouvre le débat en reprenant l'essentiel des thèses qu'il a déjà eu l'occasion d'exposer [2]. A partir de la Révolution française, l'Europe a toujours connu des hommes ou des groupes d'hommes qui « préparaient le jour J avec un J majuscule » et dont le noyau identitaire était la cause révolutionnaire. La révolution bolchevique constitue le point culminant de ce mouvement, dont l'apparition à la fin du XVIIIe siècle coïncide avec un déclin de la religion comme pouvoir et comme forme de cohésion sociale. Le messianisme politique, écrit Talmon, naît imbu d'une foi exagérée dans la nature humaine et ses facultés d'adaptation dans la rationalité de l'homme et de la société. De Rousseau à Marx, le messianisme politique entame et poursuit sa montée en puissance par un règlement de comptes avec la religion. Mouvement ultrarationnel, il aspire au fond au panthéisme total. Si l'insatisfaction à l'égard du réel est une noble cause, elle conduit bientôt à l'*ubris* arrogante et à la tyrannie, d'autant que, à la différence des mouvements religieux, le messianisme politique ne croit plus en un au-delà. Tout doit se régler *hic et nunc*. Dès lors, « le désir d'effectuer une trouée vers la félicité éternelle, vers la pure raison et le triomphe de la rationalité se heurte au danger de suicide total ». Vouloir les hommes à la fois libres et égaux suppose qu'ils aient la capacité de parvenir à l'unanimité et qu'ils puissent s'auto-identifier à la volonté générale issue de l'unanimité ainsi dégagée. On reconnaît là le schéma jacobin. La Révolution française coïncidant avec la révolution industrielle, le principe scientifique apparaît à l'époque comme une planche de salut pour concilier liberté et égalité ; on découvre

1. Éric Voegelin répertorie dans sa communication cinq solutions occidentales apportées à ce problème : le système gélasien ; le dogme minimum (Spinoza) ; les essais de communautés sectaires ; le gouvernement civil au sens de Locke ; la démocratie constitutionnelle.

2. Jacob Talmon, *Les Origines de la démocratie totalitaire*, Calmann-Lévy, 1966.

alors que la propriété fait obstacle à l'émergence de la transparence de la volonté générale et le messianisme politique met au premier plan la volonté de son éradication. Sur la question de la fin du messianisme politique, Talmon se coule à son tour dans le cadre de l'analyse asymétrique des relations Est-Ouest pour déclarer que si l'on peut conclure à la disparition du messianisme politique à l'Ouest, en revanche, tant pour l'URSS que pour la Chine, on ne saurait avancer la même conclusion.

La perspective historique et philosophique de Voegelin est quelque peu différente de celle de Talmon, à la fois parce qu'il réfère constamment le messianisme immanentiste à la politique classique (et à ses deux sources, l'ancien Israël d'une part, Platon et Aristote de l'autre) et parce qu'il place le point de départ historique du messianisme politique en Europe avant la Révolution française, dès le haut Moyen Âge. C'est le XIIe siècle, période d'une énorme fermentation de l'Occident chrétien, qui voit naître et prospérer l'immanentisme politique. Pour Voegelin, « c'est à l'apogée de la chute du Moyen Âge que commence la chute dans l'immanentisme ». Lors de la fermentation spirituelle des cités démarrent les premières théories immanentistes dans les ordres religieux, avec Joachim de Flore. L'abbé cistercien de Corazzo développe une théorie des trois âges du judéo-christianisme : l'âge du Père (la Loi, l'Ancien Testament), l'âge du Fils (la foi, l'Église), l'âge de l'Esprit (l'esprit évangélique, le monachisme), coextensif d'un mouvement de lutte contre l'Église institutionnelle. Le piège est de croire que la nature humaine est perfectible. Pareille croyance s'achève dans les mythes de la transfiguration, permettant l'émergence d'un surhomme, que celui-ci soit progressiste, dionysiaque ou positiviste.

Les débats animés par Michel Polanyi l'année suivante au congrès du dixième anniversaire à Berlin enchaînent sur les rencontres de Rheinfelden organisées par Aron. Dans son rapport, *Beyond Nihilism* (qui fournit le titre de l'ouvrage issu du groupe de travail), Polanyi reprend à sa façon le problème du messianisme politique : à l'origine du désastre des politiques modernes, écrit-il, on ne trouve pas un déclin de la morale mais un surcroît de morale. Ce qu'il faut comprendre, c'est la forme pathologique que revêt le mouvement.

Toutefois, nous sommes peu habitués à réfléchir sur les passions morales, leur domestication et leur désordre. A son tour, Polanyi repart du mouvement de sécularisation du XVIIIe siècle. La science fournit le symbole de l'émancipation de toute autorité : le XVIIIe siècle voit le triomphe de Voltaire sur Bossuet, mais il s'agit en dernier ressort de celui de Newton. La Révolution française, acmé du mouvement de sécularisation du siècle, pose le dilemme fondamental de la politique moderne : une liberté individuelle totale appareillée à un gouvernement absolutiste collectif. Elle met fin dans toute l'Europe à la situation politique que l'homme a connue pendant des centaines de milliers d'années, depuis l'origine des sociétés humaines. Pendant des temps immémoriaux, pour des myriades de tribus et de très nombreuses civilisations, les hommes ont accepté les coutumes et les lois existantes comme fondement de la société. Sans doute avant la Révolution française y a-t-il eu de grandes réformes, mais jamais auparavant une telle invention délibérée, visant à l'amélioration illimitée de la structure sociale, n'a été érigée à ce point en principe. La Révolution française institue une ligne de démarcation entre le temps long des sociétés statiques et le temps court de la politique moderne. Michael Polanyi accorde pour sa part une place centrale à Jean-Jacques Rousseau dans l'émergence de l'esprit moderne. Rousseau marie en effet rationalisme et romantisme et anticipe formidablement la politique contemporaine en lui fournissant trois de ses axes majeurs : l'individualisme exigeant simultanément liberté et égalité; la souveraineté citoyenne absolue exercée par un gouvernement populaire; la revendication d'un individualisme amoral dressé contre une société discréditée.

Toutefois, à la différence de Raymond Aron et de George Kennan, Michael Polanyi revient à la conjoncture politique du moment non en termes d'asymétrie entre l'Est et l'Ouest, mais en prenant pour centre de sa réflexion la notion de révisionnisme, lieu d'une rencontre possible entre intellectuels de l'Est et intellectuels de l'Ouest. Comprendre l'attitude de Polanyi dans les débats de Berlin de 1960 exige de remonter à la révolution hongroise de 1956. Il publie alors une petite brochure qui réunit deux titres : *The Magic of Marxism* et

The Next Stage of History [1]. On trouve dans cette brochure tous les thèmes qui seront développés ultérieurement dans *Beyond Nihilism.* La réflexion de Michael Polanyi se situe à hauteur de celle d'Arendt, Milosz et Berlin, auxquels il se réfère explicitement dans la brochure. C'est là que se trouve pour la première fois clairement exprimée l'idée que le nihilisme moral, dont les deux faces sont le marxisme et le nazisme, est l'expression de fortes passions morales. Pour Polanyi, le paradoxe du marxisme est d'avoir mobilisé de nombreux intellectuels à la recherche d'un idéal moral, alors qu'il est intrinsèquement une doctrine immorale. Le marxisme est de surcroît une doctrine qui professe un idéal d'objectivité et qui dénie dans le même temps l'existence de critères universels de rationalité. Pour Michael Polanyi, comme pour Czeslaw Milosz, la tentation du marxisme est forte pour les intellectuels, le pouvoir d'attraction de la doctrine reposant sur plusieurs mécanismes : la notion d'« idéologie bourgeoise » est centrale pour comprendre la magie qu'exerce le marxisme car elle permet pour un intellectuel de réunir dénonciation, connaissance et affirmation de soi ; le succès du marxisme se greffe en deuxième lieu sur l'opposition entre philistin et bohémien, qui émerge dans les lettres et les arts tout au long du XIXe siècle en Europe ; enfin, à partir des années 30 s'épanouit une théorie néomarxiste de la science (à l'origine théorie du développement de la science) à laquelle se superpose la pratique du démasquage et de la dénonciation de la science bourgeoise.

Le rappel de l'héritage intellectuel du marxisme s'inscrit chez Michael Polanyi dans la nouvelle perspective historique ouverte par la révolution hongroise, fracture tout aussi essentielle à ses yeux que l'a été en son temps la Révolution française. Pour lui, la révolution hongroise fraie la voie à un libéralisme post-marxiste. Après la Hongrie, en effet, nous sommes en mesure de tirer la leçon de l'expérience des révolutions du XXe siècle : un renouvellement moral absolu de la société ne

1. Par ailleurs, le bulletin *Science and Freedom* d'avril 1957 (n° 8) est intégralement consacré à la Hongrie, avec une présentation de l'action du comité *Science and Freedom* pendant ces événements historiques. Ce numéro contient également sous la plume de Michael Polanyi un hommage à un grand libéral hongrois, Oscar Jaszi, fondateur au tournant du siècle de la *Society for Social Sciences* et de la revue *XXe Siècle*, et qui a disparu en ce début d'année 1957. En 1918, Jaszi avait rejoint le comte Karolyi et s'était fait le champion d'une Hongrie fédérale. Après l'échec de son entreprise, il s'était réfugié aux États-Unis.

peut être obtenu que par un pouvoir absolu détruisant toute vie morale. Aucune société ne peut se passer d'autorités culturelles indépendantes fondées sur la cooptation et dont l'existence, tout comme la propriété, doit être garantie par l'État. Dès la fin de l'année 1956, Michael Polanyi lançait dans sa brochure un appel à la coopération des intellectuels de l'Est et de l'Ouest :

> Le problème de l'homme moderne est aujourd'hui partout le même. Il doit retrouver l'équilibre entre ses capacités critiques et ses exigences morales. Toutes deux sont plus que jamais indispensables.
>
> Ceci est notre tâche à ce point de l'histoire. Au cours des dix dernières années les écrivains de l'Ouest ont fait quelques progrès dans cette direction. Nous espérons aujourd'hui la coopération et l'aide des intellectuels révoltés des pays communistes. Ce que les poètes, les écrivains, les universitaires ont fait dans ces pays au cours des deux dernières années commande notre respect et notre gratitude. Tous ceux qui trouvaient suffocante l'atmosphère intellectuelle du jdanovisme, aussi bien à l'intérieur qu'à l'extérieur du Parti communiste, tous ceux qui parlent à nouveau un langage humain, qu'ils se considèrent comme marxistes ou non, sont nos amis et nos compagnons. L'épanouissement de leur mouvement démontre la faillite complète des gouvernements communistes à créer un univers culturel séparé et contient la promesse de restauration de l'unité des critères de jugement intellectuels de par le monde. Franchissons ensemble cette nouvelle étape de l'histoire en ayant conscience que les deux faces des mêmes problèmes qu'elle présente sont liées à nos itinéraires différents.

Le révisionnisme dans cette perspective est infiniment plus large qu'une simple évolution non dogmatique du marxisme. Chez Polanyi, le mouvement révisionniste qui se déploie alors partout sauf en Chine se caractérise par une attitude plus sobre des gouvernants, la fin de l'arrogance des Lumières, la possibilité d'une alliance entre les idées libérales et les croyances religieuses. Une sortie du nihilisme apparaît dès lors possible au sein des sociétés contemporaines après le triomphe de l'ère des révolutions.

De la richesse des débats suscités par le rapport de Michael Polanyi à Berlin extrayons simplement les interventions de deux figures intellectuelles du Congrès pour la liberté de la culture, Richard Löwenthal et Sidney Hook, qui critiquent l'interprétation proposée.

Richard Löwenthal présente deux objections à l'analyse de Polanyi. La première concerne l'assimilation du nazisme au stalinisme : leurs armes peuvent être identiques, il n'en demeure pas moins que leurs justifications idéologiques ne sont pas les mêmes. Le nazisme et le fascisme ont développé un culte de la violence étranger au stalinisme. Ce dernier justifie ses crimes par la nécessité de se défendre contre les complots impérialistes et d'atteindre les valeurs humanistes prônées par la révolution. Pareille différence d'orientation a des conséquences pratiques : la vie dans les camps ; la survie de l'espèce avec la bombe atomique ; la possibilité de révolte des intellectuels dans des pays comme la Pologne et la Hongrie. En second lieu, parler de « passions morales » comme le fait Polanyi plutôt que de « religions séculières » diminue le pouvoir que les mythes révolutionnaires dérivent de leur contenu spécifiquement religieux. C'est ce qu'ont très bien compris les analystes des religions séculières (Berdiaev, Gurian, Voegelin, Talmon) qui tous sont religieux.

La critique formulée par Sidney Hook est double, elle aussi. L'ancien président de l'*American Committee for Cultural Freedom* ne pense pas que les révolutions bolchevique et nazie aient grand-chose à voir avec les croyances doctrinales. La cause principale de ces révolutions est à rechercher dans la Première Guerre mondiale et ses conséquences. C'est 1914, et non 1789, qui doit être considéré comme année de la seconde chute de l'homme. Hook, de plus, refuse la mise en question des Lumières par Polanyi, mise en question qu'il rapproche de celles de Toynbee et de Maritain, avant de prononcer un vibrant plaidoyer pour le rationalisme laïc appuyé sur l'expérimentation et la psychologie des intérêts.

Ainsi, de 1955 à 1960, voit-on s'ébaucher une progression allant de la fin des doctrinarismes (Milan) à la fin des messianismes (Rheinfelden, Berlin), pour déboucher sur la fin des idéologies. Même si sur leurs références historiques et philosophiques les participants aux débats divergent, l'orientation générale est claire : il s'agit de tracer la voie à une société post-idéologique. Dans cette recherche, un concept central vient s'opposer à celui d'idéologie, celui de civilité. *Ideology and Civility,* tel est précisément le titre d'un article d'Edward Shils de

1958 [1]. Son originalité est de scruter l'émergence du groupe des intellectuels en Occident au XVe siècle, au terme d'un double affranchissement de l'Église et de l'État, et l'élaboration de traditions propres : scientisme, romantisme, bohème [2]. En 1958, Edward Shils prend acte, lui aussi, de la fin de la politique idéologique. Par politique idéologique, notre auteur entend l'invasion par la politique du continent européen (France, Italie, Allemagne, Russie) sous des formes diverses (fascisme italien, nazisme allemand, bolchevisme russe, communisme français et italien, Action française), les États-Unis et la Grande-Bretagne étant moins touchés par le phénomène (sauf l'Union britannique fasciste et le maccarthysme, surgeon éphémère de celle-ci). L'alternative à la politique idéologique est la politique civile (ou civilité), qui se caractérise par la prudence dans l'exercice de l'autorité alliée au souci des institutions et au respect du constitutionnalisme. La civilité prend le contre-pied de la politique idéologique, laquelle dénie toute autonomie aux institutions pour mieux les dénoncer comme le « système » à abattre. L'extraconstitutionnalisme est, en effet, coextensif de la politique idéologique. Sa visée est de détruire la loyauté de la population à l'égard du système pour lui en substituer un meilleur. Si la civilité est inconnue des sociétés aristocratiques (chez elles la vertu dominante est la vertu guerrière et non la citoyenneté dignement assumée), elle ne se confond pas non plus aux yeux de Shils avec la démocratie. Elle est, de plus, particulièrement difficile à mettre en œuvre dans les sociétés complexes : leur taille, l'intervention des sciences et des moyens de communication de masse minent ce que Shils appelle l'« affinité » entre les citoyens et leurs représentants. La civilité implique enfin le respect des traditions. Elle constitue cet espace fragile entre la zone des intérêts et celle de l'idéologie messianique : la politique en effet ne saurait se confondre avec le pur jeu des intérêts, qui peut se révéler moralement et politiquement tout

1. Edward Shils, « Ideology and Civility », *Sewanee Review*, t. 66, n° 3, juillet-septembre 1958 ; l'auteur se fonde sur deux livres qui viennent de sortir : *L'Opium des intellectuels* d'Aron (dont la traduction en langue anglaise paraît à New York en 1957) et *The Pursuit of the Millenium* de Cohn, (Londres, 1957). L'article de la *Sewanee Review* est reproduit dans *The Intellectuals and the Powers...*, *op. cit.*

2. L'importance accordée au phénomène spécifique de la bohème enrichit notamment l'analyse historique et politique de la France : la bohème parisienne a joué un rôle dans tous les soulèvements du XIXe siècle (1789, 1830, 1848, 1871), qu'elle a accueillis et répercutés avec enthousiasme.

aussi dévastateur que l'idéologie. Edward Shils plaide en définitive pour que la tradition des intellectuels s'ouvre et fasse droit à la civilité. Mais est-ce réaliste de leur demander d'adopter une attitude si contraire au scientisme, au romantisme et à la bohème, fonds de leurs traditions dominantes ? Les intellectuels auxquels une telle tradition peut se référer (Tacite, Cicéron, Clarendon ou More) ont par ailleurs plutôt mal fini... C'est dire que face à la force d'entraînement du millenium, la civilité demeure fragile. Mais elle n'est pas impossible et l'intellectuel qui la choisit peut se référer aux figures de Wilson, Masaryk, Disraeli, Gladstone ou Guizot, qui tentèrent de l'incarner.

Pour Edward Shils, ce serait une erreur de croire que le développement scientifique permet l'épanouissement et renforce la civilité. C'est plutôt le contraire qui est vrai : la civilité suppose une acceptation des limitations des pouvoirs de l'homme, que la science ne favorise pas nécessairement [1]. De même, la spécialisation de l'éducation entraînée par le développement scientifique joue plutôt contre la civilité. Autre erreur à ne pas commettre : rejeter entièrement l'héritage idéologique. L'exigence d'égalité morale, la mise en cause de l'autorité exercée à son seul profit, l'appel à l'existence héroïque, l'accent mis sur la justice ne sont pas à mépriser sous peine de rejeter la civilité dans le philistinisme et de la transformer à son tour en idéologie. Mais, tout compte fait, la conclusion de l'article de 1957 est plutôt optimiste : Shils estime que l'évolution des structures sociales occidentales, génératrice de plus d'individualisme, peut permettre de développer affinité et civilité en un renforcement mutuel dans le cadre du constitutionnalisme démocratique.

La dominante de cette fin des années 1950 et du début des années 1960 est donc un optimisme partagé aussi bien par Raymond Aron que par Michael Polanyi et Edward Shils. Le plus méfiant est en même temps le plus classique : Éric Voegelin. Ce déplacement de l'idéologie vers la civilité converge vers un point de fuite philosophique : John Locke. Locke constitue en effet la référence commune à de nombreux participants au débat philosophique et historique du Congrès pour la liberté de la culture.

1. Shils marque de nouveau ici la rupture avec la pensée de Bernal (théoricien marxiste de la science influent en Grande-Bretagne), contre laquelle Polanyi et lui-même ne cessaient de se battre à l'époque.

On se souvient qu'à Milan Friedrich von Hayek s'était fondé sur sa pensée. C'est encore au théoricien du constitutionnalisme démocratique que se réfère Arthur Schlesinger Jr dans la communication qu'il présente à Berlin – « Démocratie et *leadership* héroïque » –, centrée sur le troisième monde [1]. Toutefois c'est chez Polanyi et chez Voegelin que la référence à Locke est le plus développée. Cette référence recoupe une géographie de la genèse des régimes politiques modernes, Locke renvoyant à l'Angleterre, puis aux États-Unis, deux pays s'opposant dans leur développement constitutionnel à l'Europe continentale tout au long de l'histoire.

Locke incarne pour Polanyi l'antithèse de Rousseau. Entre l'individu et le gouvernement, l'Angleterre a inventé le Parlement, instance d'arbitrage entre gouvernés et gouvernants. Au demeurant, la première révolution moderne n'est pas française mais américaine. Polanyi souligne en outre que même pendant la Révolution française l'influence de Locke s'est exercée sur son résultat le moins contestable, la Déclaration des droits de l'homme et du citoyen.

Pour Voegelin, le gouvernement civil de Locke représente une forme de théologie civile qui évite que les croyances de masse ne soient livrées aux idéologies immanentistes. Selon Locke, écrit Voegelin :

> Une sphère politique naturelle devra être séparée de la vie de la raison et de l'esprit. Cette sphère naturelle a le monopole de l'Être public. Donc il n'y aura pas de culte d'État, le statut des Églises et des sectes est réduit à celui d'associations privées. Afin de rendre cette construction valable, Locke dut établir un équilibre précis entre la tolérance et l'intolérance. D'une part, le gouvernement civil laisse une totale liberté à la vie de la raison et de l'esprit, en même temps qu'à ses manifestations sociales; d'autre part, les sectes et les idéologies qui insistent pour donner à leur foi une portée politique ne doivent pas être tolérées (catholiques, mahométans, antinomistes et niveleurs n'avaient pas droit au statut civil). Le gouvernement civil opère d'après le postulat que le mode de vie d'une communauté libérale protestante doit devenir et deviendra le mode de vie de la nation [2].

1. Rappelons que le troisième monde de cette époque connaît une floraison impressionnante de chefs charismatiques : Nasser, Mao Tsé-toung, Castro, bien entendu; mais aussi Diêm, Soekarno, Ayyub Khan, Bourguiba, Nkrumah, Magsaysay, Nyerere, M'boa.
2. *Colloques de Rheinfelden*, *op. cit.*, pp. 51-52.

Quant à la démocratie constitutionnelle, continue Éric Voegelin, elle repose sur une conception lockéenne du gouvernement civil, mais une conception assouplie qui lui permet d'absorber les problèmes de la société industrielle dans les pays anglo-saxons :

> [Ce système] présuppose, pour pouvoir fonctionner, que la « Constitution » elle-même est, en quelque sorte, un article de foi, que la « démocratie constitutionnelle » est la croyance de masse prédominante, la théologie civile de la société. Si cette condition est remplie, la société peut être « pluraliste » dans la mesure où on laisse le champ libre aux sédimentations des mouvements intellectuels et spirituels (Églises, sectes, idéologies et, *last but not least*, philosophie), en postulant qu'ils vivront côte à côte sans subvertir la structure constitutionnelle. La force de la « démocratie constitutionnelle », surtout dans les pays anglo-saxons, est la tension eschatologique, survivance de la révolution puritaine, qui dote la forme constitionnelle d'un caractère de « finalité » en tant qu'expérience réussie d'organisation d'une société avec une tradition classique chrétienne.

Ainsi, pour Voegelin, l'idée du régime civil est-elle la traduction institutionnelle de ce qui reste des traditions classiques et chrétiennes. Elle s'est constituée en Angleterre tout d'abord au cours d'une époque profondément chrétienne, puis est passée aux États-Unis. Dans ces pays les fausses idéologies auront moins de chances de prospérer et paraîtront moins tentantes que dans les pays qui n'ont jamais connu pareilles institutions : l'Europe centrale, par exemple.

UN LIVRE-ÉTENDARD, UN HOMME-CHARNIÈRE

Il est souvent utile de lire un livre à l'envers. *The End of Ideology* en fournit une excellente illustration. Pour comprendre combien l'ouvage de Daniel Bell fait corps avec le Congrès pour la liberté de la culture, il suffit de décrypter les trois pages de remerciements que l'auteur a placées à la fin de son volume et de ne remonter qu'ensuite au texte. *The End of Idelogy* s'ouvre et se ferme sur le Congrès pour la liberté de la culture : les deux premiers chapitres reprennent la communicationde Daniel Bell à Milan; les deux derniers reproduisent les interventions de l'auteur aux deux réunions qu'il met sur pied en Europe en tant que directeur des séminaires du CCF en 1957 et 1958 à Oxford et à Vienne – séminaires consacrés respectivement à l'évolution de la société soviétique et à la participation des travailleurs dans l'entreprise [1].

Trois revues sont distinguées dans les pages de remerciements : *Encounter* et *Commentary* d'une part, *The New Leader* d'autre part. Deux hommes sont chaleureusement associés à ces remerciements : Irving Kristol, coéditeur des deux premières revues, pour l'avoir pressé d'écrire plusieurs des essais réunis dans ce volume, et Solomon Levitas, pour avoir accueilli les premiers écrits du jeune Bell dans les colonnes du *New Leader*.

Le *New Leader* est un organe menchevik new-yorkais créé à la fin des années 1920 et dont Daniel Bell fut à la vérité plus qu'un collaborateur. Il en a été en effet le secrétaire de rédaction pendant plusieurs années. L'orientation profondément et passionnément antistalinienne du journal ne fait que refléter l'itinéraire et le profil politique de son fondateur, Levitas. Politisé dès l'adolescence, il a connu les prisons de la Russie tsariste à l'âge de seize ans. Libéré, il émigre aux États-Unis. 1917 et la révolution bolchevique le ramènent dans la jeune Union des républiques socialistes soviétiques. Le voici maire adjoint de Vladivostok et délégué de Sibérie au congrès des Soviets qui ratifie le traité de Brest-Litovsk. Mais la lune de miel avec le nouveau régime est de courte durée : Levitas se retrouve en prison à Kiev dès 1918. Il n'en sort qu'en 1923, pour émigrer, définitivement cette fois, aux États-Unis.

A New York, le *New Leader* est le journal de référence des syndicalistes de l'AFL, soucieux d'élaborer une politique d'endiguement de la mainmise du communisme international sur le mouvement syndical. La politique du secteur international de l'AFL est enracinée à New York, elle aussi : elle n'est possible qu'avec le concours du puissant patron du syndicat de la confection féminine, David Dubinsky, personnage au

1. Daniel Bell a organisé également un troisième séminaire à Tokyo (avril 1957), consacré à la croissance économique dans les pays africains et asiatiques (il s'agit toujours de relever le défi de Bandoeng). Le séminaire de Tokyo est principalement une réunion d'économistes, pour moitié occidentaux et pour moitié asiatiques, présidée par Arthur Lewis, alors professeur d'économie politique à l'université de Manchester.

même profil et de la même trempe que Levitas. Le *New Leader* est sans aucun doute l'organe qui reflète le mieux ce milieu syndical new-yorkais formé à partir des émigrations des années 1920-1930, surpolitisé, viscéralement antistalinien et qui, au sortir de la Seconde Guerre mondiale, exerce son influence sur la politique étrangère américaine dans deux directions : le soutien aux forces politiques anticommunistes et la mise en œuvre du plan Marshall (l'influence de l'AFL s'exerçant ici au niveau des nominations du personnel lui-même). Que Daniel Bell, sociologue et ancien secrétaire de rédaction du *New Leader*, vienne en Europe pour aider, entre autres, au démarrage d'une sociologie qui corresponde au déploiement du plan Marshall relève de la plus élémentaire cohérence politique.

Dans la période 1955-1960, cependant, Bell a déjà pris du champ par rapport à la ligne politique du *New Leader* (la mention des désaccords qui accompagne en 1960 l'hommage à Levitas en témoigne éloquemment), en même temps qu'il a opéré une jonction avec le club intellectuel de la gauche du Parti démocrate, *Americans for Democratic Action* (ADA). Il a quitté la communauté new-yorkaise du *New Leader* pour s'universaliser à travers une carrière universitaire qui s'annonce brillante. Si *The End of Ideology* demeure un livre d'opposition au marxisme-léninisme, il ne se situe plus dans l'univers de la confrontation frontale incarnée tant par l'organe de Levitas que par les ouvrages de Burnham. La vision révisionniste du capitalisme américain (dont la théorie des *countervailing powers* constitue une des pierres angulaires) est passée par là et c'est désormais par sa médiation que se définit la stratégie d'influence américaine en Europe. Bell apparaît ainsi comme un des hommes-charnières du passage d'une guerre froide que l'on peut appeler de type I, ou guerre froide chaude, à une guerre froide de type II, marquée par une relative détente diplomatique et la compétition entre systèmes et dans laquelle va s'inscrire la problématique de la fin des idéologies.

Deuxième élément : *Commentary*. Si l'*American Committee for Cultural Freedom* est né dans la mouvance de la *Partisan Review*, on ne saurait méconnaître le rôle d'appui joué dès l'origine par une autre revue new-yorkaise, *Commentary*, dont Irving Kristol, précisément, a été un temps codirecteur. Créée par Elliot Cohen, *Commentary* est la revue de l'*American*

Jewish Committee [1], disposant toutefois d'une autonomie rédactionnelle par rapport aux instances décisionnelles de l'AJC. L'*American Jewish Committee* est très actif en Europe au lendemain de la Seconde Guerre mondiale. Il est membre du bureau de l'organisation de restitution successorale des biens juifs dans la zone d'occupation américaine en Allemagne et il crée en 1947 à Paris un bureau européen pour assister les juifs qui luttent pour la reconquête de leurs droits sur le continent [2]. *Commentary* accompagne bien entendu ces orientations, comme en témoigne la présence d'Elliot Cohen au *Kongress für kulturelle Freiheit* de Berlin en 1950. Cohen cependant souhaite élargir le champ de sa revue et ne pas la limiter au traitement des questions d'intérêt strictement communautaire. Cette orientation universaliste se manifeste notamment par l'ouverture précoce de *Commentary* aux sciences sociales. Dès 1944, il est vrai, l'AJC a réuni un groupe d'universitaires pour les inviter à établir un programme de recherches psychologiques et sociologiques sur les racines de l'antisémitisme. *Commentary* déborde vite l'étude de l'antisémitisme et manifeste un intérêt actif pour l'analyse des phénomènes socioculturels, allant même jusqu'à spécialiser un de ses rédacteurs en ce domaine. Mais à *Commentary* l'intérêt porté aux sciences sociales ne se réduit pas à la mise en œuvre de techniques positivistes ; elles sont au service d'une analyse de la culture et de la politique jamais coupée de la littérature et de l'histoire [3]. Bell et son livre, qui ouvrent en fanfare la décennie 1960, sont parfaitement représentatifs de cette orientation et il n'y a donc rien d'accidentel à ce que le premier chapitre de *The End of Ideology*, reprenant une partie de la communication de notre auteur à Milan, ait d'abord été

1. L'*American Jewish Committee* a été fondé en 1906 après les pogroms de Kichinev. C'est la troisième organisation juive internationale à voir le jour à la charnière de la seconde moitié du XIXe siècle et du début du XXe, après l'Alliance israélite universelle (1860) et l'*Anglo-Jewish Association* (1871). A travers la guerre de 1914 et la conférence de Versailles (à laquelle l'AJC est associé en tant que consultant), l'*American Jewish Committe* forge son statut et acquiert une pleine reconnaissance dans les processus de *lobbying* du système politique américain.

2. Peu après sa création, le bureau parisien de l'AJC prend à son tour la décision de créer une revue européenne en langue française, *Évidences*. La direction en est confiée à Nicolas Baudy. Le premier numéro paraît en mars 1949.

3. La meilleure illustration de cette orientation demeure le livre de David Riesman, *The Lonely Crowd*, publié au début des années 1950, et dont un des corédacteurs, Nathan Glazer, est précisément l'homme chargé des sciences sociales à *Commentary*.

publié dans la revue de l'*American Jewish Committee*. Bell définit du reste la sociologie comme une initiation censée rendre celui qui emprunte cette voie plus délié dans son rapport au monde. *The End of Ideology* est un essai : le livre inscrit sa démarche entre le langage spécialisé des sciences sociales (qui ne parlent que d'hypothèses, de paramètres, de variables et de paradigmes) et les humanités (qui professent, quant à elles, un mépris de fer pour ce jargon). L'essai apparaît le genre privilégié de la démarche. Il permet en effet de combiner l'analyse sociologique typique et contextuelle à l'analyse littéraire prototypique et textuelle, selon les termes mêmes de Daniel Bell, qui s'emploie à illustrer brillamment le genre en maniant avec la même virtuosité Pirandello et le Talmud.

Les liens noués entre Bell et Kristol sont au demeurant antérieurs au lancement de *Commentary*. Une vieille fraternité les réunit. Elle remonte à leurs années communes d'étudiants modestes dans le New York de l'avant-guerre. Elle se trouve renforcée lors du passage de Bell au *New Leader*, lorsque le jeune secrétaire de rédaction aide ses amis à trouver des petits boulots et leur fournit des couvertures pour leur permettre de faire leur premières armes dans le journalisme. Non seulement Bell, mais encore Kristol ont été l'un et l'autre secrétaires de l'ACCF sous la houlette (ou la férule) de Sidney Hook, son président. C'est d'ailleurs cette fonction qu'exerce encore Irving Kristol lorsque, à trente-trois ans, il quitte New York pour Londres, et l'assistanat d'Elliot Cohen à *Commentary* pour la codirection d'*Encounter* avec Stephen Spender. Ainsi, près de la moitié des chapitres composant *The End of Ideology* ont-ils été publiés préalablement sous forme d'articles dans les deux revues codirigées successivement par Irving Kristol [1]. On voit s'esquisser dans le même mouvement la position de l'homme-charnière qu'est Daniel Bell : charnière entre le *New Leader* et l'ADA, entre le journalisme et l'université, entre *Commentary* et *Encounter*, entre l'ACCF et le CCF, entre New York et Paris.

Sidney Hook couronne enfin la liste des personnalités remerciées par notre homme. Bell rend à Hook un hommage

1. L'examen de la distribution des articles-chapitres du volume dans les revues qui les ont préalablement accueillis tout au long des années 1950 permet de dégager quels ont été leurs supports privilégiés – soit, par ordre décroissant : *Commentary*, *Encounter*, *The New Leader*, *Fortune*.

appuyé, après lui avoir dédié son livre. Il se place sans équivoque dans le sillage du philosophe, tout en rappelant qu'il n'a jamais été formellement son étudiant. Il faut, pour prendre la vraie mesure de cette allégeance, quitter le décryptage des relations interpersonnelles pour prendre de la hauteur et cerner en quoi cette filiation intellectuelle détermine la couleur spécifique que prend la thématique de la fin des idéologies aux États-Unis.

De part et d'autre de l'Atlantique, la fin des idéologies désigne tout à la fois la relativisation du marxisme, mode de pensée du XIXe siècle, et le rejet du marxisme-léninisme, technique et pratique du pouvoir au XXe siècle. Bell intervient dans ce débat non par une réflexion sur la société industrielle ou sur les relations Est-Ouest, mais par une critique des philosophes et des théologiens (Ortega, Jaspers, Marcel, Arendt, Tillich) critiques de la société de masse. Traduisant une attitude aristocratique envers la société, pareille dénonciation n'est rien d'autre aux yeux de notre sociologue qu'une idéologie de protestation romantique contre la société contemporaine. Cette répudiation opérée, Daniel Bell propose ensuite son propre diagnostic des sociétés modernes : celles-ci sont caractérisées par une orientation idéologique *(ideological commitment)* en faveur du changement social, aussi bien dans l'univers communiste que dans l'univers capitaliste. Par changement social on doit entendre la compétition pour l'amélioration du statut économique de chacun, des possibilités accrues offertes aux individus pour exercer leurs talents, l'accès élargi à la culture pour tous. Aucune société ne peut désormais ignorer ces aspirations. Bell retrouve alors une préoccupation qui est la raison d'être du CCF : la compétition entre les États-Unis et l'Union soviétique. Face à l'approche coercitive du changement en Union soviétique, la société américaine possède, elle, une véritable « culture du changement ». Aussi l'expérience américaine permet-elle de déjouer les sombres critiques émises à l'encontre des sociétés de masse : loin d'être une société anomique, elle apparaît tout au contraire profondément coopérative, qualité qui la rend particulièrement apte à relever les défis des aspirations modernes au changement social.

S'il existe des points communs entre débats européens et américains, les divergences ne sont pas moins grandes puisque tous les penseurs rejetés par Daniel Bell sont européens – dont l'un, Karl Jaspers, a été un président d'honneur important du CCF dans la décennie 1950. Aux États-Unis, l'affirmation de la fin des idéologies est donc associée à celle de l'exceptionnalisme américain et permet d'éclairer, par parenthèse, la suppression du point d'interrogation dans la formulation quelque peu triomphaliste de Bell. La mise en exergue de la culture du changement de la société américaine vient conforter la théorie politique révisionniste du capitalisme américain élaborée dans les cercles intellectuels de la gauche démocrate.

Mais l'analyse de Bell est adossée elle-même à un môle philosophique fait de la synthèse *sui generis* entre Karl Marx et John Dewey élaborée par Sidney Hook, synthèse à travers laquelle Daniel Bell et les hommes de sa génération ont raffiné leur théorie de l'action collective. Ainsi, le refus ou le rejet des penseurs européens sur lequel s'ouvre *The End of Ideology* se comprend d'autant mieux que l'on éclaire l'ombre tutélaire de John Dewey, qui se tient silencieuse à l'arrière-plan du livre. Au détour d'une page, Bell explicite bien ce qu'il doit à la fois à Marx et à Dewey. Toutefois, dans la polémique suscitée par son essai et acculé à s'expliquer sur sa théorie du changement social, c'est à Dewey, et à Dewey seul, que Bell se réfère. La problématique de la fin des idéologies, répond-il, se nourrit d'un scepticisme sur les schémas généraux qui prétendent améliorer la société. Elle substitue à ces schémas une démarche pragmatique, au triple sens que Dewey a donné à ce terme : *a)* les conséquences en termes d'action sont partie intégrante de la vérité d'une proposition ; *b)* fins et moyens sont inextricablement mêlés dans la conduite des affaires humaines ; *c)* les valeurs, à l'instar de n'importe quelle proposition empirique, peuvent être testées expérimentalement.

La pensée de Dewey est hostile à la tradition. Chez lui, la tradition est une structure qui fait obstacle à la pensée en termes de problème, d'action collective et de changement social. Cette dévalorisation de la tradition a pour contrepartie la valorisation de l'apprentissage, orienté précisément vers la résolution des problèmes. Bell se coule dans ce progressisme pragmatique et l'explicitation de cette philosophie implicite permet d'éclairer les interrelations établies dans *The End of Ideology* entre trois termes : masse, changement et action. Dans « société de masse », dans « culture de masse », il y a « masse ». Bell ne répudie pas seulement les penseurs pessimistes européens, il congédie le concept de masse, qui a connu une grande fortune dans les années 1930 et 1940 pour expliquer le destin funeste des sociétés modernes : destin social d'abord, avec la destruction des solidarités communautaires, la fragmentation des cadres sociaux, la fragilisation des individus et, finalement, l'anomie; destin politique, avec l'apparition d'actions de masses manipulées par un chef ou un parti au service de révolutions de droite ou de gauche qui étaient autant de retours à la barbarie. L'expérience américaine permet de sortir des anxiétés suscitées par l'ère des masses sur le double versant social et politique : une culture de coopération y triomphe de l'anomie; une action collective fondée sur la mise en œuvre de cette culture permet d'éviter les précipices de l'action de masse. Ni masse ni classe, *social action* : tel est en définitive le mot d'ordre de *The End of Ideology*.

Les prolongements du livre de Bell vont être universitaires et intellectuels. Dans les disciplines des sciences sociales (sociologie, sciences politiques), la fin des idéologies sera inlassablement disséquée et discutée. Elle ne sera pas moins débattue dans de nombreuses revues intellectuelles nourrissant une polémique intense aux États-Unis [1]. Restituer cette polémique sort du cadre d'une histoire du Congrès pour la liberté de la culture à Paris. Toutefois, un dernier élément doit être mis en évidence pour éclairer en quoi *The End of Ideology* constitue un livre-étendard et Daniel Bell un homme-charnière : il s'agit de l'élément générationnel. Revenons une dernière fois sur les remerciements de ses dernières pages. Bell conclut son hommage à Sidney Hook en le présentant comme le maître de la génération : non point d'une génération mais de *la* génération. Cette désignation récapitule un chapelet d'hommes accompagnant le cheminement de l'auteur : Lasky, Kristol, Glazer, Lipset [2],

1. Le livre de référence pour la restitution des principaux éléments du dossier et du débat qui se déploie tout au long des années 1960 est celui de Chaïm Waxman, *The End of Ideology Debate*, New York, 1968.

2. Le livre de Seymour M. Lipset, *Political Man*, publié lui aussi en 1960, est l'ouvrage stratégique pour l'articulation de la problématique de cette génération sur le champ universitaire. A l'inverse de Bell, Lipset n'est pas un essayiste; il est plus à l'aise dans la quincaillerie lourde des sciences sociales. Quoique n'appartenant pas au Comité des séminaires, Lipset, qui entretient des relations très suivies avec le Secrétariat international du CCF, est sans aucun doute un des promoteurs de la problématique de la fin des idéologies aux États-Unis et à l'étranger, au même titre que Bell.

autant de compagnons qui irrigueront en effet les rapports politico-intellectuels euro-américains entre l'*American Committee for Cultural Freedom* et le Congrès pour la liberté de la culture, entre le monde des revues et celui des universités, entre New York, Londres et Paris pendant plus de deux décennies.

Les sociétés européennes après les messianismes politiques

Daniel Bell est arrivé à Paris en 1957 pour mettre en œuvre ce qui au départ avait été baptisé *Mid-Century Dialogues* et d'où devait sortir la problématique internationale de la fin des idéologies. La traduction de cette nouvelle orientation s'inscrit dans les deux séminaires internationaux déjà mentionnés, séminaires s'appuyant essentiellement sur l'Angleterre, les acteurs anglais jouant un rôle-relais essentiel dans le processus.

Si la réunion internationale de Milan a été marquée par la confrontation entre Hayek et les travaillistes, désormais plus aucun doute ne subsiste : c'est avec l'aile réformiste du travaillisme britannique que le CCF noue une alliance privilégiée lors du passage de la guerre froide de type I à la guerre froide de type II. Deux éléments théoriques encadrent cette option politique : l'acceptation de la politique économique keynésienne (impliquant un engagement de l'État) et celle de la notion de productivité transformant la vision de l'entreprise (les travaux de Colin Clark étant ici l'œuvre de référence).

Il existe de part et d'autre de l'Atlantique des affinités entre ADA et travaillisme réformiste gaitskelliste : souci de dépasser les doctrinarismes libéraux et socialistes ; option en faveur du *peacemeal engineering* (expression de Karl Popper, reprise par Daniel Bell) ; soutien aux sciences sociales pour désencombrer les esprits de la foi sociale. Le réformisme gradualiste commun aux uns et aux autres rompt avec l'approche totalisante de la société dans la filiation hégéliano-marxiste. Il ne peut s'épanouir qu'avec la rupture du couple totalité-révolution pour prendre en compte la diversité de la société civile définie par la pluralité de ses acteurs et de ses intérêts. L'acceptation de nationalisations mesurées s'oppose en outre à l'appropriation intégrale des moyens de production par la classe ouvrière, c'est-à-dire le Parti-État en régime communiste. La démocratie industrielle se présente ainsi comme un moyen de stabiliser les démocraties développées pour offrir une alternative aux sociétés soviétisées.

A partir de ces choix, cependant, les situations nationales divergent : le *New Deal* réalisé par Roosevelt avant la guerre et dont l'ADA veut maintenir la flamme ne comporte pas de nationalisation ; l'Angleterre, à l'inverse, a édifié au lendemain de la guerre un *welfare state* à partir d'un programme de nationalisations audacieux. Le deuxième point de divergence concerne la fonction du syndicalisme dans la société industrielle. La démocratie industrielle ne peut pas prendre en tous lieux la même coloration en raison de traditions syndicales spécifiques. Sans doute existe-t-il une enveloppe politique commune à la gauche libérale anglo-saxonne : le souci que le jeu des pouvoirs et des contre-pouvoirs l'emporte sur les classes et la lutte des classes. Le changement s'apparente à un transfert de la lutte des classes vers les conflits de pouvoir comme principe de lecture et comme moteur des sociétés industrielles développées. Dans cette optique, le capitalisme n'engendre pas nécessairement l'hégémonie d'une classe dirigeante mais peut tout autant aboutir à une diversification des acteurs sociaux, à condition que la société fasse droit aux conflits d'intérêts. Une compétition régulée des intérêts devient ainsi une des conditions d'épanouissement d'une démocratie libérale dans une société ouverte.

Dans une communication présentée à Paris au séminaire de Georges Friedmann sur le syndicalisme américain [1], Bell partait de la constatation que les syndicats américains se moquent du socialisme mais qu'ils ont bâti le syndicalisme le plus puissant du monde. Pour comprendre ce syndicalisme, une distinction s'impose entre mouvement social (concept idéologique construit par les intellectuels) et action sur le marché *(market-unionism)*. L'orientation du syndicalisme américain vise au partage du pouvoir, non à la transformation de la société. Ce partage du pouvoir prend lui-même deux formes : la négociation sur les salaires, les conditions de travail et, parfois, les normes de production ; l'action sur la législation pour améliorer

1. David Bell, *The End of Ideology*, *op. cit.*, chap. X.

le bien-être des travailleurs. Pareille orientation n'aurait pas pu se développer sans le *New Deal*, qui a doté le pays de la législation permettant aux syndicats d'exercer une fonction de négociation collective. La notion de salariat l'emporte désormais sur celle de prolétariat aux États-Unis, le syndicalisme devenant de la sorte un allié des dirigeants industriels dans le cadre d'un partenariat conflictuel.

L'AFL a été le vecteur principal du *market-unionism* tandis que le CIO redonnait vie au mouvement social dans les années 1930. L'intervention de Bell à Paris prend place au lendemain de la réunification des deux branches du syndicalisme américain sous la conduite de George Meany. Les leaders en piste pour prendre la tête de ce syndicalisme réunifié sont à l'époque Hoffa (très anti-intellectuel) et Reuter (susceptible de retrouver la sève du mouvement social). Bell pour sa part conclut son intervention au séminaire de Friedmann en faveur d'une application du *peacemeal engineering* aux situations de travail : développer le contrôle des travailleurs pour rendre le travail plus signifiant ouvrirait la voie à l'enrichissement humain de la société industrielle.

Si Daniel Bell est l'organisateur du séminaire international de Vienne sur la participation des travailleurs à l'entreprise, il revient à un Anglais, Hugh Clegg, de publier un ouvrage fondé sur les échanges auxquels la réunion organisée dans la capitale autrichienne a donné lieu [1]. *A New Approach to Industrial Democracy*, écrit en relation étroite avec C.A.R. Crosland, lui-même membre du Comité des séminaires du CCF, poursuit une réflexion amorcée au sein d'un groupe de travail de la Société fabienne [2], publiée par le même auteur sous le titre *Industrial Democracy and Nationalization*.

A la différence des États-Unis, l'Europe est marquée par des rapports infiniment plus complexes entre syndicalisme et socialisme. *Industrial Democracy and Nationalization* est écrit dans une ambiance de désillusion sensible dès le début des années 50 concernant les nationalisations réalisées par les travaillistes en

1. Hugh Clegg, *A New Approach to Industrial Democracy*, Oxford, Basil Blackwell, 1960.

2. *Id.*, *Industrial Democracy and Nationalization. A Study Prepared for the Fabian Society*, Oxford, Basil Blackwell, 1955. Aucun consensus ne s'étant dégagé du groupe de travail, le Comité exécutif de la Société fabienne avait néanmoins donné son accord pour que Clegg publie cet ouvrage à titre individuel.

Grande-Bretagne. Les nationalisations anglaises n'ont pas répondu aux espérances (il est vrai très vagues) des ouvriers et elles ont accru les lourdeurs bureaucratiques. La réflexion des cercles fabiens prend acte de ce que la théorie réconciliatrice professée longtemps par le syndicalisme (si les ouvriers sont au pouvoir, il n'y a plus de conflits d'intérêts) n'est plus défendable. Elle tient compte en second lieu de l'évolution des attitudes politiques des socialistes eux-mêmes : ceux-ci ont pris conscience de l'importance du parlementarisme et ils ne croient plus, comme les sociaux-démocrates de la belle époque, qu'une fois la classe des capitalistes détruite un gouvernement ouvrier agira automatiquement dans l'intérêt des travailleurs. Enfin, la réflexion des travaillistes fabiens s'inscrit dans une ligne d'étude de l'entreprise marquée par le passage de l'analyse des relations humaines à celle des relations industrielles. Sans doute, observe Clegg, le mouvement des relations humaines est-il populaire mais il étudie essentiellement des relations à l'intérieur des groupes restreints existant dans l'entreprise et néglige les relations de pouvoir existant dans le monde industriel. Cela conduit à mettre l'accent sur les mécanismes de consensus, au détriment d'une analyse de l'équilibre des pouvoirs entre partenaires sociaux. *Industrial Democracy and Nationalization* prend acte de l'exigence de démocratie industrielle née du mouvement syndical lui-même (luttant contre le pouvoir arbitraire des employeurs et des directions) mais répudie la solution d'une autogestion fondée sur l'élection des dirigeants par les travailleurs industriels. L'autogestion en effet méconnaît à la fois les intérêts des consommateurs et ceux de l'État; de plus, elle n'apporte pas vraiment la démocratie industrielle recherchée. Les solutions avancées par Clegg s'appuient sur l'expérience anglaise : expérience de consultation réalisée pendant la Seconde Guerre mondiale au sein des entreprises; nationalisations permettant de peser sur la distribution du pouvoir industriel; développement de la négociation collective sur les salaires selon l'approche développée par Flanders [1]. Dernière exigence : le syndicalisme doit rester une force d'opposition autonome même dans les industries nationalisées.

Le séminaire de Vienne, organisé en septembre 1958 et qui dura une semaine, permit un vaste balayage des expériences

1. Allan Flanders, *A Policy for Wages*, Fabian Society, 1950.

internationales prenant place entre l'expérience américaine et l'expérience anglaise : codétermination en Allemagne et en Autriche ; coconsultation en Suède ; conseils ouvriers en Yougoslavie ; coopératives ouvrières en France ; innovations institutionnelles des firmes libérales en France et en Italie. On voit par cet exemple (cf. encadré p. 351) ce que veut être le séminaire, cette nouvelle activité du CCF qui double désormais le réseau des revues : une confrontation internationale d'experts, d'intellectuels et d'acteurs politiques ou sociaux. Dans le cas présent, le débat sur la démocratie industrielle porte sur trois dimensions : l'arrière-plan historique (avec l'examen des traditions révolutionnaires et réformistes), les développements intervenus dans l'après-guerre (essentiellement en Grande-Bretagne, en France, en Allemagne fédérale et en Yougoslavie pour l'Europe) et les modèles de démocratie industrielle mis en œuvre – *joint consultation*, codétermination, conseils de travailleurs, négociations collectives, autogestion.

Caractéristique du passage de la guerre froide de type I à la guerre froide de type II, de la dénonciation du totalitarisme à la fin des idéologies, est l'ouverture à l'analyse des expériences des pays communistes européens. La Yougoslavie joue dans ce contexte un rôle stratégique. Pays socialiste mais neutraliste, elle se prête particulièrement bien, avec son système d'autogestion, à une confrontation désidéologisée orientée vers la résolution de problèmes. On note par ailleurs à Vienne une communication portant sur la Hongrie. L'expérience polonaise des conseils ouvriers créés à la fin de 1956 et au début de 1957 ne manque pas non plus de retenir l'attention. Une seconde caractéristique mérite d'être relevée : l'examen des problèmes de démocratie industrielle ne se situe plus exclusivement en référence à l'histoire du mouvement ouvrier et au socialisme ; il intègre aussi l'analyse des expériences tentées par les directions novatrices des grandes firmes industrielles. Les problèmes classiques de l'exploitation sont de la sorte replacés à l'intérieur du cadre des relations entre gouvernants et gouvernés. En se désidéologisant, ils se politisent, si l'on comprend la politique comme la recherche d'un équilibre de pouvoir entre acteurs sociaux. Troisièmement, cette confrontation est contemporaine de l'émergence d'une discipline, la sociologie, qui voit son champ d'intervention s'élargir à l'exploration des processus

LISTE DES COMMUNICATIONS PRÉSENTÉES AU SÉMINAIRE DE VIENNE (SEPTEMBRE 1958)

I. Communications générales

D. Bell : « Deux voies à partir de Marx. Quelques observations sur quelques termes négligés dans la pensée socialiste ».
B. Horvat : « L'autogestion dans sa perspective historique ».
P. Barton : « Le contrôle des travailleurs ».
E.L. Trist : « Les relations humaines dans l'industrie ».
A. Vermeulen : « La participation des travailleurs à la direction ».

II. Analyses par pays

Autriche
B. Kautsky : « La démocratie économique et la codétermination en Autriche ».
P. Blau : « Les problèmes de la codétermination ».
K. Kottulinsky : « La participation des travailleurs du point de vue des dirigeants autrichiens ».

Allemagne
A. Jungbloth : « L'expérience de codétermination en Allemagne ».

France
M. Crozier : « La signification du mouvement pour la codétermination en France ».
L. Devaux : « La participation des travailleurs à l'entreprise ».
G. Lasserre : « Expérience française de participation des travailleurs ».

Italie
F. Ferrarotti : « L'expérience Olivetti de participation des travailleurs dans l'entreprise ».

Angleterre
H.A. Clegg : « La coconsultation dans les industries nationalisées en Grande-Bretagne ».

Scandinavie
H. Waris : « La participation des travailleurs dans les pays nordiques ».

Inde
L. Sawnhy : « La participation des travailleurs. Un point de vue indien ».

Israël
N. Ben Nathan : « Codétermination et partenariat dans l'industrie Histadrut en Israël ».

Yougoslavie
A. Delean et N. Pasic : « La planification dans une économie décentralisée fondée sur l'autogestion ouvrière ».
V. Raskovic : « Une évaluation de l'autogestion ouvrière en Yougoslavie ».

Hongrie
M. Sebestyen : « Les conseils de travailleurs en Hongrie ».

sociaux internes aux entreprises et la théorisation des processus analysés dans une perspective comparative.

Tirant les enseignements du séminaire international de Vienne dans *Approach to Industrial Democracy*, Hugh Clegg met l'accent sur l'enrichissement du vocabulaire et des idées issu de cette confrontation. Ses conclusions reflètent les orientations qui ont la faveur de la gauche libérale de l'époque. Dans toutes les démocraties stables, écrit-il, un système de démocratie industrielle existe en parallèle à la démocratie politique. Ce système fait valoir les intérêts et protège les droits des travailleurs au moyen de négociations collectives entre employeurs et syndicats indépendants. On peut appeler ce système démocratie par groupe de pression ou par négociation collective. Les travailleurs sont extérieurs à la direction des affaires *(management)* et ils ne peuvent que chercher à l'influencer. Si l'on tient à employer l'expression de « participation au *management* », il faut alors l'entendre comme une modalité de la démocratie par groupe de pression au sein du monde industriel. Il n'existe pas de différence de principe entre les formules adoptées par chaque pays (négociations collectives, codétermination ou autres) dès lors que ces arrangements institutionnels servent l'intérêt des travailleurs et protègent leurs droits. Clegg souligne en outre que la décentralisation est un élément essentiel de la démocratie par groupe de pression : les négociations collectives doivent ainsi être décentralisées au maximum. Quant à l'autogestion [1], il est illusoire de penser qu'elle pourra couronner un jour la démocratie par groupe de pression. Quoi que l'on fasse, on ne pourra jamais supprimer le fait qu'il y a beaucoup de gouvernés et peu de gouvernants. Ce que requiert l'industrie moderne, ce n'est pas un *self-government* mais un véritable *management*.

La réflexion fabienne fondée sur l'expérience anglaise est plus large que la perspective américaine, prise en tenaille entre le mouvement des relations humaines (qui tend à définir l'entreprise comme une communauté) et la conception du *market-unionism* (qui restreint les fonctions de l'organisation syndicale). Pour Hugh Clegg, et plus largement la famille de

1. L'anglais *self-government* a un sens plus large qu'« autogestion », comme le montre l'argumentation de Clegg, qui repose sur la distinction entre liberté par rapport à une règle étrangère et gouvernement par les gouvernés, argumentation impossible à rendre dans l'espace sémantique français.

pensée qu'il représente, l'entreprise n'est pas une association volontaire mais une association non volontaire. C'est de ce constat de base qu'il faut partir. De même n'existe-t-il pas une théorie de la démocratie mais deux : la première la définit comme la libre coopération en vue de la réalisation d'objectifs communs ; la seconde, comme un mécanisme destiné à assurer des choix populaires et à contrôler les gouvernants. Utiles toutes les deux, ces théories ne correspondent pas au même type d'organisation ni aux mêmes circonstances. La première théorie est inapplicable aux grandes organisations où une opposition est indispensable (sous-entendu : une opposition syndicale).

Le second séminaire dont Daniel Bell est directement respondable en Europe en tant que directeur du programme au Secrétariat international est celui d'Oxford sur les changements de la société soviétique après la publication du rapport Khrouchtchev et la révolution antitotalitaire hongroise. Ici aussi, la médiation anglaise est importante. Mais si, sur les problèmes de la démocratie industrielle, cette médiation passait par une alliance entre courants politico-intellectuels, sur la question soviétique, elle passe par une substitution d'hommes qui a valeur de symbole : la substitution d'Isaïah Berlin à Arthur Koestler comme grand intellectuel de référence exprime pleinement le passage de la guerre froide de type I à celle de type II.

Isaïah Berlin, avec lequel Nicolas Nabokov prend contact à Londres lors de la préparation de la réunion de *Saint Antony's College*, travaillait pendant la guerre pour le *Foreign Office* lorsqu'il rejoint les États-Unis, en 1941 (c'est alors que Nabokov a fait sa connaissance), pour les services de propagande britannique à New York, avant d'être muté à Washington. Sitôt la guerre terminée, il fait un court passage, de septembre 1945 à janvier 1946, à l'ambassade britannique à Moscou, séjour qu'il met à profit pour prendre contact avec Akhmatova et Pasternak. Philosophe et spécialiste de la grande littérature russe [1] dans la lignée de Herzen, Isaïah Berlin est un parfait représentant du courant libéral et occidentaliste. Professeur à l'*All Souls*

1. Il publie en 1953 un célèbre essai sur la littérature, *The Hedgehog and the Fox*, et, l'année suivante, une critique de l'idée de nécessité historique, *Historical Inevitability*.

College d'Oxford, il est anobli par la reine l'année précédant le séminaire international. C'est en 1956 également qu'il retourne à Moscou, où il reprend contact avec Boris Pasternak, qui lui confie un manuscrit du *Docteur Jivago* [1].

L'arrivée au premier plan d'Isaïah Berlin est accompagnée de l'effacement progressif d'Arthur Koestler des structures et des activités du CCF. L'inspirateur du *Manifeste aux hommes libres*, le créateur du FIF n'a jamais dirigé de revue comme les autres signataires éminents du *Dieu des ténèbres*, Ignazio Silone en Italie et Stephen Spender en Grande-Bretagne. Curieusement, en 1952, lors du procès Slansky, il a refusé à Melvin Lasky un article pour *Der Monat*, bien que l'un des coaccusés de Prague, Otto Katz, fût l'un de ses amis. En 1956 encore, à l'occasion de la révolution hongroise, Koestler reste relativement silencieux [2] sur le plan international. Enfin, lorsque le Comité des séminaires est constitué auprès du Secrétariat international, Josselson souhaite l'associer mais Shils fait de son exclusion la condition de sa propre participation et l'emporte sur ce point.

On assiste donc à une relève de la garde. Au demeurant, le lancement d'*Encounter* à Londres en 1953 [3] intervient dans un climat très différent de celui qui a présidé au lancement de *Preuves* trois ans plus tôt à Paris. Staline est décédé au début de l'année. L'éditorial de la nouvelle revue se situe résolument dans une perspective que l'on peut appeler post-messianique : Hitler, Mussolini, Staline sont morts. Ils ont emporté avec eux la mythologie d'une époque. Les soulèvements ouvriers de cette même année 1953 en Europe centrale (Berlin, Plzen) arrachent les derniers oripeaux de la fable marxiste-léniniste : les vrais ouvriers se sont clairement détachés d'un hypothétique prolétariat.

Si en 1955 Raymond Aron publie à Paris *L'Opium des intellectuels*, à Londres *Encounter* lance la même année une grande enquête sur les intellectuels dans une perspective internationale. La série, dominée par les trois articles qu'Isaïah

1. Le premier manuscrit du *Docteur Jivago* avait été confié par Pasternak à l'éditeur italien Feltrinelli, qui en assura la première parution occidentale en 1957.

2. L'année précédente, en 1955, Arthur Koestler publia *The Trail of the Dinosaur*, où il évoquait la fondation du Congrès pour la liberté de la culture.

3. Le n° 1 de la nouvelle revue est publié en octobre 1953. *Encounter* est édité par Secker and Warburg, un grand éditeur londonien de littérature internationale.

Berlin consacre à la pensée russe [1], comporte également des contributions d'Edward Shils, Golo Mann, Hugh Seton-Watson, Herbert Lüthy et Constantin Jelenski. Jelenski, dont la contribution est écrite après les révoltes ouvrières de Poznan et l'épanouissement du premier révisionnisme en Pologne, constate que ce ne sont pas seulement les mythes staliniens qui s'effondrent, mais également les mythes antistaliniens. Les événements viennent de montrer qu'en Pologne les esprits sont finalement moins captifs que ne le pensait Milosz et que l'on sort ainsi peu à peu du monde koestlérien du *Zéro et l'Infini*.

Le Dieu des ténèbres, livre d'intellectuels sur les intellectuels, avait donné la première charte fondatrice au Congrès pour la liberté de la culture. Au plus fort des années sombres du stalinisme, un des points forts de l'action entreprise était de démontrer la perversité des relations entre propagande externe et réalité interne du système soviétique : campagnes de paix vers l'extérieur, militarisation à l'intérieur; plaidoyer universel pour l'émancipation de la culture, censure idéologique impitoyable à domicile, etc. A partir de 1955-1956, c'est la dynamique des sociétés de l'Est européen elle-même qui oriente le CCF vers l'analyse des rapports entre les intellectuels du monde communiste et leurs sociétés. Cette tâche est du reste dans le droit fil du refus de la division de l'Europe par un rideau de fer, refus exprimé par le congrès dès l'origine. Si le messianisme n'est pas mort partout, une fracture est apparue qui permet de relancer l'interrogation sur le devenir de ces sociétés, où les intellectuels peuvent être appelés à jouer un grand rôle pour leur évolution.

Le séminaire international d'Oxford, qui réunit une quarantaine de personnes pendant une semaine au *Saint Antony's College*, incarne la nouvelle orientation. C'est une réunion d'experts [2]. L'emploi du terme est en lui-même tout un programme. Tout aussi caractéristique est l'arrivée en force, ici aussi, de la sociologie sur le terrain. La communication de Daniel Bell [3], outre une classification pirandellienne des théories du système soviétique en quête d'auteurs (cf. encadré p. 356), permet de cerner assez précisément les deux âges de

1. Isaïah Berlin, « A Marvellous Decade », *Encounter*, juin, novembre-décembre 1955. Repris *in* Isaïah Berlin, *Les Penseurs russes*, Albin Michel, 1984.
2. Melvin J. Lasky, « Les experts parlent », *Preuves*, n° 79, septembre 1957.
3. Daniel Bell, *The End of Ideology*, *op. cit.*, chap. XIV.

l'approche de l'univers soviétique par les sciences sociales aux États-Unis.

LES DIX THÉORIES DU SYSTÈME SOVIÉTIQUE SELON DANIEL BELL

THÉORIES CARACTÉROLOGIQUES

1) *Anthropologique* : M. Mead, G. Gorer, J. Rickman, H.U. Dicks.
2) *Psychanalytique* : N, Leites.

THÉORIES SOCIOLOGIQUES

3) *Système social* : R. Bauer, A. Inkeles, C. Kluckhohn.
4) *Ideal types* : B. Moore Jr.

THÉORIES POLITIQUES

5) *Marxiste* : I. Deutscher.
6) *Néo-marxiste* : B. Rizzi, R. Hilferding, S. Schwartz, J. Burnham.
7) *Totalitaire* : H. Arendt, B. Wolfe.
8) *Kremlinologique* : F. Borkenau, B. Nicolaevski.

THÉORIES HISTORIQUES

9) *École slavisante* : N. Berdiaev, B. Pares, J. Maynard, E. Crankshaw, E. Simmons, W. Philip.
10) *École géopolitique* : N. Spykman, W. Fox, G. Kennan, H. Kissinger.

La *Rand Corporation* vient en premier : c'est à la *Rand* que Nathan Leites rédige pour les négociateurs de l'armistice de la guerre de Corée un traité sur le code opérationnel du Bureau politique avant de synthétiser ses analyses dans une étude générale du bolchevisme [1]. La seconde étape apparaît à l'université Harvard. On sort alors des préoccupations d'application strictes pour une analyse en profondeur : une grande enquête fondée sur 329 histoires de vie de personnes ayant fui l'Union soviétique, auxquelles viennent s'ajouter 425 interviews (le tout représentant 38 000 pages de données accumulées), aboutit en 1956 à un ouvrage destiné à faire date sur le fonctionnement du

1. Nathan Leites, *A Study of Bolchevism*, 1954.

système soviétique. Le cadrage théorique saisit le soviétisme comme système social [1], ce qui représente une double innovation, tant par rapport à l'approche philosophique et littéraire du totalitarisme que par rapport aux études entreprises à des fins militaires [2]. On assiste donc à une prise en charge par l'université des analyses du soviétisme : la politique, si peu ragoûtante soit-elle, comme le note Lasky, entre dans le champ de l'intelligence abstraite. Le séminaire du *Saint Antony's College* prolonge et institutionnalise cette tendance en cristallisant un axe anglo-américain appuyé sur les deux universités prestigieuses, Harvard et Oxford, présentes à Milan.

Toutefois, si les sociologues sont fortement représentés au *Saint Antony's College*, ils ne sont pas seuls. La réunion permet la confrontation d'historiens, d'économistes, de philosophes, de diplomates, partageant tous le même anticommunisme libéral. Outre l'équipe de Harvard sont notamment venus Raymond Aron, Isaïah Berlin, Merle Fainsod, Richard Löwenthal, Hugh Seton-Watson, Georges Katkov, Philip Mosley, Frederick Barghoorn, Leo Valiani, Leonard Schapiro, Max Beloff, pour n'en citer que quelques-uns. Les débats sont polarisés sur le problème du changement : le totalitarisme peut-il changer ? Une fois explicitées les caractéristiques de fonctionnement du système, peut-on identifier les éléments susceptibles de favoriser des changements endogènes ? La discussion sera lancée par une confrontation entre Bertram Wolfe et Merle Fainsod. Aucun des participants ne pense que le système puisse évoluer dans le sens d'une démocratie occidentale mais la porte n'est pas fermée aux possibilités d'évolution, comme l'exprime bien Fainsod :

> [...] il n'est pas impossible qu'un État totalitaire oligarchique se tranforme, avec le temps, en un régime autoritaire plus traditionnel, garantissant au moins dans une certaine mesure les droits de la personne et du groupe, et laissant plus de latitude aux forces en présence dans la société soviétique [3].

1. Raymond Bauer, Alex Inkeles, Clyde Kluckhohn, *How the Soviet System Works*, Harvard University Press, 1956.

2. La notion de système social a notamment été développée par le sociologue Talcott Parsons, qui enseigne lui aussi à Harvard. Shils et Parsons ont écrit un ouvrage commun sur la théorie de l'action.

3. Cité par Melvin Lasky, art. cit. Voir par ailleurs l'intervention de Raymond Aron à Oxford : « La société soviétique et l'avenir de la liberté », *Preuves*, n° 80, 1957.

L'autonomisation d'un réseau anticommuniste libéral de haut niveau couvrant la vie littéraire, la vie politique et les relations internationales du et dans le système soviétique résulte de la greffe que permet le Congrès pour la liberté de la culture de la vieille culture menchevik sur les meilleures universités du moment. Si une distance est désormais établie avec la ligne de combat d'un organe comme le *New Leader*, distance parfaitement incarnée par un Daniel Bell, les ponts ne sont pas coupés avec la sève historique et politique de ce courant de pensée. Nulle part cette symbiose n'est mieux réalisée que dans la revue *Survey*, qui prend alors son envol avec l'aide du congrès. *Survey* est lancé sous la forme d'un petit bulletin d'une dizaine de pages par Walter Laqueur en 1955, l'année où *Encounter* publie sa série sur les intellectuels. L'adjoint recruté par Laqueur, Leopold Labedz, en prend bientôt les commandes. Son profil est assurément idéal pour faire converger le vieux courant menchevik et les nouvelles études universitaires, afin d'approfondir l'analyse du monde soviétique. Polonais, Labedz a eu avant la Seconde Guerre mondiale une jeunesse d'extrême gauche. Étudiant à Paris, il y a fréquenté alors les principales émigrations politiques. Après la guerre, qu'il a faite dans les rangs de l'armée Anders, il reprend à Londres des études d'économie, d'histoire et de sociologie. Lorsqu'il prend les rênes de *Survey*, sa priorité est de combler le retard de connaissance du système soviétique qu'il diagnostique à l'Ouest : pour combler ce retard, l'ouverture vers les universités est essentielle, à condition de maintenir une ligne politique ferme et de ne jamais céder sur l'essentiel quant à la nature du régime soviétique. Labedz est étroitement associé au Secrétariat international parisien. Il obtient que le CCF patronne bientôt une collection intitulée « Library of International Studies ». Dans le prolongement du séminaire d'Oxford, cette collection constitue le complément de la revue. Dès avant sa création, le premier ouvrage publié dans l'orbite de *Survey* a été un livre de son créateur, Walter Laqueur, rédigé en collaboration avec George Lichtheim sur la vie intellectuelle en URSS après Staline et au temps du dégel [1]. Puis Laqueur et Labedz unissent leurs efforts pour publier aux États-Unis sous forme d'ouvrage un certain nombre de numéros spéciaux de la

1. Walter Laqueur et George Lichtheim, *The Soviet Cultural Scene*, Londres, Stevens and Sons, 1958.

revue. Les titres sont on ne peut plus explicites : *Le Futur de la société communiste, La Hongrie aujourd'hui, Le Polycentrisme, L'État de la science soviétique, L'État des études soviétiques.* Autant de thèmes et de dossiers fouillés cherchant à serrer au plus près la réalité. A ces numéros spéciaux doivent être ajoutés les ouvrages publiés par les collaborateurs les plus marquants de la revue, les plus représentatifs aussi de ce type d'expertises que le CCF est capable de mobiliser à cette époque : Laqueur, Labedz, Löwenthal, Hayward, qui tous concourent à un remarquable travail d'analyse politique et de théorie sociale [1].

Deux éléments permettent de comprendre pourquoi un tel milieu peut s'épanouir en Angleterre : l'appui du triangle universitaire Oxford-Cambridge-Londres et l'existence de l'institution unique en son genre qu'est la BBC. La BBC comporte un service étranger très développé, qui non seulement assure une remarquable couverture politique, sociale et littéraire de l'Europe soviétisée, mais encore autorise des carrières à l'intersection du journalisme, de l'édition et de l'université. Le second élément, ce sont les liens que *Survey* noue avec Radio Free Europe, la station américaine émettant en direction de l'Europe centrale et orientale à Munich. Labedz maintient un contact étroit avec les conseillers politiques américains de la station Radio Free Europe qui développe bientôt, parallèlement à ses émissions, un véritable service de recherche sur l'ensemble des pays sous contrôle soviétique – capacité de recherche caractéristique elle aussi du passage d'un type de guerre froide à un autre, la fin des idéologies étant accompagnée d'un accroissement des moyens de compréhension du système hors des mécanismes antérieurs de propagande et de contre-propagande.

Inscription de la problématique en France

Si la problématique de la fin des idéologies, qui se substitue à la problématique totalitaire, exprime le passage de la guerre

1. Leopold Labedz, *Revisionism*, Londres, 1962 ; Richard Löwenthal, *World Communism. The Desintegration of a Secular Faith*, 1965 ; Walter Laqueur, *Russia and Germany, a Century of Conflict*, Londres, 1965 ; Max Hayward et Leopold Labedz, *Literature and Revolution in Soviet Russia*, Oxford, 1963 ; Patricia Blake and Max Hayward, *Half Way to the Moon. New Writing from Russia*, Londres, 1964.

froide chaude à la détente diplomatique couplée avec la compétition des systèmes, ce changement international prend place dans une situation française elle-même marquée par le passage de la IVe à la Ve République, entraînant des modifications substantielles de l'échiquier politico-intellectuel à Paris. C'est donc à l'intersection des mouvements interne et externe qu'il convient de saisir l'inscription de la fin des idéologies dans le paysage français.

Premier constat : pas plus aujourd'hui qu'hier l'œuvre de Michael Polanyi ou celle d'Edward Shils ne sont connues à Paris. Quant au livre-étendard de Daniel Bell, il ne fera pas davantage l'objet d'une traduction française. De ce fait, la « fin des idéologies » sera platement rabattue sur une critique, présentée comme simpliste, du marxisme. Pendant de longues années la formule fait l'objet d'une stigmatisation de la part de journalistes, d'essayistes ou d'universitaires membres ou proches du Parti communiste français. La France ne connaît ni débat de fond ni polémique sur le modèle de ceux qui prennent place aux États-Unis.

Raymond Aron, dans ces conditions, n'aura pas à se situer par rapport aux autres intellectuels partie prenante au débat. Outre les livres issus des rencontres de Rheinfelden et du colloque de Berlin, il prolonge sa réflexion sur la société industrielle dans des articles de *Preuves* repris ultérieurement en volume [1]. Ce n'est que bien des années plus tard, en 1972, qu'Aron, interrogé par un correspondant américain qui réalise un travail sur la fin des idéologies [2], donne l'éclairage suivant :

> Si vous vous reportez à la conclusion de *L'Opium*, vous y verrez que j'entends par « idéologie » non pas n'importe quelle idée, quel ensemble d'idées ou de valeurs (en ce sens il serait absurde de parler de la fin des idéologies), mais une forme particulière, englobante et systématique d'interprétation prétendument totale du monde historique. Le livre était écrit avant le discours de

1. Raymond Aron, *Trois Essais sur l'âge industriel*, coll. « Preuves ». Le premier texte : « Théorie du développement et idéologie de notre temps », est écrit en 1962, au retour d'un voyage au Brésil ; « Théorie du développement et philosophie évolutionniste » est rédigé pour un colloque organisé par l'UNESCO ; « Fin des idéologies et renaissance des idées » constitue le troisième texte. Ce volume fera l'objet d'une traduction en langue anglaise sous le titre *Three Essays on Ideology and Development*.

2. J.L. Dittberner, *The End of Ideology and American Social Thought : 1930-1962*, Ann Arbor, Michigan, University of Microfilms International.

Khrouchtchev, donc avant les révélations sur le stalinisme, mais à un moment où déjà on sentait fléchir la croyance inconditionnelle à un système total du monde. Le point d'interrogation exprimait une incertitude sur ce qui serait l'état d'esprit de la génération suivante. L'hypothèse que je formulais était celle de débats politiques qui ne comportaient pas, au même degré, le choc de système dont le marxisme-léninisme représentait pour moi l'exemple extrême et presque caricatural. J'ajoute qu'au cours de la dernière guerre, en 1943, j'avais publié dans la revue *La France libre* deux articles sur ce que j'appelais à l'époque les religions séculières, concept peut-être mieux adapté à la désignation de ce que je visais [...]. Je me contenterai pour finir sur ce point de la formule suivante : certains pensent détenir une interprétation globale et totale du monde historique qui leur permet de prévoir l'avenir et de résoudre tous les problèmes ; d'autres préfèrent résoudre les problèmes tels qu'ils se présentent en fonction de leur valeur, bien entendu, mais sans référence à une vérité totale en définitive. J'appartiens à cette deuxième catégorie d'hommes et je me demandais en 1955 si, après la faillite du stalinisme, cette attitude ne deviendrait pas dominante. Dans l'ensemble, en dépit de la nouvelle gauche, l'évolution a peut-être été plutôt dans ce sens [1].

Du reste, en 1960, ce n'est pas la fin des idéologies, livre ou débat, qui retient l'attention à Paris mais un gros volume théorique publié par Jean-Paul Sartre, *Critique de la raison dialectique* [2]. Il s'ouvre sur une préface où figure la formule, maintes fois reprise, faisant du marxisme « la philosophie indépassable de notre temps [3] », formule destinée à devenir le mot d'ordre de tous ceux qui refusent de remettre en cause le marxisme comme récapitulation totalisante de l'histoire. Si Sartre, avec *Critique de la raison dialectique*, vise à sortir le marxisme du dogmatisme, il le fait selon une ligne anti-institutionnelle qui

1. Raymond Aron, lettre à J.L. Dittberner, 2 octobre 1972, archives du centre Raymond-Aron.

2. Jean-Paul Sartre, *Critique de la raison dialectique* (précédé de *Question de méthode*), t. I : *Théorie des ensembles pratiques*, Gallimard, 1960.

3. Dans cette préface, Sartre explique que le texte qui ouvre le volume, *Question de méthode*, fut d'abord confié en 1957 à une revue polonaise qui souhaitait consacrer un de ses numéros à la culture française. Sartre écrivait alors *Existentialisme et Marxisme* tandis qu'Henri Lefebvre traitait de son côté du développement récent du marxisme. Quant au contexte de la formule, le voici : « [...] Finalement c'est une question que je pose et une seule : avons-nous aujourd'hui les moyens de constituer une anthropologie structurelle et historique ? Elle trouve sa place à l'intérieur de la philosophie marxiste – comme on le verra plus loin. Je la considère comme l'indépassable philosophie de notre temps et parce que je tiens l'idéologie de l'existence et sa méthode " compréhensive " pour une enclave dans le marxisme lui-même qui l'engendre et la refuse tout à la fois. »

tourne le dos à cette civilité qu'Edward Shils appelle de ses vœux. Le livre propose, en effet, dans le cadre de la théorie des ensembles pratiques, une relation entre trois termes – groupe, organisation et institution – appelée à faire beaucoup de chemin. Le privilège que Sartre accorde au groupe résulte d'un double rejet : celui de l' « absurde psychologie pavlovienne » et celui de l' « individualisme bourgeois ». S'y ajoute la constatation que le groupe constitue un ensemble intermédiaire entre la base et le sommet. Les groupes sont ensuite ordonnés selon leur *praxis* : du pratico-inerte au groupe en fusion. Entre l'univers du pratico-inerte et l'univers du serment (accomplissement du groupe en fusion), Sartre autonomise un niveau, celui de l'organisation. L'organisation constitue le niveau de la réciprocité médiée, une relation de relations, opposée à la fraternité-terreur. L'institution, enfin, est définie comme le non-être du groupe. L'institution renvoie chez Sartre à l'univers des relations figées, de l'habitude, du stéréotype, de la « gluance ». Le moment institutionnel d'un groupe correspond à l' « auto-domestication systématique de l'homme par l'homme », et Sartre n'hésite pas à écrire que, dès avant sa naissance, l'homme est déjà victime de la structuration institutionnelle du monde social. Il retient de surcroît de la littérature ethnologique un enseignement majeur : il n'est plus possible désormais de parler de nature humaine. Dès lors, les fondements de la souveraineté se dérobent. Tout est contingent, tout est contingence. L'autorité se réduit à une simple inertie. Ni la loi ni le contrat garants d'une liberté ne trouvent place dans l'univers sartrien. Cette théorie anti-institutionnelle anarchisante mâtinée de psychologie sociale récuse la vision marxiste d'un ordre fondé sur les rapports de forces. C'est à n'en point douter avec cette théorie de la contingence de toute forme institutionnelle que Sartre trouva le contact avec la société française et le levier de son influence intellectuelle et sociale. La révolution cubaine lui offre à peu près au même moment une articulation avec une réalité politique en mouvement : Cuba bouscule le pratico-inerte avec l'émergence d'un *lider maximo* (qui ne s'embarrasse pas de gluance institutionnelle), dont Sartre se fait bientôt l'ambassadeur *in partibus* de par le monde [1]. Guizot, Masaryk

1. Les premières analyses de Sartre favorables au nouveau régime cubain paraissent dans *France-Soir*. Belle revanche pour Jojo-les-Bretelles cinq ans après *Nekrassov* et la dénonciation sartrienne des turpitudes de la presse « bourgeoise ».

et les autres, chers au cœur du professeur Shils, sont refoulés dans le non-être avec toute la philosophie libérale occidentale. Pas plus qu'elle n'est un vecteur d'inscription de la civilité dans la tradition intellectuelle, la *Critique de la raison dialectique* ne fraye, on s'en sera douté, la voie à un réformisme gradualiste. L'horizon a été dégagé une fois pour toutes, nimbé de lumière marxiste totalisante. Dès lors, pour se développer dans la vie intellectuelle française, une perspective réformiste gradualiste va devoir contourner Sartre.

Dans cette stratégie de contournement, ce n'est pas l'université mais une institution particulière, le commissariat général au Plan, qui joue le plus grand rôle, comme on le voit dans le cas de la sociologie, discipline qui accompagne l'émergence de la problématique de la fin des idéologies et la nouvelle approche des sociétés industrielles. L'un des événements les plus significatifs de ce processus est le colloque organisé en 1965 sur les changements de la société française, colloque au cours duquel le commissaire général au Plan de l'époque, Pierre Massé, vient en personne adresser un vibrant appel aux sociologues pour qu'ils prennent à bras-le-corps l'analyse de la modernisation française dont le Plan se veut le levier. Or le maître d'œuvre de ce colloque n'est autre que Jean-Daniel Reynaud, un sociologue qui, quatre ans auparavant, a publié une des critiques les plus percutantes de la *Critique de la raison dialectique* [1], en même temps qu'il était l'un de ceux qui s'attachaient, dans une ligne voisine de la ligne anglaise, à opérer le passage d'une sociologie des relations humaines à une sociologie des relations industrielles. Après avoir noté que chez Sartre la sociologie est en liberté surveillée, Jean-Daniel Reynaud écrivait que le temps était venu de lui tourner résolument le dos pour faire véritablement de l'économie et de la sociologie. Reynaud relevait trois caractéristiques de la *Critique de la raison dialectique* : l'ouvrage est un compendium de toutes les idées reçues du marxisme; l'appréciation portée sur la sociologie américaine est fonction davantage du hasard des traductions sur la place de Paris que de l'importance propre des auteurs pris en considération; le passage de la raison analytique à la raison critique est avant tout un artifice verbal destiné à

1. Jean-Daniel Reynaud, « Sociologie et raison dialectique », *Revue française de sociologie*, t. II, n° 1, janvier-mars 1961.

masquer une réalité gênante. Ici c'est beaucoup plus la raison analytique que la raison dialectique qui peut se révéler féconde. Quant au livre issu du colloque de la Société française de sociologie [1], il est préfacé par Raymond Aron, engagé à la même époque dans un groupe prospectif à l'horizon 1985, mis en place rue de Martignac sous l'impulsion du même Pierre Massé.

Situé sur la carte intellectuelle parisienne à mi-chemin entre l'université républicaine et les intellectuels communisants de Saint-Germain-des-Prés, le commissariat général au Plan et à la Productivité jouit dans la France de l'après-guerre d'un prestige supérieur à celui du Conseil économique et social pour la mise en relation des acteurs intellectuels et des acteurs sociaux à la recherche de nouvelles formes de démocratie industrielle. La donnée principale à prendre en considération est ici la division syndicale française en trois centrales (CGT, CGT-FO, CFTC), renvoyant elle-même à des affiliations internationales tranchées et rigides (FSM, CISL). Or, si la scission de la CGT, dominée par le Parti communiste, qui donne naissance à la CGT-FO, caractérise bien la guerre froide chaude, la centrale créée avec l'appui américain ne joue aucun rôle moteur dans la recherche d'une nouvelle démocratie industrielle dans la situation de la guerre froide de type II. L'opérateur principal du passage est bien davantage la minorité de la CFTC organisée autour d'un groupe de pensée structuré dès 1946, *Reconstruction*. Les hommes de *Reconstruction* militent pour une déconfessionnalisation de la centrale chrétienne (déconfessionnalisation qui intervient en 1964 pour donner naissance à la CFDT), l'abandon de la doctrine sociale de l'Église romaine comme doctrine de référence et l'inscription de l'action syndicale dans la perspective d'un socialisme démocratique.

Pour éclairer convenablement la situation, il convient de faire un léger retour sur ce que nous avons appelé la médiation anglaise. En effet, la situation politico-intellectuelle au début de la Ve République est tributaire des choix, des clivages et des orientations structurés sous la IVe. Paris a été marqué pendant toute la période de guerre froide chaude par une alliance

1. *Tendances et volontés de la société française*, Jean-Daniel Reynaud (éd.), Paris, 1965.

significative entre la gauche française non communiste et l'aile gauche du Parti travailliste anglais hostile à la politique américaine en Europe. Ce front franco-anglais, dont la figure de référence politique est Aneurin Bevan, se cristallise dans un organe, *La Tribune des peuples*, dont la sortie du premier numéro, au printemps 1953, est contemporaine elle aussi de la mort de Staline [1]. De part et d'autre de la Manche, on trouve dans les deux comités de patronage de la nouvelle revue deux hommes, Claude Bourdet et Kingsley Martin, à la tête respectivement de *L'Observateur* et du *New Statesman and Nation*, deux organes anti-anticommunistes influents, et à ce titre bêtes noires du CCF. Côté français, le comité de patronage réunit des représentants des courants de pensée extérieurs à l'alliance de Troisième Force nouée entre la SFIO et le MRP, sur laquelle repose la IVᵉ République [2].

Le premier dossier du premier numéro de *La Tribune des peuples* est consacré à la France et à l'Angleterre face aux problèmes de l'indépendance. Il comporte un article de Claude Bourdet qui peut être considéré comme un document canonique pour l'expression de la ligne politique de cette nouvelle alliance. Bourdet présente une analyse de l'aide américaine en France d'une extrême sévérité, sévérité mettant en cause tant l'Amérique que les élites françaises. L'éditorialiste de *L'Observateur* écrit :

> [...] Depuis 1944, grâce à l'aide américaine et en fonction d'une aide accrue, le gouvernement français avait tourné le dos à la politique d'austérité préconisée par M. Mendès France et choisi la politique de facilité inaugurée par M. Pleven, dont le résultat fut l'appauvrissement des salariés et l'enrichissement des capitalistes, des producteurs et des commerçants.

Dans la mise en cause des élites françaises associée à cette dénonciation de la politique américaine en Europe (plan Marshall, OTAN, Allemagne), l'Angleterre sert de faire-valoir à Claude Bourdet pour mieux stigmatiser leur reniement. En

1. En 1953 paraissent trois revues : *Dissent* à New York (produit de la scission au sein de l'ACCF et de l'opposition à la ligne accommodante de l'ADA), *Encounter* à Londres et *La Tribune des peuples* à Paris, *La Tribune des peuples* et *Dissent* partageant des positions relativement voisines sur certains points.

2. Le comité de patronage de *La Tribune des peuples* comprend également des minoritaires des deux familles politiques associées dans la gestion publique : *La Jeune République* pour le MRP et les intellectuels anticolonialistes de la SFIO comme Jean Rous et Charles-André Julien.

Angleterre, écrit-il, l'aide américaine s'apparentait à un coup de main apporté à un commerçant courageux qui a eu des déboires, tandis qu'en France « l'aide était extorquée par un entrepreneur besogneux et larmoyant [...] absolument décidé à ne pas restreindre son train de vie ». Cette soumission a mis fin au tripartisme, empêché une meilleure redistribution du revenu national, rejeté les communistes dans un ghetto. Elle a ouvert la voie à la mise en place d'un puissant appareil financier américain, doublé d'une pénétration des services américains dans les administrations françaises (l'ancien responsable des NAP que fut Bourdet a tendance à voir rapidement partout du noyautage). Enfin, l'aide américaine a permis à la classe politique française d'éviter d'aborder de front les vrais problèmes : réformes fiscales, guerre du Vietnam, problème colonial en général.

Quant à la conception de l'ordre international proposée par *La Tribune des peuples*, c'est sous une plume anglaise, celle de Barbara Castle, député et membre du Comité exécutif du Parti travailliste, qu'on la trouve exprimée de la manière la plus percutante. C'est le principe du vivre et laisser-vivre :

> Le fait que nous devons reconnaître franchement, sans quoi nous irons au désastre, c'est qu'il y a une divergence fondamentale entre la Grande-Bretagne et les États-Unis en ce qui concerne le communisme et sa place dans le monde. Notre attitude [...] est que nous voulons coexister avec le communisme. Nous voulons retourner à l'esprit de San Francisco, à l'esprit qui est à la base de la charte des Nations unies, l'esprit d'entente, du vivre et laisser-vivre [1].

Cette dénonciation de la politique américaine en Europe s'applique évidemment à son volet syndical et à son chef d'orchestre, Irving Brown, pris à partie dès le premier numéro de *La Tribune des peuples* sur un mode sarcastique et présenté comme « l'ambassadeur sans lettre de créance du gouvernement de Washington auprès des milieux ouvriers français », agissant à coups de dollars et de « conseils désintéressés » (en privé les propos sont beaucoup plus durs, Brown étant stigmatisé comme le grand corrupteur de la gauche française). Parallèlement, la CGT-FO est perçue par la petite gauche comme une centrale immobiliste dirigée par une bureaucratie médiocre appuyée par l'Amérique.

1. Barbara Castle, *La Tribune des peuples*, n° 3, juillet-août 1953.

Le comité de patronage de *La Tribune des peuples*, nous l'avons dit, regroupe des minorités situées hors de la coalition gouvernementale de Troisième Force. Aussi n'est-il pas étonnant de trouver *Reconstruction*, minorité de la CFTC, alignée, elle, sur la gauche travailliste britannique. Quoique moins virulent et polémique que Claude Bourdet, l'intellectuel de référence de *Reconstruction*, Paul Vignaux, publie également en 1953 un article révélateur contre la politique européenne associée à la politique américaine [1]. 1953 est l'année où la polémique fait rage sur le projet de Communauté européenne de défense. Mais l'article de Paul Vignaux dépasse la conjoncture : le syndicaliste récuse le projet d'un marché commun européen de 270 millions de consommateurs pour réaliser une prospérité à l'américaine (l'objectif énoncé par Paul Hoffman en 1949 au conseil de l'OCDE), et ce pour deux raisons : premièrement, l'analogie avec les États-Unis ne tient pas; deuxièmement, l'économie moderne suppose une intervention de l'État. Vignaux refuse l'argumentation des européanistes les plus farouches (avancée notamment dans l'entourage de Jean Monnet) selon laquelle la France étant incapable de renouveler ses structures, seule la pression des compétiteurs étrangers avec l'ouverture des frontières pourrait lui permettre de se moderniser. L'opposition de Paul Vignaux à la politique américaine en Europe ne procède pas d'un quelconque provincialisme fermé. L'homme connaît les États-Unis, où il a passé la guerre. Mieux encore, c'est un admirateur de Niebuhr (dont il est très proche sur les plans théologique et politique), un des présidents d'honneur du Congrès pour la liberté de la culture. Il s'agit bien d'une opposition politique profonde, mettant en cause deux modèles de modernisation de la société française, avec un désaccord fondamental sur le rôle que doit tenir l'État dans ce processus.

L'idée d'un axe de gauche franco-britannique opposé à la politique américaine en Europe ne devait pas survivre à l'expédition de Suez et à la révolution hongroise. Toutefois, les espérances politiques de ce milieu vont se cristalliser autour de la brève expérience gouvernementale de Pierre Mendès France. Mendès France, extérieur à l'alliance de troisième force

1. Paul Vignaux, « Illusions européennes et responsabilités nationales », *La Tribune des peuples*, n° 3, juillet-août 1953.

MRP-SFIO, résume dans sa personne et sa politique toutes les aspirations de cette gauche : souci de l'indépendance nationale; appui aux programmes de nationalisation réalisés en Europe au lendemain de la Seconde Guerre mondiale; option en faveur d'une accélération du processus de décolonisation; méfiance à l'égard de la construction européenne, perçue comme une alliance entre l'Amérique et les forces de droite; hostilité à la politique des blocs. Dernière caractéristique du mendésisme : si sur le plan intérieur il lève l'hypothèque du Front populaire (décomptant les voix communistes lors de son investiture à l'Assemblée nationale), sur le plan extérieur il s'accommode d'une coexistence avec le monde communiste, faisant sien le principe exprimé par Barbara Castle : vivre et laisser vivre. De plus ce milieu est ouvert sur l'Angleterre. Les œuvres de Keynes et de Clark sont connues et influentes dans l'ordre économique, la référence à l'Angleterre s'étend également au domaine de la culture (valorisation de la BBC contre l'ORTF). Les idées de productivité et de négociation, deux piliers sur lesquels s'appuie la recherche de nouvelles formes de démocratie industrielle, sont parfaitement intégrées, elles aussi.

Avec l'instauration de la Ve République, un double mouvement se produit : l'affaiblissement du vecteur politique européen, corrélatif à l'effacement du MRP et de la SFIO, et une valorisation de la planification. Une continuité certaine demeure *via* les idées keynésiennes de la haute fonction publique entre l'expérience Mendès France et la république gaullienne, faisant du Plan une ardente obligation. À la même époque, le groupe *Reconstruction*, très marqué par le mendésisme, parvient à son objectif : la déconfessionnalisation de la centrale chrétienne, qui fait du socialisme démocratique fondé sur une articulation entre le Plan et le marché son orientation politique

La nouvelle CFDT se trouve dans un rôle d'opérateur sociopolitique, entrant dans la constellation des « conspirateurs de modernisation », selon l'excellente formule d'un journaliste anglais, Andrew Shonfield, dont le livre [1] est mis en forme par Bernard Cazes, un haut fonctionnaire du commissariat général au Plan proche du groupe *Reconstruction* et qui fut mendésiste à son heure. Que le meilleur livre sur le rôle du Plan soit le fait

1. Andrew Shonfield, *Le Capitalisme moderne*, Gallimard, 1967.

d'une plume anglaise témoigne bien de la permanence d'une filiation. C'est incontestablement ce milieu qui se montre le plus perméable aux recherches nouvelles sur la démocratie industrielle. Un dernier élément doit être ajouté au tableau : celui qui fait intervenir les relations syndicales internationales. Si les liens entre l'AFL et la CGT-FO sont en quelque sorte consubstantiels, à partir de 1952 le CIO commence à intervenir dans le champ international et entre en contact avec la CFTC. Si l'on se reporte à l'analyse du syndicalisme américain présentée par Daniel Bell lors de son passage à Paris, cette articulation entre le CIO et la future CFDT permet d'éclairer une autre dimension d'identité de cette centrale syndicale : l'orientation vers le changement social [1], qui va s'affirmer tout au long de la Ve République.

Un séminaire international du CCF constitue un carrefour de confrontation d'idées et d'analyses, en même temps qu'un point d'éclatement et de diffusion de problématiques politiques et intellectuelles. Aussi, une fois débrouillés les cheminements des débats français sur la productivité, la démocratie industrielle, le syndicalisme, il reste à effectuer la même démarche sur la seconde thématique initiée par le séminaire d'Oxford de 1957 et à voir comment l'analyse de l'évolution du système soviétique est reprise par des acteurs français.

Le tableau brossé jusqu'ici permet de voir, dans le cas de Sartre, qu'il vaut mieux s'en tenir à la circonspection du point d'interrogation pour parler de la fin de l'âge idéologique dans la vie intellectuelle parisienne. Les recherches les plus récentes le montrent vers l'année 1960 fort occupé à convaincre ses partenaires soviétiques que leurs intérêts sont bien mal servis en France par le Parti communiste et qu'il serait pour sa part un meilleur médiateur pour redresser l'image du régime. Quant à la réalité soviétique même, son gros livre bataille sur deux fronts : contre les « staliniens » et les « trotskistes », la « bureaucratie » et la « démocratie directe ». Un des rares moments où

1. Tel est le point d'équilibre au moment où intervient la déconfessionnalisation de la CFTC. Après la transformation de la CFTC en CFDT, une nouvelle source d'influence politico-intellectuelle va s'élargir, celle d'André Gorz, un proche de Sartre, dont le livre (pratiquement contemporain du colloque de la Société française de sociologie), *Stratégie ouvrière et néocapitalisme* (Éditions du Seuil, 1964), connaît un grand retentissement à la CFDT. Gorz, entré aux *Temps modernes* en 1961, se fait l'interprète-théoricien à Paris de la centrale syndicale italienne sous contrôle communiste, la CGIL.

Critique de la raison dialectique rencontre la réalité soviétique concerne la phénoménologie de l'agitateur de kolkhoze [1]. Sartre expose lourdement à son lecteur que ledit agitateur en lutte contre la « dissolution sérielle » peut sans doute être crédité d'« arrogance volontariste » mais que rien cependant n'autorise à parler de « dictature ». La culture khâgneuse semble ici se pasticher elle-même. On est à mille lieues de la légèreté et de la virtuosité de la phénoménologie du garçon de café de *L'Être et le Néant*. Son lecteur n'a pas de peine, comme un Jean-Daniel Reynaud sur le terrain précédent, à penser que la modeste raison analytique doit décidément l'emporter sur la raison dialectique pour une compréhension de l'univers contemporain. C'est encore trop peu que de dire qu'il faut contourner Sartre pour développer une analyse critique informée de l'Europe soviétisée après la mort de Staline.

A la différence des problèmes de démocratie industrielle, le milieu réformiste de gauche et de centre gauche appuyé sur la planification ne joue aucun rôle créatif sur le second volet d'action initié par la problématique de la fin des idéologies. On retrouve ici la trace du môle de résistance mendésiste déjà mis en évidence. Si le milieu de la petite gauche, qui va se reconnaître dans le mendésisme sous la IVe République et qui se montre sensible à la capacité réformatrice de la Ve République gaullienne, a joué un rôle très actif dans le processus de décolonisation, il n'a en revanche manifesté aucun souci européen marqué (c'est même un euphémisme si l'on considère son engagement parfois passionnel contre la CED). Sa position est ici diamétralement inverse de celle de la SFIO, impliquée dans la construction européenne et enlisée dans la question coloniale. Par ailleurs, l'attachement de ces milieux à la défense des nationalisations réalisées en Europe au lendemain de la Seconde Guerre mondiale (en Angleterre, en France et en Tchécoslovaquie, pour ne prendre que ces trois exemples) les incline à une sympathie certaine à l'égard des démocraties populaires où les nationalisations ont frayé la voie à une planification efficace. La combinaison d'un programme de nationalisation et d'une planification également nationale définit en effet la possibilité d'une troisième voie entre capitalisme et soviétisme : ainsi, à Paris, le milieu le plus réceptif au thème de la démocratie industrielle est

1. *Critique de la raison dialectique, op. cit.*, pp. 409 et suiv.

aussi le plus sensible à la notion de troisième voie, masquant la nature totalitaire des régimes est-européens.

Dès lors, le changement le plus significatif concerne les modifications internes au milieu du Congrès pour la liberté de la culture à Paris. L'évolution peut être saisie à partir de l'action de trois hommes : Constantin Jelenski, David Rousset et Boris Souvarine, dont les réalisations et les itinéraires permettent d'éclairer de manière vive le processus de diversification qui accompagne le passage de la guerre froide de type I à celle de type II dans la capitale française.

Constantin Jelenski n'a pas attendu le séminaire d'Oxford pour tirer les enseignements politiques des possibilités de changement du système soviétique apparues en Pologne dès 1955, puis en Hongrie en 1956. Il se situe pleinement dans la perspective de Michael Polanyi, pour lequel il professe une grande admiration et dont il essaiera vainement de faire traduire l'œuvre en France. C'est-à-dire qu'à ses yeux le révisionnisme n'est pas seulement la réaction néomarxiste au totalitarisme stalinien initiée par les jeunes communistes polonais et hongrois. En un sens beaucoup plus large, il désigne le reflux de l'influence des idéologies millénaristes sur les intellectuels et l'opinion en général. Ce reflux est observable aussi bien dans le monde occidental que dans le monde communiste [1]. C'est le cadre qui soutient le développement de l'action du Comité d'entraide des écrivains et des éditeurs mis sur pied après la réunion des directeurs de revue organisée à Zurich sous la présidence d'Ignazio Silone. Le comité, animé par Jelenski, se substitue ainsi au FIF de Koestler. La sortie de la guerre froide chaude est nettement marquée, tout comme est hautement significatif le fait que Jelenski domicilie chez lui le nouveau comité pour éviter qu'il ne soit trop lié à l'image de combat qui était jusqu'alors celle du CCF.

Toutefois, les destins croisés de David Rousset et de Boris Souvarine sont de loin les plus éclairants. Chacun d'entre eux en effet crée une revue à Paris dont il est à la fois la figure de référence et l'animateur – *Saturne* pour Rousset, *Le Contrat*

1. Dans l'introduction de *History and Hope*, Constantin Jelenski réunit ainsi cinq revues où se conjuguent l'abandon du marxisme doctrinaire et la recherche d'un nouvel humanisme socialiste : *Po Postu, Ironaldni Upsag, New Left Review, Arguments, Dissent.* Trois pays de l'Ouest sont concernés (États-Unis, Grande-Bretagne et France) et deux de l'Est (Pologne et Hongrie).

social pour Souvarine. Le premier numéro du *Contrat social* paraît en mars 1957. Celui de *Saturne* est publié un an plus tôt, en janvier 1956. *Saturne* tente de s'appuyer sur les événements de Hongrie et vise à une mobilisation élargie des intellectuels français tandis que *Le Contrat social* sort la même année que le séminaire international d'Oxford consacré à la transformation du système soviétique. La durée de vie de *Saturne* sera brève, celle du *Contrat social* beaucoup plus longue, la revue de Souvarine doublant le cap toujours redoutable des dix ans d'âge. Le relatif effacement de David Rousset et l'élargissement des moyens d'influence de Souvarine s'inscrivent eux aussi dans le passage de la guerre froide de type I à celle de type II.

La CICRC, animée par David Rousset, représente un centre d'information et de documentation correspondant pleinement au mode d'action souhaité par Irving Brown. C'est bien en tant que figure de proue de la CICRC qu'il est associé au Comité exécutif du Congrès pour la liberté de la culture. Toutefois, le Comité exécutif refusera, on l'a vu, que des liens trop étroits s'établissent entre les deux structures, comme il en a formulé un jour le souhait. Le type de rapports qui s'établit entre la CICRC et le congrès n'est pas sans rappeler celui instauré entre les Amis de la liberté et le Secrétariat international. Après la révolution antitotalitaire hongroise, le lancement de *Saturne* est accompagné d'un resserrement des liens entre David Rousset et Louis Martin-Chauffier, chrétien progressiste, signataire de *L'Heure du choix*, une des grandes figures de la déportation de l'époque, profondément engagé en faveur de la Hongrie. L'idée est de s'appuyer sur le courant intellectuel qui n'a jamais pactisé avec le mensonge sur l'URSS [1] pour lancer une nouvelle revue qui déborde le cadre spécifique de la CICRC (*Saturne* se présente en effet comme une transformation du bulletin de la commission). La nouvelle revue agrège des signatures françaises que l'on retrouve dans des publications du

1. David Rousset en circonscrit en 1956 les contours de la manière suivante : Maurice Nadeau, Georges Altman, André Malraux, Albert Camus, Serge Groussard, Louis Martin-Chauffier, André Breton, Jean Guéhenno, Maxime Leroy, Jean Rostand, Boris Souvarine, Théo Bernard, Nicolas Lazarevitch, Raymond Aron, Gérard Rosenthal, Pierre Emmanuel, Charles Ronsac, Remy Roure, Gérard Monatte, Alfred Rosmer, Pierre Naville, Robert Louzon. La comparaison de cette liste avec le comité de patronage français de *La Tribune des peuples* (26 noms, contre 22 pour le tableau d'honneur dressé par Rousset) permet de mettre en évidence deux ensembles rigoureusement non séquents.

CCF, mais à aucun moment elle n'opère une jonction avec le milieu anticommuniste libéral international tel qu'on le voit se cristalliser à Oxford après la révolution antitotalitaire hongroise.

C'est le mouvement inverse qui caractérise *Le Contrat social*, la nouvelle revue lancée par Boris Souvarine. Souvarine était aux États-Unis pendant la guerre. Lorsqu'il revient à Paris, en 1947, il se définit immédiatement par une hostilité radicale à la connivence qu'il croit voir s'esquisser entre deux des principaux piliers de la résistance au nazisme – le gaullisme et le communisme –, et qui conduirait à adopter une attitude acritique à l'égard de l'Union soviétique. Souvarine a appartenu lui aussi à un des micromilieux intellectuels constitutifs de la fédération de la Seine de la SFIO d'avant guerre, le Cercle marxiste. A son retour des États-Unis, il collabore avec les socialistes violemment antistaliniens emmenés par Georges Albertini (où l'on retrouve des anciens du Cercle marxiste comme Lucien Laurat), qu'il aide pour le lancement du BEIPI, que nous connaissons déjà [1]. Ainsi non seulement Boris Souvarine n'occupe-t-il pas la même position que David Rousset dans la vie intellectuelle du Paris de l'après-guerre, mais son anticommunisme radical le conduit à collaborer aux organes les plus virulents de ce que la gauche intellectuelle stigmatise comme anticommunisme primaire : le BEIPI d'Albertini (qu'il propose de rebaptiser *Est-Ouest* après la Hongrie) et *Ésope*, le bulletin du groupe Paix et Liberté. Corrélativement, sa collaboration à *Preuves*, qui débute dès les premiers numéros réalisés par Bondy, en 1951, est toujours anonyme, jusqu'à la Hongrie précisément.

L'apparition du *Contrat social* s'inscrit donc dans la restructuration du monde des revues qui intervient à Paris après 1956 (création d'*Arguments*, transformation de bulletins antérieurs pour donner naissance à *Est-Ouest* et à *Saturne*), mais, à l'inverse de l'entreprise de Rousset, l'entreprise de Souvarine réussit pleinement le passage de la guerre froide de type I à celle de type II. C'est que le rapport entre légitimité

1. L'homogénéité du Cercle marxiste est brisée puisqu'un de ses anciens, Charles Ronsac, n'entretient après la guerre aucune relation avec le cercle du BEIPI. Les mémoires de Ronsac, *Trois Noms pour une vie*, rédigés à Paris dans la seconde moitié de la décennie 1980, sont marqués d'une immense nostalgie de cette rencontre manquée avec « Boris » dans l'après-guerre.

intellectuelle parisienne et légitimité intellectuelle internationale joue en sens inverse chez les deux hommes. Rousset est un tribun, dont les manières d'apparatchik déplaisent souvent et dont la connaissance des langues étrangères est, de plus, limitée. Il est mal à l'aise dans les rapports internationaux, au double sens du terme : l'analyse des relations internationales et la capacité personnelle d'action. Homme de l'ombre et d'influence, Souvarine dispose en revanche d'une grande légitimité intellectuelle tant aux États-Unis qu'en Grande-Bretagne. Ses liens avec le *New Leader* à New York sont étroits. « Sol » (Levitas), « Dave » (Dubinsky) et « Boris » (Souvarine) appartiennent au même monde. L'autre point d'attache historique et organisationnel de Souvarine est Boris Nicolaevski, dont on se souvient qu'il a présidé le grand meeting de clôture du *Kongress für kulturelle Freiheit* en 1950. *Le Contrat social* est en effet publié par l'Institut d'histoire sociale, qui a succédé en 1948 à la section parisienne d'avant guerre de l'institut du même nom créé en 1935 à Amsterdam, section française dirigée par Nicolaevski, flanqué de Souvarine au poste de secrétaire général. Cette section française de l'institut d'Amsterdam a été détruite par les Allemands lors de leur entrée à Paris, en 1940. Un Institut d'histoire sociale est relancé sous forme privée après la guerre à Paris avec un soutien financier américain – l'institut d'Amsterdam n'ayant plus la capacité de soutenir une section parisienne – et Souvarine en assure toujours le secrétariat général.

A Paris, *Le Contrat social* est sans conteste le lieu le plus proche intellectuellement et politiquement de *Survey* pour faire converger la vieille tradition menchevik antistalinienne et les nouvelles analyses universitaires du système soviétique. Dès sa première année d'existence, *Le Contrat social* informe ses lecteurs d'un accord conclu avec *Survey*. La revue de Labedz donne à celle de Souvarine le droit de reproduire ses articles [1]. Ainsi *Le Contrat social* publie-t-il de nombreux textes traduits de l'anglais, provenant non seulement de *Survey*, mais encore de *Problems of Communism*, édités à Washington.

L'éditorial de lancement du *Contrat social* place la revue sous le patronage de Raymond Aron, en reprenant des éléments de son intervention à l'Académie des sciences morales et politiques sur le sens de l'histoire. L'intervention d'Aron s'inscrit dans le

1. *Le Contrat social*, t. II, n° 3, juillet 1957.

droit fil de la fin de l'âge idéologique et de la problématique de la fin des idéologies : refus de l'histoire totale, sans rien renier de la référence à la possibilité d'une société vivant selon la raison, à moins de consentir à l'injustice. La chute de cet éditorial sonne comme un manifeste :

> [...] Au service de cet ingrat progrès qui tend à introduire plus de raison et de justice dans le contrat social, quelques hommes de bonne volonté ont cru nécessaire de rassembler dans une nouvelle revue les écrits d'auteurs qualifiés pour traiter en connaissance de cause, et en dépassant les argumentations caduques, des matières relatives aux transformations sociales, aux interprétations et aux prévisions historiques. Dans ces domaines une inculture dangereuse sévit à mesure qu'en public il est de plus en plus question de culture, de services culturels, de relations culturelles, et « les opinions tuent la vérité », comme disait Lacordaire.

Si *Saturne* et *Le Contrat social* sont appelés à des destins divergents, un lien existe entre les deux univers en la personne de Paul Barton. Collaborateur de *Saturne* et du *Contrat*, c'est Barton qui, employé à plein temps à la CICRC, mène à bien l'étude sur le travail forcé en Union soviétique, qui aboutit à un livre publié à Paris en 1959 [1]. Cette étude prolonge et réactualise l'enquête réalisée par David Dallin et Boris Nicolaevski sur le même sujet, publiée dix ans plus tôt à Paris [2]. Une époque s'achève. Après le rapport Khrouchtchev, le problème de l'univers concentrationnaire en URSS passe désormais au second plan. Il est logique que le relais soit pris par *Le Contrat social*, qui devient à Paris (sans être formellement associé au Congrès pour la liberté de la culture) la revue où s'exprime le plus directement le courant anticommuniste libéral, les Aron, Berlin, Weidlé, Pipes, Wolfe, qui formaient la communauté de référence du séminaire d'Oxford. La revue de Souvarine constitue également la meilleure source de langue française sur les travaux de langue anglaise portant sur le système soviétique, notamment (mais pas exclusivement) ceux réalisés à Harvard, qu'il s'agisse de la grande enquête de Bauer, Inkeles et Kluckhohn ou encore des travaux de Fainsod ou de Pipes permettant

1. Paul Barton, *L'Institution concentrationnaire en Russie (1930-1957)*, précédée du *Sens de notre combat* par David Rousset, Plon, 1959.
2. David Dallin et Boris Nicolaevski, *Le Travail forcé en URSS*. Le livre original a été publié en 1947 aux États-Unis.

l'approfondissement de l'analyse historique et politique de la Russie soviétique.

Toutefois, à la différence de ce que l'on peut observer sur la première dimension d'opérationnalisation de la problématique de la fin des idéologies, la société industrielle, il n'existe pas sur la seconde dimension, la connaissance critique du soviétisme, de milieu-support analogue au commissariat général au Plan pour permettre l'épanouissement d'un nouveau type de travail intellectuel. La France ne dispose pas d'un tissu institutionnel comparable à celui de la Grande-Bretagne pour nourrir de telles analyses. Il n'existe pas à Paris de milieu universitaire analogue au triangle d'Oxford-Cambridge-*London School of Economics*. L'influence conjuguée de Sartre et des communistes sur de nombreux universitaires français entrave les possibilités de développement d'une capacité d'analyse critique. Enfin, le statut de la radio publique française ne lui permet pas de mener en direction de l'Est une politique aussi ouverte et aussi dynamique que celle de la BBC.

Quant au Congrès pour la liberté de la culture dans son ensemble, s'il est appelé à devenir un remarquable vecteur de développement des sciences sociales, il ne parviendra jamais à mordre sur les sciences dures, malgré le comité *Science and Freedom*. Un seul savant de premier plan participera à ses travaux, Robert Oppenheimer, mais son rôle restera avant tout symbolique. Michael Josselson échouera par ailleurs à entraîner Michael Polanyi dans une étude et un débat internationaux sur le nucléaire civil. Dans le domaine des sciences dures, les relations Est-Ouest seront dominées par une autre organisation non gouvernementale, la conférence Pugwash, qui bridera toujours les velléités du CCF d'élargir son influence dans cette direction. Une seconde limite des travaux du congrès concerne le balayage des sociétés contemporaines elles-mêmes. A relire l'ensemble des documents, il apparaît que l'analyse du nationalisme, hormis sa perversion que constitue le fascisme, y tient relativement peu de place. Du côté des États-Unis, dans la mesure où la problématique de la fin des idéologies est corrélée avec une théorisation de l'exceptionnalisme américain, au triple niveau historique (Révolution américaine contre Révolution française), socio-économique (*counterveiling power* et pluralisme des élites) et culturel (culture du changement contre anomie), elle ne fait pas place au nationalisme tel que l'a connu l'Europe. Du côté européen, le choix en faveur de la construction européenne et, jusqu'à un certain point, le poids spécifique des hommes attachés au fédéralisme européen contournent trop facilement le problème national. Il n'est pas jusqu'à l'analyse des processus de déstalinisation par le bas intervenus en Pologne et en Hongrie en 1955 et 1956 qui n'en soit affectée, comme le remarque Constantin Jelenski avec l'esprit incisif qui est le sien dans l'introduction de *History and Hope*, où, après avoir dit son accord complet avec Polanyi, il observe néanmoins un décalage entre les intellectuels et les peuples : les premiers sont tournés vers un nouvel humanisme socialiste sans renouveau du sentiment religieux, renouveau observable en revanche en conjonction avec celui du sentiment national chez les seconds.

CHAPITRE VIII

Le Congrès à son apogée organisationnel

La restitution de la problématique de la fin des idéologies a permis de présenter le travail intellectuel soutenu par le CCF dans sa phase de montée en puissance, en même temps que de circonscrire sa nouvelle identité de la réunion internationale de Milan au congrès anniversaire de Berlin. Une coupe de l'organisation entre 1960 et 1965, de la seconde réunion de Berlin au début de la guerre du Vietnam, permet de brosser un tableau du Congrès pour la liberté de la culture à son apogée.

La mondialisation du Congrès pour la liberté de la culture

La manifestation organisée du 16 au 22 juin 1960 à la *Kongresshalle* de Berlin pour fêter le dixième anniversaire du *Kongress für kulturelle Freiheit*, devenu *Congress for Cultural Freedom*, témoigne de l'internationalisation accomplie par l'organisation au terme de ces dix ans. Elle réunit 213 participants répertoriés : 34 Américains, 118 Européens, 61 venus d'autres parties du monde. La liste des Européens présents à Berlin (cf. encadré p. 380) permet de dénombrer 44 participants allemands, de sorte qu'avec les 34 participants venus des États-Unis, l'ensemble germano-américain constitue plus du tiers des effectifs de ce congrès anniversaire de 1960. Pareille proportion exprime l'axe géopolitique constitutif du CCF en Europe. Le retour aux sources ne saurait être mieux exprimé que par ces chiffres.

PARTICIPATION EUROPÉENNE
AU CONGRÈS DU DIXIÈME ANNIVERSAIRE

ALLEMAGNE : R. Becker, B. Blacher, W. Brandt, H. Bott, W. Bussmann, M. Gräfin Dönhoff, G. von Eynern, O.K. Fleichtheim, E. Fraenkel, O.H. von der Gablentz, H. Golwitzer, W. Grohman, W. Hoftmann, R. Hagtelstange, K. Harprecht, H.W. Hartwick, H. Herzfeld, T. Heuss, H.E. Hübinger, H. Jaesrich, H.J. Liebert, C. Linfert, T. Litt, K. Löwith, F. Luft, G. Meistermann, J. Moras, E. Neuman, B. von Nottbeck, K. Lotto, R. Pechel, J. Pieper, K. Riedemestemer, J. Rufev, J. Röhle, F. Rupp, K. Schiller, B. Snell, C. Schmid, F.J. Schoeningh, O. Stammer, H.H. Tuckenschmidt, J.C. Witsch, F. Wördemann.
GRANDE-BRETAGNE : K. Bliss, C.A.R. Crosland, C. Fitzgibbon, D. Healey, R. Hoggart, J. Oll, L. Labedz, W. Laqueur, R. Löwenthal, R. MacFarquhar, R. Marris, M. Polanyi, H. Read, H. Seton-Watson, P. Miles, P. Wursthorine, M. Young, A. Hourani, C. Hourani.
SUISSE : F.R. Allemann, F. Bondy, J. Freymond, A. Gaspard, J. Hersch, W. Höfer, H. Lüthy, H. Oprecht, D. de Rougemont.
FRANCE : R. Aron, G. Berger, E. Berl, R. Caillois, E. de Dampierre, J. Duvignaud, G. Friedmann, B. de Jouvenel, C. Morazé, E. Morin, A. Philip, G. Salles, M. Sperber.
ITALIE : E. Boeri, V. Branca, A. Buzzati-Traverso, N. Chiaromonte, F. Ferrarotti, A. Garosci, N. Matteuci, P. Milano, I. Silone, A. Spinelli, L. Venturi, E. Zola.
GRÈCE : G. Casimatis, C. Doxiadis.
ESPAGNE : A. Castro, G.F. Mora, L. Gomis, S. de Madariaga.
AUTRICHE : K. Czernetz, F. Torberg.
DANEMARK : H. Fousmark, F. Jakobsen.
HOLLANDE : P. Geyl, F. Goldbeck, R.M. Hammachev.
SUÈDE : I. Hedenius.
HONGRIE : P. Ignotus, T. Meray.
POLOGNE : K. Jelenski, C. Milosz.
ISLANDE : R. Benediktson, G. Gunnarion, E.K. Jonsson.
NORVÈGE : H. Lie.
FINLANDE : H. Waris.
TURQUIE : S.E. Siyavusgil.

On retrouve bien entendu en 1960 à Berlin les principales figures qui, sur les divers continents, ont formé l'armature du congrès depuis sa création. La manifestation s'apparente à une grande réunion de famille. Ouverte le 16 juin dans l'après-midi, la séance inaugurale voit se succéder à la tribune Willy

Brandt, Theodor Heuss, Ignazio Silone, Gaston Berger, Gabriel d'Arboussier, Salvador de Madariaga, Jayaprakash Narayan, Robert Oppenheimer. La manifestation est ensuite structurée autour de quatre groupes de travail qui reprennent les têtes de chapitre du programme financé par la fondation Ford sur les problèmes du progrès. Deux de ces groupes nous sont connus, ceux animés par Aron et Polanyi. Les deux autres, dirigés respectivement par Nabokov et Shils, n'ont pas donné lieu ultérieurement à publication de leurs débats. Le groupe présidé par Nicolas Nabokov concerne les arts et est articulé autour de quatre séances, consacrées successivement au marché de la peinture, au théâtre, à la musique et au mécénat. Il prolonge ainsi tout naturellement le programme artistique dont Nabokov a la charge depuis son arrivée à Paris, au printemps 1951. Mais c'est la première fois que le programme artistique constitue ainsi l'ossature d'un séminaire d'envergure du congrès.

Le groupe animé par Shils concerne non les arts mais la culture. C'est aussi le plus chargé de tous. Il se décompose en six séances étalées sur quatre jours et rassemble en fait deux problématiques sous un même chapeau, les deux faces des débats correspondant bien aux intérêts intellectuels d'Edward Shils lui-même. La première, consacrée aux relations entre sociétés traditionnelles et société moderne dans les pays en voie de développement, est fondée sur des rapports et des interventions de Venkatap-Piati, Ogunsheye, Nicol et Jacobson. La seconde traite de la culture de masse dans les sociétés développées, avec des interventions de Friedmann, Crosland, Hoggart, Morin, Jouvenel, Galbraith, Kristol et Weightman.

Au terme des travaux de ce congrès anniversaire, l'assemblée générale du CCF élit un nouveau Comité international. Avec le remaniement des présidences d'honneur, ce comité voulait témoigner avec éclat de la vocation mondiale du congrès. Précisons la position des hommes mis ainsi sur le devant de la scène en 1960. Après Berlin, les présidents d'honneur sont au nombre de sept, quatre anciens (Madariaga, Jaspers, Maritain, Niebuhr) et trois nouveaux (Heuss, Narayan, Senghor). En 1960, trois des présidents d'origine sont morts : Croce, Dewey et Reuter. Reuter et Dewey ont été remplacés, Dewey par Niebuhr et Reuter par Heuss. Croce, en revanche, n'a pas eu de remplaçant italien. De plus, Russell a démissionné de cette fonction et aucun Anglais n'a assuré la relève. La promotion de Narayan et de Senghor, l'Indien et l'Africain, veut naturellement témoigner pour et de la vocation mondiale du Congrès pour la liberté de la culture. Narayan est lié au CCF depuis l'origine. Il a même été un temps le candidat potentiel opposé à Nehru pour faire pièce au neutralisme de celui-ci. Sa promotion aux fonctions de président d'honneur intervient alors qu'il abandonne la politique active (il semble se consacrer désormais au développement communautaire). La cooptation de Senghor, à l'inverse, exprime bien évidemment un geste politique : son arrivée permet tout à la fois de se concilier l'Afrique et la nouvelle République française, Vᵉ du nom, quelque peu ombrageuse à l'égard des États-Unis.

Le Comité international, parlement du CCF, ne joue aucun rôle réel, mais sa composition conserve une forte valeur symbolique. Cernons, à nouveau, l'écart entre la fonction de faire-valoir (cf. encadré p. 383) et l'implication réelle des hommes dans la vie du congrès. On peut grossièrement classer les membres de ce Comité international en trois catégories. La première est formée par le noyau ancien, qui conserve un rôle actif ou très actif dans les processus de décision en interaction avec le Secrétariat international dans la première moitié de la décennie 1960. Ce sont essentiellement : Aron, Silone, Spender, Chiaromonte, Nabokov, Shils, que l'on retrouve avec Rougemont au Comité exécutif, que ce dernier préside depuis 1951. Les hommes qui ont été des figures importantes dans les années antérieures mais qui ne jouent plus aucun rôle ou dont le rôle va s'effaçant à partir de 1960 forment la seconde catégorie. C'est notamment le cas de Schmid (étroitement associé au départ, il s'efface pratiquement dans la seconde moitié des années 1950) et surtout de Hook et de Polanyi. Si Hook s'est rendu à Berlin au congrès anniversaire de 1960, il y a plusieurs années déjà qu'il est en voie de marginalisation. Dans les mémoires qu'il publiera en 1987 [1], l'ancien président de l'ACCF se montrera très sévère à l'égard des Européens du congrès. Le livre ajoute un élément supplémentaire au contentieux chargé entre l'ACCF et le CCF. Au début des années 1960, il est vrai, l'ACCF n'a plus aucune existence

1. Sidney Hook, *Out of Step*, *op. cit.*

outre-Atlantique. Déjà au cours des années précédentes, Josselson a à plusieurs reprises cherché à s'en débarrasser. Si, dans ses mémoires, Sidney Hook déclare qu'il a de lui-même coupé les ponts avec Paris, la consultation des archives conduit à nuancer son propos : après la réunion internationale de Milan, Hook eût souhaité que le congrès organisât d'autres rencontres internationales sur le modèle de *L'Avenir de la liberté*. Josselson lui fit savoir qu'il n'en était pas question. Le temps de ces grandes manifestations était désormais révolu.

LE CONSEIL INTERNATIONAL DU CCF
EN JUIN 1960

Gabriel d'Arboussier (Sénégal)
German Arciniegas (Colombie)
Raymond Aron (France)
A.K. Brohi (Pakistan)
Nicola Chiaromonte (Italie)
C.A.R. Crosland (Grande-Bretagne)
Pierre Emmanuel (France)
Jeanne Hersch (Suisse)
Sidney Hook (États-Unis)
Fröde Jakobsen (Danemark)
Arthur Lewis (Antilles)
Minoo Masani (Inde)
Maung Maung (Birmanie)
Asoka Mehta (Inde)
Davidson Nicol (Sierra Leone)
Ayo Ogunsheye (Nigeria)
Robert Oppenheimer (États-Unis)
Mariano Picon Salas (Venezuela)
Denis de Rougemont (Suisse)
Luis Alberto Sanchez (Pérou)
Arthur Schlesinger Jr (États-Unis)
Carlo Schmid (Allemagne)
Yoshihiko Seki (Japon)
Hugh Seton-Watson (Grande-Bretagne)
Ignazio Silone (Italie)
Sabri Siyavusgil (Turquie)
Bruno Snell (Allemagne)
Stephen Spender (Grande-Bretagne)
Manès Sperber (France)
Michio Takeyama (Japon)
J.C. Witsch (Allemagne)

Ex officio

Julius Fleischmann (États-Unis)
Michael Polanyi (Grande-Bretagne)
Edward Shils (États-Unis)
Nicolas Nabokov (secrétaire général du congrès)

L'éloignement de Michael Polanyi est beaucoup plus surprenant car, à la différence de Hook ou de Schmid, Polanyi a été pendant les sept années qui viennent de s'écouler, de 1953 à 1960, extrêmement actif et influent au congrès, dont il est devenu une des figures européennes marquantes. Sans doute son nom est-il encore mis en avant entre 1960 et 1965 dans les brochures du Secrétariat international en tant que président du

Comité des séminaires et comme l'un des autres membres *ex officio* du Comité international (avec Fleischmann, Shils et Nabokov), mais dès 1961 l'étiquette ne correspond plus au flacon. Le bulletin *Science and Freedom* a été supprimé et après *History and Hope* Polanyi ne collabore plus guère au CCF. A ses yeux, sa mission est terminée. Il aimerait, du reste, qu'un livre retrace les profils intellectuels des principaux protagonistes du bon combat. Jelenski travaille un temps sur le dossier mais le projet n'aboutit pas.

La troisième catégorie comprend les nouveaux membres cooptés au CI : Snell et Witsch pour l'Allemagne et Seton-Watson pour la Grande-Bretagne. C'est aussi le cas de Pierre Emmanuel en France, recruté l'année précédente pour travailler à plein temps au Secrétariat international à la fois pour rééquilibrer au profit de la littérature les séminaires trop lourdement chargés du côté des sciences sociales et pour démarrer un programme à destination de l'Espagne. Le processus de cooptation ne s'arrête naturellement pas en 1960, il se poursuit pour inclure des représentants des pays (Soudan ou Turquie par exemple) où le congrès étend ses activités. C'est ainsi qu'une Française, Germaine Tillion, le rejoint en 1963. Ethnologue et militante anticolonialiste, elle est très représentative de cette gauche non communiste que le congrès souhaite associer à ses activités et à ses objectifs. Avant sa cooptation, elle a pris en charge dès 1962, la guerre d'Algérie étant terminée, conjointement avec l'écrivain sud-africain Ezekiel Mphahlele, la direction d'un programme destiné aux pays d'Afrique. La répartition des tâches suit naturellement le découpage linguistique, Tillion étant en charge de l'Afrique francophone, Mphahlele de l'Afrique anglophone. La volonté de développer des programmes en Afrique francophone est attestée aussi bien par la nomination de Senghor comme président d'honneur que par la cooptation d'Arboussier au Comité international en 1960. Toutefois, ce n'est pas de Paris mais de Londres que part l'essentiel des interventions vers l'Afrique [1], de sorte que Germaine

1. C'est en 1959 que le CCF organise à Ibadan son premier séminaire africain, qui donne naissance à *Africa. The Dynamics of Change*. Peu de temps après, Melvin Lasky fait une tournée en Afrique, en ramène un livre et ouvre les colonnes d'*Encounter* à la discussion sur les perspectives africaines. La revue prend l'initiative d'un concours de théâtre qui sera le point de départ du lancement de la revue *Black Orpheus*.

Tillion, si elle demeure une figure symbolique, apparaît relativement marginale dans le fonctionnement du CCF à Paris. Elle n'occupera pas auprès du Secrétariat international la place qu'y prendra progressivement Pierre Emmanuel. En effet, les deux revues africaines lancées par le CCF, *Black Orpheus* et *Transition*, sont anglophones, tandis qu'en France la note intellectuelle dominante est d'une tout autre nature. En 1956 s'est tenu à Paris le Congrès mondial des écrivains africains, qui a placé au cœur de sa définition la notion de négritude, à laquelle le CCF s'oppose frontalement. En 1961, Sartre donne sa préface retentissante au livre du psychiatre Frantz Fanon : l'environnement français n'est guère propice à la localisation à Paris d'un programme trop important, prenant une fois de plus la gauche locale à rebrousse-poil.

Le dernier élément témoignant de la mondialisation du CCF à son apogée est la déclaration générale adoptée le 20 juin à Berlin, à la clôture des travaux du congrès anniversaire (cf. encadrés pp. 386 et 387). Deux aspects de ce texte méritent d'être relevés :

– L'universalité des principes sur lesquels veut se fonder le Congrès pour la liberté de la culture : 1) utilité de l'union pour les intellectuels libres du monde entier ; 2) défense de la liberté dans les pays à institutions démocratiques et solidarité efficace avec les intellectuels persécutés dans les pays totalitaires ; 3) libre circulation des hommes et des idées ; 4) défense du droit à la liberté d'expression.

– Une géographie mondiale de la liberté à l'aube de la décennie 1960, passant par la Pologne, la Hongrie, l'URSS, Cuba, l'Amérique latine, la Chine, l'Afrique du Sud, sans oublier les États-Unis – pour un hommage au mouvement des droits civiques. La déclaration témoigne d'un sentiment de grande confiance en soi et d'un optimisme raisonné pour l'avenir.

Le Secrétariat international et le déploiement des activités du congrès

La mondialisation du CCF se traduit par une croissance considérable des activités entreprises et, par conséquent,

DÉCLARATION ADOPTÉE PAR L'ASSEMBLÉE GÉNÉRALE RÉUNIE À BERLIN LE 20 JUIN 1960

Au cours des dix années écoulées depuis que le Congrès pour la liberté de la culture a été fondé, l'événement n'a cessé de confirmer l'utilité pour les intellectuels libres du monde entier de s'unir.

Cette union permet de défendre la liberté dans les pays à institutions démocratiques et d'assurer une solidarité avec les intellectuels persécutés et bâillonnés dans les pays totalitaires.

Le Congrès pour la liberté de la culture peut donc réaffirmer avec confiance les principes qu'il a formulés dès sa création à Berlin.

La libre circulation des hommes et des idées doit être assurée partout. Le droit à la libre expression, inscrit dans toutes les Constitutions démocratiques, sous peine de rester lettre morte, doit être défendu chaque jour.

C'est pourquoi les intellectuels des pays libres doivent être mis en garde contre l'illusion d'une sécurité définitivement acquise : la liberté est en effet sans cesse menacée, non seulement par les dangers extérieurs, mais, à l'intérieur même de ces pays, par des atteintes plus ou moins insidieuses à l'exercice des libertés.

I

Au cours de ces dix dernières années s'est manifestée en revanche la capacité des hommes de notre temps à résister à la pression de la tyrannie instituée.

L'octobre polonais a signifié que les objectifs des intellectuels et ceux de la classe ouvrière se confondaient dans une même exigence de liberté. Malgré les conditions objectives, et en dépit de la contre-offensive des éléments conservateurs, bureaucratiques, et des résidus staliniens, le réveil de la vie de l'esprit n'a pas cessé de s'affirmer.

En Hongrie, dans des conditions plus difficiles, l'union des intellectuels et des travailleurs a eu une issue tragique. Cependant, et malgré une répression brutale, la capitulation des meilleurs éléments intellectuels n'a pas été obtenue.

En URSS, les espoirs de dégel, au lendemain de la mort de Staline, ont été largement déçus, la bureaucratie au pouvoir ayant pris peur devant le développement des aspirations à la liberté.

Il n'en reste pas moins qu'on peut observer en URSS des signes incontestables de l'existence d'une vie intellectuelle authentique en marge des institutions culturelles officielles.

D'autre part, les intellectuels espagnols infligent un désaveu permanent à un régime policier qui, tout en maintenant sa pression, démontre de plus en plus son impuissance à étouffer la vie de l'esprit.

Le congrès a toujours soutenu les peuples de l'Amérique latine et les intellectuels de ces pays dans leur résistance aux dictatures qu'ils subissaient. Lors de la chute de Batista, le congrès a exprimé son désir que « le nouveau régime rétablisse la règle de la loi et crée une société libre et démocratique ». Les membres du comité cubain du congrès ont apporté leur concours aux forces révolutionnaires dans l'espoir qu'avec les droits et la dignité du peuple cubain la liberté de la pensée serait restaurée.

Le régime né de la révolution est au pouvoir depuis un an et demi. Or il faut bien constater aujourd'hui que la liberté d'expression et les libertés politiques n'ont pas été rétablies et que les libres élections promises ne sont toujours pas en vue. Les espoirs mêmes que le congrès avait exprimés publiquement lors de l'avènement du nouveau régime l'obligent à exprimer aujourd'hui sa déception, devant le fait que la Révolution cubaine n'offre pas un meilleur exemple à d'autres peuples de l'Amérique latine, notamment celui de Saint-Domingue, qui voudraient secouer le joug de la tyrannie, et divise même les forces démocratiques du continent, en se jetant dans la guerre froide.

II

Tandis que le monde entier connaissait les épreuves subies par divers groupes nationaux, entraînés malgré eux dans l'orbite soviétique, on ne peut encore constater une prise de conscience comparable du destin douloureux des populations dominées par le régime communiste chinois. C'est le devoir de l'opinion publique mondiale de soutenir le peuple du Tibet dans ses efforts pour regagner son indépendance.

III

Le gouvernement d'Afrique du Sud vient d'interdire les deux principales organisations d'Africains non blancs et il a arrêté un grand nombre d'intellectuels de toutes races. Les mesures qu'il a prises récemment, en vertu de l'état d'urgence, lui permettent de détenir des personnes au secret, sans que la presse puisse même divulguer leurs noms. Les publications intellectuelles et culturelles opposées à l'idéologie de l'apartheid ont été exilées ou supprimées. Des mesures de police, des vexations multiples, la censure et quantité d'autres actions du même ordre montrent combien le renforcement de l'apartheid affecte les libertés fondamentales en Afrique du Sud.

Au surplus, la politique visant à ramener les Africains demeurant dans les villes à l'état tribal, l'obligation imposée aux étudiants africains de ne fréquenter que les universités bantoues et quantité d'autres restrictions humiliantes ont créé une situation scandaleuse aux yeux de tous ceux qui accordent du prix à la liberté. Aux Sud-Africains qui dans leur pays ou à l'étranger persistent à soutenir la cause de la dignité et de la liberté humaines, l'assemblée générale du Congrès pour la liberté de la culture exprime son admiration et sa solidarité.

Quant aux démocraties, la liberté de la culture s'y trouve menacée non seulement par des idéologies, mais par certaines incidences du progrès technique sur la vie quotidienne, susceptibles d'abaisser le niveau intellectuel et artistique.

C'est une des tâches du Congrès pour la liberté de la culture que d'étudier ces phénomènes et d'en avertir l'opinion et les éducateurs.

D'autre part, dans ces mêmes pays, certains résidus de croyances et de mœurs appartenant à d'autres âges continuent à léser la dignité humaine et la liberté.

L'assemblée générale exprime son admiration et son sentiment de fraternité à cette jeunesse des États-Unis, hommes et femmes blancs et de couleur qui sont en train de renverser les barrières de la ségrégation et qui insistent sur le droit à une égale participation de tous au privilège de la citoyenneté dans une société démocratique.

IV

Le Congrès pour la liberté de la culture invite les intellectuels de tous les pays à se joindre à lui pour réaffirmer en tout temps et en tout lieu les droits fondamentaux de l'expression critique et créatrice, indispensables à la poursuite de l'aventure de la pensée.

par un gonflement des effectifs de son Secrétariat international à Paris. Pas moins de quatre-vingts personnes sont employées boulevard Haussmann, où se croisent des intellectuels venus de tous les coins du monde. Deux revues, *Preuves* et *Cuadernos*, s'y publient, *Preuves*, il est vrai, dans des locaux distincts. Le SI imprime dorénavant un bulletin d'information général sur les activités du CCF, tire des brochures, organise des réunions *ad hoc*, prépare des séminaires, sans compter les réunions périodiques de son Comité exécutif. Dans la ligne de la déclaration de Berlin, une nouvelle revue trilingue (anglais, français, espagnol), *Censure*, est préparée à Paris. Elle veut être une sorte d'observatoire mondial de la liberté d'expression et c'est dans ce cadre que sont examinés dorénavant les problèmes de la liberté de création dans l'univers communiste.

Michael Josselson demeure l'âme, la mémoire et le tacticien de l'ensemble. Toutefois, son état de santé l'a contraint à quitter Paris en 1961. Il est désormais installé à Genève. La proximité de Ferney-Voltaire, où réside le président du Comité exécutif, Denis de Rougemont, facilite grandement le fonctionnement du dispositif. Il n'est pas rare que René Tavernier, François Bondy, Constantin Jelenski se retrouvent à Ferney pour des échanges de vues sur des projets en cours. Josselson continue d'exercer sa vigilance sur le recrutement au Secrétariat international, la politique des revues, les séminaires. Il sait aussi bien ménager les susceptibilités des *prime donne* que manœuvrer avec fermeté une organisation fondée sur la cooptation et le cortège de jalousies entraîné par ce mode de fonctionnement.

Boulevard Haussmann, le Secrétariat international dispose d'un secrétaire général en la personne de John Hunt (même si sur le papier Nabokov remplit désormais officiellement cette fonction), bientôt flanqué de deux adjoints. En effet, la montée en puissance de la mondialisation s'accompagne d'une double différenciation – aires géographiques et programmes. Le Secrétariat international, en s'étoffant, se bureaucratise et se trouve confronté à des efforts incessants de coordination. Au lendemain de la Seconde Guerre mondiale, Hunt a bénéficié du *GI-bill*, grâce auquel il est venu passer une année à Paris en 1948. Il a observé les premières tensions politiques de la guerre froide dans la capitale française. Il participe à des meetings. De retour aux États-Unis, il enseigne la littérature classique, tâte un temps du roman, se fait agent littéraire, opte pour une vie plus aventureuse. En 1956, il rejoint Paris pour épauler Michael Josselson, alors même que l'organisation franchit un seuil important de son développement : Hunt et Josselson travaillent en confidence et la passation des pouvoirs s'effectue sans heurt après le départ de ce dernier pour Genève.

En ce début des années 1960, Nabokov a désormais un pied à Paris et l'autre à Berlin. Après la construction du Mur, le jeune bourgmestre Brandt l'a appelé pour prendre en charge le festival artistique de la ville. Nabokov conserve cependant ses fonctions et un bureau à Paris. Il est de la partie pour organiser à Venise, durant l'été 1960, un colloque réalisé en collaboration avec la fondation Cini, à l'occasion du cinquantième anniversaire de la mort de Tolstoï. Un impressionnant comité international est mis sur pied, où sont convoqués le ban et l'arrière-ban de l'élite intellectuelle euro-américaine, de Wystan Auden à Jacques Maritain, d'Isaïah Berlin à Ignazio Silone, en passant, cela va sans dire, par Rougemont, Caillois, Jaspers, Madariaga, etc. C'est là une de ces manifestations prestigieuses dont le directeur artistique raffole. Nabokov prend également part l'année suivante à une rencontre à Tokyo sur le thème de la confrontation des traditions musicales d'Orient et d'Occident. Toutefois, le volet artistique du CCF est en voie d'extinction et son action s'exerce dès lors de manière privilégiée à travers ses nouvelles fonctions berlinoises : ainsi négocie-t-il, en 1963, la première tournée en Occident de Mstislav Rostropovitch.

Le Secrétariat international a comporté dès l'origine un noyau intellectuel français. René Tavernier y est permanent depuis 1952. Il est rejoint en 1959 par Pierre Emmanuel. Ils se connaissent de longue date : tous deux poètes, tous deux présents dans la zone sud pendant la guerre, tous deux gaullistes de gauche. Leurs destins au Secrétariat international vont bientôt se croiser : René Tavernier démissionne en raison de l'engagement américain au Vietnam, au moment où, décidant de rester, Pierre Emmanuel voit son rôle s'élargir considérablement.

Tavernier a été recruté pour faire le lien avec les milieux intellectuels français. A partir de 1960, il est surtout occupé à liquider les restes de l'association les Amis de la liberté, supprimée après le second congrès de Berlin. Il s'en charge lui-même dans sa bonne ville de Lyon. L'animateur des Amis de la liberté, Jacques Enock, sort du jeu [1]. Les liens existant en province entre les Maisons de la liberté et l'association sont rompus après inventaire et l'on repart sur des bases nouvelles. En 1961, Tavernier est à Lyon pour introniser un Cercle pour la liberté de la culture. La presse locale rend compte en ces termes de la nouvelle orientation :

> Jusqu'à maintenant le Congrès pour la liberté de la culture s'était surtout manifesté en France par l'appui donné aux différentes Maisons de la liberté. Dorénavant, c'est directement qu'il agira. C'est ainsi que M. René Tavernier, mandaté par le congrès, était venu hier soir installer le Cercle lyonnais pour la liberté de la culture, qui succédera à la Maison de la liberté et qui travaillera dans le même esprit [2].

Robert Vial, le secrétaire du cercle, précise que, par rapport aux activités de l'ancienne Maison de la liberté, le Cercle pour la liberté de la culture se caractérise par un recours plus grand à des conférenciers de notoriété nationale et internationale et par un souci accentué des problèmes plus strictement culturels [3]. Le débat culturel se substitue à la lutte pour la défense de la liberté. Le cercle de Lyon ne se situe plus dans une perspective d'affrontement (alors qu'après la révolution hongroise Lyon a été le lieu d'une manifestation anticommuniste de grande ampleur, à laquelle les Amis de la liberté ont contribué très activement), mais dans une perspective d'ouverture et de dialogue. Il veut être un forum intellectuel et annonce une étroite collaboration avec la revue *Résonance.* De plus, le cercle devient un relais de diffusion de *Preuves,* alors que dans la situation antérieure la revue a soigneusement pris ses distances avec l'association [4].

Autre intellectuel français présent au Secrétariat international ces années-là : Jean Bloch-Michel. Son insertion au congrès est encore différente de celles de René Tavernier et de

1. Toute une génération s'efface. *Franc-Tireur* est vendu à Cino del Duca au début de la décennie et Georges Altman rejoint le cabinet d'André Malraux (il meurt peu après), sa femme travaillant au sein du Secrétariat international, à la revue *Censure.*
2. L'*Écho Liberté,* 31 janvier 1961.
3. *Ibid.*
4. Une opération similaire de relève de la garde intervient à Bordeaux, où un professeur de droit public, membre du mouvement catholique *Pax Christi,* Marcel Merle, préside désormais aux destinées du cercle bordelais.

Germaine Tillion. Dès 1950, Manès Sperber, avec lequel il était très lié, a vivement souhaité associer ce jeune écrivain de gauche très en vue à l'époque. Mais, alors furieusement anti-américain, Bloch-Michel n'a rien voulu entendre. Son arrivée au congrès se fait *via Demain,* où il a occupé les fonctions de directeur littéraire. Après la disparition de l'hebdomadaire, il rejoint le comité de rédaction de *Preuves.* Sa cooptation n'est pas innocente. C'est un grand ami d'Albert Camus, et la rédaction pense qu'il pourrait convaincre ce dernier de lui donner des textes. Mais Bloch-Michel échouera. Jean Bloch-Michel est représentatif d'un type d'écrivain romancier et essayiste que l'on rencontre fréquemment à l'UNESCO après la guerre. C'est là qu'il fait la connaissance de Chiaromonte. Il collabore à *Tempo presente, Partisan Review,* et écrit en collaboration avec Koestler, Sperber et Camus un ouvrage contre la peine de mort. Au Secrétariat international, il se partage entre *Preuves, Censure* et les séminaires.

Toutefois, on s'interdit de comprendre le fonctionnement du Secrétariat international de Paris tant que l'on n'a pas mis en évidence et compris le rôle qu'y joue Constantin Jelenski. « Kot » Jelenski est arrivé en 1952, sur l'initiative de ses amis de *Kultura* et avec le soutien de Raymond Aron, qui l'a appuyé pour vaincre les réticences de Nabokov. Très vite il ne se borne pas à la simple gestion des relations avec l'Europe de l'Est (émission de radio, puis Comité des écrivains et des éditeurs). Essayiste de grand talent, raffiné, discret si ce n'est secret, ses contacts comme ses interventions sont souvent décisifs. A *Preuves,* l'amitié nouée immédiatement avec François Bondy est déterminante pour le style et le ton de la publication. Bondy considérera d'ailleurs toujours Jelenski comme un codirecteur de fait de la revue. Cette amitié facilite grandement les choses à François Bondy à Paris. Coincé entre Aron, qui n'a pas beaucoup d'atomes crochus avec lui [1], et Josselson, qui sait plus souvent qu'à son tour se montrer autoritaire, le directeur des publications du CCF et de *Preuves* n'aurait pas eu la vie facile s'il n'avait trouvé en Kot (qui a, quant à lui, d'excellentes relations avec Aron) un allié précieux. Le registre d'essayiste de

1. Les mémoires de Raymond Aron sont à cet égard révélateurs : le mémorialiste ne cite pas une seule fois le nom de François Bondy et ne consacre même pas un paragraphe à *Preuves.*

Jelenski se déploie dans les principales revues du congrès : *Preuves, Encounter, Tempo presente, Survey.* Il a partie liée avec son aile gauche, Silone et Chiaromonte en Italie, Mary McCarthy aux États-Unis. Dans la culture polonaise, ses amitiés littéraires vont de Milosz à Gombrowicz. Il représente une gauche laïque toujours sur le qui-vive face au national-catholicisme polonais. Kot est enfin partie prenante de la vie littéraire et intellectuelle italienne [1]. Aussi, pour plus d'un intellectuel américain arrivant à Paris, si Nabokov est là omniprésent et papillonnant (« *breezing in, breezing out* », dit un témoin), c'est Kot qu'il faut voir. Bon connaisseur des bruits de la ville, l'homme est à l'affût des moindres frémissements touchant l'art, la littérature et la politique en Europe, tout en se tenant parfaitement informé de la vie intellectuelle américaine. En ce début des années 1960, Jelenski est l'avocat et l'agent de Gombrowicz, dont l'œuvre arrive à Paris. Le livre de Rita Gombrowicz consacré à cette période [2] situe fort bien le Jelenski de ces années-là et le milieu dans lequel il évolue. L'entrée de Pierre Emmanuel au Secrétariat international va devenir le point de départ d'une action commune. « Kot » fait bénéficier « Pierre » de l'expérience acquise sur l'Europe de l'Est pour démarrer une action en Espagne. C'est le début d'une collaboration qui durera vingt ans.

Entre 1960 et 1965, la structure d'action du SI est globalement la même que celle observée les années antérieures, mais considérablement démultipliée. Les moyens mis à la disposition du Secrétariat international (cf. encadré p. 393) sont très importants. Cette action se déploie à plusieurs niveaux :

– Intervention pour la défense de la liberté, soit sur des problèmes généraux, soit sur des cas individuels par le moyen classique de la collecte de signatures internationales. Deux exemples parmi d'autres : lors de la construction du mur de Berlin, Willy Brandt saisit Denis de Rougemont et, un an après la tenue de son congrès anniversaire, le CCF lance une grande pétition internationale sur la situation berlinoise (cf. encadrés pp. 394 et 395) ; à la même époque, le congrès proteste en France contre la restriction à la liberté d'expression posée par le gouvernement français en raison de la guerre d'Algérie.

1. François Bondy, « Pour Kot », *Commentaire*, n° 34, automne 1987.
2. Rita Gombrowicz, *Gombrowicz en France*, Denoël, 1988.

La ligne libérale adoptée par *Preuves* (c'est dans *Preuves* qu'Aron publie les articles qu'il ne peut pas passer dans *Le Figaro* sur l'Algérie) vaut d'ailleurs au Secrétariat international d'être plastiqué en février 1962 par l'OAS.

– Patronage de chaires universitaires : après le congrès anniversaire de Berlin, le CCF pourvoit à la création-dotation de quatre chaires (Camus, Lorca, Pasternak, Gandhi), leurs titulaires devant être choisis par un jury international coprésidé par Silone et Oppenheimer.

– Octroi de bourses : cette action se développe de plus en plus à partir de la fin des années 1950 ; en bénéficient principalement à l'époque des Polonais, des Africains et des Espagnols.

FONDATIONS ET ORGANISATIONS PHILANTHROPIQUES AYANT APPORTÉ LEUR SOUTIEN AU CCF *

Catherwood Foundation (Brynmawr)
Charles E. Merill Trust (Ithaca)
Comité suisse d'aide aux patriotes hongrois (Zurich)
Council on Economic and Cultural Affairs (New York)
Deutscher Künstlerbund (Berlin)
Farfield Foundation (New York)
Ford Foundation (New York)
Hoblitzelle Foundation (Dallas)
Holmes Foundation (New York)
International Rescue Committee (New York)
Miami District Fund (Cincinnati)
Rockefeller Foundation (New York)

* *Source : brochure du CCF, 1963.*

– Financement de voyages d'études d'historiens, de journalistes et d'écrivains, pour conduire des enquêtes spécifiques et enrichir l'analyse de situations nationales ou internationales.

– Séminaires enfin : c'est de loin l'activité qui prend le plus d'ampleur et sur laquelle il faut maintenant nous arrêter car à travers elle on assiste à une modification du CCF lui-même.

Lorsque Daniel Bell regagne les États-Unis, en 1957, il est remplacé par Herbert Passin au poste de directeur des séminaires au Secrétariat international. Professeur à l'université de Columbia, spécialiste du Japon, Passin arrive à Paris après

DÉCLARATION SUR BERLIN

Des intellectuels qui comptent parmi les plus éminents du monde entier ont dénoncé la violation des droits de l'homme à Berlin après la fermeture de la frontière. Leur déclaration est une réponse à un appel du maire de Berlin, Willy Brandt, qui, dans une lettre adressée à Denis de Rougemont, président du Comité exécutif du congrès, écrivait notamment : « Si des hommes auxquels un système particulier de gouvernement a été imposé n'ont aucun moyen légal de peser sur leur destin de citoyens, ils doivent au moins conserver le droit à une autodétermination individuelle – celui de partir. Ceci devrait être considéré comme un droit fondamental, en dehors de toute discussion politique. »

Voici le texte de cette déclaration, publiée le 1er septembre 1961 :

« Même dans ce monde endurci par le spectacle de l'inhumanité, les nouvelles et les photographies de Berlin ont bouleversé les hommes et les femmes de tous les pays.

« L'oppression et le mécontentement existent un peu partout dans le monde, et la tragédie de l'exil est un destin que subissent de nombreux peuples, de nombreuses races. Et pourtant les événements qui se sont produits sur les frontières de votre ville ont troublé la conscience du monde. Il est déjà grave qu'un ordre social puisse contraindre les citoyens, par millions, à chercher asile ailleurs ; mais il est encore plus grave d'empêcher leur exode en tendant du fil de fer barbelé et en élevant des murs de ciment à travers les rues d'une ville, de les menacer de baïonnettes, de tirer sur eux dans leur fuite, comme sur des esclaves évadés.

« Ce n'est pas là une affaire de politique, d'idéologie ou de philosophie sociale. C'est l'affaire du respect le plus élémentaire d'un droit humain, d'un droit que toutes les nations du monde civilisé ont formellement reconnu. La Déclaration universelle des droits de l'homme adoptée par l'assemblée générale des Nations unies déclare sans équivoque : “ Toute personne a le droit de quitter tout pays, y compris le sien. ”

« Nous savons avec quelle émotion vous-même et tous les Berlinois avez vu, au cours de ces dernières années, tant de vos concitoyens de l'Est quitter leur résidence, leur lieu de travail et parfois même leur famille, afin de se créer ailleurs une nouvelle existence plus humaine. Vous nous avez maintes fois expliqué que les raisons de cet exode étaient multiples. Les réfugiés n'ont pas fui seulement la persécution et la misère ; la raison de leur exode était parfois un mélange de peur et de désarroi ; cela démontre clairement que ce qui est en jeu est un droit humain supérieur à toutes les considérations strictement politiques et économiques. Le droit à l'autodétermination n'est pas réservé aux seules nations ; il s'étend aussi à tous les hommes.

« Les hommes veulent avoir leur mot à dire sur le lieu et les conditions de leur travail, sur leurs croyances personnelles ; les parents veulent avoir leur mot à dire sur la façon d'élever leurs enfants, sur ce que leur avenir pourra être ; les citoyens veulent avoir leur mot à dire sur ceux qui les dirigent et les représentent.

« Privés de ce droit d'organiser leur propre vie, certains se rebellent, d'autres se réfugient ailleurs. Ces deux comportements sont des réactions normales à une situation intolérable, qu'elle se produise au cœur de l'Afrique ou au cœur de l'Europe.

« Lorsque nous apprenons, au jour le jour, ce qui se passe à la porte de Brandebourg, le long de la frontière qui traverse votre ville, nous nous souvenons de ce passage célèbre du *Boris Godounov* de Pouchkine où le tsar ordonne de " prendre des mesures immédiates pour qu'âme qui vive ne passe la frontière, qu'aucun livre ne la franchisse [...], aucun corbeau... ". Car cet ordre réactionnaire et contre-nature est à nouveau lancé aujourd'hui et, ce qui est particulièrement choquant, par des gens qui prétendent parler au nom de l'universelle libération de l'humanité.

« Barbelés et baïonnettes ne peuvent être le décor d'une nouvelle et plus haute liberté. Nous ne cesserons d'affirmer que les prétentions de tous les gouvernements, de toutes les puissances doivent être jugées d'après un critère essentiel : le droit à la liberté et à la dignité. »

Signataires : Raymond Aron (France), Jorge Luis Borges (Argentine), A.K. Brohi (Pakistan), Victor Raul Haya de La Torre (Pérou), Sidney Hook (États-Unis), Fröde Jakobsen (Danemark), Arthur Lewis (Antilles), Salvador de Madariaga (Espagne), Paul Manglapus (Philippines), Minoo Masani (Inde), Maung Maung (Birmanie), Asoka Mehta (Inde), Ezekiel Mphahlele (Nigeria), Jayaprakash Narayan (Inde), Davidson Nicol (Sierra Leone), Victoria Ocampo (Argentine), Robert Oppenheimer (États-Unis), Michael Polanyi (Angleterre), Eugene Rostow (États-Unis), Denis de Rougemont (Suisse), Luis Alberto Sanchez (Pérou), Eduardo Santos (Colombie), Yoshihiko Seki (Japon), Hugh Seton-Watson (Angleterre), Edward Shils (États-Unis), Ignazio Silone (Italie), Stephen Spender (Angleterre), Michio Takeyama (Japon), Erico Verissimo (Brésil).

A ces trente premières signatures sont venues s'ajouter celles de plus de deux cents personnalités dans tous les continents.

avoir aidé à la réorganisation du dispositif du congrès au Japon, pays où depuis 1945 il exerce ses talents. C'est du reste après cette réorganisation menée à bien par Passin que Bell peut monter en mars 1957 un grand séminaire international sur la croissance économique. Bell fait ensuite venir Passin à Paris : passage du relais parfait qu'apprécieront les connaisseurs. Au Secrétariat international, Herbert Passin est assisté dans sa tâche par Marion Bieber, une journaliste anglaise amie de Richard Löwenthal, recrutée lors du renforcement organisationnel nécessité par la gestion de l'aide à l'émigration hongroise. Après le retour de Passin aux États-Unis, Marion Bieber conserve la gestion de ces programmes, sur lesquels Edward Shils exerce son influence et dont elle devient l'assistante.

Les très nombreux séminaires mis sur pied par le CCF dans de non moins nombreux pays du monde défient la recension exhaustive. Certains donnent matière à ouvrage, laissant ainsi une trace, d'autres non – et la non-publication des travaux relève de causes multiples. Après 1960, le Secrétariat international tente de créer une série de fascicules pour les plus importants mais la série disponible est loin de rendre compte de la totalité des séminaires organisés; il s'en faut même de beaucoup. A la vérité, la compréhension de la dynamique de ce nouveau type d'activités est à chercher à l'articulation entre programmes et pays, articulation incarnée dans un homme ou des hommes appartenant à un réseau auquel le CCF fournit les moyens d'un élargissement d'influence intellectuelle et politique dans l'espace libéral et social-démocrate, terrain d'élection de l'intervention de l'organisation.

Dès 1959-1960, la fin des idéologies devient le principe d'identité du Congrès pour la liberté de la culture et l'axe autour duquel tournent la plupart des réunions et séminaires dont il se fait l'initiateur et l'organisateur. Mais il existe un hiatus entre la « fin des idéologies » comme problématique et la « fin des idéologies » vecteur d'identité organisationnelle et matrice des séminaires. Les perspectives, les nuances, les convergences et les divergences du débat historique, philosophique et politique s'estompent. L'affichage « fin des idéologies » devient peu à peu synonyme de refus du dogmatisme, d'acceptation de la société industrielle, de promotion du développement économique et du changement social, toutes notions véhiculées par l'air du temps grâce à la conjonction d'une économie néocapitaliste en expansion et d'une détente relative dans les relations Est-Ouest.

Deux caractéristiques définissent cette période de l'histoire du CCF. Premièrement, le congrès se donne pour objectif de créer une communauté internationale fondée sur la civilité. L'influence de Shils est ici indiscutable, du moins le Secrétariat international, et plus particulièrement John Hunt, reprend-il cette définition pour légitimer la formidable accélération de l'expansion de ses réseaux. Seconde dimension : les sciences sociales occupent une place croissante dans le dispositif. Elles représentent le véhicule privilégié de la sortie du dogmatisme et du messianisme intellectuel pour accoster les rives d'un réformisme éclairé. A beaucoup d'égards le CCF se transforme ainsi peu à peu en internationale des sciences sociales, si ce n'est de la sociologie, dans une double opposition au communisme et à la pensée de droite jugée réactionnaire.

Les séminaires du CCF sont fréquemment organisés en coopération avec des institutions universitaires (cf. encadré p. 398). On se souvient d'ailleurs que dès 1957 Daniel Bell envisageait de flanquer le congrès d'un conseil universitaire international. Si l'affaire n'a pas abouti, l'orientation esquissée n'en était pas moins révélatrice de la transformation et de l'élargissement du mode d'action. Pour un intellectuel, la cooptation au réseau des séminaires est un atout et le point de départ de nouvelles possibilités d'action (collaboration à des revues, lancement d'un programme ou d'un centre de recherche) développées à travers un jeu de mise en contact. Les séminaires comportent presque toujours une dimension euro-américaine, de sorte que si une telle cooptation sanctionne une position d'influence dans une société donnée, elle est aussi le marchepied vers l'établissement ou le renforcement de relations avec les États-Unis, qu'il s'agisse des milieux intellectuels ou politiques. Outre-Atlantique, les points d'appui pour ces relations sont fournis par quelques-unes des grandes universités du pays : Columbia, Chicago, Berkeley ou Harvard.

Dernière touche à ajouter pour parfaire le tableau : les séminaires sont une corde supplémentaire à l'arc de la maison d'édition qu'est le Congrès pour la liberté de la culture, avec ses livres et ses débats (sans oublier ses cocktails) venant s'ajouter à la couronne des revues que la maison publie directement ou qu'elle soutient. Cette activité éditoriale intense conforte une élite internationale qui forge son langage et dispose ainsi d'un système d'information transculturel performant.

INSTITUTIONS EUROPÉENNES COPARTICIPANT À DES SÉMINAIRES ORGANISÉS PAR LE CCF

Pays	Institutions
Autriche	Conseil autrichien pour l'économie École de commerce international
Espagne	Faculté des sciences politiques, économiques et commerciales de l'université de Madrid
France	Centre de sociologie européenne Faculté des lettres et des sciences humaines d'Aix-en-Provence
Grande-Bretagne	*Saint Antony's College* (Oxford) *Ditchley Manor* (Oxford)
Italie	Fondation Cini *Istituto per l'Oriente* Faculté d'économie de l'université catholique de Milan
République fédérale allemande	*Frei Universität* de Berlin Université de Hambourg
Suède	Institut scandinave d'études africaines de l'université d'Uppsala
Suisse	Institut des hautes études internationales Institut international de presse

Le réseau des revues

Le réseau des revues constitue le fleuron du Congrès pour la liberté de la culture à son apogée, ce par quoi il se définit comme un aréopage international de haute culture dans l'ordre de la littérature et de la philosophie, de l'histoire et du journalisme. La mondialisation s'incarne dans ce réseau de vingt à vingt-cinq revues plus ou moins directement rattachées au CCF entre 1960 et 1965. Les titres les plus importants et les plus stables sont alors *Der Monat, Preuves, Cuadernos, Encounter, Forum, Jiju, Quadrant, Survey, China Quarterly, Tempo presente, Cuadernos brasilieros, Minerva, Comment, Hiwar, Black Orpheus, Sassangue, Transition, Mundo nuevo*; sans oublier les deux revues new-yorkaises qui bouclent le réseau aux États-Unis : *Partisan Review* et *Commentary,* toutes deux antérieures à la création aussi bien de l'ACCF que du CCF.

En Europe et pour la première moitié de la décennie, les revues peuvent être réparties en trois groupes : celles de la première génération *(Der Monat, Preuves, Encounter, Forum, Tempo presente)* ; celles de la seconde *(Survey, Minerva)* ; les revues associées *(Perspektiv, Epochès)*. Attachons-nous à une présentation rapide des deux premières catégories.

De 1948 à 1958, *Der Monat* est codirigé par Helmut Jaesrich et Melvin Lasky, ce dernier gagnant alors Londres pour remplacer Irving Kristol comme codirecteur d'*Encounter.* Après le départ de Lasky, *Der Monat* n'en poursuit pas moins sa course sur sa lancée. A cette date, le tirage de la revue approche 25 000 exemplaires [1], dont un nombre significatif parvient dans la zone d'occupation soviétique. Dès 1953, Melvin Lasky a obtenu une subvention de la fondation Ford pour faire sortir *Der Monat* de l'orbite des services culturels de l'armée américaine. L'année suivante, le titre est complété par le sous-titre *Revue internationale,* soulignant sa vocation transatlantique. En ce début des années 1960, Henry Kissinger, professeur de relations internationales à Harvard et animateur d'un projet d'échanges avec l'Europe dans cette université, est souvent associé aux réunions du comité de rédaction de la revue allemande.

La deuxième revue du domaine germanique, *Forum,* est avant tout l'œuvre d'un homme, Friedrich Torberg. Très engagé dans la lutte antinazie, Torberg est un polémiste mordant dans la tradition viennoise, ses collaborateurs les plus proches en Autriche étant Felix Hubalek (représentant le courant social-démocrate), Alexander Lernet-Holenia (grand écrivain apolitique), Hansen-Löve (un journaliste catholique jouant alors un grand rôle à la radio). De toutes les revues européennes du CCF, *Forum* est celle qui aura l'existence la plus brève : dix ans. Elle disparaîtra au milieu des années 1960.

Der Monat et *Forum* se partagent un ennemi : Bertolt Brecht. A Berlin, Lasky a publiquement offert à Brecht de s'exprimer librement et contradictoirement dans les colonnes du

1. Peter Coleman, *op. cit.,* p. 95.

Monat. Celui-ci a d'abord accepté, puis s'est rétracté. Aussi Melvin Lasky sort-il en janvier 1955 un numéro comportant une pleine page blanche surmontée d'un simple titre : « Bertolt Brecht : " Voici ce que je pense de la liberté artistique ". » Quant à Torberg, non content de faire campagne à Vienne pour que les pièces du dramaturge communiste allemand ne soient pas montées dans la capitale autrichienne, il parcourt l'Europe entière pour faire valoir son point de vue dès que le moindre colloque sur Brecht est organisé.

En 1960, *Encounter* est donc codirigé depuis bientôt deux ans par Stephen Spender et Melvin Lasky. C'est à n'en pas douter la toute première revue du Congrès pour la liberté de la culture, « notre meilleur atout », dit alors Josselson à qui veut l'entendre [1]. La revue tire à 35 000 exemplaires environ. Fêtant en 1962 son centième numéro, la rédaction réitère son souci de ne jamais faire la moindre concession à la culture moyenne *(middlebrow)* [2]. Le choix d'auteurs publiés à cette occasion est pleinement conforme à cette orientation : Orwell, Toynbee, Read, Eliot, Ayer, pour n'en citer que quelques-uns. La codirection de la grande revue anglo-américaine exprime pleinement les deux sources de la résistance au stalinisme et au communisme dans les années 1950 : Stephen Spender, un des signataires de *God that Failed,* parfait représentant de l'Oxford des années 30, séduit, puis déçu et se retournant finalement contre le communisme ; Irving Kristol et Melvin Lasky, initiés au combat politique et intellectuel dans les milieux surchauffés du trotskisme new-yorkais et qui, au sortir de la Seconde Guerre mondiale, brûlent de jouer un rôle en Europe et d'en découdre avec l'adversaire stalinien. Depuis la réunion internationale de Milan, *Encounter* est largement ouvert aux leaders du travaillisme réformiste anglais : Gaitskell, Crosland, Jenkins, Healey se sont exprimés ou s'expriment dans ses colonnes. Dernière originalité liée à son statut anglo-américain, *Encounter* permet de dépasser les cloisonnements universitaires, cloisonnements entre disciplines et entre universités. C'est un des ressorts de son prestige et de l'élargissement de son

1. Ce propos de 1964 est repris par Peter Coleman pour introduire le chapitre de son livre qu'il consacre à *Encounter,* seule revue du CCF à bénéficier d'une présentation aussi substantielle.

2. La distinction *highbrow/middlebrow* est faite pour la première fois en 1915 dans un livre de Van Vyck Brooks, *America Coming of Age.*

influence dans l'univers anglo-saxon. En effet, ce n'est pas seulement dans la littérature et dans les arts qu'*Encounter* ne veut faire aucune concession à la culture moyenne mais tout autant dans les sciences sociales. Au sein de cette internationale des sciences sociales dont la montée en puissance s'accentue à partir de 1960, *Encounter* constitue une revue de référence centrale pour la communauté des historiens, des sociologues ou des économistes entre la Grande-Bretagne et les États-Unis.

Placer *Tempo presente* dans cette esquisse requiert de brosser rapidement l'originalité de son profil. Codirigée par Silone et Chiaromonte, la revue italienne voit ainsi converger à sa tête l'homme de l'italianisme profond, le romancier de *Fontanamara*, le porte-parole des *cafoni* et l'essayiste le plus cosmopolite de sa génération. En effet, Chiaromonte a passé la guerre aux États-Unis, où il s'est lié aux milieux qui gravitent autour de *Politics* et de la *Partisan Review*. Il collabore à *New Republic, The Nation, Encounter* et *Dissent*. De toutes les revues européennes, *Tempo presente* est celle qui est la plus proche des intellectuels de l'ACCF les plus hostiles à Sidney Hook et qui, dès 1953, rêvaient de lancer une nouvelle revue où se seraient retrouvées les signatures de Mary McCarthy, Hannah Arendt et Arthur Schlesinger. Le titre en était trouvé : *Critique*; mais le projet échoua, faute sans doute de trouver les soutiens financiers nécessaires. A beaucoup d'égards, *Tempo presente* s'inscrit dans cette même veine. La revue italienne est et demeurera tout au long de son existence la référence de l'aile gauche du CCF de part et d'autre de l'Atlantique. Son lancement coïncide peu ou prou avec le discours de Khrouchtchev devant le XXe Congrès du PCUS et la réunion internationale des directeurs de revue organisée à Zurich, marquée par la confrontation Silone/Anissimov, publiée ensuite sous le titre *L'Impossible Dialogue*. *Tempo presente* s'ouvre à la fois aux écrivains italiens qui ont quitté le PCI et à ceux du dégel qui s'épanouit alors en URSS. C'est aussi la seule revue du CCF qui n'ait jamais obtenu la collaboration d'Albert Camus, un médiateur privilégié entre Camus et le tandem Silone-Chiaromonte étant Andrea Caffi, écrivain peu connu du grand public mais qui semble avoir exercé une influence profonde sur eux tous. Dernière précision : si Chiaromonte et Silone appartiennent aux instances de décision du CCF, les deux hommes veillent jalousement à l'indépendance de leur revue. Il n'est pas question que Josselson vienne mettre le nez dans leurs affaires et moins encore Hunt, naturellement.

A l'inverse des précédentes, les revues de la seconde génération prennent leur envol avec la décennie 1960, lorsque la fin des idéologies supplante la lutte antitotalitaire et que la *social thought* l'emporte sur la littérature dans les réseaux internationaux du CCF. Souvent cofinancées par le CCF et la fondation Ford, elles sont, en Europe, basées en Angleterre. *Survey* nous est déjà connu. Une revue sœur consacrée au deuxième monde communiste, la Chine, *China Quarterly*, fait ensuite son apparition. Elle prend naissance après que *Survey* a consacré, en 1959, un numéro spécial aux communes chinoises : Labedz et Laqueur font alors observer à Josselson qu'il existe une lacune dans son dispositif, lacune qui mériterait d'être comblée. « Mike » donne son feu vert pour la création d'une nouvelle revue et fait appel à Roderick MacFarquhar, le spécialiste des affaires chinoises du *Daily Telegraph*, pour en prendre la direction. *China Quarterly* sort son premier numéro en janvier 1960.

L'autre revue de la seconde génération est *Minerva*. Elle naît en 1962 et se substitue au bulletin *Science and Freedom*, qu'animait un des fils de Michael Polanyi. Josselson retire en effet brutalement des mains de George Polanyi ce bulletin après le congrès anniversaire de Berlin et demande à Shils de le reprendre. Shils propose le schéma d'une nouvelle revue correspondant aux orientations qui lui sont chères : une réflexion sur les conditions d'existence d'une communauté intellectuelle authentique, capable de débattre de manière autonome de ses orientations normatives. La revue traitera tous les thèmes afférents : sciences et universités, finances publiques et recherche scientifique, démocratisation de l'enseignement, inflexion utilitariste dans les sciences. Autant de têtes de chapitre récurrentes dans les sommaires de *Minerva*.

Revenons à Paris et à *Preuves*, revue de la première génération s'il en est puisque première revue directement financée par le CCF dès la fin de 1951. 1955-1965 sont les années les plus brillantes de son existence. *Preuves* n'est plus alors pestiférée, stigmatisée comme un organe de propagande américaine de droite par les intellectuels de gauche français. La révolution antitotalitaire hongroise est passée par là. Elle a provoqué un déplacement politico-intellectuel dans la capitale française et donné naissance à une véritable génération d'intellectuels ex-communistes pour qui désormais non seulement lire *Preuves* n'est plus un scandale, mais encore y écrire devient bientôt une consécration. En ce début des années 1960, à l'articulation de la IVe République défunte et de la Ve naissante, un chassé-croisé se produit à Paris : sous la IVe République, *Preuves* avait un très bon contact avec les milieux politiques dirigeants de la Troisième Force tandis qu'elle était marginalisée par les milieux intellectuels dominants ; à l'inverse, avec l'instauration de la Ve République, la revue se trouve en délicatesse avec la politique des dirigeants tandis que sa légitimité dans les milieux intellectuels français s'élargit. Il est vrai que sa légitimité littéraire s'est vite affirmée dès les toutes premières années de son existence. Ce qui est nouveau après 1956, c'est la convergence croissante et le renforcement mutuel de sa légitimité politique et de sa légitimité intellectuelle. Les mardis de *Preuves* ont assurément fait beaucoup pour accélérer cette réconciliation. Lancés à l'automne 1953 pour trouver un mode de rapport à la vie politique et intellectuelle française qui ne passe pas par l'association contrôlée par Jacques Enock, les mardis, organisés sur une base mensuelle d'octobre à juin, trouvent très vite leur place dans les milieux de la presse et de la politique à Paris, en offrant un point de contact entre milieux libéraux et sociaux-démocrates et intellectuels ex-communistes. Après le congrès anniversaire de 1960, un ensemble de changements vont dans le sens d'une autonomisation croissante de la revue par rapport au CCF lui-même : Bondy ne fait plus fonction de directeur des publications du congrès. *Preuves* cherche en outre à resserrer ses liens avec son lectorat : un Club des amis de *Preuves* est mis sur pied ; un bulletin, *Preuves-Informations*, est envoyé aux abonnés. Cependant, la revue ne parvient pas dans le même temps à développer une collection propre. Dès l'origine, une dissociation est apparue à Paris entre la revue de François Bondy et la collection de Raymond Aron, *Liberté de l'esprit*, où sont publiés les principaux auteurs du congrès pendant la période chaude de la guerre froide. Bondy est indiscutablement bloqué de ce côté-là. Il peut agir au départ plus comme directeur des publications du CCF au Secrétariat international qu'en éditeur autonome. Aussi la collection qui entoure la revue est-elle constituée essentiellement de brochures. À partir des années 1960, les choses changent sensiblement. Bondy et Jelenski ont pleinement accès au monde de l'édition parisienne, où leur connaissance des littératures européennes est particulièrement appréciée. Ils informent, conseillent, orientent dans les déjeuners ou les dîners en ville. Toutefois, le déploiement de ces contacts ne permet pas de stabiliser une collection. Si plusieurs ouvrages sont publiés dans la mouvance de *Preuves* et dûment estampillés comme tels, ils le sont chez des éditeurs différents, sans ordre ni esprit de suite.

Donnons un premier aperçu de la dimension littéraire de *Preuves*, même s'il est difficile de brosser un tableau qui ne soit pas trop réducteur de la variété des textes publiés : variété des genres (essais, récits, portraits, poèmes, notes critiques) mais tout autant variété des auteurs (français et européens), sans laquelle la variété des genres n'est rien. Liée à un milieu politico-intellectuel international, la revue n'est pas l'organe d'expression d'un mouvement littéraire ou esthétique particulier. Le CCF en revanche avait une ambition : relever le défi de la haute culture dans un moment historique singulier, après l'effondrement du nazisme et à une époque de forte pression communiste. En Europe, tous les directeurs de revue partageaient la même ambition : concourir à recréer une vie intellectuelle, littéraire et artistique européenne et retrouver l'excellence qui avait été celle du *Criterion* d'Eliot en Grande-Bretagne, de la *Revista de Occidente* d'Ortega y Gasset en Espagne ou de la *NRF* à Paris. Si elles ne constituaient pas un mouvement littéraire, les revues européennes de la première génération et leurs cousines new-yorkaises formaient une grande famille. La famille avait ses dieux lares : les grands écrivains antitotalitaires, anticommunistes et antifascistes, les Orwell, Koestler, Camus, Milosz – ceux-là mêmes qui avaient marqué les années 1940 et 1950 par des œuvres témoins *(1984, Le Zéro et l'Infini, La Pensée captive, L'Homme révolté)*. *Preuves*, comme toutes les revues de la famille, les révère, les publie, les commente. Mais les libations devant les autels n'épuisent pas les couleurs de la vie. Dans la grande famille, chaque cellule a son style et son rythme. Ceux de *Preuves* sont d'abord faits des amitiés et des goûts qui irriguent les choix de François Bondy et de Constantin Jelenski. Ouverture européenne, modernité esthétique, écriture à contre-courant définissent peut-être le moins mal la place de *Preuves* dans la vie littéraire française du temps. L'ouverture européenne est l'axe commun à toutes les revues du CCF, les interactions qu'il suscite facilitant l'échange de textes et les collaborations croisées (avec le revers attendu : un fort esprit de famille prompt à stigmatiser comme « provincial » tout ce qui déplaît). Une des forces de *Preuves* est d'être étroitement liée à la grande revue polonaise de l'exil, *Kultura*, qui s'élabore à quelques encâblures, en région parisienne, dans un pavillon de Maisons-Laffitte. Milosz et Gombrowicz, pour lesquels *Preuves* se dépense sans compter à Paris, sont des auteurs de *Kultura*, tout comme l'est Jelenski, lui-même un des grands essayistes polonais de l'après-guerre. Czapski collabore à *Preuves* dès l'origine. Plus tard, la revue introduit en France Bruno Schulz. Deuxièmement, *Preuves* est un des lieux où s'exprime la génération des grands russisants français (Pascal, Souvarine, Weidlé, Laloy), en même temps qu'elle maintient vivante la flamme de la grande littérature russe (Akhmatova, Pasternak et bientôt Siniavski). L'ouverture européenne, c'est aussi l'Europe occidentale. Du domaine germanique *Preuves* publie Dürrenmatt et Hochwällder, de Suisse romande Rougemont et Starobinski, d'Italie, outre Silone et Chiaromonte, Moravia, Praz et Calvino.

François Bondy et Constantin Jelenski sont des écrivains qui écrivent sur des écrivains; aussi essayistes et critiques littéraires constituent-ils (ou elles) une armature forte de la revue qu'ils animent. Les chroniques littéraires sont tenues par Robert Kanters, Bernard Pingaud, Pierre Berger, Gérard Mourgue, José Cabanis, Diane de Margerie, auxquels il faut ajouter les critiques et traducteurs français Marthe Robert, Renée Lang, Claude David écrivant sur ou publiant des inédits de Robert Walter, Rainer Maria Rilke, Hermann Hesse ou Stefan George. *Preuves* publie des écrivains et des poètes de grande qualité hors mode : Henri Calet, Armand Robin, Jean-Paul de Dadelsen; mais aussi bien Bonnefoy, Ponge, Cioran, Simenon, Ionesco (Bondy est responsable de l'édition allemande de ce dernier), Emmanuel; des essayistes de haut vol : Roger

Caillois, Emmanuel Berl. Des talents qu'Albert Camus avait remarqués, comme Jean Bloch-Michel (déjà cité) ou Jean Blot (un vieil ami de François Bondy), sont chez eux à *Preuves*. La revue sait accueillir Claude Mauriac sur *L'Alittérature* et Nathalie Sarraute. Elle est largement ouverte à la critique musicale et aux arts plastiques. Jelenski déploie en ce domaine une activité exceptionnelle et fait beaucoup pour asseoir la modernité de *Preuves*. Roger Grenier, André Fermigier, Françoise Cachin, Georges Pillement contribuent à son enrichissement pour la critique d'art, l'architecture et l'urbanisme. Enfin, la chronique musicale est successivement assurée par Fred Goldbeck, André Casanova et André Boucourechliev.

Restent la politique et le monde des idées. Raymond Aron est assurément la première plume de *Preuves*. A la différence d'*Encounter* outre-Manche, la cousine française ne peut pas s'appuyer sur un courant articulé, combinant social-démocratie réformiste et ouverture européenne. La revue a surtout partie liée avec un milieu européaniste transpartisan, fait d'hommes politiques, d'universitaires et de diplomates, où se croisent André Philip, François Fontaine, Georges Vedel, Henri Froment-Meurice et les membres de l'Union européenne des fédéralistes (Henri Frenay pour la France et Altiero Spinelli pour l'Italie). Autour de ce noyau identitaire stable, les années 60 sont surtout marquées par une transformation significative des relations de la revue avec les milieux intellectuels. Au départ, *Preuves* était en relation principalement avec des intellectuels venus de *Liberté de l'esprit* (Aron, Sperber) et de *Paru* (Patri, Collinet). Le choc de la révolution hongroise à Paris entraîne à gauche l'apparition d'*Arguments*. *Arguments*, c'est Saint-Germain-des-Prés, moins les sottises politiques de Sartre. C'est le milieu que Bondy et Jelenski souhaitent toucher : Jean Duvignaud est invité à Zurich lors de la réunion internationale des directeurs de revue; Edgard Morin participe au congrès anniversaire de Berlin, où il intervient dans le groupe dirigé par Shils. Globalement, cependant, les relations intellectuelles entre *Preuves* et *Arguments* sont faibles, encore que l'on trouve des collaborations croisées plus intenses dans le cas d'hommes comme François Fejtö ou Bernard Cazes.

Arguments disparaît dans la première moitié des années 1960. A ce moment-là, *Preuves* est précisément en train de nouer des contacts avec un nouveau segment des milieux intellectuels parisiens. Leurs liens se resserreront au fur et à mesure que l'on avancera dans la décennie. Il s'agit des historiens ex-communistes mais qui, à la différence du cercle d'*Arguments*, viennent de l'École normale supérieure, instance de formation des élites de l'université française, sur lesquelles *Preuves* n'a pas beaucoup mordu sous la IVe République, les Furet, Nora, Le Roy Ladurie, Kriegel, qui commencent à s'autonomiser comme groupe intellectuel, avec une forte conscience de soi. Le cas d'Annie Kriegel est particulièrement spectaculaire : membre du conseil de rédaction de *La Nouvelle Critique* (fer de lance de la pénération de l'influence communiste dans les élites montantes de l'Éducation nationale), elle s'était chargée de l'éreintage de *L'Opium des intellectuels* dans ses colonnes. Il est vrai que cette nouvelle collaboration avec *Preuves* entraîne un effet non moins spectaculaire : la rupture de Boris Souvarine avec la revue de François Bondy.

Les revues publiées directement ou soutenues par le CCF ne sont pas seulement les joyaux d'une grande maison d'édition transnationale. Leurs directeurs deviennent un groupe de pression capable d'infléchir les processus de décision dans le fonctionnement régulier de la maison. En effet, les structures officielles (assemblée générale, Comité international, Comité exécutif) qui définissent l'architecture du CCF ne recouvrent pas grand-chose. Seul le Comité exécutif a une véritable consistance face au Secrétariat international. Les limites de ce Comité exécutif sont au demeurant imprécises : il ne ressemble en rien au conseil d'administration d'une société ou au bureau politique d'un parti. Il est essentiellement le point de rencontre périodique entre le noyau de pilotage du Secrétariat et le cercle étroit des intellectuels influents : Aron, Spender, Silone, Sperber, Shils et Polanyi. Voilà pour les Européens. Rougemont préside ce comité : c'est un président loyal mais qui influence peu la construction de l'agenda. Les directeurs successifs du programme des séminaires y sont associés le temps de leur présence à Paris. Pierre Emmanuel, affublé du titre de directeur littéraire (pendant au titre de directeur artistique, celui de Nabokov), le rejoint en 1959-1960. Tavernier et Jelenski n'en font pas formellement partie mais peuvent être présents lorsqu'il se réunit. Leurs influences ne sauraient toutefois se comparer ; seul Jelenski y a du poids. Il tire son influence de sa position-charnière : il a l'oreille des grands intellectuels mais aussi celle de Josselson, même si « Mike » appuie toujours sur le frein devant les initiatives de « Kot » concernant l'Europe de l'Est.

Josselson maintient le cap des orientations à respecter au milieu des multiples influences qui s'exercent sur le Secrétariat. Mais il a en face de lui les différents directeurs de revue, associés eux aussi aux réunions du Comité exécutif et avec lesquels il lui faut composer. La première trace d'une concertation autonome des directeurs de revue apparaît à la fin de 1954 et au début de 1955. Elle est organisée sur l'initiative de Melvin Lasky et prend place non à Paris, au Secrétariat international, mais à Londres, dans les locaux d'*Encounter*. Nul doute qu'il ne s'agisse pour Lasky et son compère Kristol (qui vient d'être nommé codirecteur de la revue anglo-américaine) de se concerter en prenant un peu de champ par rapport à Josselson. Tous les directeurs de revue n'entrent pas dans le groupe de pression, qui réunit essentiellement un noyau formé de Bondy, Lasky, Kristol, Spender, Chiaromonte, Shils et Labedz (Torberg étant, quant à lui, un électron libre, dont les rapports avec le Secrétariat international paraissent assez lointains). Même s'ils sont sur des longueurs d'onde parfois différentes, ces hommes constituent à la fois une chambre d'écho et un groupe de pression analogue au Comité des séminaires, à la différence, essentielle, qu'il est, lui, permanent. Au sein de ce conseil informel des directeurs de revue, Melvin Lasky dispose d'un poids particulier. Du reste, entre 1960 et 1965, dans les documents du Secrétariat international, c'est Lasky qui présente les revues tandis qu'à Nabokov sont dévolues les activités artistiques et à Polanyi les séminaires du CCF. Créateur du *Monat*, cheville ouvrière du premier *Kongress für kulturelle Freiheit*, Lasky est avec Josselson un des très rares acteurs à maîtriser les origines du CCF. Vivant surtout entre l'Allemagne, l'Angleterre et les États-Unis, il semble moins à l'aise en France et en Italie, lieux d'élection d'un François Bondy. Mais le créateur du *Monat* et le directeur de *Preuves* poursuivent les mêmes buts, comme en témoigne le projet que Lasky et Bondy présentent ensemble en 1958 au Comité exécutif : une déclaration à faire signer par les intellectuels du monde entier, constituant une sorte de charte refondatrice du Congrès pour la liberté de la culture [1]. Ici le groupe de pression des directeurs de revue prend les devants pour redessiner la configuration de l'organisation dans une nouvelle conjoncture internationale et, s'ils peuvent accomplir cette démarche, c'est que les revues sont devenues le moteur de son développement.

Pour compléter ce tour d'horizon des revues européennes, il faut jeter un coup d'œil outre-Atlantique, plus particulièrement du côté de New York, où la vie des revues est plus essentielle que l'ACCF et ne s'éteint pas avec la disparition du comité. A New York, les années 1950 ont été marquées dans les milieux intellectuels de gauche à la fois par l'échec de *Critique* et le succès de *Dissent*, revue socialiste ayant refusé le virage réformiste pris par *Americans for Democratic Action*, le club intellectuel du Parti démocrate. La période 1960-1965 connaît d'autres changements. Le premier affecte les positions respectives de *Partisan Review* et de *Commentary*. *Partisan Review* est sur le déclin (le CCF est même conduit à lui verser une subvention pour lui donner un peu d'oxygène) tandis que *Commentary* prend au contraire un nouvel essor et élargit son influence. Le second changement y est la création d'une nouvelle revue, *Public Interest*, codirigée par des gens que nous connaissons bien désormais : Daniel Bell et Irving Kristol. Financé par Warren Manshell (qui était membre du comité d'organisation de la réunion de Milan en 1955), *Public Interest* se donne pour objectif d'analyser et d'influencer les nouvelles politiques publiques inspirées par l'administration démocrate.

La montée en puissance de l'action internationale de la fondation Ford

Présenter un tableau du CCF à son apogée exige d'expliciter les liens existant entre lui et la fondation Ford, établie à New York. Un indicateur permet de prendre immédiatement la mesure de l'importance de ces relations : en 1960, la Ford finance les actions du CCF à hauteur de 50 % de son budget ;

1. Peter Coleman, *op. cit.*, p. 172.

aussi le rapport que le Secrétariat international à Paris envoie chaque année à New York pour justifier l'emploi des fonds n'est-il pas loin de se confondre avec le rapport d'activité du CCF lui-même. Sans le vigoureux soutien de la fondation Ford, le Congrès pour la liberté de la culture n'aurait jamais atteint le statut international qui est le sien. Mais la réciproque est vraie : le CCF est une des réussites de la Ford et l'apogée de l'intervention internationale de celle-ci en Europe.

La sortie de la fondation de la double orbite familiale et philanthropique est opérée au lendemain de la Seconde Guerre mondiale sur l'initiative de Henry Ford II, qui procède à l'élargissement du *board of trustees* et demande en parallèle dès 1948 un rapport d'ensemble sur ce que pourraient et devraient être les missions de la fondation Ford. Les grandes lignes de son intervention internationale, quant à elles, prennent forme sous la vigoureuse présidence de Paul Hartman entre 1950 et 1953 [1]. Demandé par le *board of trustees* en 1947, le rapport sur les missions de la fondation est l'œuvre d'un comité d'universitaires présidé par un juriste de San Francisco, Rowan Gaither. Le comité Gaither remet son travail à la fin de l'année 1949. Rendu public en octobre 1950 (après que les *trustees* en ont tiré quelques lignes d'opérationnalisation souhaitables), il est très bien accueilli par la presse américaine. L'objectif général retenu pour l'action future de la fondation est l'avancement du *human welfare* – le bien-être de l'homme ou de l'humanité. La connotation de ce terme est difficile à rendre en français en même temps qu'elle est décisive, dans la mesure où, dans sa généralité et son ambiguïté mêmes, elle jette un pont entre philanthropie et politique, *human welfare* étant peu ou prou synonyme de « démocratie ». Du reste, le rapport Gaither tient compte du contexte international de l'époque et pointe le choix auquel les peuples de la planète se trouvent confrontés : démocratie ou autoritarisme. Pour concourir au bien-être de l'homme dans ce contexte international, la fondation cherchera à répondre à deux besoins essentiels : la réalisation d'une paix durable ; le renforcement des institutions américaines en conformité avec leurs principes démocratiques. A l'intérieur de ce cadre politique général, le rapport dégage encore plusieurs

1. Francis Sutton, « The Ford Foundation : the Early Years », *Daedalus*, hiver 1987.

notions, appelées à devenir autant de points forts de l'intervention de la fondation Ford sur la scène internationale :

– le principe de la libre circulation des hommes et des idées entre les sociétés : le rapport rejette toute construction d'une « ligne Maginot » (en français dans le texte) entre les cultures ;

– le développement du savoir et de l'éducation comme mode d'intervention spécifique de la fondation : si celle-ci se donne pour tâche de s'attaquer aux problèmes rencontrés par l'homme d'aujourd'hui afin de leur apporter des solutions, elle doit le faire d'une manière médiatisée, en donnant son concours à la recherche scientifique, à l'application et à la dissémination du savoir, à l'exclusion de toute prise en charge directe des problèmes eux-mêmes ;

– la définition de cinq aires d'intervention, charte à laquelle la Ford restera toujours fidèle : réalisation de la paix, renforcement de la démocratie, renforcement de l'économie, éducation dans une société démocratique et amélioration du savoir scientifique sur le comportement et les relations humaines.

Le rapport formule enfin des propositions d'organisation, avalisées elles aussi par Henry Ford II et les *trustees*. Le schéma proposé précise les relations à établir entre le *board of trustees* et un état-major administratif doté d'un président responsable devant le *board* mais autonome dans sa capacité à définir les programmes de la fondation. Si les *trustees* ont à se prononcer sur les orientations générales, ils n'ont pas à connaître le détail des projets bâtis par l'état-major administratif.

Sans doute d'autres fondations américaines ont-elles eu dès avant la Seconde Guerre mondiale une action internationale – Rockefeller et *Carnegie Endowment for Peace* principalement (dès avant la Première Guerre pour la seconde) –, mais aucune n'a jamais procédé à l'explicitation d'une mission globale de cette ampleur. Nulle autre auparavant n'a disposé de telles ressources puisque, au terme du testament des fondateurs, la fondation détient 90 % des actions A de la firme automobile. Avec le redressement de la situation de l'entreprise, la capitalisation de la fondation Ford est à l'époque très supérieure à celle des grandes universités privées américaines (Yale, Harvard, Chicago) mais supérieure également au budget de l'agence mondiale spécialisée dans le développement de la science et de la culture qui se met en place sous l'égide des Nations unies : l'UNESCO.

Le premier président choisi pour constituer l'état-major de la fondation, Paul Hoffman, ancien administrateur du plan Marshall, a une grande expérience internationale. C'est aussi un homme à poigne. Il n'a accepté le poste qu'on lui offrait qu'à condition d'avoir les mains libres pour enclencher une action d'envergure. Aussitôt nommé, il choisit deux adjoints : Robert M. Hutchins, président de l'université de Chicago, et C. Davis, président de la Saint Louis Federal Reserve Bank. C'est à Pasadena, en Californie, que dès janvier 1951 les trois hommes se réunissent pendant plusieurs semaines pour préparer leur programme d'action à partir du cadrage du rapport Gaither. Or, dès l'origine, il y a interaction entre les hommes de Pasadena et deux des hommes clefs qui ont permis la tenue du *Kongress für kulturelle Freiheit*, puis la constitution du *Congress for Cultural Freedom* : George Kennan aux États-Unis et John McCloy en Allemagne ; deux hommes avec lesquels Paul Hoffman s'entretient fréquement pour parvenir à la définition des premiers projets à financer. L'état-major de Pasadena précise que le renforcement de la paix passe par le soutien des Nations unies et de leurs agences spécialisées et que le principal danger pour la paix réside dans la tension Est-Ouest. Mais, précision importante, la conduite internationale de la fondation ne saurait être inspirée par la peur du communisme. Paul Hoffman prend langue avec Georges Kennan car il souhaite lui voir jouer un rôle important dans la définition des programmes. Hoffman comme Kennan refusent énergiquement de réduire les relations internationales aux seules relations militaires et stratégiques. Kennan conseille de ne pas s'engager directement dans des actions de guerre froide. Hoffman confie au *Center for Advanced Studies* de Princeton, où se trouve Kennan pendant un temps, un programme sur les relations États-Unis-URSS. Kennan suit de près la création d'un fonds, appuyé par la Ford, à New York, pour aider les émigrés (il envisage un moment de faire revenir Nabokov de Paris au printemps 1951 afin qu'il en prenne la direction et envoie un courrier en ce sens à Rougemont). Les relations ne sont pas moins intenses entre Pasadena et Berlin. Paul Hoffman consulte fréquemment John McCloy pour la définition des premières opérations à l'étranger. Lorsque le mandat de celui-ci à la tête de l'HICOG arrive à échéance, en 1952, Paul Hoffman le convainc d'accepter de prendre en charge à la fondation même un projet sur les facteurs de paix dans l'ordre international. John McCloy amène dans ses bagages Shepard Stone, l'homme qui, à son état-major, suivait les relations avec la presse et les dossiers politiques. Stone est aussitôt engagé comme consultant sur le projet dirigé par McCloy.

En 1953, un conflit surgit entre les *trustees* et Paul Hoffman, entraînant la démission du président. Rowan Gaither lui succède et rapatrie l'état-major administratif à New York. En 1953 toujours, le programme « Facteurs de paix » se transforme en une division des relations internationales dont Shepard Stone prend la direction. Que Shepard Stone soit dès l'origine le patron de la division *International Affairs* de la fondation Ford, responsabilité qu'il exercera de 1953 à 1966, est extrêmement important pour la compréhension de la dynamique de développement du Congrès pour la liberté de la culture en Europe, d'autant qu'au même moment John McCloy lui-même est coopté sur le *board of trustees*. McCloy et Stone à New York, Nabokov et Josselson à Paris : tous ces hommes ont forgé leurs attitudes tant politiques qu'intellectuelles dans le Berlin de l'après-guerre, au lendemain de la victoire des Alliés sur le nazisme. Ils partagent la même *Weltanschauung*. Le tandem McCloy-Stone privilégie les dossiers allemands et la construction européenne. Mais dès 1955 et les premiers signes de détente à Genève, Shepard Stone, à l'instigation du Département d'État, entraîne la Ford à s'intéresser plus directement à l'Europe de l'Est.

Placé dans une position clef, Shepard Stone, véritable stratège de la diplomatie culturelle de la Ford en Europe, va aider puissamment le CCF, à la genèse duquel il a assisté, à la naissance, ainsi qu'à ses premiers pas à Berlin. Berlin reste et restera toujours un point d'ancrage privilégié de l'intervention de la Ford en Europe. Dès qu'il entre en fonctions, Stone aide Lasky et *Der Monat*. Au même moment, il confie à Raymond Aron et à David Lerner une étude sur l'échec du traité portant sur la création d'une Communauté européenne de défense en France.

Les liens avec le Secrétariat international lui-même se

développent surtout avec et après 1956. Dans le cadre du programme d'aide à l'émigration hongroise mis en place par le CCF, la Ford finance plus particulièrement l'orchestre Hungarica Philharmonica, constitué à partir de musiciens contraints à l'exil et dont elle veut faire un symbole du monde libre. Mais c'est avec l'aide au grand programme sur les problèmes du progrès, lieu d'élaboration de la problématique de la fin des idéologies et vecteur de la croissance des séminaires et de la multiplication des échanges intersociétaux, que vont converger les objectifs du CCF et ceux du département *International Affairs* de la fondation Ford.

Mieux éclairer ce point suppose de poursuivre plus avant l'exploration de l'univers des fondations aux États-Unis mêmes. Leur originalité réside en effet dans la rencontre qui s'institutionnalise au tournant du siècle entre le monde des affaires et le monde des universités [1]. Un élément cristallisateur de cette institutionnalisation est la prise de conscience de part et d'autre de la rareté des ressources dont dispose l'Amérique. La volonté de synergie qui se manifeste alors peut d'autant mieux se déployer qu'elle ne rencontre pas les barrières d'une société aristocratique. Apparues au sein d'une société industrielle, les fondations prennent sur elles le souci de doter la société américaine d'une classe éduquée, capable de produire des chercheurs, des professeurs, des managers sur tout l'éventail de la culture et de la technologie.

La rencontre des milieux d'affaires et des milieux universitaires s'oriente ainsi vers des missions d'intérêt général prenant la forme de propositions argumentées de politiques publiques, bien au-delà de la sphère de la philanthropie. Cette dynamique éclaire, *a contrario*, l'inscription des fondations dans l'espace public nord-américain : au succès de l'institutionnalisation des rapports entre monde des affaires et monde universitaire s'opposent le permanent tiraillement et la guerre de tranchées entre les fondations et les milieux du Congrès à Washington. Ici, le seul lien avec la politique professionnelle est assuré par des débats conflictuels auxquels donnent lieu les exemptions fiscales dont jouissent les fondations.

Au lendemain de la Seconde Guerre mondiale, l'univers des

1. Barry D. Karl et Stanley N. Katz, « Foundations and the Ruling Class Elites », *ibid.*

fondations, surtout celui des grandes, occupe une place croissante dans la vie publique comme dans la vie académique aux États-Unis. Leur intervention dans la société est la résultante d'un jeu à trois partenaires – les *trustees*, les états-majors et les consultants universitaires. Les *boards of trustees*, médiateurs des milieux d'affaires, ne cessent de peser dans un sens pragmatique et d'exhorter les universitaires à être pratiques, à briser avec leur jargon théorique pour définir des programmes dont l'utilité sociale soit incontestable, tandis que de leur côté les universitaires ne cessent de vouloir rendre leurs bailleurs de fonds plus sophistiqués, plus intelligents, plus perméables aux grandes idées. Entre les deux, les états-majors administratifs élaborent des produits *(seed money, grants, projects)* pour rationaliser une gestion elle-même génératrice de nouvelles pratiques sociales entre les grandes agences publiques (nationales ou internationales) et les universités, ou tout au moins les universitaires. Le processus a pour effet non seulement de contribuer à renforcer l'autonomisation des politiques publiques argumentées, mais encore de modifier la vie universitaire elle-même, la fonction, permanente ou occasionnelle, de conseiller de fondation devenant un élément déterminant dans le déroulement d'une carrière académique.

Ce détour éclaire singulièrement le mode d'articulation qui s'établit entre la fondation Ford et le Congrès pour la liberté de la culture dès lors que la fin des idéologies devient la matrice politico-intellectuelle de celui-ci et le séminaire un de ses modes d'action favoris. Un renforcement parallèle s'établit dans l'espace politique et intellectuel international entre le rôle de la fondation Ford comme opérateur privilégié d'une diplomatie culturelle non gouvernementale et celui du CCF comme opérateur du soutien à la gauche réformiste non communiste. Ce parallèle a un fondement : la croyance dans l'universalité des solutions que les élites américaines pensent pouvoir apporter aux problèmes des sociétés industrielles. Le CCF fournit à l'état-major Ford un sas exceptionnel, en lui offrant sur un plateau les élites politiques avec lesquelles il souhaite travailler.

En effet, l'orientation de la Ford peut être saisie sous trois rubriques principales. Outil d'une diplomatie non gouvernementale, l'objectif de ses dirigeants est de donner une image de la culture américaine différente de l'assimilation fréquente à la culture populaire de masse. De plus, durant l'époque maccarthyste, des attaques populistes se développent contre l'art moderne, stigmatisé comme art dégénéré. Sous la pression moins directe de ces attaques que des structures gouvernementales, la Ford peut aider à l'organisation d'expositions d'art moderne à l'étranger qui, dans le climat politique du moment, auraient été difficilement réalisables par l'entremise des services officiels. La Ford place ainsi dès le départ son action dans le cadre d'une pratique mécénale éclairée. C'est la même attitude qui prévaut, une fois encore en rupture avec les pulsions populistes, en ce qui concerne la posture à adopter à l'égard des intellectuels communistes. Dès le départ, l'état-major de la fondation prête une grande attention à la situation des intellectuels : la séduction qu'exerce sur eux le marxisme est analysée comme un danger potentiel pour les démocraties occidentales ; l'élaboration d'une diplomatie culturelle appropriée devient donc une des composantes de l'équilibre international. Mais pareille diplomatie culturelle, parce que non gouvernementale, veut tourner le dos aux vieilles recettes de la propagande. L'attitude de la Ford à l'égard des intellectuels communistes ou philocommunistes sera toujours ouverte : on cherchera à les rallier plutôt qu'à les amener de manière humiliante à la resipiscence. L'approche est en tout point analogue à celle adoptée par le CCF dès qu'est abandonnée la voie de la constitution d'un mouvement international d'opposition frontale au Mouvement des partisans de la paix.

Deuxièmement, l'action de la fondation Ford s'inscrit dans le sillage réformiste du *New Deal*, ce qui fait d'elle une fondation libérale. Le terme « libéral » renvoie en premier lieu à un modèle d'éducation non autoritaire supposé engendrer une participation sociale irriguant la vie démocratique. Mais « libéral » renvoie également, dans l'univers américain, à une attitude politique distincte de la tradition libérale européenne classique : la croyance en la vertu de l'intervention correctrice de l'État pour instituer un capitalisme réformé et démocratique. Cette orientation a, depuis Roosevelt et le *New Deal*, la faveur des universitaires consultants des grandes fondations. Elle se concrétise dans l'offre de programmes publics *(policies)* faite aux instances politiques (contemporaines du *New Deal*, les premières *public policies* furent des *economic policies* – on comprend pourquoi). Pareille évolution accompagne une nationalisation du système américain : nationalisation du système politique avec l'accroissement du rôle de l'échelon fédéral mais tout autant nationalisation du système intellectuel appuyé sur les universités qui se frayent un chemin vers les agences publiques fédérales *via* les fondations. La diplomatie culturelle mise en œuvre par la Ford s'inscrit dans ce réformisme libéral et s'adosse à cette nationalisation du système américain. La congruence est quasi parfaite entre cette orientation et le travail intellectuel soutenu par le CCF pour aider les intellectuels européens à surmonter leurs penchants messianiques.

Fer de lance d'une diplomatie culturelle non gouvernementale, fondation libérale, la Ford est en troisième lieu orientée vers le développement des sciences sociales. Le point 5 de la charte énoncée par le rapport Gaither retenait comme axe d'action privilégié l'amélioration des connaissances dans le domaine du comportement et des relations humaines. Rowan Gaither avait été administrateur du MIT pendant la guerre et était proche par ailleurs des physiciens du *Manhattan Project*. Président un temps de la *Rand Corporation* (à laquelle la Ford accorda un prêt-relais pour son démarrage), il avait la conviction qu'un jour les sciences sociales obtiendraient des résultats aussi brillants pour résoudre les problèmes de la société que les sciences de l'ingénieur dans l'ordre technique. Aussi les *grants* accordés par la Ford iront-ils toujours en priorité aux sciences sociales, avant les humanités et la médecine. La fondation crée en 1955 à Palo Alto, en Californie, un Centre international d'études avancées pour les études comportementales. Le centre accueille chaque année cinquante boursiers venant de toutes les disciplines des sciences sociales. Savants chevronnés et jeunes chercheurs s'y côtoient. C'est là que Bell met en forme son livre sur la fin des idéologies. Palo Alto accueille bientôt l'élite montante des sciences sociales européennes. Là encore, l'interpénétration des objectifs et des mécanismes d'intervention du CCF est complète : la fondation Ford renforce l'émergence d'élites capables à la fois d'exercer un rôle dirigeant dans leur société et de communiquer horizontalement d'une société à l'autre.

L'arrivée à la présidence des États-Unis de John F. Kennedy, jeune président démocrate, donne un coup de fouet sans précédent à l'action internationale de la fondation Ford. Les intellectuels se bousculent dans son entourage et l'exécutif est grand ouvert aux consultants des fondations et à leurs propositions. Les têtes pensantes d'*Americans for Democratic Action* se retrouvent aux leviers de commande. L'action conjuguée du CCF et de la Ford parachève la constitution d'un *establishment* euro-atlantique conquérant : les années 1960-1964 sont celles de l'apogée de l'universalisme libéral américain, aspirant à nouer des alliances avec les élites du changement à travers le monde. C'est aussi l'apogée d'une diplomatie culturelle capable d'intégrer les facteurs sociétaux, selon les vœux de Hoffman et Kennan, exprimés quelque dix ou quinze ans plus tôt. Le CCF permet de saisir le déploiement de ce modèle d'action sur deux niveaux :

– Les échanges universitaires et académiques : le Secrétariat international fonctionne en ce domaine à la manière d'un tamis entre acteurs européens et système américain. Marion Bieber devient la correspondante privilégiée de la Ford, travaillant en étroite relation avec Shils, dont elle est l'assistante à *Minerva*.

– Les créations institutionnelles : conformément à ses orientations, la Ford aide à la création de centres de recherche ; la fin des années 1950 et le début des années 1960 sont en Europe une période d'intense création institutionnelle. A Paris, deux membres du Comité des séminaires, Raymond Aron et Bertrand de Jouvenel, bénéficient du soutien de la fondation pour la création du Centre de sociologique européenne et du réseau Futuribles.

Dirigé par Aron, le Centre de sociologie européenne est créé au sein de la sixième section de l'École pratique des hautes études. Une revue, *Archives de sociologie européenne*, lui est associée. Cette dernière est du même style et du même niveau que *Minerva*, mais les *Archives* est orientée, quant à elle, vers la philosophie politique et l'analyse des sociétés industrielles contemporaines. Marx, Weber, Tocqueville en sont les auteurs de référence majeurs. Le secrétaire général du centre, Éric de Dampierre, lance un projet systématique de traduction des œuvres de Max Weber en français. Du reste, l'année même où le Centre de sociologie européenne ouvre ses portes, Raymond Aron préface *Le Savant et le Politique* dans une collection accessible au grand public : quel meilleur antidote à l'« opium » des intellectuels que la distinction entre éthique de conviction et éthique de responsabilité ? Le CSE déploie ses activités dans deux directions : recherches sur la société française et accueil des boursiers européens du CCF. Peu après la réunion de Rheinfelden, Aron, conjointement avec Thomas Bottomore, prend l'initiative d'une rencontre internationale de sociologie à Stresa, en Italie, comportant une forte participation polonaise.

L'autre création institutionnelle s'appuie sur et appuie Bertrand de Jouvenel, associé aux travaux du CCF depuis Milan et membre lui aussi du Comité des séminaires, placé auprès du Secrétariat international. La structure mise en place en 1961 à Paris, orientée vers la prospective [1], comporte un double volet : une société d'études, la SEDEIS, et un réseau international interdisciplinaire, Futuribles. La SEDEIS entreprend des études, publie un bulletin bientôt transformé en revue, *Analyses et Prévisions*, s'entoure d'une collection. L'objectif du réseau est d'orienter la recherche en sciences sociales vers l'exploration des futurs possibles et de devenir lui-même un forum prévisionnel international. On retrouve dans son Comité international, au côté d'hommes comme Michael Postan, Eugene Rostow, Waldemar Nielsen, deux des piliers de l'ancien Comité des séminaires du congrès : Edward Shils et Daniel Bell. Bell est de plus consultant privilégié du réseau. Après que *The End of Ideology* lui a apporté un statut intellectuel international et à la suite du lancement de *Public Interest* avec son vieux compère Kristol, il s'oriente lui aussi vers la prospective, devenant en 1965 président du programme *Toward the Year 2000* aux États-Unis. Si le directeur des études de Futuribles est Jouvenel lui-même, l'administration du réseau est localisée à Genève sous la responsabilité de Jacques Freymond, le directeur de l'Institut des hautes études internationales, qui a abrité des séminaires coorganisés avec le CCF. Deux des quatre groupes internationaux de recherche sont animés respectivement par Éric de Dampierre (secrétaire général du centre d'Aron) et Peter Wiles (dont on se souvient du rôle qu'il a joué à Milan). Futuribles organise également des conférences internationales. La première, ouverte à Genève en 1962, voit la participation de

1. Le livre publié par Jouvenel en 1964, *L'Art de la conjecture* (Éditions du Rocher, Monaco) en constitue en quelque sorte la charte.

personnalités désormais plus que familières : Kristol, Lasky, Shils, Rougemont, Silone et Oppenheimer. Les processus d'autonomisation vont ainsi de pair avec le maintien de réseaux d'interrelations serrés.

Les Français dans les réseaux européens

Pour clore cette présentation du CCF à son apogée, il reste à cerner la situation des Français dans la restructuration des réseaux européens. Cet éclairage complète les deux autres données précédentes : l'inscription du congrès dans la politique de la IVe République et la situation de *Preuves* face aux revues de la gauche intellectuelle à Paris. Une fois de plus, partons d'un document : la brochure que le Secrétariat international édite en 1963, qui comporte un affichage des hommes politiques, des écrivains et des universitaires prestigieux associés au congrès en Allemagne, en France, en Grande-Bretagne, en Suisse et en Italie (cf. encadré p. 421) et resituons les douze Français parmi ces soixante-quatre noms.

Écartons les hommes et femmes dont la situation nous est désormais connue (Aron, Sperber, Jouvenel, Emmanuel, Tillion). Un mot sur Malraux : même présent sur cette liste, il n'est rien d'autre qu'un génie tutélaire lointain. Sa position rappelle celle du président d'honneur français, Jacques Maritain. Malraux, pas plus que Maritain, ne participe réellement au CCF et à ses travaux.

Un premier enseignement se dégage de l'examen de cette liste : la faible présence des hommes politiques français dans les réseaux mobilisés par le Congrès pour la liberté de la culture en Europe. Ce relatif effacement est mieux apprécié si on le rapporte aux deux pays (l'Allemagne fédérale et la Grande-Bretagne) et aux deux points d'ancrage politique (la social-démocratie réformiste et le mouvement fédéraliste européen) privilégiés par le CCF. Un seul homme politique français figure au tableau : Robert Buron, membre du MRP, associé aux responsabilités gouvernementales à l'époque. Buron s'est notamment distingué comme négociateur des accords d'Évian,

INTELLECTUELS ET HOMMES POLITIQUES ASSOCIÉS EN 1963

Allemagne

Willy Brandt
Otton Hahan
Theodor Heuss
Max Horkheimer
Eugen Kogon
Max von Laue
Wolfgang Leonhard
Theodor Litt
Helmuth Plessner
Ernst Reuter
Carlo Schmid
Bruno Snell

France

Raymond Aron
Gaston Berger
Robert Buron
Jean Cassou
Jean-Marie Domenach
Pierre Emmanuel
Georges Friedmann
Bertrand de Jouvenel
André Malraux
David Rousset
Manès Sperber
Germaine Tillion

Grande-Bretagne

Kingsley Amis
Eric Ashby
Wystan H. Auden
Alfred J. Ayer
Max Beloff
Isaïah Berlin
Colin Clark
C.A.R. Crosland
Richard Crossman
Cyril Darlington
Hugh Gaitskell
Stuart Hampshire
William G. Hayter
Max Hayward
Denis Healey
Richard Hoggart
Arthur Koestler
Malcolm Muggeridge
Irish Murdoch
Herbert Read
Hugh Seton-Watson
Leonard Schapiro
Stephen Spender
John Strachey
Hugh Trevor-Roper

Italie

Carlo Antoni
Nicola Chiaromonte
Virgilio Ferrari
Gianfrancesco Malipiero
Adriano Olivetti
Ernesto Rossi
Ignazio Silone
Altiero Spinelli
Lionello Venturi

Suisse

Jacques Freymond
Jeanne Hersch
Walter Höfer
Herbert Lüthy
Hans Oprecht
Denis de Rougemont

qui ont mis un terme à la guerre d'Algérie. Il faut souligner que le seul homme politique membre de la SFIO présent au congrès anniversaire de 1960, André Philip, qui a rompu avec la SFIO sur la guerre d'Algérie, a disparu quelques années plus tard. Si cette disparition du répertoire a des causes idiosyncrasiques, elle reflète une situation politique plus générale : la disparition, au lendemain de la guerre d'Algérie, de la SFIO comme acteur significatif sur l'échiquier politique français. La singularité française ressort mieux face à l'importance du courant gaitskelliste en Grande-Bretagne (Gaitskell lui-même meurt en 1964) et à la social-démocratie allemande. En République fédérale, le congrès est lié au SPD et les poids lourds du parti, Reuter, Schmid, ont toujours été présents dans ses instances dirigeantes, présidences d'honneur ou Comité exécutif. Au tournant de la décennie, la situation allemande est marquée par plusieurs changements : l'année précédente, le congrès du SPD a adopté une ligne réformiste ; en second lieu, le rôle politique du nouveau bourgmestre de Berlin, Willy Brandt, va s'affirmant. La seconde crise de Berlin, en 1961, et la construction du Mur ont conduit à un renouvellement de l'effort américain en faveur de la ville (visite du président américain, soutien accru de la Ford à la culture). Au lendemain de la guerre, la carrière politique de Brandt éclôt dans le giron américain berlinois. L'homme est en 1960 un de ces représentants des nouvelles générations politiques européennes avec lesquelles l'administration Kennedy est désireuse de nouer une nouvelle alliance en Europe. Tout au long des années 1950, sous la présidence d'Eisenhower, la politique américaine reposait sur une dissociation entre le soutien politique apporté à Adenauer et le soutien culturel donné à la social-démocratie. Désormais, les deux pôles se recouvrent tandis que l'Allemagne d'Adenauer s'éloigne [1]. On notera que la démarche est inverse du côté français : 1963 voit la signature d'un traité franco-allemand, paraphé par de Gaulle et Adenauer, institutionnalisant des circuits intellectuels franco-allemands sur de tout autres bases.

Dès l'origine, le mouvement fédéraliste européen avait constitué un second point d'ancrage du congrès en Europe. Les

1. Willy Brandt, *Mémoires*, Albin Michel, 1990. Ce livre comporte quelques indications fragmentaires. Un ouvrage sur le Berlin de l'après-guerre se fait toujours attendre.

fédéralistes demeurent toujours aussi nombreux parmi les personnalités mises en avant par le Secrétariat international : Rougemont, Kogon, Spinelli, Hersch, Lüthy, Silone. Aucun Français n'apparaît cependant dans ce groupe. Le mouvement fédéraliste européen est particulièrement faible en France et il est de plus marqué par la division. Un des fédéralistes les plus en vue associé au congrès a été Henri Frenay, l'ancien dirigeant du mouvement de résistance Combat, mais sa carrière politique après la guerre est un échec. En 1960, Frenay ne dispose plus d'aucune représentativité, que ce soit en France ou à l'étranger.

Il vaut la peine de s'arrêter sur les rapports du mouvement fédéraliste et du congrès en ces années-charnières. Très présentes au *Kongress für kulturelle Freiheit* de 1950, les personnalités du mouvement fédéraliste européen n'ont pas toutes été également associées au CCF. Kogon et la *Frankfurter Hefte* en Allemagne n'ont pas suivi le train. Il en va de même pour Henri Brugmans, le recteur du Collège européen de Bruges. Sa participation n'ira pas au-delà de la réception des congressistes réunis à Bruxelles en novembre 1950 [1]. Si Ignazio Silone est fédéraliste, sa participation au CCF, son autorité morale, son prestige ne découlent pas de ses sympathies pour le mouvement mais de sa stature d'écrivain.

Attardons-nous en revanche sur les trajectoires croisées de Denis de Rougemont et d'Altiero Spinelli. Rougemont est devenu président du Comité exécutif du CCF en 1950. En tant que grande figure du mouvement européen, il a été le rapporteur de la commission culturelle du congrès de La Haye, qui a donné naissance au Conseil de l'Europe. A l'époque, les États-Unis appuient à fond l'idée d'une architecture fédérale européenne. Aussi Denis de Rougemont ne rencontre-t-il aucune difficulté pour trouver des concours pour son Centre européen de la culture à Genève. Mais en 1953 le vent tourne. L'échec de la CED casse la dynamique européaniste. Le Centre européen de la culture essuie un refus de la fondation Ford, dont il sollicitait l'appui : d'où l'idée de créer une fondation spécifique

1. Toutefois, grand admirateur d'Ernst Reuter, Henri Brugmans avait inscrit au programme du Collège européen de Bruges un voyage à Berlin pour chacune de ses promotions. Ce séjour comportait l'assistance aux commissions où étaient entendus les Allemands de l'Est fuyant la « zone » : initiation aux réalités du monde totalitaire indispensable à la formation des futurs cadres de l'Europe.

pour recueillir des fonds pour le CEC et se trouver en meilleure position en vue de négocier avec les Américains. C'est ainsi que naît en 1954 une Fondation européenne de la culture, dont Robert Schuman est le président et Denis de Rougemont le directeur. L'année suivante, le prince Bernhard des Pays-Bas accepte d'en prendre la présidence et, en 1957, le conseil des gouverneurs décide d'établir son siège à Amsterdam. À partir de 1960, la FEC devient une institution proprement néerlandaise, alimentée par les ressources du loto local. En 1960 toujours, elle signe sa première convention avec le Conseil de l'Europe. Si, les premières années, la fondation a monté un programme artistique, fruit des échanges entre Rougemont et Nabokov, elle se lance elle aussi à partir de 1957 dans une politique de colloques. Mais une dissociation s'instaure entre la problématique intellectuelle européaniste et la problématique de la fin des idéologies : Rougemont ne sera pas associé au programme des séminaires du CCF et restera toujours en marge des initiatives de la fondation Ford en Europe. À partir de 1960, l'européanisme culturel et les institutions qui l'incarnent (CEC, FEC, Collège européen de Bruges) sont marginalisés par la poussée de l'étrave du vaisseau amiral de la diplomatie culturelle américaine, qui laboure profondément les eaux européennes.

C'est l'époque où, à l'inverse, Altiero Spinelli, autre figure du fédéralisme européen d'après guerre, se réintroduit dans le jeu politico-intellectuel américain, dont il s'est tenu à l'écart pendant la décennie précédente. Présent à Berlin en 1950, Spinelli coupe ensuite les ponts avec le congrès pour deux raisons : il ne voit pas ce qu'il peut en retirer par rapport au mouvement fédéraliste européen, qui est toute sa vie; il n'envisage pas de cohabiter avec Silone dans une même structure dirigeante (ils se connaissent depuis les origines du Parti communiste italien, avec lequel ils ont rompu tous les deux). Toutefois, Spinelli est de nouveau à Berlin dix ans plus tard, pour le congrès du dixième anniversaire. Les initiatives de l'administration Kennedy sont déterminantes pour le renouvellement des engagements de Spinelli. Les kennediens prennent en effet l'Italie pour point d'appui du lancement de leur grande politique d'ouverture au centre gauche européen et la cinquième convention d'*Il Mulino*, organisée en avril 1961, sur la politique internationale des États-Unis et la responsabilité de l'Europe, donne le coup d'envoi de cette politique.

A l'origine, *Il Mulino* est une revue bolognaise lancée en 1951, qui voit converger trois courants : des catholiques non intégristes, des socialistes non marxistes et des libéraux non doctrinaires. Autour de la revue se crée bientôt une maison d'édition qui, grâce au talent de l'un des fondateurs, Fabio Luca Cavazza, connaît un développement rapide en s'ouvrant largement sur les États-Unis. Cette ouverture enrichit son catalogue dans deux domaines : les classiques de la pensée libérale et les sciences sociales. Revue, maison d'édition, foyer intellectuel, *Il Mulino* devient peu à peu un club politique. Altiero Spinelli se rapproche fortement de ce milieu à partir de 1959, date à laquelle il est nommé professeur à l'antenne que l'université John Hopkins a ouverte à Bologne et qui fonctionne dans cette vieille ville universitaire depuis 1954.

La convention de 1961 du *Mulino* a été préparée par une tournée européenne de Cavazza pour détecter et associer à la manifestation les élites européennes montantes. Spinelli, de son côté, a entrepris une tournée analogue. Bien que ces missions soient indépendantes, les deux hommes se concertent fréquemment et les invitations à Bologne sont largement le fruit de ces échanges [1].

La cinquième convention du *Mulino* [2], qui se tient à Bologne du 22 au 24 avril, réunit des participants venus des États-Unis, de Grande-Bretagne, de Belgique, de France, de Hollande et d'Allemagne fédérale, ainsi que des membres des communautés européennes. Le rapporteur des débats est un professeur de relations internationales de l'université de Chicago, Hans J. Morgenthau. Dean G. Acheson, le président du comité consultatif du Département d'État pour l'OTAN, est présent, ainsi qu'Arthur Schlesinger. La rencontre est l'occasion de contacts politiques très nombreux et intenses. Mais la présence politique française est faible : alors que parmi les participants

1. Les enquêtes sur les nouvelles élites politiques et intellectuelles européennes sont alors très en vogue. En 1960, la revue de l'*American Academy of Art and Sciences* de Boston, *Daedalus* (avec laquelle le CCF organisera quelques séminaires), lance pour son propre compte une enquête de ce type. Le projet est dirigé par un comité formé de Graubard, Kissinger et Perkins. Il donne naissance l'année suivante à un livre : Stephen Graubard, *A New Europe ?*, New York, 1963.

2. « La politica internazionale degli Stati Uniti e la responsabilita dell'Europa », *Il Mulino*, n° 102, avril 1961.

allemands on note celle d'un député SPD destiné à faire du chemin, Helmut Schmidt, la SFIO est représentée, quant à elle, par le sénateur Armengaud, dont on ne peut pas dire qu'il représente vraiment les élites montantes de la société française de l'époque. De ce fait, le vrai patron de la délégation française [1] n'est autre, une fois encore, que Raymond Aron, invité l'année suivante à l'université Harvard, où il rédige *Paix et guerre entre les nations* et pour qui une entrevue avec Kennedy sera ménagée pendant ce séjour.

Revenons maintenant à la liste du Secrétariat international afin de jeter un dernier coup d'œil sur les noms des intellectuels dont nous n'avons pas encore parlé. David Rousset, associé au Comité exécutif depuis 1951, représente une famille politique ayant des liens étroits avec le CCF, le trotskisme. Dans le cas français, ces rapports sont fortement médiatisés par le mouvement syndical et la confédération Force ouvrière, créée avec l'appui politique et financier du service international de l'AFL. Rousset appartient, au sein du CCF, au réseau d'Irving Brown et c'est grâce à lui qu'il a pu monter le dispositif international de la CICRC. Mais, peu après 1956, Lovestone et Brown entrent en conflit avec le CCF et coupent les ponts avec l'organisation [2]. Rousset perd ainsi son principal soutien politique. Parisot a par ailleurs des mots avec Josselson et quitte à son tour le comité de rédaction de *Preuves*. Ainsi David Rousset, pas plus que Denis Rougemont dans un tout autre registre, ne s'insère dans les nouveaux réseaux du libéralisme américain international.

Terminons par l'évocation rapide des figures de Gaston Berger, Jean Cassou, Georges Friedmann et Jean-Marie Domenach, derniers noms français portés à l'affiche du Secrétariat international. C'est à titre posthume que Gaston Berger figure sur ce document car il est mort accidentellement peu après la réunion de Berlin. Berger était un partenaire important pour les États-Unis car il projetait de créer une université d'un type

1. Délégation ou l'on retrouve un fort noyau du CCF avec Jacques Carat pour *Preuves*, Michel Collinet pour *Le Contrat social*, Constantin Jelenski représentant le Comité des écrivains et des éditeurs. Pierre Uri est également présent à cette cinquième convention du *Mulino*.

2. Peter Coleman, *op. cit.*

nouveau, centré sur les sciences sociales [1]. Il figurait du reste parmi les orateurs de la séance inaugurale de Berlin. Jean Cassou et Georges Friedmann appartenaient tous deux, à la Libération, on s'en souvient, à un groupe d'écrivains progressistes. Cassou avait vite rompu son compagnonnage de route sur le schisme yougoslave et il avait accueilli en tant que conservateur du musée d'Art moderne le volet arts plastiques de *L'Œuvre du XXe siècle* à Paris en 1952. Quant à Georges Friedmann, René Tavernier le trouvait encore trop philocommuniste vers 1954-1955 pour pouvoir l'inviter à Milan mais cinq ans plus tard il participait au congrès du dixième anniversaire à Berlin. Georges Friedmann, humaniste décalé par rapport à la machine de l'Éducation nationale, joue alors un rôle non négligeable comme protecteur d'une nouvelle génération d'intellectuels sociologues, tant dans le domaine du travail et des relations industrielles (il aide au lancement d'une nouvelle revue, *Sociologie du travail*, développant des travaux empiriques hors de la vulgate marxiste) que dans celui de la culture de masse et des communications (il porte sur les fonts baptismaux un nouveau centre de recherche où se retrouvent Roland Barthes et Edgar Morin). Toutefois, l'association de Friedmann au CCF à cette époque est essentiellement symbolique.

Pierre Emmanuel et Jean-Marie Domenach représentent enfin l'ouverture aux catholiques de gauche, agrégés par la revue *Esprit*. C'est dans *Esprit* que Pierre Emmanuel a publié au lendemain de la révolution hongroise son grand article sur la fin du progressisme – article qui ne fut pas pour rien dans son recrutement ultérieur au Secrétariat international. La première manifestation qu'organise Pierre Emmanuel prend place au Danemark en septembre 1960. C'est un colloque international appuyé sur la revue *Perspektiv* et consacré à la situation de l'écrivain dans la société du bien-être. Ce colloque réunit 56 participants, venu de 15 pays. Sociologues, directeurs de revue et écrivains s'y côtoient, d'Ignazio Silone à Heinrich Böll,

1. Le soutien de la fondation Ford aux sciences sociales en France, outre l'aide apportée à Aron et Jouvenel, prend alors la forme d'une aide à la création d'une Maison des sciences de l'homme à Paris. Envisagée à l'origine comme un équipement inter-établissements, la Maison des sciences de l'homme entre rapidement dans l'orbite de la sixième section des Hautes Études, présidée par Fernand Braudel, conseillé par Clemens Heller.

d'Iris Murdoch à Claude Vigée. La participation nordique y est forte. Pour la première fois, des Espagnols « de l'intérieur » sont partie prenante d'une manifestation du congrès. Pour la première fois aussi, un directeur d'*Esprit* est associé à une réunion du CCF : un rapport a même été confié à Jean-Marie Domenach, qui, tout au long de la décennie précédente, a été une des têtes de Turcs favorites de *Preuves*. Toutefois, sur la guerre d'Algérie les positions d'*Esprit* et de *Preuves* étaient très voisines : les deux revues s'étaient prononcées clairement pour la décolonisation et avaient refusé le manifeste dit des 121. Au début de la décennie 1960, *Esprit* entre dans le jeu d'ouverture au centre gauche porté par l'administration Kennedy. Domenach préface la traduction française de *Political Man* de Lipset. C'est dans une collection de la revue qu'est également publié *A la recherche de la France*, élaboré sur l'initiative du Centre pour les affaires internationales de l'université Harvard, dont la direction est assurée par un ancien membre du Département d'État venu de l'entourage de McCloy en Allemagne, Robert Bowie, qui veut à la fois comprendre un peu mieux ce qu'est la Ve République et rééquilibrer l'intérêt parfois trop exclusif porté aux seules affaires allemandes. La revue *Esprit* est publiée aux Éditions du Seuil, maison en expansion, créée après la guerre, favorable à des auteurs et des courants de pensée soutenant la modernisation de la société française. Sans être institutionnellement comparable au *Mulino*, le Seuil est politiquement et intellectuellement proche de lui. Les Éditions du Seuil soutiennent l'émergence d'une nouvelle génération de sociologues, d'économistes et d'historiens qui inscrivent leurs travaux en marge des catégories d'analyse tant de l'université républicaine que du marxisme. Elles abritent encore la collection d'un club politique, le club Jean-Moulin, qui, une fois la guerre d'Algérie terminée, devient l'un des principaux laboratoires de la pensée de centre gauche réformiste de la nouvelle Ve République. C'est désormais ce milieu, bien davantage que celui de la SFIO de la défunte république, qui devient en France le partenaire privilégié de l'ouverture européenne au centre gauche de l'administration démocrate américaine durant les premières années de la décennie 1960.

CHAPITRE IX

Mondialisation, déstabilisation et recomposition

1967 est l'année de la déstabilisation et de la recomposition du Congrès pour la liberté de la culture, après que des informations ont été publiées dans la presse américaine l'année précédente sur la participation occulte de la CIA au financement de l'entreprise. Une analyse en profondeur de la crise suscitée aux États-Unis par ces révélations déborde le cadre de ce travail, circonscrit à la seule périphérie parisienne et européenne. Dès lors le problème à traiter est analogue à celui rencontré pour rendre compte des dix mois allant de l'organisation du *Kongress für kulturelle Freiheit* en juin 1950 à Berlin à l'installation du Secrétariat international du *Congress for Cultural Freedom* à Paris au printemps 1951 : construire un scénario solide dans ses grandes lignes, tout en sachant que bien des détails restent encore à découvrir. Ce second scénario, scénario de la déstabilisation, venant seize ans après le scénario de la mise en place, couvrira les quinze mois allant d'avril 1966, date de publication dans le *New York Times* d'une grande enquête sur l'intervention de la CIA dans les programmes intellectuels et culturels américains à l'étranger, à septembre 1967, date de la conférence de presse de Shepard Stone à Paris annonçant la fondation de l'Association internationale pour la liberté de la culture, se substituant au congrès.

Nous ne nous appesantirons pas sur le contexte politique et international dans lequel intervient cette déstabilisation tant il est connu. C'est celui des années où l'engagement militaire américain au Vietnam tourne à l'enlisement, enlisement accompagné d'une explosion polymorphe des contestations politiques et culturelles dans la société américaine elle-même.

La séquence de déstabilisation

Les événements se précipitent dans la seconde moitié de 1966 et tout au long de 1967. Ils peuvent être ordonnés et clarifiés si l'on prend pour fil directeur la course de vitesse qui s'engage alors entre la fondation Ford, qui souhaite restructurer sur de nouvelles bases le CCF, et une partie de l'opinion politique et intellectuelle américaine radicalisée par l'intervention quelques années auparavant de la CIA à Cuba contre le régime de Fidel Castro, avant même tout engagement au Vietnam.

La découverte que la CIA agit de manière occulte à travers les fondations-écrans date de 1964. Elle intervient à l'occasion d'une enquête d'un membre du Congrès commissionné pour élucider les possibilités d'évasion fiscale données par le système des fondations, qui se développent alors considérablement aux États-Unis. Le rapport enregistre le fait et livre quelques noms de fondations-écrans utilisées par la CIA, dont la fondation Farfield, qui a financé le festival *L'Œuvre du* XX*e siècle* à Paris en 1952. A partir de là, le *New York Times* entreprend une investigation approfondie qui fournit la matière d'une enquête publiée dans plusieurs numéros en avril 1966. Cette enquête connaît naturellement un grand retentissement aux États-Unis.

Dès avant la sortie publique de ce dossier par le *New York Times*, une concertation s'est établie entre la direction du journal et le milieu politique. James Angleton, pour la direction de la CIA, l'ambassadeur Charles Bohlen et Dean Rusk ont fait une démarche pour tenter de stopper la publication de l'enquête dès qu'ils ont eu connaissance du projet. L'état-major du *Times* a refusé de les suivre sur ce point mais a accepté cependant de soumettre la série des cinq articles aux instances de direction de la CIA pour recueillir leurs commentaires. Plusieurs des remarques formulées par l'agence sont suivies par la rédaction du journal. Mais lorsque la CIA demande que toute référence au *Congress for Cultural Freedom* et à *Encounter* soit suprimée, le *New York Times* refuse de lui donner satisfaction [1].

Ce qui est intéressant dans cet épisode, c'est, tout autant que l'importance du CCF et d'*Encounter* pour l'une et l'autre partie, le processus de la commission des bons offices lui-même. Il prouve que depuis 1964 les états-majors politiques s'attendaient à une dérégulation des interrelations institutionnalisées entre tous les partenaires concourant à la diplomatie culturelle américaine depuis le début de la guerre froide et que, si l'on ne pouvait rien contre une telle dérégulation, il était cependant nécessaire de mettre hors d'atteinte les réalisations les plus prestigieuses de cette diplomatie.

Quant au Congrès pour la liberté de la culture, sa situation est rapidement assainie. Dès le mois de juin 1966, soit quelques semaines après la publication de l'enquête du *New York Times*, le *board of trustees* de la fondation Ford (réunion du 20 juin 1966) adopte le principe de prendre entièrement à son compte son financement, à l'exclusion de toute participation gouvernementale. Le dossier d'un tel transfert ne peut qu'avoir été préparé de longue date, ce qui prouve que l'état-major de la Ford a lui aussi anticipé la crise.

La transition du printemps 1966 est marquée enfin par une série de prises de position, toujours dans les colonnes du *New York Times*, qui toutes se portent garantes de l'indépendance intellectuelle et morale tant du congrès que d'*Encounter*, après que l'un et l'autre ont été mentionnés dans l'enquête portée à la connaissance du public le 27 avril. Les prises de position se succèdent ainsi très rapidement durant la première quinzaine de mai.

John K. Galbraith, George F. Kennan, Robert Oppenheimer et Arthur Schlesinger Jr sont, le 5 mai 1966, les premiers à signer une déclaration commune rédigée en ces termes :

> Sur la base de notre expérience de relations avec le congrès au cours des seize dernières années (tant avec ses séminaires, ses festivals, ses revues, que ses dirigeants), nous pouvons affirmer de manière catégorique que nous n'avons pas le moindre doute quant à l'indépendance de ses choix, l'intégrité de ses cadres et la valeur de sa contribution. Sur la foi de notre expérience, le congrès, sous

1. Peter Coleman, *op. cit.*, p. 222.

la direction de son secrétaire général Nicolas Nabokov, a toujours été une institution entièrement indépendante et perméable aux seules volontés de ses membres, de ses collaborateurs et de son Comité exécutif. Un examen des résultats obtenus par le congrès, ses revues comme ses autres activités, convaincra les plus sceptiques qu'il n'a eu d'autre loyauté qu'un indéfectible attachement à la liberté de la culture et que sur la base de cette exigence il a librement critiqué les actions et les politiques de tous les pays, y compris celles des États-Unis. Pareille attitude n'a jamais été plus urgente qu'aujourd'hui.

Quatre jours plus tard, c'est au tour de Stephen Spender, Melvin Lasky et Irving Kristol de signer ensemble une lettre pour présenter cette fois une défense d'*Encounter* et de son indépendance tant financière que rédactionnelle. Les trois signataires soulignent que les articles politiques publiés, qui, au demeurant, ne représentent qu'une faible partie de la revue, ont toujours été écrits par des journalistes et des universitaires de tout premier plan, dont la réputation est au-dessus de tout soupçon. Dans ce domaine, plusieurs collaborateurs d'*Encounter* font d'ailleurs partie de l'équipe du *Sunday Times Magazine* ou de son supplément littéraire. Ils s'expriment en toute liberté et ils ont critiqué dans la revue aussi bien l'aventure britannique à Suez que l'intervention soviétique en Hongrie, le rôle de l'Amérique dans l'opération de la baie des Cochons ou les bombardements du Vietnam. Kristol, Lasky et Spender rappellent pour terminer que depuis deux ans *Encounter* est associé à un groupe de presse anglais qui en assume la responsabilité financière, ce qui, pas plus aujourd'hui qu'hier, n'entrave en rien sa complète liberté d'expression.

La lettre est suivie de quelques lignes entre crochets engageant la rédaction du *New York Times*, précisant qu'il n'a jamais été question d'insinuer que les rédacteurs d'*Encounter* étaient complices de dons indirects qui pouvaient être adressés à la revue ou qu'ils étaient des propagandistes de la CIA. Tout au contraire, poursuit la notule rédactionnelle, *Encounter* est parfaitement connu pour être une revue internationale indépendante de tout premier plan.

Le lendemain enfin (10 mai 1966), c'est au tour du Secrétariat international à Paris de s'exprimer par la plume de Denis de Rougemont et de Nicolas Nabokov signant conjointement en tant que président du Comité exécutif et secrétaire général du CCF une lettre rédigée en ces termes :

> Nous avons relevé avec émotion l'assertion du *Times* dans son numéro du 27 avril selon laquelle la *Central Intelligence Agency* a contribué indirectement à plusieurs programmes culturels, dont le Congrès pour la liberté de la culture.
>
> Le Congrès pour la liberté de la culture fut fondé à Berlin-Ouest en 1950 par un groupe d'écrivains, d'artistes, d'universitaires et de savants européens, asiatiques et américains, déterminés à se battre en faveur de la liberté d'enquête intellectuelle et de l'autonomie de la création artistique. Depuis lors, il a mobilisé des soutiens financiers de plusieurs sources, tant aux États-Unis qu'en Europe, pour soutenir ses revues, ses séminaires et ses autres activités.
>
> A aucun moment dans l'histoire du congrès un quelconque bailleur de fonds n'a cherché à peser sur la définition de ses actions, de ses choix et de ses programmes. Cependant, pour dissiper toute équivoque sur l'intégrité du congrès, nous demanderons aux individus et aux organisations qui contribuent à nos activités de confirmer le caractère non gouvernemental de leur soutien.
>
> Les implications des allégations selon lesquelles le congrès a été un instrument de la CIA sont profondément déloyales pour les intellectuels du monde entier qui ont trouvé dans le congrès et ses activités associées la possibilité d'écrire et de parler en toute liberté sur les problèmes les plus pressants comme sur les espoirs de notre époque.

Telle est la première séquence. La seconde phase, la vraie déstabilisation, intervient moins d'un an plus tard, au printemps 1967. Elle a pour cadre non plus New York mais la Californie, alors en pleine révolution culturelle. La déflagration est initiée par un article du magazine *Ramparts*, qui dans son numéro de mars 1967 « sort » un long article sur l'intervention de la CIA dans l'organisation et l'orientation des mouvements étudiants aux États-Unis [1]. Cet article reprend toute l'histoire des organisations internationales d'étudiants depuis la création de l'Union internationale des étudiants à Prague en 1948. C'est à la suite de l'impulsion de la conférence de Prague qu'est créée aux États-Unis l'année suivante la première union étudiante américaine, la *National Student Association*. Mais le coup de Prague de février 1948 entraîne immédiatement la

1. Sol Stern, « A Short Account of International Student Politics and the Cold War with Particular References to the NSA, CIA, etc. », *Ramparts*, mars 1967.

rupture entre la NSA et l'UIE. La NSA prend alors l'initiative d'organiser à Stockholm, deux ans plus tard, en 1950, une nouvelle réunion, d'où devait sortir une autre organisation internationale étudiante. La NSA constitue bien entendu le fer de lance de cette fédération, qui s'oppose frontalement à l'UIE , contrôlée par les communistes. Or, poursuit *Ramparts*, la NSA repose sur un double mécanisme : le fonctionnement intérieur, fondé sur des procédures démocratiques, un congrès élisant des délégués ; l'action internationale, reposant sur des experts non élus par le congrès de l'association. Ces experts constituent une catégorie de personnel à part, proche des diplomates professionnels. Ce modèle de fonctionnement a été mis en cause une première fois au congrès de l'association de 1961 par un délégué qui soupçonnait le service international d'avoir des liens avec le Département d'État. Personne alors, poursuit le rédacteur, ne pouvait imaginer un instant que ce n'était pas le Département d'État mais bel et bien la CIA qui finançait, contrôlait et pilotait le service international de la *National Student Association*. Or ce sont ces liens qui viennent d'être découverts parce qu'un jeune permanent de la NSA vient de « craquer » et a révélé le pot aux roses.

Le retentissement de cet artricle est énorme compte tenu du support dans lequel il est publié. La trajectoire de *Ramparts* est en effet emblématique de la radicalisation politique et intellectuelle en Californie. Lancé en 1962, *Ramparts* est à l'origine une revue catholique, dont les intellectuels de référence sont Jacques Maritain et Pierre Teilhard de Chardin. Cinq ans plus tard, elle devient un journal ultracontestataire, diffusé à près de 100 000 exemplaires sur les campus, totalement identifié à la révolution cubaine et violemment opposé à l'engagement américain au Vietnam. Ses révélations de mars 1967 sur les manipulations des organisations étudiantes par la CIA font monter encore d'un cran la radicalisation universitaire. C'est bien entendu le but recherché : le dévoilement de telles actions occultes permet de dénoncer l'indignité et le dévoiement de l'*establishment*. Après l'épopée peu glorieuse de la baie des Cochons, une nouvelle preuve de la perversité du « système » est publiquement exhibée. À la suite de la publication de cet article, *Ramparts* s'emploie d'ailleurs à ne pas relâcher la pression, mobilise ses lecteurs, multiplie les confessions d'étudiants abordés pour être recrutés et dénonce enfin les compromissions des fondations les plus prestigieuses.

L'article paru en mars n'attaque pas directement le CCF, il ne fait que le mentionner au passage, sur la base des informations publiées l'année précédente par le *New York Times* [1]. Mais le mois suivant, et à New York cette fois, Jason Epstein, le directeur de la déjà influente *New York Review of Books* [2], consacre un très long article aux rapports de la CIA, non plus avec les étudiants mais avec les intellectuels [3]. Brillant, mordant, très bien informé, « La CIA et les intellectuels » est un texte de haute volée qui réalise la performance de tracer un portrait acéré du milieu du Congrès pour la liberté de la culture et de ses intellectuels sans jamais prononcer une seule fois le nom du congrès. L'article repose sur une compréhension intime des rapports noués entre ce qu'Epstein appelle le consortium (un appareil traversant le gouvernement, la CIA et les fondations) et la famille (le milieu formé par *Partisan Review*, *Commentary* et le *New Leader*). Jason Epstein sait de quoi il parle, étant lui-même un membre parfaitement intégré à « la famille » [4]. C'est pourquoi chacun de ses traits fait mouche tandis que l'ensemble ne peut être décodé que par les seuls initiés.

Le climat du printemps 1967 n'est donc plus celui du printemps 1966 à New York et ailleurs. Les articles et les enquêtes se multiplient dans les grands journaux américains *(Chicago Sunday Times, Christian Science Monitor, St Louis Post Dispatch)*, allant de pair avec une polarisation des attitudes dans les milieux universitaires et intellectuels. C'est dans ce contexte de tension croissante qu'une véritable bombe explose au congrès et à *Encounter* sous la forme d'un article publié en Grande-Bretagne : son signataire, Thomas Braden (outre le caractère provocateur du titre de son intervention : « Je suis fier que la

1. Deux ans auparavant, cependant, *Ramparts* avait dénoncé le *New Leader*, présenté comme le noyau d'un lobby organisateur de la lutte anticommuniste en Asie, sans toutefois que la CIA soit mentionnée. Cf. R. Sheer and W. Hinch, « The Vietnam Lobby », *Ramparts*, juillet 1965.

2. La *New York Review of Books* a été créée en 1963.

3. Jason Epstein, « The CIA and the Intellectuals », *New York Review of Books*, 20 avril 1967.

4. Une substantielle note en bas de page trace les contours du consortium à travers les trajectoires institutionnelles de ses principaux acteurs (McCloy, Dulles, Rusk, Bundy, Stone) depuis l'origine de la guerre froide.

CIA soit immorale [1] »), écrit publiquement noir sur blanc pour la première fois que la CIA a effectivement financé le CCF et il le revendique hautement comme une action émérite face aux dénonciations moralisantes des campagnes de presse. L'homme n'est pas n'importe qui. Arrivé à l'agence en 1950, il y a monté la division internationale chargée de s'opposer au mouvement communiste. Le front international communiste était alors puissamment organisé (Mouvement international de la paix, Association internationale des juristes, Fédération internationale des femmes démocrates, Union internationale des étudiants, Fédération mondiale de la jeunesse démocratique, Organisation internationale des journalistes, Fédération syndicale mondiale). Au total, écrit Braden, la CIA estimait à l'époque que l'Union soviétique dépensait environ 250 millions de dollars sur tous ces fronts avec un extraordinaire rendement. Les communistes avaient déjà atteint plusieurs objectifs : détourner à leur profit des mots tels que paix, justice et liberté ; séduire les intellectuels du monde entier par la promesse d'une société sans classes et de l'émergence d'un homme nouveau ; entraîner des millions d'hommes réservés à l'égard de l'URSS à participer à des organisations sans savoir que ces organisations étaient secrètement contrôlées par elle. C'est dans ces conditions que la CIA prit en charge le premier effort coordonné de lutte contre l'influence communiste à une échelle internationale. Seule l'action occulte permettait d'obtenir des résultats car des financements publics eussent nécessité l'approbation du Congrès et jamais les représentants de Washington n'auraient accepté d'approuver l'aide à des gens de gauche et à des intellectuels. Au nombre des résultats rapidement atteints par la division internationale dont il avait la charge, Thomas Braden compte la réalisation du festival *L'Œuvre du XXe siècle* à Paris et la création d'*Encounter* à Londres. Il écrit :

> Je me souviens de l'incroyable joie que j'ai éprouvée quand le Boston Symphony Orchestra entraîna plus d'adhésion en faveur des États-Unis à Paris que n'auraient su le faire John F. Dulles et Dwight D. Eisenhower avec des centaines de discours. Puis il y eut *Encounter*, la revue publiée en Angleterre, administrant la preuve que la réussite culturelle et la liberté politique sont

1. Thomas Braden, « I am Glad the CIA is Immoral », *Saturday Evening Post*, 20 mai 1967.

interdépendantes. L'argent pour l'un et l'autre, l'orchestre et la revue, venaient de la CIA et très peu de gens à l'extérieur de la CIA le savaient. Nous avions un agent dans une organisation intellectuelle basée en Europe appelée le Congrès pour la liberté de la culture. Un autre agent devint un des directeurs d'*Encounter*. Les agents n'avaient pas seulement la possibilité de proposer des programmes anticommunistes aux dirigeants officiels, ils pouvaient également faire des suggestions pour résoudre les inévitables problèmes financiers rencontrés. Pourquoi, si l'on avait besoin d'argent, ne pas s'adresser aux « fondations américaines » ? Les agents savaient que la CIA finançait des fondations qui étaient des plus généreuses chaque fois que l'intérêt national était en jeu.

On comprend immédiatement l'énormité de ce paragraphe, venant après une année d'informations, de rumeurs et de polémiques. Jusqu'alors le Congrès pour la liberté de la culture était suspecté mais il pouvait se défendre. En se référant à son action personnelle à la CIA, Braden coupe définitivement l'herbe sous le pied au Secrétariat international et aux dirigeants du CCF, les privant de toute ligne de défense. Pis encore : Thomas Braden écrit ouvertement que la CIA avait des agents tant au Secrétariat international qu'à la rédaction d'*Encounter*. Personne n'était encore allé aussi loin.

Il faut crever l'abcès : c'est chose faite lors de la dernière réunion du Comité exécutif, à Paris en mai 1967. À la veille de cette ultime rencontre, Michael Josselson prend publiquement sur lui le péché d'origine, en déclarant (toujours dans la presse britannique) qu'il a été l'homme du contact entre la CIA et le CCF. Au journaliste venu l'interroger [1] Josselson déclare que personne ne savait que jusqu'en 1966 la CIA avait donné de l'argent à l'institution. De plus, s'empresse-t-il d'ajouter, depuis un an le financement est entièrement assuré par la fondation Ford, sans aucune contribution gouvernementale. Les 1 500 000 dollars de budget alloués par la Ford sont ventilés de la manière suivante : 40 % pour aider les revues ; 30 % pour organiser des conférences et des séminaires ; 10 % pour des bourses individuelles. Revenant sur le passé, Michael Josselson confie au journaliste :

L'agence donnait de l'argent pour ces choses parce que pour le

1. « Secret CIA Funds Kept Secret for 17 Years », *The Sunday Telegraph*, 14 mai 1967.

Congrès [1] le mot « intellectuel » était un mot peu reluisant [*dirty word*]. Comme notre organisation avait été lancée par de respectables sociaux-démocrates et d'anciens communistes, nous n'aurions jamais pu nous procurer autrement de l'argent. Nous avons fait se rencontrer des Européens et des Africains, fondé un ensemble de revues, engagé un dialogue mondial qui se poursuit. Il serait tout à fait regrettable de devoir nous arrêter du fait des informations aujourd'hui sur la place publique.

Dans cet entretien, le premier et dernier accordé à la presse, le secrétaire exécutif du CCF tient encore à préciser que la CIA était une oasis de libéralisme aux États-Unis pendant les années du maccarthysme. L'agence souhaitait s'opposer aux infiltrations du stalinisme en créant une fraternité intellectuelle entre gens d'opinions politiques variées. Le fait d'avoir tenu secrets ces financements évitait de voir le Congrès des États-Unis mettre son nez dans ces affaires et, parallèlement, déchargeait les intellectuels du souci de rechercher eux-mêmes les ressources dont ils avaient besoin. Josselson reconnaît que ce ne fut peut-être pas une bonne idée, bien que personne n'ait quoi que ce soit à se reprocher ; il se montre surtout sensible et préoccupé du dommage causé à la réputation des hommes qui ont participé aux activités du congrès. Cette déclaration publique de mai 1967 met fin au Congrès pour la liberté de la culture. Son principal animateur s'en retire alors, permettant ainsi à la fondation Ford de procéder à un réaménagement organisationnel d'envergure.

Toutes ces révélations successives ne manquent pas d'avoir un grand retentissement, qu'il s'agisse de l'approfondissement de la crise politique et morale aux États-Unis ou de l'exploitation que peuvent alors en faire les régimes communistes. Mais en France et à Paris le choc est faible et relativement amorti. Si Michael Josselson et John Hunt ont pu craindre que la télévision ne braque le projecteur sur la crise (la programmation d'une émission leur a été signalée), l'ORTF de l'époque fait silence sur le dernier Comité exécutif organisé à Paris et sur les remous qui l'accompagnent. Le Parti communiste reste également silencieux. La seule attaque française méritant d'être relevée est le fait d'un journaliste du *Monde* spécialisé dans les affaires cubaines et américaines, Claude Julien, qui

1. Il s'agit ici bien entendu de la branche législative du gouvernement fédéral des États-Unis.

stigmatisera dans un de ses livres le CCF comme instrument de corruption des intellectuels au service de l'impérialisme américain [1]. Mais cette critique ne sera ni reprise ni exploitée par un parti politique ou un organe de presse.

La situation se présente sous un jour entièrement différent pour *Encounter*, tant aux États-Unis qu'en Grande-Bretagne. La déstabilisation du congrès se joue en effet constamment à deux niveaux tout au long des années 1966 et 1967 : celui du CCF et celui d'une revue du réseau, *Encounter*. On aura d'ailleurs remarqué que les journalistes américains et britanniques font toujours référence aux deux structures en les mettant à égalité. Le prestige d'*Encounter* est alors au plus haut : le ton de la lettre de Kristol, Lasky et Spender au *New York Times* de 1966 le montre d'abondance ; les trois signataires prennent avec hauteur (et en usant volontiers du sarcasme) les allégations relatives à une prétendue participation de la CIA au financement de la revue. Cependant, dès le mois suivant, une première attaque sévère est portée à *Encounter* par un écrivain, Conor Cruise O'Brien, à l'occasion du XXXIVe Congrès du Pen Club, qui se tient cette année-là à Washington [2]. L'article suscite un procès. Au début de l'année 1967, c'est au tour de Jason Epstein, dans la *New York Review of Books*, d'attaquer Kristol (le seul membre de la « famille » à être ainsi nommément désigné), en rafraîchissant les mémoires sur un article que le codirecteur de *Commentary* a rédigé peu avant sa prise de fonctions à *Encounter*, dans lequel il semblait légitimer une alliance avec le sénateur Joseph McCarthy pour résister à la pression communiste. C'est Kristol, écrit Epstein, qui le premier instaura une forme d'anticommunisme tirant vers l'extrême droite et qui, simple petite grosseur au départ, bientôt enfla et suppura de manière intolérable. Avec un art consommé de la polémique, Jason Epstein ajoute perfidement que c'était précisément au moment où Irving Kristol virait à l'extrême droite qu'il contribuait à la création d'*Encounter*, au lieu d'écrire le livre sur Machiavel qu'il avait en projet. Ainsi est-ce sur les conditions mêmes de la naissance d'*Encounter* que la *New York Review of Books* fait porter les soupçons les plus graves.

1. Claude Julien, *L'Empire américain*, Grasset, 1968.
2. Conor Cruise O'Brien, « Politics and the Writers », *The Washington Post*, 12 juin 1966.

Comprendre pourquoi la revue anglo-américaine se trouve ainsi dans l'œil du cyclone oblige à remonter en amont de la séquence de déstabilisation des années 1966-1967. Depuis le début de la décennie 1960, en effet, la revue est engagée dans une confrontation directe avec un mouvement politico-intellectuel transatlantique radicalisé sur des positions d'extrême gauche, la *New Left*. Le mouvement a pris naissance en Grande-Bretagne, en opposition au révisionnisme social-démocrate. Il s'exprime d'abord dans plusieurs petites revues, qui finissent par converger en 1960 dans la *New Left Review*, laquelle se dote l'année suivante d'un nouveau rédacteur en chef, théoricien ambitieux, en la personne de Perry Anderson. Ce dernier prend aussitôt à partie un article de Theodore Draper publié par *Encounter* sur la situation et la signification du castrisme. Spender et Lasky ne laissent pas passer la charge; c'est le début des hostilités et elles ne cesseront pas. Dans la jonction entre radicaux américains et radicaux anglais, un homme joue en ce début de la décennie 1960 un rôle-charnière, le sociologue C. Wright Mills, qui se détache alors des milieux intellectuels socialistes new-yorkais pour rejoindre ceux de la nouvelle extrême gauche transatlantique. Dès 1957, Mills a fait une tournée en Europe de l'Est, au terme de laquelle il s'est rallié aux analyses du système communiste d'Isaac Deutscher. Lorsque la *New Left Review* fait son apparition en Angleterre, il salue l'initiative et dénonce dans le même mouvement les intellectuels de l'OTAN (*« Nato intellectuals »*) du Congrès pour la liberté de la culture. Ainsi, dès avant les convulsions de la société américaine engendrées par l'intervention de l'administration démocrate au Vietnam, les premiers éléments politiques et intellectuels de la déstabilisation à venir se profilaient très nettement. Deux éléments entrent dans la composition de la nouvelle extrême gauche : la possibilité de créer une société socialiste selon les canons marxistes dans une société industrielle et le soutien enthousiaste à la révolution cubaine. Le surgissement de ce mouvement dans les milieux intellectuels et les universités de plusieurs pays occidentaux prend le Congrès pour la liberté de la culture totalement à contre-pied. En effet, c'est paradoxalement moins dans les deux pays cibles de la décennie précédente, la France et l'Italie, qu'en Grande-Bretagne, aux États-Unis et bientôt en Allemagne fédérale que la *New Left* se développe. Or jusqu'alors ces trois pays étaient considérés comme des bases d'appui solide pour le CCF concernant son action en Europe en direction des pays où l'emprise communiste était forte. Cet arrière-plan permet de comprendre tout à la fois pourquoi le scandale entourant la disparition du CCF fait si peu de remous en France et, en sens inverse, pourquoi les polémiques ne font que s'intensifier aux États-Unis et en Angleterre, prenant pour cible *Encounter*.

Le printemps 1967 est marqué par une crise profonde au sein du comité éditorial de la revue, à la suite des déclarations de Braden expliquant que la CIA a placé un agent chez elle. Stephen Spender, qui un an plus tôt a cosigné une lettre au *New York Times* avec Kristol et Lasky, s'estime trahi par ce dernier. Ses rapports personnels avec l'ancien directeur du *Monat* étant par-dessus le marché fort médiocre, le conflit s'envenime aussitôt. Stephen Spender et Frank Kermode démissionnent publiquement du comité de rédaction en juin 1967. Le numéro de juillet paraît sous la seule direction de Melvin Lasky et contient une déclaration signée de sir William Hayter, Arthur Schlesinger Jr, Edward Shils et Andrew Shonfield, rédigée en ces termes :

> Les *trustees* d'*Encounter* regrettent profondément les sérieuses différences d'appréciation qui ont conduit deux membres du comité de rédaction, M. Stephen Spender et le professeur Frank Kermode, qui avaient rendu à la revue des services inestimables, à remettre leur démission. Les points de vue et les opinions des uns et des autres ayant été très largement exposés dans la presse, le propos des *trustees* dans les circonstances présentes est simplement de déclarer que, dans le but d'assurer une continuité, M. Melvin J. Lasky, qui au cours des neuf années écoulées a contribué de manière significative au succès de la revue, a accepté de rester corédacteur en chef. M. Nigel Dennis a été nommé corédacteur en chef.
>
> Les *trustees* envisagent d'examiner dans un futur proche l'ensemble des problèmes relatifs à la structure éditoriale d'*Encounter* et de voir quelles seraient les dispositions les plus appropriées à prendre dans le long terme.
>
> L'essentiel est qu'*Encounter*, depuis sa création en 1953, a joui de l'indépendance la plus totale dans sa politique éditoriale. Ses directeurs seuls ont toujours été responsables de ce qu'ils publiaient. Il en alla toujours ainsi tant avant 1964, lorsque la revue était financièrement soutenue par le Congrès pour la liberté

de la culture, que par la suite, quand le mécénat financier fut assuré (comme c'est encore le cas aujourd'hui) par l'International Publishing Corporation (présidée par Cecil H. King). Les *trustees* ne doutent pas que l'indépendance éditoriale d'*Encounter* sera maintenue dans le futur.

Ce communiqué est un communiqué d'attente. Toutefois, si certains *trustees* pouvaient souhaiter le départ de Melvin Lasky, ils échouent : Lasky reste à la tête d'*Encounter*, trouvant en Edward Shils un défenseur des plus déterminés pour son maintien en fonctions à la revue.

La crise éditoriale dénouée, les polémiques ne cessent pas pour autant. En septembre, aux États-Unis, *The Nation* publie un très long article de Christopher Lasch consacré à la guerre froide culturelle [1], où la naissance d'*Encounter* est présentée dans le droit fil du congrès de Berlin. Il faut, selon l'auteur, chercher la raison de la création de la revue dans l'opposition des Anglais et des Scandinaves à la croisade anticommuniste définie au *Kongress für kulturelle Freiheit*. L'objectif était d'éviter à tout prix que les intellectuels anglais ne basculent dans le neutralisme. Ainsi, *Encounter* fut une réponse à l'antiaméricanisme qui défigurait le paysage intellectuel anglais, antiaméricanisme que les animateurs s'employèrent à détruire avec zèle. La revue devint l'organe officiel des intellectuels de la guerre froide, croyant dur comme fer à la bonne foi du gouvernement américain et approuvant les grandes lignes de sa politique. Christopher Lasch stigmatise violemment l'asymétrie des positions politiques de la revue : les écrivains collaborant à *Encounter* dénonçaient l'intervention soviétique en Hongrie sans tirer les mêmes conclusions pour l'intervention américaine dans la baie des Cochons. (Soulignons au passage l'importance de la baie des Cochons dans la crise politique et morale qui s'amplifie : trois mois auparavant, *The Nation* a publié un premier article sur l'intervention de la CIA dans la vie

1. Christopher Lasch, « The Intellectual Cold War », *The Nation*, 11 septembre 1967. Cet article est ensuite incorporé (avec quelques modifications) sous le titre « The Cultural Cold War. A Short History of the Congress for Cultural Freedom » au volume que l'auteur publie deux ans plus tard : *The Agony of the American Left* (Ventage Book, 1969). Le texte de Lasch restera de nombreuses années l'article canonique auquel journalistes et universitaires du monde anglo-saxon ne cesseront de faire référence, soit pour leurs chroniques, soit pour leurs thèses sur le CCF et l'ACCF.

intellectuelle, dénonçant « une baie des Cochons littéraire [1] ».) Lasch aligne une kyrielle d'asymétries entre l'Asie, l'Amérique latine et l'Amérique centrale pour stigmatiser la ligne éditoriale de la revue, avant d'ajouter : les rédacteurs d'*Encounter* ont protesté de l'indépendance de leur ligne éditoriale par rapport au Congrès pour la liberté de la culture; mais c'est là un raisonnement spécieux : le problème se pose sous un jour entièrement nouveau depuis que Braden a révélé que l'un des codirecteurs d'*Encounter* (sans que l'on sache clairement s'il s'agit de Kristol ou de Lasky) a travaillé avec la CIA. Dans ces conditions, en effet, il est bien évident que le Congrès pour la liberté de la culture n'a nul besoin d'imposer une ligne à la revue. Pendant plus d'une année, la direction d'*Encounter* n'a fait que répondre systématiquement à côté. De surcroît, s'ils font front en public, les acteurs se rétractent souvent en privé : ainsi Lasky reconnaît-il qu'il a été insuffisamment franc avec ses compagnons. D'autres reviennent sur leurs déclarations : c'est le cas de Galbraith. Enfin, *Encounter* n'hésite pas à utiliser l'intimidation pour désarmer les critiques, ainsi à l'égard de Conor Cruise O'Brien avant les révélations de *Ramparts*; après quoi, ne pouvant plus nier, la rédaction a retiré ses insinuations à l'encontre d'O'Brien, lui a présenté ses excuses et a accepté sa condamnation aux dépens.

Une fois de plus, Melvin Lasky fait front. Une pleine page de controverse entre Lasch et Lasky est publiée dans *The Nation* quelques semaines plus tard. Le rédacteur en chef d'*Encounter* y précise qu'il n'a jamais été communiste (comme Christopher Lasch l'a écrit), pas plus qu'agent. S'il a créé *Der Monat*, il l'a édité avec le concours de l'USIA [2], relayée ensuite par la fondation Ford. Lorsque j'ai pris la direction d'*Encounter*, poursuit Melvin Lasky, et que je me suis aperçu que le Congrès pour la liberté de la culture couvrait le déficit de la revue non seulement avec de l'argent des fondations, mais également avec des fonds secrets gouvernementaux, j'ai fait tout ce qui était en mon pouvoir pour mettre fin à cette situation. Depuis 1964, le financement de la revue est entièrement anglais.

Quoi qu'il en soit, en 1967 la traversée du gros de la crise est

1. Alexander Werth, « A Literary Bay of Pigs », *The Nation*, 5 juin 1967.
2. L'USIA est le service des relations culturelles internationales des États-Unis.

achevée. La transition s'est opérée à l'évidence dans des conditions beaucoup moins satisfaisantes que celles envisagées quinze mois plus tôt dans les états-majors et à travers de douloureux réajustements : le Congrès pour la liberté de la culture est remodelé et change de nom. Il s'appelle désormais Association internationale pour la liberté de la culture. *Encounter* a vu son crédit entamé sans toutefois sombrer, et si *Tempo presente* et *Preuves* s'apprêtent à quitter la scène, *Encounter* est la seule revue du noyau européen d'origine à passer le cap des tempêtes. Après cette crise rédactionnelle sévère, elle a encore plus de vingt ans de vie devant elle [1].

SERVICES DE RENSEIGNEMENTS, DIPLOMATIE CULTURELLE, LIBERTÉ DE LA CULTURE

Sans doute n'avons-nous aucun moyen de démontrer les rouages du système décisionnel américain responsable du pilotage du Congrès pour la liberté de la culture, boîte noire encore inaccessible à notre analyse. Toutefois, avant d'examiner la recomposition du CCF par la fondation Ford, il est bon de revenir sur l'histoire de son développement à la lumière de la crise des années 1966-1967.

L'irruption de la CIA dans le scénario, avec l'utilisation massive de fonds secrets, évoque immédiatement l'image d'un complot. Toutefois, s'agissant de la lutte idéologique et de la diplomatie culturelle prises en charge par l'agence, il est possible de dessiner un premier cadrage grossier à partir du démontage de ce programme particulier que fut le Congrès pour la liberté de la culture et d'éviter tout mauvais roman à sensations. Nous nous arrêterons sur trois dimensions : le passage de l'OSS à la CIA ; le système décisionnel central et le pluralisme organisationnel du système d'intervention ; l'originalité du Congrès pour la liberté de la culture dans ce modèle d'action.

Si la CIA est créée en 1947 et si, aux dires de Thomas

1. La parution d'*Encounter* prendra fin en 1990, après la chute des régimes communistes en Europe de l'Est l'année précédente.

Braden, la division chargée de la lutte idéologique voit le jour en 1950, il est nécessaire de remonter au-delà de ces dates pour saisir la dynamique politico-intellectuelle qui va permettre la naissance du CCF en Europe. Le vrai point de départ se trouve dans la création de l'OSS en 1941 et, plus précisément encore, dans l'ouverture de son bureau suisse à Berne en 1942.

L'*Office of Strategic Studies* est créé après Pearl Harbor par William Donovan sur mandat direct du président Roosevelt. Donovan met aussitôt en place en Europe un réseau de postes de renseignements dans les pays neutres ou amis (Suède, Suisse, Espagne, Portugal, ainsi qu'à Tanger) en accord avec le Département d'État. Il confie le bureau suisse à Allen Dulles un ami de vieille date (les deux hommes appartiennent au même milieu des grands juristes américains), qui rejoint son poste en novembre 1942 *via* le Portugal et le sud de la France. L'installation d'Allen Dulles ne passe pas inaperçue à Berne, où la presse helvétique signale son arrivée comme représentant personnel du président Roosevelt.

La mission du poste est double : recueillir de l'information sur l'ennemi ; aider les résistants en lutte contre Hitler et Mussolini dans la zone proche de la Suisse. C'est ainsi que le bureau d'Allen Dulles, installé Herrenstrasse, devient bientôt un foyer de contact avec les résistances allemande, française et italienne, avec lesquelles non seulement sont examinés les problèmes du soutien logistique à leur apporter mais sont encore débattues les questions politiques et intellectuelles de l'Europe à reconstruire après la guerre [1].

L'OSS constitue un milieu humain très ouvert, où sont réunis et se côtoient aussi bien des militaires que des écrivains, des avocats que des universitaires. Les réseaux politiques et intellectuels construits autour de l'OSS en Europe serviront en 1950 à mettre sur pied le *Kongress für kulturelle Freiheit*, réalisé alors avec l'appui de l'OMGUS dans la zone d'occupation américaine en Allemagne. On y retrouve bien des hommes qui ont été en contact avec Allen Dulles. Un seul exemple : il n'est pas sans signification qu'Altiero Spinelli, le théoricien du fédéralisme européen, l'inspirateur du manifeste de Ventotene, soit conduit à la Herrenstrasse dès son passage en Suisse (après

1. Allen Dulles lui-même publiera en 1947 un livre sur la clandestinité allemande.

avoir participé à la création du mouvement fédéraliste à Milan) par François Bondy, le futur directeur des publications du Congrès pour la liberté de la culture [1]. Lorsque Melvin Lasky entame les préparatifs de la grande réunion internationale de Berlin voulue par Ernst Reuter afin de désenclaver la ville et de l'arrimer au monde libre, il prend tout naturellement contact avec « Bill » Donovan [2]. Globalement, enfin, les dimensions fondamentales sur la base desquelles ont été invités les intellectuels européens réunis à Berlin (antitotalitarisme, fédéralisme et social-démocratie) recoupent très précisément l'angle d'ouverture du balayage des contacts politiques de l'OSS en Europe pendant la guerre à Berne.

La prise en compte de l'histoire de l'OSS est indispensable pour éclairer la mise en place de la CIA elle-même en 1947. C'est en effet dans le vivier des anciens de l'*Office of Strategic Studies* que la *Central Intelligence Agency* puise en priorité pour assurer son démarrage. Son premier directeur adjoint est au demeurant Allen Dulles, qui apporte au nouveau service sa grande connaissance des affaires européennes. A ses débuts, la CIA est donc formée des mêmes milieux que ceux de l'OSS (auxquels il faut ajouter la strate des émigrés fraîchement arrivés de l'Europe soviétisée passée sous le contrôle de Staline), très largement ouverts au débat politique et au monde intellectuel. C'est dans cet humus que sont conçues les premières initiatives pour s'opposer aux actions du mouvement communiste international après la création du *Kominform*, en 1947.

Au demeurant, l'homme qui a suivi pendant de longues années les interventions culturelles et idéologiques de la CIA est connu des milieux américains bien informés. Il se nomme Cord Meyer. Il est entré au département dirigé par Thomas Braden en 1951 et il lui a succédé en 1954. Meyer est pleinement représentatif des milieux constitutifs de la CIA à ses débuts. Dans le livre qu'il a publié quelque quinze années après la déstabilisation du CCF on peut trouver toutes les indications souhaitables sur l'état d'esprit de ceux qui ont pris en charge ces initiatives pendant la guerre froide [3]. Meyer est le

1. Altiero Spinelli, « Come ho tentato di diventare saggio », *Il Mulino*, 1987, p. 394.
2. Frank A. Ninkovitch, *The Diplomacy of Ideas : US Foreign Policy and Cultural Relations, 1938-1950*, Cambridge University Press, 1981.
3. Cord Meyer, *Facing Reality*, New York, Harper and Row, 1980.

type même de l'homme de gauche qui rejoint la CIA pour participer à la lutte contre le totalitarisme stalinien. Très engagé dans le fédéralisme mondial, il a également milité aux côtés de Sidney Hook, Norman Thomas, Arthur Schlesinger Jr au sein du *National Council of the Arts, Sciences and Professions* pour résister à l'infiltration communiste. Un entretien personnel avec Allen Dulles le décide à entrer à l'agence. En 1953, en pleine vague maccarthyste, il est soumis à une investigation du FBI après qu'il a été dénoncé pour ses fréquentations de gauche : il est alors à deux doigts d'être mis à pied sans préjuger de poursuites éventuelles. Cet épisode, sur lequel il revient dans *Facing Reality*, est pour Cord Meyer l'occasion de faire un vibrant éloge d'Allen Dulles. Non seulement Allen Dulles a été capable de résister à la pression populiste (ce qui n'était pas rien dans le climat de l'époque), mais de plus il a su recruter dans les universités un personnel d'une grande qualité, qui surclasse les fonctionnaires du Département d'État. Cord Meyer ne donne dans son livre aucune information qui ne soit déjà dans le domaine public mais il rappelle dans quel cadre la CIA conduisait ses actions sur des fonds secrets en Europe. Nous agissions, écrit-il, au sein d'un mandat général que nous avait confié l'exécutif et qui avait reçu l'approbation du Congrès : la reconstruction de l'Europe de l'Ouest. Deuxièmement, aucune ambiguïté n'a jamais pesé sur ceux qui devaient être en Europe nos partenaires privilégiés : la gauche non communiste, qu'il fallait renforcer afin de l'aider à résister à la propagande communiste. Enfin le caractère secret de l'aide était d'autant plus justifié qu'il était réclamé par nos partenaires européens eux-mêmes : une aide ouverte eût en effet déclenché un tir de barrage de la propagande soviétique contre les « valets de l'impérialisme ».

Il n'y a rien de mystérieux, en effet, dans les grandes options politiques qui sont celles de la CIA pour l'Europe à la fin des années 1940 et tout au long des années 1950. Le milieu intellectuel agrégé par l'agence déteste viscéralement le sénateur McCarthy. Il est parfaitement conscient des résultats catastrophiques que produit cette lame de fond populiste : déconsidérer l'anticommunisme démocratique, assimilé, au-delà du maccarthysme, au « fascisme »; nuire à la mission internationale de l'Amérique victorieuse du nazisme. Le choix des partenaires européens à aider est parfaitement ciblé : les droites européennes étant financièrement soutenues par le patronat et les partis communistes étant épaulés par l'URSS, l'argent américain doit être prioritairement employé pour renforcer la gauche non communiste, c'est-à-dire la social-démocratie.

Le montage utilisé par la CIA est également bien connu aujourd'hui : l'argent transite par des fondations vers des organisations dont l'agence se borne à contrôler le secrétariat administratif. C'est ce schéma qui est utilisé pour la mise sur orbite du Congrès pour la liberté de la culture à Paris en 1951, lorsque Michael Josselson arrive dans la capitale française pour seconder Nicolas Nabokov, grand organisateur d'un festival prestigieux, *L'Œuvre du XXe siècle*, officiellement patronné par la fondation Farfield et les syndicats américains. La fondation est le canal principal d'articulation entre la CIA et le Congrès pour la liberté de la culture. Michael Josselson est le représentant de cette fondation en France [1].

La fondation Farfield est une fondation janus : sur une face elle développe ses propres programmes, sur l'autre elle permet le transit de l'argent de la CIA vers d'autres programmes. La Farfield dispose d'un bureau à New York, qui est beaucoup plus qu'une simple antenne administrative. Installé dans un appartement du centre, dirigé par un universitaire spécialiste de littérature anglaise qui a fréquenté Cord Meyer dans les milieux du fédéralisme mondial, c'est un point de contact actif entre les milieux intellectuels new-yorkais (tant des revues que de l'université) et des intellectuels ou des journalistes de passage, venus du monde entier, à travers le dispositif classique des cocktails, des contacts informels ou des dîners organisés. Nabokov, Josselson et Hunt ne manquent pas d'y passer lorsqu'ils sont à New York.

Si donc le cadrage général est désormais bien connu, c'est le détail des choix qui reste entièrement à explorer. On ne retiendra ici que quelques exemples parmi les plus significatifs. Il ne fait aucun doute qu'à la fin de l'année 1950 et au début de l'année 1951 un arbitrage politique très important est rendu, lorsque l'option de la création d'un mouvement international de

1. C'est la raison sociale qu'il veut voir figurer sur le témoignage de moralité qu'il sollicite un jour de Denis de Rougemont pour un démêlé mineur avec la gendarmerie française. Josselson demande expressément au président du Comité exécutif qu'il ne soit pas fait mention du Congrès pour la liberté de la culture dans cette lettre.

confrontation avec le Mouvement des partisans de la paix est écartée. Les conditions d'élaboration de cet arbitrage sont inconnues à ce jour, mais ses conséquences sont claires : il aboutit à l'élimination de James Burnham (pourtant expert auprès de la CIA) des instances de décision du congrès et, très vraisemblablement, au choix de Nabokov (soit dit en passant, et que cela plaise ou non, la relance de la grande musique européenne au lendemain de la Seconde Guerre mondiale à Paris a donc été financée par la CIA). En relation avec l'arbitrage structurant de départ, il est des situations plus floues, qu'il serait fort intéressant de pouvoir éclairer dans l'avenir : c'est le cas de la position d'Arthur Koestler notamment. L'écrivain s'engage à fond dans la création du MILC, dont il rédige la charte, puis apparaît plus en retrait dès que le CCF est mis sur les rails. Ce retrait est-il imputable aux volte-face dont l'écrivain est coutumier, ou résulte-t-il d'un choix délibéré de la partie américaine, poussant Ignazo Silone sur le devant de la scène tout en laissant Arthur Koestler se marginaliser progressivement ?

Il est toujours possible et légitime de multiplier les questions. Pour s'en tenir à la France, s'il n'y a rien de mystérieux dans la participation d'un Raymond Aron ou d'un Manès Sperber au CCF, on aimerait connaître les raisons qui ont conduit à associer Bertrand de Jouvenel au Comité des séminaires, puis à lui accorder une aide importante pour monter le réseau international Futuribles. Les absences peuvent être aussi source de questions : pourquoi un Éric Weil, que l'on s'attendrait tout naturellement à voir associé aux revues ou aux séminaires, se maintient-il ou est-il maintenu en dehors des réseaux ?

Il arrive que la situation s'éclaire heureusement grâce à un témoignage. C'est le cas pour *Kultura*. Constantin Jelenski, de longues années après le « scandale », il faut le souligner, a rendu publics les éléments du dossier dans un article consacré à cette revue [1] :

> [...] ce n'est pas sans mal que j'ai obtenu du congrès un don, qui ne s'élevait qu'à deux ou trois cent mille anciens francs, lorsque *Kultura* fut expulsée de son pavillon et que Giedroyc lança une collecte publique auprès de ses lecteurs, qui lui rapporta

1. Constantin Jelenski, « *Kultura*, la Pologne en exil », *Le Débat*, nº 9, février 1981.

> miraculeusement les quinze millions nécessaires pour acheter une maison, également à Maisons-Laffitte (ce don – comme tous les autres – fut d'ailleurs dûment rendu public par la revue). Tous mes autres efforts pour obtenir quoi que ce soit du congrès pour *Kultura* se soldèrent par un échec. Des années plus tard, le scandale du financement secret éclata et le secrétaire exécutif du congrès, Michael Josselson, en assuma l'entière responsabilité [...] Au cours d'une de nos nombreuses conversations ultérieures à ce sujet, il m'a dit : « Tu comprends maintenant pourquoi je n'ai jamais voulu aider *Kultura*. Pour une revue d'émigrés cela pouvait, un jour, se révéler dangereux... »

La précision est importante non seulement parce que dans les brochures de propagande du régime communiste polonais Jelenski était présenté comme un espion et *Kultura* définie comme une revue manipulée par la CIA, mais surtout parce que c'est en se fondant sur ces arguments que la collaboration à *Kultura* (définie comme un centre d'activité ennemi du régime) pouvait être retenue à charge dans les procès politiques faits aux opposants polonais.

Si le Congrès pour la liberté de la culture n'est qu'un programme de la diplomatie culturelle américaine, son étude approfondie invite à avancer un peu plus dans la compréhension du modèle d'action mis en œuvre, en tentant de replacer la CIA parmi les autres instances concourant à cette diplomatie. Ce modèle réunit deux dimensions en apparence contradictoires : un milieu décisionnel central, élitiste et restreint ; un extraordinaire pluralisme organisationnel, fait d'initiatives nombreuses et autonomes. Entre les deux niveaux il n'existe aucun coordinateur administratif central (selon le schéma français) et pas davantage de « chef d'orchestre clandestin » (même si l'intervention de la CIA appelle automatiquement cette référence).

L'idée même d'Europe libre, *free Europe*, qui constitue la charte de la diplomatie culturelle américaine, a des racines antérieures à la Seconde Guerre mondiale et à la rupture des alliances de l'après-guerre : c'est une idée wilsonienne. Du reste, plusieurs des membres de l'élite décisionnelle qui la mettent en route ont été eux-mêmes mêlés aux discussions diplomatiques qui ont mis un terme à la Première Guerre mondiale. Intervient ensuite le niveau organisationnel, avec la CIA, les fondations (et le rôle croissant de la Ford), mais aussi, et c'est une particularité du modèle, l'appareil syndical : l'OSS en son temps avait spécialisé certains de ses cadres sur les problèmes syndicaux, sous l'impulsion d'Arthur Goldberg (futur attorney général et juge à la Cour suprême) ; les ambassades des États-Unis furent ainsi dotées de *labor attachés* ; enfin, la division internationale de l'AFL agissait de son propre chef (avant que le CIO ne se mette, lui aussi, de la partie). Questions syndicales et luttes idéologiques étaient profondément imbriquées, le cas du Congrès pour la liberté de la culture le montre bien. L'AFL ne se désintéressait nullement des questions intellectuelles. Il est à peu près établi aujourd'hui, pour s'en tenir toujours au cas de la France, que le Département d'État n'était pas favorable à la scission de la CGT réalisée par le tandem Jay Lovestone-Irving Brown. On tient également pour acquis aujourd'hui que le secteur international de l'AFL travailla à cette scission avec des fonds syndicaux et ce n'est qu'ensuite qu'il se retourna vers la CIA pour obtenir des fonds secrets gouvernementaux afin d'élargir son action. C'est à l'évidence dans cette seconde étape que se situent l'organisation par Irving Brown de la réunion de Bruxelles et le financement des premières structures du MILC, dont le bureau de Paris, noyau du futur Secrétariat international du Congrès pour la liberté de la culture.

Le paysage se complique singulièrement si on y ajoute la presse, la radio (domaine dans lequel le *Committee for a Free Europe* joue un rôle essentiel), les organisations d'étudiants, celles d'avocats, etc. Il faut en outre ajouter que de 1947 à 1953 beaucoup d'argent américain arrive en Europe par de multiples canaux. La situation n'est ni claire ni stabilisée. Ici encore, le cas du congrès est exemplaire : une pluralité de sources de financement se succèdent à travers plusieurs canaux tandis que rien n'indique que le *Kongress für kulturelle Freiheit* finira par accoucher d'une organisation assurée de durer. Aussi les schémas de fonctionnement du dispositif de l'intervention culturelle et idéologique de la CIA, *via* sa couronne de fondations-écrans, tels qu'ils sont rendus publics aux Étas-Unis en 1966 (cf. shéma p. 452), s'ils sont bien exacts, traduisent en fait un mode de fonctionnement stabilisé et rationnalisé qui n'existait assurément pas à la fin des années 1940 ni au début des années 1950. C'est, semble-t-il, vers 1954-1955 qu'un processus de

Source : Washington Post

rationalisation intervient pour mettre un peu d'ordre dans ces interventions foisonnantes et parfois contradictoires. Il est vraisemblable que Cord Meyer à la CIA et Shepard Stone à la fondation Ford sont des agents actifs de cette rationalisation à la tête de leurs départements respectifs pour réduire l'écart entre l'élite décisionnelle et la pluralité des agents organisationnels.

Il devient alors possible de mieux éclairer un problème longuement et passionnément débattu durant les années suivant la déstabilisation du Congrès pour la liberté de la culture : celui du degré de connaissance par les participants aux différents cercles du congrès (Comité exécutif, Secrétariat international, revues, séminaires) du soutien de la CIA à l'entreprise.

On peut progresser ici en distinguant trois niveaux. L'élite décisionnelle responsable de la conception de la diplomatie culturelle américaine en Europe constitue le premier niveau. Ici, aucune ambiguïté et le propos peut être bref : le Département d'État, les états-majors des grandes fondations, leurs *trustees*, tout comme les *trustees* des grandes universités parties prenantes de la nationalisation et de l'internationalisation du système intellectuel américain, étaient parfaitement informés. Dans les années 1950, il ne se passait pas trois semaines avant qu'un cadre supérieur de la fondation Ford prenant ses fonctions ne soit au courant des programmes de « Cord » (Meyer). La qualité du personnel de la CIA, surclassant, on l'a vu, celle du Département d'État, faisait de l'agence une superfondation, sinon la Fondation des fondations.

Le deuxième niveau est celui des opérateurs de programme en contact étroit avec le Secrétariat international, qu'ils soient membres du Comité exécutif ou directeurs de revue ou de séminaire. Une distinction s'impose entre Américains et Européens. Du côté américain, il faut toujours revenir à l'émergence de ces programmes à partir des réseaux construits par l'OSS. Le milieu agrégé par l'OSS se disperse avec la suppression du service : les uns rejoignent leur université, les autres leur cabinet d'avocat, et certains reprennent du service dès que la CIA est créée. Or, quoique organisationnellement dispersés, tous ces hommes n'en constituent pas moins un milieu, quelle que soit la diversité de leurs positions institutionnelles ultérieures. C'est avec et dans ce milieu que Melvin Lasky évolue lorsqu'il bâtit le congrès de Berlin en compagnie d'Ernst Reuter (quelques années auparavant, il a déjà travaillé étroitement avec Kurt Schumacher pour s'opposer à la fusion du SPD et du KPD). L'attache avec Donovan est assurément essentielle pour la réussite du projet. Lasky travaille aussi avec Sidney Hook, qui passe un an en Allemagne comme *educational adviser* : les deux hommes feront ensemble un voyage à Paris pour prendre contact avec *Combat* et *Franc-Tireur*. Hook lui-même milite un temps aux côtés de Cord Meyer, qui choisit ensuite d'entrer à la CIA. Ce sont toutes ces interactions qui constituent un milieu et c'est ce milieu qui est essentiel. De même trouve-t-on parmi les universitaires américains collaborant aux revues ou actifs dans l'organisation de séminaires des anciens de l'OSS retournés à la vie académique ; d'autres encore, dans les départements (notamment dans ceux de sciences politiques), reçoivent des subsides de la CIA pour développer leurs recherches. Si la palette des situations individuelles peut être étonnamment variée, un élément réunit tous ces hommes : le civisme. C'est à l'intérieur d'un modèle de civisme que s'épanouit cette diplomatie culturelle vectrice d'un anticommunisme civil. Aussi la déstabilisation de l'ensemble du modèle au milieu de la décennie 1960 s'inscrit-elle dans une déstabilisation plus large d'anciennes formes d'exercice du civisme dans les institutions américaines.

Enfin, le troisième niveau est celui des Européens bénéficiaires des initiatives du CCF. Leur association résultait d'un processus de cooptation et d'adhésion à des programmes disposant d'une réelle autonomie. Naturellement, le congrès, comme tout programme culturel à destination de l'étranger financé sur des fonds publics, devait présenter une image positive de l'Amérique. Mais son rôle ne s'arrêtait pas là. Dans la période chaude de la guerre froide, il fournissait une structure d'accueil et de rencontres à des intellectuels marginalisés par la pression communiste relayée par le progressime – le cas est particulièrement net en France. Mais le Congrès pour la liberté de la culture se définissait en outre et surtout par le travail intellectuel qu'il promouvait à travers ses réseaux : il permettait à des émigrés de faire connaître la réalité de leur pays, encourageait la critique libérale du système soviétique, analysait les équilibres internationaux de pouvoir et explorait les dimensions des sociétés industrielles, comme celle de la démocratie dans les pays développés ou sous-développés. La qualité des livres, des débats, des revues témoignait éloquemment de l'authenticité en même temps que du pluralisme intellectuel qui les animait. C'était prioritairement par rapport à cela que les bénéficiaires et les participants européens se définissaient (et étaient cooptés) dans le cadre des options politiques générales auxquelles ils adhéraient. A partir de là, tous les ajustements individuels étaient possibles sur la nature exacte des ressources financières permettant un tel travail : ignorer, deviner, savoir – sans compter « ne pas vouloir savoir », qui est la précaution la plus élémentaire à prendre en de telles circonstances quand on a des convictions fortes et que l'on sait qu'en politique, si on choisit ses ennemis, on ne choisit pas toujours ses amis.

Il reste enfin à cerner la place du Congrès pour la liberté de la culture dans l'éventail des activités entreprises par la diplomatie culturelle américaine. Incontestablement, ce programme fut le plus prestigieux de tous ceux lancés à l'époque ; il fut aussi l'un des plus féconds, prestige et fécondité s'épaulant remarquablement, ce qui n'est pas toujours le cas. Cette réussite doit d'abord être mise au compte de Michael Josselson, le pilote invisible de la machine. L'homme est assurément une personnalité complexe. Issu d'une famille juive aisée des pays baltes qui s'intalle à Berlin après la révolution soviétique de 1917, il passe sa jeunesse dans la capitale allemande, avant de venir travailler à Paris dans une chaîne américaine de magasins. Lorsque la guerre éclate, il quitte la France pour les États-Unis, où son passé professionnel lui permet d'acquérir rapidement la citoyenneté et de s'engager dans l'armée. Sa grande connaissance des langues (il est parfaitement quadrilingue) l'oriente vers les services de renseignements. Il accompagne la progression de l'armée américaine jusqu'à Berlin, où, après la reddition, il s'occupe de la dénazification des milieux artistiques et de la relance de la vie culturelle avec Nicolas Nabokov. Il suit très vraisemblablement d'assez près les préparatifs du *Kongress für kulturelle Freiheit* puisqu'il est associé à la recherche d'un montage financier et organisationnel en parallèle au canal d'Irving Brown et de l'AFL. L'arbitrage politique rendu, qui écarte l'orientation « mouvement » avec la disparition du MILC, allège la pression exercée par Irving

Brown sur le fonctionnement quotidien du CCF et lui donne ainsi une bien plus grande latitude d'action lorsqu'il est chargé de son secrétariat exécutif. L'intelligence de Josselson se déploie alors dans la résistance qu'il sait opposer aux injonctions fortes de la CIA afin d'associer avec le maximum d'authenticité possible des intellectuels venus de divers horizons aux activités de l'organisation dont il a la charge. Subtil, ouvert (ce qui ne l'empêche pas d'être autoritaire), il sait que toute propagande simpliste serait contre-productive. Plus encore : il est réellement intéressé par la vie intellectuelle dont le congrès permet l'épanouissement. De plus, Josselson se révèle un remarquable *manager*, son moindre mérite n'étant pas d'avoir évité que les masses financières considérables qui étaient allouées au CCF ne soient engagées dans des opérations d'éclat sans lendemain, pour s'attacher à l'inverse à développer des actions en profondeur. Très rapidement, il parvient à faire décoller et à stabiliser l'appareil dont on lui a confié les commandes. Josselson s'emploie avec tout autant de bonheur à définir une voie originale dans l'enchevêtrement des réseaux euro-atlantiques tissés par la diplomatie culturelle de son pays : réseau de la radio et de la presse en Allemagne, travaillant selon les méthodes classiques de la propagande dans les territoires occupés; réseau de l'AFL, le seul disponible au départ pour une action d'envergure à l'échelle internationale; réseau des correspondants de presse américains (groupe *Time-Life, Reader's Digest*), où se rejoignent souvent et trop étroitement activité journalistique et activité de renseignement.

Le conflit de loyauté que Josselson assumait seul pour permettre ce succès n'allait évidemment pas sans de fortes tensions internes et un coût psychologique élevé. « Mike » a laissé auprès des participants les plus directement associés au CCF le souvenir d'un homme loyal – en rien celui d'un commissaire. Jusqu'au bout, il fit tout ce qui était en son pouvoir pour sauver ce qui pouvait l'être, en anticipant sur la crise et en faisant basculer sur des fondations respectables le plus d'opérations possible. Après la disparition du congrès, il continua à suivre de près la vie de la nouvelle association qui lui avait succédé. A Genève, il employa les dernières années de sa vie à la rédaction d'un ouvrage sur Barclay de Tolly. Il mourut en 1978. Son livre fut publié deux ans plus tard à Oxford [1]. Le message était clair : il appelait à une reconnaissance de l'organisateur comme intellectuel à part entière.

Toutefois, l'action d'un homme, si talentueux soit-il, ne saurait à elle seule épuiser les conditions permettant de rendre compte de ce succès. Deux autres dimensions doivent être prises en considération pour éclairer le dynamisme du congrès en Europe : la dimension polonaise et la dimension juive.

Si le CCF repose à l'origine sur une articulation étroite entre les États-Unis et l'Allemagne fédérale, la Pologne joue vite un rôle essentiel pour que l'organisation ne se referme pas sur cette relation privilégiée. Puis c'est prioritairement par la médiation polonaise que le congrès peut élaborer une stratégie politico-intellectuelle fine, fondée sur les processus de déstalinisation par le bas dans l'Europe sous contrôle soviétique. La Pologne présente une caractéristique singulière dans l'éventail des démocraties populaires européennes : le régime communiste polonais n'a fusillé personne pour intimider les créateurs (écrivains, artistes ou universitaires). A l'Ouest, un remarquable réseau polonais irrigue les relations euro-américaines et agit en des points particulièrement stratégiques de ce système de relations. A Paris, *Kultura* est une revue unique en son genre : aucune autre émigration de l'Europe sous contrôle soviétique ne dispose à partir de la fin de la Seconde Guerre mondiale d'un organe d'une qualité littéraire, historique et politique qui lui soit comparable [2]. Le propre de *Kultura* est en effet d'être une revue de l'émigration qui ne s'enferme pas dans une mentalité émigrée. La pléiade de talents réunis autour de *Kultura* (Giedroyc, Czapski, Milosz, Gombrowicz, Jelenski, Wat, Herling...) est unique, elle aussi. Si la capitale française agrège autour de cette revue singulière ce qui peut exister de plus élitiste dans la culture polonaise et la culture européenne, on trouve à l'inverse et en contrepartie aux États-Unis un *lobby* polonais particulièrement vigilant – avec tout ce que le terme *lobby* connote habituellement : une pugnacité ne s'embarrassant pas de nuances, entretenue par des politiciens habiles, disposant de la capacité de mobiliser rapidement des milieux

1. Diana et Michael Josselson, *The Commander : A Life of Barclay de Tolly*, Oxford University Press, 1980.

2. *Kultura et son cercle*, Paris, 1986, livre publié par les Amis de *Kultura* à l'occasion de l'exposition organisée pour le quarantième anniversaire de la revue.

populaires. Il existe enfin, tant à Londres qu'à Radio Free Europe à Munich, des journalistes polonais de grand talent, à la hauteur des enjeux de la vie publique de leur pays et des relations internationales : qu'il suffise de mentionner le rôle tenu par Jan Nowak à la tête du *desk* polonais de Radio Free Europe à partir de 1952 [1].

La seconde dimension, la dimension juive, est tout aussi essentielle à la compréhension de la dynamique et du devenir du Congrès pour la liberté de la culture en Europe. Pour en prendre la mesure, on peut repartir de l'article de Jason Epstein dans la *New York Review of Books* du printemps 1967, en explorant un peu mieux le second volet de son tableau codé : « la famille » – cette famille d'intellectuels que l'on trouve à la *Partisan Review*, au *New Leader* et à *Commentary*, soudés par des liens profonds qui sont fondés sur leur commune appartenance juive, le marxisme et leur haine du stalinisme. Si Epstein trace un portrait caustique de l'évolution de ce milieu, d'où sont issus en effet tant l'*American Committee for Cultural Freedom* que le *Congress for Cultural Freedom*, il rapporte les évolutions de ces intellectuels à deux dimensions : leur anticommunisme, dérivé de la trahison de leurs idéaux de jeunesse par Staline, et leur marche triomphale vers la réussite sociale à travers les institutions américaines. Il faut introduire une troisième dimension dans ce tableau, dimension à beaucoup d'égards capitale : leurs relations avec le monde extérieur, dans un pays marqué par l'isolationnisme politique et par une certaine fermeture à la grande culture européenne. Cette dimension joue un rôle essentiel tant pendant qu'après la Seconde Guerre mondiale : pendant la guerre, à travers l'aide aux juifs européens menacés grâce à la mise sur pied de différents comités de sauvetage; après la guerre, lorsque de nombreux juifs se retrouvent dans les services culturels de l'armée de la zone d'occupation américaine en Allemagne. Ces services connaissent un véritable affrontement entre « compagnons de route » et « antistaliniens » tandis que l'état-major semble n'y comprendre goutte. Dans le cas du *Kongress für kulturelle Freiheit*, il n'est pas exclu que l'engagement passionné de Melvin Lasky et de Boris Shub

1. L'envergure du personnage transparaît bien à la lecture de son livre *Courrier de Varsovie*, publié en 1978 (trad. fr. Gallimard 1983). On relèvera que Cord Meyer, dans *Facing Reality*, fait un vibrant éloge du *desk* polonais de RFE, en comparaison du caractère quelque peu erratique du *desk* hongrois.

pour en assurer le succès, en réponse au congrès des écrivains pan-allemands organisé dans la zone d'occupation soviétique, ait comporté une bonne dose de stratégie intra-organisationnelle, cette initiative leur paraissant tout aussi importante pour combattre l'influence des compagnons de route au sein des services culturels américains stationnés en Allemagne.

On retrouve tout naturellement de nombreux juifs tant au sein de l'*American Committee for Cultural Freedom* qu'à celui du *Congress for Cultural Freedom*. Ainsi, en Europe, la majorité des revues du congrès sont-elles dirigées par des intellectuels juifs. Aux États-Unis, ce milieu intellectuel va fonctionner comme offreur de théorie pour surmonter les contradictions existant entre les ressorts traditionnels de la démocratie américaine et les nouvelles responsabilités de grande puissance des États-Unis dans la phase de nationalisation du système intellectuel, qui s'accélère dans l'après-guerre. Le Congrès pour la liberté de la culture est le banc d'essai, le point de rencontre entre cette offre théorique et le pouvoir politique. Un tel processus fait du congrès autre chose qu'une simple industrie culturelle de luxe, comme Jason Epstein l'écrit en 1967 (il est du reste le dernier à pouvoir l'ignorer : il fréquente assidûment les cocktails de la Fondation Farfield à New York et, lorsqu'il se rend en Europe, il descend régulièrement chez Melvin Lasky à Berlin), et des nombreux intellectuels juifs qui y sont associés autre chose que des hommes en quête d'une simple reconnaissance sociale. La théorie de l'exceptionnalisme américain, à laquelle ils vont prendre une grande part, le montre à l'évidence. Leur marche à travers les institutions s'accompagne en effet d'un effort privilégié pour penser le rapport entre « intérieur » et « extérieur », pour contribuer à donner un fondement politique à la nouvelle dimension de l'action internationale des États-Unis en deçà et au-delà d'une contre-propagande circonstancielle liée à la guerre froide : l'Amérique, fille du mouvement d'émancipation du XVIIIe siècle mais qui saura éviter les perversions totalitaires européennes ; l'Amérique, terre promise de la modernité. Inversement et en parallèle à cet effort, les intellectuels juifs américains jouent un rôle pionnier pour européaniser la vie intellectuelle aux États-Unis mêmes. Le Congrès pour la liberté de la culture fonctionne comme un sas dans les deux sens. Cette fonction spécifique permet d'éclairer, par exemple, la trajectoire d'une revue comme *Commentary*, qui occupe une place croissante dans les débats de politique étrangère, alors qu'à partir de la décennie 1960 la *Partisan Review* entre dans un cycle de déclin et que le *New Leader* ne joue plus qu'un rôle marginal après la disparition de Levitas. La prise en considération de cette dimension éclaire en second lieu une des contraintes tout à la fois internes et externes qui limitent la visée mondialiste du congrès : le CCF ne parviendra jamais à initier une dynamique intellectuelle autonome et créatrice au Moyen-Orient entre Israël et les pays arabes. Les seules initiatives à destination de cette région et du Maghreb voisin seront le fait d'intellectuels européens (Polanyi, Silone, Emmanuel) et elles ne connaîtront jamais de prolongement important.

La reprise par la fondation Ford : création de l'Association internationale pour la liberté de la culture

La radiographie des structures de la diplomatie culturelle américaine, dont le CCF fut une pièce importante, conduit à poser deux questions : premièrement, comment expliquer qu'un programme si prestigieux n'ait pas été arrêté en temps voulu, avant que la situation ne se dégrade jusqu'au scandale, laissant un goût amer à de nombreuses personnalités associées à ses activités ? Deuxièmement, pourquoi la fondation Ford a-t-elle choisi de sauver le congrès en lui offrant une seconde chance ?

En l'état actuel des informations dans le domaine public, il est impossible de donner une réponse à la première question mais il n'est pas interdit de s'arrêter un instant sur le problème sous-jacent à sa formulation. Avec le recul, le Congrès pour la liberté de la culture apparaît avant tout comme un outil caractéristique des années 1950 et de l'administration républicaine qui gouverne le pays. Durant cette période, les deux faces de la politique étrangère des États-Unis sont en quelque sorte incarnées par les frères Dulles : John Foster Dulles, le secrétaire d'État, tête de Turc des intellectuels progressistes du monde entier, cristallisant sur lui les pulsions et les passions anti-américaines de l'époque ; Allen Dulles, placé à la tête de la CIA, appuyant quant à lui en coulisse la reconstruction de la social-démocratie en Europe. L'arrivée aux affaires d'une administration démocrate à l'aube d'une nouvelle décennie aurait dû logiquement permettre de tourner la page et de remanier le dispositif en profondeur. Or on observe bien une transition mais trop tardive. Plusieurs éléments pourraient permettre d'éclairer cet échec. Le premier découle du pluralisme organisationnel sans coordination centrale. Dès la mise en place de la nouvelle administration, il existe en Europe une initiative lancée par Schlesinger et fondée sur l'Italie pour ouvrir un nouveau canal en direction d'élites nouvelles. Ouvrir ce canal sans se préoccuper de l'ancien est parfaitement cohérent dans un modèle de pluralisme organisationnel. La vraie difficulté est de savoir ce qui se passe réellement au sein de l'élite dirigeante : plusieurs témoignages font état de la volonté de la fondation Ford de récupérer très vite le « bébé de Cord », mais Cord Meyer aurait résisté, attaché qu'il était à son œuvre. C'est l'indication, la seule dont on dispose, que dans un tel modèle il est plus aisé de faire redémarrer des initiatives périphériques que de les intégrer à un nouveau schéma dans le milieu décisionnel central. Enfin, il faut ajouter un troisième élément, parfaitement bien établi quant à lui : les contradictions inhérentes à la mondialisation du Congrès pour la liberté de la culture. L'ampleur de l'entreprise à son apogée et la recherche toujours plus poussée d'une surface mondiale s'accompagnent d'une perte du sens des finalités, au profit de la domination de la seule rationalité de croissance développée par le Secrétariat international. La mondialisation entraîne un clivage sous-jacent entre Européens et non-Européens associés au CCF. Ce sont les non-Européens – en Asie, en Afrique et en Amérique latine – qui sont, au début de la décennie 1960, les plus attachés à une intervention forte des États-Unis pour endiguer la pression communiste tandis que les Européens, pour leur part, en saisissent de moins en moins clairement la nécessité. Sans doute aucune fracture n'apparaît-elle, mais c'est une donnée qui pèse fortement sur l'arrière-plan de la mondialisation organisationnellement réussie et qui freine les réajustements rapides de finalité pour une entreprise de cette taille.

Il est en revanche parfaitement possible de répondre sans ambiguïté à la seconde question : McGeorge Bundy a joué un rôle déterminant dans la décision des dirigeants de la fondation Ford d'accorder une seconde chance au Congrès pour la liberté de la culture. Ce qui a pesé dans cette décision, c'est moins en effet que la Ford soit déjà engagée à hauteur de 50 % du budget dans l'opération que la nature de l'opération elle-même. Le CCF, avec son intervention idéologique fine dans le champ de la politique internationale, appuyée sur un réseau d'intellectuels de haut niveau, était une entreprise tout à fait atypique de la société américaine. Cette particularité ne pouvait que retenir l'attention d'un membre de l'élite dont le mode d'action était souvent comparé à celui d'un prince éclairé de la Renaissance, conscient de la faiblesse culturelle de la nation américaine. A ses yeux, c'était précisément parce que le congrès était si peu américain (on touche directement ici au fossé qui existe entre le populisme et la culture de l'élite, qui est un trait distinctif des États-Unis) qu'il fallait le sauver puisqu'il apportait ce qui manquait à l'Amérique. Un second élément a pesé dans la décision de Bundy : le président du *staff* de la fondation Ford croyait à l'action des grands hommes dans l'histoire et il y avait en Europe deux hommes qu'il était disposé à appuyer pour accroître leur rayonnement politique et moral : Isaïah Berlin et Raymond Aron. Bundy aida ainsi Berlin à organiser un nouveau collège à Oxford et il offrit à Aron de présider à la redéfinition et à la relance du Congrès pour la liberté de la culture.

Associé depuis l'origine aux destinées du CCF, Aron n'a cessé de voir son rôle se renforcer dans les instances de décision à partir de la conférence internationale de Milan, en 1955, année où il publiait *L'Opium des intellectuels.* Avant la fin de la décennie, la fondation Ford lui permet de créer à Paris le Centre de sociologie européenne tandis qu'il préside la même année aux rencontres de Rheinfelden dans le cadre du congrès. Avec l'arrivée de John Fitzgerald Kennedy au pouvoir, Aron devient un partenaire européen privilégié de la nouvelle élite décisionnelle intellectuelle, les Schlesinger et Bundy, qui arrive à la Maison-Blanche. Il est, bien entendu, un des principaux protagonistes de la nouvelle ouverture européenne organisée à partir de l'Italie par Schlesinger. En 1962, il passe l'année à l'université Harvard, où il rédige *Guerre et paix entre les nations*, et le même Schlesinger lui ménage une entrevue avec le président des États-Unis. Outre sa participation à la rencontre de Bologne, il préside une nouvelle conférence internationale à Naples, consacrée cette fois au développement économique dans la région méditerranéenne, organisée par le Congrès. En 1965, enfin, Raymond Aron est de nouveau en Italie, à la villa Serbelloni, à Bellagio, pour présider une conférence internationale organisée conjointement par le congrès et l'Académie américaine des arts et des sciences sur les conditions d'un ordre mondial [1], conférence marquée par la présence d'une forte proportion de professeurs de Harvard. La montée en puissance de Harvard est un trait distinctif de la période : cette prestigieuse université devient en effet une pièce maîtresse du déploiement du nouvel universalisme libéral de l'administration démocrate, appuyé par la fondation Ford (alors qu'à l'origine de sa création les dirigeants de la CIA qui avaient permis la mise sur orbite du CCF étaient liés à une autre université prestigieuse de la côte est, Yale). C'est à Harvard que Bundy, successivement conseiller pour la Sécurité nationale à la Maison-Blanche, puis président de la fondation Ford, dans les années 1960, a préparé dès les années 1950 un rapprochement entre professeurs et hommes d'action. Cet effort a abouti notamment à l'émergence d'une génération brillante de professeurs de relations internationales (Zbigniew Brzezinski, Stanley Hoffmann, Samuel Huntington, Henry Kissinger), pour laquelle Aron est une référence essentielle. C'est à Harvard enfin qu'enseignent deux vedettes d'*Americans for Democratic Action*, par ailleurs membres influents de l'élite décisionnelle, John K. Galbraith et Arthur Schlesinger Jr, bientôt rejoints par Daniel Bell.

A Paris, Josselson consulte très fréquemment Aron et suit scrupuleusement tous ses avis. Ainsi la réorganisation en 1962 du Secrétariat international a-t-elle été menée en concertation :

1. La conférence réunit, outre Raymond Aron, 20 participants : Jamal M. Ahmad (Soudan), J.W. Dyckman (États-Unis), Jean Fourastié (France), Hans Georg Gadamer (Allemagne fédérale), lord Gladwyn of Brandfield (Grande-Bretagne), Stephen R. Graubard (États-Unis), Stanley Hoffmann (États-Unis), Helio Jaguaribe (Harvard), Henry Kissinger (États-Unis), Ivan Malek (Tchécoslovaquie), Masao Maruyana (Japon), Robert Morison (États-Unis), Paul Mus (Yale), Davidson Nicol (Sierra Leone), D.P. O'Connell (Australie), R. Pitambert Pant (Inde), Pietro Quaroni (Italie), Jan Tinbergen (Pays-Bas), C.H. Maddington (Grande-Bretagne), Adul Wichien Charoen (Thaïlande). Une courte relation de la conférence fut faite par Stanley Hoffmann : *Rapport du programme des séminaires n° 8*, février 1966, 28 pages.

Josselson a soumis à Aron la lettre de Willy Brandt demandant que le congrès détache Nabokov à Berlin, tout comme ses propositions faisant de Pierre Emmanuel le nouveau secrétaire général et de René Tavernier le secrétaire administratif adjoint. C'est également vrai de Jelenski, qui ne manque jamais de consulter Aron sur toutes les initiatives intellectuelles d'une certaine envergure auxquelles il est mêlé. Sans doute, après 1960, Nabokov et Rougemont demeurent-ils toujours respectivement secrétaire général et président du Comité exécutif du CCF. La façade n'a pas changé mais, précisément, ce n'est plus qu'une façade. Le Comité exécutif joue de moins en moins un rôle régulateur face au développement considérable du Secrétariat international. Dans cette nouvelle configuration, Raymond Aron est pour les deux hommes les plus influents de ce secrétariat, Michael Josselson et Constantin Jelenski, la véritable autorité intellectuelle légitime en dernière instance, surtout depuis le retrait relatif de Michael Polanyi [1]. Il est des détails qui ne trompent pas : en 1962, lorsque le Secrétariat international est remanié et qu'une refonte des brochures de présentation est envisagée, c'est Aron que François Bondy sollicite pour lui en confier l'épigraphe, une citation qui se substituerait à la formule frappée par Silone en 1950 sur l'*habeas animam*. Le déplacement des références et des influences après le congrès du dixième anniversaire à Berlin ne saurait être mieux cerné et caractérisé.

Josselson prépare remarquablement le terrain à McGeorge Bundy. Dans un mémorandum [2] il propose une refonte complète du Comité exécutif : Aron en deviendrait le président, flanqué d'Ignazio Silone et d'Edward Shils. Ce Comité exécutif réunirait en outre John K. Galbraith et Robert Oppenheimer (États-Unis), Alan Bullock (Grande-Bretagne), la comtesse Dönhoff (RFA), Cosio Villegas (Mexique), Arthur Lewis (Jamaïque), Jayaprakash Narayan (Inde), Soedjatmoko (Indonésie). Parallèlement au Secrétariat international, Josselson s'assure qu'Aron trouvera un outil rénové : c'est ainsi que, tout

1. En 1964, Michael Polanyi s'occupe principalement de la mise sur pied d'un comité de patronage associant Aron, Silone, Jaspers, Seton-Watson, Narayan et lui-même en vue de la réalisation d'un livre commémoratif pour le dixième anniversaire de la révolution hongroise, financé par le congrès et dont le maître d'œuvre serait Tamas Aczel.
2. Peter Coleman, *op. cit.*, p. 225.

en maintenant Pierre Emmanuel aux fonctions de secrétaire général, il nomme Constantin Jelenski responsable du programme international des séminaires pour permettre à la formule de trouver un second souffle.

Enfin, Josselson travaille à un remodelage et à une rationalisation de l'ensemble de l'organisation. Le schéma proposé (cf. organigramme p. 466) permet de saisir le déploiement et la complexité des structures du CCF au milieu de la décennie 1960. On note que sur cet organigramme *Encounter* demeure directement relié au « bureau de Genève », sans aucun lien de subordination avec le Secrétariat international à Paris. Ce bureau de Genève se réduit à Josselson, le siège dudit bureau n'étant autre que son domicile privé. Les revues sont essentielles dans ce dispositif. Ce sont elles le véritable socle du Congrès pour la liberté de la culture. Elles sont divisées en deux groupes : revues disposant d'une autonomie et caractérisées comme « affiliées » au CCF ; revues liées à un programme sectoriel directement géré par le Secrétariat international. Les programmes généraux développés alors sont au nombre de quatre : séminaires internationaux ; conférences locales et régionales ; bourses, conférences, groupes d'étude ; action artistique. Comme dans toute organisation, la lecture de l'organigramme du CCF pourrait faire l'objet de commentaires copieux : celui-ci révèle en effet les strates successives d'un développement inégal et inégalement contrôlé. Pour s'en tenir à l'Europe, les cinq centres mentionnés (Lyon, Hambourg, Zurich, Madrid et Lisbonne) recouvrent des réalités profondément différentes : Lyon et Hambourg, pour ne prendre qu'un exemple, ne sauraient se comparer. Le cercle de Lyon, qui prolonge les Amis de la liberté, du reste la seule structure à survivre à la disparition de l'association en France, n'a aucun rayonnement au-delà des limites de la ville. Il en va tout autrement de Hambourg. Le centre correspond au milieu politique et intellectuel qui gravite autour du grand journal *Die Zeit*, milieu avec lequel le Secrétariat international veut resserrer les liens en associant Marion Dönhoff au Comité exécutif. Enfin, on note sur cet organigramme (le dernier du congrès) une innovation par rapport à l'ancien fonctionnement : l'apparition d'une structure nouvelle, celle des instituts couvrant quatre aires géographiques, Asie du Sud-Est, Amérique latine, Europe de l'Est et Méditerranée.

CONGRESS FOR CULTURAL FREEDOM
TABLE OF ORGANIZATION

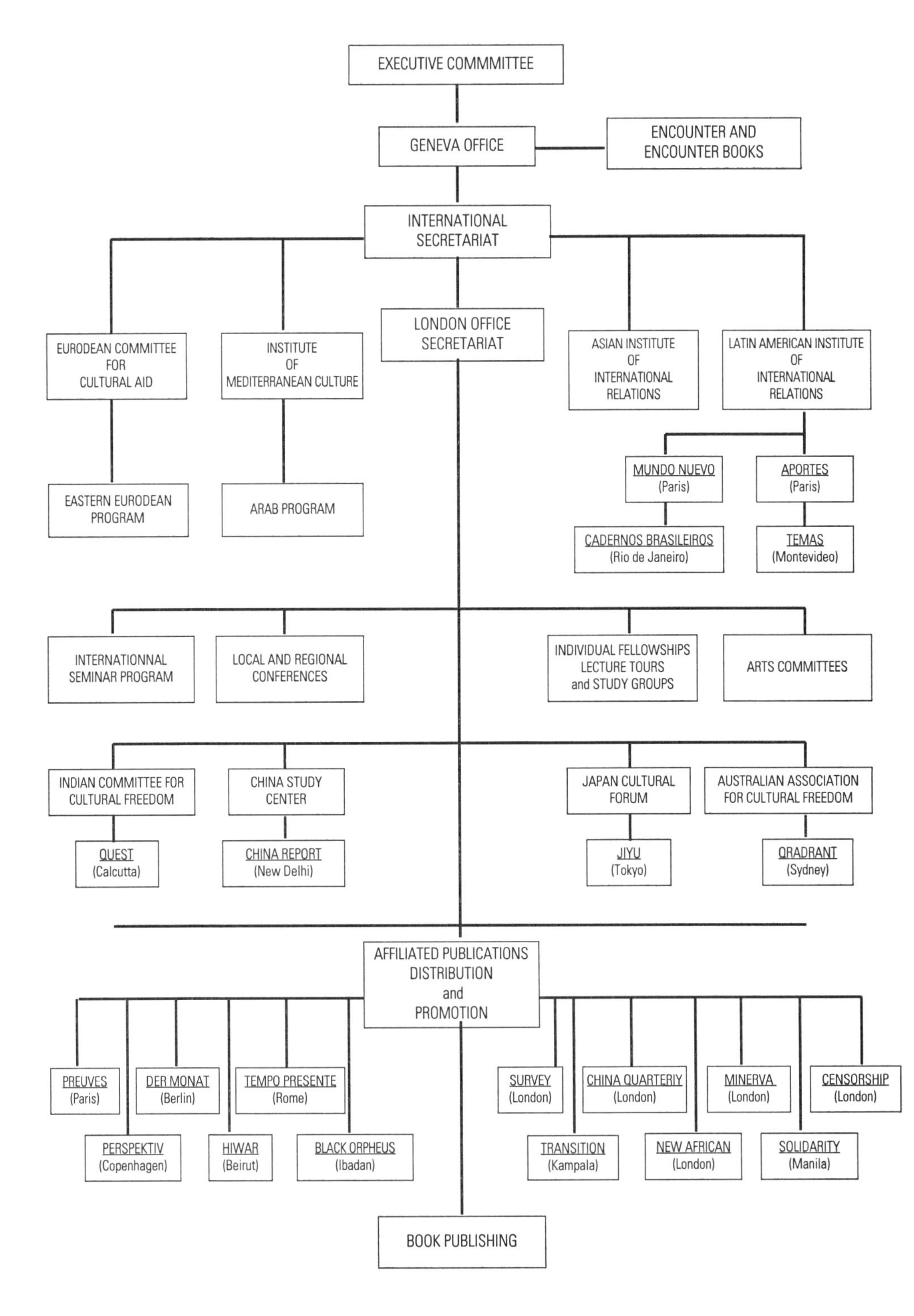

C'est dans un échange de lettres durant l'été 1966 que McGeorge Bundy propose à Aron de présider à la restructuration du Congrès pour la liberté de la culture. La première lettre de Bundy (18 juillet 1966) mérite d'être citée longuement car elle expose très clairement la perception du haut état-major de la Ford et le rôle personnel de Bundy dans le déroulement des opérations de restructuration :

Nous sommes fortement disposés, à la fondation Ford, à aider le congrès et je sais par Shepard Stone que vous appuyez cette solution. Mais j'ai la conviction qu'il est essentiel que nous ayons, de la manière la plus ferme, toutes les assurances sur une direction solide et un contrôle responsable. J'ai été un peu abasourdi d'apprendre, après la récente enquête du *New York Times*, que le Comité exécutif n'était pas au courant de ce qui faisait l'objet de tous les commérages [*café gossip*] à New York depuis des années. Je suis conscient que des mesures doivent être prises pour permettre aux dirigeants du congrès d'être *entièrement informés* [1] sur sa marche, et sur ce point Mike Josselson est entièrement d'accord. Mais vous-même, que pensez-vous ? Êtes-vous d'accord et pensez-vous que le congrès puisse obtenir le concours durable d'hommes comme vous sur une base qui pourrait exiger plus de temps et d'engagements que par le passé ?

Ce n'est pas pour moi une façon de fermer la porte de l'écurie une fois le cheval échappé. Je suis en train de prendre directement des contacts pour que toutes les assurances soient données afin qu'il n'y ait plus à l'avenir aucune participation de quelque agence que ce soit du gouvernement des États-Unis et j'en fais mon affaire. Mais précisément parce que Josselson et Hirsch [2] sont des cadres [*officers*] énergiques et remarquables, je pense qu'ils ont besoin d'une structure réunissant des hommes de réputation internationale comme vous-même, devant laquelle ils puissent se sentir réellement et non formellement responsables. Pour le dire autrement, j'estime que le congrès doit travailler pour les hommes pour lesquels il est une œuvre importante et non pour son Secrétariat international et moins encore pour la fondation Ford.

Dans les semaines qui viennent je vais m'entretenir avec les Américains qui se préoccupent de l'avenir du congrès mais à la vérité aucun avis ne m'importe plus que le vôtre. Je pense qu'il est essentiel de renforcer autant que faire se peut le rôle des non-Américains dans le congrès et aussi de le rajeunir. Or vous avez parfaitement conservé votre « non-américanisme » et vous avez

1. Souligné dans le texte.
2. Il faut, à l'évidence, lire « Hunt ».

maintenu des liens avec les jeunes générations de manière tout à fait remarquable.

Raymond Aron répond à McGeorge Bundy le 3 août 1966 en ces termes :

> Votre lettre, que je reçois à la campagne, me fait regretter encore plus de n'avoir pu vous rencontrer au cours de votre bref séjour à Paris. Il eût été plus facile de répondre à vos questions explicites et implicites dans une conversation que dans une lettre. Voici en bref malgré tout les réponses qu'un entretien m'aurait permis probablement de nuancer davantage.
>
> Il n'est pas douteux que le Congrès pour la liberté de la culture a fait, dans l'ensemble, un travail de premier ordre. Telle a toujours été, telle demeure mon opinion. C'est la raison pour laquelle, avec une légèreté que je me reproche, j'ai donné la caution de mon nom sans m'occuper du reste.
>
> Depuis quelques années, je m'en étais quelque peu éloigné faute de loisirs, mais aussi parce que la conjoncture internationale a changé au point que certaines activités du congrès me semblaient désormais plus ou moins inutiles. La bataille proprement idéologique en Europe est gagnée.
>
> Il n'y a pas lieu de poursuivre des débats auxquels les gens s'intéressent de moins en moins. De plus, les rapports difficiles entre Occidentaux – entre France et États-Unis en particulier – rendent discutables certaines activités ou publications du congrès. Mike Josselson, auquel j'avais parlé franchement, était au fond de mon avis. Il n'osait pas prendre certaines décisions qui auraient affecté tel ou tel collaborateur.
>
> Pour l'avenir, je suis d'accord avec vous et avec Mike que la tâche première doit être la réorganisation du congrès, la liquidation des financements douteux et surtout la direction effective du congrès par des personnalités intellectuelles qui acceptaient jusqu'à présent une responsabilité morale sans prendre part à l'administration. Est-il possible de trouver un comité directeur assez prestigieux pour surmonter la crise provoquée par l'article du *NYT* ? Comment serait composé ce comité ? Quelle serait la part des Américains, des Européens, des représentants de l'Asie, de l'Amérique latine et de l'Afrique ? Autant d'interrogations auxquelles je me sens incapable de répondre pour l'instant. J'ajoute que la réorganisation devrait s'accompagner d'un programme renouvelé en son contenu. Une fois de plus, Josselson est d'accord avec moi.
>
> En ce qui concerne mon propre rôle, il m'est impossible de décider pour l'instant si je me retire entièrement ou si, au contraire, j'assume une responsabilité accrue. Ma décision dépend pour

une part de ce que seront les réformes envisagées, pour une autre part d'un choix difficile que je ferai cette année entre ma chaire à la Sorbonne et l'École pratique des hautes études. Si je me retirais à l'École pratique, je serais au moins quelque peu soulagé.

J'espère avoir l'occasion de causer de tout cela avec vous à New York ou à Paris.

La réponse de McGeorge Bundy ne tarde pas. Dès le 23 août, il fait part de son extrême satisfaction de voir que Raymond Aron et lui-même sont tout à fait sur la même longueur d'onde. Dès lors, enchaîne-t-il, le problème se présente désormais de manière très simple : la fondation Ford et Raymond Aron *intuitu personae* peuvent-ils définir ensemble les moyens de progresser ? Bundy ajoute qu'après avoir pris connaissance de tous les aspects du dossier il demeure convaincu que le montage utilisé n'a pas affecté l'intégrité intellectuelle et culturelle de l'organisation et qu'il en est soulagé. Toutefois, une question reste pendante : ce passé peut-il constituer une barrière à une coopération ouverte, efficace, honnête dans le futur, étant acquis que le mode d'arrangement antérieur a définitivement cessé ? Bundy poursuit :

Ma seule conviction est que ceci ne constitue en rien un obstacle pour une décision de la fondation Ford ou pour une direction de la part d'hommes tels que vous. Pour le dire de manière encore plus directe, je serais ravi de pouvoir introduire auprès des *trustees* de la fondation Ford une demande de subvention importante [*major grant*] si dans le même temps je peux leur dire que Raymond Aron est prêt à s'engager personnellement à la tête de son Comité exécutif ou de son *board of trustees*. Je vous connais, je connais la réputation que vous avez acquise et que vous méritez chez ceux qui sont vos pairs par l'intelligence, le courage et le sens de l'honneur sur la plupart des continents. Je sais aussi que vous connaissez l'histoire du congrès et que vous respectez Josselson, qui a été à ce point central pour assurer son efficacité. Si vous avez confiance en l'avenir du congrès et en Josselson lui-même, si vous êtes décidé à le soutenir en même temps qu'à superviser ce qu'il entreprend, alors je n'ai rien à ajouter. Il y a de fortes raisons de penser que nombre d'hommes supérieurs, européens, américains ou d'autres continents, seront disposés à rejoindre le nouveau comité et à en partager la responsabilité.

Pour terminer, Bundy invite Aron à venir discuter calmement de tout cela à New York à sa convenance. Bien que Josselson le presse d'aboutir, il ne pense pas qu'il soit utile de précipiter les choses. Aron ne se rend cependant pas à New York mais poursuit ses entretiens en France avec Josselson et Stone, de sorte qu'il peut donner une réponse positive à Bundy par une lettre datée du 26 septembre 1966, en précisant l'esprit dans lequel il abordera ses nouvelles tâches :

> Finalement, je me suis résolu à accepter la tâche de président de ce nouveau comité qui dirigera et contrôlera l'action du secrétariat administratif.
>
> Les conversations que j'ai eues avec Josselson m'ont convaincu que nous étions suffisamment d'accord sur les grandes lignes de l'action nécessaire et des réformes à promouvoir.
>
> La première tâche consistera à recruter un comité où se retrouveront des personnalités intellectuelles de niveau supérieur et d'une intégrité incontestable. Ensuite, nous tâcherons d'établir un programme à long terme qui réponde aux exigences d'une situation qui, depuis 1950, a profondément changé. Il ne nous restera plus ensuite qu'à liquider celles des activités qui ne se justifient plus et à prendre toutes les précautions nécessaires pour que les imprudences commises dans le passé ne puissent pas se répéter.
>
> Vous le savez probablement, j'ai insisté sur deux points. D'une part, j'entends que mon rôle dans le congrès soit entièrement gratuit, comme le sera celui de tous les autres membres du conseil d'administration ou de direction. D'autre part, je souhaite que le congrès n'ait en France aucune entreprise qui présente, de près ou de loin, un caractère politique. Les relations franco-américaines sont actuellement telles qu'un congrès à vocation mondiale, financé par une fondation américaine, doit s'imposer en cette matière une réserve extrême.
>
> Stone vous dira probablement plus en détail ce qu'a été notre conversation. Mais l'essentiel se ramène toujours à une idée simple : le congrès a été une des rares organisations d'intellectuels non communistes qui aient su grouper des hommes de pensée et exercer une influence utile dans tous les continents. Il y a quinze ans, le congrès est apparu inévitablement lié à un combat. Aujourd'hui, tout en continuant à défendre les mêmes valeurs, il doit apparaître de plus en plus comme un organe de ralliement et de réconciliation.

Or, à peine ce schéma de relance est-il mis au point, avec un engagement financier important sur les cinq prochaines années aussitôt voté, en ce mois de septembre 1966 [1], que la vague des révélations du début de l'année 1967 vient mettre en pièces l'ensemble du dispositif. La dernière réunion du Comité exécutif de mai 1967 se tient après la déclaration publique de Josselson et se déroule dans un climat tendu. Pour alléger l'atmosphère, « Mike » a convié sa famille au cocktail offert pour l'occasion, afin de lui donner une touche « informelle », bien dans la manière américaine. Ce dernier comité est l'occasion d'un échange de vues sur la situation particulièrement désagréable où se trouvent désormais tous les participants. Les positions exprimées se répartissent grossièrement entre trois attitudes, exprimées respectivement par Spender, Silone et Aron.

Spender est celui qui proteste le plus violemment, attitude qu'il prolonge publiquement, comme nous le savons, en Angleterre, entraînant la crise d'*Encounter*. Silone qui, à la différence de Spender, a toujours maintenu une distance vigilante avec le Secrétariat international, assume totalement l'œuvre entreprise, tout en regrettant le montage utilisé. Aron, pour sa part, coupe la poire en deux, en distinguant la situation des intellectuels salariés du congrès des intellectuels associés aux activités du congrès. (Ce qui lui attire cette remarque cinglante de Pierre Emmanuel : « Si je vous comprends bien, Raymond Aron, je suis un espion américain mais pas vous. ») Du reste, Aron ne suit pas jusqu'au bout ce dernier Comité exécutif : il quitte la séance lors de l'interruption du déjeuner et ne revient pas l'après-midi. Aron a hésité l'année précédente à donner une réponse positive à la Ford et il est clair qu'il ne croit plus désormais à la possibilité d'une relance du congrès. Il ne veut pas davantage démissionner, une démission équivalant au désaveu du travail accompli dans le passé. C'est la position qu'il fera connaître très vite à Bundy, Masani et Emmanuel, durant les semaines suivantes, en se retirant définitivement.

La fondation Ford est engagée mais la situation impose à l'évidence un remaniement beaucoup plus profond que celui

1. L'échéancier de l'engagement est le suivant :

1968 : 1 300 000 dollars.
1969 : 1 100 000 dollars.
1970 : 1 100 000 dollars.
1971 : 1 000 000 dollars.
1972 : 1 000 000 dollars.

envisagé un an plus tôt par McGeorge Bundy. La Ford est alors contrainte de mettre la main à la pâte et c'est effectivement une gestion en prise directe qui se met en place pour aboutir très vite à une solution. Le dispositif envisagé l'année précédente reposait sur une entente directe entre Raymond Aron et McGeorge Bundy. Il est désormais hors de saison. Bundy se retire du jeu et c'est Shepard Stone, le chef de la division internationale de la fondation Ford, qui se voit confier la mission de réaménagement du congrès. Après tout, si le CCF a été au départ le « bébé de Cord », il est devenu également au fil des ans le « bébé de Shep » : à lui de jouer les pompiers pour éteindre l'incendie.

Parallèlement à cette désignation, Francis Sutton accomplit une longue mission en Europe pour faire la tournée de ce qu'on appelait alors dans le jargon Ford les « orphelins de la CIA ». Il s'agissait de se rendre compte de l'état exact des programmes sur le terrain, en vue de procéder à une réévaluation générale. Sutton prit contact avec des personnalités européennes de premier plan (comme David Astor et Isaïah Berlin en Grande-Bretagne ou Robert Marjolin en France) qui sympathisaient avec l'œuvre accomplie par le congrès sans jamais avoir été membres de son Comité exécutif. De telles personnalités pouvaient émettre ainsi un jugement plus distancié sur la situation. Francis Sutton nota dans le rapport qu'il fit à l'issue de cette tournée que ces personnalités étaient beaucoup plus sensibles aux dommages causés par les révélations sur le financement que ne l'étaient les intellectuels qui avaient été associés au Comité exécutif (tels Shils, Silone, Masani, Emmanuel ou Galbraith) et qu'elles insistaient pour qu'une rupture nette soit établie avec le passé.

Au terme de ces contacts, Sutton soulignait qu'un Congrès pour la liberté de la culture remodelé pouvait remplir un rôle utile à trois niveaux. En premier lieu, le soutien à la liberté de la culture en Europe de l'Est, dans la péninsule Ibérique, en Amérique latine et dans tous les pays en voie de développement demeurait essentiel. Il est vrai que les fonctions du CCF paraissaient désormais moins claires en Europe et aux États-Unis. Toutefois, les personnalités consultées pensaient que la désorientation et l'irresponsabilité intellectuelles que l'on voyait se développer chez de nombreux intellectuels occidentaux pourraient rapidement constituer un nouveau défi pour une organisation comme le Congrès pour la liberté de la culture. Troisièmement, la justification résidait en ce que l'amitié entre intellectuels européens et américains était un facteur décisif de réconfort et de soutien pour les intellectuels isolés et opprimés dans de nombreux pays.

Si les possibilités de faire éclater le CCF en plusieurs programmes ou de le fermer complètement pour relancer plus tard une nouvelle organisation furent envisagées, elles devaient être rapidement écartées. Le choix qui s'imposa était donc le maintien, mais avec des ruptures significatives. Le rapport Sutton ne contient aucune proposition précise d'organisation mais s'achève sur des propositions de réaménagement financier sévères (une diminution de 85 000 dollars par rapport à la dotation votée l'année précédente, se traduisant par une coupe assez brutale à partir de 1970). Le rapport concluait sur la nécessité de voir assez vite d'autres partenaires intervenir, sans quoi la Ford pourrait reconsidérer sa position sans attendre l'échéance finale de 1972 du *grant* dégressif attribué.

Les ruptures exigées sont préparées en parallèle à cette redéfinition de la philosophie de l'aide : changement du nom de l'organisation ; remaniement du Secrétariat international, où ni Michael Josselson ni John Hunt ne sauraient demeurer ; contrôle direct de la nouvelle organisation par Shepard Stone, qui en prend la présidence, Pierre Emmanuel acceptant de demeurer secrétaire général.

Quant au conseil exécutif de la nouvelle Association internationale pour la liberté de la culture, c'est Shepard Stone qui joue le rôle déterminant dans la définition de sa composition. Son président, Alan Bullock, vice-chancelier de l'université d'Oxford, est un homme qu'il connaît bien et qui est dans le droit fil de la tradition du congrès. Bullock est en effet un historien de l'Allemagne et de l'histoire diplomatique qui appartient au courant modéré du travaillisme britannique. Il a de surcroît rédigé une biographie politique et intellectuelle d'Ernest Bevin. On ne saurait donc rêver mieux pour relancer une organisation transatlantique. Quatre Américains sont membres du nouveau Comité exécutif : Edward Shils, qui fait le lien avec l'ancien CE ; Joseph Slater, alors président du *Stalk Institute* en Californie (encore une vieille connaissance de Stone puisque les deux hommes ont été ensemble à Berlin puis à la fondation Ford); John Galbraith, qui s'engage pour se porter garant de la respectabilité d'*Encounter* dans cette passe difficile; Paul Doty enfin, professeur à Harvard lui aussi, où il dirige un important programme de recherche sur le contrôle des armements. Pour l'Europe, outre Alan Bullock, le nouveau comité incorpore deux Français : Pierre Emmanuel, bien entendu, et François Bourricaud, un professeur de sociologie; deux Allemands : Marion Dönhoff, directeur de *Die Zeit*, et Richard von Weizsäcker, un membre du *Bundestag;* deux participants de la péninsule Ibérique : un Espagnol, Domingo Garcia Sabell, membre de l'Académie royale de Galice, et un Portugais, Luis Felipe Lindley Cintra, professeur à l'université de Lisbonne. Le troisième pôle est constitué par les membres des autres continents : Zelman Cowen (Australie); Alexander Kwapong (Ghana); Masani Inoki (Japon); Mochtar Lubis (Indonésie); Saburo Ikita (Japon).

Le premier Comité exécutif de l'Association internationale pour la liberté de la culture se tient à Paris en septembre 1967. Au terme de la réunion, Shepard Stone donne une conférence de presse pour présenter la nouvelle organisation, la composition de ses organes dirigeants et son orientation, marquée principalement par la transparence de ses financements et la grande décentralisation de ses activités. Ce que Stone ne dit pas, c'est que la fondation Ford a resserré assez nettement les conditions de sa participation. Stone arrive dans la capitale française pour entreprendre au moins autant un assainissement qu'une relance, assainissement qui prend la forme d'un « dégraissage » assez rapide du Secrétariat international et de la suppression de tout financement direct des revues, qui doivent désormais trouver des ressources autonomes ou disparaître.

CHAPITRE X

Du Comité des écrivains à la Fondation pour une entraide intellectuelle européenne

Le passage du Congrès pour la liberté de la culture à l'Association internationale pour la liberté de la culture est accompagné par la transformation du Comité des écrivains et des éditeurs en une Fondation pour une entraide intellectuelle européenne, mise sur pied en 1966. La présentation de cette évolution est indispensable à la compréhension de ce que fut le congrès à Paris, tant par l'action développée que par la place que prit progressivement cette fondation dans le fonctionnement du Secrétariat international de la nouvelle association que Shepard Stone lança l'année suivante.

Le Comité des écrivains est le produit direct du double mouvement qui affecte les relations Est-Ouest en Europe en 1955 : conversations soviéto-américaines à Genève ; processus de déstalinisation par le bas, dont la Pologne donne le signal. Du côté de la diplomatie culturelle américaine, 1955 est l'année tout à la fois de la grande réunion internationale de Milan sur l'avenir de la liberté et des premières tentatives faites pour la fondation Ford, à l'instigation du Département d'État, pour s'ouvrir aux sociétés de l'Est et y nouer des contacts avec de nouvelles élites.

A Paris, le congrès peut d'autant moins rester indifférent à cette évolution que la nouvelle donne ravive la compétition qui l'oppose à la Société européenne de culture, fondée comme lui en 1950 et dirigée par un démocrate-chrétien italien, Umberto Campagnolo. Ouverte à la participation d'écrivains et d'intellectuels d'URSS et des démocraties populaires, la SEC est utilisée par les Soviétiques comme un canal de relations culturelles haut de gamme, plus présentable que les nombreuses associations d'amitié construites sur une base bilatérale et contrôlées par le mouvement communiste international. Dès 1951, Raymond Aron a mis en garde les intellectuels français (tant dans *Preuves* que dans les colonnes du *Figaro*) contre la charte fondatrice de la Société européenne de culture, qui préconise un dialogue avec les régimes communistes et veut promouvoir une politique de la culture à l'échelle de l'Europe, toutes choses aboutissant à escamoter la nature totalitaire du régime soviétique et des diverses variantes de démocraties populaires. Des contacts ont pourtant été pris en 1953 par le Secrétariat international à l'occasion de la troisième assemblée générale de la SEC, qui s'est tenue à Paris cette année-là. Ils n'ont cependant débouché sur rien sinon un constat de désaccord de fond irrémédiable entre les deux organisations.

En 1956, après les conversations de Genève de l'année précédente mais surtout après le rapport Khrouchtchev amplifiant le dégel dans les lettres, le départ est donné pour une reprise des relations littéraires et intellectuelles entre l'Est et l'Ouest. Les deux organisations se trouvent cette fois en compétition directe sur ce terrain et prennent aussitôt chacune l'initiative d'une rencontre intellectuelle Est-Ouest, à Zurich pour le CCF, à Venise pour la SEC, tenues l'une et l'autre en septembre 1956. Ce que les milieux dirigeants du congrès, notamment Ignazio Silone, craignent alors, c'est que la Société européenne de culture ne mette sur pied une grande manifestation intellectuelle Est-Ouest en coopération avec l'UNESCO. La contre-proposition du congrès dans ces conditions serait d'organiser une telle réunion, si elle devait avoir lieu, avec le Centre européen de la culture de Denis de Rougemont [1]. L'intervention soviétique à Budapest torpillera toute velléité de manifestation imposante. Toutefois, le mouvement est lancé pour le développement de nouveaux échanges, impensables les années précédentes.

Le Comité des écrivains et des éditeurs pour une entraide intellectuelle, émanation directe du congrès, va s'employer à incarner une certaine logique des échanges littéraires et intellectuels en Europe. L'homme sans qui rien n'aurait été

1. En 1955, le Centre européen de la culture a publié à Genève une brochure consacrée aux échanges culturels entre l'URSS et l'Europe, dont le CCF a financé la traduction anglaise.

envisageable et réalisable est assurément Ignazio Silone. Au cours de l'assemblée générale du CCF, qui a suivi la conférence sur l'avenir de la liberté à Milan en cette même année 1955, Silone a fait une intervention vigoureuse, déclarant notamment :

> Certains craignent que sous l'effet du dégel l'Occident soit inondé et submergé. Voilà à mon avis des craintes injustifiées et ridicules. Il est dans la nature même de la culture libre d'être ouverte et prête à tout moment à une confrontation avec ses adversaires. Quels sont les dangers de relations plus fréquentes avec les pays jusqu'ici à l'écart de la vie intellectuelle mondiale ? Je ne crois pas que nous allons avoir de grandes révélations intellectuelles et artistiques et qu'il y ait quelque part des Tolstoï et des Dostoïevski inconnus. Il est à craindre que, sans être dépourvues de talent, les œuvres dont nous pourrons prendre connaissance ne soient plutôt banales et inspirées par la propagande, qui sera certainement plus grossière que celle des communistes de chez nous.

Silone souhaitait que le Congrès pour la liberté de la culture incarnât une attitude d'ouverture et se départît de tout sentiment d'infériorité :

> Nous devons profiter des contacts plus libres pour élargir notre sphère d'activité et accepter la confrontation idéologique. Nous devons nous affirmer partisans de la libre circulation des hommes et des idées, en insistant sur le fait que cette circulation ne doit pas se limiter aux échanges organisés par les bureaux officiels.
>
> Nous n'avons qu'à dire : faites que des écrivains soviétiques puissent librement, individuellement, aller où ils préfèrent aller ; faites que nos livres puissent s'étaler dans les vitrines des pays d'au-delà du rideau de fer ; faites que ces réseaux multiples, capillaires, qui existent dans les pays libres, en dehors des initiatives étatiques, puissent s'élargir aux autres pays.

Aussi n'est-on nullement surpris de retrouver Ignazio Silone acteur des deux manifestations concurrentes organisées respectivement à Zurich et à Venise par le CCF et la SEC [1]. Tant à

1. La réunion de Venise de la Société européenne de culture rassemblait notamment Stephen Spender, John D. Bernal, Maurice Merleau-Ponty, Jean-Paul Sartre, Vercors, Karl Barth, Guido Piovene et Ignazio Silone du côté occidental ; Jaroslaw Iwaszkiewicz (Pologne), Marko Ristic (Yougoslavie), Constantin Fedine, Boris Polevoï, M. Alpatov, V. Volodine (URSS) pour les régimes communistes. Au Secrétariat international du congrès, tant Josselson que Bondy avaient déconseillé à Spender de participer à cette réunion. Celui-ci passa outre à leurs réserves et publia par la suite un court récit parodique de la rencontre : Stephen Spender, *Engaged in Writing*, Farrar, Strauss and Cohady, 1958.

travers son intervention à la réunion de la Société européenne de culture à Venise [1] qu'à travers la manifestation organisée par le congrès à Zurich, dont il assure la présidence, on saisit parfaitement le rôle clef rempli par Silone pour le Congrès pour la liberté de la culture ces années-là. Par sa stature morale, son expérience historique, une combinaison unique d'enracinement dans l'italianité et d'ouverture sur le monde, ce chrétien sans Église, ce socialiste, personnalité exceptionnelle et au demeurant malcommode, est un des très rares écrivains européens à pouvoir à la fois en imposer aux Soviétiques et tenir tête à Sartre [2].

Mais si rien n'eût été possible sans Silone, rien n'eût été fait sans Jelenski, le brillant artisan de la mise en œuvre et de la réussite d'une stratégie originale d'échanges intellectuels inter-européens.

Le Comité des écrivains et son mode d'intervention dans l'Europe soviétisée

Le Comité des écrivains et des éditeurs pour une entraide intellectuelle européenne, qui voit officiellement le jour en 1957, est l'institutionnalisation aboutie d'un projet évoqué au terme de la réunion des directeurs de revues européennes à Zurich quinze mois plus tôt pour servir de support à de nouveaux échanges Est-Ouest. Constantin Jelenski, qui comme Silone a suivi les deux réunions concurrentes de Venise et de Zurich [3], s'emploie dès son retour à Paris à donner corps à cette

1. Ignazio Silone, « Rencontre avec des écrivains soviétiques », *Preuves*, n° 68, octobre 1956.

2. Nicola Chiaromonte situe parfaitement Silone par rapport à Koestler et à Orwell lorsqu'il écrit : « De tous les transfuges célèbres du communisme, Silone est le seul qui soit resté fidèle à la transformation du monde selon la justice et, plus concrètement, au salut des misérables. C'est ce que l'on ne peut dire ni d'Arthur Koestler, pour qui la question du communisme fut, dès le départ, uniquement idéologique (un débat de l'intellectuel avec lui-même), ni de George Orwell, qui a fini dans la misanthropie swiftienne d'*Animal Farm* et dans la nausée globale de *1984* » (« Silone et l'expérience du Cafone », *Preuves*, n° 23, janvier 1959).

3. Dans une situation naturellement différente de celle de l'écrivain italien, partie prenante aux débats des deux rencontres. Jelenski en effet n'est pas invité à participer à la manifestation de la SEC à Venise. Toutefois, il est descendu dans un hôtel voisin du lieu de la rencontre et il est tenu très fidèlement au courant des échanges qui s'y déroulent par Spender et Silone pendant les interséances.

initiative. L'institutionnalisation passe en premier lieu, selon une technique éprouvée, par la constitution d'un comité de patronage international débordant le cercle du seul congrès [1]. Il faut également le doter d'un président. Celui-ci n'est autre que Hans Oprecht, l'hôte de la rencontre Est-Ouest des directeurs de revue à Zurich en septembre 1956. Oprecht avait le profil classique des hommes rassemblés en Europe par le Congrès pour la liberté de la culture. Les Oprecht étaient une famille qui avait lié son destin aux métiers du livre. Son frère était éditeur en Suisse alémanique et avait adopté très tôt une attitude antinazie et lui-même animait une guilde du livre. Social-démocrate (il a présidé un temps le Parti socialiste suisse), Hans Oprecht faisait partie des contacts d'Allen Dulles lorsque celui-ci dirigeait le bureau de l'OSS de Berne pendant la guerre. C'est donc tout naturellement qu'il s'est retrouvé en 1950 à Berlin parmi les participants suisses au *Kongress für kulturelle Freiheit*. Oprecht était tout désigné pour présider cette nouvelle structure suscitée par le congrès mais qui se voulait distincte de lui pour marquer une certaine distance avec l'image de combat laissée par la période chaude de la guerre froide. Mais si Oprecht préside à Zurich, c'est Jelenski qui pilote à Paris l'entreprise, une entreprise originale qui ne devait ressembler ni à la Société européenne de culture de Campagnolo ni au Centre européen de la culture de Rougemont.

Quatre idées-forces fondaient les décisions de Constantin Jelenski et orientaient ses choix. La première était l'attachement au principe de la libre circulation des hommes et des idées, principe fortement rappelé par Ignazio Silone et auquel le Comité des écrivains et des éditeurs voulait donner corps en agissant tant en dehors de l'appareil des relations culturelles du mouvement communiste international qu'en marge des mécanismes interétatiques d'échanges culturels qui se mettaient alors en place dans le contexte de la détente Est-Ouest. Le comité souhaitait s'adresser librement à des individus sur une base personnelle pour garantir l'authenticité de ces échanges.

1. Le comité de patronage est ainsi constitué : Raymond Aron, Heinrich Böll, Peter Calvocoressi, André Chastel, Nicola Chiaromonte, Éric de Dampierre, Paul Flamand, Georges Friedmann, Livio Garzanti, John Lehman, Herbert Lüthy, Philip Togabel, Lionel Trilling, Morton White, J.C. Witsch, Christopher M. Woodhouse, Edward Zellweyer, Josef Pieper.

Le deuxième élément concernait l'aide apportée aux créateurs « non conformistes ». Le terme était souvent utilisé par Jelenski dans les documents qu'il était amené à rédiger pour préciser l'action du comité, sans toutefois lui donner de définition. Au départ, les choses allaient en quelque sorte de soi, aussi bien pour les arts plastiques que pour les lettres : il s'agissait de rompre avec le réalisme socialiste et l'académisme qui l'accompagnait. Ces ruptures accomplies, en même temps que les formes les plus brutales de la censure se relâchaient, la définition du non-conformisme devenait plus ouverte. Mais les actions suscitées par Jelenski, mieux que toute définition *a priori*, donnaient un véritable contenu à ce terme. Dans le domaine des arts plastiques, dès 1958, donc l'année suivant sa constitution, le Comité des écrivains et des éditeurs signait un accord avec une galerie parisienne [1] pour apporter à des jeunes peintres – de Pologne d'abord, puis, progressivement, de toute l'Europe de l'Est – la possibilité d'exposer leurs œuvres dans une capitale occidentale et de se confronter ainsi aux courants esthétiques contemporains. La galerie envoyait par ailleurs à l'Est ses catalogues d'exposition. Ainsi, même si la situation politique ne faisait plus redouter un nouveau *diktat* de l'art officiel, l'exigence d'ouverture demeurait vitale pour de jeunes artistes afin de pouvoir s'affranchir des pesanteurs d'un système de culture administrée et c'est à la permanence de cette exigence que le comité entendait répondre par cet accord avec la galerie. Dans le domaine des échanges intellectuels, si le comité avait pour vocation de répondre aux demandes d'ouvrages qui lui étaient adressées par des intellectuels vivant dans l'Europe soviétisée [2], Constantin Jelenski prit très vite l'initiative de faire établir des listes bibliographiques indiquant les livres les plus importants publiés depuis 1939 en France, en Grande-Bretagne, aux États-Unis, en Allemagne et en Italie pour les disciplines suivantes : sociologie, économie, histoire contemporaine, philosophie, psychologie et littérature. Des

1. La galerie Lambert, située rue Saint-Louis-en-l'Ile à Paris.

2. Au départ, le comité se borne à envoyer des livres et des revues publiés en Occident à des écrivains et à des intellectuels de l'Est. Le comité a pour principe de n'envoyer que ceux qui lui sont explicitement demandés. Il opère une sélection parmi les demandes en fonction de critères clairs : seuls les écrivains et les savants peuvent obtenir des livres; le comité envoie en priorité les ouvrages nécessaires à un travail précis; ce sont principalement des publications contemporaines dans les domaines des sciences sociales et humaines, des lettres et des arts.

listes de cent ouvrages par domaine furent dressées avec l'aide de spécialistes, puis elles furent traduites dans toutes les langues de l'Europe de l'Est. Il s'agissait de soutenir une vaste opération de rattrapage intellectuel clairement articulée sur le renouveau observé dans certains cercles marxistes de l'Europe du Centre-Est pour permettre à ces cercles de conforter leurs recherches et leur fournir des éléments destinés à procéder à une réévaluation de l'univers contemporain après la période stalinienne de fermeture et de stérilisation. En ce sens, le Comité d'entraide des écrivains et des éditeurs inscrivait pleinement son action dans la problématique de la fin des idéologies et il aurait très bien pu prendre pour devise la formule frappée par Aron : fin de l'âge idéologique et renaissance des idées – car c'est bien à une renaissance des idées en Europe de l'Est que le comité voulut se consacrer dès sa fondation.

Il existait en effet, et c'est le troisième point, un lien direct entre l'action du comité et une analyse politico-intellectuelle plus vaste concernant les relations intellectuelles Est-Ouest, dont Constantin Jelenski se faisait l'expression au sein des organes dirigeants du congrès et qu'il cherchait à incarner à travers l'action de cette structure dont il avait la responsabilité de l'orientation. Au début des années 1950, en Europe, les intellectuels de gauche soit ignoraient, soit excusaient les crimes staliniens au nom de la nécessité historique. Dans le camp adverse, à droite, de nombreux anticommunistes pensaient que seule la guerre ou une révolution intérieure pourrait mettre un terme au système stalinien. Mais le dégel khrouchtchévien, l'octobre polonais, la révolution antitotalitaire hongroise, malgré sa sanglante répression, indiquaient que les choses bougeaient et qu'une inquiétude idéologique se manifestait à l'Est. Dans ces conditions, il était indispensable de créer ce que Jelenski appelait « une plate-forme intellectuelle où ces signes puissent être analysés avec objectivité et sympathie », trop d'anticommunistes, notamment à droite, ne voulant voir dans ces éléments que des manœuvres destinées à endormir la vigilance de l'Occident. L'expérience polonaise était capitale pour asseoir cette ligne de conduite. La capacité créatrice de Jelenski pouvait sans doute s'appuyer au sein du congrès même sur des hommes qui, à l'instar d'Ignazio Silone et de Michael Polanyi, souhaitaient se situer franchement dans cette nouvelle perspective historique. Mais, bien évidemment, elle était renforcée hors du congrès par l'appui de *Kultura*. La revue avait en effet apporté son soutien au gouvernement de Gomulka, jusqu'à ce que celui-ci interdise le journal des jeunes intellectuels communistes polonais, *Po Prostu* [1].

Le quatrième élément contribuant aux orientations de Constantin Jelenski était plus spécifiquement français. L'animateur du Comité des écrivains souhaitait que cette logique des échanges permette à la gauche intellectuelle parisienne de sortir de l'existentialo-hégéliano-marxisme qui obstruait sa vision de l'univers soviétique et de l'Europe soviétisée. Cette entreprise de dissolution des catégories existentialo-hégéliano-marxistes pouvait se référer à la remarquable dénonciation qu'en avait donnée Jeanne Hersch (membre elle aussi du cercle *Kultura*) dans son livre *Idéologie et Réalité* [2], avant même que Raymond Aron ne publie *L'Opium des intellectuels*. On voit très bien comment Jelenski fait jouer ce dernier élément lors de la réunion des directeurs de revue qui est à l'origine de la création du comité. La France était représentée à Zurich par deux organes, *Critique* et *Les Lettres nouvelles*, des revues parisiennes haut de gamme, orientées à gauche mais situées résolument hors de la famille Sartre et du mouvement *Esprit*. *Critique* et *Les Lettres nouvelles* avaient en effet pour particularité de ne pas appartenir à l'univers de l'« engagement » et d'être ouvertes tant sur l'étranger que sur la modernité esthétique : autant de traits qui les rapprochaient de *Preuves*. La délégation française à Zurich était au demeurant un bel échantillon de la gauche française la plus intellectuelle sinon la plus intellectualiste : Bataille, Piel, Frankel, Nadeau, Mayoux, Duvignaud, Barthes et Clara Malraux. C'est de ce parterre, où l'on comptait quelques-unes des plus belles figures de « marxistes subtils » parisiens, que Jelenski réussit à obtenir un double choc : le premier vint de la prise de conscience de l'abîme culturel séparant le marxisme rive gauche du marxisme soviétique dans les lettres. La catharsis opéra ici, comme souvent, à partir d'un détail cocasse : les

1. Si, au Secrétariat international du CCF, Jelenski peut passer pour l'homme de *Kultura*, ces relations privilégiées ne signifient pas que Giedroyc et lui-même soient constamment et en tous points d'accord. L'analyse de leurs échanges sort toutefois du cadre de cette enquête.

2. Jeanne Hersch, *Idéologie et Réalité*, Plon, 1956. Sur l'itinéraire de Jeanne Hersch, on pourra se reporter à son livre d'entretiens, *Éclairer l'obscur*, L'Age d'homme, 1986.

participants soviétiques déclarèrent sans ciller que le meilleur roman contemporain était certainement *Le Vieil Homme et la mer* de Hemingway, alors que la partie d'en face (on allait écrire la partie adverse) qualifiait volontiers cet ouvrage de « fasciste »... Le deuxième choc vint de la légitimation de *Preuves* par Jaroslaw Iwaszkiewicz, le directeur de la revue polonaise partie prenante de la rencontre. En effet, bien que très étroitement associé à la marche de *Preuves*, Jelenski n'avait pas osé participer à la réunion de Zurich sous les couleurs de la revue française du congrès, qui sentait alors trop fortement le soufre. Il s'était rendu à Zurich comme représentant d'*Encounter*, ce que lui permettait à l'évidence son statut de membre du Secrétariat international. Jelenski n'en pouvait donc que mieux savourer l'éloge qu'Iwaszkiewicz fit alors de *Preuves*, devant un auditoire français médusé, expliquant que c'était la seule revue française capable de comprendre l'expérience historique et politique traversée par la Pologne lors des révoltes de Poznan.

Le processus de développement de l'action du Comité des écrivains et des éditeurs pour une entraide intellectuelle européenne est parfaitement identifiable. En partant de la Pologne, il cherche à élargir son champ d'action en direction de l'Europe du Centre-Est et des Balkans, à l'exclusion de l'Union soviétique, en épousant au plus près la vie littéraire, intellectuelle et politique de ces pays. En faisant porter ses efforts principalement sur la périphérie, sachant que le centre du système lui est inaccessible, le comité met en œuvre une stratégie au sens plein du terme. Il rompt ainsi avec une vision mécaniste descendante du modèle soviétique par la reconnaissance de l'autonomie et de la capacité créatrice potentielle de la périphérie européenne de l'empire et de ses intellectuels.

La percée polonaise de 1955 est décisive pour le « décollage » du comité. *Preuves* accompagne en effet étroitement les événements polonais : Jeanne Hersch est dépêchée en Pologne pour couvrir les procès qui font suite à la révolte de Poznan [1] ; la revue prépare un numéro spécial consacré aux lettres polonaises en collaboration avec l'Union des écrivains [2] ; elle met

1. *Id.*, « Les procès de Poznan », *Preuves*, n° 80, décembre 1956.
2. *Pologne Nouvelle. Récits, essais et poèmes d'écrivains polonais contemporains*, *ibid.*, n° 74, avril 1957.

enfin à la disposition du public français les orientations de *Po Prostu*, tâche dont se charge Constantin Jelenski lui-même [1]. Ce dernier texte est assurément le document le plus révélateur de ce que Jelenski appelle le non-conformisme. A beaucoup d'égards, son article de 1957 consacré aux jeunes marxistcs polonais peut être considéré comme la première illustration de la « plate-forme » recherchée pour approfondir avec sympathie et objectivité les expériences de l'Est européen. Cet article est ce qui pourrait se rapprocher le plus d'une charte du Comité des écrivains et des éditeurs institutionnalisée en cette même année 1957. Outre l'intensité des échanges intellectuels qui s'établissent avec Paris, la Pologne est de plus le seul pays où le comité peut envisager des actions qui dépassent les simples échanges individuels pour atteindre à une véritable dimension institutionnelle : c'est ainsi qu'il participe à la constitution des bibliothèques des centres de recherche sociologique des universités de Lodz et de Varsovie ou encore qu'il sollicite des dons de grands artistes occidentaux pour le musée d'Art moderne de Lodz.

A partir de 1960, les fonctions de médiation du Comité des écrivains et des éditeurs s'étoffent considérablement. Il s'affirme comme acteur dans les milieux de l'édition à l'échelle européenne. Une des entreprises les plus originales alors mises en œuvre est un programme d'anthologie de poésie des divers pays est-européens en langue française. Le tournant est d'importance. Pendant les années de guerre froide chaude, les livres soutenus par le congrès (si l'on excepte *La Pensée captive* de Milosz) ont surtout été ceux des grands témoins du système concentrationnaire soviétique : Margarete Buber-Neumann, Elinor Lipper, Jules Margoline, Alexandre Weissberg-Cybulski, Joseph Scholmer, pour ne citer qu'eux. En second lieu, le congrès a apporté un soutien actif aux intellectuels émigrés. La réalisation des anthologies poétiques signifie que l'on se situe désormais dans une logique nouvelle, une logique d'interaction avec les écrivains des pays de l'autre Europe. Ce programme témoigne tout à la fois du changement de climat dans les relations Est-Ouest et de la mise en œuvre du principe de libre circulation des hommes et des idées. La première anthologie réalisée et publiée à Paris a été entreprise par

1. Constantin Jelenski, « Ce qu'était *Po Prostu* », *ibid.*, n° 81, novembre 1957.

Ladislas Gara sur la poésie hongroise après la révolution de 1956. Le succès rencontré par l'ouvrage en Hongrie même, y compris dans les cercles dirigeants du pays, invite à élargir l'expérience. Constantin Jelenski met alors en chantier une anthologie de la poésie polonaise en langue française. Puis des jalons sont posés pour poursuivre dans d'autres directions : Roumanie, Yougoslavie, Tchécoslovaquie. En 1964, le comité est même approché, à travers Pierre Emmanuel, par des écrivains d'Union soviétique pour mettre en chantier un projet analogue en Russie. Mais cette démarche tourne court car Aragon (alors tout-puissant dans les relations culturelles et littéraires franco-soviétiques), ayant eu vent du projet, fait tout ce qui est en son pouvoir pour le détourner à son profit. L'incident est doublement révélateur de la légitimité du comité à l'Est et de son insertion à Paris. La seule fois où l'action du comité se heurte à l'appareil de relations culturelles du Parti communiste français, c'est lorsqu'il entre en interaction avec le centre du système. A la périphérie centre-européenne, le Comité des écrivains et des éditeurs a en revanche les coudées franches. Le Parti communiste français est en effet tout à fait incapable d'élaborer une vision de l'autre Europe qui ne soit pas inscrite dans un schéma tracé à partir du centre soviétique.

Les livres publiés sont des ouvrages soignés réalisés dans la tradition de haute culture qui est celle du congrès. Les projets associent souvent des poètes français à la traduction des textes étrangers. Les innovations se succèdent alors à un rythme rapide et la gamme des activités du comité s'élargit dans la première moitié de la décennie 1960. Il ne se contente plus de jouer un rôle d'intermédiaire pour permettre à des artistes, des écrivains, des universitaires de trouver des institutions susceptibles de leur accorder des bourses de voyage et de recherche de courte durée. Il organise seul ou en coopération des colloques sur la poésie, la traduction, le théâtre, avec le souci de faire se rencontrer acteurs de l'Est et de l'Ouest : poètes, traducteurs, éditeurs. Il procure à ses correspondants de l'Est des microfilms de vieilles éditions conservées dans les bibliothèques occidentales. Il conseille et oriente des éditeurs parisiens pour traduire les auteurs les plus représentatifs des mouvements d'idées qui travaillent les milieux intellectuels est-européens.

Ce fonctionnement ne se comprend naturellement qu'en

relation avec la politique éditoriale de *Preuves*, Constantin Jelenski et François Bondy partageant la même vision du monde et œuvrant dans le même sens dans un échange constant de vues et de projets. Beaucoup d'abonnements à *Preuves* étaient souscrits à l'Est à travers le Comité des écrivains et des éditeurs pour une entraide intellectuelle européenne, et si le comité n'exerçait aucune censure sur les demandes qui lui parvenaient de l'Est, il s'enorgueillissait de n'avoir reçu qu'une ou deux demandes d'abonnement à *La Nouvelle Critique* contre une centaine à *Preuves*. *Preuves* était d'ailleurs souvent mieux lue et appréciée à l'Est qu'à Paris. Ainsi le tandem formé par la revue de Bondy et le comité de Jelenski parvint-il à créer en quelques années un réseau de relations avec la plupart des écrivains et intellectuels libéraux d'Europe de l'Est. *Preuves* s'obligeait à la prudence sur les principaux points de la polémique Est-Ouest (différant en cela de *Survey* à Londres) et développait une curiosité désintéressée pour la littérature, sans arrière-pensée politique, ce que les écrivains de l'Est appréciaient tout particulièrement. Le registre de *Preuves* était ainsi différent de celui du *Contrat social*, animé par Souvarine. Néanmoins la revue s'attachait à maintenir un excellent niveau d'analyse politique, notamment de l'Europe du Centre-Est, avec la collaboration d'hommes comme Constantin Jelenski, François Fejtö et Pavel Tigrid. Le renforcement de la collaboration de ces deux derniers traduisait, chacun à sa manière, les transformations au sein desquelles opérait désormais la revue. Pavel Tigrid, ancien député du Parti populaire tchécoslovaque, émigré après le coup d'État de février 1948, avait été pendant plusieurs années le chef du *desk* tchécoslovaque de Radio Free Europe à Munich. Mais, surtout, il avait été un des fondateurs, après le tournant international de l'année 1956, de *Svedectvi (Témoignage)*, qui, sans atteindre toutefois la stature de *Kultura*, allait devenir au fil des années la grande revue de l'émigration tchécoslovaque, garante d'une authenticité intellectuelle face aux manipulations communistes. La collaboration de Tigrid à *Preuves* devait s'intensifier après que Barton eut quitté Paris pour les États-Unis et à la mesure de l'audience de sa revue. Quant à François Fejtö, il était l'auteur d'un article retentissant sur le procès Rajk publié en 1949 par Emmanuel Mounier dans *Esprit* malgré les pressions exercées sur la revue par les communistes. Il avait ensuite proposé à Raymond Aron de publier un livre sur le procès dans la collection *Liberté de l'esprit* mais le contact entre les deux hommes se révéla médiocre et Aron repoussa le projet. Fetjö, tout en collaborant régulièrement à *L'Observateur*, avait alors écrit une *Histoire des démocraties populaires*, publiée également dans la mouvance d'*Esprit*. Écrivain ayant participé activement à la vie intellectuelle hongroise de l'entre-deux-guerres [1], journaliste à l'Agence France-Presse, menant en parallèle une œuvre d'historien, la révolution hongroise l'avait propulsé une nouvelle fois sur le devant de la scène parisienne, Sartre lui ayant donné carte blanche pour réaliser un numéro des *Temps modernes* sur les événements. Ainsi l'influence de François Fejtö dans les cercles de la petite gauche non communiste (y compris au sein de la minorité *Reconstruction* de la CFTC) devait-elle s'élargir au fur et à mesure que l'étoile d'Isaac Deutscher pâlissait à Paris après la révolution antitotalitaire hongroise.

ACTION EN ESPAGNE ET DANS LE BASSIN MÉDITERRANÉEN

A partir de la première moitié de la décennie 1960, le Comité des écrivains et des éditeurs devient également un relais pour l'action que le congrès entame sur le territoire espagnol. Jusqu'alors, la position du congrès à l'égard de l'Espagne a été celle d'une opposition frontale au franquisme. L'organisation réunit en effet en son sein les deux versants de cette opposition non communiste : le versant d'extrême gauche, incarné par les anciens du POUM, représenté par Julian Gorkin, le directeur de *Cuadernos*, et le versant libéral, dont la figure de proue est Salvador de Madariaga, un des présidents d'honneur du congrès. En 1953, un premier changement est intervenu dans les relations entre le régime franquiste et les États-Unis avec la signature d'un accord entre les deux pays. Six ans plus tard, en 1959, l'Espagne est le théâtre d'un changement de politique économique, accompagné d'une relève politique appuyée par l'*Opus Dei*. Le régime devient moins dogmatique et l'on peut

1. François Fejtö, *Mémoires de Budapest à Paris*, Calmann-Lévy, 1986.

observer un certain relâchement idéologique. Ce changement intérieur entraîne une modification de l'attitude du CCF à l'égard de l'Espagne : la nécessité se fait jour d'intervenir dans le pays même pour ne pas laisser au seul *Opus Dei* la possibilité de tirer un bénéfice politique de l'ouverture économique.

1959 apparaît comme une année-charnière pour l'intervention du congrès dans le monde hispanique, comparable, toutes choses égales par ailleurs, au tournant de 1955-1956 pour l'Europe de l'Est. En effet, 1959 n'est pas seulement marqué par des changements en Espagne, mais aussi par l'accession au pouvoir de Fidel Castro à Cuba, qui entraîne bientôt une déstabilisation de l'ensemble de l'Amérique latine. Au Secrétariat international, Michael Josselson prend cette année-là deux décisions pour mieux épouser les transformations de la situation internationale : la première consiste à doter la rédaction de *Cuadernos* d'une direction latino-américaine en lieu et place de Julian Gorkin ; la seconde est de recruter Pierre Emmanuel pour lui confier la tâche de conduire l'ouverture en direction de l'Espagne.

Agir en Europe n'allait pas de soi car plusieurs des grands intellectuels du congrès (Spender, Silone et Chiaromonte) étaient réticents envers un tel tournant, qui supposait d'abaisser la garde face au régime. Il fallait donc repartir sur des bases nouvelles. Dans cette perspective, le recrutement de Pierre Emmanuel au Secrétariat international présentait de nombreux avantages : c'était un gaulliste de gauche, ce qui, à l'orée de la Vᵉ République, pouvait ne pas déplaire aux nouveaux milieux dirigeants français ; il n'avait jamais été compromis avec le progressisme philocommuniste mais, inversement, membre de l'association France-Espagne (aux côtés d'hommes comme Aragon ou Picasso), il présentait la touche de progressisme indispensable à une légitimité antifranquiste : il était proche d'*Esprit*, et son recrutement témoignait d'une volonté de renouvellement et d'ouverture épousant également les transformations de la scène intellectuelle à Paris ; originaire du Béarn, enfin, Pierre Emmanuel avait une compétence linguistique et des affinités avec la culture espagnole indispensables aux fonctions qu'il était appelé à remplir.

La création d'un comité espagnol agrégeant des intellectuels non communistes opposés au franquisme s'opère alors en deux étapes. La première est l'organisation en 1959 d'une rencontre d'écrivains à Lourmarin, dans le sud de la France : rencontre qui permet de faire sortir pour la première fois des intellectuels de l'intérieur, de prendre des contacts et d'amorcer un mouvement d'ouverture par un mécanisme de bourses. La deuxième étape intervient en 1962, lorsque l'Espagne fait acte de candidature au nouveau Marché commun européen inauguré par le traité de Rome, signé cinq ans plus tôt. Le mouvement européen, à la faveur de son congrès tenu cette année-là à Munich, prend alors la décision d'abriter une grande réunion de l'ensemble de l'opposition non communiste au franquisme. C'est un événement, dans la mesure où d'anciens « vaincus » et d'anciens « vainqueurs » se retrouvent, que l'« intérieur » et l'« émigration » peuvent discuter et qu'est brisé ainsi le monopole communiste de l'opposition légitime. De surcroît, la réunion de Munich permet de jeter les bases d'une véritable stratégie énonçant les conditions politiques mises à l'entrée de l'Espagne dans le Marché commun. Cette réunion de l'opposition ayant déplu au gouvernement espagnol, plusieurs de ses participants se voient interdire de rentrer au pays. Certains délégués prennent alors contact avec le Secrétariat international du CCF à Paris. Parmi eux, Dionisio Ridruejo. Personnalité charismatique, ancien dirigeant de la Phalange ayant rompu avec le franquisme pour évoluer vers la social-démocratie, Ridruejo a le profil de ces leaders des petits partis sociaux-démocrates du sud de l'Europe très liés aux États-Unis et qui constituent les partenaires classiques du CCF à l'époque. C'est du reste un proche de Dionisio Ridruejo, Pablo Marti-Zarro, qui devient le permanent et la charnière du comité espagnol, dès qu'il est autorisé à nouveau à franchir la frontière [1]. Ce comité, outre le petit parti de Ridruejo qui lui sert de pivot, agrège un courant libéral conservateur incarné par Juan Marias, des socialistes dont Tierno Galvan est la figure la plus connue, quelques monarchistes hostiles au franquisme et les générations intellectuelles proches des nouvelles autonomies régionales.

Le comité espagnol ne parvint pas à créer et faire vivre

1. Ridruejo, pour sa part, reste à Paris afin de codiriger avec Julian Gorkin un nouvel organe, *Mañana*, réalisé avec l'appui des syndicats américains. *Mañana* aura au demeurant une existence assez brève.

durablement une revue. Une tentative fut cependant faite au retour de Marti-Zarro après son passage à Paris. Comme le comité n'avait pas d'existence légale, la jeune revue, *Tiempo de España*, ne pouvait être réalisée qu'en coédition. De plus, pour éviter les démêlés avec la censure, sa parution était irrégulière. Tout cela était fort précaire, de sorte que la tentative n'alla pas au-delà du numéro 3. Toutefois, s'il n'avait pas de revue propre, le comité espagnol était étroitement associé à une couronne de revues intellectuelles caractéristiques du renouveau de ces années-là : *Insula, Revista de Occidente, Cuadernos para el dialogo. Insula* était publié par la maison d'édition avec laquelle avait été tentée l'opération *Tiempo de España.* Son rédacteur en chef adjoint, José Luis Caro, était membre du comité. *Revista de Occidente*, la grande revue créée en 1923 par Ortega y Gasset, avait cessé de paraître en 1936. Une première tentative de relance avait été faite en 1958 par des intellectuels catholiques comme Pedro Lain Entralgo, José Luis Aranguren, Juan Marias (qui tous devaient se retrouver par la suite au comité), mais elle s'était soldée par un échec. *Revista de Occidente*, animé cette fois par José Ortega Spottorno assisté de Fernando Vela, reparut en 1963. Des liens étroits avec le comité étaient assurés par la médiation d'un professeur de philosophie, Garagorri. Quant à la troisième revue, *Cuadernos para el dialogo*, elle était dirigée par un membre influent du comité, Joaquin Ruiz Giménez.

Les relations entre le Secrétariat international et le comité espagnol étaient très étroites : celui-ci dépendait bien entendu financièrement du congrès mais ne pouvait survivre intellectuellement qu'avec un appui très fort de Paris. En effet, la création d'un espace politico-intellectuel libéral dans l'Espagne d'alors était une tâche ardue puisqu'elle se heurtait tout à la fois au régime, à l'opposition communiste et à l'*Opus Dei*, disposait de ses propres réseaux avec d'autres partenaires américains. La culture libérale avait eu son heure de gloire sous la république, mais elle était stigmatisée à la fois par le franquisme et par le communisme. De plus, s'ils étaient attaqués violemment par le régime, les communistes étaient souvent dans les faits moins persécutés que les libéraux. Ils disposaient enfin d'une véritable infrastructure matérielle pour développer leur politique culturelle. Dans cette situation, l'appui financier et organisationnel du CCF était particulièrement précieux.

Si, au Secrétariat international, Pierre Emmanuel a la charge des relations avec l'Espagne, ces relations sont médiatisées par deux structures-relais : le Comité des écrivains, animé par Jelenski, d'un côté et le Centre de sociologie européenne, dirigé par Aron, de l'autre. Ces deux relais expriment très bien au demeurant les deux faces de l'action du congrès en Europe dans la première moitié de la décennie 1960 : les écrivains et la littérature d'une part, les sciences sociales dans le cadre de la problématique de la fin des idéologies de l'autre. Très tôt en effet, Constantin Jelenski est amené à faire bénéficier Pierre Emmanuel de son expertise pour lancer l'action en Espagne. De plus, le comité permet d'introduire un élément de distanciation toujours utile par rapport au congrès : ainsi les bourses accordées aux Espagnols sont-elles attribuées par le comité et non par le congrès. C'est encore avec le comité qu'est organisé en octobre 1963 à Madrid un grand colloque international, *Réalisme et réalité dans la littérature contemporaine*, qui fait beaucoup pour asseoir la légitimité du comité espagnol. L'enjeu du colloque est double : briser le tabou qui entoure l'Espagne franquiste pour les écrivains du monde entier en invitant sur le sol espagnol des gens aussi peu récusables que Mary McCarthy, Nicola Chiaromonte ou Manès Sperber; attirer vers le congrès les nouvelles générations intellectuelles espagnoles fortement marquées par le marxisme. Jusqu'au dernier moment, Marti-Zarro ignore si la censure autorisera ou non la manifestation. Le retentissement de ce colloque bénéficie d'un élément de dramatisation dont la presse espagnole se fait largement l'écho : le conflit entre José Bergamin et José Luis Aranguren, deux figures du catholicisme espagnol de gauche qui ont adopté des positions radicalement opposées sur le communisme. Ainsi est-il un événement significatif de la vie littéraire et intellectuelle espagnole des années 1960.

Le second relais entre le Secrétariat international et l'Espagne est le Centre de sociologie européenne, créé avec l'appui de la fondation Ford l'année même où Pierre Emmanuel a été recruté par Josselson au Secrétariat international. Au Centre de sociologie européennes, Pierre Emmanuel a un correspondant en la personne de Jean Cuisenier, sociologue proche lui aussi de la revue *Esprit*. Pierre Emmanuel et Jean Cuisenier se rendent pour la première fois en Espagne ensemble en 1962. Cette année-là est organisé à la fin du mois d'octobre à Naples un grand colloque international placé sous la présidence de Raymond Aron et consacré au développement économique et social des pays méditerranéens. Il voit converger deux dynamiques : la dynamique espagnole (la manifestation est préparée en étroite relation avec José Luis Sureda, de l'université de Barcelone) et la dynamique italienne (la revue *Nord e Sud*, qui accueille le colloque, étant une revue sœur d'*Il Mulino* dans le sud de la péninsule). Naples fait symboliquement pendant à Milan, de sorte que l'Italie sera en Europe le lieu de deux conférences internationales emblématiques de l'action du Congrès pour la liberté de la culture : l'une au nord, lançant la réflexion sur l'évolution des sociétés industrielles dans des voies nouvelles ; l'autre au sud, visant à penser l'incorporation des régions méditerranéennes à l'univers de ces mêmes sociétés industrielles après la mise en place du Marché commun entre six pays européens (marché défini par un traité signé également en Italie, à Rome, point d'équilibre entre le Nord et le Sud). Mais le colloque de Naples [1] est aussi un colloque régional à la manière de celui organisé par Bell cinq ans plus tôt sur la participation des travailleurs à l'entreprise. Comme le précédent, il s'insère dans la problématique générale de la fin des idéologies et constitue à son tour un point d'éclatement pour susciter et promouvoir des recherches en sciences sociales dans les pays concernés. Toutefois, si dans la partie nord de l'Europe le Congrès pour la liberté de la culture ne prend pas directement en charge la promotion des sciences sociales, il en va différemment dans la partie sud du continent. Ici aussi, le Centre de sociologie européenne à Paris joue un rôle-relais déterminant. La réunion internationale de Naples constitue en effet le point de départ d'un programme méditerranéen spécifique, marqué par une activité très intense pendant quatre années (1962-1966), faite de colloques et d'enquêtes sur le terrain, programme développé en Espagne et dans le bassin méditerranéen.

En Espagne, le point d'appui du développement des sciences sociales était la chaire d'éthique et de sociologie de l'université de Madrid, dont le titulaire était José Luis Aranguren, avec

1. Jean Cuisenier (éd.), *Problèmes du développement économique dans les pays méditerranéens*, La Haye, Mouton, 1963.

lequel le Centre de sociologie européenne allait travailler étroitement dans trois directions : bourses (de jeunes intellectuels, élèves d'Aranguren, se rendaient à Paris au centre d'Aron) ; colloques (permettant à des sociologues français de venir parler de leurs travaux et d'assurer ainsi une tâche de formation) ; enquêtes sociologiques de terrain, enfin (dans deux villages de la généralité de Castille).

En dehors de l'Espagne, Raymond Aron et Jean Cuisenier circonscrivirent le programme méditerranéen à l'Europe méridionale, englobant les pays suivants : France, Italie, Yougoslavie, Albanie, Grèce, Turquie et Portugal. Pareille définition n'interdisait naturellement pas d'inviter, notamment aux colloques, des personnalités du Maghreb et du Proche-Orient, mais elle excluait le lancement d'enquêtes dans ces deux zones. Des enquêtes sociologiques seraient finalement réalisées dans trois pays seulement : Espagne, Turquie et Yougoslavie. Le programme s'accompagnait de colloques (Madrid, Ankara, Dubrovnik) permettant la confrontation d'universitaires et d'experts travaillant avec des organes publics ou parapublics orientés vers le développement économique et social (tels la *Casa di Mezzogiorno* en Italie et le commissariat général au Plan en France). Ce type de rencontres réflétait l'esprit du temps, frappé au coin d'un bel optimisme quant aux bénéfices mutuels que responsables publics et chercheurs en sciences sociales ne pourraient manquer de retirer de ce commerce de bon aloi.

Création de la Fondation pour une entraide intellectuelle européenne

La Fondation pour une entraide intellectuelle européenne, de droit suisse et domiciliée à Genève [1], est créée au terme d'une assemblée générale tenue à Zurich le 11 novembre 1966. Au premier niveau, cette création s'analyse comme une transformation du Comité des écrivains, fondée sur la réunion des

1. Une association de droit français du même nom est créée l'année suivante à Paris (publication au *Journal officiel* le 6 septembre 1967).

deux programmes, animés respectivement par Constantin Jelenski en Europe centrale et orientale et par Pierre Emmanuel en Espagne. La première partie de l'assemblée générale est d'ailleurs formellement consacrée à l'information réciproque et à la mise en commun des initiatives prises de part et d'autre. Mais, plus profondément, cette création représente naturellement une initiative de Josselson (lors de l'assemblée générale constitutive, il figure sous le chapeau du Comité des écrivains et des éditeurs) pour accélérer la transformation du Congrès pour la liberté de la culture et conforter l'autonomie des initiatives les plus intéressantes qu'il a engendrées. En cet automne 1966, Raymond Aron a accepté d'être le président du Comité exécutif du CCF et cette création peut apparaître comme une des premières mesures de la réorganisation envisagée. Il est d'ailleurs précisé au cours de l'assemblée générale constitutive que le Congrès pour la liberté de la culture pourra lui apporter son concours financier. Josselson, Oprecht, Jelenski, Bondy et Emmanuel se retrouvent à Zurich pour porter sur les fonts baptismaux la nouvelle fondation. Hans Oprecht en prend la présidence tandis que Pierre Emmanuel en devient le secrétaire général. La Fondation pour une entraide intellectuelle européenne inscrit son action dans le cadre des objectifs qui étaient ceux du Comité des écrivains : faciliter la libre circulation des idées en Europe et les échanges culturels [1]. Elle est administrée par un conseil de treize ou quatorze membres, en majorité suisses, allemands et français. Le vice-président de ce conseil est Jean Graven, professeur honoraire à l'université de Genève et ancien doyen de la faculté de droit de cette université. Se retrouvent tout naturellement au conseil Josselson, Jelenski, Emmanuel, Bondy et Roselyne Chenu, que Pierre Emmanuel a recrutée deux ans auparavant au Secrétariat international pour qu'elle l'assiste dans le programme dont il a la charge. La fondation a deux secrétariats : l'un à Zurich et l'autre à Paris, mais l'essentiel des affaires est traité à Paris.

La fondation, fusionnant les programmes concernant la péninsule Ibérique et l'Europe du Centre-Est, écarte une autre

1. L'article 3 des statuts stipule : « La fondation a pour but de faciliter et d'intensifier en Europe l'entraide intellectuelle, surtout au moyen d'échanges bibliographiques, de contacts intellectuels, de conférences et par l'octroi de bourses d'étudiants. »

option proposée : la création d'un Institut des cultures méditerranéennes, dont l'idée était dans l'air, comme on l'a vu sur le dernier organigramme connu du CCF. La proposition de fédérer toutes les initiatives apparues dans le bassin méditerranéen entre 1959 et 1965 dans un même institut émanait d'un universitaire genevois, Simon Jargy, en étroite relation avec le cercle Orient-Occident de la ville. Jargy, qui aurait assuré les fonctions de secrétaire général de l'Institut des cultures méditerranéennes, envisageait d'en confier la présidence à Denis de Rougemont et la direction à Pierre Emmanuel [1].

Si l'on ne connaît pas les raisons exactes qui ont conduit Josselson et la fondation Ford à écarter cette option, il est assez facile de reconstituer la signification du processus compte tenu des éléments disponibles. Rougemont était exclu des circuits de la fondation Ford depuis que Stone était arrivé aux commandes de son département international. Les initiatives développées en Méditerranée orientale et occidentale étaient extrêmement inégales et une gestion fédérative n'aurait guère eu de sens. Enfin, dans la phase de réorganisation du congrès, il fallait au contraire renforcer et autonomiser ce qui était solide et se concentrer sur l'Europe, en rattachant les programmes à une structure renforcée capable de traverser avec succès de fortes turbulences.

Il existait aussi peut-être une autre raison. La réunion des deux programmes dans une fondation permettait d'élargir à Paris le milieu intellectuel favorable à son action. En effet, l'ouverture du congrès sur la péninsule Ibérique était dans la capitale même génératrice d'une dynamique intellectuelle nouvelle : elle renforçait le courant intellectuel qui s'était détaché du progressisme et permettait de le fixer au centre gauche.

C'est dans ce milieu plus particulièrement que le Secrétariat international recrute de manière privilégiée des conférenciers français pour les associer ainsi à une réflexion sur le changement dans la péninsule Ibérique. On ne sera donc pas surpris de retrouver parmi ces conférenciers Jean-Marie Domenach

1. Le projet associait deux types d'initiatives : celles bénéficiant d'un concours financier du congrès (Montpellier et Lyon en France, le comité espagnol, le cénacle libanais, un noyau à Istanbul, les revues *O Tempo e o Modo* et *Epochès*) et des initiatives proches sans lien direct avec le CCF (*Nord e Sud*, *Instituto per l'oriente moderno*, l'Institut de sciences humaines du Maroc, le Centre d'études humanistes d'Ankara).

(Esprit) et Edgar Morin *(Arguments)*, mais aussi Georges Suffert, le secrétaire général du club Jean-Moulin. Ce club politique créé alors que la Ve République est mise en place fait converger hauts fonctionnaires, hommes politiques et syndicalistes réformistes. Fonctionnant à la fois comme société de pensée [1] et acteur politique, il constitue, on l'a vu, un des relais français privilégiés de l'ouverture politico-intellectuelle vers le centre gauche européen souhaitée par l'administration démocrate américaine.

De plus, la Fondation pour une entraide intellectuelle, qui unifiait désormais les initiatives européennes du congrès, pouvait trouver à Paris non seulement un environnement intellectuel international (chose particulièrement précieuse pour les boursiers que l'on faisait sortir de leurs pays), mais plus spécifiquement une institution ouverte au développement international des sciences sociales : la sixième section de l'École pratique des hautes études. C'était là en effet que Raymond Aron avait localisé son Centre de sociologie européenne. L'École pratique était en second lieu de très loin l'institution d'enseignement supérieur d'où provenait le plus grand nombre de participants français aux séminaires internationaux du Congrès pour la liberté de la culture. Troisièmement, la sixième section des Hautes Études était le point d'aboutissement en France d'un second canal d'expression de la diplomatie culturelle américaine depuis que Clemens Heller l'avait rejointe et travaillait très étroitement avec Fernand Braudel, son président. Étudiant à Harvard, Heller avait été, au lendemain de la guerre, un des fondateurs des séminaires de Salzbourg créés en 1947 [2] dans la zone d'occupation américaine en Autriche. Dès son installation à Paris, il était devenu un élément clef de l'articulation de la diplomatie culturelle américaine à la sixième section de l'École pratique des hautes études, contribuant ainsi à en faire son partenaire privilégié dans le monde de l'enseignement supérieur français. Clemens Heller était à Paris, avec Constantin Jelensky, l'un des rares hommes à avoir une véritable stratégie

1. Les livres du club Jean-Moulin sont publiés aux Éditions du Seuil, maison des collections de la revue *Esprit* et des anthologies poétiques réalisées avec le soutien du Comité des écrivain, dont Paul Flamand, le directeur du Seuil, est membre du comité de patronage.

2. Lois J. et Thomas Eliot, *The Salzburg Seminar*, Ipswich Press, 1987, et Krzysztof Pomian, « Heller (Clemens) », *in* « Matériaux pour servir à l'histoire intellectuelle de la France (1953-1957) », *Le Débat*, n° 50, mai-août 1988.

des relations intellectuelles avec l'Europe de l'Est, incluant dans son cas l'Union soviétique. Sans doute Heller n'avait-il pas et ne voulait-il pas avoir de contacts avec Josselson, mais il était en relation avec Jelenski et la sixième section accueillait des boursiers invités par le Comité des écrivains. Heller savait jouer avec une extrême habileté tantôt du canal des fondations américaines, tantôt de celui des commissions mixtes gérant les rapports culturels bilatéraux entre la France et les différents régimes communistes pour faire venir dans l'Hexagone des boursiers de qualité. La France était en effet, à l'inverse des États-Unis, un pays où la politique culturelle à destination de l'étranger passait essentiellement par des conventions bilatérales gérées par le ministère des Affaires étrangères. Dans ce mécanisme, la partie contractante disposait souverainement du choix des candidats qui pouvaient bénéficier d'une bourse. A l'époque de la domination des régimes communistes sur une moitié de l'Europe, ce système pouvait être une arme redoutable aux mains des pouvoirs en place pour écarter des échanges culturels et intellectuels les candidats « non conformes ». A l'inverse, une bonne connaissance de ces mécanismes permettait de ne pas les laisser fonctionner de manière aveugle, en orientant vers eux des candidats de qualité. Outre ses talents de négociateur, l'action de Clemens Heller bénéficiait du rayonnement de l'École des annales en Europe de l'Est [1].

Mais au-delà de ces mécanismes organisationnels déjà très forts en eux-mêmes, c'est une véritable alliance intellectuelle porteuse d'avenir qui s'esquisse avec la nouvelle génération d'historiens que permet d'agréger l'École pratique des hautes études, institution alors en plein essor [2]. L'exemple de la préparation d'un colloque sur la fin des idéologies sur le sol espagnol (projet qui rencontre au demeurant des obstacles en Espagne) est révélateur de la cristallisation de cette alliance et mérite que l'on s'y arrête quelque peu. Il s'agit de mettre sur pied une

1. *Id.*, « Impact of the Annales School in Eastern Europe », *Review* I,3-4, hiver 1977-printemps 1978.

2. Cet essor repose sur une double exceptionnalité par rapport aux autres établissements d'enseignement supérieur français. Non contente d'avoir une articulation privilégiée avec la diplomatie culturelle américaine, la sixième section de l'École dispose de plus, à travers Fernand Braudel, d'un accès direct au ministère des Finances, accès qui lui permet, par exemple, d'obtenir la création de 60 postes de chercheurs pour son établissement en 1960.

manifestation organisée conjointement par le Comité des écrivains et le comité espagnol, Constantin Jelenski et Pablo Marti-Zarro en étant les deux coorganisateurs. L'insertion de ce projet dans l'univers politico-intellectuel espagnol est fort intéressante à expliciter. Il s'agit de combattre la sacralisation de l'histoire par les jeunes intellectuels espagnols, longtemps coupés de la vie intellectuelle internationale. Dans la lettre envoyée à Aron pour lui exposer les motifs de cette manifestation, Jelenski revient sur ce qui est un de ses leitmotive permanents : lutter contre le « délire existentialo-hégéliano-marxiste », qui n'est pas encore dépassé par les jeunes intellectuels espagnols, « bien que leur mythe, ajoute-t-il, date du Sartre fasciné par Cuba et le maquis vénézuélien, et non pas du Sartre qui établissait un lien entre l'URSS et Billancourt ». Mais, à l'autre extrémité du spectre politique, le thème de la fin des idéologies fait l'objet d'une sorte de détournement par rapport au travail intellectuel réalisé par le congrès depuis dix ans. Un diplomate espagnol, journaliste influent de l'ABC, Gonzalo Fernandez de la Mora, vient en effet de publier *El Crepusculo de las ideologias*. Ce livre, écrit Jelenski dans une note préparatoire au colloque, compromet ce thème et le déconsidère aux yeux de la gauche espagnole en en faisant un thème réactionnaire, la Mora présentant le socialisme et la démocratie libérale comme dépassés l'un et l'autre « pour préconiser un système autoritaire technocratique tel que le rêvent les éléments les plus rusés du régime espagnol qui briguent la succession de Franco ».

Pour la préparation de ce colloque, Jelenski entretient une correspondance suivie avec Aron afin de recueillir son avis et de bâtir le programme en concertation avec lui. Il souhaite, cela va de soi, qu'Aron préside la manifestation (parallèlement à la traduction outre-Pyrénées de *Trois Essais sur l'âge industriel* [1]) et voudrait inviter notamment au colloque, qui, selon le sacro-saint principe du CCF, doit mélanger Espagnols et étrangers, Edward Shils, Jeanne Hersch et Georges Suffert. Jelenski souhaiterait y voir participer un marxiste français : il écarte Henri Lefebvre et suggère à Aron Roland Barthes.

Mais si Constantin Jelenski tient soigneusement Raymond

1. Notons au passage que si *The End of Ideology* n'a pas été traduit en France, le livre de Bell l'a été dans l'Espagne franquiste.

Aron informé de l'avancement du projet, c'est à François Furet qu'il demande un rapport permettant de situer les intellectuels français quant à la problématique de la fin des idéologies. Ce choix est révélateur de l'alliance qui s'amorce. Furet présente le profil idéal pour discuter avec de jeunes intellectuels marxistes espagnols. Ancien membre du Parti communiste français, il est entré dans la vie intellectuelle par une critique d'extrême gauche de l'analyse marxiste communiste orthodoxe de la Révolution française, avant de se rallier à une lecture libérale de la période [1]. *Preuves* publie le texte de sa communication, qui présente avec acuité la signification de l'influence considérable exercée par le marxisme structuraliste sur la vie intellectuelle française de l'époque. Cette analyse distanciée d'un monde intellectuel parisien qui n'est plus celui de l'existentialo-hégéliano-marxisme, dénoncé par Jeanne Hersch lors de la décennie précédente, va connaître un grand succès hors des frontières. C'est en effet un genre très prisé dans les milieux du congrès, et une pièce réussie quant au respect des canons du genre s'accompagne à peu près toujours de la notoriété internationale de son auteur. L'article de Furet témoigne aussi que la nouvelle génération d'historiens, souvent venus du Parti communiste, constitue à Paris un môle de résistance au marxisme structuraliste, accompagné de l'émergence d'une notion, celle de « sciences humaines », très différente de la notion de « sciences sociales », coextensive du mariage de la problématique de la fin des idéologies et de la politique internationale de la fondation Ford. Par cette capacité de résistance elle se pose comme partenaire de la diplomatie culturelle américaine, s'ouvrant ainsi à la fin de la décennie 1960 le chemin des grandes universités des États-Unis. Enfin, cet article inaugure des relations suivies entre Constantin Jelenski et François Furet au moment où Raymond Aron refuse de s'engager dans la nouvelle Association internationale pour la liberté de la culture. C'est une véritable relève de la garde à laquelle on assiste. François Furet devient en effet pour le nouveau directeur des séminaires un partenaire qu'il consultera dans les années à venir sur les manifestations organisées soit par l'association, soit par la fondation.

Dans les années-charnières 1966-1967, tandis que Jelenski

1. François Furet et Denis Richet, *La Révolution française*, Plon, 1965.

quitte le secrétariat du Comité des écrivains pour prendre la responsabilité des séminaires, Pierre Emmanuel, pour sa part, devient le secrétaire général de la nouvelle fondation. Quelques mois plus tard, après le retrait d'Aron et l'arrivée de Stone à Paris, Emmanuel est amené à cumuler cette fonction avec celle de directeur de l'Association internationale pour la liberté de la culture. Jelenski et Emmanuel se trouvent ainsi occuper une position stratégique au Secrétariat international dans le dispositif qui se met en place.

L'excellente entente entre Constantin Jelenski et Pierre Emmanuel permet d'apporter un dernier éclairage sur le contexte de la création de la Fondation pour une entraide intellectuelle européenne en 1966. Cette entente permettait en effet de bien augurer du montage réalisé. Le congrès était parfois le lieu des rencontres les plus inattendues. Celle de Jelenski et d'Emmanuel en fut assurément une. Tout ou à peu près tout séparait les deux hommes. Ils devaient cependant collaborer durant de longues années. Sans doute n'existait-il pas entre eux ce mélange d'amitié et de complicité qui liait Constantin Jelenski et François Bondy à *Preuves*. Au contraire, il pouvait arriver que leurs relations fussent secrètement tendues à l'extrême, mais ces tensions étaient toujours contenues. Jelenski admirait le courage que Pierre Emmanuel avait manifesté très tôt, au lendemain de la guerre, en rompant [1], lui, le « poète-catholique-résistant », avec les pompes et les œuvres du progressisme littéraire organisé autour d'Aragon, alors même qu'il lui eût été extrêmement facile de jouer le jeu de la main tendue, d'autant qu'Emmanuel n'était pas insensible aux honneurs (il rêva sous la Ve République de s'asseoir un jour dans le fauteuil d'André Malraux comme ministre de la Culture). Emmanuel, de son côté, faisait fondamentalement confiance à Jelenski, dont il approuvait généralement les décisions et dont il suivait les avis. Les deux hommes se complétaient très bien dans leurs rôles respectifs : pour des raisons politiques évidentes, Jelenski

1. Cette rupture était intervenue après une tournée littéraire que Pierre Emmanuel avait réalisée en Europe centrale et dans les Balkans à la demande du ministère des Affaires étrangères, qui, soucieux d'effacer la politique du gouvernement de Vichy, avait envoyé alors de nombreux écrivains à l'étranger pour renouer des contacts et présenter un nouveau visage de la France. Confronté à la réalité du stalinisme qui se mettait en place, il publia un compte rendu de voyage dès son retour à Paris, dans *Une semaine du Monde*, article qui lui valut les foudres du Parti communiste et de ses relais.

était contraint de ne jamais se mettre en avant tandis que Pierre Emmanuel avait toute la représentativité souhaitable pour prendre des contacts à l'Est.

Le couplage Association internationale-Fondation pour une entraide

De 1967 à 1974, le fonctionnement de la Fondation pour une entraide intellectuelle européenne et celui de l'Association internationale pour la liberté de la culture sont profondément imbriqués à Paris. Pareille imbrication n'est pas seulement liée aux fonctions croisées de Constantin Jelenski et de Pierre Emmanuel dans les deux structures, elle découle aussi de ce que l'un comme l'autre sont conduits à s'appuyer fortement sur la nouvelle fondation pour garder la confiance des réseaux intellectuels qu'ils ont tissés tant en Europe de l'Est que dans la péninsule Ibérique et éviter qu'ils ne soient compromis par les remous qui affectent le congrès.

En Espagne, la mise au jour de l'intervention de la CIA dans le financement du congrès entraîne une crise perlée au sein du comité, crise qui dure environ deux années et qui freine assurément le développement de ses activités. Ce freinage est également lié à d'autres causes : l'expulsion de José Luis Aranguren et de plusieurs autres professeurs de l'Université est un coup sévère porté à son action. De plus, au terme du programme de recherches sociologiques de terrain, le comité échoue à se poser en partenaire privilégié des banques et des fondations américaines pour asseoir le développement des sciences sociales en Espagne. La seule réalisation nouvelle digne d'être notée est la création d'une maison d'édition, Hora H, animée par Pablo Marti-Zarro. Elle vivra quatre ans.

En revanche, le démarrage de l'action au Portugal coïncide pratiquement avec la mise en place de l'Association internationale pour la liberté de la culture et cette action sera gérée de bout en bout à travers le couplage de l'association et de la fondation, en bénéficiant, bien entendu, de l'expérience acquise en Espagne les années précédentes.

Le point d'appui de la création du comité portugais est un intellectuel catholique, Antonio Alçada Batista, qui a créé une maison d'édition, Moraes, et a fondé en 1963 une revue, *O Tempo e o Modo.* Elle se réclame explicitement de Mounier et du personnalisme tandis que les éditions Moraes publient notamment Maritain, Teilhard de Chardin et Mounier, bien entendu. Avocat abandonnant le barreau pour se lancer dans la politique par l'édition (selon un schéma qui semble être traditionnel au Portugal), Batista est l'un des premiers catholiques à prendre ses distances avec l'alliance entre l'Église et le salazarisme. Alçada Batista se présente ainsi aux élections de 1961 et de 1965. Pour son action politique il bénéficie du soutien de la démocratie chrétienne italienne, mais il souhaite renforcer son assise internationale pour élargir l'espace tant politique que culturel entre le régime et le Parti communiste (les communistes disposent alors de deux revues, *Vertis* à Coimbra et *Suera nova* à Lisbonne). Il entre ainsi en contact avec Pierre Emmanuel par l'intermédiaire de la revue *Esprit.* Emmanuel se rend pour la première fois à Lisbonne en mars 1965, en compagnie de Pablo Marti-Zarro, le secrétaire du comité espagnol. Les deux hommes sont accueillis par Alçada Batista, qui les conduit immédiatement dans les bureaux des éditions Moraes, où ont lieu leurs premiers entretiens.

Au cours de ce voyage, Pierre Emmanuel rencontre également un leader étudiant, Vasco Polido Valente, l'avocat Francisco Zenha, Nuno de Bragança (futur représentant du Portugal à l'OCDE), des poètes et des écrivains comme Antonio Ramos Rosa, Urbano Tavares Rodrigues, Alexandre O'Neil, ainsi que le sociologue Sedas Nunes. Il prend contact avec la fondation Gulbelkian (qui joue au Portugal un rôle très important de protecteur éclairé), où il a des entretiens avec Antonio José Branquinho da Fonseca et Domingos Monteiro, avec lesquels il évoque le projet d'une anthologie poétique sur le modèle de celles réalisées pour d'autres pays européens. Il est convenu au cours de ces entretiens de tenir la fondation Gulbelkian informée des futures initiatives du Congrès pour la liberté de la culture au Portugal.

La présence de Marti-Zarro au côté de Pierre Emmanuel pour cette mission n'est pas de pure forme, tout au contraire. Marti-Zarro peut en effet exposer en détail l'action entreprise en Espagne au cours des trois dernières années, faisant ainsi bénéficier le noyau du comité portugais en cours de constitution de l'expérience acquise. Mais, surtout, il s'attache à développer les relations entre Portugais et Espagnols, jusqu'alors totalement inexistantes. C'est ainsi qu'au cours de ce séjour il prend des contacts avec des groupes d'étudiants portugais en liaison avec les mouvements étudiants espagnols. Il propose aux Portugais un projet de rencontres annuelles communes pour étudier les problèmes de l'Espagne et du Portugal et une entreprise intellectuelle croisée, la revue *O Tempo e o Modo* consacrant un numéro à l'Espagne et la revue *Insula* un numéro au Portugal.

La mise en place du comité portugais, qui prend le titre de Commission portugaise pour les relations culturelles européennes, intervient donc à la jointure de la disparition du congrès et de la mise en place de la nouvelle Association internationale pour la liberté de la culture. La Commission portugaise pour les relations culturelles européennes réunit douze personnes, toutes cooptées par Alçada Batista : cinq venant de la revue *O Tempo e o Modo*, cinq extérieures au cercle de la revue, les deux dernières de Porto et de Coimbra. On y trouve, outre Alçada Batista lui-même et le secrétaire de rédaction de la revue, Joao Bernardo da Costa, des hommes comme Luis Filipe Lindley Cintra, un professeur libéral conservateur jouissant d'un grand prestige auprès des étudiants, associé au Comité exécutif de la nouvelle Association internationale pour la liberté de la culture; le sociologue Jorge Sedas Nunes, un ancien président de l'Association catholique des étudiants, qui a fondé une revue de sociologie, *Analise social*; l'économiste Joao Salgueiro. Le courant socialiste est représenté par des hommes comme Joaquim Serrao, historien des idées économiques, le romancier José Cardoso Pires, l'avocat et journaliste José Pitera dos Santos.

Le fonctionnement du comité portugais est calqué sur le modèle espagnol. Son secrétaire, un jeune intellectuel proche de Batista, est salarié de l'Association internationale et il cumule cette fonction avec celle de secrétaire de rédaction d'*O Tempo e o Modo*. Da Costa travaille en liaison étroite avec Roselyne Chenu, l'assistante de Pierre Emmanuel à Paris. Les activités du comité prennent place dans les locaux des éditions Moraes.

La panoplie des outils rodés en Espagne est utilisée pour alimenter l'action au Portugal : bourses attribuées par la fondation à des intellectuels, tournées de conférences, subventions pour la traduction et la publication d'ouvrages par les éditions Moraes (à concurrence de quatre par an) et, bien entendu, colloques. Deux différences avec la situation espagnole méritent toutefois d'être mentionnées. La première concerne les conditions politiques : la contrainte sur les individus est beaucoup plus forte du fait de l'existence au Portugal d'une police politique. La seconde concerne les sciences sociales : l'Institut des sciences sociales que Sedas Nunes crée au sein de l'université de Lisbonne avec l'appui de la fondation Gulbelkian n'a pas de liens étroits avec le Centre de sociologie européenne à Paris.

Ce mode de développement, fondé sur l'interaction entre socialisme réformiste et catholicisme européen postconciliaire, évoluant vers une forme de libéralisme par injection de sciences sociales destinées à penser la modernisation sociale, sera subverti par la radicalisation politique et culturelle qui touchera tous les milieux étudiants internationaux à partir de 1968. La revue *O Tempo e O modo* est alors à l'épicentre de la crise. Alçada Batista, qui perd beaucoup d'argent avec les éditions Moraes, décide d'abandonner *O Tempo e o Modo* aux jeunes générations impatientes. Joao Bernardo da Costa se retrouve ainsi seul à la barre pour diriger la revue. Il tente alors une expérience d'autogestion intégrale, qui aboutit peu après à la prise du pouvoir au sein du « collectif » par un groupe maoïste. La dérive politique dont *O Tempo e o Modo* est le siège conduit à dissocier le destin de la revue de celui du comité. La Commission portugaise pour les relations culturelles européennes migre alors vers le Centre national de la culture, organisme légal créé en 1940, d'inspiration monarchiste à l'origine mais ayant évolué vers le libéralisme. La grande figure de référence du Centre national de la culture est alors la poétesse Sofia de Melo et, dans cette nouvelle articulation, une des animatrices du centre, Helena Vera da Silva, joue un rôle croissant dans le fonctionnement du comité.

Une coopération très étroite est recherchée dès l'origine entre le comité espagnol et le comité portugais. Marti-Zarro est un peu au départ le mentor de Joao do Coste. A Paris, cette coopération est vivement encouragée par le Secrétariat international, qui cherche à désenclaver le plus possible les milieux portugais. Pour ce faire, outre les collaborations croisées entre revues, les colloques sont appelés à jouer un rôle déterminant. Ainsi est organisée à Aix-en-Provence en 1967 une manifestation ayant pour thème *La Péninsule Ibérique et la modernité*, qui doit donner le coup d'envoi de réunions organisées en commun par les Espagnols et les Portugais dans la péninsule même [1].

Si l'intervention dans la péninsule Ibérique et plus particulièrement au Portugal est un des points forts du couplage de l'association et de la fondation entre 1966 et 1974, l'action en Europe de l'Est n'est ni abandonnée ni négligée, bien au contraire. En premier lieu la fondation, *via* le secrétariat de Zurich, peut désormais agir en République démocratique allemande, territoire inaccessible aux fondations de la République fédérale d'Allemagne, notamment à la fondation Friedrich-Ebert. Cette action se limite essentiellement à des courants d'échange de livres. Hans Oprecht fait parvenir en RDA des catalogues sur lesquels les intellectuels est-allemands contactés peuvent passer des commandes d'ouvrages dont la fondation assure le règlement et l'acheminement. Il existe entre la Fondation pour une entraide intellectuelle européenne et la *Friedrich Ebert Stiftung*, liée au Parti social-démocrate, des affinités profondes, comme en témoigne le fait qu'après Hans Oprecht tous les présidents de la FEIE seront des sociaux-démocrates suisses. Toutefois, Constantin Jelenski et Pierre Emmanuel veillent à ce que les liens entre les deux fondations ne soient pas trop institutionnalisés, dans la mesure où la *Friedrich Ebert Stiftung* leur apparaît trop liée aux structures gouvernementales allemandes. Ainsi, en 1971, Hans Oprecht, déjà âgé, souhaite se retirer. Dans cette perspective, il associe deux représentants de la fondation allemande au conseil sans en référer au secrétariat parisien. Cette association plus étroite permet d'ouvrir la voie à la présidence de la Fondation pour une entraide intellectuelle européenne à un homme de la fondation Friedrich-Ebert (dans l'esprit d'Oprecht, le rapprochement entre les deux structures se serait fait par la médiation d'une maison d'édition de Zurich, Europa Verlag). Aussi Constantin

1. A titre d'exemple, outre une rencontre entre *O Tempo e o Modo* et *Cuadernos para el Dialogo*, des colloques : *La Liberté de la presse* (Lisbonne, 1969), *Culture, représentation et contestation* (Lisbonne, 1970), *Évolution de la culture ibérique* (Madrid-Tolède, 1973).

Jelenski n'hésite-t-il pas à faire un voyage en Suisse pour mettre les choses au point et éviter une liaison organique trop étroite, risquant d'étouffer l'originalité de la Fondation pour une entraide intellectuelle européenne et ses capacités de développement autonome.

A partir de 1970, Roselyne Chenu, l'assistante de Pierre Emmanuel, remplace celui-ci aux fonctions de secrétaire général. Elle gère désormais les envois de livres, les abonnements aux revues, les bourses [1], l'organisation des colloques. Grâce au travail réalisé par la fondation héritière du Comité des écrivains, notamment la réalisation des anthologies poétiques, la secrétaire générale peut désormais voyager en Europe de l'Est. Ses voyages ont plusieurs fonctions : s'assurer que les livres et les revues envoyés de Paris arrivent bien à leurs destinataires, pour pouvoir, dans le cas contraire, émettre des protestations auprès des ambassades; apporter de l'argent à des intellectuels faisant l'objet de mesures de répression; recueillir des éléments d'information sur la situation intérieure, pour mieux ajuster l'action de la fondation. Ainsi Roselyne Chenu se rend-elle en Tchécoslovaquie, en Hongrie et en Roumanie dans les premières années de la décennie 1970. Chacun de ces voyages revêt une couleur particulière compte tenu de la situation du pays. Les contacts que prend Roselyne Chenu sont par ailleurs déterminés par les relations de Pierre Emmanuel lui-même avec des écrivains ou des maisons d'édition de ces pays.

La Tchécoslovaquie, après l'invasion d'août 1968 et la répression politique et intellectuelle qui lui fait suite, constitue un bon exemple pour illustrer la spécificité de l'action de la fondation par rapport aux dispositifs français : créer un canal d'échanges et de relations intellectuels original, distinct non seulement de l'appareil de relations culturelles du Parti communiste français, mais encore des services culturels dépendant des ambassades françaises. A Prague, la politique culturelle prise en charge par le ministère des Affaires étrangères repose sur une conception restrictive et étroite. Les consignes du Quai d'Orsay à l'ambassade sont de limiter le rôle du service culturel à l'aide des professeurs de français

1. A la fin des années 1960 et au cours des premières années de la décennie 1970, les envois de livres en Europe de l'Est oscillent entre 200 et 450 exemplaires par an; les abonnements souscrits à des revues, entre 35 et 50 environ; de 15 à 20 boursiers sont accueillis chaque année à Paris.

tchécoslovaques, de privilégier les échanges techniques et scientifiques et de suivre les lecteurs de français dans les universités. Roselyne Chenu juge ainsi cette politique dans un compte rendu de voyage :

> La politique du Quai d'Orsay paraît être celle du faible, du demandeur prêt à trop de concessions ; le manque de communication et d'informations élémentaires entre les services culturels et les intellectuels tchécoslovaques est évident et tout le monde y perd : d'un côté s'accumulent des ressources inexploitées ; de l'autre, des besoins inassouvis.

Un des exemples les plus frappants de cet isolement est celui de la salle de lecture et de la bibliothèque situées au centre de la capitale tchécoslovaque, fermées pendant la guerre froide et rouvertes en cogestion par la France et la Tchécoslovaquie depuis 1967. Les responsables français pratiquent l'autocensure pour éviter tout conflit et Roselyne Chenu note ici aussi avec justesse :

> Deux politiques s'affrontent, me semble-t-il : celle des Français, qui préfèrent une bibliothèque médiocre mais ouverte ; celle des lecteurs, qui souhaitent de meilleures lectures, quitte à risquer la fermeture des lieux.

En dehors des canaux institutionnels, la secrétaire générale de la fondation prend des contacts avec des intellectuels indépendants des cercles révisionnistes (surtout soucieux à l'époque de faire valoir leur image à l'échelle internationale) et des milieux ralliés au régime. Roselyne Chenu, outre des discussions avec la maison d'édition Visehrad (d'inspiration catholique et qui prépare à l'époque un recueil de poèmes de Pierre Emmanuel), prend divers contacts, dont on retiendra principalement celui avec Jan Vladislav, poète et traducteur n'ayant jamais appartenu de près ou de loin au Parti communiste tchécoslovaque [1].

Le climat est tout autre en Hongrie et tout autres y sont les contacts de Roselyne Chenu. En effet, outre des rencontres avec les services culturels de l'ambassade de France, la secrétaire générale présente la fondation au ministre de la Culture hongrois en exercice, György Aczél. Aczél vient en effet de publier

1. Au cours de la décennie 1970, Jan Vladislav créera une revue samizdat, *Kvart*, avant d'émigrer en France, où Pierre Emmanuel l'accueillera lors d'une conférence de presse organisée à Paris dans les salons de l'hôtel Lutétia.

un livre en France [1] tandis que Pierre Emmanuel, pour sa part, a été nommé à Paris à la tête d'un Conseil du développement culturel issu des travaux d'une commission du même nom mise en place auprès du commissariat général au Plan sous le gouvernement de Jacques Chaban-Delmas. Tout se passe comme si des échanges d'un nouveau genre pouvaient être envisagés à partir d'un nouveau type d'acteurs, s'informant réciproquement sur leur politique de la culture dans une phase de détente.

Quant à la Roumanie, Pierre Emmanuel y fait un voyage officiel en 1974 tandis que Roselyne Chenu s'y rend de son côté la même année. Si deux ans plus tôt en Tchécoslovaquie un « dossier » présentant Emmanuel comme un espion américain a réussi à faire son chemin jusqu'à la radio, en Roumanie il est reçu avec les honneurs dus à un poète quasi officiel. Mais c'est par le canal de la secrétaire générale de la fondation qu'un écrivain qui vient de perdre son emploi, Paul Goma, fait passer un message au Pen Club français. Le double canal caractérise bien la situation roumaine : d'un côté, le régime bénéficie d'un capital de sympathie lié à son refus de s'associer à l'invasion de la Tchécoslovaquie en 1968, mais, de l'autre, de nouvelles fractures se dessinent dans l'univers intellectuel roumain. Goma, qui adresse alors un message à Paris *via* Roselyne Chenu, en est du reste un excellent exemple puisqu'il a adhéré au Parti communiste quelque cinq ans plus tôt en raison de l'attitude de son pays sur la question tchécoslovaque.

Il est vrai qu'en même temps que la fondation se développe et s'institutionnalise elle devient capable de mobiliser des ressources en sus de l'allocation accordée par l'Association internationale pour la liberté de la culture, comme en témoignent le don que fait Gabriel Marcel du montant de son prix Érasme ou encore, pour s'en tenir à Paris, les efforts que déploie Jacqueline Pillet-Will, en concertation avec Roselyne Chenu, pour trouver de l'argent auprès d'industriels et de banquiers. Son environnement européen se modifie profondément tant à l'Est que dans la péninsule Ibérique. Dans cette dernière, l'année 1974 est marquée par la révolution des Œillets, qui propulse dans les structures gouvernementales une large partie du comité portugais. Cela marque en quelque sorte de couronnement de l'action entreprise par le comité. Mais à l'Est les

1. György Aczél, *Culture et démocratie socialiste*, Éditions sociales, 1972.

changements ne sont pas moins grands. En 1973, l'année suivant celle du voyage de Roselyne Chenu à Budapest, le pouvoir politique contraint plusieurs philosophes et sociologues à abandonner leurs activités d'enseignement et de recherche à l'Académie des sciences [1]. Le temps des contacts officiels est révolu. De plus, ces modifications s'inscrivent dans une transformation des relations culturelles intereuropéennes. En cette même année trois phénomènes entrent en effet en résonance : les problèmes culturels sont incorporés au champ de la négociation multilatérale de la Conférence sur la sécurité et la coopération en Europe (CSCE), après la réunion d'Eurocult, tenue sous les auspices de l'UNESCO à Helsinki l'année précédente; l'Union soviétique adhère à la convention de Genève sur le copyright, ce qui fait craindre une accentuation de la répression des auteurs publiant des samizdats et déclenche ainsi un mouvement de vigilance international; c'est cette année-là enfin que la dissidence s'impose comme nouvel acteur dans les relations Est-Ouest, à partir de l'action conjuguée de deux hommes exceptionnels : Andreï Sakharov et Alexandre Soljenitsyne. Cette nouvelle donne apparaît précisément au moment où se pose la question du découplage de la Fondation pour une entraide intellectuelle et de l'Association internationale pour la liberté de la culture, un découplage qui sera assuré avec succès les années suivantes.

1. Cette charrette concerne Andras Hegedüs, György Markus, Agnès Heller, Ferenc Fehér, Mihaly Vadja, György Bence, Janos Kis, qui formeront bientôt le noyau de l'opposition intellectuelle hongroise.

CHAPITRE XI

La fondation Ford aux commandes de l'Association internationale

La Fondation pour une entraide intellectuelle européenne n'est pas la seule organisation relayant l'Association internationale pour la liberté de la culture pendant les cinq années où la fondation Ford prend en charge son destin. La présentation de la vie de l'association à Paris de 1968 à 1973 requiert de prolonger l'analyse sur trois plans : l'évolution du monde des revues, le développement des séminaires et l'action en Amérique latine. Si l'association conserve, comme l'ancien congrès, une vocation mondiale, celle-ci se réduit très rapidement comme peau de chagrin. Le Secrétariat international subit des compressions sévères d'effectifs et n'est plus à même de contrôler toutes les activités qui lui sont théoriquement rattachées : ainsi Paris n'a-t-il aucune prise sur l'important programme du Sud-Est asiatique, directement géré depuis New York. L'AILC n'est plus qu'un élément banalisé de la politique internationale de la Ford, qui resserre sévèrement son contrôle sur Paris. Une plaisanterie amère qui circule alors dans les couloirs du Secrétariat international donne une idée du climat, quelque peu désabusé : « On était quand même plus libre au temps de la CIA », peut-on entendre boulevard Haussmann à la fin de la décennie 1960.

L'univers des revues : Paris, Londres et New York

Un des arbitrages les plus importants rendus par Shepard Stone lors de son entrée en fonctions à la nouvelle association donnait la priorité aux séminaires internationaux sur des revues, obligées de trouver un financement indigène pour assurer leur survie. Il était encore moins question pour l'association d'en lancer d'autres, à une exception près cependant : la sortie de *Mundo nuevo* en Amérique latine en 1966. La nouvelle politique affecte de manière différente les organes publiés sous les auspices de l'ancien congrès. Toutefois, leur devenir doit être replacé dans un cadre politique et intellectuel plus large. Les revues constituaient, on s'en souvient, la véritable armature du CCF. Or, même sans l'arbitrage de Stone favorisant les séminaires, il n'est pas certain que le réseau eût survécu aux tensions internes qui affectaient ses différentes composantes. C'est donc sur les reclassements qui s'opèrent de part et d'autre de l'Atlantique qu'il convient d'abord de s'arrêter pour comprendre l'évolution des revues, de l'association et, plus largement, des milieux intellectuels agrégés par le Congrès pour la liberté de la culture au cours des deux décennies précédentes.

Le passage du congrès à l'association – du premier au deuxième congrès, pour reprendre une expression parfois utilisée – n'est pas brutal, pas plus que les arbitrages de Stone ne s'imposent aux acteurs du jour au lendemain. Ici comme ailleurs, déstabilisation et recomposition s'étalent dans le temps. Le cas d'*Encounter* est une nouvelle fois emblématique. C'est en effet la seule revue qui possède la capacité d'anticiper la crise politico-intellectuelle après avoir coupé dès 1964 tout lien financier avec le Secrétariat international de Paris pour faire basculer son financement sur des ressources anglaises. Pareille capacité d'anticipation est liée à la présence de Lasky à Londres qui, en étroite concertation avec Josselson à Genève, accélère une autonomisation qui lui permettra de résister à tous les assauts dont lui-même et la revue sont l'objet lorsque se lève la tempête. *Encounter* n'est donc plus concerné par les nouvelles orientations de l'Association internationale. Pas plus que ne le sont, pour des raisons d'ailleurs différentes, *Der Monat* en Allemagne fédérale et *Tempo presente* en Italie. Existant antérieurement au congrès, *Der Monat* a toujours soigneusement maintenu son statut de revue associée, exprimant par là son autonomie à l'égard du Secrétariat international [1]. Mais si *Der Monat* peut échapper de ce fait aux troubles de la déstabilisation, la revue ne réussit pas à établir un contact avec les jeunes générations intellectuelles.

A la fin de la décennie 1960, l'Allemagne fédérale est en effet le lieu d'un processus politique contradictoire. Willy Brandt, le bourgmestre social-démocrate de Berlin, accède aux fonctions de chancelier de la République fédérale dans le prolongement des orientations du congrès du SPD de Bad Godesberg (1959) et dans le cadre d'une grande coalition avec les chrétiens-démocrates. Ce changement représente indéniablement un succès diplomatique pour l'administration américaine. Mais, d'autre part, Berlin est le premier foyer européen d'une contestation étudiante radicale, s'en prenant aux principales institutions d'enseignement supérieur mises en place avec le soutien des États-Unis dans l'ancienne capitale du Reich au lendemain de la guerre. Aussi, lorsque l'AILC est mise sur pied, c'est bien davantage avec les milieux de Hambourg et le journal *Die Zeit* qu'elle noue des liens privilégiés, en associant Marion Dönhoff au nouveau Comité exécutif répondant aux vœux de Shepard Stone. *Die Zeit* maintient en effet une ligne social-démocrate réformiste, soutenue par l'Amérique, pro-européenne, associée à une attitude culturelle ouverte dans un environnement plus amène que celui de Berlin. C'est dans *Die Zeit* par exemple que le romancier Günter Grass débat avec le dramaturge tchèque Pavel Kohout de la signification du révisionnisme tchécoslovaque et des conséquences de l'invasion de la Tchécoslovaquie pour la gauche, hissant cette correspondance au niveau d'un débat européen [2]. Grass occupe alors une position stratégique en République fédérale : hostile à la grande coalition en politique intérieure mais favorable à la politique extérieure de Willy Brandt, l'écrivain croise vigoureusement le fer avec l'extrême gauche, en raison des positions prises par celle-ci lors de la crise tchécoslovaque. La ligne de *Die Zeit* est celle de *Preuves* à Paris,

1. Melvin Lasky peut ainsi utiliser la situation de la revue berlinoise pour son argumentation publique des années 1966-1967, feignant de découvrir l'existence de « financements douteux » dans les dotations du CCF à *Encounter* lorsqu'il y prend ses fonctions, à Londres, ce qui l'incite, écrit-il, à rattacher rapidement la revue à un groupe de presse anglais. La démonstration ne trompera personne mais l'argumentation est irréfutable dans une polémique.

2. Repris en livre, ce débat a fait l'objet d'une traduction française : Günter Grass et Pavel Kohout, *Lettres par-dessus la frontière. Essai d'un dialogue Est-Ouest*, Christian Bourgois, 1969.

où François Bondy s'empresse de publier le Grass dénonciateur de l'extrême gauche romantique et nébuleuse d'outre-Rhin. Ainsi, au début de la décennie 1970, *Der Monat* ne joue-t-il pratiquement plus aucun rôle en RFA.

La situation est différente en ce qui concerne *Tempo presente* en Italie. *Tempo presente* était assurément la revue du Congrès pour la liberté de la culture qui prêtait le moins le flanc à une critique de gauche. Au plus haut de la déferlante qui submerge le CCF, *Tempo presente* n'est en rien éclaboussé par le scandale. La disparition de la revue de Silone et de Chiaromonte en 1968 n'est pas le fait d'une quelconque déstabilisation intellectuelle. Elle résulte d'une décision de ses animateurs. Chiaromonte meurt quelques années plus tard, en 1972. Quant à Ignazio Silone, la publication de 1965 de *Sortie de secours* [1] a constitué en quelque sorte un bilan politique qui marquait la fin d'une époque. L'écrivain a toujours joui d'une stature internationale beaucoup plus grande que celle que voulait bien lui reconnaître son propre pays. Mais la situation change et les vents internationaux lui sont désormais contraires : Ignazio Silone est rejeté dans le passé et entre au purgatoire des lettres [2].

Reste le cas de *Preuves*. La revue française est plus directement soumise à la règle commune imposée par la nouvelle direction de l'Association internationale pour la liberté de la culture. Lorsque Stone arrive à Paris et procède à la réorganisation du dispositif, *Preuves* fait l'objet d'un remaniement qui coïncide peu ou prou avec son deux centième numéro. A ce moment-là, le comité de rédaction est toujours formé de François Bondy, Jacques Carat, Jean Bloch-Michel et Constantin Jelenski (ce dernier figurant à l'ours depuis novembre 1965), rejoints ultérieurement et pour quelques mois par Bernard Cazes. Mais la couverture est modifiée, la typographie change, l'illustration disparaît. En 1969, la mensualité n'est plus assurée et la revue prend fin avec le numéro préparé durant l'été. Cette période intermédiaire se passe à explorer les formules destinées à permettre une relance conforme aux nouvelles directives : relance par l'ouverture sur de nouvelles générations intellectuelles, associée à un nouveau comité de rédaction (des tentatives sont faites

1. Ignazio Silone, *Sortie de Secours*, Del Duca, 1965.
2. Silone publie encore, en 1968, *L'Aventure d'un pauvre chrétien*. Il meurt dix ans plus tard à Genève, en août 1978.

notamment en direction de Jean-Claude Casanova et de Pierre Hassner, les deux assistants de Raymond Aron qui ont assuré la publication des entretiens de Rheinfelden), et autonomie par rapport à l'AILC avec la recherche d'un repreneur français. Mais François Bondy ne parvient pas à susciter un montage permettant d'assurer la survie de la revue en maintenant son inspiration originale et c'est finalement Shepard Stone qui impose une solution : la reprise de *Preuves* par la société éditrice du magazine *Réalités*.

Le dernier numéro de l'ancienne formule [1], s'il ne comporte pas formellement un adieu au lecteur, s'ouvre néanmoins sur un bilan des dix-huit années qui s'achèvent. François Bondy récapitule le passé en repartant de la formule originelle frappée par Remy Roure (combattre le fanatisme, l'ignorance et la peur) pour définir l'entreprise en 1951, avant de réaffirmer les grandes orientations de la revue : revendication du pluralisme des pensées et des styles; analyse des ressorts psychologiques et de la signification de la mauvaise foi dans le siècle; conception désacralisée de la politique, où l'oppression n'exige plus la gratitude des victimes. En politique enfin, rappelle Bondy, les trois choix majeurs de *Preuves* ont été le dialogue avec l'Europe de l'Est, la décolonisation et la construction européenne. Durant sa dernière année, la revue a, de plus, l'occasion de prendre congé de deux de ses références spirituelles européennes : *Tempo presente* et Karl Jaspers. Le billet consacré à la fin de *Tempo presente* est particulièrement chaleureux [2]. En mettant en exergue une formule que sa cousine italienne a faite sienne (informer et débattre librement des problèmes culturels du monde contemporain sans préjugés idéologiques ou nationalistes), *Preuves* parle indirectement d'elle-même. Les dernières lignes de cet ultime hommage sont du reste un moyen d'informer ses lecteurs des difficultés dans lesquelles elle-même se débat :

> Cet ambitieux programme, fidèlement et scrupuleusement appliqué tout au long de ces treize années, ne pouvait pas assurer à lui seul une diffusion de masse permettant de compenser les lourdes charges qui pèsent sur un périodique culturel. A la rédaction de *Preuves*, où, hélas, ces problèmes ne sont nullement ignorés, la disparition de notre confrère italien est ressentie avec une particulière

1. *Preuves*, n° 219-220, juillet-septembre 1969.
2. *Ibid.*, n° 215-216, février-mars 1969.

acuité. Une vive amitié et une profonde estime nous ont liés dès le début à l'équipe de *Tempo presente*, dont le travail a été remarquable à bien des égards.

Karl Jaspers s'éteint à Bâle en février 1969, à l'âge de quatre-vingt-six ans. Le hasard fait que l'hommage que lui rend *Preuves* paraît dans le numéro reproduisant le testament de Silone. On ne saurait rêver meilleur rapprochement symbolique [1]. L'auteur anonyme de la notice nécrologique de Jaspers renvoie à un article où Jeanne Hersch a tracé avec perspicacité un parallèle entre la situation de Karl Jaspers et celle de Martin Heidegger dans la vie intellectuelle française d'après guerre [2] :

> [...] l'influence de Heidegger sur nombre de philosophes français qui lisent l'allemand est incomparablement plus forte que celle de Jaspers. D'abord Heidegger fascine. Il semble souvent moins soucieux de vérité que d'efficacité magique : il forge une formule, la grave et la regrave, il immobilise l'esprit sur des étymologies et des syllabes, jusqu'à leur donner un pouvoir de hantise et de conjuration. La vérité viendra ensuite, par l'efficacité suggestive elle-même, par la fissure qui va s'ouvrir au flanc de l'être sous le martèlement des mots. Jaspers ne fascine jamais et refuse toute magie. Il efface au fur et à mesure les traces de ses propres cheminements. Les chiffres de la transcendance ne sont pas chez lui des données énigmatiques imposant en quelque sorte le mystère de leur propre détermination. Ils ne parlent qu'à celui qui chemine en lui-même, à sa propre manière, en cherchant. La fascination est proche du sommeil, et les reprises, les refrains heideggériens ont quelque chose d'hypnotique. Jaspers au contraire éveille.

L'hommage à un penseur allemand engagé comme citoyen, soucieux de se documenter avant de prendre position, attaqué aussi bien par la droite que par la gauche, renvoie à une éthique intellectuelle que *Preuves* fait sienne, sans dissimuler pour autant des divergences politiques récentes : la dernière correspondance de Jaspers à Paris fait en effet état de son désaccord avec la politique de grande coalition en Allemagne fédérale, soutenue à l'inverse par la revue française.

Veut-on un dernier symbole ? *Preuves* s'achève sur une controverse qui porte sur l'Europe, cette Europe qui a donné

1. Ignazio Silone, « Des problèmes pour une décennie », et anonyme, « Karl Jaspers », *ibid.*, n° 217, avril 1969.
2. Jeanne Hersch, « Jaspers en France », *ibid.*, n° 146, avril 1963. Cet article fait suite à un entretien de François Bondy avec Karl Jaspers, sous le titre « L'expérience politique d'un philosophe ».

sens au combat contre le fanatisme, l'ignorance et la peur au lendemain de la guerre. Que cette controverse mette une nouvelle fois en scène Herbert Lüthy ne peut pas mieux signifier que la boucle est bouclée. Après *Tempo presente* et Jaspers, Lüthy est une référence forte pour *Preuves*. Son nom est associé aux premiers projets de revue européenne agités à Zurich dès 1943. Fédéraliste européen résolu, Lüthy n'a cessé de ferrailler contre le nationalisme français. Son dernier article, consacré à l'explosion des régionalismes [1], ne manque pas, tradition oblige, de jeter une dernière fois une pierre dans le jardin gaulliste pour la double initiative prise par Charles de Gaulle en 1967 et 1969 : l'appui à l'autonomie québécoise au Canada (« Vive le Québec libre ! ») et le référendum sur la régionalisation en France. Toutefois, la pointe de l'article est dirigée contre l'Europe des ethnies, plus particulièrement contre Guy Héraud, qualifié de « prophète » du mouvement fédéraliste des communautés ethniques européennes [2]. Cette attaque est vivement relevée par Héraud, à qui Lüthy répond aussitôt que, comme fédéraliste et citoyen suisse, il ne saurait donner son adhésion à une Europe « basée sur les ethnocentrismes linguistiques ou sanguins clamant leur altérité irréductible » qui entraîneraient rapidement la disparition d'un ensemble politique d'inspiration fédéraliste comme la Confédération helvétique. Ici aussi, un cycle s'achève. Lüthy, dans sa dernière contribution à la revue, s'alarme de voir que l'intégration technologique de la planète et la standardisation à l'échelle internationale engendrent la nostalgie d'anti-mondes romantiques, de minipatries, de petites communautés communales et tribales.

Le dernier mot revient peut-être à Emmanuel Berl [3], qui souligne avec acuité dans la même livraison l'incertitude qui pèse sur une Europe capable de se définir seulement par rapport à un en-dehors, une Europe qui désire « un capitalisme un peu moins forcené que celui des trusts américains, un socialisme qui pèse un peu moins lourd que celui du *Politburo* sur les diversités régionales et les libertés individuelles », mais ne sait pas

1. Herbert Lüthy, « Ce continent reste à décoloniser », *ibid.*, n° 218, juin 1969.
2. Guy Héraud, *L'Europe des ethnies*, Presses d'Europe, 1963; *Peuples et langues d'Europe*, Denoël, 1968; *Les Principes du fédéralisme*, Presses d'Europe, 1968.
3. Emmanuel Berl, « L'Europe en quête de sa propre signification », *Preuves*, mai-juin 1969.

vraiment « si elle oppose une rêverie à une fatalité ou si elle défend un projet contre les résistances qui l'empêchent ».

Ainsi est-ce une formule inédite de *Preuves* qui fait son apparition au premier trimestre 1970, avec une nouvelle maquette, un nouveau comité de rédaction et une nouvelle périodicité. *Preuves, cahiers trimestriels* a désormais pour directeur Alfred Marx et pour rédacteur en chef et secrétaire de rédaction respectivement François Schlosser et Gilles Anouilh, deux journalistes de la nouvelle génération. Le comité de rédaction réunit Pierre Emmanuel (nouveau directeur de l'AILC), Robert Salmon (président-directeur général de la société éditrice [1]), François Fontaine (membre du réseau Monnet), Marc Ullman (journaliste en vue de *L'Express*) et, *last but not least*, François Bondy.

Preuves ne disparaît donc pas comme *Tempo presente* mais ne poursuit pas sa route comme *Encounter*. Toutefois, la formule de survie dégagée pour la revue française est bancale. Si la transition se fait sans crise sur le devant de la scène, elle s'accompagne de grincements en coulisses. Si *Preuves* a échappé à une contestation analogue à celle qui a ébranlé *Encounter* de part et d'autre de l'Atlantique, elle est prise en revanche dans le syndrome d'épuration qui frappe le Secrétariat international à Paris. Le haut état-major de la Ford n'a pas apprécié la liberté de ton et d'expression de la revue face à l'engagement américain au Vietnam (dont témoigne notamment la publication d'une série d'articles de Mary McCarthy reprise de la *New York Review of Books* et accompagnée d'une note appuyée de Jelenski) et le fait savoir sans nuances dès lors qu'il agit en prise directe sur Paris. Bondy perd non seulement sa revue, mais encore l'appartement parisien que le congrès a mis à sa disposition. Il retourne à Zurich pour y reprendre ses fonctions à *Die Weltwoche*. La place qu'il conserve au comité de rédaction de la nouvelle formule n'est rien d'autre qu'un strapontin (il regrettera par la suite d'avoir accepté cette solution) et l'on comprend aisément son amertume car la nouvelle formule n'a qu'un lointain rapport avec l'ancienne. Perdant à la fois ses dimensions littéraire et intereuropéenne, le nouveau *Preuves, cahiers trimestriels* affiche en sous-titre : *Les idées qui changent le monde*. Les

1. *Preuves, cahiers trimestriels* est une publication de la Société d'études et de publications économiques, réalisée en liaison avec l'Association internationale pour la liberté de la culture.

Cahiers trimestriels ambitionnent de fournir à ceux qui exercent des responsabilités nationales et internationales, et qui sont engagés dans l'action et la recherche, une tribune où ils exposeront directement leurs points de vue. Cette orientation, si elle déplaît fort à Bondy et à Jelenski, répond en revanche pleinement à la conception du grand *manager* de fondations qu'est Shepard Stone : écrémer des personnalités de premier plan pour les servir sur un plateau à un public cultivé dans un emballage culturel soigné.

Braquons maintenant le projecteur sur New York. La déstabilisation s'inscrit également ici dans un processus de restructuration qui voit la montée en puissance de la *New York Review of Books*, dans une opposition politique et intellectuelle frontale à *Commentary*. La *Review of Books* est née en 1963 à la faveur d'une très longue grève de la presse new-yorkaise. L'un de ses deux cofondateurs n'est autre que Barbara Epstein, la femme de Jason Epstein, l'auteur de l'article sur la CIA et les intellectuels. Epstein lui-même, une des vedettes de l'édition new-yorkaise (il fut un innovateur dans le développement du livre de poche intellectuel), joue un rôle déterminant pour asseoir le succès de la *Review*. Dès le départ, la *New York Review of Books* se veut une publication de l'élite *(high brow)* et, pour s'affirmer comme telle, doit rechercher la collaboration de grandes signatures d'Oxford et de Cambridge en Grande-Bretagne. En clair, la *New York Review* chasse directement sur les terres d'*Encounter*. A la vérité, le succès de la *New York Review of Books* n'est rien moins qu'assuré en 1963, au moment de son lancement. Or 1967, l'année de sa plus grande radicalisation (l'article d'Epstein ne représentant que l'une des facettes de cette radicalisation tous azimuts), est également celle de son véritable « décollage » commercial, planche d'appel de son futur succès international. La violence de la crise que subit *Encounter* résulte sans aucun doute de divergences politiques croissantes mais elle doit également être replacée dans le cadre d'une compétition féroce entre revues pour s'assurer la première place sur ce marché très particulier et très étroit des élites intellectuelles anglo-américaines dans le domaine des humanités (philosophie, histoire, littérature et politique), à la charnière du monde des lettres, de l'université et du journalisme d'un bord à l'autre de l'Atlantique. Si la *New York Review* n'a désormais plus rien à craindre de la *Partisan*

Review, qui n'est décidément plus ce qu'elle était, elle ne peut que bénéficier d'une déstabilisation d'*Encounter* pour élargir son assiette et son influence dans le monde de l'esprit en mordant sur le lectorat concurrent. La crise qui ébranle le Congrès pour la liberté de la culture sert donc remarquablement les intérêts de la *New York Review*. Aussi ne doit-on pas être autrement surpris de voir Jason Epstein prêter son concours à l'œuvre de déstabilisation : il le fait avec une élégance et un savoir-faire qui le distinguent assurément du vulgaire, mais il y met la main.

A New York, même la résistance à ce que l'on peut appeler l'option *New Left high brow* (baptisée *radical chic* dans les cocktails) de la *Review of Books* vient de l'organe publié sous les auspices de l'*American Jewish Committee*, *Commentary*. Elliot Cohen, son fondateur, a mis fin à ses jours en 1959 et il a été remplacé dans ses fonctions directoriales par un ami très proche de Jason Epstein, Norman Podhoretz, entré à la rédaction de la revue en 1955. Tout comme son ami Epstein, Podhoretz est un acteur de l'édition new-yorkaise d'après guerre et il est doté d'une ambition égale à la sienne – ce qui n'est pas peu dire.

En cette année-tournant qu'est 1967, *Commentary* et son capitaine ne restent pas inertes. L'année précédente, Podhoretz a publié une anthologie de la revue pour le vingtième anniversaire de son existence. Fort de cette légitimité, il peut prendre ses distances avec Epstein à l'occasion de la sortie d'un livre, *Making It* [1], puis, en septembre, d'un numéro de *Commentary* consacré à une réévaluation de l'anticommunisme de gauche *(liberal anticommunism revisited)*, en réponse aux coups de boutoir de la *New York Review of Books*. Le ton et le style de *Making It*, consacré à la défense et à l'illustration de la ligne de *Commentary*, sont ceux d'un repositionnement par rapport à la *New York Review* sur fond de déclin de la *Partisan Review*. Podhoretz y rappelle que *Commentary*, dans la première moitié de la décennie 1960, a été l'une des premières publications américaines à s'intéresser aux nouveaux phénomènes

1. Norman Podhoretz, *Making It*, New York, Harper, 1967. L'auteur évoque dans une note substantielle (p. 290) le problème de l'intervention de la CIA dans le financement de programmes intellectuels. Ancien membre de l'*American Committee for Cultural Freedom*, Podhoretz dédouane l'ACCF et marque nettement ses distances avec le CCF, en se fondant sur deux arguments : 1) l'argent de la CIA était destiné aux programmes visant l'étranger et ne concernait pas le comité américain ; 2) l'ACCF avait depuis longtemps rompu avec le CCF, à l'occasion d'une prise de position de Bertrand Russell jugée trop complaisante à l'égard du communisme.

qu'étaient alors la renaissance d'un militantisme de gauche sur les campus, l'émergence d'une aile politique dans les associations de droits civiques, la consolidation d'un mouvement d'opinion pour en finir avec la guerre froide. Ayant ainsi souligné qu'il n'a de leçon de gauche à recevoir de personne, Podhoretz ne peut que mieux enfoncer le clou pour refuser les orientations de la *New Left* défendues par la *Review*. En effet, c'est une chose, écrit-il, de penser que les États-Unis ne sont pas totalement innocents dans la conduite de leur politique étrangère et de refuser de s'identifier à une propagande anticommuniste simpliste, mais c'en est une autre d'innocenter Staline et de faire porter à l'Amérique l'entière responsabilité de la guerre froide ; c'est une chose d'exiger que les États-Unis fassent tout ce qui est en leur pouvoir pour parvenir à des mesures de désarmement multilatéral, mais c'en est une autre de leur conseiller de désarmer unilatéralement ; c'est une chose de considérer que les associations de droits civiques sont insuffisamment sensibilisées aux difficultés des masses noires, c'en est une autre de les accuser de former une coalition secrète avec les racistes pour maintenir la tête des Noirs sous l'eau ; c'est une chose de souligner que le système éducatif américain manque à ses responsabilités envers les plus démunis, c'en est une autre de manifester de la complaisance sentimentale pour le rejet des études *(dropping out)* élevé à la dignité d'un art de protestation sociale. En fin de compte, conclut le rédacteur en chef de *Commentary*, c'est une chose d'exercer une fonction critique à l'égard de la société américaine, de ses institutions et de sa politique étrangère, mais c'en est une autre d'adopter une attitude nihiliste envers le système démocratique dans son ensemble.

Il appartient cependant à Irving Kristol de porter le fer encore plus loin. Kristol, codirecteur avec Daniel Bell de *Public Interest*, est à cette époque l'homme le plus attaqué aux États-Unis, au moment de la campagne de déstabilisation du Congrès pour la liberté de la culture. Il attend cependant le début de 1968 pour présenter sa défense et prendre position, se rangeant nettement au côté de *Commentary*. Toutefois, Kristol choisit de faire connaître son point de vue non dans la revue de l'*American Jewish Committee* mais dans les colonnes du supplément littéraire du *Times* [1]. Il s'exprime en tant qu'ancien codirecteur tant de *Commentary* que d'*Encounter* et choisit un artifice rhétorique (rédiger un article polémique charpenté en réponse aux attaques proférées par un obscur adversaire) pour approfondir la brèche politique au sein de la « famille » en n'attaquant nommément aucun de ses membres. Les règles du jeu new-yorkais sont ainsi parfaitement respectées. Sa prise de position vient après celles d'Epstein (avril 1967), Braden et Josselson (mai 1967), Lasch (septembre 1967). Elle intervient également, le fait mérite d'être noté, après que la fondation Ford a dépêché Shepard Stone à Paris pour réorganiser et reprendre en main le congrès. L'article de Kristol, après une défense de la gestion d'*Encounter* [2], comporte deux volets : un vigoureux plaidoyer en faveur des intellectuels engagés dans la guerre froide et une redéfinition de la lutte contre la menace représentée par la montée en puissance internationale de la *New Left*.

Qui étaient les intellectuels de gauche qui écrivaient dans *Encounter* ? Non pas, comme on voudrait le faire croire aujourd'hui, des anticommunistes obsessionnels mais des « anti-anticommunistes », pour reprendre la formule frappée par Sidney Hook. Il n'y aurait jamais eu de guerre froide de notre part, poursuivait Kristol, si le régime soviétique, sans parler de sa terreur vulgaire et brutale, ne s'était pas engagé dans une guerre idéologique à outrance contre les nations, les valeurs et les institutions libérales. Or une proportion importante de la gent intellectuelle tant aux États-Unis qu'en Europe refusait de voir l'évidence. Incroyablement optimistes sur quelque régime que ce soit, se proclamant « socialistes » ou « progressistes », ces gens disaient que la terreur stalinienne était exagérée, la thèse la plus sophistiquée étant celle de la nécessité historique développée par Sartre. Le courant procommuniste ou anti-anticommuniste était

1. Irving Kristol, « Memoirs of a Cold Warrior », *The New York Times Magazine*, février 1968.

2. Sur ce point, l'artifice polémique choisi fait merveille : tout comme celui d'Epstein dix mois plus tôt, l'article de Kristol est un texte euphémisé, dont les sous-entendus ne peuvent être goûtés que par les initiés. Ainsi Kristol écrit qu' « il est probable que » (alors que cela est tout à fait certain) la fondation Farfield était à la fois le produit d'une authentique philanthropie et un canal pour l'argent de la CIA ; ou, dans la réponse à son accusateur, il utilise le terme *unknowingly* en lieu et place d'*unwittingly* pour définir sa position de rédacteur en chef à l'égard des financements d'*Encounter*. Ce glissement est du reste impossible à rendre en français : *witting* renvoie au savoir impliquant un contact avec le service de renseignements, *knowing* désigne la connaissance, au sens banal du terme.

puissant et influent, ce qui rendait notre tâche à nous, anticommunistes de gauche, particulièrement ingrate et déprimante. D'ailleurs nous n'avons pas réussi à convaincre. Ce fut Khrouchtchev qui y parvint avec son fameux rapport secret. Mais le rapport Khrouchtchev fut aussitôt incorporé à une dialectique vicieuse : certes, il y avait bien eu terreur puisque Khrouchtchev la dénonçait, mais cette dénonciation était elle-même la preuve de la capacité de progrès dont était porteuse l'Union soviétique. Vers le milieu des années 1950, le dégel intervint. A *Encounter* comme dans tous les milieux associés au CCF, nous étions (c'est toujours Kristol qui parle) très désireux de construire des passerelles avec l'Est. Loin d'être des anticommunistes obsessionnels, nous étions au contraire fascinés par les capacités de libéralisation et d'évolution polycentrique du système. A l'époque, nous n'imaginions pas que ce « révisionnisme » pourrait prendre les formes réactionnaires qu'il devait revêtir ultérieurement en Chine et à Cuba. Vers le milieu des années 1950, à *Encounter*, à Paris ou ailleurs, j'ai rencontré de nombreux intellectuels de l'Est. Il n'y a jamais eu avec eux le moindre problème de communication. Nous reconnaissions tacitement les uns et les autres que le système communiste tel qu'il s'était développé en Russie était politiquement condamnable et économiquement absurde. Naturellement, les intellectuels de l'Est étaient socialistes mais leur préoccupation centrale paraissait bien être de marier le socialisme avec le libéralisme politique et économique. Nous étions très à l'aise. Avec les Russes, bien sûr, c'était une autre affaire. Pendant très longtemps, aucun intellectuel russe n'a été autorisé à sortir de son pays et l'on rencontrait essentiellement des fonctionnaires baptisés « intellectuels » pour les besoins des conférences internationales. Puis, lorsque les premiers vrais intellectuels russes prirent contact avec nous, ils ne manifestèrent aucune critique particulière à l'endroit du type d'anticommunisme de gauche incarné par la revue.

Le second volet argumentaire de « Memoirs of a Cold Warrior » est tout aussi intéressant que le premier. Irving Kristol prend acte que le combat contre la terreur stalinienne et le mouvement communiste international néostalinien est désormais dépassé. Sans doute l'Union soviétique demeure-t-elle un régime autoritaire et répressif, mais désormais il n'y a plus à proprement parler de problèmes avec les intellectuels. Ce que l'on appelait dans les années 50 le « communisme » a perdu de sa force idéologique. L'URSS n'est plus aujourd'hui qu'une superpuissance dont les intérêts peuvent entrer en conflit avec ceux des États-Unis. Elle ne se préoccupe plus au demeurant de créer des courroies de transmission parmi les intellectuels à l'extérieur.

L'article d'Irving Kristol est publié alors que le second révisionnisme du Centre-Est européen se déploie en Tchécoslovaquie depuis un mois, en ce début de 1968. Aussi est-il empreint d'un grand optimisme : les intellectuels des pays sous contrôle soviétique sont engagés dans une courageuse confrontation avec leur régime et ne demandent même plus l'aide de l'Occident. Le fait fondamental est qu'il existe une solidarité et une communauté de vues entre les intellectuels de l'Est et ceux proches d'*Encounter* pour rejeter le nouveau radicalisme qui se répand comme une traînée de poudre à travers le monde. A coup sûr, poursuit Kristol, les intellectuels de l'Est se sentiraient plus en phase avec *Encounter* qu'avec le néocastrisme affiché par la *New York Review of Books*. Les héros intellectuels de la *New Left* (Herbert Marcuse, Frantz Fanon et Régis Debray) n'évoquent au demeurant rigoureusement rien à des intellectuels vivant sous le régime communiste [1].

Kristol définit ce qui le différencie de la nouvelle extrême gauche dans une profession de foi remarquablement ramassée, qui sonne comme un manifeste :

> Je crois en la liberté individuelle et en la démocratie représentative; je préfère une version réformée du capitalisme à n'importe quel autre système; je suis certain que Castro n'est pas le bon modèle pour le progrès de l'Amérique latine; je considère que le maoïsme est aussi détestable que le fascisme et fort peu différent de celui-ci; je ne pense pas que les pays du tiers-monde soient porteurs du futur de l'humanité et Che Guevara n'est pas mon type de Robin des Bois.

Pareille prise de position délimite les contours d'une nouvelle guerre froide qui met en jeu d'autres idéologies. Kristol n'écrit pas qu'il est prêt à participer à ce combat (son lecteur comprend

1. Au passage, Kristol s'en prend plus particulièrement à Conor Cruise O'Brien, dont on a vu le rôle dans le déclenchement des attaques contre *Encounter* lors du congrès du Pen Club à Washington.

qu'il y est déjà profondément engagé et que cet article constitue un premier appel au ralliement) et se contente de conclure par une note de nostalgie et de fierté : nostalgie pour le côté direct et sans ambiguïté morale de la guerre froide contre le stalinisme des années 50; fierté d'avoir pris part à cette guerre, qui était une guerre juste. L'article scelle ainsi un nouveau front d'opposition politique. Face à la *New Left* se dressent ceux qui seront bientôt stigmatisés comme « néoconservateurs » – un titre que Kristol ne manquera pas de revendiquer ultérieurement avec la même fierté agressive qu'il a manifestée lorsqu'il a endossé celui d'« intellectuel de guerre froide », sans le moindre remords [1].

La crise qui affecte le Congrès pour la liberté de la culture s'inscrit donc dans celle du milieu de la gauche intellectuelle new-yorkaise et dans la restructuration du monde des revues qui lui est coextensive, *Encounter, Commentary, Public Interest* se retrouvant progressivement du même côté, en opposition à la *New York Review of Books.* Cette recomposition du paysage prend place dans une atmosphère passionnelle, d'autant que les principaux protagonistes se connaissent de très longue date et sont engagés dans une compétition féroce sur le marché étroit des élites. Essayons cependant de dépasser la fascination pour le lacis des relations interpersonnelles et des règlements de comptes afin de prendre du recul et de cerner les contours de la triple fracture qui accompagne à New York le naufrage du Congrès pour la liberté de la culture.

La première fracture concerne la dislocation de l'alliance qui réunissait depuis Roosevelt et le *New Deal,* au sein du Parti démocrate, ouvriers, Noirs, juifs et intellectuels patriciens réformistes. C'était sur cette alliance privilégiée que prenait appui l'aile gauche intellectuelle du parti réuni dans l'ADA. La désintégration de cette alliance résulte de la double pression de la *New Left* dans les universités et de la radicalisation du mouvement des droits civiques chez les Noirs. L'antagonisme entre ouvriers et étudiants est particulièrement fort au moment de la guerre du Vietnam, ceux-ci dénonçant l'aveuglement nationaliste de ceux-là. Dans la dramaturgie politique de l'époque, les ouvriers du bâtiment, les *hard hats* (ainsi caractérisés et

1. Quinze ans plus tard, en effet, les mémoires du *cold warrior* Kristol sont intégrés dans un recueil d'articles synthétisant ses réflexions de « néoconservateur ». Cf. Irving Kristol, *Reflections of a Neo-Conservative*, New York, Basic Books, 1983.

stigmatisés en raison de leurs casques de chantier), sont particulièrement la cible des milieux universitaires de gauche. Mais à New York c'est avant tout la fracture entre juifs et Noirs qui est la plus sensible, en raison de l'importance des deux communautés dans la vie quotidienne de la ville et pour la vie politique de la cité. Les mécanismes du brassage démocratique se détériorent et, si la théorie du *melting-pot* est écornée, c'est un pan important de l'universalisme américain qui est directement atteint, puisque la singularité et l'orgueil de la démocratie américaine reposent sur la recherche permanente de l'adéquation entre démocratie sociale et démocratie politique.

La deuxième fracture concerne les milieux intellectuels et universitaires, qui se divisent sur l'appréciation de la véritable nature de cette nouvelle extrême gauche faisant irruption dans le jeu politique, américain d'abord, international ensuite. S'inscrit-elle véritablement dans une tradition libérale ou n'est-elle pas plutôt un populisme semblable à celui d'extrême droite (quoique barbouillé de freudisme et de marxisme), menaçant également les libertés tant académiques que démocratiques tout court ? L'anti-intellectualisme viscéral de la *New Left*, sa vénération de chefs politiques autoritaires (Mao Tsé-toung ou Fidel Castro), l'étroitesse de ses revendications (exigeant des études universitaires *relevant*, c'est-à-dire tout à la fois utilitaires et politiquement orientées), l'exaltation d'une contre-culture ne peuvent manquer d'inquiéter, surtout lorsque s'y ajoutent des actes de vandalisme caractérisés (séquestration de doyens, dégradation des locaux universitaires, étalage complaisant de vulgarité, sectarisme et inculture), totalement inacceptables dans la tradition universitaire libérale. Dans la mesure où le mouvement est international, les clivages politiques qu'il suscite s'internationalisent eux aussi. C'est à la faveur de ces réalignements que seront forgées les nouvelles catégories du monde intellectuel américain – radical, libéral, néoconservateur –, exprimant l'éclatement du milieu libéral qui se déchire.

La troisième fracture, à l'intersection des deux précédentes, concerne très directement les intellectuels juifs américains. La restructuration du paysage des revues new-yorkaises, la déstabilisation du Congrès pour la liberté de la culture, les nouvelles fractures politiques secouent profondément le milieu. Cette cascade de ruptures porte un coup fatal au rôle stratégique que les intellectuels juifs ont rempli depuis la fin de la Seconde Guerre mondiale dans l'élaboration d'un universalisme fondé sur l'exceptionnalisme de la démocratie américaine, exceptionnalisme théorisé sur la base d'un dialogue permanent avec l'Europe. Une période particulièrement heureuse et créatrice se termine pour eux. La déstabilisation du CCF et les polémiques tout à la fois euphémiques et personnalisées qui l'accompagnent masquent une blessure collective profonde. « La famille » est touchée. Ce milieu intellectuel non seulement est déchiré par des divergences politiques, mais encore est brusquement placé en position d'accusé du fait de l'appui que lui a apporté la CIA, et ce dans une société jamais avare de moralisme bon marché, lui interdisant d'assumer un passé dont il n'a aucunement à rougir.

La progression de l'internationalisation de la nouvelle gauche touche la France en 1968 et les mêmes ruptures que celles apparues aux États-Unis d'abord, à Berlin ensuite se font désormais jour à Paris. En France, la révolution étudiante, prend naissance dans une université qui vient d'être créée à Nanterre, à la périphérie de la capitale, et dont l'ouverture au monde moderne se traduit par la place importante accordée aux sciences sociales et à la sociologie. Ce projet s'inscrit dans un processus de modernisation des structures de l'enseignement supérieur et de la recherche française dont le coup d'envoi a été donné en 1956, à partir d'un mouvement réformiste d'universitaires et de hauts fonctionnaires initié par un colloque organisé à Caen et consacré à l'enseignement supérieur et à la recherche scientifique [1]. Ce mouvement réunissait, une fois n'est pas coutume, les réseaux aroniens et mendésistes. Se rangeant résolument dans le camp modernisateur-réformateur de l'université française, Raymond Aron prend non moins résolument position contre le « mouvement » (c'est-à-dire tout à la fois les étudiants eux-mêmes et les intellectuels qui les appuient, quand ils ne les portent pas aux nues) dans une série d'articles retentissants publiés dans *Le Figaro*, journal dont il est grand éditorialiste [2], avant de synthétiser son point de vue dans un livre [3].

1. Cf. « Enseignement et recherche scientifique. Colloque de Caen, 1-5 novembre 1956 », *Les Cahiers de la République*, n° 5, janvier-février 1957.

2. Le chapitre XVIII des *Mémoires* de Raymond Aron (« Il ne nous a pas compris ou mai 1968 ») revient sur cette période. Ce chapitre contient la lettre que lui adressa le Premier ministre de l'époque, Georges Pompidou.

3. *Id.*, *La Révolution introuvable*, Fayard, 1969.

L'internationalisation de la *New Left* et les attaques dont sont l'objet les universités de par le monde ne peuvent pas ne pas entraîner une réaction d'Edward Shils, théoricien tout à la fois de la civilité et des communautés scientifiques autorégulées. Shils se retrouve sur les mêmes positions qu'Aron et prend l'initiative de fonder avec lui un Comité international de défense des libertés académiques menacées. Mais, à la différence d'Aron, Shils est resté partie prenante de la nouvelle association et siège dans son Comité exécutif. Il demande aussitôt que l'association prenne nettement parti contre les mouvements étudiants : mais il se heurte à un refus non moins net de Jelenski. La rupture est alors consommée et Shils s'éloigne de l'AILC.

Le conflit entre Constantin Jelenski et Edward Shils renvoie à deux dimensions qui divisent désormais profondément les intellectuels qu'avait réunis autrefois le Congrès pour la liberté de la culture : la première résulte de la différence de nature des révoltes étudiantes à l'Est (Prague, Varsovie) et à l'Ouest (Berlin, Paris, Londres) en Europe ; la seconde est le clivage qui se dessine entre écrivains et universitaires dans l'appréciation portée sur les événements. Si de grands professeurs comme Shils et Aron accueillent avec sympathie les révoltes étudiantes en Europe de l'Est dans la mesure où elles s'inscrivent sans équivoque dans une perspective libérale, c'est pour mieux rejeter celles qui se développent dans les villes universitaires d'Europe de l'Ouest et qui menacent à leurs yeux l'ordre démocratique. A l'inverse, des écrivains comme Spender à Londres ou Bloch-Michel à Paris – tous deux publieront des livres enthousiastes sur 68 – non seulement amalgament les révoltes étudiantes de l'Est et de l'Ouest, mais encore voient bien souvent dans les mouvements de l'Ouest les prémices de la révolution à venir et les investissent d'une mission d'avant-garde.

Les clivages retentissent à leur tour sur les revues et la situation de l'association en Europe. Shils et Lasky s'alignent, avec *Minerva* et *Encounter*, sur *Commentary* et *Public Interest*, et coupent les ponts avec le Secrétariat international à Paris. L'inclination de Jelenski pour la gauche étudiante leur paraît en effet le moyen de se refaire à bon compte une virginité après qu'a été rendue publique la participation de la CIA au financement du congrès. Ils sont rejoints dans cette analyse par Leopold Labedz, le directeur de *Survey*. En effet, si au début de 1968, Irving Kristol peut encore tracer dans les colonnes du supplément littéraire du *Times* de New York un tableau optimiste de la situation des intellectuels en Union soviétique et en Europe soviétisée, cette situation est sur le point de prendre fin au moment même où il écrit son article. L'année précédente, l'Union soviétique a renoué avec les procès contre les écrivains en traînant devant les tribunaux Andreï Siniavski et Youli Daniel. Puis, en août 1968, l'Union soviétique prend la tête des troupes du pacte de Varsovie, qui envahissent la Tchécoslovaquie. Le procès Siniavski-Daniel revêt une signification particulière : d'une part il met fin au « dégel » inauguré par Khrouchtchev, d'autre part les deux accusés refusent de reconnaître leur culpabilité [1] et ce refus constitue un acte fondateur.

Dans la mobilisation internationale en faveur des deux écrivains persécutés, Leopold Labedz joue un rôle de premier plan. Ses principaux soutiens dans cette action sont alors Ignazio Silone, Henrich Böll, Arthur Miller et Dwight Mcdonald. *Survey*, on l'a dit, a tenté le mariage de la vieille culture menchevik et des nouvelles études soviétiques nées dans les universités. Inutile de dire que Labedz est assez peu disposé à accepter les nouvelles orientations qui se dessinent alors dans le monde universitaire, qu'il s'agisse des thèses révisionnistes sur les origines de la guerre froide ou de la mise entre parenthèses de la nature totalitaire du régime soviétique pour développer des études structuro-fonctionnalistes de sa modernisation.

Ainsi, à la recomposition conflictuelle du paysage des revues intellectuelles à New York correspond le fossé creusé entre Londres et Paris au moment de la mise sur pied de l'association. Les trois principales revues survivant au congrès, *Encounter*, *Minerva* et *Survey*, sont en effet basées en Grande-Bretagne et leurs animateurs, qui ont entre eux des liens étroits, témoignent très tôt leur méfiance à l'égard de la nouvelle structure et de son secrétariat parisien. Même en l'absence de l'arbitrage rendu par Shepard Stone, le monde des revues aurait le plus grand mal à maintenir la cohésion qui a été la sienne pendant deux décennies et qui a connu l'épanouissement que l'on sait. La vitalité du réseau appartient bel et bien au passé.

1. Sur le procès Siniavski-Daniel, on se reportera à Max Hayward, *On Trial. The Soviet State Versus « Abram Tertz » and « Nikolaï Arzhak »*, New York, Harper and Row, 1966; Nadine et Pierre Forgues, *L'Affaire Siniavski-Daniel*, Christian Bourgois, 1966.

Les séminaires : recadrage et développement

Les dernières années du congrès avaient été marquées par une inflation et une tendance à la routine de la formule du séminaire. Ainsi en 1965 une note interne du Secrétariat international cherchait-elle à redéfinir des perspectives après avoir constaté d'entrée de jeu que la communauté internationale était désormais saturée de séminaires. La note estimait que la formule gardait sa pertinence sur un seul terrain, le dialogue Est-Ouest, et reprenait d'ailleurs une proposition de Raymond Aron : réunir des experts de l'Est et de l'Ouest pour discuter en commun des problèmes de l'aide aux pays en voie de développement. Les idées avancées pour rénover le genre étaient, entre autres, la mise sur pied de comités de lecture et la soumission à des groupes d'experts de données rassemblées par des instituts spécialisés à partir desquelles ces experts élaboreraient des recommandations que le congrès pourrait faire valoir auprès des gouvernements, des fondations ou de toute autre institution publique. Le document synthétisait enfin un certain nombre de propositions de rencontres pour les années à venir sous trois rubriques : société civile, institutions intellectuelles et nouveaux États [1].

On comprend donc que Josselson se soit préoccupé, dans la phase de transition qui devait conduire à la redéfinition du congrès, de confier dans le cadre du Secrétariat international les rênes de la réorganisation des séminaires à un intellectuel de fort calibre, Constantin Jelenski. Au cours de l'année 1967, ce

1. Il est intéressant de reproduire le détail des thèmes et des animateurs retenus, dans la mesure où ce document offre une excellente coupe du congrès avant sa disparition :

Société civile. Six propositions de séminaires : « Monde privé » (Robert Nisbet) ; « Modernité » (Daniel Bell) ; « Buts de la civilisation, y compris utopie » (Ralf Dahrendorf) ; « Égalité et inégalité, y compris race et couleur » (Bernard Williams) ; « Religion et limites du rationalisme » (Clifford Geertz) ; « Vers un gouvernement plus efficace » (Richard Neustadt).

Institutions intellectuelles. Quatre projets : « Mécénat artistique » (Nicolas Nabokov) ; « Réforme universitaire et gouvernement des universités aux États-Unis » (Aldo Solari) ; « Réforme universitaire dans les pays du sud de l'Europe » (Franco Ferrarotti) ; « Patronage et contrôle de la science » (Harrison Brown).

États nouveaux. Quatre propositions : « Le problème de l'aide » (Raymond Aron) ; « La reconstruction africaine » (Arthur Lewis) ; « Modernisation du Sud-Est asiatique » (S. Patmoko) ; « Revitalisation de la paysannerie » (Jayaprakash Narayan).

dernier élabora une note de synthèse destinée à être soumise au nouveau Conseil exécutif de l'AILC, après avoir reçu l'approbation de Shepard Stone et de Pierre Emmanuel. C'est sur cette note qu'il convient de nous arrêter.

De la fin des idéologies à la crise de la rationalité

Le mémorandum de Jelenski commence par prendre acte du fait que l'Association internationale pour la liberté de la culture a des ressources limitées et qu'elle ne pourra pas organiser plus de deux grands séminaires internationaux dans les deux années à venir. De surcroît, sa capacité de mettre sur pied des colloques plus restreints est également limitée. Cette évaluation réaliste conduit Jelenski à proposer que l'association n'organise que des séminaires dont le besoin se fait réellement sentir, en évitant de faire double emploi avec les centres de recherche existants [1]. Cela posé, Jelenski reprend la définition d'origine que Polanyi a donnée des séminaires : éviter toute spécialisation trop étroite pour aborder les problèmes contemporains au-delà des cloisonnements disciplinaires. Dès lors, sa note s'emploie à cerner les questions concernant les dix années à venir, sur lesquelles devraient se concentrer les efforts, en tenant compte des évolutions politico-intellectuelles internationales observables à la fin de la décennie 1960. Le mémorandum de Jelenski prend congé de la problématique de la fin des idéologies, qui depuis la révolution hongroise a fourni l'axe identitaire du congrès, en ces termes :

> Le désenchantement des intellectuels à l'égard d'utopies marxistes, l'apparent pragmatisme de l'immédiat après-guerre aux États-Unis et en Europe de l'Ouest, une érosion croissante de l'idéologie en Europe de l'Est, ces phénomènes ont amené certains de nos amis à formuler le thème de la « fin de l'idéologie ». C'est en

1. C'est ainsi que Jelenski écarte la possibilité que l'AILC joue un rôle original dans le domaine de la prospective, compte tenu du nombre d'associations spécialisées existantes (Commission de l'an 2000 aux États-Unis, Futuribles à Paris, *Mankind 2000* à Londres) ; toutefois, comme l'association connaît bien les animateurs de ces projets, (Daniel Bell, Bertrand de Jouvenel, Andrew Shonfield), elle pourrait prendre l'initiative de faire se rencontrer les spécialistes occidentaux et les pionniers de ces recherches en Europe de l'Est : « Problèmes de prévision de l'avenir et du modèle culturel » en Pologne ou « L'humanité au seuil du troisième millénaire » en Allemagne de l'Est.

précurseur que le congrès analysa le révisionnisme et le polycentrisme. La destruction du dogme de l'infaillibilité de la direction soviétique, du monolithisme idéologique et du principe de l'unité du camp communiste semblait mettre un terme au millénarisme du siècle. Il est vrai que le diagnostic de la fin de l'idéologie ne se voulait pas applicable au tiers-monde, mais là aussi il semblait que le discours idéologique pouvait être ramené à une tension entre tradition et changement. En ce qui concerne la société industrielle, le congrès tendait à croire que nous avions désormais « dépassé le nihilisme » et que la tâche la plus urgente était de définir quelles étaient, dans la société industrielle, les sources spécifiques de mécontentement et d'inadaptation, au-delà de celles inhérentes – selon Freud – à toute civilisation. Le congrès concentrait ainsi son attention sur les problèmes tels que la « bonne vie », la défense de la vie privée, l'urbanisme, l'écologie humaine.

Ce rappel du passé (où par parenthèse on aura noté chez Jelenski l'influence très présente de Polanyi) n'a naturellement pas d'autre but que de prendre la mesure de la situation nouvelle dans laquelle se trouve l'association :

> L'Association internationale pour la liberté de la culture se trouve, en 1967, face à une situation très différente. Il était difficile de prévoir que des passions idéologiques nouvelles réapparaîtraient si vite dans une large section d'intellectuels occidentaux et qu'elles auraient une emprise sur les jeunes. Le trait particulier de ces nouvelles passions idéologiques est qu'elles ne contestent guère la validité de l'analyse de la fin des idéologies – car elles ont peu en commun avec la division traditionnelle des intellectuels occidentaux, qui, depuis un siècle et demi, repose sur l'utopie révolutionnaire. Les notions de « gauche » et de « droite » dans un sens traditionnel n'ont qu'une application limitée dans un monde où, pour tant d'intellectuels, le prolétariat industriel n'a plus d'intérêt, tandis que le paysan primitif est investi d'un prestige nouveau ; où certains États réactionnaires et féodaux du Proche-Orient sont considérés comme « plus à gauche » qu'Israël, les démocraties occidentales, l'Union soviétique elle-même ; où le nationalisme est progressiste et aussi le racisme (à condition d'être dirigé contre les Blancs). La confusion idéologique de la « nouvelle gauche » est sans doute due au fait que la dernière bataille idéologique de la droite a été engagée – et perdue – avec le fascisme. Depuis la fin de la dernière guerre, l'élaboration idéologique est devenue le monopole de la gauche et c'est désormais en terme de « gauche » que s'exprime même une affectivité autrement associée à l'extrême droite.

Il serait tentant, poursuit Jelenski, d'établir un parallèle historique entre le nouveau malaise de l'Occident et l'atmosphère

« fin de siècle », caractérisée par la décadence et le pessimisme. Et de relever les points communs entre l'époque et les années 1880-1914 : culture de la violence, culture de la jeunesse, *Kulturpessimismus*, critique de la civilisation moderne sous ses différents aspects. Il existe toutefois des sources spécifiquement modernes dans le nouveau schisme qui divise les intellectuels occidentaux et qui tend à séparer les générations. Jelenski souligne notamment l'influence de l'œuvre de Herbert Marcuse, un des maîtres à penser de la nouvelle gauche, sur l'élaboration de la notion d'aliénation, faisant converger anticapitalisme, antiaméricanisme et antisoviétisme (l'Union soviétique étant accusée de capitulation dans la mesure où elle accepte les nécessités du système industriel). Par ailleurs, le renouveau du mythe du bon sauvage, la glorification des paysans du tiers-monde sont sans doute liés à la revalorisation des cultures « primitives » par l'anthropologie moderne (Lévi-Strauss), qui refuse toute hiérarchie sur la base de progrès entre différents systèmes culturels et y substitue la notion neutre de « choix culturels ». Jelenski présente enfin avec acuité les mécanismes psycho-politiques constitutifs du soubassement des rapports entre les jeunes intellectuels et le tiers-monde et écrit ainsi :

> Léon Festinger a décrit, dans un livre intitulé *When Prophecy Fails*, un processus historique qui, lorsque « la prophétie ne se réalise pas », conduit ceux qui y croyaient à redoubler leurs efforts pour croire et pour convertir les autres. On retrouve un phénomène semblable dans la déception récente de certains espoirs liés au tiers-monde – Nehru, Nkrumah, Soekarno, Touré, qui n'ont pas mené leurs peuples vers une terre promise ; au contraire, leurs pays sont menacés de chaos ou soumis à des régimes militaires. Depuis, le centre d'intérêt de la jeune intelligentsia occidentale la plus active et la plus agressive s'est déplacé de l'Asie et de l'Afrique vers l'Amérique latine, en donnant lieu à une nouvelle idéologie de violence paysanne, à des révolutions sans programme et au romantisme des guérillas. Ce qu'il y a de significatif dans le livre de Régis Debray [1], en tant qu'indicateur de ce phénomène, est l'argument que toute discussion de programme *avant* la

1. Il s'agit du livre *Révolution dans la révolution*. Issu de l'École normale supérieure, qui est à l'époque, et pour quelques années encore, le vivier de l'élite intellectuelle française, Régis Debray est le fils de Janine Alexandre-Debray, qui participa activement aux Amis de la liberté, à Paris, au début des années 1950.

révolution serait erronée et que la direction politique doit être subordonnée à la direction militaire. Ainsi le léninisme (qui repose sur la pureté de la doctrine et le contrôle politique) est inversé.

Dès lors que la fin des idéologies ne peut plus servir de fil conducteur au travail intellectuel de la nouvelle Association internationale, celle-ci se doit de partir, à l'inverse, du renouveau idéologique observable partout depuis quelques années. Le directeur des séminaires propose de réunir le faisceau d'interrogations suscitées par ces phénomènes autour d'un axe central : la crise de la rationalité.

> On pourrait ainsi ramener ce renouveau idéologique à un syndrome unique dont les différents aspects seraient la nouvelle gauche, le remplacement de la solidarité avec la classe ouvrière par la solidarité avec les peuples sous-développés, la culture de la jeunesse, le culte de la violence, la révolte contre la société industrielle avancée, le néopopulisme. Nous suggérons que la clarification de ces problèmes soit le but principal de l'association dans les prochaines années, et cela dans le cadre d'un thème majeur, celui de la *crise de la rationalité*.

Jelenski poursuit :

> Enfin, il ne nous faut pas oublier que c'est dans l'ordre de la culture que devrait se singulariser et se justifier l'action de l'association et que la question même de la culture : « Qu'est-ce que la culture ? » devrait se poser de façon critique parmi nous. Le nom même de notre organisation devrait nous mener à nous interroger sur ce qu'il peut bien signifier, non seulement vis-à-vis des sociétés contemporaines – qu'elles soient libérales, communistes ou du tiers-monde – mais en soi. Nous pourrions ainsi envisager à longue échéance – peut-être à l'occasion du vingtième anniversaire de la fondation du congrès, en 1970 – un grand séminaire international sur la signification de la liberté de la culture.

Le mémorandum de Jelenski constitue assurément la base d'une véritable charte intellectuelle pour le travail des années à venir, la crise de la rationalité se substituant à la fin des idéologies comme cadre de la problématique des groupes ou des séminaires organisés par la nouvelle association. Cette problématique est fondée sur cinq thèmes : l'Amérique et son image, la violence, la révolte contre la société industrielle, la réforme universitaire et la vie privée menacée. Chacun de ces thèmes exprime bien les préoccupations du temps : besoin de resserrer les liens avec les intellectuels américains et de s'interroger sur l'américanisation du monde, en se demandant jusqu'à quel point l'Amérique est le modèle des sociétés industrielles avancées; énigme posée par le culte de la violence prôné par la nouvelle gauche, violence qui n'a plus rien à voir avec celle que le marxisme recommandait et anticipait, clairement conçue comme un moyen et non une fin; interrogation encore sur le rôle des universités européennes face aux nouveaux défis technologiques ou les menaces pesant sur la vie privée par suite du développement des techniques de surveillance. Mais ce sont surtout les développements qui accompagnent le projet d'un séminaire consacré aux révoltes contre la société industrielle avancée qui valent d'être reproduits car ils synthétisent remarquablement le basculement de l'époque et explicitent la crise de la rationalité :

> La révolte contre la société industrielle avancée peut être clairement perçue sur plusieurs niveaux différents, souvent à l'intérieur même de ce type de société. Ces niveaux comprennent : *a)* l'opposition maoïste des villes et des campagnes; *b)* l'opposition entre pays développés et pays sous-développés; *c)* le fait que les problèmes urbains deviennent de plus en plus difficiles, que, pour donner un exemple, la vie à Paris ou à New York est plus fatigante, plus malsaine, moins agréable qu'il y a seulement quelques années; *d)* la perte de signification du travail, qui impose depuis l'apparition de l'automation une régularité et une monotonie accrues au travailleur, une des réactions contre ce phénomène étant sans doute la violence des jeunes bandes urbaines; *e)* la mécanisation du loisir et l'apparente faillite à développer une civilisation de loisir; *g)* le phénomène parallèle de l'engagement « exotique » : le lien affectif entre les extrémistes des sociétés industrielles et les sous-privilégiés dans les pays lointains du tiers-monde est différent de tout autre lien dans le passé entre intellectuels et mouvements politiques; les étudiants allemands s'organisent pour manifester contre le chah d'Iran; les normaliens français désirent provoquer une révolution en Bolivie; il vaudrait la peine de se demander si le renouveau idéologique contemporain doit être pris au pied de la lettre ou s'il n'est pas, en fait, un moyen de compenser un manque de pensée et d'action politiques réelles; *h)* l'accentuation de courants qu'on pourrait appeler néobonapartistes dans les organisations politiques – la limitation du contrôle démocratique et la concentration de la publicité sur le chef de l'État ou du parti; la fuite dans une civilisation anarchique (mais néanmoins commerciale) où la culture « pop » joue le rôle principal; l'esprit « hippie » et le nouveau « syncrétisme religieux ».

Jelenski souhaite également que le comité directeur examine la possibilité de lancer une politique de publication ambitieuse, avec la création d'une collection spécifique en collaboration avec de grands éditeurs. Cette option supposerait naturcllcmcnt unc autrc structurc financièrc mais unc tcllc initiative, souligne-t-il, aurait beaucoup plus d'influence que les publications sporadiques du passé :

> La série pourrait être précédée par trois études panoramiques, respectivement sur les événements à l'Ouest, à l'Est et dans le tiers-monde depuis la Seconde Guerre mondiale. Ces études seraient suivies par des monographies écrites par un ou plusieurs auteurs sur des sujets tels que : la guerre froide, ses origines, son histoire ; l'influence de Staline sur l'Occident (les intellectuels occidentaux et le stalinisme, le maccarthysme) ; la nouvelle gauche ; la guerre du Vietnam et ses répercussions ; le maoïsme, la croissance de la Chine, la Chine dans le monde ; les « damnés de la terre » et leurs avocats (de Fanon à Debray) ; le conflit radical ; le pessimisme culturel au XXe siècle et ses prophètes ; aliénation et « expérience nouvelle » ; la crise du libéralisme – au-delà de la démocratie ? ; violence et tolérance ; mouvements de jeunesse – une étude comparative (États-Unis, Grande-Bretagne, France, Allemagne, Japon).

Bien entendu, comme tous les « menus » éditoriaux composés dans l'effervescence de la création d'une organisation (on pense irrésistiblement à celui qu'a proposé François Bondy à Bruxelles bien des années auparavant), l'énumération de Jelenski a quelque chose d'indigeste. Elle traduit cependant parfaitement les deux dimensions sous-jacentes à la thématique de la crise de la rationalité que « Kot » voudrait voir mises au centre des préoccupations de l'association : l'ampleur de la déstabilisation créée par la nouvelle gauche et, corrélativement, la prise de conscience d'une distance croissante entre les générations que seul un travail historique pourrait permettre de combler pour retrouver une base d'échanges intellectuels.

Le séminaire international de Princeton

Un peu plus d'un an après la création de l'association, une grande réunion internationale fut organisée à l'université de Princeton sur le thème : *Les États-Unis, leurs problèmes, leur influence et leur image dans le monde.* Le thème correspondait à la première proposition faite par Jelenski sur l'agenda des réunions à mettre sur pied. Mais se greffait sur elle une double opération : en premier lieu, ce séminaire était pour Shepard Stone une manifestation internationale bienvenue pour lancer l'association dont il venait de prendre les commandes; en second lieu, Princeton s'inscrivait dans une opération diplomatique américaine concernant directement la France. La puissance invitante était Carl Kaysen, le directeur de l'institut d'études avancées de l'université de Princeton. Ancien professeur à Harvard et ex-conseiller économique du président Kennedy, Kaysen appartenait au monde du libéralisme universitaire démocrate américain. Il avait reçu un signal du Département d'État pour que la réunion de Princeton aide à la mise sur orbite d'un candidat potentiel de centre gauche à la succession de Charles de Gaulle à la présidence de la République française en la personne de Jean-Jacques Servan-Schreiber, le directeur de *L'Express*.

Servan-Schreiber est ainsi coorganisateur de la manifestation de Princeton. *L'Express*, l'hebdomadaire français le plus brillant de l'après-guerre, lancé au moment du très court passage de Pierre Mendès France aux responsabilités gouvernementales, a été, après la modification de la Constitution de la Ve République, l'organe qui a tenté d'opposer au président de la République un candidat de gauche issu des rangs de la SFIO, Gaston Defferre, lors de la première élection présidentielle organisée sous la nouvelle république. Le maire de Marseille n'ira pas toutefois au bout de la course et c'est Jean-Jacques Servan-Schreiber qui reprend le flambeau une fois la page de cette élection tournée [1]. *L'Express* agrège en France le milieu de centre gauche qui correspond pleinement à la politique d'ouverture de l'administration démocrate : tant Galbraith que Schlesinger ont d'ailleurs été des collaborateurs de l'hebdomadaire. Toutefois, il s'inscrit en décalage par rapport aux relations existant sous la IVe République entre la SFIO et la diplomatie américaine. Organe du mendésisme à l'origine, *L'Express* est le principal véhicule d'une pensée de type fabien pour une partie des élites françaises. Mais, comme nous l'avons

1. Les premières élections présidentielles organisées sur la base de la modification constitutionnelle de 1962 ont lieu en 1965. De Gaulle est mis en ballottage au premier tour, avant d'être élu au second tour par le candidat de gauche qui s'est substitué à Gaston Defferre, François Mitterrand.

noté, ce milieu de la gauche non communiste extérieur aux gouvernements de Troisième Force de la IVe République, s'il est ouvert aux réflexions modernistes du travaillisme anglais (allant de pair avec l'adoption du modèle keynésien par la haute fonction publique), est en revanche en porte-à-faux sur plusieurs points par rapport au courant intellectuel de l'ancien Congrès pour la liberté de la culture : fermeture aux analyses du totalitarisme (*L'Express* ne prête aucune attention à *L'Opium des intellectuels* en 1955 mais ouvre très largement ses colonnes à Isaac Deutscher, commentateur attitré de la politique soviétique) ; vision erronée des capacités économiques soviétiques (la famille Servan-Schreiber, père et fils, pense que l'expansion de l'URSS risque de dépasser rapidement celle des démocraties libérales) ; alliance internationale avec l'aile gauche des partis socialistes tant anglais qu'italien (sans la prise en compte du SPD) autour d'un axe Mendès-Nenni-Bevan en Europe. Mais ces éléments antagonistes ne doivent cependant pas masquer les facteurs de rapprochement et d'interpénétration qui se sont accrus depuis la révolution hongroise et à travers l'opposition à la guerre d'Algérie entre ces milieux, que ce soit à travers *Preuves* (où plusieurs des meilleures plumes de *L'Express* ont écrit) ou grâce au forum des mardis de *Preuves*.

L'année précédant le séminaire international de Princeton, Jean-Jacques Servan-Schreiber (J.-J.S.-S. pour ses proches, puis bientôt pour l'opinion publique) a publié un livre, *Le Défi américain* [1], qui a connu un grand retentissement tant en France qu'à l'étranger. A partir de l'examen de l'investissement américain en Europe, Servan-Schreiber élargit son analyse à l'ensemble des rapports euro-atlantiques. Une formule choc donne, en ouverture, la visée de l'auteur : « La troisième puissance mondiale, après les États-Unis et l'Europe, pourrait bien être dans quinze ans non pas l'Europe mais l'industrie américaine en Europe. » Les réalisateurs de l'Europe (les Schuman, Monnet et Hallstein), explique le *Défi américain*, ont abattu les cloisons qui divisaient l'Europe mais ce sont les sociétés américaines qui en profitent. De plus, ce ne sont pas les Européens qui unifient l'Europe mais la gestion américaine, un art de l'organisation auquel les Européens sont étrangers. L'auteur refuse le

1. Jean-Jacques Servan-Schreiber, *Le Défi américain*, Denoël, 1967.

modèle des nationalisations comme la dénonciation de l'impérialisme américain mais cherche à réveiller les énergies européennes pour une contre-offensive articulée dans un programme en six points [1]. Le fédéralisme mesuré prôné par Servan-Schreiber est subordonné à un objectif premier : forger, dans la croissance, une politique industrielle européenne pour éviter de laisser à l'industrie américaine le soin de devenir l'organisateur de ce Marché commun créé dix ans auparavant par le traité de Rome. Dans sa réflexion J.-J.S.-S. emprunte beaucoup aux réflexions du club Jean-Moulin. Au demeurant, l'originalité du *Défi américain* réside moins dans ses propositions institutionnelles concernant l'Europe que dans la relance du débat euro-atlantique autour de notions fortes telles que société post-industrielle (empruntée à la fois à Daniel Bell et à Herman Kahn), de *technological gap* (thème fort débattu à l'époque) ou encore de *management* (« moyen de faire face intelligemment au changement », selon les propos de Robert McNamara). Le directeur de *L'Express* se pose ainsi en médiateur politique entre les travaux des experts, tant français qu'étrangers, et l'opinion publique.

Que le Département d'État joue la carte du directeur de *L'Express* comme celle d'un éventuel président de la République paraît assez logique. J.-J.S.-S. est alors l'homme politique français qui correspond le mieux au profil libéral de l'Amérique des années 1960 : directeur de l'hebdomadaire politiquement et intellectuellement sans doute le plus influent à Paris, hostile à de Gaulle et à son nationalisme économique [2], ouvert à l'Europe, auteur d'un *best-seller* à portée internationale, partisan d'un

1. 1) formation de grandes unités industrielles capables, non seulement par la taille mais encore par la gestion, de rivaliser avec les géants américains; 2) choix des grandes opérations de technique de pointe qui préserveront sur l'essentiel un avenir autonome à l'Europe; 3) un minimum de pouvoir fédéral qui puisse être le promoteur et le garant des entreprises communautaires; 4) transformation des méthodes d'association, de convergence, entre les sociétés industrielles, l'université et le pouvoir politique; 5) éducation approfondie et généralisée pour les jeunes, renouvelée et permanente pour les adultes; 6) enfin, le reste en dépend, libération des énergies captives de structures vieillies par une révolution dans les techniques d'organisation, révolution qui doit entraîner le renouvellement des élites et des rapports sociaux.

2. « Hostilité » est un euphémisme : il y a de la haine dans l'attitude de Servan-Schreiber à l'égard de De Gaulle. C'est elle qui permet d'éclairer des propos aussi outranciers que ceux-ci pour caractériser la politique conduite sous la responsabilité du chef de l'État : « Ce n'est plus l'impuissance de la IVe République mais du sous-développement politique bien organisé à la manière espagnole ou portugaise » *(L'Express*, 22 novembre 1965).

leadership conflictuel avec les États-Unis, Jean-Jacques Servan-Schreiber peut légitimement prétendre jouer les premiers rôles en France au lendemain d'une crise politique et sociale de grande ampleur intervenue au cours des mois de mai et juin de cette même année 1968 qui a fait vaciller l'autorité de Charles de Gaulle. C'est donc en quasi-chef d'État que Servan-Schreiber se rend à Princeton, accompagné d'une « suite » qui en laissera pantois plus d'un. Le journaliste-homme politique est accompagné de plusieurs membres du comité directeur du club Jean-Moulin, milieu au sein duquel il a recruté les principaux éléments de son *brain-trust*, dont le sociologue Michel Crozier, à qui la partie américaine confie le soin de tirer les conclusions du séminaire de Princeton pour la presse internationale.

La place réservée à Michel Crozier au côté de Jean-Jacques Servan-Schreiber au premier grand séminaire international de la nouvelle Association internationale est un excellent indicateur tant de la souplesse et des capacités d'adaptation de la diplomatie culturelle américaine que de la relève de la garde qui s'opère avec le passage du congrès à l'association. Crozier est en effet un des jeunes intellectuels français que Daniel Bell a distingués (outre l'organisation du programme des séminaires, c'était le second volet de sa mission en France) lors de son séjour à Paris. Bell l'invite au séminaire de Vienne sur la participation des travailleurs, puis l'aide à obtenir une bourse d'une année au Centre pour les études avancées de Palo Alto. La montée en puissance de Crozier ne s'explique pas seulement par sa participation au comité directeur du club Jean-Moulin et par ses relations étroites avec Servan-Schreiber. Elle doit être située au regard de l'effacement de Michel Collinet et du retrait de Raymond Aron de la nouvelle association. Comme Collinet, Crozier appartenait au lendemain de la guerre au milieu trotskiste qui écrivait dans *Les Temps modernes* et qui allait bientôt éclater : Collinet a rompu très tôt avec Sartre et a participé activement à la création des Amis de la liberté tandis que, à la même époque, Crozier participait au comité de rédaction de *La Tribune des peuples*, qui lui était rigoureusement antinomique. Ce n'est qu'un peu plus tard que Crozier a rompu avec son orientation furieusement antiaméricaine. Le séjour que fait Michel Crozier à Palo Alto est à peu près contemporain de la création du Centre de sociologie européenne de Raymond Aron, qu'il rejoint avant de s'autonomiser pour créer son propre centre de recherche en sciences sociales [1]. Michel Crozier, enfin, a été étroitement associé au projet sur les nouvelles élites européennes soutenu par la revue *Daedalus*, qui a accompagné l'ouverture au centre gauche réalisée en Europe par Schlesinger à partir de l'Italie lors de l'accession de Kennedy au pouvoir.

Princeton est davantage un colloque euro-américain qu'un séminaire international à vocation mondiale puisque, sur les 60 participants mentionnés dans l'ouvrage récapitulatif, on compte 26 Américains, 25 Européens et seulement 9 participants venus d'autres continents [2]. La délégation américaine est la plus nombreuse. Conformément aux souhaits exprimés dans le mémorandum de Jelenski, le colloque était ouvert non seulement aux représentants de l'*establishment* libéral, avec les piliers d'*Americans for Democratic Action* (Schlesinger, Galbraith, Bell) et les spécialistes des relations internationales (Kennan, Brzezinski, Kissinger [3], Hoffmann), mais encore aux représentants de la nouvelle gauche étudiante (Sam Brown, Martin Peretz, David Blomenthal, tous étudiants ou jeunes professeurs à Harvard), aux Noirs (Harold Cruise, Roy Inis), quand ce n'était pas aux compagnons de route du communisme (Lilian Hellman).

En ce qui concerne l'Europe, les délégations présentes à Princeton étaient plus homogènes. Naturellement, tous les grands intellectuels du congrès – Aron, Silone, Spender et Sperber – étaient absents. La relève de la garde jouait pleinement. La continuité de l'orientation de centre gauche était maintenue par l'Association internationale : ainsi, outre le club Jean-Moulin pour la France, trouvait-on naturellement un représentant d'*Il Mulino*, venu d'Italie, et Marion Dönhoff, pour la RFA. Enrique Tierno Galvan avait fait le voyage pour l'Espagne et la Grèce était représentée par Andréas Papandréou, ancien professeur d'économie à l'université de Berkeley,

1. Cf. *Archives européennes de sociologie*, t. VII, n° 1, 1966.

2. Le séminaire réunissait 90 personnes mais l'ouvrage qui résume les travaux n'en retient que 60. La version anglaise des débats est parue sous le titre *The Endless Crisis* (Simon Shuster) tandis que la version française était publiée sous le titre *Les Incertitudes américaines* (Calmann-Lévy) et sous la signature de Jean-Jacques Servan-Schreiber.

3. A noter que le nouveau président des États-Unis, Richard Nixon, contacte Henry Kissinger au cours du séminaire de Princeton pour lui proposer de devenir conseiller spécial de la présidence pour les Affaires étrangères.

revenu dans son pays pour entamer une carrière politique. Une caractéristique de cette première grande réunion internationale de la nouvelle association est la disparition quasi complète des écrivains. L'écart avec ce qu'avait été dix ou quinze ans plus tôt le Congrès pour la liberté de la culture était sur ce point considérable. Seuls demeuraient désormais les universitaires et les experts : Waldemar Besson, Ralf Dahrendorf, Karl Kayser, professeurs de sciences politiques ou de sociologie, représentaient pleinement cette première catégorie tandis que l'on trouvait dans la seconde des hommes comme Alistair Bochau, directeur de l'Institut stratégique de Londres (accompagné de François Duchêne, ancien collaborateur de Jean Monnet et membre du même institut), ou Aurelio Pecci, vice-président de la firme Olivetti et créateur du club de Rome. Enfin, quatre représentants de l'Europe de l'Est participaient aux travaux de Princeton : Jan Kott, écrivain polonais enseignant à New York; Leo Matès, un diplomate yougoslave directeur de l'Institut des relations internationales de Belgrade; Eugen Loeb, un Tchèque rescapé des procès politiques des années 1950, et Ivan Svitak, un autre Tchèque philosophe de la nouvelle génération, animateur d'un club politique pendant l'éphémère printemps de Prague.

Quatre articles récents rédigés par Edward Shils, Daniel Bell, Zbigniew Brzezinski et Michel Crozier [1] ont plus particulièrement servi de base aux discussions de Princeton. L'ouvrage tiré des travaux du colloque fait apparaître un vaste balayage de thèmes, concernant tant la société que les responsabilités internationales américaines [2]. Au reste, le titre de l'ouvrage, soit dans sa version française *(Incertitudes américaines)*, soit dans sa version anglaise *(Une crise sans fin)*, illustre suffisamment le désarroi qui préside aux débats. La vraie dominante, plus encore que la crise du *welfare state*, est la crise culturelle qu'expriment aussi bien l'effondrement de la problématique de la fin des idéologies que la prise de

1. Daniel Bell, « Note on the Post-Industrial State », *Public Interest*, hiver 1966-printemps 1967; Zbigniew Brzezinski, « American in the Technectronic Age », *Encounter*, janvier 1968; Michel Crozier, « The Lonely Frontier of Reason », *The Nation*, mai 1968; Edward Shils, « On Plenitude and Scarcity », *Encounter*, mai 1968.

2. En effet, le livre examine successivement : 1) la crise du libéralisme; 2) le pouvoir noir : séparatisme ou pluralisme ? ; 3) l'avenir américain; 4) puissance planétaire et responsabilité limitée; 5) conclusion : les intellectuels et le pouvoir.

conscience de la violence et des nouvelles tensions surgissant d'une forme de société encore inédite. François Duchêne rend parfaitement la note dominante dans l'introduction de l'ouvrage :

> [...] Au début des années 1950, le Congrès pour la liberté de la culture, prédécesseur de l'association, combattait au nom du réformisme libéral et socialiste la « misère » de l'historicisme, cher aux marxistes. A la fin des années 1950, alors que le stalinisme, dénoncé par Khrouchtchev lui-même, la domination soviétique et le régime du parti unique devenaient visiblement impopulaires en Europe de l'Est, les valeurs occidentales paraissaient l'emporter. Un sentiment de satisfaction devant ce qu'ils tenaient pour le triomphe de la raison, ou de leur raison, s'emparait des intellectuels, ou du moins dans celles de nos sociétés qui donnaient le mieux l'exemple de la prospérité et du succès matériel. Pourtant, à Princeton moins de deux ans plus tard, on a surtout parlé de la « misère de l'utilitarisme », du pseudo-rationalisme des technocrates, de la nouvelle « trahison des clercs » et de la menace de la violence. Hegel lui-même n'aurait pu espérer voir les termes de la dialectique se succéder si rapidement [1].

Si un fil directeur devait être trouvé aux débats de Princeton, il faudrait le chercher à l'articulation de trois axes : l'émergence du concept de société post-industrielle pour éclairer le futur; l'analyse de la société américaine comme préfiguration d'une telle société; l'évolution du système international et le rôle des États-Unis dans ce système [2]. Assurément, la réunion voulait couvrir trop de terrain et ne parvenait pas à ouvrir une voie de réflexion nouvelle. Au terme de la manifestation, Shepard Stone, lors de la conférence de presse finale, expliqua que la fondation Ford avait décidé de poursuivre l'effort entrepris par le Congrès pour la liberté de la culture, après sa disparition, à la demande de personnalités intellectuelles de grand prestige qui avaient manifesté le souci qu'une institution de cette qualité ne disparaisse pas. Depuis 1967, la fondation assurait entièrement le financement de l'association. A la suite d'une question posée sur le coût de l'organisation de ce séminaire international, Shepard Stone, fidèle aux engagements de

1. Deux comptes rendus de la manifestation paraîtront en français : l'un par François Bourricaud dans *Preuves*, février-mars 1969, après la réunion; l'autre par Bernard Cazes dans *Preuves, cahiers trimestriels*, troisième trimestre 1970, après la publication de l'ouvrage tiré de la manifestation.

2. François Duchêne, *Les Incertitudes américaines, op. cit.*, p. 10.

transparence qui avaient été pris, donna le chiffre de 70 000 à 80 000 dollars environ [1].

Autres séminaires

Le séminaire international de Princeton fut de l'avis général un échec. A beaucoup il laissa le souvenir de débats confus tournant au « cirque » (le mot fut employé). Mais, surtout, le style de la réunion irrita bien davantage encore le noyau intellectuel de la nouvelle association, pour des raisons d'ailleurs diamétralement opposées. A Paris, Jelenski, qui cherchait à relancer un débat intellectuel authentique par une confrontation sans concession entre l'*establishment* libéral et ses contestataires, dut reconnaître que la superficialité du séminaire de Princeton n'avait pas permis d'avancer ; à Londres, Edward Shils et Leopold Labedz furent rendus littéralement furieux par la conception de ce premier séminaire, soupçonnant Jelenski d'avoir utilisé cette manifestation comme cheval de Troie pour transformer l'association en une organisation de type *New Left*... On était à l'évidence en plein malentendu et à mille lieues du sentiment de plein succès qui, treize ans auparavant, après la réunion de Milan, avait permis le lancement d'un programme international de séminaires.

Il ne s'ensuivit cependant pas une disparition des séminaires. Pendant les cinq années (1968-1973) où Shepard Stone resta aux commandes à Paris, assisté de Constantin Jelenski, de nombreuses réunions furent organisées (cf. encadré p. 545 pour une vue d'ensemble des principales manifestations), donnant naissance à plusieurs ouvrages, l'idée d'une collection proposée par Jelenski ayant été, quant à elle, très vite abandonnée. En premier lieu, lorsque l'association fut mise sur pied, elle avait déjà en réserve un certain nombre de projets sur le point

1. Une seule allusion fut faite aux relations avec la CIA pendant les débats par un étudiant de la nouvelle gauche, Sam Brown. Après avoir observé qu'aucun des opposants à la guerre du Vietnam et aucune des personnalités étrangères de gauche n'avait été invité, Sam Brown déclarait que le fait que la CIA ne subventionnait plus l'Association internationale pour la liberté de la culture ne prouvait rien du tout. L'agence, en effet, n'avait nul besoin de contrôler une organisation aussi docile, poursuivant des objectifs qui ne pouvaient que la ravir.

PRINCIPAUX SÉMINAIRES ORGANISÉS PAR L'AILC (1968-1973)

1968

Paris : *La Découverte du présent. Hommage à Baudelaire, critique d'art.*
Aix-en-Provence : *La Philosophie idéaliste russe.*
Princeton : *L'Amérique et son image.*

1969

Alghero : *Les Révoltes étudiantes et l'avenir de la société occidentale.*
Bergenstadt : *Pacifisme et Violence. Leur usage et leurs limites comme instruments de réforme.*
Espagne : *Évolution des idéologies en Espagne.*

1970 :

Zurich : *Société post-industrielle et diversité culturelle.*
Aspen : *Technologies, finalités sociales, options culturelles.*
Poigny-la-Forêt : *L'imagination créatrice.*
Marrakech : *Culture arabe et culture française de part et d'autre de la Méditerranée.*

1971

Venise : *La Pertinence de l'histoire. L'historien entre l'ethnologue et le futurologue.*
Sénanque : *Perspective de la culture européenne à la fin du XXe siècle.*
Turin : *Presse et Télévision.*

1972

Tokyo : *Le Socialisme dans les sociétés en changement.*
Paris : *Rôle et responsabilité de l'intellectuel dans les pouvoirs. Les Relations euro-américaines dans les années 1970.*

1973

Neuchâtel : *L'Homme moderne et son image de la nature.*
Aspen : *L'Intellectuel et les pouvoirs.*

d'aboutir et qu'il lui revenait de gérer [1]. Ensuite, le Secrétariat international se devait d'alimenter les comités espagnol et portugais pour renforcer l'action dans la péninsule Ibérique et les séminaires étaient un élément indispensable pour le faire. En troisième lieu, la nouvelle Fondation pour une entraide intellectuelle européenne devenait elle-même progressivement maître d'œuvre de séminaires et Jelenski veillait à ce que cette activité ne lui soit point retirée : possédant, comme Pierre Emmanuel, la double casquette de membre du Secrétariat international et de membre du conseil d'administration de la nouvelle fondation, la chose lui était relativement facile. C'est principalement en s'appuyant sur la fondation que furent organisés pendant ces cinq années les colloques à dominante littéraire [2].

La nécessité de maintenir un canal de débat euro-atlantique non gouvernemental est une des tâches qui reviennent à l'association. Un colloque concernant les relations entre l'Europe et les États-Unis est ainsi organisé en 1972. Son animation est confiée à un professeur de sciences politiques allemand de la nouvelle génération, Karl Kayser [3], qui deviendra par la suite directeur d'un grand institut de relations internationales pour l'Allemagne fédérale. Le séminaire consacré aux révoltes étudiantes et au futur de la société occidentale sera dirigé par le nouveau président de l'association, vice-chancelier de l'université d'Oxford, Alan Bullock. Raymond Aron, s'il s'est retiré de l'association (pas plus qu'il n'a participé à la manifestation de Princeton il ne sera présent à la réunion sur les relations euro-américaines), participe néanmoins à un séminaire de l'AILC, celui organisé à Venise en 1971 sur l'histoire, l'ethnologie et la futurologie [4]. Si la crise de la rationalité n'a jamais fait l'objet

1. Dans son mémorandum de 1967, Constantin Jelenski énumérait : *Mass Media et création artistique* (en collaboration avec la fondation Cini) ; *La Découverte du présent* (hommage à Baudelaire) ; *La Philosophie idéaliste en Russie* (avec la faculté des lettres d'Aix-en-Provence) ; *Littérature et Langage* (reformulation du séminaire sur la fin des idéologies refusé par la censure espagnole).

2. Deux manifestations donneront matière à publication d'ouvrages aux Éditions de la Baconnière : *L'Homme moderne et son image* et *L'Imagination créatrice* (éd. par Roselyne Chenu, 1974).

3. Voir le livre édité par son organisateur, Karl Kayser : *Europe and the United States : The Future of the Relationship*, Washington DC, Columbia Books, 1973 ; trad. fr. : *L'Europe et les États-Unis, l'avenir de leurs relations*, Robert Laffont, 1975.

4. *L'Historien entre l'ethnologue et le futurologue*, D. Moïsi et J. Dumoulin (éd.), Mouton, 1972.

d'un séminaire, la notion de société post-industrielle devient un des concepts organisateurs de la perception du devenir des sociétés occidentales au début de la décennie 1970. Cette émergence est favorisée par la capacité créatrice de Daniel Bell, son promoteur, qui trouve en Europe, en la personne du sociologue allemand Ralf Dahrendorf, un partenaire intellectuel pour en débattre à Zurich moins de deux ans après Princeton. Bell utilise au demeurant ces échanges pour approfondir ses réflexions et publier quelques années après le séminaire de Zurich organisé avec Dahrendorf un livre important sur la situation de la culture dans la société post-industrielle [1].

Le second thème qui émerge directement de la crise culturelle de la fin de la décennie 1960 est celui des intellectuels. Le chapitre final de l'ouvrage rendant compte des débats du séminaire de Princeton s'achève sur les intellectuels et le pouvoir. De manière cavalière, on pourrait dire que si la décennie 1950 a été dominée par la sortie de l'ère des masses, la décennie 1960 par l'émergence des élites du changement, appuyée par la formidable expansion de la politique internationale de la fondation Ford, la nouvelle décennie s'ouvre par une interrogation sur le rôle des intellectuels au centre de la crise culturelle en partie responsable de la déstabilisation du milieu réformiste libéral-socialiste. Après une journée d'études à Paris, l'AILC met ainsi sur pied un séminaire international sur ce sujet à Aspen, dans le Colorado, en 1973. Cette réunion coïncide d'ailleurs avec le départ de Shepard Stone de l'association.

Si donc le travail intellectuel réalisé sous l'égide de l'Association internationale pour la liberté de la culture est loin d'être négligeable, on notera cependant qu'une des propositions de Jelenski dans son mémorandum de 1967 ne sera malheureusement pas retenue. Cette proposition, intitulée *Pouvoirs et conséquences des sciences sociales*, est argumentée ainsi :

> La fonction et les conséquences des sciences sociales ont un nombre d'implications d'ordre moral et politique qui sont restées inexplorées jusqu'à présent. Ceci est probablement dû au fait que les associations professionnelles des sciences sociales sont en premier lieu intéressées par l'expansion de l'aide accordée à la

1. A partir de la livraison d'articles parus dans *Public Interest* en 1967, Daniel Bell publie dans la première moitié de la décennie 1970 *The Coming of Post-Industrial Society* (1973) et *The Cultural Contradictions of Capitalism* (1976).

recherche sociale et qu'elles vont de l'avant en partant du principe que toute recherche de cet ordre conduit nécessairement à une politique meilleure et, par conséquent, bénéficie à la société. Les réserves formulées à l'égard de la sociologie sont le plus souvent formulées par des écrivains ou des artistes, bien que certains des meilleurs sociologues contemporains soient actuellement sceptiques eux-mêmes à l'égard de la portée scientifique des sciences sociales. Ce séminaire devrait confronter des sociologues avec des non-sociologues intéressés par les répercussions des sciences sociales sur la vie contemporaine sous tous ses aspects.

Ces lignes sont écrites à Paris quelques mois à peine avant que les milieux intellectuels français soient à leur tour révolutionnés. Dès avant le séisme, le ver était dans le fruit. La problématique de la fin des idéologies était allée de pair avec une montée en puissance des sciences sociales, confinant au triomphalisme pour l'une d'elles, la sociologie. Sans doute, un écrivain comme Pierre Emmanuel ne cessait de bombarder le Secrétariat international de notes de mise en garde contre la transformation du Congrès pour la liberté de la culture en une internationale sociologique. Le texte de Jelenski fait apparaître que le doute sur le bien-fondé de cette orientation n'était pas le fait d'un poète isolé et tourmenté. Les meilleurs esprits, au sein même du sérail, commençaient à se poser sérieusement des questions. Parallèlement à l'interrogation sur les sciences sociales, Jelenski proposait en outre que l'association se saisisse de questions comme le caractère sacré de la vie ou l'avenir de la religion. Tous ces thèmes convergeaient effectivement autour de l'interrogation sur la place de la rationalité dans le monde : celle-ci était menacée non seulement de manière extrinsèque par les révoltes contre la société industrielle, mais tout autant par l'arrogance d'un certain rationalisme coextensif des *social sciences*, qui pouvait conduire aux mêmes impasses que la *social faith* dont elles étaient censées purger les esprits. La question fut évoquée à Princeton. Elle ne fut point poussée plus avant. Incontestablement, et quelle que soit la qualité des entreprises menées à bien au cours de ces cinq années, ce fut un point sur lequel l'association manqua son rendez-vous avec le présent.

L'action en Amérique latine

Outre la création de la Fondation pour une entraide intellectuelle européenne, la transformation du congrès en association s'accompagne à Paris de la mise sur pied d'un Institut latino-américain de relations internationales (ILARI) animé par Louis Mercier Vega, une des chevilles ouvrières du Secrétariat international. Au temps du congrès, c'était, on s'en souvient, Gorkin qui suivait les questions d'Amérique latine. Ancien dirigeant du parti gauchiste marxiste indépendant espagnol, Gorkin s'était réfugié au Mexique en 1940. Il avait été amené au congrès par Jay Lovestone, avec lequel il était très vite entré en contact dans son exil mexicain. Julian Gorkin appartenait au réseau Irving Brown du CCF, réseau dont les autres figures marquantes étaient essentiellement Rousset, Krygier et Masani. Lorsque, en 1953, *Cuadernos* est lancé, il en a pris la direction, le secrétariat de rédaction étant tenu par un de ses vieux compagnons du POUM, Ignacio Iglesias. Tout au long des années 50, Gorkin fait de fréquentes tournées en Amérique latine dans les cercles du Congrès pour la liberté de la culture du sous-continent, cercles qui réunissent un public cultivé d'orientation libérale, où dominent diplomates, écrivains et universitaires de l'époque.

L'accession au pouvoir de Fidel Castro à Cuba, puis les tentatives pour répandre la révolution en Amérique latine, vont contraindre le congrès à modifier son dispositif d'action. Il existait à Cuba un comité du congrès assez dynamique; en effet, lorsqu'il était arrivé à la tête du gouvernement, en 1952, Batista s'était désintéressé des intellectuels, permettant ainsi au comité de disposer d'une assez large latitude d'intervention. Le comité cubain avait d'abord accueilli très favorablement le renversement de Batista par Castro. Mais au fil des mois et compte tenu de l'évolution du nouveau régime, une rupture n'avait pas manqué d'intervenir.

La position du Congrès pour la liberté de la culture sur le régime cubain est donnée par un grand article de Theodore Draper, publié dans les tout premiers mois de 1961 et largement diffusé dans la famille des revues [1]. Cet article entre dans la catégorie des textes appelés à jouer le rôle de moniteur dans les réseaux tant internes qu'externes de l'organisation. Aussi convient-il d'en restituer rapidement les articulations essentielles. Draper entend rester aussi près que possible de l'observation de terrain et son analyse vise à proposer une interprétation de la prise du pouvoir par Castro et de la nature du régime castriste en opposition aux deux grandes catégories interprétatives en circulation à l'époque : les analyses qui font de la révolution cubaine une « révolution paysanne » (interprétation largement propagée par Jean-Paul Sartre et Simone de Beauvoir dans leurs articles et les innombrables interviews qu'ils accordent à l'époque) et celles qui attribuent l'évolution du régime tout au long de 1960 (avec son mépris des règles démocratiques et le rôle croissant joué par le Parti communiste dans les structures du pouvoir) non à sa dynamique interne mais à la politique des États-Unis à son endroit (thèse développée principalement par un journaliste français, Claude Julien). Pour Draper, présenter la révolution cubaine comme une révolution paysanne non seulement relève du mythe, mais encore masque le fait qu'au départ elle est d'abord portée par la classe moyenne et que Castro s'est servi de la classe qui l'a catapulté au pouvoir pour la détruire. « Si l'on se refuse à comprendre cette apparente contradiction, écrit-il, il sera difficile de comprendre le Cuba de Castro en tant que système social. » L'auteur rappelle longuement les promesses de Fidel Castro avant sa prise du pouvoir : revenir à la Constitution de 1940 après les déceptions de l'expérience démocratique (1944-1952) et le despotisme de Batista (1952-1958); entreprendre une réforme agraire; mettre en œuvre un programme modéré de nationalisations ne touchant que les compagnies de l'électricité et du téléphone. C'est sur ce programme que Castro a reçu le soutien de la classe moyenne qui l'a porté au pouvoir. Ce sont ces promesses qu'il a trahies. Seul ce processus de trahison permet d'éclairer le rôle croissant joué par le Parti communiste. En effet, lorsque Batista fut renversé, deux mouvements entrèrent en compétition : le Mouvement du 26 juillet de Castro et le *Partido socialista popular* communiste. Très vite, Fidel Castro laisse dépérir son propre mouvement en marginalisant

1. Theodore Draper, « Castro et les théoriciens », *Preuves*, n° 121, mars 1961.

l'armée populaire et en réintégrant le Parti communiste au congrès des travailleurs cubains contre les leaders réels de la révolution. Si Castro a sacrifié très tôt le Mouvement du 26 juillet, c'est que celui-ci était susceptible de se transformer en un parti politique capable d'exercer un pouvoir de contrôle. Il préférait lui substituer des assemblées de masse impersonnelles et anonymes, et ce fut en se prévalant de cet appui populaire qu'il refusa d'organiser des élections générales. Pour conserver le pouvoir, le leader de la révolution devait enrayer le processus de formation d'un gouvernement authentique mais, inversement, une fois au pouvoir, il lui fallait une organisation pour relayer ce pouvoir vers la société et pour trouver des appuis internationaux. C'est là que le Parti communiste devenait stratégique. Si Castro était disposé à faire un bout de chemin en direction des communistes, il fallait que les communistes eux-mêmes fussent disposés à en faire autant dans sa direction. Cette évolution fut facilitée par l'arrivée d'une direction khrouchtchévienne à la tête du Parti communiste cubain, qui comprit que le PC ne pourrait pas accéder au pouvoir sans Castro. La vieille garde, quant à elle, considérait plutôt Fidel comme un putschiste. Le rapprochement avec le bloc soviétique devait être scellé le 10 décembre 1960, lorsque le major Guevara apporta à Moscou son soutien au congrès du mouvement communiste international.

Si Theodore Draper insiste longuement pour dégonfler le mythe de la révolution paysanne et s'il insiste parallèlement sur la composante de classe moyenne et urbaine de la révolution, c'est que le changement de régime s'appuie sur un mécanisme sociopolitique profond, qu'il définit en ces termes :

> Ces enfants de la bourgeoisie se sont tournés irrésistiblement vers l'idéologie socialiste, mais en ne retenant que certains de ses aspects – ceux-là mêmes que leur condition leur permet d'utiliser. Ils ne sauraient être fidèles aux idées essentielles de la tradition socialiste, qui implique que le prolétariat doit se libérer lui-même et que deux conditions sont indispensables à l'établissement du socialisme : 1) une économie fortement industrialisée; 2) une démocratie politique que complétera et achèvera le socialisme.
>
> Mais il existe un aspect du socialisme qu'ils peuvent comprendre immédiatement et sans restriction. Dans le marxisme, ils peuvent trouver une justification idéologique permettant à l'État de modifier sans délai et sans restriction l'ordre social; et,

dans le léninisme, ils trouvent une justification de leur propre contrôle de l'État, également sans limite et sans restriction.

Définition magistrale, d'un classicisme marxiste limpide, combiné à une extrême acuité dans l'identification des dispositions psychopolitiques sur lesquelles le castrisme va construire son attraction internationale. Encore, au début de 1960, Theodore Draper parle-t-il du « major » Guevara. Quelques années plus tard, devenu le « Che », l'homme accède au statut de mythe.

Ainsi, dès 1961, le Congrès pour la liberté de la culture se trouve-t-il dans l'obligation de redéfinir un programme d'intervention en direction de l'Amérique latine. Mais la chose est malaisée. En 1956 déjà, le Secrétariat international a tenté de mettre sur pied une grande réunion régionale à Mexico sur le modèle de la réunion organisée à Rangoon l'année précédente pour l'Asie du Sud-Est. Cette réunion, placée sous la présidence de Salvador de Madariaga, a été un fiasco, qui a tourné au procès antiaméricain. Furieux, Brown et Lovestone écrivirent à Michael Josselson qu'ils ne voulaient désormais plus entendre parler du Congrès pour la liberté de la culture [1].

Conscient des difficultés que représente le maniement des grandes réunions, le Secrétariat international adopte en 1962 une autre démarche, en envoyant sur le terrain deux hommes, Keith Botsford et Louis Mercier Vega. Botsford suit les affaires d'Amérique latine pendant dix-huit mois, avant d'abandonner la partie. Dépêché au Brésil, il contribue à la réorganisation de la revue en langue portugaise *Cuadernos brasileiros,* met sur pied une lettre d'information, *Informativo*, organise des tournées de conférences pour les grandes figures du congrès : Aron, Silone, Spender, Jelenski, Rousset, Lowell, Beier. Après le Brésil, Botsford part pour le Mexique, où il trouve une situation confuse et insoluble. L'ancien cercle somnole tandis qu'une nouvelle revue, la *Revista mexicana de literatura*, vient d'être lancée sous la direction d'Octavio Paz et de Carlos Fuentes. Ceux-ci seraient des alliés tout naturels du congrès, écrit Botsford dans un rapport au secrétariat, s'ils ne détestaient pas viscéralement *Cuadernos.*

Mais le véritable artisan de la relance de l'action en Amérique latine dans l'après-castrisme, opérée dans les dernières

1. Peter Coleman, *op. cit.*, p. 185.

années du congrès et poursuivie par l'association, est Louis Mercier Vega. Mercier Vega opère cette relance à partir de trois relais uruguayens : Benito Milla, libraire-éditeur, servant de base pour un bureau qui publie une revue régionale, *Temas*; Aldo Solari, un sociologue avec lequel il met sur pied un séminaire international sur les élites en Amérique latine; Rodriguez Monegal, enfin, qui prend la direction de *Mundo nuevo*, une nouvelle revue.

Organisé en juin 1965 à Montevideo, le séminaire sur les élites n'est pas seulement la première opération d'envergure montée par Mercier Vega sur le sous-continent, c'est aussi une manifestation qui circonscrit très précisément un modèle d'intervention qu'il convient de cerner. Ce séminaire, financé conjointement par le CCF et la fondation Ford, prend place dans un cadre universitaire sous la responsabilité de deux institutions : l'université de Montevideo et l'institut des relations internationales de l'université de Californie; deux institutions mais en fait deux hommes, Seymour Martin Lipset et Aldo Solari, qui éditeront deux ans plus tard un livre à partir de ses débats [1]. Lipset est un des relais importants du Secrétariat international; quant à Aldo Solari, il a consacré peu de temps auparavant un livre au « tercerisme » uruguayen. Le tercerisme représente une sorte de troisième voie pour l'Amérique latine (ni communiste ni proaméricaine) avant que le castrisme ne devienne une sorte de référence obligée pour les intellectuels. Avant la rencontre de Montevideo, Lipset et Solari ont déjà collaboré pour conduire une vaste enquête sur les attitudes politiques des étudiants latino-américains. Par certains côtés, le séminaire international sur les élites d'Amérique latine est en consonance avec la conférence internationale de Naples organisée trois ans plus tôt et consacrée au développement économique et social des pays méditerranéens. Mais approcher les problèmes du développement sous l'angle des élites comporte pour l'Amérique latine un certain nombre d'enjeux politiques et intellectuels spécifiques. Il s'agit, bien entendu, de faire accepter l'autonomie du concept d'élites contre les analyses marxistes qui recoupent à l'époque directement les vues procastristes. Cette autonomisation conceptuelle donne d'ailleurs lieu

1. Seymour M. Lipset et Aldo Solari, *Elites in Latin America*, Oxford University Press, 1967.

à l'autonomisation d'une branche de recherche en sciences sociales : le développement politique comparé [1].

L'action du Congrès pour la liberté de la culture s'insère ainsi dans un vaste projet de soutien aux élites latino-américaines capables de maîtriser le développement économique et la modernisation de la société, qui s'inscrit dans un cadre institutionnel formé de trois éléments dominants : l'UNESCO, l'ILPES et la fondation Ford. Le Conseil international des sciences sociales de l'UNESCO joue en Amérique latine un rôle beaucoup plus grand qu'en Europe. L'agence participe notamment à la faculté latino-américaine de sciences sociales (FLACSO) créée en 1956 à Santiago du Chili. A l'origine, la FLACSO est une initiative de la sixième section de l'École pratique des hautes études à Paris, inspirée par le sociologue Georges Friedmann. Au milieu de la décennie 1960, la faculté sort de sa définition proprement chilienne pour s'ouvrir à l'ensemble des pays latino-américains. Santiago devient ainsi le principal foyer de développement d'un milieu de sciences sociales dans le sous-continent. L'Institut latino-américain de planification économique (ILPES), dépendant directement de la Commission pour le développement de l'Amérique latine (CEPAL) de l'ONU et directement rattaché au secrétariat général, joue un rôle décisif pour les nouvelles élites latino-américaines. En effet, les membres de la CEPAL bénéficient de l'immunité diplomatique. L'ILPES fonctionne de la sorte comme un sas entre les structures gouvernementales des différents pays d'Amérique latine et les Nations unies. Experts de toute nature s'y croisent, et l'institut constitue dès le début de la décennie 1960 un lieu d'observation exceptionnel sur le sous-continent. Son succès est bien entendu lié au *Zeitgeist* : la première moitié de la décennie 1960 a toute confiance dans la planification et le développement. La fondation Ford, enfin, joue un rôle déterminant pour assurer un système de circulation entre sociologues, économistes, experts latino-américains et universités américaines. Ainsi se crée peu à peu un milieu

1. Ainsi le livre *Elites in Latin America* est-il présenté par ses coéditeurs comme l'élément d'un programme plus vaste de politique comparée, dirigé par Lipset, programme où doivent prendre place les enquêtes internationales sur les attitudes politiques des étudiants. En 1967, Lipset quitte Berkeley pour Harvard et le programme est alors conduit en étroite collaboration avec le centre des affaires étrangères de cette université.

« fordien » qui domine et contrôle progressivement les échanges intellectuels entre le sous-continent et les universités nord-américaines.

Il existe entre ces trois institutions (FLACSO, ILPES, Ford) des interactions très fortes, constituant bientôt un système fondé sur la cooptation, dans les domaines de l'économie, de la sociologie et de la science politique principalement, d'individus sélectionnés en fonction de quatre dimensions privilégiées : leur appartenance au courant libéral, leur excellence intellectuelle, leur ouverture internationale et leur capacité de création institutionnelle. Les formes organisationnelles assurant le relais entre ce milieu international et les différents pays sont avant tout des institutions de recherche intermédiaires entre les structures gouvernementales et les universités. La majorité sinon la quasi-totalité des participants au séminaire de Montevideo correspondent exactement à ce profil et poursuivront après 1965, avec des fortunes diverses, des carrières politico-intellectuelles soit dans ce système, soit dans leurs pays respectifs [1].

La décennie 1960 est marquée ici comme ailleurs par un écart croissant entre l'univers des sciences sociales et celui de la littérature. Mais le problème est le même dans les deux registres : comment renouveler les cercles libéraux et sociaux-démocrates anciens après la rupture introduite par le castrisme ? La première mesure qui s'impose aux yeux de Josselson est la réorganisation de *Cuadernos*. En 1961, le bimensuel devient mensuel et la direction en est confiée à Araquistain. Mais, deux ans plus tard, ce dernier meurt. La revue est alors confiée à German Arciniegas. Toutefois, il ne semble pas que les tentatives de relance de *Cuadernos* soient des succès et Josselson surprime la revue après la sortie de son centième numéro.

La création de l'AILC s'accompagne du lancement d'une revue plus spécifiquement destinée à l'Amérique latine. *Mundo nuevo* paraît en juillet 1966. C'est un écrivain uruguayen, Rodriguez Monegal, qui en prend la direction, Ignacio

1. Pour ne prendre que quelques exemples : Fernando Henrique Cardoso, un sociologue brésilien qui deviendra directeur de l'ILPES avant d'entamer une grande carrière politique dans son pays; le RP Benjamin Nunez, recteur de l'université catholique du Costa Rica et représentant de son pays à l'UNESCO; Glaucio Soares, ultérieurement choisi par l'UNESCO pour diriger l'école de sociologie de la FLACSO, etc.

Iglesias, toujours fidèle au poste, en étant le rédacteur en chef. Pendant ses cinq années d'existence (la revue disparaît en 1971, après avoir publié une cinquantaine de numéros), Rodriguez Monegal réussit à faire de *Mundo nuevo* une publication d'une grande authenticité littéraire. Il publie naturellement les auteurs « congrès », les auteurs « maison », mais surtout il réussit à s'attacher la collaboration des nouvelles figures de la littérature latino-américaine, qui entame alors sa montée en puissance internationale : Carlos Fuentes, Gabriel Garcia Marquez, Octavio Paz, Mario Vargas Llosa.

Toute l'action en Amérique latine à partir de la création de l'AILC est donc portée par Louis Mercier Vega, un des vétérans du Secrétariat international, qui, avec Gorkin et Iglesias, en constituait le noyau hispanique. Né au Chili, de père français et de mère chilienne, Mercier Vega était un anarchiste qui avait pris part à la guerre d'Espagne dans les Brigades internationales. Au début de la Seconde Guerre mondiale, recherché par la police française, il passe en Belgique et, de là, part pour le Chili avec un faux passeport. Du Chili il gagne l'Afrique, où il s'engage dans les Forces françaises libres et participe aux opérations de Syrie et du Liban. Après la guerre, on le retrouve journaliste à Grenoble, au *Dauphiné libéré*. C'est dans le milieu de la SFIO grenobloise qu'il participe au lancement de la première Maison de la liberté. Comment arrive-t-il au Secrétariat international ? Personne ne le sait exactement. Il est possible qu'André Philip, avec ou sans la médiation de Jacques Enock, ait appuyé sa candidature dans cette période confuse qu'est l'année 1951, entre le Mouvement international pour la liberté de la culture et l'installation du congrès. Ce n'est qu'une hypothèse. Mercier Vega occupe au Secrétariat international une position analogue à celle de Jelenski : l'un et l'autre sont chargés d'un secteur, Europe du Centre-Est pour celui-ci, Amérique latine pour celui-là. Mais la comparaison s'arrête là. Jelenski est un écrivain, Mercier Vega un journaliste militant. Il participe aux comités de rédaction tant de *Preuves* que de *Cuadernos*. Mais il n'a pas la position influente de Jelenski dans la revue française ni, semble-t-il, dans la revue hispanique : son espagnol n'est pas toujours sans fautes, ce qui limite nécessairement l'élargissement de son rôle dans une revue de haute culture comme celle que souhaitait promouvoir le congrès. Enfin, si Constantin Jelenski est proche d'Aron, Louis Mercier Vega l'est bien davantage de Manès Sperber : les deux hommes ont en commun un certain goût du secret et un penchant pour la conspiration. Notons au passage qu'Aron se désintéresse à peu près complètement de l'Amérique latine et qu'il n'a que très peu intégré les problèmes du sous-continent à ses analyses.

Mercier Vega, de par son profil de journaliste militant, aurait dû, en bonne logique, être progressivement marginalisé dans la première moitié de la décennie 1960, alors que la fondation Ford occupait une place croissante dans le financement du congrès, entraînant une rupture avec les actions de guerre froide. Or c'est exactement l'inverse qui se produit : Mercier Vega réussit remarquablement le passage d'une époque institutionnelle à l'autre et devient au moment de la mise sur pied de l'AILC un partenaire privilégié de la fondation Ford pour l'action en Amérique latine. L'Institut latino-américain de relations internationales qui lui est confié dispose d'antennes dans sept pays d'Amérique latine : Argentine, Bolivie, Brésil, Chili, Paraguay, Pérou et Uruguay. Les antennes locales de l'ILARI sont de véritables centres culturels, organisant non seulement des débats, mais encore des expositions de peinture. Il s'agit naturellement d'attirer là des intellectuels anticastristes, si possible jeunes. L'ILARI, c'est-à-dire Mercier Vega, publie à Paris une revue de sciences sociales éditée en trois langues, *Aportes*, dont le premier numéro sort en juillet 1966.

Il est vrai que Mercier Vega était par beaucoup de côtés l'homme idéal pour prendre en charge un tel programme. Comme tous les antistaliniens venus de l'extrême gauche, les révélations sur la participation de la CIA au financement du congrès l'avaient laissé de marbre. Mercier n'avait aucune illusion sur la collusion instituée dès l'origine entre le castrisme et l'Union soviétique mais il comprenait de l'intérieur la fascination que Castro pouvait exercer sur les intellectuels. Connaissant remarquablement le terrain, Mercier Vega était de plus capable d'encaisser tous les chocs dans une situation particulièrement difficile. Il était à l'évidence malaisé de conduire une action d'endiguement du castrisme dans les milieux intellectuels dès lors que l'équation simpliste « anticastrisme =

fascisme » faisait tache d'huile non seulement dans les milieux latino-américains, mais encore dans de nombreux cercles intellectuels de par le monde. Tous ceux qui acceptaient de participer aux actions de l'Institut latino-américain de relations internationales se trouvaient ainsi en porte-à-faux. De plus, le milieu des sciences sociales latino-américain était profondément affecté par une crise qui avait éclaté à peu près à l'époque où *Aportes* était lancé. Il s'agissait du scandale connu sous le nom de « projet camelot », qui avait pour cadre l'université du Chili. Un anthropologue chilien, préparant une thèse à l'université de Pennsylvanie, avait été approché pour participer à la constitution d'une banque de données qui aurait eu pour objectif de tenter de prévoir les manifestations prérévolutionnaires sur le sous-continent. Il avait lui-même ensuite contacté des collègues chiliens pour ce projet. Un politologue expert de l'UNESCO auprès de la FLACSO, Johan Galtung, avait saisi l'organisation pour protester contre le « projet camelot », qui était vite devenu dans les deux hémisphères le témoignage le plus éclatant de la perversité de l'impérialisme intellectuel américain. Ajoutée à l'échec désastreux de l'opération montée par la CIA contre le régime castriste (baie des Cochons), aux révélations sur l'intervention de cette même CIA dans les échanges culturels internationaux, aux révoltes étudiantes, cette nouvelle affaire ne faisait qu'alourdir un peu plus le climat. C'est ainsi que dès 1966-1967 on retrouvait à la tête du mouvement de contestation de l'*establishment* américain un sociologue qui avait participé au séminaire de Montevideo, qui collaborait régulièrement à *Ramparts*, où il publiait à jet continu des articles au vitriol pour dénoncer la perversité des fondations américaines en général et de la Ford en particulier.

Au sein de l'AILC, Louis Mercier Vega pouvait s'appuyer sur un nouveau membre du conseil d'administration, le sociologue François Bourricaud. L'amitié entre Mercier et Bourricaud, l'anarchiste ne répugnant pas aux actions dures et le conservateur libéral éclairé, participait de ces relations improbables dont le congrès se faisait le vecteur. Ne supportant pas le climat intellectuel du Paris de la guerre froide, François Bourricaud avait orienté sa carrière vers l'étranger, d'abord les États-Unis, puis l'Amérique latine. Expert auprès de l'UNESCO, il fut associé au séminaire de Montevideo. Il publia sur le Pérou un livre qui rencontra une audience internationale [1]. François Bourricaud fut naturellement un des tout premiers collaborateurs d'*Aportes* et ce fut à la suggestion d'Aron qu'il entra au conseil d'administration de la nouvelle Association internationale.

A la différence de l'Asie du Sud-Est et de l'Afrique, la situation politico-intellectuelle latino-américaine est peu conditionnée par Bandoeng. En revanche, l'évolution de l'Église catholique est un des éléments déterminants et les démocrates-chrétiens un des groupes-cibles privilégiés pour la réussite d'une stratégie politique réformiste. Après le concile de Vatican II, le développement devient une notion transnationale catholique. Mais l'Église va être elle-même rapidement en proie aux déchirementss suscités par le castrisme (Camilo Torres, prêtre colombien issu d'une famille patricienne qui opte pour la voie révolutionnaire, en est la figure emblématique). Or Mercier Vega ne semble pas être parvenu à se lier aux démocrates-chrétiens : ce milieu, il est vrai, n'est pas tout à fait sa tasse de thé. Par ailleurs, après le renversement du gouvernement d'Allende au Chili, ce qui est diffusé dans les universités latino-américaines n'est pas la sociologie professionnalisée, discipline d'accompagnement de l'expertise réformiste développementaliste, mais une critique radicale où le socialisme et la révolution se substituent à la modernisation et au développement. Étudiants et jeunes professeurs se déprofessionnalisent et se transforment en militants tandis que les « ateliers » se substituent aux « enquêtes » comme pratique de travail. Toutes ces turbulences entravent le fonctionnement de l'ILARI, qui coûte cher et dont les interventions sont difficiles à gérer depuis Paris. C'était du reste un problème endémique de l'action en Amérique latine depuis l'origine du congrès. La fondation Ford souhaite assez rapidement réorganiser les choses : François Bourricaud, appuyé aux États-Unis par Seymour Lipset, qui intervient dans le même sens auprès de la fondation, conseille à Mercier Vega de sacrifier l'ILARI pour maintenir *Aportes*, qui s'est affirmé une revue de qualité. Mais Mercier Vega ne veut rien entendre et le résultat est qu'il perd tout. L'Institut latino-américain de relations internationales est

1. François Bourricaud, *L'Oligarchie au Pérou*, Presses de la Fondation nationale des sciences politiques, 1967.

supprimé et *Aportes* disparaît en octobre 1972, après avoir publié vingt-six numéros. La fin de l'action en Amérique latine correspond ainsi à l'aboutissement de l'engagement de cinq ans pris par la fondation Ford envers l'AILC. Après son départ de l'association, Louis Mercier Vega anime encore quelque temps une revue anarchiste trilingue, *Interrogation*, avant de mettre fin à ses jours, en novembre 1977.

CHAPITRE XII

Fin de partie

Pas plus qu'elle ne s'effectue en un jour, la disparition de l'Association internationale pour la liberté de la culture ne s'accompagne d'une évaporation des milieux intellectuels qu'elle a agrégés. Quatre dimensions doivent être successivement examinées pour comprendre la situation créée par son effacement : la dégénérescence organisationnelle, le devenir du milieu intellectuel libéral, la nouvelle situation internationale et la recomposition française. Cette fin de partie donne lieu à l'émergence d'une stratégie d'opposition au totalitarisme soviétique, fondée sur l'exigence du respect des droits de l'homme, qui ouvre une nouvelle période historique.

La liquidation de l'Association internationale

C'est en 1971 que Shepard Stone annonce au conseil d'administration qu'il ne sollicitera pas le renouvellement de ses fonctions dans deux ans, lorsque la dotation dégressive quinquennale de la fondation Ford arrivera à expiration. A cette date, Stone ne se fait plus d'illusions sur l'association. McGeorge Bundy réduit en effet drastiquement les engagements de la Ford à l'étranger tandis que les contributions européennes à la vie de l'AILC ont été et sont toujours insignifiantes. Dès 1973, deux des réalisations du Secrétariat international sont supprimées : l'Institut latino-américain de relations internationales et

Preuves, cahiers trimestriels[1]. Stone lui-même travaille à se ménager une porte de sortie institutionnelle en collaboration avec l'institut Aspen. L'institut Aspen (du nom d'une petite ville du Colorado où a été organisé au lendemain de la Seconde Guerre mondiale un grand colloque en l'honneur de Goethe, sur lequel s'est greffée l'élaboration d'une fondation) constitue un canal germano-américain fortement institutionnalisé, qui lui permet de renouer avec son univers favori. Quittant Paris et l'association, Shepard Stone se voit confier la création et la direction d'une antenne de l'institut Aspen à Berlin[2]. Toujours en 1973, profitant d'un colloque organisé en collaboration par l'AILC et Aspen aux États-Unis, il travaille à un rapprochement entre les deux structures. C'est dans le resserrement des liens entre elles, dont ce colloque se veut une des premières manifestations, qu'il voit en quelque sorte le salut de l'association. Il fait notamment entrer à son conseil d'administration Joseph Slater, membre du *board* de l'institut Aspen, son vieux compère depuis le temps du proconsulat de John J. McCloy en Allemagne.

Toute l'année 1973 est occupée par des discussions sur l'avenir de l'association, auxquelles prennent part notamment un Indonésien, Alexander Kwapong, un Américain spécialiste d'*Arms Control*, Paul Doty et la comtesse Dönhoff. La question est de savoir si l'association doit poursuivre sa tâche comme organisation à vocation générale ou restreindre son champ d'intervention aux seules relations euro-atlantiques. Un changement de nom est évoqué (*Intellectual Freedom, Forum International, New Humanism, Cross Road International* sont proposés), ainsi qu'un déménagement du Secrétariat international de Paris à Londres. Les mauvaises relations existant entre Pierre Emmanuel et Shepard Stone ne facilitent pas l'émergence d'une solution. Grand *manager* de fondations, Stone trouve Emmanuel fumeux. Le poète lui rend la monnaie de sa pièce, jugeant pour sa part le *manager* totalement creux.

1. En janvier 1974, après résiliation du contrat entre la revue et le groupe *Réalités*, un nouveau montage financier est trouvé avec une banque et une association des Amis de *Preuves* est créée sous la présidence de Pierre Emmanuel. Henri Dougier, rédacteur et éditeur d'*European Business*, en devient rédacteur en chef. Après quelques numéros, la formule change de titre.

2. Shepard Stone demeurera à Berlin de 1973 à 1988, année de son départ à la retraite. Il deviendra alors président honoraire du *McCloy Scholar Program* de la *Kennedy School of Government* à Harvard. Il meurt en mai 1990.

S'ajoute chez Stone une relation très profonde à l'Allemagne qui le dispose peu à comprendre la vie intellectuelle française. Paris n'a jamais été pour lui qu'un pied-à-terre (superbe, au demeurant : il dispose d'un appartement magnifique près de Notre-Dame). La position de Pierre Emmanuel est, de plus, fragile : s'il lui revient de gérer le « lâchage d'Aron », selon ses propres termes, il ne dispose aux yeux des Américains ni du poids ni du prestige de Raymond Aron. Il est significatif qu'en cette même année 1973 « Mike », de sa retraite genevoise, estime de son devoir d'envoyer à un des dirigeants de la Ford, David Bell, une lettre destinée à rectifier la vision négative que « Shep » développe sur le milieu parisien au siège de la fondation.

Non sans réticences, Pierre Emmanuel accepte finalement le schéma de réorganisation de l'AILC élaboré par Shepard Stone, en collaboration avec l'institut Aspen, schéma qui se présente comme un compromis au terme duquel le poète quittera les fonctions de directeur pour celles de président. Un nouveau directeur est pressenti en la personne d'un honorable parlementaire américain qui vient à Paris à l'automne 1973 pour commencer à élaborer un nouveau programme en coopération avec le Secrétariat international. Tout semble sur les rails : le 19 janvier 1974, une réunion du *board*, suivie d'un cocktail, est arrêtée. Alan Bullock et Shepard Stone se préparent à passer la main. C'est alors qu'un incident de dernière minute fait s'écrouler l'échafaudage soigneusement édifié : au cours de la réunion, le directeur pressenti se fait des plus insistants pour que soit engagée en même temps que lui la jeune femme qui l'a accompagné à Paris comme assistante et qui est à l'évidence plus que son assistante. Une stupeur tout à la fois embarrassée et comique s'empare des participants. Le représentant de la fondation Ford joue les messieurs bons offices et le lendemain matin l'honorable parlementaire, qui aura été directeur de l'Association internationale pour la liberté de la culture moins de vingt-quatre heures, remet sa démission. Fin de l'entracte : tout est à reprendre à zéro. Stone et Bullock acceptent de prolonger leur mandat quelques mois, en attendant qu'un directeur soit trouvé. C'est chose faite en mai 1974 : Adam Watson, un diplomate britannique, historien de formation, enseignant dans une université américaine, endosse l'habit. L'assiette de l'association n'en est pas trouvée pour autant et les discussions se poursuivent autour du nouveau visage qu'il conviendrait de lui donner.

Après le délestage de l'Institut latino-américain pour les relations internationales, il ne reste plus à Paris qu'un seul programme important géré par le Secrétariat international : la Fondation pour une entraide intellectuelle européenne. Or une divergence d'appréciation se fait jour entre Pierre Emmanuel et Constantin Jelenski sur le devenir respectif des deux structures : Emmanuel est prêt à sacrifier la fondation à l'association, ce à quoi se refuse énergiquement Jelenski, qui pense à l'inverse que c'est la fondation qui doit survivre à l'association.

Lors de ses échanges avec Watson dans la seconde moitié de 1974, Pierre Emmanuel propose un schéma de réorganisation et de relance de l'AILC autour de trois comités européens : un comité anglais dont Watson serait l'animateur, un comité allemand autour de Marion Dönhoff et de Richard von Weizsäcker et un comité français composé de l'ancienne Fondation pour une entraide intellectuelle et de la toute nouvelle fondation Hautvilliers, créée sur l'initiative d'un industriel français et taillée sur mesure pour Pierre Emmanuel. Ce schéma s'accompagne de propositions concernant le Secrétariat international, où le président souhaite disposer d'un secrétariat. En effet, Emmanuel n'envisage de continuer d'assurer ses fonctions à l'association que dans la mesure où celle-ci pourra lui fournir un appui institutionnel. Depuis 1973, il est démissionnaire de la présidence du Conseil du développement culturel (conseil créé à la suite des travaux de la commission culturelle du VIe Plan français) et il lui faut se trouver une nouvelle assise. Mais pareille tentative de réorganisation s'avère illusoire. D'une part, Jelenski n'est pas disposé à sacrifier sa fondation sur l'autel d'une improbable relance de l'AILC. D'autre part, Watson lui-même, au bout de quelques mois, a vite compris que la seule chose qui lui reste à faire est d'assurer la fermeture en douceur de la maison. Le début de l'année 1975 est ainsi marqué par deux événements : une réorganisation de la FEIE, destinée à assurer sa survie; la démission de Pierre Emmanuel de la présidence de l'Association internationale pour la liberté de la culture, après qu'il a été nommé à la tête de l'Institut national de l'audiovisuel à Paris.

La démission d'Emmanuel ne peut naturellement qu'accélérer le processus de liquidation. A l'état-major de la Ford, on se rend compte qu'il aurait sans doute mieux valu procéder de manière chirurgicale, en supprimant le tout au départ de Shepard Stone. Mais le vin est tiré et il faut le boire. Les mémos succèdent aux mémos. Un premier souci se dégage : assurer la survie des opérations viables en dehors du canal de l'association. Cela concerne essentiellement en Europe *Survey, Minerva* et la Fondation pour une entraide intellectuelle européenne. Pour le reste, les différents rapports soulignent l'incohérence croissante de la situation : Adam Watson entretient un double secrétariat – à Londres et à Paris. Il voyage beaucoup. Il n'a pas réussi à trouver des contributions européennes, bien que Stone lui ait mis le pied à l'étrier auprès des fondations allemandes. On ne distingue plus très bien la spécificité du *board* de l'association par rapport à celui d'Aspen. Mieux encore : Stone réussit en quelques années à faire d'Aspen-Berlin un véritable centre de rencontres et de débats qui marginalise la précédente structure dont il avait la charge. Les frais généraux de l'association sont ainsi de plus en plus élevés par rapport au volume de ses activités, et ce malgré des coupes claires dans le personnel du Secrétariat international : en 1975, il ne se compose plus que de trois personnes (contre vingt-cinq trois ans auparavant) : Adam Watson, David Goldstein et Annette Laborey, qui a remplacé Roselyne Chenu après que celle-ci eut démissionné de son poste de secrétaire générale de la FEIE.

Ce déclin organisationnel s'inscrit par ailleurs sur fond de changement politique. Sans doute l'AILC a-t-elle remarquablement réussi dans la péninsule Ibérique, mais elle a essuyé des déconvenues particulièrement fortes en Grèce et en France, comme en témoigne l'évolution de deux personnalités présentes au colloque international de Princeton, Andréas Papandréou et Jean-Jacques Servan-Schreiber. Après la chute du régime des colonels, en 1974, Papandréou fonde un nouveau parti socialiste, le PASOK, sur la base d'un refus de l'OTAN et de l'exploitation de l'attitude antiaméricaine latente de la société grecque. La cooptation de Papandréou pour une politique de centre gauche s'avère ainsi totalement contre-productive. Le cas de Servan-Schreiber est quelque peu différent : il illustre surtout le fait qu'un grand patron de presse peut se révéler un piètre politique. Peu de temps après Princeton, les premiers craquements apparaissent dans son équipe, dont une partie le quitte pour fonder un nouvel hebdomadaire concurrent de *L'Express*. Non seulement Servan-Schreiber se révèle inapte à exploiter les grands dossiers de réforme de la société française préparés par son entourage, mais encore il commet des bourdes politiques peu compréhensibles – dont celle, magistrale, de se présenter lors d'une élection partielle contre le Premier ministre réformateur de l'époque, alors qu'il dispose déjà d'une circonscription en Lorraine. A force d'extravagance, il se met ainsi définitivement hors jeu pour les élections présidentielles françaises de 1974. Progressivement marginalisé dans la vie politique, Jean-Jacques Servan-Schreiber est contraint de vendre son journal quelques années plus tard.

La fondation Ford se décide à siffler la fin de la récréation en 1977. L'ultime réunion du *board* se tient à Berlin en octobre, dans les locaux de l'institut Aspen. Paul Doty, dernier président en fonctions, et Adam Watson signent une déclaration conjointe, remerciant la fondation d'avoir permis de financer le Secrétariat international de l'association pendant dix ans à Paris. Ils prennent acte du refus de la Ford de participer plus avant au financement de cet état-major. Ne pouvant plus assurer des fonctions de coordination, l'association déclare se transformer en une « famille » d'opérations indépendantes. Le communiqué se réjouit de ce que la Fondation pour une entraide intellectuelle européenne ait conquis son autonomie (son enregistrement en Suisse est en cours de réalisation) et émet le souhait que les autres activités abritées jusque-là par l'AILC trouvent les fonds pour se développer, notamment les comités espagnol et portugais. Huit mois plus tard, en mai 1978, le Secrétariat international de Paris ferme ses portes, après que David Goldstein a mené à bonne fin le transfert de ses archives à l'université de Chicago. La dissolution de l'association intervient devant notaire à Genève en janvier 1979.

Les nouvelles initiatives du milieu libéral en Europe

La dégénérescence de l'Association internationale pour la liberté de la culture n'entraîne toutefois pas un appauvrissement du milieu libéral, qui continue d'être le lieu de déplacements et d'innovations, avec la réorientation des séminaires, l'émergence de nouvelles revues et la transformation de la Fondation pour une entraide intellectuelle européenne.

En premier lieu, l'incapacité croissante de l'association à jouer un rôle dynamique dans le domaine des séminaires s'accompagne d'une relève assurée par d'autres institutions. Sans doute le rapport d'activité de l'année 1973 contient-il une liste de propositions de colloques à mettre sur pied *(Les Intellectuels et la Détente; Le Problème des émigrés; Socialisme et Liberté; La Frustration culturelle dans une société industrielle; Objectifs culturels et sociaux dans les pays en voie de développement)*, mais il s'agit là d'un catalogue sans lendemain. Les possibilités de développement de l'AILC sont minées par l'incapacité dans laquelle elle s'est trouvée antérieurement de prendre intellectuellement en charge la problématique de la crise de la rationalité, ainsi que par la déstabilisation des sciences sociales à orientation pragmatique issues de la problématique de la fin des idéologies. La coopération qui s'institutionnalise en 1973 avec l'institut Aspen est du reste caractéristique d'un changement d'inflexion. Aspen est beaucoup plus centré sur les humanités que sur les sciences sociales [1] et le rôle croissant joué par son centre de Berlin, tandis que l'association s'étiole à Paris, traduit une réorientation de fond des rapports entre universitaires et hommes d'action. Plus révélateur encore des déplacements intellectuels du début de la décennie est le colloque international organisé en 1972 par la fondation Royaumont en France sur la bio-anthropologie, à la préparation duquel

1. Il n'est pas indifférent que l'un des présidents du *board* de *l'Aspen Institute* ait été Robert Hutchins, recteur de l'université de Chicago, profondément hostile au courant philosophique incarné par John Dewey et relayé par Sidney Hook au sein de l'*American Committee for Cultural Freedom* et du *Congress for Cultural Freedom*. Sur Robert Hutchins, voir Alan Bloom, « Hutchins, Idea of an University », *Times Literary Supplement*, février 1992.

travaillent conjointement John Hunt et Constantin Jelenski. Après la dissolution du congrès, Hunt a été employé au *Salk Institute*, en Californie, avant de revenir en France pour prendre en charge le développement des activités internationales de cette fondation française. C'est là qu'il met sur pied le CEBIAF (Centre international d'études bio-anthropologiques fondamentales), qui sert de support à la manifestation. Il était assez naturel que John Hunt fît appel à Jelenski pour sa préparation et c'est à titre de consultant que « Kot » rédige le mémorandum préparatoire sur *Bio-anthropologie et culture contemporaine*. Du côté français, l'intellectuel pivot de l'opération est Edgar Morin [1]. Hunt connaît l'ancien directeur d'*Arguments* depuis le congrès et il l'a retrouvé au *Salk Institute*, où Morin a passé quelques mois sabbatiques. Associé au Congrès pour la liberté de la culture après la réunion du dixième anniversaire de Berlin, Morin a été le seul Français à participer au colloque sur le futur de la *Partisan Review* à *Rudgers University*, en 1965, avant de collaborer au programme de l'association au Portugal. Des conférences seront organisées dans les différents cercles de la péninsule Ibérique à partir du colloque de Royaumont, prolongeant ainsi les actions antérieures. L'ingénierie sociale et le behaviorisme n'ont jamais été le fort de l'ancien directeur d'*Arguments*, qui a du reste écrit au milieu de la décennie 1960 un article particulièrement caustique sur la rencontre du commissariat général au Plan et de la sociologie en France au lendemain de la guerre d'Algérie. La crise, sinon le marasme, dans lequel s'enfoncent les sciences sociales appliquées offre ainsi à Edgar Morin des ouvertures culturelles nouvelles, dont il va se saisir sans barguigner.

Le colloque de Royaumont était financé par Cyrus Eaton, le mécène du mouvement *Pugwash*. Entre le retour aux humanités appuyé par Aspen et la recherche d'une nouvelle alliance entre biologie et sciences humaines soutenue par *Pugwash*, la fondation Ford n'apparaissait plus capable d'initier un renouveau intellectuel appuyé sur un programme ambitieux de séminaires internationaux. Il est vrai que depuis quinze ans son intervention en Europe avait été des plus massives. Elle avait

1. Edgar Morin et Massimo Piatelli-Palmari, *L'Unité de l'homme*, Éditions du Seuil, 1974. Outre cet ouvrage, qui constitue les actes du colloque, Edgar Morin publie un essai, *Le Paradigme perdu, la nature humaine* (Éditions du Seuil, 1973).

réussi à créer un réseau international d'acteurs intellectuels capables de rompre avec les traditions historiques et philosophiques européennes au profit des *behavioral sciences*, nourrissant une philosophie de l'action pragmatique. Le coup d'arrêt porté à ce mouvement ne résultait toutefois pas seulement du recentrage des interventions de la fondation sur les États-Unis sur l'initiative de McGeorge Bundy, il résultait tout autant, sinon plus, des coups de boutoir internationaux de la nouvelle gauche, qui parvenait à déstabiliser le réseau ainsi construit. Comme l'oiseau de Minerve prend son envol à la chute du jour, l'équipement lourd financé à Paris par la fondation Ford, la Maison des sciences de l'homme, arriva à maturité en 1968, année où la nouvelle faculté des lettres construite à la périphérie de la capitale, à Nanterre, qui se voulait largement ouverte aux disciplines des sciences sociales, était le lieu d'une déflagration qui allait bientôt embraser tout le pays. Aucune institution ne fut épargnée, pas même le Centre de sociologie européenne, marqué par une crise très profonde, d'autant plus profonde que la séduction initiale avait été vive entre Raymond Aron et Pierre Bourdieu, le jeune sociologue auquel Aron avait initialement pensé confier le programme méditerranéen du congrès. Tandis que les étudiants mettaient en scène *Les Héritiers* (le premier ouvrage de Bourdieu, qui devait lui permettre de trouver un public au-delà du cercle de ses pairs), Raymond Aron, de concert avec Edward Shils, prenait une initiative internationale pour protéger la liberté académique contre la marée contestataire. A Nanterre, le milieu *Esprit*, qui avait fortement appuyé l'ouverture aux sciences sociales comme prise de distance par rapport au marxisme, se trouvait lui aussi pris au sein de toutes les contradictions. Le sol ne se dérobait pas seulement sous les pieds de l'association, mais de tous les acteurs qui avaient servi de relais à la modernisation des cadres d'analyse de la société française. Jelenski n'en abandonna pas pour autant le thème de la crise de la rationalité mais, poursuivant un mode d'intervention inauguré avec le colloque de Royaumont, il agit désormais en tant que consultant en marge de l'AILC.

Il convient de s'attarder davantage sur le monde des nouvelles revues qui se développent en Europe avec un angle d'ouverture libéral ou social-démocrate après l'étiolement ou la disparition du réseau soutenu par le congrès. C'est d'abord *Europäische Rundschau*, lancé par Paul Lendvaï, un journaliste hongrois qui a émigré en Autriche en 1962 et qui depuis 1956 collabore sous divers pseudonymes aux revues du congrès. *Europäische Rundschau* est une revue social-démocrate de facture classique dans le domaine germanique. Autre relais : *Racines et Utopies*, lancée au Portugal après le retour à la démocratie, avec la participation d'Helena da Silva. L'enjeu est ici de détourner les milieux intellectuels catholiques de la tentation progressiste après la révolution des Œillets et la dérive d'*O Tempo e o Modo*. Shepard Stone et Aspen-Berlin appuyent financièrement l'initiative. Il est vrai que Stone suivait avec un soin tout particulier l'expérience portugaise, qui demeurait la réussite la plus brillante de son action à la tête de l'association.

Deux initiatives, lancées à Londres et à Paris, *Index on Censorship* et *Contrepoint*, ont cependant une portée plus générale et doivent être présentées plus en détail.

Parallèlement au bulletin *Censure*, édité à Paris [1] au Secrétariat international, le congrès avait appuyé à Londres, au milieu de la décennie 1960, la création d'une revue trimestrielle, *Censorship*, dirigée par Meir Mindlin, un ancien journaliste du *Jerusalem Post* [2]. La revue avait sombré avec la crise du congrès et l'association ne devait pas manquer de regretter sa disparition. Un besoin se faisait indiscutablement sentir, qui fut comblé en 1972 avec la création d'*Index on Censorship*. La nouvelle revue, dirigée par un universitaire-journaliste russisant anglais, Michael Scammel, avait dans son comité de rédaction deux personnalités de premier plan qui avaient été associées antérieurement au congrès, Stephen Spender et Stuart Hampshire [3]. Les promoteurs ne voulaient avoir aucun rapport avec l'association : entre deux candidats en compétition pour le poste de rédacteur en chef, Scammel avait été préféré à Mindlin ; Spender, notamment (qui continuait à poursuivre Lasky de sa vindicte dans ses contacts avec le haut état-major de la fondation Ford), voulait couper les ponts avec les milieux

1. Dirigé par Jean Bloch-Michel, assisté de Micheline Altman et d'Armand Gaspard, le premier numéro de *Censure* sort en juin 1964. Le bulletin disparaît en mai 1967, après avoir publié douze numéros.

2. Le conseil de rédaction de *Censorship* est composé de Daniel Bell, Ignazio Silone, Anthony Hartley, Richard Hoggart et Armand Gaspard.

3. Les autres membres du comité sont Peter Reddaway, Jennifer Couter et Victoria Brittain.

de l'ancien congrès. Plus profondément, les promoteurs d'*Index* souhaitaient conserver à cette initiative une inspiration proprement britannique. A l'origine, il avait été envisagé de faire de la revue en gestation une branche d'*Amnesty International*, autre initiative partie de Grande-Bretagne. *Index* devait trouver son originalité et son autonomie en répondant à l'appel d'un écrivain soviétique, pour devenir très rapidement un des meilleurs carrefours d'information et de débats sur les transformations de l'Europe soviétisée dans la décennie 1970. Shepard Stone ne manqua pas d'approcher sa rédaction pour lui proposer le concours de l'association mais il essuya un refus. Les souvenirs de l'argent apporté par la CIA dans la corbeille du congrès étaient encore trop vifs et il n'était pas question de compromettre l'initiative en donnant la moindre prise au soupçon. *Index* créait ainsi un canal quelque peu concurrent de *Survey*, expression d'une relève de génération, relève observable également au sein de l'émigration polonaise avec l'apparition en 1973, toujours à Londres, d'*Aneks*, une revue dont les relations avec *Index* allaient s'étoffer rapidement.

La seconde initiative, française celle-là, est l'apparition au printemps 1970, à Paris, de *Contrepoint*, qui, en quelques années, réussit à agréger une partie des réseaux de l'ancien congrès et de l'association en marge de l'activité coordinatrice de celle-ci. La formule de *Preuves, cahiers trimestriels* était sortie en janvier 1970. Le premier numéro de *Contrepoint* voit le jour en mai de la même année. Le parallélisme et la quasi-simultanéité de parution sont frappants. Reste à élucider par quels processus cette jeune revue parvient rapidement à occuper la place laissée vacante par la disparition de *Preuves*.

Contrepoint naît dans les milieux de la droite étudiante de l'Institut d'études politiques de Paris en réaction au « terrorisme et à l'anarchie nihiliste du parti intellectuel dominant [1] » qui s'épanouit dans le sillage du mouvement de Mai 68. Trois hommes sont à l'origine de l'initiative : Patrick Devedjian, son directeur, Georges Liébert, son rédacteur en chef, et Pierre-Marie Dioudonnat, qui a fourni les premiers capitaux à

1. *Contrepoint*, n° 1, mai 1970, liminaire.

l'entreprise [1]. Cinq ans après le lancement de *Contrepoint* (la revue a déjà publié vingt numéros), Georges Liébert présente ainsi l'impulsion initiale donnée à la revue :

> A l'origine, autour de quelques libéraux de naissance, espèce fort rare – autant dire Raymond Aron, sans qui cette revue ne serait pas ce qu'elle est –, *Contrepoint* regroupait une forte proportion de rescapés d'engagements cuisants ou de « gros chagrins » idéologiques [2].

Ces rescapés de « gros chagrins idéologiques » désignent deux milieux, deux entourages, qui vont entrer en résonance pour définir l'originalité de la revue : celui de Raymond Aron et celui de Raoul Girardet. Le séminaire qu'organise Aron agrège un premier groupe de rescapés, formé d'anciens intellectuels communistes tels que Kostas Papaioannou, Pierre Kende, Alain Besançon et Annie Kriegel. Le second groupe est celui d'intellectuels de droite rescapés, quant à eux, de l'engagement en faveur de l'Algérie française, dont Raoul Girardet est la figure de proue. Après le séminaire international de Milan, cet historien venu de l'Action française [3], recommandé par Tavernier au Secrétariat international, a été l'un des piliers de *L'Esprit public*, dont l'axe politique était la dénonciation de la politique algérienne de De Gaulle. Aron et Girardet, qui devaient se retrouver comme enseignants à l'Institut d'études politiques de Paris, constituent ainsi les intellectuels de référence de cette revue, qui naît à la périphérie de l'institution à l'aube d'une nouvelle décennie.

Dès son deuxième numéro, *Contrepoint* publie un ensemble consacré à la Russie [4], coordonné par Kostas Papaioannou, philosophe politique et historien de l'art, collaborateur du *Contrat social*, assurant la liaison entre Aron et Souvarine. Placée sous le patronage de Berdiaev et de Souvarine, cette livraison incorpore des textes de Louis de Villefosse, François Fejtö et Branko Lazitch, ainsi que d'un jeune historien assidu du séminaire d'Aron qui entame à l'orée de la nouvelle décennie sa

1. Pierre-Marie Dioudonnat est l'auteur d'un dictionnaire de la fausse noblesse, *Le Dictionnaire des vanités*, dont l'éditeur est Patrick Devedjian. Le succès remporté par cet ouvrage a permis de dégager un profit utilisé comme capital de départ pour le lancement de la revue.

2. Georges Liébert, « Cinq ans de *Contrepoint* », *Contrepoint*, n° 20, 1976.

3. Raoul Girardet a présenté son itinéraire dans un livre d'entretiens avec Pierre Assouline, *Singulièrement libre*, Perrin, 1990.

4. « Où en est la Russie ? », *Contrepoint*, n° 2, octobre 1970.

montée en puissance dans la vie intellectuelle parisienne, Alain Besançon. L'ensemble se termine sur la présentation du programme du mouvement démocratique de l'Union soviétique par Boris Litvinoff. « Où va la Russie ? » reprend un texte de Bertram Wolfe publié dans *Survey*. Dès l'origine se dessine ainsi une articulation de *Contrepoint* avec d'anciens réseaux du CCF qui va bien au-delà du seul entourage parisien de Raymon Aron. Deux ans plus tard, Constantin Jelenski confie à Georges Liébert les communications d'un colloque organisé en novembre 1972 à Paris sur les intellectuels [1], enrichi d'un texte publié dans *Encounter*. Puis c'est, en 1975, une livraison spéciale sur l'Italie à partir d'articles réunis par Fabio Luca Cavazza, d'*Il Mulino*, et Stephen Graubard, l'animateur de *Daedalus*, dans un ouvrage édité en commun sur la péninsule [2].

Les liens entre le milieu intellectuel du congrès et la jeune revue vont être renforcés progressivement de trois manières. C'est en premier lieu la collaboration de Bernard Cazes, membre de l'ultime comité de rédaction de *Preuves*, qui introduit notamment les derniers travaux de Daniel Bell à Paris. Georges Liébert est entré en contact avec Cazes sur les conseils de Philippe Ariès, un ami intime de Girardet, et c'est Bernard Cazes qui a donné à Liébert les recommandations pour le premier voyage que le rédacteur en chef de *Contrepoint* fait aux États-Unis, en 1971. Administrateur civil des Finances, mendésiste, collaborateur de *Critique* et d'*Arguments*, Bernard Cazes a rejoint le commissariat général au Plan en 1960. Grand admirateur de Bertrand de Jouvenel, il a participé au projet Futuribles. Parallèlement à l'annonce de la traduction prochaine de l'ouvrage de Daniel Bell sur la société post-industrielle [3], Bernard Cazes introduit un texte du sociologue

1. *Ibid.*, n° 10, 1973, avec : Bernard Cazes, « Experts ou prophètes ? »; Alfred Grosser, « Une nouvelle trahison des clercs ? »; François Bondy, « De Weimar à Bonn »; Fritz René Allemann, « De la frustration à la sécession ».

2. « Situation de l'Italie », *ibid.*, n° 18, 1975, avec : Dominique Schnapper, Fabio Luca Cavazza, Andrew Shonfield, Suzanne Berger, G. de Rosa, François Bourricaud.

3. Daniel Bell, *The Coming of Post-Industrial Society*, New York, Basic Books, 1973. Le livre sera publié trois ans plus tard en France chez Robert Laffont, sous le titre *Vers la société postindustrielle*, avec une préface de François Bourricaud et une potsface originale de l'auteur.

américain sur les contradictions culturelles du capitalisme [1] auprès du public français. Le second lien est assuré par la collaboration fréquente et remarquée de François Bourricaud, dont un article sur la situation en Amérique latine appelé à avoir un retentissement international [2], qui assure la relève de la garde au conseil d'administration de l'Association internationale pour la liberté de la culture. Toutes choses égales par ailleurs, Bourricaud remplit à peu près la même fonction à *Contrepoint*. En effet, si des textes de la main d'Aron sont publiés dans la nouvelle revue (préface, bonnes feuilles), ce dernier n'écrit pas directement pour elle. Enfin, à partir de 1974, le rédacteur en chef devient capable d'opérer personnellement une articulation internationale qui entraîne un changement de registre. Cette année-là, en effet, Georges Liébert se rend pour la seconde fois aux États-Unis, où il rencontre Kristol, Podhoretz et l'équipe de *Commentary*. Des liens étroits s'établissent dès lors entre la revue parisienne et la revue new-yorkaise. En 1975, *Contrepoint* se dote d'un comité de patronage constitué par Raymond Aron, Daniel Bell, François Fejtö, Bertrand Halpern, Jean Laloy, Indro Montanelli, sir Eric Roll, Edward Shils, Manès Sperber et Georges Vedel. Parallèlement, les collaborations aux revues ayant appartenu à l'ancien réseau *(Commentary, Daedalus, The Public Interest, Encounter, Survey, Il Mulino)* ou au réseau émergent *(Europäische Rundschau, Index on Censorship)* ne cessent de se développer. *Contrepoint* y prend désormais place à part entière.

Reste à cerner, en sens inverse, les éléments de continuité et de discontinuité entre *Preuves* et *Contrepoint* dans le milieu parisien. La différence d'inscription politico-intellectuelle saute aux yeux : l'alliance des traditions libérale et d'Action française n'a rien de commun avec la revue du congrès des origines, vecteur d'un anticommunisme de Troisième Force articulé de manière privilégiée à la vieille SFIO. Toutefois, les continuités et les discontinuités sont à rechercher moins dans les différences de socle politique que dans un ton et un choix de thèmes. La première continuité affirmée dès le printemps 1970 est la volonté de rupture avec l'air du temps. Après Mai 68, Paris est

1. *Contrepoint,* n° 13, 1974. Le texte de Daniel Bell s'insérait dans un ensemble où trouvaient également place des contributions de Leszek Kolakowski et Jacques Ellul.

2. François Bourricaud, « Chili, l'engrenage », *ibid.*, n° 12, 1973.

affecté à nouveau par les fièvres idéologiques. Un nouveau conformisme de gauche s'installe et c'est dans la lutte contre ce conformisme, placée sous le patronage de Tocqueville, que se fédèrent les énergies. La situation a changé mais les exigences demeurent. Trois autres éléments de continuité politico-intellectuelle avec *Preuves* sont encore discernables : l'interrogation sur le devenir du système soviétique, l'importance accordée aux relations internationales et à la politique étrangère de la France (avec l'association des jeunes générations de diplomates du Quai d'Orsay) et l'analyse de l'évolution des sociétés libérales. En revanche, trois discontinuités sont particulièrement remarquables : sur l'Europe, la modernisation française et la culture.

Dès son troisième numéro, *Contrepoint* expose un dossier intitulé « De la nation à l'Europe », où l'on retrouve des signatures connues, qu'il s'agisse de Denis de Rougemont ou d'Emmanuel Berl. Toutefois, la discontinuité l'emporte sur la continuité, comme en témoigne l'article d'ouverture de Raoul Girardet [1]. Si son texte représente un ralliement raisonné à l'Europe, ce ralliement est avant tout le produit de la reconnaissance d'un fait politique nouveau : la disjonction entre la sphère de la sécurité et la sphère de la souveraineté, autrefois confondues. Ce sont prioritairement des motifs de sécurité qui justifient son ralliement. Mais on est très loin de l'enthousiasme européaniste. Girardet multiplie au contraire les signes de scepticisme : de Gaulle vient de quitter la scène et, après douze années de nationalisme officiel, qu'attendent aujourd'hui les Français de leur pays ? Exalté hors d'Europe, pourquoi le nationalisme devrait-il être condamné sur ce continent ? Le Marché commun se développe mais l'Europe ne rencontre pas d'adhésion profonde : peut-on construire une nouvelle légitimité politique sans fondement affectif ? Raoul Girardet renvoie à Renan, pour qui « un *Zollverein* n'est pas une nation », avant de constater que les échanges intellectuels intereuropéens sont fort loin de suivre les échanges économiques et que, à l'inverse, c'est bien davantage la convergence vers les États-Unis qui constitue le nouveau fait de civilisation déterminant.

Le deuxième point de rupture concerne la modernisation

1. Raoul Girardet, « Du fait national aux nécessités européennes », *ibid.*, n° 3, 1971.

française. *Preuves*, on s'en souvient, s'était située en marge du mendésisme. A l'époque, en effet, on pouvait parler de deux modèles concurrents de modernisation de la société française : la planification nationale ou l'ouverture européenne. Pareille opposition n'est plus de mise à l'orée de la décennie 1970. Jean Monnet n'est plus à proprement parler un acteur. Vient pour lui le temps des mémoires [1]. Son entourage est absent de *Contrepoint*. En second lieu, le modèle de modernisation national est entré pour sa part dans une phase de décomposition accélérée. A cet égard, l'article que Paul Vignaux, un mendésiste convaincu, consacre au gauchissement de la CFDT constitue un document remarquable [2]. Présenté modestement comme quelques remarques d'histoire critique sur un milieu atteint par la crise sociale et morale contemporaine, Vignaux donne à *Contrepoint* un des documents les plus pénétrants sur la déstabilisation de la société française. L'inspirateur du groupe *Reconstruction* retrace de manière magistrale les trois sources d'inspiration de la CFTC : la critique du capitalisme faite par le catholicisme social dans un langage de contre-révolution, en réaction à la Commune de Paris ; le militantisme démocratique initié par le Sillon de Marc Sangnier ; l'apport de la Jeunesse ouvrière chrétienne pendant le Front populaire. Une quatrième source d'inspiration déterminante (et dont Paul Vignaux a été un des acteurs principaux) a été le groupe *Reconstruction*, fonctionnant comme le bureau d'études de la minorité de la confédération apparue au premier congrès de la CFTC, organisé au lendemain de la guerre, en 1945. Le congrès confédéral extraordinaire de novembre 1964 abandonnait la référence à la morale sociale chrétienne, entraînant la transformation de la confédération en un syndicalisme démocratique ouvert aux apports des différentes formes d'humanisme. Paul Vignaux s'attache à montrer les ambiguïtés de la nouvelle charte, source d'une « radicalisation confuse », particulièrement chez des « militants de formation généralement confessionnelle, sentimentaux et prêts à dogmatiser ». Dès avant les événements de Mai 68, la formation des cadres syndicaux se détachait de plus en plus des structures traditionnelles, les exposant à l'influence

1. Jean Monnet, *Mémoires*, Fayard, 1976.
2. Paul Vignaux, « La CFDT, du syndicalisme chrétien au gauchissement », *Contrepoint*, n° 9, 1973.

croissante de l'idéologie du PSU. Il note encore l'influence du secteur politique sur l'adoption par la centrale d'une ligne de socialisme autogestionnaire [1]. Les événements de Mai devaient accélérer le gauchissement et la radicalisation, avec l'adoption d'un « marxisme de Quartier latin » (Vignaux reprend ici une formule d'Aron), un entrisme trotskiste forcené à la faveur de l'ouverture à tous les gauchismes du « mouvement de Mai », la dévalorisation du savoir par une fraction influente de la CFDT, analysant l'enseignement comme reproduction, dénonçant l'école capitaliste et caressant l'utopie d'une société sans école [2].

La troisième différence entre *Preuves* et *Contrepoint* se marque précisément dans le domaine de la culture. Déjà, la collaboration à deux reprises de Paul Vignaux (qui n'a jamais écrit dans *Preuves*) à la nouvelle revue a valeur de symbole : le fondateur du SGEN se retrouve sur les mêmes positions que Raymond Aron, dans un commun refus de la célébration aveugle du « mouvement », la dénonciation du « marxisme de Quartier latin », l'opposition à la dévalorisation du savoir et à la théorie corrélative de l'enseignement comme processus de *reproduction*, pour reprendre le titre du nouveau livre de Pierre Bourdieu, publié à l'orée de la décennie 1970. Cette résistance partagée à la nouvelle gauche resserre ainsi les réseaux universitaires aroniens et les réseaux mendésistes, qui ont divergé jusqu'alors. L'université tient en effet dans *Contrepoint* une place infiniment supérieure à celle qui lui était réservée dans *Preuves*. Un pivotement des références intellectuelles apparaît en parallèle : *Preuves* avait partie liée avec la modernité esthétique ; face à un behaviorisme aveugle et à un pseudo-marxisme débridé, *Contrepoint* retourne à une approche classique et littéraire de l'histoire des idées. Taine et Renan, la correspondance entre Maurras et Maritain l'emportent désormais sur Schulz ou Gombrowicz. Le vieux fonds d'Action française, joint au

1. Paul Vignaux visait directement André Jeanson, animateur du secteur politique, président de la confédération, rapporteur du *Document d'orientation* adopté au congrès de 1970 et qui avait ensuite quitté la présidence confédérale pour militer au club politique créé par Robert Buron, *Objectif socialiste*.

2. Vignaux indiquait que, du fait de cette dévalorisation du savoir, la proposition d'entreprendre une analyse objective du « mouvement de Mai » dans l'esprit de *Reconstruction* avait été refusée par le Syndicat général de l'Éducation nationale au sein de la confédération. Un changement de direction intervint du reste au SGEN en 1972.

talent polémique de la jeune droite, impose rapidement le style d'une revue qui tient brillamment son rang à Paris.

La dégénérescence de l'Association internationale pour la liberté de la culture n'entraîne cependant pas celle de la Fondation pour une entraide intellectuelle européenne, qui, à la différence de l'Institut latino-américain de relations internationales, réussit sa reconversion, avec l'appui de la fondation Ford. Cette reconversion, qui s'analyse comme une nouvelle initiative du milieu libéral, s'accompagne d'une modification de son champ d'activité. Pendant les neuf années précédentes, de 1966 à 1975, le fonctionnement de la FEIE a été profondément imbriqué dans celui de l'AILC, tout en agissant dans deux directions, l'Europe de l'Est et la péninsule Ibérique. Le découplage de 1975 va de pair avec l'abandon de la pénisule Ibérique, où le relais est pris par les fondations allemandes, au profit d'un recentrage sur l'Europe de l'Est qui correspond, ni plus ni moins, à un retour aux sources puisque c'est pour l'Europe de l'Est que le Comité des écrivains a été créé vingt ans plus tôt. Le départ de Shepard Stone et l'arrivée d'Adam Watson en 1974 permettent à Constantin Jelenski de mettre en chantier rapidement la restructuration de sa fondation. Il écrit dans un mémorandum en décembre 1974 :

> Shepard Stone, qui présida l'association de 1967 à 1974, était (en accord avec la majorité des membres du comité directeur qu'il avait formé) davantage intéressé par les activités « globales » de l'association que par ses activités européennes. Tout en nous laissant les possibilités matérielles de continuer notre action, il était contraire [*sic*], par principe, à ce que toutes les activités de l'association ne soient pas menées sous son patronage officiel.
>
> Nous avons trouvé, Pierre Emmanuel, Roselyne Chenu et moi, une compréhension toute différente avec Adam Watson, qui estime comme nous que le programme européen est essentiel pour l'association et qui comprend parfaitement que les activités visant l'Europe de l'Est doivent être patronnées par la fondation. Pierre Emmanuel et Adam Watson ont fait approuver ce point de vue par le comité directeur au cours de sa réunion les 26 et 27 octobre derniers.

Dans ce document, rédigé en vue de lancer la réorganisation de la FEIE, Jelenski rappelle que dès 1972, à l'expiration de la dotation de la Ford, il a préconisé la dissolution de l'association au profit d'une fondation renforcée, ouverte à une jeune génération capable d'assurer la relève. Très clairement, l'objectif est dès ce moment-là d'élaborer un canal direct avec la fondation Ford afin de ne pas lier le destin de la FEIE à celui chaque jour plus incertain de l'association. Mais en décembre 1974 la situation s'aggrave brusquement car l'AILC se trouve dans l'incapacité d'assurer plus longtemps le salaire de Roselyne Chenu. La réforme devient urgente. Le conseil qui procède à la réorganisation se tient le 15 mars 1975 dans les locaux du boulevard Haussmann. Il est présidé par Jelenski. Sont présents autour de lui Hans Oprecht, Roselyne Chenu, Pierre Emmanuel et Roger Errera. De plus, « Kot » a reçu les pouvoirs des membres absents, dont celui de Josselson. Au cours des deux heures de réunion, le conseil adopte un ensemble de mesures qui redessinent le visage de l'organisation. Le conseil est remanié. Hans Oprecht, Jean Graven, Michael Josselson, Edward Zellweyer le quittent, le départ d'Oprecht entraînant bien entendu *ipso facto* la fermeture du bureau de Zurich. Les partants sont appelés à former le noyau d'un comité de patronage en vue d'élargir les capacités de la fondation en Europe. En revanche, Adam Watson et Marion Dönhoff font leur entrée au conseil. Celui-ci prend acte de la démission de Roselyne Chenu de son poste de secrétaire générale, poste supprimé dans le schéma de réorganisation. Elle demeure cependant membre du conseil. Sur une proposition de Jelenski, Roger Errera est élu secrétaire du conseil de la fondation. Par suite de la suppression du Secrétariat général, il est décidé de créer un conseil restreint saisi pour les affaires courantes en tant que de besoin. Une nouvelle secrétaire, Annette Laborey, une jeune femme d'origine allemande que Jelenski a recrutée lors du colloque de Royaumont, assiste désormais au conseil avec une voix consultative et se voit confier la signature détenue préalablement par Roselyne Chenu.

Le seul point que le comité ne parvient pas à régler lors de cette réunion est celui du nouveau président : après avoir entériné le vœu de Hans Oprecht d'être déchargé de ses fonctions, le conseil, faute de candidats, émet simplement le souhait que son successeur soit de nationalité suisse. Ce successeur sera trouvé quelques mois plus tard en la personne d'un social-démocrate citoyen de la Confédération helvétique, Kurt Reninger. Constantin Jelenski étant entré à l'INA après que Pierre

Emmanuel en a pris la présidence, la Fondation pour une entraide intellectuelle européenne ne dépend plus dès lors que marginalement de l'Association internationale pour la liberté de la culture. La nouvelle secrétaire, Annette Laborey, prend rapidement la relève de Roselyne Chenu et entame une série de voyages en Europe centrale et orientale tandis que Jelenski poursuit son travail d'organisateur de colloques [1].

Cette restructuration n'alla pas toutefois sans conflits. Lors du conseil de mars 1975, Pierre Emmanuel expliqua que Jacqueline Pillet-Will déclinait l'offre qui lui était faite d'entrer au conseil de la fondation. Mme Pillet-Will, qui avait collecté des ressources françaises pour la FEIE, parallèlement à la création d'une association, Amis sans frontières, agissant en Tchécoslovaquie, ne souhaitait pas s'associer au schéma de réorganisation proposé après la démission de Roselyne Chenu du poste de secrétaire générale. Un *gentleman's agreement* intervint, au terme duquel les fonds collectés furent destinés à la fondation Hautvillers pour le dialogue des cultures, dont Roselyne Chenu prit le secrétariat général. Cette formule n'avait, bien entendu, qu'un rapport très lointain avec le schéma initial de Pierre Emmanuel, qui envisageait de faire de cette fondation le centre français de l'Association internationale pour la liberté de la culture. Au demeurant, Emmanuel, après avoir démissionné du *board* en 1975, démissionna de l'association en 1976. Il fut nommé quelques années plus tard président d'honneur de la FEIE mais ne pesa plus sur son fonctionnement. Parallèlement, la désignation de Roger Errera [2] au poste de secrétaire du conseil n'eut aucun impact réel ; très rapidement, ce fut Annette Laborey qui prit en main l'animation de la fondation, Errera étant pour sa part davantage impliqué dans l'association Amis sans frontières.

1. En 1975 et 1976, la Fondation pour une entraide intellectuelle européenne, outre sa participation au festival de Knokke-le-Zoute, organise à Hambourg une conférence sur l'éducation en Europe et coorganise à Brest une conférence sur l'identité culturelle de l'Europe. En 1976, Jelenski relance un projet intellectuel plus ambitieux, intitulé *Reexamination. A Critical Review of Contemporary Conditions in Science, Philosophy and Culture*, avec Daniel Bell, Leszek Kolakowski et Gerd Brand.

2. Magistrat et écrivain, Roger Errera, auteur des *Libertés à l'abandon*, dirige la collection « Diaspora » aux éditions Calmann-Lévy. Errera est, de plus, un collaborateur d'*Index on Censorship*.

Nouvelle donne des relations Est-Ouest : détente et dissidence

L'Association internationale pour la liberté de la culture ne pouvait pas ne pas être directement affectée par le fait majeur caractérisant les relations Est-Ouest au début de la décennie 1970 : la détente et l'incorporation des relations culturelles au processus de rationalisation des rapports Est-Ouest. Le problème de son positionnement à l'égard de l'Europe de l'Est s'était posé dès la disparition du congrès et, une fois encore, ce fut Constantin Jelenski qui se révéla l'homme clef de la définition d'une stratégie au Secrétariat international. Cette position privilégiée résultait de l'expérience acquise *via* le Comité des écrivains et du retrait de Josselson du nouveau dispositif. Jelenski fut dès lors le seul capable de prendre en charge l'articulation entre les nouvelles instances dirigeantes de l'association et les actions de terrain, comme le prouvent les deux mémos qu'il adressa à Stone et à Bullock au moment où l'AILC fut lancée [1].

Le problème posé et discuté est alors de savoir si la nouvelle association doit nouer des liens officiels avec les régimes de l'Est et si elle doit devenir une structure officielle de dialogue Est-Ouest. Jelenski ne le pense pas et toute son argumentation vise à démontrer que si l'AILC s'engage dans cette voie, elle court droit à l'échec. En effet, c'est bien parce que le congrès a toujours refusé de s'inscrire dans le schéma du « dialogue » (le mot est toujours placé entre guillemets sous sa plume) tel que le comprennent les régimes de l'Est qu'il a pu jouer un rôle positif et original dans les relations intellectuelles entre l'Est et l'Ouest. Le scandale du financement du congrès par la CIA est encore très présent et « Kot » relève d'entrée de jeu que les relations entre le CCF et l'Est européen ont été infiniment plus complexes que ne l'a laissé entendre la presse américaine au moment du scandale. En effet, le congrès a été indirectement, mais étroitement, associé aux tendances révisionnistes de

1. *The AICF and the East-West Dialogue,* 10 p., *The International Association for Cultural Freedom and Eastern Europe,* 4 p. Ces deux textes ne sont pas datés.

l'Europe de l'Est. Il est d'ailleurs possible, souligne-t-il, de relever dans plusieurs endroits, en Pologne et en Hongrie, l'influence que le congrès, au sens d'un milieu intellectuel, a exercée sur le développement des idées :

> Au début des années 1950, les intellectuels de gauche européens avaient tendance à ignorer ou excuser tous les crimes de Staline selon le paradoxe bien connu de la nécessité historique. A l'opposé du spectre politique, les anticommunistes semblaient penser que seule une guerre ou une révolution interne improbable pourrait changer le système de terreur sanglante mis en place par Staline. Les analyses du système soviétique élaborées par les écrivains et les intellectuels associés au congrès et exprimées aussi bien dans les séminaires que dans les revues se sont révélées beaucoup plus en phase avec les événements. Sans rien céder sur l'opposition irréductible aux crimes de Staline et au mal inhérent au système totalitaire, ces analyses étaient fondées sur la conviction que les réalités économiques et sociales avaient leur propre poids et que tôt ou tard le bloc soviétique serait confronté à son adaptation à un stade plus développé d'industrialisation.

Lorsque les premiers signes de désarroi idéologique et de dégel artistique et intellectuel se manifestèrent, le congrès procura une plate-forme d'analyse objective et sympathique, de sorte qu'au moment de la première vague révisionniste les intellectuels polonais et hongrois (jeunes communistes désillusionnés et vieux libéraux ayant survécu au stalinisme) se tournèrent tout naturellement vers lui pour recevoir aide, informations et conseils. Le texte rappelle ensuite quel a été le rôle de *Preuves,* du Comité d'entraide des écrivains, et l'influence d'hommes comme Raymond Aron, Daniel Bell et Edward Shils. Les relations dans des pays comme la Pologne et la Hongrie entre le congrès, les intellectuels et les milieux révisionnistes devaient se resserrer davantage lorsque ces milieux furent victimes de la répression de la part des régimes :

> Ils virent en lui [le congrès] le groupe occidental à qui ils pouvaient s'adresser en toute sécurité et à travers lequel ils pouvaient espérer mobiliser l'opinion. Il vaut la peine de souligner que ces demandes nous parvinrent par l'intermédiaire d'exilés étroitement associés au congrès et qui avaient maintenu des liens personnels et amicaux avec leur pays. Les Hongrois pouvaient ainsi s'adresser au regretté Ladislas Gara ou à Paul Ignotus, les Polonais à Gustaw Herling, à Leo Labedz ou à moi-même. Il est parfaitement connu à l'Est aussi bien dans l'opposition que dans les milieux

> dirigeants que les trois campagnes de solidarité en faveur des Européens de l'Est persécutés ont été menées par des hommes et des groupes associés au congrès.

Les trois campagnes mentionnées sont la campagne pour la libération de Tibor Déry, Gyula Illyés et les autres écrivains hongrois emprisonnés, la campagne de solidarité avec trente-quatre écrivains polonais qui avaient signé le manifeste adressé au Premier ministre Cyrankiewicz, protestant contre les actions de répression annulant les libertés obtenues en octobre 1956 (il s'agissait à la vérité d'une lettre plus que d'un manifeste), et la campagne en faveur des écrivains soviétiques persécutés. Dans ce dernier cas, Jelenski souligne la part importante prise par Pierre Emmanuel et Leopold Labedz : je ne connais personne en Occident, écrit-il, qui ait fait autant que ces deux hommes pour aider Pasternak, Brodsky, Soljenitsyne, Siniavski, Daniel et les autres.

Il convenait de s'appuyer sur cette expérience pour définir l'orientation de l'association. Jelenski soulignait que cette action n'avait jamais été imposée de manière bureaucratique par le Secrétariat international. Pour chaque participant c'était affaire de conscience et de responsabilité personnelle. Le congrès offrait les facilités (secrétariat, téléphone, etc.) mais le fondement de l'action était ailleurs, dans la communauté intellectuelle librement constituée autour de ces objets. Il ne manquait d'ailleurs pas de souligner les conséquences que ce mode de relations avait eues au moment de la crise. Les révélations sur le financement du CCF par la CIA n'avaient pas ébranlé les liens de solidarité et de confiance qui s'étaient tissés sur ces bases en Europe de l'Est : ainsi, Pierre Emmanuel avait reçu une lettre de Jaroslaw Iwaszkiewicz, le président de l'Union des écrivains polonais, le félicitant de la transformation du congrès en association, et lui-même avait été l'objet de nombreux messages de sympathie et de soutien de la part d'Adam Schaff, un intellectuel membre du Comité central du Parti ouvrier polonais.

Par comparaison avec l'explicitation de l'originalité du CCF, les textes de Jelenski donnaient en sens inverse une remarquable analyse critique du « dialogue » tel qu'il était alors conçu par les régimes communistes :

> Nos relations avec l'Europe de l'Est sont conditionnées par deux objectifs différents. Le premier est de défendre la liberté culturelle

et intellectuelle. Le second est de renforcer le dialogue Est-Ouest et la libre circulation des idées. Les deux objectifs sont simultanément complémentaires et contradictoires. Ils sont complémentaires de notre point de vue car nous croyons fermement que la liberté culturelle et intellectuelle dans les pays communistes est un processus dynamique et qu'il est encouragé et raffermi par les échanges culturels Est-Ouest. Ils sont contradictoires du point de vue des régimes communistes, qui n'acceptent le « dialogue » qu'à condition que leurs « partenaires occidentaux » n'interviennent pas en faveur des écrivains, des artistes, des universitaires, dont le droit à la liberté d'expression est entravé dans leurs pays.

Pour lui, le choix débattu entre dialogue et non-dialogue avec l'Europe de l'Est est à la vérité tout à fait imaginaire. La difficulté fondamentale de ce type d'exercice est bien connue. Tandis que dans les sociétés pluralistes occidentales tout individu participant à une réunion internationale est personnellement responsable (sauf s'il représente officiellement son gouvernement ou une autre institution), les régimes communistes tendent à considérer chacun de leurs citoyens, et plus encore les intellectuels, comme leurs ambassadeurs :

Le type de « dialogue Est-Ouest » ne s'applique évidemment qu'à un certain type d'échanges intellectuels. Idéalement, il implique que les intellectuels « de l'Est » représentent des valeurs « de l'Est » (socialisme, collectivisme, égalité, culture pour le peuple, justice sociale, etc.). On a rapidement découvert cependant que ce modèle abstrait ne s'applique pas. Les premiers efforts conscients faits pour instaurer un dialogue Est-Ouest dans la première moitié des années 1950 (tels ceux organisés à Venise par la Société européenne de culture) consistaient essentiellement dans la rencontre d'intellectuels de l'Ouest qui croyaient aux valeurs de l'Est mais se comportaient en intellectuels de l'Ouest et d'intellectuels de l'Est qui ne croyaient à rien et tenaient le rôle d'intellectuels de l'Est.

Jelenski détaillait remarquablement la cascade de contresens commis très fréquemment par les Occidentaux sur les rapports intellectuels Est-Ouest :

– Tendance à considérer que les écrivains et les artistes des pays communistes sont « communistes ». Il est d'ailleurs paradoxal de voir que ce sont les sociétés pluralistes et libérales qui accréditent le mythe d'une société monolithique à l'Est.

– Croyance que la bonne ou la mauvaise volonté des régimes de l'Est à accepter le dialogue ou l'échange avec une organisation particulière est en relation quelconque avec les problèmes du communisme ou de l'anticommunisme : il est parfaitement clair que ces régimes préfèrent le dialogue avec les représentants du capitalisme occidental et de la libre entreprise (car les banquiers et les industriels considèrent que les problèmes idéologiques et culturels relèvent des affaires intérieures de ces États) à celui avec la gauche occidentale non communiste (chez qui ils craignent un intérêt trop prononcé pour les affaires « intérieures », comme l'emprisonnement de Siniavski et de Daniel).

– Croyance que les autorités en charge de la culture dans ces pays ont une quelconque autonomie car, en dernier ressort, ces questions relèvent de la police politique : un écrivain invité à l'Ouest bénéficiant de l'autorisation du ministère de la Culture peut parfaitement se voir refuser son passeport ; réciproquement, un écrivain de l'Ouest invité tout à fait officiellement n'obtiendra pas son visa au dernier moment.

– Dernier contresens : la croyance, fréquente, que dans les pays communistes les notions de droite et de gauche sont claires. La vérité est qu'elles sont aussi opaques que celles de communiste et d'anticommuniste. Pour illustrer son propos, Jelenski s'attarde sur l'exemple de la Pologne (ce qui ne surprendra personne), en partant d'une anecdote : la situation révélée au moment des obsèques de Maria Dabrowska, considérée comme le plus grand écrivain polonais contemporain. Avant la guerre, elle appartenait à l'aile gauche radicale anticléricale de l'intelligentsia. Athée, elle était condamnée par l'Église polonaise. Le régime communiste la respectait et, bien qu'elle eût cessé d'écrire pendant la période stalinienne, ses livres avaient été « annexés » par le régime :

> Après octobre 1956, Maria Dabrowska prit la tête de l'opposition libérale et du groupe des « Trente-Quatre », qui adressa une lettre célèbre de protestation au gouvernement polonais. Lorsqu'elle mourut, voici deux ans, elle demanda des funérailles catholiques à la cathédrale de Varsovie et précisa dans son testament que ce geste se voulait un hommage aux siècles de tradition chrétienne de son pays et à la mémoire de Jean XXIII, « le plus grand homme de notre temps ». Malgré l'intervention du régime, les funérailles eurent bien lieu à la cathédrale, en présence de plusieurs milliers de personnes, le corps de l'écrivain étant porté par quatre hommes : Adam Vazyk, Pawel Hertz, Jan Kott, Julius

Zulawski – tous athées déclarés, tous anciens communistes d'avant guerre (ayant quitté le Parti en 1957) et juifs pour les trois premiers. Comme Jaroslaw Iwaszkiewicz me l'a raconté, Zukrowski, l'écrivain propagandiste du régime (un fasciste avant la guerre), qui se tenait à côté de lui, fit ce commentaire : « Ils nous l'ont volée, ces juifs... »

La Pologne est ce pays où l'athée « rationaliste » Anton Slonimski écrit pour le catholique *Tygodnik Powszechny,* est béni par le cardinal Wyszynski et en est fier ; où Kolakowski, qui, en 1956, était considéré à la « gauche » de Gomulka, est maintenant à sa « droite » ; où le dirigeant fasciste d'avant guerre Piasecki poursuit le même combat idéologique sous un nouvel habillage, où un autre homme d'avant guerre, chrétien-démocrate celui-là, Mijal, diffuse des diatribes maoïstes depuis Tirana, où les juifs staliniens prennent le parti de Nasser, etc.

En se fondant sur le cas de la Pologne et de la Hongrie, Jelenski classait les attitudes des intellectuels de l'Est à l'égard de l'Association internationale pour la liberté de la culture en trois groupes :

1) *L'opposition révisionniste et libérale :* ces intellectuels, écrivait-il, nous considèrent non seulement comme des amis, mais jusqu'à un certain point comme leurs mandataires à l'Ouest. Ils sont extrêmement critiques envers tout contact de notre part avec des gens qui, à leurs yeux, sont « compromis » à travers la « collaboration » avec le régime. Ils nous accusent de nous aligner sur la politique occidentale, représentée par les contacts russo-américains et la politique gaulliste en Europe, et de les laisser tomber pour des raisons opportunistes.

2) *Les officiels réactionnaires de la ligne dure :* c'est dans ce groupe, particulièrement parmi les dirigeants en contact avec la police, que l'association recrute ses ennemis les plus irréductibles. Ils nous perçoivent, selon les schémas inspirés de la période stalinienne, comme une mafia rusée et machiavélique. Ce groupe s'opposera toujours à ce que l'association soit reconnue comme une instance de dialogue.

3) *Le groupe ouvert à un « dialogue » avec l'association :* il est hétérogène. Il comprend d'un côté des dirigeants « libéraux », de l'autre des « réalistes » de l'opposition. Les premiers souhaitent une ligne culturelle ouverte. Les seconds ont tout simplement tiré les leçons des expériences passées et comprennent que l'association invite à ses manifestations des gens ouvertement favorables au régime.

Outre les arguments de fond qui plaidaient en faveur d'un refus de voir l'association s'engager sur la voie du « dialogue », Jelenski avait un argument de fait non dénué de poids : depuis le procès Siniavski-Daniel, toutes les institutions du dialogue Est-Ouest périclitaient. C'était notamment le cas de la plus en vue d'entre elles, la Comes, dont les vice-présidents étaient cependant Sartre et Iwaszkiewicz. Aujourd'hui, écrivait-il, les instances de la Comes ne se réunissent même plus. Il en est de même pour le Pen Club : la condamnation des deux écrivains a bloqué le dossier d'entrée de l'URSS au club. Il est vrai que l'on pourrait, en sens inverse, prendre la conférence *Pugwash* comme l'exemple d'une structure de dialogue réussie. Les échanges qui s'y déroulent ne jouent pas seulement un rôle dans la diminution des tensions internationales mais la conférence peut à l'occasion intervenir avec succès en faveur d'intellectuels persécutés en Russie, comme dans le cas de Medvedev. Toutefois, *Pugwash* représente un cas spécial dans la mesure où l'URSS dépend de ses scientifiques pour son développement technologique et où ceux-ci doivent nouer des contacts avec les scientifiques occidentaux si l'URSS ne veut pas rester indéfiniment à la traîne en matière de recherche et de développement.

Tout au long de ces analyses, on perçoit le souci de Constantin Jelenski : ne pas lâcher la proie pour l'ombre, ne pas sacrifier le capital d'intelligence et de confiance accumulé à travers les échanges non officiels à une illusoire légitimation dans des réseaux officiels desséchés et desséchants. Il suggérait toutefois à Stone et à Bullock quelques pas en direction des structures culturelles officielles : s'ouvrir en direction des universitaires, moins touchés que les écrivains et les artistes par l'action du congrès ; envisager peut-être en URSS un voyage de Stone et de Bullock ; tester, enfin, les possibilités de contact officiel dans les pays où le congrès n'avait aucun réseau de relations non officielles, comme la Bulgarie et la Roumanie.

Pour conclure, Constantin Jelenski donnait sa propre définition de l'Association internationale pour la liberté de la culture, définition qui sonnait comme un hymne à l'Europe élitiste des Lumières :

> Quand je me demande quel est le but de l'association, je suis toujours tenté de répondre « exister ». Ceci n'est en rien une

attitude cynique s'en remettant à l'autoperpétuation des organisations. A l'époque des Lumières, un réseau international de « philosophes » se dégagea parce que les élites étaient peu nombreuses et que les diligences entre Madrid et Saint-Pétersbourg, Londres et Naples permettaient de communiquer sans hâte. Il existe aujourd'hui un réel besoin d'institutionnaliser, sous une forme ou sous une autre, une communauté intellectuelle internationale. L'association en est une expression apparue voici vingt ans dans des conditions très particulières. Dans le cas des échanges Est-Ouest, l'association signifie beaucoup plus que le *board*, le Secrétariat, les revues et les autres affiliés. Elle comprend tous les intellectuels de l'Ouest – et ils sont très nombreux – qui se tournent vers nous chaque fois qu'ils veulent envoyer un livre à l'Est ou aider un collègue de l'un de ces pays à obtenir une bourse à l'Ouest. Elle comprend peut-être d'abord tous ces écrivains, artistes, intellectuels de l'Est qui pensent à nous comme à des amis personnels qui ont la capacité de les aider à lire, voyager, publier à l'étranger et, si besoin, mobiliser l'opinion occidentale en leur faveur.

Ni Bullock ni Stone ne devaient entreprendre le voyage en URSS. En revanche, les premiers pas en direction des structures officielles seront accomplis par Pierre Emmanuel, au titre de la Fondation pour une entraide intellectuelle, en Hongrie et en Roumanie au tournant de la décennie. Toutefois, dès 1972 la situation changea profondément. Cette année-là, deux phénomènes entraient en résonance : le processus initié par le procès Siniavski-Daniel, aboutissant à la création d'un embryon d'opinion publique en URSS, en prise sur l'opinion internationale, et le début des négociations intergouvernementales qui devaient déboucher sur la signature des accords d'Helsinki trois ans plus tard.

En février 1972, Labedz envoie à Stone une très longue lettre valant rapport sur la situation des intellectuels dissidents en Union soviétique [1]. Au cours des dernières semaines, écrit Labedz, il y a eu un blocage *(clampdown)* de leurs activités. Toutes les informations disponibles indiquent qu'une décision a été prise au plus haut niveau pour endiguer le phénomène ou, du moins, intimider suffisamment les gens pour enrayer son développement. Un premier signe a été donné par la sentence

1. Lettre de Leopold Labedz à Shepard Stone, 7 février 1972, 6 p. La dernière page du document contient un certain nombre de réactions aux mémorandums établis par Jelenski et Shils sur le rôle des intellectuels modernes, que nous n'analyserons pas ici.

« sauvage » de douze années prononcée à l'encontre de Boukovski, très rapidement suivie par une vague de perquisitions et d'arrestations, dont la perquisition de l'appartement de Yakir à Moscou et de celui de Nekrassov à Kiev. Or, jusqu'à présent, Yakir a été protégé par le nom de son père et Nekrassov par son statut de grand écrivain. Aujourd'hui, le KGB franchit donc la ligne invisible qu'il a toujours scrupuleusement respectée jusque-là. Des gens moins connus ont été arrêtés, parmi eux dix-neuf intellectuels ukrainiens actifs dans le samizdat d'Ukraine, comme Dziouba, Svetlichni, Tchornovil. Apparemment, il y a encore eu d'autres arrestations à Moscou mais il faudra un peu de temps pour avoir une vision complète de cette campagne d'intimidation. Autre signe : le traitement réservé à trois sénateurs américains, dont l'un a rendu visite à un scientifique juif à qui on avait refusé son visa pour Israël. Il fut retenu par la police avant d'être expulsé sans ménagements du pays. Le KGB ne se serait jamais permis de traiter de la sorte une personnalité politique américaine sans un signal venu d'en haut. Les attaques qui, au même moment, ont repris contre Soljenitsyne dans la presse sont un autre indicateur de cette nouvelle ligne dure. Enfin, la tentative de supprimer la *Chronique des événements courants* est un dernier signe de la volonté des autorités soviétiques d'en finir une bonne fois pour toutes avec la dissidence.

La question qui se pose est celle de savoir si les choses sont destinées à aller plus loin (le seuil serait alors un procès contre Soljenitsyne) ou si au contraire ces mesures vont s'arrêter après avoir isolé la dissidence. Labedz penche pour la seconde hypothèse. Aller trop loin ne peut être que contre-productif car la dissidence intellectuelle qui apparaît avec le procès Siniavski-Daniel ne fait que se renforcer avec la répression. De plus, le recours aux méthodes staliniennes est exclu car les dirigeants craignent par-dessus tout de voir s'enclencher à nouveau un cycle de terreur qui ensevelirait les apprentis sorciers qui auraient mis en branle le processus.

Quoi qu'il en soit, le régime Brejnev se durcit peu à peu dans le domaine de la politique culturelle intérieure, avec pour objectif de harasser suffisamment le petit groupe des dissidents qui a émergé pour le décourager. Il faut donc s'efforcer de rendre plus coûteuse son action en terme de propagande négative, en sensibilisant l'opinion publique occidentale aux tourments des dissidents, au danger qui les menace, et en suscitant le maximum de solidarité chez les intellectuels de l'Ouest. On peut s'appuyer ici sur l'expérience acquise lors du procès Siniavski-Daniel. Du reste, la situation se présente sous un jour plus favorable qu'au moment du procès car une première sensibilisation existe, rendant le terrain plus favorable. Quant aux mesures concrètes, « Leo » en suggérait trois à « Shep » : créer un comité international d'écrivains et d'intellectuels, indépendant et pluraliste, faisant converger plusieurs organisations (Association internationale pour la liberté de la culture, Pen Club, *Writers and Scholars*, etc.) ; organiser une exposition itinérante sur les activités de la dissidence, avec samizdats, manuscrits et exposition d'œuvres d'artistes emprisonnés ; enfin, élaborer un texte de base qui encadre toutes ces actions, en insistant sur l'émergence d'une opinion publique depuis le procès Siniavski-Daniel, si ce n'est depuis la mort de Staline. Il vaut la peine de noter que Labedz suggère de faire partir toutes ces actions de Londres, l'exposition notamment, car Londres est une ville où une telle initiative ne risque pas de provoquer des réactions hostiles comme à Paris. De plus, il se dessine en Grande-Bretagne un courant en faveur de l'Europe [1], sur lequel il est possible de s'appuyer, en insistant sur l'unité culturelle du continent et la nécessaire solidarité des intellectuels européens, y compris ceux des régimes autoritaires d'Europe centrale et orientale et d'Europe du Sud.

Si l'année 1972 marque une inflexion dans le durcissement de la politique culturelle interne de l'Union soviétique, elle constitue parallèlement le point de départ d'une ouverture externe contrôlée, avec le lancement du processus de conférence paneuropéenne souhaitée par les Soviétiques, qui débute précisément en novembre de cette année-là par une réunion intergouvernementale à Helsinki, dans l'édifice de l'École polytechnique de Dipoli [2]. Cette première phase des négociations est suivie d'une seconde, à Genève, qui débute en juillet 1973. C'est au cours des vingt-deux mois de négociations diplomatiques à Genève que le processus d'Helsinki va se structurer

1. 1972 voit en effet l'adhésion de la Grande-Bretagne au traité de Rome, à l'instigation du Premier ministre conservateur de l'époque, Edward Heath.

2. Victor-Yves Ghebali, *La Diplomatie de la détente : la CSCE, 1973-1984*, Bruxelles, Bruylant, 1989.

autour de trois commissions, baptisées « corbeilles », portant sur la coopération en matière de sécurité, de science et d'économie, d'échanges d'hommes, d'informations et de culture. L'incorporation des questions de culture à la recherche d'une organisation régionale à l'échelle européenne hors de l'UNESCO est assurément une innovation diplomatique, innovation qui voit s'affronter deux conceptions antagonistes des échanges culturels, les Occidentaux mettant en avant la libre circulation de l'information, des personnes et des idées et l'URSS l'envisageant comme un accroissement des échanges culturels régulés par des conventions d'État à État. Ces divergences remontent aux rencontres de Genève de 1955, lorsqu'on parla pour la première fois de substituer la détente à la guerre froide. L'Ouest fut alors conduit à formuler ses exigences face aux États communistes : suppression de la censure, arrêt du brouillage des radios et levée des restrictions d'accès aux sources d'information pour les journalistes.

Toutefois, en 1973, c'est dans un nouveau domaine, l'édition, qu'éclate la contradiction entre le durcissement de la politique culturelle intérieure du régime brejnévien et son ouverture internationale contrôlée. En effet, la création d'une opinion publique embryonnaire en URSS s'accompagne de et s'appuie sur une innovation éditoriale, le samizdat [1], c'est-à-dire l'émergence d'un secteur d'édition libre, sans recours aux infrastructures publiques de l'édition gérées par les autorités culturelles officielles. Cette édition libre refuse ainsi de se soumettre au régime de la censure et de l'autorisation préalable. Notons au passage, ironie ou clin d'œil de l'histoire, que si 1966 constitue le point de départ d'une édition indépendante en URSS, c'est aussi l'année où le Vatican abolit l'Index (celui des lectures interdites aux fidèles catholiques). Or c'est précisément au moment (1973) où le phénomène du samizdat s'institutionnalise que l'Union soviétique signe la convention universelle sur les droits d'auteur. A première vue, cette signature s'inscrit dans un processus de normalisation, d'alignement sur la loi commune, alors que l'URSS cherche à promouvoir une organisation culturelle régionale policée en Europe. Mais son implication intérieure est

1. Gordon Skilling, *Samizdat and an Independant Society in Central and Eastern Europe*, Londres, McMillan, 1990.

redoutable puisque, en signant cette convention, l'État, propriétaire totalitaire, peut pénaliser toute infraction à la législation en s'appuyant sur une légitimité internationale. Tout auteur en infraction sur la propriété d'État est désormais sanctionnable et passible de peines d'emprisonnement ou de confiscation de ses biens.

Aussi, dans une lettre à l'UNESCO valant adresse à l'opinion internationale, Andreï Sakharov, en compagnie de quatre autres écrivains et savants soviétiques, tire le signal d'alarme :

> Les États peuvent et doivent protéger les droits d'auteur des citoyens et non se les approprier. La censure idéologique et artistique a toujours été très rigoureuse dans notre pays. Ces dernières années, elle devient de plus en plus cruelle et arbitraire. Si cette censure avait, au cours des dernières années écoulées, déjà bénéficié d'un moyen d'action international, la culture russe et mondiale aurait été privée de nombreuses œuvres remarquables d'Anna Akhmatova, Pasternak, Soljenitsyne, Tvardovski, Beck et d'autres littérateurs, compositeurs, peintres, historiens, publicistes. On ne saurait admettre que cette censure obtienne maintenant la possibilité d'agir à l'échelle internationale.

L'association ne reste naturellement pas inerte. Dès le début de 1973, le *board*, réuni à Bad Godesberg, demande qu'un groupe de travail soit constitué sur les problèmes culturels. Des échanges vont avoir lieu au Secrétariat international, réunissant Jelenski, qui se tient étroitement en relation avec Kolakowski, alors enseignant à *All Soul College* à Oxford, Leopold Labedz, Pierre Emmanuel, Pavel Tigrid, le rédacteur en chef de *Svedectvi*, revue tchèque en exil, John Gross pour le Pen Club, Bernard Lewis et Donald MacRae. De cette réunion sort un texte-cadre, selon le vœu émis un an plus tôt par Labedz, publié en octobre simultanément à Londres et à Paris, dans le *Times* et *Le Monde*. Ce texte [1] prend position sur la troisième corbeille des négociations en cours à la Conférence sur la sécurité et la coopération en

1. Signé par Raymond Aron, Pierre Clarac, Denis de Rougemont, Constantin Doxiadis, Pierre Emmanuel, Georges Friedmann, Louis-Gabriel Robinet, Günter Grass, John Gross, Eugène Ionesco, Leszek Kolakowski, Leopold Labedz, Siegfried Lenz, Bernard Lewis, André Lwoff, Donald MacRae, Golo Mann, Gabriel Marcel (†), Edgar Morin, Ignazio Silone, Germaine Tillion.

Europe. Il rappelle tout d'abord qu'un certain nombre de principes vitaux sont en jeu dans cette négociation : liberté de pensée et d'expression, contacts non entravés entre universitaires, savants, artistes et écrivains, libre circulation du savoir, des idées et de la recherche. Sans une reconnaissance effective de ces principes, des accords gouvernementaux sur les échanges scientifiques et culturels ne pourraient qu'être néfastes. Or, en ce domaine, la politique passée et présente des gouvernements soviétiques et de l'Est européen est loin d'être encourageante : ils ont utilisé toutes les occasions qui leur étaient offertes pour obtenir des informations favorables et promouvoir leur propre doctrine, en même temps qu'ils refusaient toute réciprocité, tant pour l'accès à l'information que pour les échanges.

Le texte se prononce pour une accélération de la détente politique, mais constate que jusqu'à présent tous les efforts accomplis dans cette direction se sont accompagnés d'une aggravation de la situation culturelle, tant à l'intérieur des pays d'Europe de l'Est que dans les relations Est-Ouest. Il retient plus particulièrement les deux points conflictuels du moment : la ratification par l'URSS de la convention internationale sur le copyright et la situation faite aux dissidents. Sur le premier point, la déclaration reprend l'argumentation de Sakharov dans sa lettre à l'UNESCO. Sur le second, il relève, fait plus inquiétant, qu'en même temps que l'on proclame une volonté de détente des mesures de répression sont prises contre des individus qui jusque-là ont été relativement protégés : lancement d'une campagne de presse vicieuse contre Soljenitsyne et Sakharov ; procès de Yakir et de Krassine à huis clos, rappelant les procès de Moscou des années 1930 ; utilisation croissante des hôpitaux psychiatriques pour mater les intellectuels non conformes. Enfin, le texte ne manque pas de noter que, en même temps que s'ouvrent ces discussions, d'innombrables déclarations apparaissent dans la presse est-européenne sur la nécessité d'écarter la « subversion idéologique » et insistent sur le fait que les relations culturelles ne sauraient entraîner une « violation de la souveraineté de chaque pays » : en clair, aucun relâchement de la censure n'est à attendre, permettant une plus grande liberté de circulation des idées, des informations et des hommes. Ainsi la coopération intellectuelle ne sera faite que des slogans sans le minimum de conditions de liberté pour la culture observées par tous les pays [1].

La deuxième initiative, qui prend place un an plus tard, les 7 et 8 octobre 1974, à Paris, après qu'Adam Watson a pris ses fonctions de directeur de l'association, est un colloque de soutien aux dissidences soviétique et tchécoslovaque, articulé autour de la rencontre entre les représentants des émigrations de ces deux pays et des intellectuels et des journalistes anglais et français. Conformément aux indications esquissées par Labedz dans sa lettre à Stone, le point d'ancrage de cette réunion tenue à huis clos est anglais. Les participants ont été invités au nom d'un comité d'organisation, *Help and Action*, composé de Pierre Emmanuel, Felicity Osborne, Michael Scammel et Peter Reddaway, dont le secrétariat est basé à Londres. Les 70 participants à cette réunion se ventilent ainsi : 29 Français, 14 Anglais, 11 Tchécoslovaques, 9 Soviétiques et 7 divers. Pierre Emmanuel, Constantin Jelenski et Roselyne Chenu sont là, naturellement. Quatre directeurs ou rédacteurs en chef de revue se trouvent réunis : Georges Liébert *(Contrepoint)*, Jean-Marie Domenach *(Esprit)*, Michael Scammel *(Index on Censorship)* et Leopold Labedz *(Survey)*. Des organisations culturelles et de défense des droits de l'homme [2], des journalistes anglais, français et norvégiens ont fait le déplacement à Paris.

Il faut toutefois s'arrêter plus en détail sur le profil des intellectuels anglais, français, soviétiques et tchèques associés à cette rencontre initiée par le comité d'origine anglaise. Du côté britannique, la participation est sans surprise puisque l'on retrouve nos deux revues de connaissance, associées à une forte présence de la *London School of Economics* et de la BBC. Si l'on excepte les membres de l'association, huit Français sont associés à la rencontre : Georges Liébert, Jean-Marie Domenach,

1. La réflexion sur l'échange culturel se prolongera dans les milieux du congrès, notamment par un entretien de François Bondy dans *Survey* et un article de Peter Wiles, « The Principle of Cultural Exchanges », *Millenium*, t. IV, n° 2, automne 1975.

2. Comité international pour la défense des droits de l'homme en URSS (René Cassin); Ligue des droits de l'homme (Daniel Mayer); *Amnesty International* (Anne-Lise Piccard, George Steiner); Ligue contre le racisme et l'antisémitisme (Maurice Weinberg).

François Fejtö, Pierre Daix, Pierre Hassner, Branko Lazitch, Hélène Zamoyska et Laurent Schwartz. Chacune de ces personnalités représente un milieu particulier, en même temps que leur présence à une même manifestation est révélatrice des restructurations en train de s'opérer à Paris.

Dans la mesure où *Contrepoint* fait converger les réseaux du *Contrat Social* et du séminaire de Raymond Aron, la participation de son rédacteur en chef va de soi. La présence de Pierre Hassner se situe dans la logique de la relève de la garde après le retrait d'Aron et n'appelle pas de commentaire particulier. Celle de Jean-Marie Domenach n'est pas davantage surprenante. Dès 1960, *Esprit* a joué l'ouverture de centre gauche, appuyée par la diplomatie américaine en Europe, et établi des liens avec le révisionnisme centre-européen. Après la répression de la révolte hongroise, la revue a noué des rapports avec des émigrés, qui ont débouché sur la réalisation d'un numéro spécial, *L'Autre Europe* [1]. C'est du reste à partir de ce numéro que des contacts, puis des relations suivies vont s'établir entre *Esprit* et Pierre Hassner, où celui-ci va acquérir une influence croissante au fil des années. Cependant, c'est le procès Siniavski-Daniel qui a marqué la fin du contentieux entre *Preuves* et *Esprit*. Pour la première fois, *Kultura, Preuves* et *Esprit* se sont retrouvés en profondeur sur la même longueur d'onde. L'artisan de ce tournant, Hélène Zamoyska (condisciple d'Andreï Siniavski sur les bancs de l'université et qui a joué un rôle important au moment du procès), est du reste associé à cette réunion du comité *Help and Action* à l'automne 1974 à Paris. Resituée dans le cadre des relations culturelles intereuropéennes, la position d'*Esprit* a été dès l'origine antagoniste de celle du congrès. La revue personnaliste était en effet associée à la Société européenne de culture, instance de « dialogue » Est-Ouest par excellence. L'homme qui incarnait de manière privilégiée cette orientation était Jean Lacroix, auteur dans la décennie 1950 d'un livre caractéristique de l'époque sur les rapports entre marxisme, existentialisme et personnalisme [2]. La conception du dialogue incarnée par Lacroix était double puisqu'elle enchâssait le dialogue Est-Ouest dans le cadre d'un

1. *L'Autre Europe, Esprit,* numéro spécial, février 1968.
2. Jean Lacroix, *Marxisme, existentialisme, personnalisme,* Presses universitaires de France, 1955.

dialogue chrétiens-marxistes [1]. Si le révisionnisme a rendu possible ce type de débats, l'invasion de la Tchécoslovaquie par les troupes du pacte de Varsovie, qui mettait fin au révisionnisme centre-européen, sonnait les glas des efforts « dialoguistes » ainsi entendus.

Si Branko Lazitch et François Fejtö n'ont plus à être présentés, il faut s'arrêter en revanche sur la signification de la présence de Laurent Schwartz et de Pierre Daix à cette réunion. Mathématicien de réputation internationale et sympathisant trotskiste, Schwartz est représentatif d'une évolution des milieux scientifiques que Jelenski a notée dans son rapport à Shepard Stone et Alan Bullock et dont la trajectoire d'Andreï Sakharov est emblématique. Le physicien soviétique a cru à la coexistence pacifique entre les blocs, autorisant, dans une perspective humaniste, une approche en commun des défis auxquels était confrontée l'humanité. Ce document, qui constitue certainement le point culminant d'un esprit de détente sans arrière-pensée, en est aussi le chant du cygne. La participation de Laurent Schwartz à la réunion convoquée par le comité *Help and Action* marque une étape dans un engagement concrétisé bientôt par la constitution d'une structure autonome, un comité des mathématiciens, qui va jouer un rôle essentiel à Paris les années suivantes. Quant à Pierre Daix, il est l'homme qui en 1949 avait affronté David Rousset au nom du Parti communiste français devant les tribunaux. Il a rompu l'année précédente avec le Parti communiste sur le traitement réservé à Soljenitsyne en URSS, quelques mois avant que celui-ci n'autorise la publication de *L'Archipel du Goulag* à Paris [2]. L'ancien rédacteur en chef des *Lettres françaises* avait été imposé par Louis Aragon en 1962 comme préfacier au premier ouvrage de l'écrivain traduit en français, *Une journée d'Ivan Denissovitch*. Le geste d'Aragon s'inscrivait dans la volonté de conserver le monopole et le contrôle du canal d'échanges entre écrivains français et écrivains soviétiques. Le roman de Soljenitsyne venait en effet à l'appui du dégel dans les lettres soviétiques et de l'offensive culturelle du Parti communiste

1. Du côté du Parti communiste, l'homme du double dialogue (Est-Ouest et chrétiens-marxistes) était Roger Garaudy, qui, réponse du berger à la bergère, publia quelques années après Lacroix un livre intitulé *Perspectives de l'homme. Existentialisme, pensée catholique, marxisme*, Presses universitaires de France, 1961.

2. Pierre Daix, *Ce que je sais de Soljenitsyne*, Éditions du Seuil, 1973.

français [1]. Fonctionnaire culturel du Parti, idéologue brutal entièrement dévoué à Louis Aragon et à Elsa Triolet, Pierre Daix a trébuché par deux fois sur sa route de Damas avant que la lumière ne l'éblouisse et ne le déloge de sa position : une première fois lorsque l'URSS a interrompu le printemps de Prague, qu'il avait accueilli avec enthousiasme; une seconde fois avec le traitement réservé par le pouvoir soviétique à Soljenitsyne. Sa participation à cette rencontre d'octobre 1974 est son premier contact avec les milieux de l'Association internationale pour la liberté de la culture. Elle se prolongera les années suivantes par un contact étroit avec Pierre Emmanuel au service de la dissidence tchécoslovaque.

Quant aux émigrations tchécoslovaque et soviétique, leurs profils diffèrent profondément. Les Soviétiques présents – Siniavski, Nekrassov, Maximov, Krasnov-Levitine, Fainberg – sont en majorité de grands écrivains, récemment contraints à l'exil. Soljenitsyne n'est pas présent, mais a envoyé un message. Certains de ces écrivains vont s'établir en France, comme Siniavski, qui va y faire paraître une revue russe. Quant à Maximov, il tentera de créer une grande revue internationale avec la prestigieuse maison Gallimard. Lorsque ces hommes se retrouvent à l'automne 1974 à Paris, *L'Archipel du Goulag*, publié en russe au mois de décembre de l'année précédente, est accessible au lecteur français depuis le printemps.

L'émigration tchécoslovaque fait converger à Paris deux directeurs de revue, Pavel Tigrid *(Svedectvi)* et Jiri Pelikan *(Listy)*, un écrivain, Ota Philip, un universitaire, Vladimir Kusin, ainsi que Bohomir Bonza, du centre de documentation démocrate-chrétien de Rome. Moins littéraire, le groupe tchécoslovaque offre en revanche une palette plus ouverte, marquée par la rencontre de deux émigrations, celle de 1948 et celle de 1968, qu'expriment les revues *Svedectvi* et *Listy*. *Svedectvi* a été lancé aux États-Unis après 1956 par des sociaux-démocrates et des démocrates-chrétiens. Son rédacteur en chef, Pavel Tigrid, a travaillé dans une maison d'édition à New York. C'est d'ailleurs parce que sa maison d'édition l'a envoyé en Europe que la revue s'est installée en France dans la

1. Caractéristique de l'époque est la réalisation à Paris d'une histoire croisée des États-Unis et de l'Union soviétique, André Maurois se chargeant des États-Unis, Louis Aragon de l'Union soviétique. On notera que pour réunir la documentation nécessaire Aragon utilise les services d'un homme de théâtre, Antoine Vitez.

décennie 1960. Tigrid va immédiatement collaborer à *Preuves*, où il succédera ainsi à Barton pour couvrir le domaine tchécoslovaque. Pelikan a été pour sa part un dirigeant du mouvement de jeunesse communiste, puis est passé de l'Union internationale des étudiants à la direction de la télévision tchécoslovaque, poste qu'il occupait au moment du printemps de Prague. Il s'est installé en Italie car le Parti communiste italien se montrait alors infiniment plus réceptif au révisionnisme tchécoslovaque que son homologue français, qui appuyait quant à lui la normalisation, c'est-à-dire la répression, dans ce pays. On ne s'étonnera pas outre mesure que la traduction française de *Listy*, la revue qu'il anime, soit initialement prise en charge par un réseau trotskiste. En rapprochant le profil de cette participation tchécoslovaque des analyses antérieures de Jelenski sur l'Europe centrale, on voit que la Tchécoslovaquie est restée plus marginale dans l'action du CCF que deux autres pays d'Europe centrale, la Pologne et la Hongrie. En revanche, son émigration a été beaucoup plus influencée par la démocratie chrétienne, dont le système d'action ne passait pas par le Congrès pour la liberté de la culture [1].

Au terme de ces deux jours de débat à huis clos, *Le Monde* [2] répercutait pour l'opinion française les résultats des travaux : un comité de liaison était créé pour mettre en œuvre les moyens les plus efficaces d'aider, d'informer et de défendre les personnes persécutées en URSS et en Tchécoslovaquie. Ce comité était composé de Jean-Marie Domenach, Laurent Schwartz, Pavel Litvinov, Victor Nekrassov, Vladimir Maximov, Frantisek Janouch, Ludek Pachman, Michael Scammel et Peter Reddaway. Il décidait d'observer une grande discrétion sur ses projets mais lançait déjà un premier appel en faveur de trois prisonniers politiques en danger de mort imminente en URSS : Valentin Moroz, Leonid Pliouchtch et Vladimir Boukovski. Il faisait ensuite état d'un message de Soljenitsyne transmis au comité par sa femme Natalia, qui lui avait remis par ailleurs

1. Si le Congrès pour la liberté de la culture est fortement articulé sur les partis sociaux-démocrates, les partis chrétiens-démocrates de l'exil se retrouvent au sein de l'Assemblée des nations captives d'Europe, suscitée par le *National Committee for o Free Europe*. J.F. Dulles recevra officiellement les dirigeants de l'Assemblée des nations captives pendant la présidence d'Eisenhower. Toutefois, les États-Unis se refuseront à aller jusqu'à la reconnaissance de gouvernements en exil au début de l guerre froide.

2. *Le Monde*, 10 octobre 1974.

une liste de 250 personnes détenues dans des prisons, des camps et des hôpitaux psychiatriques. Le comité faisait état de sa détermination à poursuivre ce recensement. Une des matérialisations de cette orientation d'action devait être un petit bulletin, dont la femme de Pavel Tigrid, Ivana Tigrid, allait prendre la responsabilité en région parisienne.

Contrepoint et la bataille Soljenitsyne à Paris

Si les diplomates négociateurs de la troisième corbeille de la CSCE avaient abordé les problèmes de la libre circulation des hommes et des idées à partir du contentieux hérité des premières négociations Est-Ouest à Genève en 1955, un élément grippa bientôt la machine : le développement d'une édition libre échappant à la censure. C'est du reste la transmission d'un manuscrit dans la capitale française l'année même où l'Union soviétique ratifiait la convention internationale sur le copyright pour tenter de contrôler le flux de l'édition qui devait faire exploser le cadre de cette négociation. Ce manuscrit était *L'Archipel du Goulag* d'Alexandre Soljenitsyne.

Le premier livre de Soljenitsyne à avoir rallié la capitale française, en 1962, *Une journée d'Ivan Denissovitch*, avait parfaitement été contrôlé par Aragon, qui avait imposé Pierre Daix comme préfacier au récit de l'écrivain soviétique. Édité avec l'appui de Khrouchtchev, *Une journée d'Ivan Denissovitch* témoignait en faveur de l'évolution du mouvement communiste international après le XXe Congrès du Parti communiste d'Union soviétique. Mais choisir comme préfacier l'homme qui à l'automne 1949 s'était dressé contre David Rousset relevait de la provocation, provocation au demeurant parfaitement calculée de la part du grand ambassadeur des lettres françaises. Un tel geste ne pouvait pas ne pas entraîner une vive protestation de la part de Rousset et des milieux qui l'avaient soutenu. Elle prit la forme d'une lettre adressée à l'écrivain par le canal de *Novy Mir,* pour attirer son attention sur son étrange préfacier [1], tandis que Rousset lui-même s'exprimait parallèlement sur le livre dans *Le Figaro littéraire* [2].

Ce fut une fois de plus en s'appuyant de manière privilégiée sur le canal polonais que *Preuves* accueillit cet écrivain que le monde découvrait. La revue reprenait un article de Gustaw Herling, un membre du cercle *Kultura*, préalablement paru en Italie dans *Tempo presente* [3]. Herling était l'auteur d'*Un monde à part*, ouvrage remarquable (non traduit en français à l'époque et qui ne devait l'être que plus de vingt ans plus tard) sur sa propre expérience du monde concentrationnaire soviétique pendant la Seconde Guerre mondiale. Dans cet article plein d'humanité et de finesse, il rappelait l'apostrophe de Sartre à Camus : « Moi aussi, je considère que les camps soviétiques sont inadmissibles; mais pour moi est également inadmissible l'usage qu'en fait chaque jour la bourgeoisie. » Ivan Denissovitch, écrivait-il, avait dû prendre son mal en patience jusqu'à ce que son destin soit soumis à un tribunal d'hommes « purs », présidé par Khrouchtchev lui-même, et que la presse « idoine » en parle de manière « idoine ». *Preuves* devait évoquer une seconde fois Soljenitsyne et à nouveau sous une plume polonaise lors de l'envoi de sa lettre à l'Association des écrivains soviétiques dénonçant la censure [4], pour noter qu'il était devenu partout à l'Est le symbole d'une certaine attitude, revendiquant à la fois la liberté artistique et une déstalinisation conséquente. L'article en brossait un portrait plein de sympathie, en utilisant comme source l'entretien récemment réalisé à Riazan par un écrivain slovaque et dont la traduction polonaise venait de paraître à Cracovie.

Si le Congrès pour la liberté de la culture s'était fortement engagé en faveur de Siniavski et de Daniel au moment de leur procès, il n'avait jamais entrepris d'action spécifique en faveur de Soljenitsyne, qui, au demeurant, ne demandait rien à personne. Dans sa longue lettre à Stone, Labedz indiquait

1. Lettre signée par Théo Bernard, Michel Collinet, Julian Gorkin, Maurice Nadeau, Pierre Naville, Gérard Rosenthal, Alfred Rosmer, David Rousset et Manès Sperber.

2. *Le Figaro littéraire*, 5 janvier 1963.

3. Gustaw Herling, « De Tchekhov à Soljenitsyne », *Preuves*, n° 148, juin 1963. Cet article devait en outre être reproduit en anglais dans l'organe de liaison du congrès, *Dialogue*, hiver 1962-printemps 1963.

4. Wanda Bronska-Pampuch et Constantin Jelenski, « Trois congrès d'écrivains : Moscou-Varsovie-Prague », *Preuves*, n° 198-199, août-septembre 1967.

seulement qu'un procès fait à Soljenitsyne serait le véritable test de la nouvelle politique répressive soviétique mais que l'organisation d'un tel procès était peu probable, le régime brejnévien redoutant plus que tout l'enclenchement d'un nouveau cycle de terreur. C'était, ma foi, fort bien vu. En effet, ce ne fut pas le procès que choisit le KGB pour museler l'écrivain mais le bannissement. Ce mot archaïque, tombé en désuétude en même temps que le geste, conférait soudain à l'auteur une stature antique, rehaussant le caractère formidable de son œuvre.

Les événements se bousculent alors : saisie du manuscrit par le KGB (septembre 1973), impression en russe à Paris (décembre 1973), campagne de dénigrement anticipée du PCF (janvier 1974), bannissement de l'écrivain (février 1974), traduction française du premier volume (printemps 1974), parution des tomes suivants (1974 et 1975), présence de Soljenitsyne à la télévision (avril 1975). *Preuves* n'est plus là mais *Contrepoint* a pris la relève. Durant ces années décisives, la revue accomplit un travail remarquable de mémoire, d'accueil de l'œuvre et d'intervention politique. La continuité et la mémoire sont magnifiquement servies par Louis de Villefosse. Après la publication du rapport Khrouchtchev, Villefosse a rejoint Théo Bernard, Michel Collinet, Julian Gorkin, Gérard Jacquet, Maurice Nadeau, Pierre Naville, Gérard Rosenthal, Alfred Rosmer, David Rousset et Manès Sperber dans le bureau d'une Commission pour la vérité sur les crimes de Staline. Dans la première moitié de la décennie 1970, Louis de Villefosse sera la vigie jamais assoupie de *Contrepoint*. Dès le numéro 2, consacré à la Russie, il signe une contribution [1] qui, partant du procès David Rousset/*Les Lettres françaises*, ouvert devant la dix-septième chambre correctionnelle de Paris le 22 décembre 1950, recense tous les témoignages sur le système concentrationnaire soviétique parus en France depuis cette date, pour s'étonner que l'intelligence française ignore ou affecte d'ignorer ce crime contre l'humanité. C'est encore lui qui ne se satisfait pas de la manière dont Aragon, avec le dernier numéro des *Lettres françaises*, brûle la politesse, dans un tour de valse, à deux générations d'intellectuels qu'il a sciemment abusées et perverties [2]. C'est Villefosse, enfin, qui s'emploie à rétablir la

1. Louis de Villefosse, « Un trou dans l'histoire », *Contrepoint*, n° 2, 1970.
2. *Id.*, « Aragon : le dernier temps de la valse ? », *ibid.*, n° 9, 1973.

vérité sur Katyn [1]. L'accueil de l'œuvre sera le fait des grands russisants collaborateurs de la revue, dont beaucoup étaient précédemment des collaborateurs de *Preuves*. La revue rend ainsi un service inestimable au lecteur français dans un environnement politique et intellectuel majoritairement hostile à Soljenitsyne. Tour à tour Jean Blot [2], Jean Laloy [3] et Georges Nivat [4] introduisent à la singularité de cette œuvre unique née du débat avorté en URSS après la publication d'*Une journée d'Ivan Denissovitch*. Enfin, *Contrepoint* s'engage vigoureusement dans ce qui deviendra dès le printemps 1974 l' « affaire Soljenitsyne ».

Soljenitsyne et son anti-*Odyssée* étaient étrangers à l'inspiration première du Congrès pour la liberté de la culture. Georges Nivat soulignait justement que l'interlocuteur privilégié de Soljenitsyne n'était en aucune manière Arthur Koestler, le premier père spirituel du congrès. *L'Archipel* ne se situait pas davantage dans la veine esthétique de Milosz ou de Gombrowicz, deux des références cardinales de *Preuves*. Ce livre « unique, sans précédent et vraisemblablement sans postérité » (Nivat) transcendait tous les alignements philosophiques et politiques et déclencha à Paris une crise et une recomposition intellectuelles sans précédent depuis la Seconde Guerre mondiale – à la mesure des dénégations ou du désintérêt pour le système concentrationnaire soviétique à gauche depuis le procès David Rousset/*Les Lettres françaises*.

La relève assurée par *Contrepoint* opère toutefois dans un cadre très différent de celui de *Preuves* sous la IVe République. *Preuves* était alors fortement arrimée à la SFIO. Or, si *Contrepoint* devient en quelques années le point de ralliement de libéraux de toujours, d'anciens intellectuels communistes attirés par Aron, d'hommes venus de l'Action française et de mendésistes atterrés par la démagogie sans limite de Mai 68, aucun socialiste n'y collabore, de près ou de loin. Cette extériorité totale des socialistes à la revue qui prend le relais du congrès représente assurément un changement majeur par rapport à la situation ancienne.

Avant d'éclairer les raisons de ce changement, il convient au

1. *Id.*, « Katyn et Khatyn », *ibid.*, n° 13, 1974.
2. Jean Blot, « Lettres d'Union soviétique ou une résistance littéraire », *ibid.*
3. Jean Laloy, « *L'Archipel du Goulag*, un des livres du siècle », *ibid.*, n° 14, 1974.
4. Georges Nivat, « *L'Archipel du Goulag*, une anti-*Odyssée* », *ibid.*, n° 17, 1975.

préalable de noter une singularité de l'affaire Soljenitsyne qui s'ouvre dans la capitale française : l'absence de participation de David Rousset au débat. Si tout au long de la IVe République Rousset avait été un collaborateur de *Preuves* [1], comme d'autres figures de la gauche antitotalitaire de la IVe (André Philip par exemple) il a rejoint le gaullisme de gauche sous la Ve République. A la veille de l'élection présidentielle de 1965, il s'est prononcé en faveur de De Gaulle, qui lui paraît ouvrir la voie à une troisième force mondiale, en opposition à l'Europe libérale atlantique, qui ne manquerait pas de l'emporter si l'un ou l'autre des deux candidats en compétition triomphait [2]. C'est au titre de l'UNR-UDT qu'il est élu député de l'Isère en 1968. Pendant son mandat, il s'attelle à la rédaction d'un énorme ouvrage, *La Société éclatée*, publié en 1973 à Paris. Ainsi est-il tout à fait remarquable que l'homme qui, vingt-cinq ans auparavant, avait affronté le Parti communiste dans un procès qu'à New York le noyau du futur *American Committee for Cultural Freedom* avait qualifié de plus important que l'affaire Dreyfus, ne signe aucun article marquant pour accueillir *L'Archipel du Goulag* dans la capitale française [3].

Mais la partie d'en face, *Les Lettres françaises*, s'est évanouie, elle aussi, au début de la décennie 1970. Le grand journal littéraire d'Aragon, mis au service du Parti communiste français, a disparu en 1972. Le procès Siniavski-Daniel au moment où le PCF réaffirmait son rôle d'avant-garde humaniste avait été un premier coup de semonce et Aragon avait critiqué le verdict à la une de *L'Humanité* (16 février 1966). L'invasion de la Tchécoslovaquie deux ans plus tard devait être fatale aux *Lettres françaises* (qui, tout au long de la décennie 1960, avaient appuyé Soljenitsyne comme écrivain du dégel), victimes du tour de vis culturel brejnévien : la suppression des abonnements institutionnels des unions d'écrivains, sur ordre politique, les conduisit à l'asphyxie, puis à la disparition.

L'Archipel du Goulag échappait ainsi aux conflits entre

1. Sa dernière collaboration remonte à 1963, avec un entretien (réalisé en compagnie de François Bondy) du nouveau président de la République algérienne. « Entretiens avec Ahmed Ben Bella », *Preuves*, n° 153, novembre 1963.

2. David Rousset, « La gauche, le tiers-monde et de Gaulle », *Le Monde*, 30 novembre 1965.

3. Le livre, mi-entretien, mi-document, publié quinze ans plus tard par Émile Copferman (*David Rousset, Une vie dans le siècle*, Plon, 1991) ne souffle pas davantage mot d'Alexandre Soljenitsyne ni de son œuvre.

« staliniens » et « trotskistes », institutionnalisés de longue date à Paris dans les milieux littéraires et intellectuels de la gauche française. Le livre arrivait en revanche dans une situation politique dominée par l'alliance conclue en juin-juillet 1972 entre le Parti communiste et le nouveau Parti socialiste, sur la base d'un programme commun de gouvernement. La transformation de la vieille SFIO en PS avait été accomplie l'année précédente avec l'accession au pouvoir d'un nouveau premier secrétaire, François Mitterrand. La conclusion d'une alliance avec les communistes par les socialistes, qui aspiraient à construire le nouveau parti central de la Ve République après le retrait et la disparition de son fondateur, représentait une volte-face complète par rapport à l'anticommunisme de la SFIO. Cette volte-face était d'abord celle de François Mitterrand, lui-même partie prenante de l'anticommunisme de Troisième Force sous la IVe République. Le parti auquel il appartenait alors, l'UDSR, était la seule organisation politique à avoir adhéré en tant que telle aux Amis de la liberté. Lui-même avait collaboré une fois à *Preuves* [1], au lendemain de sa démission du gouvernement Laniel. La rencontre entre Mitterrand et Bondy, qui devait aboutir à cette seule et unique collaboration, avait été ménagée par l'éditeur René Julliard. Sous la IVe République, François Mitterrand combinait de manière classique anticommunisme et européanisme : présent au congrès de La Haye, occupant des fonctions au Conseil de l'Europe, l'homme était parfaitement représentatif de l'amicale parlementaire européaniste transpartisane, qui, à défaut de relais intellectuels et sociaux vigoureux, assura l'articulation entre la société française et les institutions européennes en voie de renforcement tout au long de la guerre froide.

La volte-face est plus spectaculaire encore dans le domaine de la presse du parti. Le vieux *Populaire* a rendu l'âme en 1970 (sa disparition, on le voit, est à peu près contemporaine de celle de *Preuves* et de la génération de Bondy). Lui succède un hebdomadaire, *L'Unité*, dont le premier numéro paraît en 1972. La direction en est confiée à Claude Estier, membre de la Convention des institutions républicaines comme François Mitterrand. Journaliste à *L'Observateur* et à *Libération*, Claude

1. François Mitterrand, « La politique française en Afrique du Nord », *Preuves*, n° 33, novembre 1953.

Estier a appartenu à l'univers progressiste crypto-communiste de la IVe République. *Libération* était en effet, en ce temps-là, le symétrique antagoniste de *Franc-Tireur*, et si *Franc-Tireur* ne survivait qu'avec l'appui financier américain, *Libération* n'y parvenait pour sa part qu'avec le soutien du mouvement communiste. La volte-face est ici proprement stupéfiante. Si la Convention des institutions républicaines constitue bien, à l'instar de l'UDSR, un groupe-charnière, ses gonds sont montés en sens inverse, pour ouvrir désormais sur le Parti communiste. Le nouveau Parti socialiste rompt les liens qui attachaient l'ancien à la diplomatie américaine en Europe. C'est la vraie rupture inaugurée par le congrès d'Épinay car sur toutes les autres dimensions le « nouveau » PS est étonnamment proche de la « vieille » SFIO : réitération de la construction d'une société sans classes, pour ne pas en laisser le monopole au Parti communiste ; mise en avant d'un européanisme indéterminé (« le socialisme sera européen ou ne sera pas ») ; hostilité à la social-démocratie allemande ; cohabitation de courants hétérogènes qui ne coexistent que par l'affirmation du pouvoir du premier secrétaire. Aussi, lorsque, dès janvier 1974, le Parti communiste inaugure une campagne destinée à disqualifier Soljenitsyne, le Parti socialiste se trouve prisonnier de cette alliance, qui le laisse sans voix.

Ce nouveau contexte politique permet de prendre la mesure de l'importance de l'intervention politique de *Contrepoint*. Dès 1973, au moment où la contradiction entre détente et dissidence s'affirme, la revue a donné un long extrait du discours qu'Alexandre Soljenitsyne aurait dû prononcer à Stockholm s'il avait été autorisé à s'y rendre pour recevoir le prix Nobel, sous le titre « L'esprit de Munich domine le siècle ». Mais c'est avec le numéro consacré à la Russie contestataire [1] qu'elle entre dans la polémique, avec une intervention d'Alain Besançon prenant directement à partie deux journaux parisiens influents de la gauche non communiste, *L'Express* et *Le Monde* [2]. Alain Besançon a préfacé le livre d'un jeune historien soviétique, Andreï Amalrik, sur l'avenir incertain de l'Union soviétique [3].

1. *Contrepoint*, n° 14, 1974.
2. Alain Besançon, « L'affaire Soljenitsyne, deux approches positives », *ibid.*, n° 15, 1974.
3. Andreï Amalrik, *L'URSS survivra-t-elle en 1984 ?*, Fayard, 1970, préface d'Alain Besançon.

Contrepoint poursuit son effort et innove en assurant la transcription des débats organisés à la télévision française à propos de Soljenitsyne et de son œuvre, qui permettent d'élargir et d'approfondir la discussion issue de la publication de *L'Archipel du Goulag* [1]. Les deux journaux auxquels s'en prend Alain Besançon (*L'Express* du 24 juin 1974 et *Le Monde* le 21 de ce même mois) ont rendu compte du premier tome de *L'Archipel* de manière différente : *L'Express*, avec sympathie, en expliquant que l'auteur est inspiré par une philosophie réactionnaire mais que l'on doit faire un effort pour le comprendre ; *Le Monde*, en enchâssant la présentation du livre de Soljenitsyne dans un ensemble de sept ouvrages, ensemble ayant pour titre *L'URSS en question*. Alain Besançon dénonce dans cette double page un chef-d'œuvre de duplicité et écrit :

> Je demande pourquoi l'URSS, qui, au chapitre des massacres, des déportations (vingt-cinq millions de morts au minimum), de l'abrutissement de masse, bat de très loin la plupart des records de l'Allemagne nazie, continue, elle, d'être en question, alors que l'Allemagne nazie ne l'est pas. La raison est simple : il y a des communistes, il n'y a plus de nazis.
>
> Quand les crimes nazis furent révelés, les nazis reculèrent, s'évaporèrent, se renièrent ou se firent si petits qu'on ne les remarqua plus. En 1945, *Le Monde* aurait eu du mal à composer une double page avec à gauche le témoignage de David Rousset, par exemple, et à droite « Approches positives » de MM. Rebatet et Déat parce que ceux-ci, couverts de honte, avaient déjà renoncé à approcher positivement la réalité nazie. MM. Ellenstein et Francis Cohen [2], eux, n'ont pas renoncé.

La publication de *L'Archipel du Goulag* permettait de dénouer des conflits qui remontaient aux origines mêmes de la création du Congrès pour la liberté de la culture. L'attaque contre Jean-Jacques Servan-Schreiber était l'illustration la plus éclatante de ce processus. *Contrepoint* [3] rappelait que le

1. Extraits de l'émission *Italiques* diffusée le 11 janvier 1974 sur la deuxième chaîne; extrait de l'émission *Apostrophes* du 11 avril 1975, à l'occasion du troisième tome de *L'Archipel du Goulag* et en présence d'Alexandre Soljenitsyne, avec Jean d'Ormesson, Jean Daniel, Pierre Daix, Georges Nivat. Jean Daniel ayant regretté l'absence d'intellectuels communistes sur le plateau, une polémique s'ensuivra avec Raymond Aron par *Figaro* interposé.

2. Francis Cohen et Jean Ellenstein sont deux intellectuels communistes. *Le Monde* retient, dans sa double page, *Les Soviétiques* pour le premier et *l'URSS en guerre* (t. III) pour le second.

3. *Contrepoint*, n° 11, 1973.

directeur de *L'Express*, tout comme Georges Boris (l'influent conseiller de Mendès France) et Alfred Sauvy (le non moins influent démographe qui avait exercé son magistère sur le parti modernisateur d'après guerre), avait entretenu le mythe d'une Union soviétique capable de dépasser les démocraties libérales par son taux de croissance : défi soviétique avant défi américain, en quelque sorte. Du reste, Jean-Jacques Servan-Schreiber avait donné une interprétation managériale (absence de flexibilité d'un système trop centralisé) de la dernière grande crise du système soviétique, l'interruption par la force de l'expérience révisionniste tchécoslovaque. Son approche des problèmes européens était très largement celle des *business schools*, dont il était un des plus ardents avocats. Le directeur de *L'Express* prolongeait ainsi la tradition mendésiste, évitant de se confronter politiquement au problème du totalitarisme soviétique [1].

Mais le texte d'Alain Besançon montre que c'est avec *Le Monde* que le conflit est le plus profond. Le journal central du système politico-intellectuel constitue l'archétype de cette presse « idoine » dont parlait Herling lors de la publication d'*Une journée d'Ivan Denissovitch*, dix ans plus tôt. Et c'est bien dans cette veine que le quotidien, alors dirigé par Jacques Fauvet, s'emploie à accueillir *L'Archipel* – de manière parfaitement « idoine ». Trois conflits se nouent ici :

– un conflit remontant aux origines de la IVe République, opposant Hubert Beuve-Méry, le fondateur du journal, à l'anticommunisme de Troisième Force : *Le Monde* développait alors une analyse nationale du communisme, en opposition à la politique américaine en Europe et aux milieux européanistes ;

– un conflit sur l'attitude à adopter à l'égard de la crise de Mai 68 : *Le Monde* a choisi le parti de la contestation ; *Contrepoint* lui reproche son camouflage hypocrite [2] en même temps que sa propension à refonder son magistère sur cette contestation de la culture [3] ;

– enfin, *Le Monde* s'est aligné tout simplement sur le

1. *Contrepoint* (nº 15, 1974) reproduira par ailleurs un entretien publié par *L'Express* avec Edgar Faure en août 1973, où l'ancien ministre défendait l'idée de rapports privilégiés entre la France et l'Union soviétique.

2. Michel Crouzet, « Réforme, révolution et liquidation dans l'enseignement français », *Contrepoint*, nº 3, printemps 1971.

3. Raoul Girardet, « Note sur l'agonie d'un ordre : université 1970 », *ibid.* nº 2, 1970.

programme commun de gouvernement de l'Union de la gauche ; si le journal lui-même n'écrit pas noir sur blanc que le retentissement de *L'Archipel du Goulag* est lié à une campagne antisoviétique destinée à faire échouer l'alliance conclue en France entre socialistes et communistes, le rédacteur en chef du *Monde diplomatique*, Claude Julien, n'hésite pas pour sa part à franchir le pas [1].

Le rôle stratégique du *Monde* à Paris découlait du fait qu'il n'appartenait pas tout à fait à la « presse bourgeoise » stigmatisée par Sartre et les communistes. Ne pas s'associer aux « campagnes » anticommunistes lui permettait de bénéficier d'un statut d'extériorité pour en faire un journal bourgeois « pas comme les autres ». Or le problème de la presse occidentale et de l'attitude des correspondants en poste en Union soviétique devait être soulevé très tôt par les milieux de la dissidence. L'écart avec les négociations diplomatiques de la troisième corbeille était sur ce point remarquable : tandis que les diplomates cherchaient à élargir le rayon de déplacement autorisé en URSS, les dissidents parlaient du comportement des journalistes occidentaux à Moscou. *Contrepoint* s'en fit l'écho, en publiant un inédit d'Andreï Amalrik sur le sujet [2]. Cette publication fut une nouvelle occasion de mettre en cause *Le Monde*, qui avait tronqué une interview de Soljenitsyne, dont la revue rétablit le texte intégral publié par *Survey* [3].

Dans cette mise en cause du *Monde*, *Contrepoint* va trouver trois alliés, en la personne de trois personnalités associées à la politique américaine d'ouverture au centre gauche en Europe dans la décennie 1960 : Edgar Morin, l'ancien rédacteur en chef d'*Arguments* ; Jean-Marie Domenach, le directeur d'*Esprit* ; Georges Suffert, l'ancien secrétaire général du club Jean-Moulin. Tous les trois, avec des styles différents et des

1. Claude Julien, *Le Monde diplomatique*, mars 1974.
2. Andreï Amalrik, « Correspondants étrangers à Moscou », *Contrepoint*, n° 14, 1974.
3. *Ibid.* La revue publie parallèlement un extrait du *Premier Cercle* où Soljenitsyne raconte une anecdote significative : la luxueuse voiture d'un correspondant du journal progressiste français *Libération* est arrêtée à un feu rouge en même temps qu'une fourgonnette camouflée en transport de viande qui, en réalité, convoie des *zek* vers la Sibérie. Le journaliste français, qui a déjà observé le manège de plusieurs camionnettes du même type, en conclut que l'approvisionnement alimentaire de la capitale soviétique est excellent. Après avoir rapporté cette anecdote, *Contrepoint* rappelle que Claude Estier a été rédacteur en chef de *Libération* jusqu'à sa disparition, en 1964.

orientations parfois conflictuelles [1], prennent parti pour Soljenitsyne contre *Le Monde* et la gauche du programme commun [2]. Ce noyau est bientôt rejoint par Jean-François Revel, un proche de François Mitterrand, issu comme lui de la Convention des institutions républicaines, mais qui ne le suivra pas au Parti socialiste et encore moins dans l'alliance conclue avec le Parti communiste. Après avoir publié un essai à succès favorable à la révolution californienne [3], Revel se retrouve dans les réseaux de l'Association internationale pour la liberté de la culture et il est notamment invité en 1972 au colloque sur les relations euro-américaines. Il n'a aucun lien direct avec *Contrepoint* à Paris mais à Londres Lasky le préfère bientôt à Bondy pour une chronique périodique sur la capitale française. Fort de sa connaissance personnelle du nouveau premier secrétaire du Parti socialiste, polémiste de premier plan, Revel va bientôt occuper dans la presse parisienne une position très voisine de celle d'Aron par son rayonnement d'éditorialiste.

Nouvelle opposition, nouvelle stratégie

L'impact de l'œuvre d'Alexsandre Soljenitsyne à Paris dans les milieux intellectuels devait être considérablement démultiplié par la signature des accords d'Helsinki en août 1975. De façon générale, le renforcement des oppositions intellectuelles dans l'Europe soviétisée avivait le conflit entre détente et dissidence, contraignant les gouvernements occidentaux à s'engager plus avant dans la mise en œuvre des accords d'Helsinki – la diplomatie américaine, après l'élection d'un nouveau président démocrate, « Jimmy » Carter, accélérant le processus dans la seconde moitié de la décennie. La Fondation pour une entraide intellectuelle remaniée se révéla alors un outil

1. C'est notamment le cas de Georges Suffert et d'Edgar Morin. Après le colloque de Royaumont, l'ancien directeur d'*Arguments* s'est orienté vers une métathéorie biologico-sociologico-systémique, épinglée par Suffert dans *Les Intellectuels en chaise longue*, Stock, 1974.

2. Le nouvel hebdomadaire de centre droit né de la crise de *L'Express*, *Le Point*, est également dans le camp de l'opposition au parti intellectuel. En décembre 1975, *Le Point* fait d'Alexandre Soljenitsyne l'homme de l'année.

3. Jean-François Revel, *Ni Marx ni Jésus*, Robert Laffont, 1970.

particulièrement adapté, capable d'épouser au plus près les évolutions politiques et intellectuelles internationales dans le cadre euro-atlantique. Une fois encore, la Pologne devait fournir le levier pour la mise en œuvre d'une nouvelle stratégie.

L'origine du redéploiement est donnée par un colloque organisé à Paris en 1976 par deux universitaires originaires du Centre-Est européen, Pierre Kende et Krzysztof Pomian, à l'occasion du vingtième anniversaire de la révolte hongroise et du révisionnisme polonais. Il s'agit d'une réunion privée, sans aucun rapport avec l'Association internationale pour la liberté de la culture, moribonde, pas plus qu'avec la Fondation pour une entraide intellectuelle, en voie de restructuration. Ses deux organisateurs (qui ont fait connaissance peu de temps auparavant) ont en commun d'avoir été de jeunes marxistes contestataires des années 1955-1956. Kende, on s'en souvient, a bénéficié d'une bourse du CCF et il a été l'un des maîtres d'œuvre du livre blanc sur le procès Nagy. Il est membre du séminaire Aron et collabore à *Contrepoint*. Philosophe et historien de l'art, Krzysztof Pomian a émigré en France en 1973. Il a été en Pologne l'assistant du philosophe Leszek Kolakowski jusqu'à l'expulsion de celui-ci du Parti ouvrier polonais, en 1966 (deux ans plus tard, Kolakowski émigrait en Angleterre pour enseigner à Oxford). A son arrivée à Paris, Pomian a été en contact avec le Comité international contre la répression, animé par un trotskiste, Jean-Jacques Marie. Ce comité était une petite structure transitoire ouverte et active, assez comparable, toutes choses égales par ailleurs, au Comité des mathématiciens, lui aussi de filiation trotskiste (c'est Jean-Jacques Marie et son comité, par exemple, qui ont aidé à la publication française de *Listy*, la revue révisionniste tchécoslovaque de l'exil). Le Colloque 56 est une rencontre fermée, qui fait converger une cinquantaine de participants, originaires pour moitié de France (avec quelques Italiens) et pour moitié d'Europe centrale [1]. Cette manifestation aurait pu n'être qu'une banale cérémonie commémorative, comme il en existe parfois dans les émigrations, mais, tout au contraire, il se révélera un événement et un repère important dans la dynamique de transformation des

1. Deux dissidents soviétiques étaient toutefois associés au colloque : l'historien Andreï Amalrik, qui venait d'émigrer en Occident, et la poétesse Natalia Gorbaneivskaïa, émigrée elle aussi depuis peu.

attitudes intellectuelles à Paris et pour le développement du soutien à une nouvelle stratégie d'opposition en Pologne.

Sur le plan proprement français, ce colloque marque le point de départ de la cristallisation d'un front antitotalitaire qui dépasse très largement les limites de la seule revue *Contrepoint*. La réunion dans une même manifestation, entre autres, de Raymond Aron, Alain Besançon, Jean-Marie Domenach, François Fejtö, François Furet, Pierre Hassner, Annie Kriegel, Claude Lefort, Branko Lazitch, Jean-Jacques Marie et Gilles Martinet fait converger un courant libéral et un courant de gauche non communiste désireux à la fois de tirer les enseignements politiques de *L'Archipel du Goulag* et de les articuler sur les évolutions politiques européennes après la signature des accords d'Helsinki, au moment où se dessine une stratégie d'opposition au communisme fondée sur les droits de l'homme. Ce milieu transpartisan prend son autonomie et élargit rapidement son influence à la faveur de la contradiction croissante entre l'alliance des socialistes et des communistes à Paris et la dynamique intellectuelle des sociétés est-européennes. Plusieurs des acteurs présents au Colloque 56 vont ainsi jouer un rôle déterminant dans la cristallisation d'un front antitotalitaire et le basculement antisoviétique de la capitale française qui s'amorce. Le premier d'entre eux est, bien entendu, Raymond Aron, qui fédère autour de son séminaire le milieu du *Contrat social*, celui des anciens intellectuels communistes issus des écoles normales supérieures, tous collaborateurs de *Contrepoint*. A la faveur du retrait de l'influence gaulliste après l'élection de Valéry Giscard d'Estaing à la présidence de la République, les éditoriaux d'Aron jouent un rôle croissant dans une période de restructuration des orientations de la diplomatie française. Le deuxième est François Furet, qui, on s'en souvient, fait partie de cette génération d'intellectuels français qui ont quitté le Parti communiste au moment de la révolution antitotalitaire hongroise. Ancien collaborateur de *Preuves*, directeur d'une collection ouverte à la Russie contestataire dans une maison d'édition parisienne, François Furet devient peu après ce colloque président de l'École des hautes études en sciences sociales, ancienne sixième section de l'École pratique des hautes études, transformée en université de plein droit. C'est là un poste stratégique à un moment où l'université française est en proie à une remarxisation accélérée, poste qu'il cumule avec celui non moins stratégique de critique influent au *Nouvel Observateur*. La troisième composante est donnée par Jean-Marie Domenach, le directeur d'*Esprit*. Domenach a participé aux deux colloques, celui de Solidarité avec les intellectuels réprimés en Tchécoslovaquie et en URSS (il est membre du comité Entraide et Action) et celui du vingtième anniversaire Varsovie-Budapest. Il engage pleinement la revue qu'il dirige dans le front antitotalitaire. Parallèlement à ces colloques, *Esprit* prend à partir d'avril 1975 l'initiative d'une série de « rencontres européennes », carrefours de débats et de soutien aux dissidences. Enfin, quatrième composante, le milieu « post-trotskiste » est représenté par des hommes comme Gilles Martinet, membre du comité directeur du Parti socialiste, et le philosophe Claude Lefort [1]. C'est principalement par l'intermédiaire de ce milieu que le concept de totalitarisme revient au premier plan sur la scène intellectuelle parisienne. Il est révélateur que Lefort reprenne dans sa communication pour le colloque le titre même de la préface d'Aron (sans toutefois citer son auteur) au livre blanc du congrès, « Une révolution antitotalitaire [2] ». La boucle est bouclée.

La cristallisation de ce front antitotalitaire parisien est précipitée par deux événements de sens inverse qui interviennent à la même époque en Europe centrale. Le premier est le voyage d'une délégation du Parti socialiste français en Hongrie, conduite par son premier secrétaire, François Mitterrand, au terme de laquelle le PS signe avec le Parti communiste hongrois un communiqué dont le texte avalise le « rôle dirigeant » de ce dernier. Le communiqué est pour le milieu antitotalitaire en voie de formation un symptôme supplémentaire et inquiétant de l'infériorisation idéologique des socialistes français par rapport au PCF, nécessitant un redoublement d'activité et de vigilance. En Pologne c'est, après de nouvelles émeutes ouvrières en juin, la création en septembre 1976 d'un comité de défense des ouvriers (KOR : *Komitet Obrony Robotnikov*), point d'appui d'une nouvelle opposition intellectuelle et politique au communisme, par rapport à laquelle se définit très vite le front antitotalitaire intellectuel.

1. Gilles Martinet était au lendemain de la guerre un des animateurs de *La Revue internationale* et Claude Lefort, un collaborateur de *Socialisme ou Barbarie*.
2. Claude Lefort, « La première révolution antitotalitaire », art. cit., p. 93.

C'est dans ce contexte que Constantin Jelenski intervient vigoureusement pour réorienter la FEIE, en prenant appui sur la dynamique apparue au Colloque 56. « Kot », qui a suivi tous les débats, envoie aussitôt après la clôture de la manifestation une longue lettre enthousiaste à Adam Watson, pour attirer l'attention du nouveau directeur de l'AILC sur ce qu'il considère comme un événement : « Sans aucune hésitation possible, écrit-il, c'est la conférence la plus intéressante et la plus utile à laquelle il m'ait été donné d'assister depuis de nombreuses années. » Jelenski souligne le rôle particulier joué dans ce colloque par un jeune historien polonais, Adam Michnik, dont il envoie immédiatement une copie de la communication à Watson :

> Il ne fait pas de doute que le régime polonais se trouve aujourd'hui dans une situation plus difficile que jamais. La très forte réduction de peine des travailleurs « fauteurs de troubles » des événements de juin 1976 et peut-être plus encore la décision de ne pas relever les prix des denrées alimentaires jusqu'en 1978 montrent que le régime craint le pire et qu'il compte sur la sagesse de l'Église et des intellectuels pour prévenir une révolte qui pourrait avoir de tragiques conséquences. L'Église et les intellectuels d'opposition sont prêts à collaborer, mais pas sur la base du chèque en blanc que Gomulka avait obtenu en 1956 en invoquant la « raison d'État ». La stratégie développée par le colloque serait de faire pression pour une application des dispositions « libérales » (quoique abstraites) de la Constitution, relatives aux libertés individuelles et collectives, et pour une application des accords d'Helsinki.

Jelenski s'emploie dès lors à opérationnaliser les orientations du colloque *via* la Fondation pour une entraide intellectuelle européenne à trois niveaux. Le premier est le soutien sans faille aux orientations et à la personnalité d'Adam Michnik. Dans son rapport au colloque [1] de Paris, le jeune historien prenait acte de l'échec des deux stratégies nées de l'octobre polonais pour faire évoluer le système communiste : la stratégie révisionniste, visant à humaniser et libéraliser la pratique du pouvoir du point de vue marxiste; la stratégie néopositive du groupe catholique *Znak*, acceptant une loyauté à l'égard de la

1. Adam Michnik, « Le nouvel évolutionnisme », *1956 Varsovie-Budapest. La deuxième révolution d'octobre*, textes réunis par Pierre Kende et Krzysztof Pomian, Éditions du Seuil, coll. « Esprit », 1977.

puissance russe, dissociée de son idéologie, pour élargir la souveraineté de l'État polonais, ainsi que l'espace des libertés civiques. Mais les révoltes étudiantes et ouvrières des dernières années rendaient ces deux stratégies caduques. Michnik développait une double idée : tenter de conspirer à renverser le pouvoir totalitaire était aussi irréaliste que dangereux; dans un pays où la culture politique et les normes démocratiques étaient presque absentes, des activités conspiratrices ne pouvant qu'aggraver les maux de la société. « Aussi la seule voie à prendre pour les dissidents des pays de l'Est est celle d'une lutte incessante pour les réformes, en faveur d'une évolution qui élargira les libertés civiques et garantira le respect des droits de l'homme. » A la différence des révisionnistes et des néopositivistes, il s'agissait de s'adresser non plus au pouvoir totalitaire mais à l'opinion publique indépendante. Deux acteurs de la société polonaise, la classe ouvrière, qui avait manifesté à plusieurs reprises son autonomie, et l'Église polonaise, chez qui « les jérémiades contre les impies font place au rappel des principes des droits de l'homme », pouvaient à cet égard jouer un rôle important. Michnik devait rapidement prolonger ce dernier point par un ouvrage consacré aux rapports entre l'Église et l'intelligentsia de gauche, publié à Paris par les soins de *Kultura* et rapidement mis à la disposition du public français grâce à l'action de Jelenski [1]. Dans ce livre, Michnik prenait ses distances avec l'anticléricalisme des penseurs de la gauche révisionniste d'octobre et prenait acte de l'évolution de l'Église. La lettre que l'épiscopat polonais avait envoyée à l'automne 1965 à l'épiscopat allemand, rompant avec le catholicisme national et se situant dans une perspective humaniste au lendemain du concile Vatican II, constituait aux yeux d'Adam Michnik un document historique. En approfondissant ainsi les conditions d'un dialogue entre l'Église et la gauche laïque, il travaillait à un nouveau rapport politique décisif pour l'évolution polonaise. Jelenski envoya très vite à Paul Flamand, le directeur des Éditions du Seuil, une lettre dans laquelle il disait son admiration pour le livre :

> Pour moi qui suis toujours les événements et les courants d'idées de mon pays, ce livre a été d'un enseignement inestimable. Je

1. Adam Michnik, *L'Église et la gauche. Le dialogue polonais*, Éditions du Seuil, 1979, trad. du polonais par A. Slonimski, en coll. avec C. Jelenski.

n'hésite pas à dire que c'est là (par la bande, traitée à propos d'un seul secteur) la première histoire honnête de la République populaire de Pologne.

Jelenski va aider l'ouvrage en collaborant à sa traduction et en augmentant son édition française de douze pages d'annexes, constituant sous une forme d'apparence modeste une des meilleurs introductions à la vie littéraire et politique polonaise. Détail révélateur : le livre de Michnik s'achève sur un poème de Zbigniew Herbert, traduit conjointement par Pierre Emmanuel et Constantin Jelenski.

La deuxième ligne d'action concerne l'orientation de la FEIE. Il ne s'agit plus de ruser en cherchant à n'inviter que des intellectuels « bien vus » par les régimes. Il faut désormais que la fondation permette aux jeunes générations intellectuelles d'opposition de se renforcer. La Pologne et la Hongrie acceptent désormais de délivrer des visas pour des voyages privés à des intellectuels de l'opposition. Nombre d'entre eux viennent à Paris et demandent à la fondation d'intervenir en faveur de la prolongation de leur séjour. Mais il faut aller audelà et tenter de détecter, dans les pays mêmes, les jeunes intellectuels prometteurs encore obscurs et leur permettre de se rendre à l'Ouest. Ce sera la tâche de la nouvelle secrétaire générale de la fondation, Annette Laborey, qui se retrouvera bientôt seule à la barre, après que Roger Errera et Roselyne Chenu, ne suivant pas « Kot » dans cette option politique, auront pris leurs distances avec la fondation. Michnik, au cours de son séjour parisien, exercera son influence sur Annette Laborey, qui sera ainsi formée pour de nouvelles tâches, avant de voyager intensément en Europe de l'Est [1].

Enfin, la troisième facette d'opérationnalisation concerne l'action en direction des États-Unis. « Kot » (Jelenski) ne manque pas d'informer « Zbig » (Brzezinski), le conseiller pour les Affaires étrangères du nouveau président Carter, de la réorganisation de la FEIE, en le prévenant qu'il va très prochainement être contacté par la fondation Ford pour formuler une évaluation de la structure. Le soutien de la fondation peut du reste d'autant mieux être acquis que l'hypothèque de

1. Après la fermeture des bureaux de l'AILC, la FEIE s'installe dans le XIIe arrondissement. C'est ce local que les nouvelles générations intellectuelles apprendront bientôt à connaître.

l'AILC est désormais levée. Un des dirigeants de la Ford, Francis Sutton, soutiendra l'entreprise avec une constance sans faille les années suivantes. Survivant au Congrès pour la liberté de la culture, la FEIE va ainsi pouvoir jouer un rôle essentiel pendant encore quinze ans.

Pour conclure

Au terme de la restitution de la trajectoire du Congrès pour la liberté de la culture à Paris, le moment est venu de conclure. Mais conclure, c'est s'aventurer sur le terrain de l'interprétation et, nous l'avons indiqué dès le départ, la démarche est prématurée.

En effet, l'histoire du cas présenté se déroule sur vingt-cinq années qui ne se laissent guère résumer en quelques formules. S'il est toujours dangereux d'extrapoler à partir d'un cas, trois limites invitent plus particulièrement à la prudence s'agissant de celui-ci. La première saute aux yeux : la possibilité de généralisation reste suspendue à l'accès à des fonds d'archives non encore ouverts aujourd'hui. La deuxième découle de la restriction imposée par l'objet analysé, qui conduit à évacuer les orientations et les conflits accompagnant en France deux guerres de décolonisation. En effet, la politique culturelle et idéologique américaine tenait pour acquise la décolonisation et s'élaborait à partir de cet acquis. Dès lors, tout un pan de l'histoire politique et intellectuelle française de l'après-guerre demeure totalement aveugle à cette perspective. Sa restitution exigerait un travail méticuleux pour établir des données solides au-delà des modes et des mots. La troisième limite découle de la définition que nous avons donnée à notre travail : si le Congrès pour la liberté de la culture avait une dimension européenne marquée, nous avons délibérément choisi de n'explorer que sa partie française. C'est dire du même coup qu'une interprétation d'ensemble devrait idéalement attendre l'approfondissement d'autres cas. Quatre études détaillées – concernant la Pologne, l'Angleterre, l'Italie et l'Allemagne – sont ici indispensables. C'est désormais à des chercheurs de ces pays de s'atteler à la tâche. En même temps qu'elles donneront la vraie mesure de ce que fut le CCF en Europe, ces analyses permettront en retour de mieux saisir la spécificité de la situation française. A l'Est, la Pologne a eu les contacts les plus précoces et les plus intenses avec le Congrès pour la liberté de la culture. Elle devait jouer un rôle stratégique dans son développement, comme plus tard dans la chute du communisme. En Europe occidentale, l'Italie partageait avec la France le privilège d'avoir le Parti communiste le plus puissant et le plus influent sur les milieux intellectuels. Mais si en France l'intervention américaine se limita au syndicalisme et à la vie intellectuelle, elle fut plus profonde et plus risquée au-delà des Alpes car elle agissait plus directement sur le jeu politique lui-même. S'agissant de la RFA, deux événements structurants (traité de la CECA, traité de l'Élysée) ont scellé un « couple » franco-allemand auquel se réfèrent et s'adossent les élites françaises. Cependant, le déploiement du Congrès pour la liberté de la culture à partir de Berlin montre qu'il existe des relations tout aussi fortes et privilégiées entre les États-Unis et l'Allemagne. Elles mériteraient d'être mieux explorées et mieux présentées à l'opinion française, dans la mesure où elles lui sont largement masquées. Enfin, la Grande-Bretagne partageait avec les États-Unis une tradition de collaboration des intellectuels avec les services de renseignements de leurs pays. Cette parenté entraînait une certaine rivalité (pour ne pas dire une rivalité certaine) entre services américains et services britanniques, dont il resterait à mesurer l'impact. Pareille situation était inconnue en France. En revanche, l'attitude des services de renseignements américains à l'égard de la politique française diffère fondamentalement sous les IVe et Ve Républiques. Sous la IVe, il n'existe aucun conflit entre eux et la classe dirigeante : l'ouverture des archives devrait éventuellement permettre de mieux apprécier leur degré de collaboration avec les services français dans la lutte anticommuniste pendant la période chaude de la guerre froide. La situation s'inverse du tout au tout sous la Ve. En effet, si à partir de la décennie 1960 la politique culturelle américaine s'émancipe progressivement de la CIA, à l'inverse l'agence intervient directement en opposition à la politique étrangère de la France de manière fort peu convenable – pour reprendre un terme qu'affectionnait le ministre des Affaires étrangères français de l'époque.

Ces limites étant circonscrites, il n'est pas interdit cependant d'utiliser le CCF comme réactif afin d'ouvrir une réflexion sur trois problèmes contemporains d'importance : la place de la résistance intellectuelle au communisme dans la France après la Seconde Guerre mondiale; l'interaction entre la politique américaine et la société française; la comparaison des modes de relations culturelles français et américains avec l'Europe sous contrôle soviétique.

La présentation du Congrès pour la liberté de la culture à Paris fait apparaître que la résistance intellectuelle au communisme est loin d'être inexistante mais qu'elle y est fragile, dans la mesure où elle ne peut se passer du soutien américain. Toutefois, cette constatation doit être immédiatement assortie d'une précision capitale : il existe un très grand écart entre Paris, la ville, et le système politique national. Plus on s'accommode sur la ville (avec ses maisons d'édition, ses minorités influentes, ses réunions politiques), plus la résistance intellectuelle au communisme paraît variée, dynamique, diversifiée, incessamment renaissante. Plus on s'éloigne de la ville pour se rapprocher du système national, plus cette résistance est amortie, neutralisée, marginalisée. Ainsi est-ce très largement dans la relation entre nationalisation et neutralisation que se situe un des ressorts privilégiés de l'influence communiste à son apogée. Mieux éclairer ce point suppose de prendre en considération une variable intermédiaire : la culture républicaine. Le CCF fournit à cet égard un réactif précieux pour décomposer quasi chimiquement le phénomène. En effet, la visée du Congrès pour la liberté de la culture était triple : libérale, européenne et antitotalitaire. Or la culture républicaine, fondée sur un jacobinisme apprivoisé, n'est, tout bien pesé, ni libérale, ni européenne, ni antitotalitaire. Sans doute a-t-elle au départ avec les milieux du congrès un point commun : l'anticatholicisme. Mais sur la dimension européenne le rapport s'inverse : le monde catholique est plus ouvert à l'Europe que ne l'est la tradition républicaine. Cette configuration classique de la vie publique perdurera jusqu'au concile Vatican II, qui autorisera une ouverture du catholicisme français au libéralisme, au prix d'une perte d'emprise sur la société et d'un schisme religieux.

La colonne vertébrale de la culture républicaine est constituée par le système d'enseignement public orienté vers un objectif d'éducation nationale. Or le système d'enseignement public entretient avec le communisme dans la France d'après guerre des relations privilégiées : il échappe au schisme syndical de la guerre froide; il parvient à maintenir une visée hégémonique sans faille; l'Éducation nationale bénéficie d'un exceptionnalisme remarquable : c'est le seul domaine où les communistes disposent d'une légitimité indiscutable aux yeux du parti modernisateur d'après guerre; enfin, le système est un pourvoyeur stratégique de cadres pour les partis politiques de gauche.

Les caractéristiques de cette épine dorsale républicaine éclairent singulièrement le rapport entre nationalisation et neutralisation de la résistance intellectuelle au communisme dans la France de l'époque. En effet, si l'enseignement républicain offre à l'individu des possibilités d'émancipation, plus celui-ci s'intégre au système, moins il devient libéral et européen. Ce que l'Éducation nationale offrait autrefois en termes d'accès à la liberté individuelle, elle semble le récupérer en termes de conformisme, en s'attachant les services de ce même individu. Aussi est-ce principalement au niveau intellectuel intermédiaire que l'alliance entre communisme et culture républicaine se révèle le plus fort; ici que l'écart entre la vie intellectuelle à Paris et la vie politique nationale est le plus prononcé. Sur une moyenne période il est peu contestable que le communisme ait eu en France une influence moins durable sur les intellectuels du haut que sur les intellectuels intermédiaires et que c'est chez ces derniers qu'il a trouvé son meilleur soutien. Réciproquement, les anciens communistes dont les yeux s'étaient dessillés, s'ils disposaient rapidement à la ville d'une légitimité intellectuelle confortable, « mordaient » beaucoup plus difficilement sur les certitudes des gros bataillons de l'Éducation nationale.

L'articulation privilégiée entre progressisme et culture républicaine est rehaussée par la comparaison avec la société américaine. La démocratie américaine semble tolérer des institutions d'éducation supérieure élitistes, déconnectées du reste de la population et relativement indifférentes au niveau culturel de celle-ci. C'est précisément le refus et de cette déconnexion et de cette indifférence qui fonde la visée républicaine française dans ce qu'elle a de plus fort et de moins contestable. Sous ce rapport, l'Amérique et la France incarnent des situations historiques et existentielles à ce point opposées qu'elles en paraissent parfois incommunicables.

En s'articulant à la tradition républicaine, le Parti communiste développait un système d'influence spécifique, en même temps qu'il renforçait les traits antilibéraux et antieuropéens de celle-ci, tout en se posant en garant de cette tradition. Dès lors, la prise en compte de la résistance intellectuelle au communisme dans le monde de l'Éducation nationale était perçue comme profondément illégitime. Lui accorder une quelconque légitimité s'apparentait à une sorte de sacrilège laïque. C'est là le point aveugle de l'historiographie universitaire française, d'autant moins encline à faire droit à une telle résistance qu'elle impliquait d'introduire dans le jeu des acteurs américains.

Toutefois, à l'intérieur de cette matrice, rien ne serait plus faux que de placer la comparaison de la perception de la réalité soviétique du côté américain et du côté français sous le signe d'une opposition stable, tranchée et univoque. Au demeurant, une clarification politique préalable s'impose : il est nécessaire de distinguer en effet trois courants dans la lutte contre le communisme soviétique au sein des sociétés démocratiques : un courant conservateur, donnant la priorité à la dénonciation des fondements idéologiques du système; un courant d'extrême gauche, dominé par la dénonciation de la dictature du Parti; une visée social-démocrate, enfin, cherchant une alternative démocratique à l'organisation politique des sociétés industrielles. Ces trois composantes sont partout présentes mais inégalement représentées selon les contextes nationaux. S'agissant plus spécifiquement de la comparaison des élites intellectuelles françaises et des élites intellectuelles américaines, on voit se dessiner des évolutions contrastées autour de quelques articulations remarquables. C'est de 1949 à 1956, pendant la période chaude de la guerre froide, qu'un premier fossé se dessine autour d'une polarité simple : progressisme contre totalitarisme. C'est l'époque où Paris se refuse à mettre en cause les fondements idéologiques du communisme soviétique, alors qu'aux États-Unis, à l'inverse, c'est l'époque où la réflexion sur le totalitarisme est le plus profonde et où l'influence de l'analyse du soviétisme en termes de totalitarisme est à son apogée. Les dix années suivantes voient un effacement progressif de cette ligne d'analyse, avant que le mouvement des idées n'évolue en sens inverse en France et aux États-Unis. A partir du milieu des années 60, en effet, et tout au long de la décennie 1970, la situation américaine est marquée par un double phénomène : banalisation de la situation soviétique (sous l'influence des sciences sociales), puis véritable révisionnisme historique (sous l'influence des déchirements provoqués par la guerre du Vietnam). Dès lors, la situation dans les universités américaines n'est pas sans rappeler celle existant en France au beau temps du progressisme et c'est bien davantage avec la banalisation et le révisionnisme rampant des universités américaines qu'avec les intellectuels français que les vétérans du Congrès pour la liberté de la culture vont devoir se colleter. A partir de 1975 (c'est-à-dire au moment même où notre étude s'achève), c'est à Paris que le concept de totalitarisme est remis au centre de la réflexion politique et intellectuelle. On en connaît la raison : l'impact de *L'Archipel du Goulag.* Nulle part l'œuvre d'Alexandre Soljenitsyne n'aura une influence aussi profonde et ne conduira à des réalignements aussi décisifs qu'en France. L'alliance des libéraux conservateurs et de l'extrême gauche, stratégique pour cette restructuration, est puissamment activée par le contrat de gouvernement conclu entre communistes et socialistes, qui ne peut fonctionner qu'au prix d'une banalisation de l'interprétation du soviétisme. Ainsi les malentendus transatlantiques se maintiennent-ils, mais à front renversé par rapport aux divergences et aux conflits exacerbés existant deux décennies plus tôt.

Le deuxième axe d'exploration suggéré par l'étude du Congrès pour la liberté de la culture à Paris ne concerne plus le monde intellectuel mais la société française. Seule a été explorée dans ce travail l'articulation privilégiée établie entre la politique culturelle et idéologique américaine et la Section française de l'Internationale ouvrière (SFIO). Mais l'approfondissement de l'analyse de la politique américaine débouche sur un sujet plus large, et à beaucoup d'égards de plus longue portée, celui de la signification de l'ouverture et de la construction européenne au regard d'une interprétation sur la modernisation française après la fin de l'empire colonial.

En effet, la modernisation accélérée de la société française après la Seconde Guerre mondiale mêle inextricablement deux dimensions : améliorer le bien-être (c'est là un objectif partagé par l'ensemble des pays qui mettent en œuvre le *welfare state* sur le modèle anglais après la victoire travailliste de 1945) et surmonter la défaite de 1940 (perçue comme le produit d'une stagnation qu'il importe impérativement de briser). Mais, au regard des rapports entre élites et société, cette modernisation est portée non par un mais par deux processus : l'un privilégiant les fonctions d'anticipation de l'État sur la société ; l'autre pariant sur l'ouverture de la société par l'Europe. Les contours du premier modèle sont aujourd'hui bien connus : anticipation de l'État, politique économique keynésienne, éthique de la réforme dans la haute fonction publique, activation de minorités patronales, syndicales et associatives agissant en partenariat avec l'État pour participer à la modernisation de leurs environnements respectifs. Le second modèle est beaucoup moins connu, dans la mesure où il requiert non seulement de sortir des frontières de l'État-nation, mais de surcroît de faire intervenir en permanence les États-Unis d'Amérique comme agent constructeur du modèle. Du reste, rien n'est plus significatif que de constater que les rapports avec les États-Unis sont ouverts et antagonistes dans le modèle de modernisation endogène mis en avant par des chefs politiques au nationalisme ombrageux (Pierre Mendès France, Charles de Gaulle), alors qu'ils sont étroits mais masqués dans le modèle d'ouverture européenne (Jean Monnet, les élites de la IVe République). Le rapport au communisme est bien évidemment différent dans l'un et l'autre cas : le communisme constitue un aiguillon pour la modernisation endogène mais un ennemi à réduire pour les tenants de l'ouverture européenne. A partir du moment où le modèle endogène est congédié (et, bien évidemment, plus encore depuis l'effondrement de l'empire soviétique) c'est tout l'ensemble des mécanismes d'articulation entre élites et société dans le système politique français qui doit être repensé sur de nouveaux frais.

Le troisième point, enfin, concerne la comparaison des modes de relations culturelles et intellectuelles français et américains établis avec l'Europe sous contrôle soviétique. Ici, tous les indicateurs vont dans le même sens pour conclure à une supériorité indiscutable du modèle américain (ou, plus largement, anglo-saxon, car la Grande-Bretagne présente des caractéristiques très voisines) sur le modèle français. Nous ne prendrons ici que deux exemples : la radio et l'université.

Il n'existe aucune commune mesure entre la richesse des analyses des systèmes politiques et des sociétés de l'Est européen auxquelles pouvait avoir accès un lecteur français dès qu'il maîtrise la langue anglaise et la pauvreté des productions universitaires de son pays sur les mêmes sujets. Neutralisation communiste d'un côté, autonomie des universités, rôle des fondations, accueil des émigrations intellectuelles de l'autre : tout est au détriment de l'université française. L'écart entre Paris, la ville, et le système national joue une nouvelle fois ici à plein. En effet, il n'existe pas vraiment de grandes différences entre Londres, New York et Paris pour ce qui est des témoignages ou des informations en provenance de l'Europe centrale et orientale pendant les deux périodes de la guerre froide. Mais, au niveau national, ces signaux sont soit ignorés, soit non repris, soit amortis par les structures d'enseignement et de recherche. Réciproquement, l'accès aux ressources « anglo-saxonnes » laissait proprement abasourdi devant les lacunes, les retards, les connaissances frustes mises à la disposition du public par l'université française.

La comparaison franco-américaine dans le domaine de la radio internationale est aussi éloquente sinon plus. Elle a aussi une portée politique beaucoup plus longue. Dans ce travail sur le Congrès pour la liberté de la culture, nous n'avons évoqué qu'incidemment Radio Free Europe. A la vérité, c'est un ouvrage d'ensemble qu'il faudrait consacrer à la radio de Munich et à son influence en Europe centrale et orientale pour prendre toute la mesure de la politique culturelle et idéologique américaine en Europe après la Seconde Guerre mondiale. Assurément, le Parti communiste en France, au faîte de sa puissance, n'aurait jamais toléré une politique radiophonique (couplée avec une internationale de recherche) aussi ambitieuse à destination des pays de l'Est. Au demeurant, dans ce domaine, les initiatives françaises en direction de l'Europe sous contrôle soviétique étaient très en deçà non seulement de RFE et Radio Liberty, mais encore de la BBC, de Radio-Vatican et de la radio allemande.

Selon le modèle général, Radio Free Europe et Radio Liberty étaient financées par le croisement de subventions de la CIA et de l'apport de fondations privées, avec ce mélange caractéristique de la philanthropie et du renseignement où les États-Unis semblent se plaire à exceller. Toutefois, à la différence du Congrès pour la liberté de la culture basé à Paris, l'histoire des deux radios de Munich est tourmentée, conflictuelle (et parfois violente), parce que beaucoup plus soumise à la logique du renseignement (RFE a commencé à émettre en 1950 et Radio Liberty en 1953). Comme l'ensemble des opérations culturelles et idéologiques américaines montées pendant la guerre froide, les radios seront déstabilisées à la fin de la décennie 1960 par les révélations portant sur leur financement par la CIA. Commencera alors un long processus de restructuration conflictuel, marqué par la création d'un *Board of International Broadcasting* (1973), intermédiaire entre le gouvernement, qui fournira désormais ouvertement les fonds, et les radios, qui conserveront leur statut privé (l'option consistant à les faire entrer dans le giron de USIA ayant été préalablement écartée), puis par la fusion des *boards* de RFE et de RL, la compression des personnels et, finalement, la fusion des deux organismes eux-mêmes (1976). Mais, parallèlement à ces réaménagements institutionnels, des transformations profondes affectent la politique des radios. A l'origine, elles étaient des vecteurs d'expression des émigrations à destination des populations de l'Union soviétique et de l'Europe soviétisée. Le procès Siniavski-Daniel en 1966, qui voit l'apparition d'un embryon d'opinion publique en URSS et la création d'une édition indépendante – le *samizdat* –, marque un tournant. Radio Liberty se branche alors directement sur le *samizdat*, dont elle répercute considérablement l'audience. Un processus analogue se produit à RFE, avec les dissidences de l'Europe soviétisée après l'invasion de la Tchécoslovaquie, qui sonne le glas du révisionnisme dans le Centre-Est européen. Ce processus s'accélère lorsque, le réaménagement organisationnel et institutionnel étant acquis, l'administration Carter renforce encore les radios sur le plan technique pour appuyer sa politique au service des *human rights*.

A travers la radio de Munich, un lien privilégié s'établissait aussi entre les contre-élites des sociétés de l'Est et la culture libérale américaine. Or la politique française devait très largement manquer ce rendez-vous. Déjà faibles au regard des initiatives étrangères, les émissions radiophoniques en direction de l'Europe de l'Est furent de manière incompréhensible sacrifiées sur l'autel de la détente durant le septennat de Valéry Giscard d'Estaing. De sorte que ce n'est pas un mais deux processus qu'il conviendrait d'étudier en profondeur après la disparition du Congrès pour la liberté de la culture, en 1975. Le premier serait, bien entendu, le choc politique et intellectuel provoqué par Soljenitsyne à Paris. Cette analyse ne devrait toutefois pas détourner de la prise en compte d'un autre mécanisme politique et intellectuel tout aussi essentiel : la réorientation des réseaux culturels des nouvelles générations est-européennes vers les États-Unis d'Amérique et le déclin, pour ne pas dire la marginalisation, de la France dans cette restructuration au cours des vingt années précédant la chute du communisme en Europe.

Septembre 1994.

INDEX

Cet index comporte les noms propres cités au cours du texte, à l'exception de ceux des participants au congrès de Berlin de 1950 et au Séminaire de Vienne, des Européens présents au congrès de Berlin de 1960, ainsi que des compositeurs et interprètes de *L'Œuvre du XXe siècle* (Paris, 1952). Pour ces derniers, le lecteur est invité à se reporter aux encadrés hors texte.

A

B

D

H

I

J

K

L

M

N

O

P

Q

R

S

Table des matières

Cet ouvrage a été réalisé par la
SOCIÉTÉ NOUVELLE FIRMIN-DIDOT
Mesnil-sur-l'Estrée
pour le compte des Éditions Fayard
en janvier 1995

Imprimé en France
Dépôt légal: février 1995
N° d'édition : 5402 – N° d'impression : 29115
ISBN : 2-213-59392-2
35-11-9392-01/8